의료인과 독성전공자를 위한 가이드

Maternal-Fetal Toxicology

모태독성학

대표저자 한정열

Third Edition

한국마더세이프

모태독성학
Third Edition

첫 째 판 1쇄 인쇄 | 2009년 9월 5일
첫 째 판 1쇄 발행 | 2009년 9월 10일
둘 째 판 1쇄 인쇄 | 2016년 8월 17일
둘 째 판 1쇄 발행 | 2016년 8월 29일
셋 째 판 1쇄 인쇄 | 2022년 9월 23일
셋 째 판 1쇄 발행 | 2022년 10월 14일

지 은 이　한정열 외
발 행 인　장주연
출 판 기 획　최준호
책 임 편 집　이다영
편집디자인　최정미
표지디자인　김재욱
일 러 스 트　김경열
제 작 담 당　이순호

발 행 처　군자출판사(주)
　　　　　등록 제 4-139호(1991.6.24)
　　　　　본사 (10881) **파주출판단지** 경기도 파주시 회동길 338(서패동 474-1)
　　　　　전화 (031)943-1888　　팩스 (031)955-9545
　　　　　홈페이지 www.koonja.co.kr

ISBN 979-11-5955-925-9
정가 150,000원

저자소개

모·태·독·성·학

곽호석 · 어낼켐(AnalChem)

김경아 · 서중산 내과

김규봉 · 단국대학교 약학대학 인체위해성연구소

김대희 · 울산대학교 의과대학 서울아산병원 심장내과

김민형 · 미즈메디병원 산부인과

김세정 · 차의과대학교 일산차병원 산부인과

김연희 · 가톨릭대학교 의정부성모병원 산부인과

김은경 · 서울대학교 약학대학

김일동 · 국립중앙의료원 산부인과

김종춘 · 전남대학교 수의과대학

김진우 · 서울시보건환경연구원 질병연구부

나성훈 · 강원대학교 의과대학 강원대병원 산부인과

남상윤 · 충북대학교 수의과대학

류현미 · 차의과대학교 분당차병원 산부인과

박대의 · 안전성평가연구소

박찬우 · 서울아이앤여성의원

박찬욱 · 서울대학교 의과대학 서울대학교병원 산부인과

부혜연 · 차의과대학교 일산차병원 산부인과

신동렬 · 강남루덴플러스 치과

신찬영 · 건국대학교 의학전문대학원 약리학교실

안기훈 · 고려대학교 의과대학 안암병원 산부인과

안범수 · 부산대학교 바이오소재과학과

안현경 · 사단법인 임산부약물정보센터

양준영 · 식품의약품안전평가원

오경준 · 서울대학교 의과대학 분당서울대학교병원 산부인과

유욱준 · 안전성평가연구소

육지형 · 다산 소연산부인과

윤석남 · 에이치 플러스 양지병원 핵의학과

이봄이 · 대림성모병원 유방센터

이수영 · 명지병원 정신건강의학과

이승미 · 서울대학교 의과대학 서울대학교병원 산부인과

이유경 · 서울대학교 의과대학 서울대학교병원 산부인과

이진수 · 충남대학교 수의과대학

이해국 · 가톨릭대학교 의정부성모병원 정신건강의학과

이희철 · 삼성키즈소아청소년과

임지혜 · 차그룹 미래의학연구원 모체태아의학연구팀

전이경 · 고려대학교 의과대학 구로병원 병리과

정고운 · 성애병원 소아청소년과

정문구 · 마더투베이비㈜

조금준 · 고려대학교 의과대학 구로병원 산부인과

조연경 · 차의과대학교 강남차병원 산부인과

차선화 · 의료법인 마리아의료재단 수지마리아 의원

최은정 · 한양대학교 창원 한마음병원

최준식 · 차의과대학교 강남차병원 산부인과

최진호 · 삼성서울병원 비뇨의학과

한국의약품안전관리원

한유정 · 차의과대학교 강남차병원 산부인과

한정열 · 인제대학교 의과대학 일산백병원 산부인과

현태선 · 충북대학교 식품영양학과

홍달수 · 대전미즈여성병원 산부인과

홍성연 · 대구가톨릭대학교 의과대학 대구가톨릭대학교병원 산부인과

홍순철 · 고려대학교 의과대학 안암병원 산부인과

2009년에 국내에서는 처음으로 임신부, 모유수유부, 그리고 예비임신부부들이 노출될 수 있는 약물, 알코올, 흡연 등의 유해물질에 관한 교과서라 할 수 있는 모태독성학(Maternal Fetal Toxicology) 초판이 발간되었다. 이어서 2016년에 2판을 출간하였고, 이번 2022년 3판을 출간하고 있다. 대략 5년 주기로 업데이트를 하고 있는데, 이번 개정판에서는 코로나 19 팬데믹에 관해 먼저 이야기 하지 않을 수 없다. COVID-19통계에 의하면 2022년 8월 17일 오늘 전세계적으로 확진자는 5.9억명 사망자는 644만명, 국내 확진자는 2,170만명, 사망자는 25,752명이다. CO-VID-19가 우리의 평온한 일상뿐만 아니라 과학계, 의료계에도 엄청난 변화를 가져왔다. 모태독성학분야에서도 특히 호흡기 감염병에 취약한 임신부에 관한 많은 연구들이 있었다. 다행히 CO-VID-19와 백신이 선천성기형을 증가시킨다는 뚜렷한 증거가 없음이 그나마 다행으로 여겨진다. 이번 3판에서는 당연히 COVID-19와 임신이 추가되었다. 그리고 임신부에서 약물관련하여서는 2판에서 미국 FDA의 임신부 약물등급 A, B, C, D, X의 폐기가 주 이슈였다면 이번 3판에서는 여드름약으로 가임기여성들의 처방빈도가 높고 기형유발성이 높은 이소트레티노인의 임신예방프로그램인 RMP가 2019년 식품의약품안전처에 의해 국내 도입되었지만 Non-compliance로 여전히 많은 임신부들이 노출되고 있다는 것이 중요 이슈가 되고 있다. 또한, 국내 초저출산과 맞물려 임신부의 유해환경으로 음주, 흡연, 방사능물질 그리고 환경호르몬이 고전적이면서 다빈도 이슈로 자리매김하고 있다. 또한, 만혼에 따른 고령임신과 태아이상을 위한 염색체 및 유전자이상을 스크린하고 진단하기 위한 Next Generation Sequencing 기반의 염색체 NIPT와 최근 임상에서 검사 빈도가 높아지고 있는 염색체 마이크로어레이 검사(CMA)에 관한 업데이트가 포함되었다.

또한, 영국의 역학자 Barker의 이론인 FOAD (fetal origin of adult disease)에 근거한 예비임신부의 관리는 지역기반으로 2017년부터 서울시의 4개지자체에서 시범사업 후 2021년부터는 서울시 25개지자체로 확대하여 매년 임신을 준비하는 가임남녀 1만명이상에게 설문과 Lab. 검사를 통한 위험요인평가와 상담 그리고 전문기관연계를 진행하고 있다. 여성 참여자의 30%정도가 35세이상으로 고령임신 고위험군일 뿐만 아니라 난임 위험군에 속해 있는 상태여서 적극적인 관리가 필요한 상황이다.

한편, 임신부 및 모유수유부의 약물 등의 위험요인 노출에 관한 콜센터(☎1588-7309) 운영은 2010년부터 2022년까지 13년째 수행하고 있다. 현재 중앙콜센터는 서울의 국립중앙의료원에 있으며 거점지역센터로 부산, 대전, 광주, 대구, 울산에 있어서 네트워크화 되어 온·오프라인 정보 제공을 하고 있다. 2021년에는 18,000건의 콜이 있었다. 2022년에는 코로나 팬데믹으로 인해 콜이 더욱 늘어 3만건정도로 예상되고 있다. 이번 3판에는 콜 데이터와 관련하여 축적된 데이터를 바탕으로 임신부, 모유수유부의 약물, 한약 등의 evidence의 업데이트를 진행하였다. 이소트레티노인의 경우 매년 국회 국정감사에서 이슈가 될 정도로 중요기형유발물질로 본 센터에서 모니터링을 하여 식품의약품안전처 등에 데이터를 제공하고 있다. 2010년부터 임신부 이소트레티노인 상담 콜 건수가 거의 2천건 정도이다. 이들 중 50%이상이 인공임신중절을 선택한다는 점에서는 매우 심각한 지경이다.

또한, 국가기관에서 승인된 가습기살균제임에도 지난 10여년전 이를 사용했던 상당수의 임신부 및 영유아의 희생을 보면서 더 이상 이런 사건이 생기지 않도록 양호한 임신 및 육아환경을 조성의 필요성이 제기되고 있다. 이와 관련하여 본 센터에서는 2020년부터 특허청에서 TwoSafe® 상표 승인을 받아서 임산부들이 사용하는 영양제 및 화장품 등을 Peer review 평가를 통해 임산부 영유아 안전제품 제공을 위해 기업들에 도움을 제공하고 있다. 또한, 이번 3판에서 인체위해평가에 대한 내용이 포함되었다. 이번 3판에서 다루지 못하고 향후 5년 후 다루어야 할 내용으로 남겨둘 수 밖에 없는 내용들로는 2019년 4월 낙태죄폐지로 촉발된 인공임신중절약 미프진의 안전 및 생식독성 이슈, 그리고 2021년 12월 국회에서 통과되고 2023. 1월부터 시행될 근로자들의 태아 산재보상보험법에 관한 유산, 조산, 사산, 그리고 선천성기형에 대한 이슈를 남겨두고 있다.

우리는 이 책을 통해 Barker의 이론인 FOAD에 대한 evidence를 제공함으로써 건강한 아이의 출산을 돕고, 잘못된 정보 misinformation으로 인한 잘못된 오해 misperception으로부터 보다 많은 태아가 세상의 밝은 빛을 볼 수 있기를 희망한다.

이번 개정판을 위해서 여러 대학과 관계기관의 40명이상의 집필교수님들과 전문가분들의 바쁘신 가운데도 최선을 다해 수고해주신 노력에 깊은 감사와 경의를 드립니다.

마지막으로 임산부약물정보센터의 박지영사무국장님, 곽호석, 김주희, 김효경, 김효정 그리고 서영아연구원님, 군자출판사의 최준호과장님, 그리고 이분들 외에도 저출산 극복과 양호한 출산 환경조성을 위해 애써주시는 모든 분들께 심심한 감사를 드리고 싶습니다.

2022년 8월
한국마더세이프전문상담센터 센터장
(사)임산부약물정보센터 이사장

한정열

1950년대 후반 탈리도마이드(Thalidomide)를 입덧 완화 목적으로 사용한 임신부에게서 사지 기형의 아기가 태어나며, 유럽을 중심으로 약 1만명 이상의 큰 희생이 발생한 비극적인 사건을 알고계실 겁니다. 이 사건은 WHO, 미국, 유럽 등 각 국가가 자발적 부작용 보고 체계를 구축하는 등 시판 후 약물감시 시작의 발단이 되었습니다. 뿐만 아니라, 1940년대부터 유산 및 조산 방지와 임신 합병증 예방 등을 위해 디에틸스틸베스트롤(Diethylstilbestrol; DES)이 사용되었는데, 이를 복용한 임신부의 자녀에서 약 15년 이상 경과 후 질선암이 발생하는 사례가 보고되기 시작하였고, 이후 약물역학 연구를 통해 인과관계가 밝혀지며 약 30여년이 지난 1970년대 이르러서야 임신부 에서의 사용이 금지된 사례도 있었습니다.

'모든 약은 독이다'라는 파라셀수스의 말처럼, 의약품의 시판 후 안전관리는 시판 전 미처 파악 하지 못한 위해 정보를 파악하고, 보다 효과적이고 안전하게 약을 사용하기 위한 필수적인 활동입 니다. 앞선 사례에서처럼 임신부의 경우, 임상시험을 실시 할 수 없어 시판 전 안전성에 대한 데이 터 확보가 절대적으로 부족하므로 약리학적 특성, 동물 실험 결과 등을 참고해 최신의 지식과 과 학적 연구결과 등을 기반으로 인체에 대한 영향을 파악하는 것이 최선입니다. 이에 따라, 환자에 서의 사용 경험을 모으고 분석하는 것이 무엇보다 중요합니다.

이러한 측면에서 한국마더세이프전문상담센터는 2010년부터 현재까지 실제 환자들이 경험한 방대하고 다양한 상담 사례를 보유하고 있으며, 이를 기반으로 발간된 모태독성학은 그만큼 보다 의료현장에 도움이 될 수 있는 실용적인 의약학 정보를 담고 있다는 점에서 큰 가치가 있다고 보 여집니다. 임신부에 대한 다양한 약물 정보뿐만 아니라 환경적 영향으로 노출 될 수 있는 각종 물 질들에 대한 최신 정보가 수록되어 있으며, 최근 이슈가 된 코로나19에 대한 정보도 정리되어 있 어 환자의 진료 및 상담에 매우 중요한 참고 서적이 될 것 같습니다. 특히, 산모의 평균 연령이 높 아지고 고령 임신부의 비율이 최근 10년간 2배로 증가되고 있는 국내 상황을 고려하면, 예비 부 모, 임신부, 수유부 모두 약물 사용이 필요한 경우가 점차 많아질 것입니다. 모태독성학은 모체의 질환 치료 및 적정 관리와 태아의 건강을 모두 지킬 수 있는 안전한 약물사용 길잡이로서 중요한 역할을 할 것이라 기대됩니다.

식품의약품안전처와 한국의약품안전관리원에서는 시판 후 이상사례를 수집, 분석, 평가하고, 실사용 데이터를 활용해 의약품 안전성 평가를 위한 근거를 생산합니다. 더불어, 알고 있는 부작 용의 발생을 최소화하기 위해 임부금기 등의 의약품 적정사용(Drug Utilization Review; DUR)

정보와 교육 자료를 개발해 의료현장에서 활용할 수 있도록 제공하고 있습니다. 특히, 임신부에서의 의약품 사용에서는 과거 사용 경험 및 연구 결과가 좋은 참고원이 되므로, 모태독성학과 같이 임상 지견이 잘 정리된 전문 서적을 통해 의약품의 유용성과 위해성을 종합적으로 판단하는 과정이 적정한 의약품 사용을 위해 필요하다고 생각됩니다.

모태독성학 3판 출간을 통해 그간의 경험과 최신 지식을 총망라하여 한권의 책에 담아 정보를 나눠주신 한정열 교수님 및 저자들께 감사한 마음을 전하며, 앞으로도 의약품 안전을 위해 함께 협력하고 발전해 나갈 수 있기를 기대합니다.

2022년 8월

한국의약품안전관리원 원장

오정완

여성들의 사회적 진출이 늘어나면서, 결혼연령과 임신 시기가 늦어짐에 따라 임신부 및 태아는 부정적 환경에 놓일 가능성이 높아졌다. 고령임신으로 인한 다운증후군 같은 염색체이상뿐만 아니라 고혈압, 당뇨병과 같은 만성질환에 이환되는 경우가 많아지고, 질환자체의 부정적 영향뿐만 아니라 사용하는 약물과 관련되어 임신에 대한 우려도 증가하고 있다. 이런 우려는 임신 자체에 대한 부정적 생각으로 이어지고, 결국 임신을 포기하게 만들기도 한다. 하물며, 어렵게 성공한 임신을 약물 노출과 관련된 잘못된 정보로 인해 중절하는 경우도 있다.

또한, 가임기 여성의 약 80%는 음주를 하는 것으로 알려져 있고, 국내에서는 계획되지 않은 임신이 50%가 넘는 상황에서, 음주 기간 중에 임신이 될 가능성도 높아졌다. 임신부의 음주로 인해 태아알코올스펙트럼장애가 발생하여, 학령기에 학습장애나 ADHD가 생길 수 있으며, 사회에 나와서는 직장생활에 적응을 잘 하지 못하는 경우가 발생하기도 한다. 유럽의 경우 태어난 아이의 25%가 태아알코올스펙트럼장애가 있고, 국내에도 약 10%는 이와 관련 있는 것으로 추정하고 있다.

최근의 COVID-19 팬데믹은 임신 및 출산 환경을 더욱 어렵게 만들었고, 적지 않은 임신부들이 감염되어 생명을 위협받거나 코로나 블루로 고생하고, 조산을 경험하게 되는 경우도 늘고 있다.

이와 같은 복합적 상황들이 합계출산률 0.8이라는, 국제적으로도 유례가 없는 우리나라의 초저출산 상황에 영향을 미친 것은 아닌가 우려된다.

이번에 한국마더세이프전문상담센터에서 출간하는 모태독성학은 2009년에 초판을 낸 이후로 2016년의 2판에 이어, 6년 만에 3판이 발간되었다. 이번 3판에는 임신부, 모유수유부 그리고 임신을 준비하는 가임남녀의 약물 및 유해물질에 관하여 국내외에서 최근 이슈가 되었던 임신부 COVID-19 감염, 여드름약 이소트레티노인 RMP, 산전염색체 및 유전자 검사로 CMA, 그리고 남녀임신준비의 기본 개념인 Barker의 이론인 FOAD(fetal origin of adult disease)의 서울시의 적용 등이 포함되어 있고, 전반적으로 국내외의 최근 연구들을 업데이트한 내용이 망라되어 있다. 임신부, 모유수유부, 그리고 가임남녀들을 위한 관련 정보가 부족한 국내 상황에서 이번 모태독성학 3판은 임신, 출산, 모유수유, 임신준비 업무 등에 종사하는 산부인과의사, 소아과의사, 그리고 간호사들에게 임상에서 실제적으로 도움이 될 수 있는 좋은 지침이 되고 유용한 정보가 될 것으로 확신하며, 우리나라의 저출산 극복에도 도움이 될 것으로 기대해 본다.

2022년 8월

대한산부인과학회 이사장

박중신

우리나라는 출산력 감소와 출산 연령이 높아지면서 고위험임신과 고위험분만이 증가하여 왔습니다. 이러한 저출산의 사회적 문제와 함께 동반된 고위험 임산부에 대한 관리를 위해 정부는 고위험산모·신생아 통합치료센터(Maternal Fetal Intensive Care Unit; MFICU)을 설치하도록 정책을 마련하여 전국에 18개의 MFICU가 운영되어 왔습니다. MFICU의 주된 대상은 산과적, 내과적, 신체적 위험요소와 현재의 임신 위험요소가 있는 고위험산모와 제태주수 32주 미만에 출생한 고위험 신생아입니다. 특히 현재의 임신요소 가운데 34주 미만의 조기진통, 조기양막파수, 자궁내성장지연, 임신성 고혈압, 태반조기박리 등이 포함되며 이러한 고위험 요소는 임신 중 관리를 통해 안전한 출산이 이뤄지도록 하는 것이 저체중아의 출산을 예방하는 데 도움이 됩니다.

임신한 여성은 건강한 아기의 출산을 기대하게 됩니다. 만약 임신인 줄 모르고 약을 사용한 경우 태아기형을 염려한 나머지 전문가의 상담도 받지 않은 채로 빠르게 유산을 결정하기도 합니다. 우리나라는 다른 나라보다 SNS의 발달이 빠르게 진행되어 자신의 건강문제를 스스로 해결하는 경향이 있습니다. 더욱이 사람들의 교육수준이 높아지면서 e-health literacy에 대한 관심도 증가되면서 스스로 건강정보를 파악하는 사람들도 많아졌습니다. 그러나 많은 정보가 정확하지 않은 문제가 있어 이 부분에 대한 전문적 지침이 필요합니다.

한국마더세이프 전문상담센터는 '임신부 및 모유수유부의 약물 등의 위험요인 노출에 관한 콜센터'를 다년간 운영해오면서 임신여성들의 고민을 해결해주는 자료를 축적해왔으며 해당 내용을 이 책에 담았습니다.

한편 풍진, 간염, 홍역, 볼거리, 인플루엔자 등 임산부를 위한 예방접종을 하고 있음에도 Zika 바이러스, SARS, MERS를 거쳐 COVID-19 (Sars-CoV-2)와 같은 감염병이 발생하면 임산부와 태아에게 안전한 지침이 만들어질 때까지 많은 사례에 대한 검토가 필요하게 됩니다. 모태독성학 3판은 이러한 시급성이 반영되었기에 임신여성을 위한 감염병 지침으로서 유용할 것이라고 기대합니다.

임신 여성은 자신 뿐 아니라 태아, 가족의 건강 체계가 안전하게 유지될 때 삶의 질 또한 확보될 수 있습니다. 태아의 안녕, 신생아의 건강한 미래, 임산부의 건강하고 안전한 출산을 위해 태아 프로그래밍은 매우 중요합니다. 특히 환경호르몬과 같은 유해한 환경을 피하도록 관리하는 것도 중요합니다. 이 책은 전문가들이 관심을 가져야 하는 환경호르몬의 영향을 포함하여 현재와 미래에 임신 여성과 태아의 건강을 지킬 수 있는 내용이 포함되어 있습니다.

이상과 같이 '모태독성학' 3판의 내용은 시의적절하고 태아와 임신여성의 관리에 중요한 내용이 모두 포함되었습니다. 이러한 목차구성의 배경에는 대표 저자인 한정열 이사장의 의지와 가치와 전문성이 반영된 것으로 생각됩니다.

앞으로 여성건강간호를 하는 전문간호사와 모자보건 관계자 등 많은 전문가를 위한 전문서적으로서 임신 여성과 태아의 관리 및 상담에 유익한 지침서로 많이 활용될 수 있기를 기대합니다.

2022년 8월

한국모자보건학회 회장
한국간호과학회 부회장

김증임

1959년 독일의 Grunenthal 제약회사에서 합성된 thalidomide는 진정제로 신생아 기형 발생 사건을 야기 시켰고, 당시 약 10,000명의 기형아가 출생되었다고 한다. 기형은 주로 해표상지증 (phocomelia), 무지증(amelia) 등의 사지기형이 관찰되었다. 이러한 비극적인 사고의 원인을 조사 하기 위해 미국과 유럽의 학자들이 모여서 17종의 동물을 대상으로 실험을 수행한 결과 원숭이와 토끼에서 기형이 관찰되었다. 그런데 원숭이에게서는 사람과 동일한 사지기형이 관찰된 반면에 토끼에서는 사람과 약간 다른 사지 단소 등의 기형이 관찰되었다. 1994년도 미국 Time지의 보 고에 의하면 thalidomide 기형은 혈관신생 억제와 TNF-α 함량 증가에 기인하여 야기되었다고 한다.

이것은 인류에게 큰 재앙인 동시에 태반이 외부물질로부터 태아를 보호한다는 믿음을 깼고, 또 한 모든 약물은 잠재적 기형유발물질이라는 인식이 대중들에게 확산되는 결과를 가져왔다. 따라 서 이러한 약물을 관리하는 정부 기관의 관리지침은 더욱 강화되었다.

하지만 전 세계의 제약회사에서는 임신부와 태아 안전성을 충분히 검증하지 않은 채 약물들을 경쟁적으로 만들어내 시판하고 있는 상황이다. 한편 환경 배기가스는 물론 쓰레기 소각장 등에서 도 다이옥신을 포함한 많은 유해물질이 충분히 규제되지 못한 상황에서 양산되고 있다.

결과적으로 임신부들은 기형 발생과 관련하여 항상 불안해하고, 심한 경우는 임신하는 자체를 두려워하고, 임신 초기에 안전하다고 알려져 있는 약물에 노출되는 경우에도 임신중절을 선택하 고 있는 현실이다. 이는 임신부들에게는 건강한 아기를 낳을 수 있는 기회를 잃어 버리는 것이며, 임신부에게 씻기 어려운 신체적, 정신적 상처를 주는 것으로 알려져 있다.

Thalidomide 사태와 같은 비극을 예방하고 안전한 약물을 임신부에게 제공해주는 것은 오늘을 사는 우리들 모두의 사명이다. 따라서 이 같은 재앙으로부터 임신부를 보호하기 위한 위해 약물과 독성학에 관한 지식, 즉 모태독성학의 중요성은 아무리 강조하여도 지나침이 없을 것이다.

모태독성학은 multidisciplinary approach의 종합적인 학문분야로서 생식독성평가, 분자생물 학적 기전 연구, 역학조사 등 여러 분야의 연구자들이 함께 참여하고 있다. 따라서 최근 사회문제 시 되고 있는 birth defects 를 최소화하기 위해서는 대학(산부인과, 소아과, 해부학, 약학, 약리 학, 독성학 등), 연구소, 병원, 제약회사 등의 연구자들의 전문적이고 다양한 정보를 교환할 수 있 는 연구 협력체계의 확립이 절실히 필요하다.

코로나 팬데믹으로 어려운 시기에 모태독성학 3판 발간을 진심으로 축하하며 한정열 교수님과 수고해주신 모든 분들께 감사드린다. 이 책에서는 태아 기형 발생물질의 상담에서부터 임신 중 약물 노출에 따른 임신결과 및 수유 중 노출 약물 부작용 평가, 임신 중 안전한 약물 사용, 방사선과 임신, 임신과 고열, 태아 알코올 증후군, 독성 중금속과 임신, 태아 알레르기 질환, 임신과 한약, 예비 임신부 관리, 위해성 관리 계획, 인체 위해평가, 코로나와 임신부 관련, 중앙 모자 의료센터 그리고 모유 수유와 약물에 이르기까지 임상 분야를 심도 있게 다루고 있다. 또한 실험동물을 이용한 전임상 주제로 동물에서의 기형 발생물질 평가 및 연구, 웅성 생식 발생 독성연구, 신경독성 및 행동발달연구, 기형 발생 예방물질연구, 기형 발생의 AOP 등의 내용이 포함되어 임상·전임상을 망라한 명실 공히 완벽한 교재이다. 따라서 이 책은 의사, 약사 그리고 간호사들에게 필독서가 될 수 있을 뿐 아니라 독성 관련 연구자들에게도 없어서는 안 될 참고서가 될 것이기에 추천하는 바이다.

2022년 8월

생식발생독성연구회 명예회장
마더투베이비(주) 고문
전 안전성평가연구소 소장

정문구

목 차

II PART · 태아기형발생물질

Ⅲ 임신부에서 약물사용

PART

IV PART 임신부에서 케미칼과 물리적 인자들

▶▷ 목차

모·태·독·성·학

V PART 예비임신부 및 임신부 관리

VI PART 모유수유와 약물

VII
PART

기형유발물질정보서비스 - 한국마더세이프전문상담센터

전임상에서 기형발생평가 및 연구

실험동물에서의 기형유발물질평가

○ 정문구

1 서론

인간과 동물에 있어서 배·태자의 발생은 매우 복잡한 과정을 통해 이루어진다. 질병(당뇨병, 풍진 등), 물리적 작용(방사선, 고온노출 등) 및 화학물질(의약품, 환경화학물질, 식품 등)은 배·태자 발생과정에 관여하여 형태적 혹은 기능적 변화를 유발할 수 있다. 임신부의 구토를 진정 및 억제하기 위해 사용되었던 의약품인 탈리도마이드(thalidomide)의 복용이 예상하지 못했던 신생아의 기형을 유발하는 등 각종 화학물질이 그 유용성과 함께 유해한 영향을 나타냄에 따라 각국의 규제기관에서는 화학물질, 특히 신규 의약품이 인간의 기형발생 등의 부작용을 동물실험을 통해 우선적으로 조사하도록 규정하고 있다. 배·태자발생시험은 실험동물의 주요기관형성기 동안 약물을 노출한 후 태자의 기형유발 등을 실험동물을 이용하여 평가하며, 이러한 배·태자발생시험의 시험수행과 평가는 작용기전 및 병인론의 규명 면에서 본질적으로 타 독성분야와 거의 동일하다.

2 역사적 고찰

이미 19세기에 사람들은 인간과 동물에 있어서의 수태능력의 문제와 더불어 기형발현에 관심을 기울이기 시작했다. 발생학 및 병리학자들은 닭의 배자(embryo)를 이용하여 기형유발성(teratogenicity)을 실험적으로 시도하였고, 인간의 기형형태를 정확하게 서술하기 시작하였다. 선천성 기형에 대한 학문적 접근은 Wolf(1939)와 Gregg(1942)가 톡소플라스마증(toxoplasmosis)과 풍진(rubella)이 임신 중 태아에 기형을 유발할 수 있다는 사실을 인식함으로써 처음으로 시작되었다. 이와 거의 동일한 시기에 외부물질(xenobiotics)이 여러 종류의 척추동물에서 기형을 유발시킬 수 있다는 사실이 발견되었다. 1949년 미국에서는 화학물질이 수태능력에 미치는 영향 여부 등을 조사하기 위해서 생식독성검사 시 암수 동물에 3세대 동안 사료를 통해 시험물질을 공급하도록 규정하였다. 이 규정은 1959년에 차세대 동물의 생존능력 관찰로 확대되었고, 이로써 전반적인 생식발달기간 동안 생식독성 영향검사가 실시되었다. 그러나 이 시험들은 시험물질의 최기형성 발현능력과 배자(태자) 독성을 파악하기 위한 목적으로는 적합하지 못했다. 1961년의 탈리도마이드 사태 후에 생식독성검사를 위한 표준화된 동물실험 모델을 개발하기 위해 학자들이 모였고 이에 따라 일련의 심포지움 및 위원회 보고서가 발표되었다. 탈리도마이드의 최기형성효과를 여러 동물종에서 입증하기 시작하였고, 이와 동시에 표준화된 실험모델 개발을 위한 국제적인 노력이 시도되었다. 1961년에 시작된 생식독성 시험법의 개발은 1966년 1월 미국식품의약품안전청(U.S. FDA)에 의해 발표된 시험기준으로 종결지어졌다. 'FDA 생식독성 시험기준'에는 표준시험 방법인 최기형성시험(teratogenicity study, Segment II)을 서술하고 있다. 아직도 통용되는 이 시험법은 다른 나라에서도 받아들여 그대로 적용되어 왔고, 최근 각국의 의약품 독성시험법 통일을 위해 조직된 의약품국제조화회의(ICH; International Conference on Harmonization)의 생식독성시험기준으로 변천하면서 최기형성시험은 배·태자발생시험(Study for effects on embryo-fetal development)으로 변경되었다.

3 일반원칙

1) 모동물 및 태자의 약역학과 대사: 화학물질의 흡수, 분포, 대사 및 배설은 임신동물의 경우 더욱 복잡하다. 임신동물의 생리적 변화는 화학물질의 약역학에 영향을 줄 수도 있으며, 종(species)에 따라 다른 태자 대사계통의 발생은 물론 '모동물 태자구획'(dam-fetus compartment) 까지도 고려해야 한다. 어떤 물질에 대한 종간 용량상관성의 비교는 약역학의 차이 때문에 약역학과 대사에 관한 비교 자료가 있을 때에만 신빙성이 있다. 물론 약역학 검사결과가 종 혹은 장기에 따라 상이하게 나타나는 반응을 항상 설명할 수는 없기 때문에 어떤 물질의 배자(태자) 내에서의 작용기전의 차이도 함께 고려해야 한다.

2) 태반의 형태 및 기능: '모동물 태자구획' 사이에는 태반이 위치하고 있는데 태반은 제한적 장벽으로서 외부물질을 수동적 분산, 세포흡수 작용(pinocytosis), 조직간 통과, 능동수송계등의 여러가지 기전에 의해 모체로부터 태자로 상호 통과할 수 있다. 수동적 분산이 가장 중요한 통과 기전이며, 흡수 가능한 물질이 태반을 통과하는 정도는 분자량, 지질용해도, 이온화 정도 등 복합적인 요인에 의해 영향을 받는다. 태반의 외부형태는 동물종에 따라 상이하며, 태반구조의 결정적인 차이는 모동물과 배아의 혈액 사이에 놓인 조직층의 수에 따라서 결정된다. 시험물질의 최기형성 유발에 가장 중요한 시기인 임신초기에는 종에 따라 다른 조직영양(histotroph)의 기간 및 배아의 발생상태 등에 기인한 현저한 종간 차이가 있다. 태반의 기능적 측면을 살펴보면, 태반은 물질분해 및 대사기능, 내분비 조절 및 임신유지에 관여한다.

3) 배자(태자) 발생의 민감기: 배자(태자) 발생의 가장 큰 특성은 극도로 높은 세포증식률과 수 많은 세포, 조직 및 기관의 급격한 분화과정이다. 유전적으로 결정된 이러한 모든 발생과정

들은 각 단계마다 시간적 및 구조적인 연관성을 갖고 진행되고, 기능적 의존성에 있어서도 복잡한 과정에 따라 진행되며 각 동물종마다 그 과정이 다르다는 특징을 갖는다. 따라서 배자(태자) 발생에 대한 독성물질 작용은 동물종에 따라 각각의 특별한 민감한 시기를 갖고 있으며, 그에 따라 각 발생시기에 따른 독성물질의 작용 결과 역시 다르다. 각 조직 및 기관들이 기형유발물질에 대해 특히 민감하게 반응하는 시기는 흔히 주요기관형성기(major organogenesis)라고 불리며, 종에 따라 다른 이 발생기간의 길이는 배자(태자) 독성, 특히 기형유발성을 조사할 때에 투여기간의 선택에 기초가 된다. 특정한 기형이 출생 이전 어느 시점에서 유도되었는지를 증명하기 위해서는 해당 기관들의 발생과정에 대한 상세한 정보가 필요하다.

4) 배자(태자) 독성작용의 원인, 기작 및 특성: 유전인자의 손상이나 염색체 이상을 비롯하여 여러가지 외부인자들이 배자(태자) 독성작용의 원인으로 간주되고 있다. 방사선, 화학물질(의약품 포함), 병원체 감염, 산소부족, 고온 또는 저온, 모동물 인자, 즉 영양, 대사 및 내분비장애, 양막 삭(amnion string)에 의한 기계적 손상, 과도의 자궁압력, 경색, 화학적 병독(noxa), 해부학적 기형의 결과로 나타나는 태반의 기능장애 등 다양한 원인들이 최기형성 등의 배자(태자) 독성을 유발할 수 있다. 배자(태자) 독성작용의 실제적인 발현은 단일 혹은 복합인자들이 임계세포수의 비가역적인 손상을 유발할 수 있는 능력을 지니고 있느냐에 달려있다. 세포 내 및 세포 간의 1차적 손상기작으로는 돌연변이, 염색체 이상, DNA 복제 및 단백질합성 장애와 이에 따른 필수적인 화학적 기질의 결핍, 효소억제, 삼투압의 변화, 세포분열장애, 세포막의 구조 및 기능변화, 세포외 성분의 형성장애 등을 들 수 있다. 배자(태자) 독성의 병인을 살펴보면 일련의 형태적 및 기능적 장애는 한 가지 혹은 여러 가지 1차 손상의 결과로서 생겨난다고 사료되고 있다. 예를 들면 증식장애(세포의 사멸, 과다증식, 생리적 세포사멸의 지연), 세포분화장애, 세포의 상호작용 및 세포이동 장애, 대사장애 등을 들 수 있다. 어떤 물질의 배자(태자) 독성은 1차 및 후속손상의 결과로 인한 배자(태자) 치사(death ; embryolethality), 최기형성(malformaton ; teratogenicity), 발육지연(growth retardation), 기능장애(functional impairment) 등으로 표현되며(그림 1-1-1), 배자(태자) 치사효과와 최기형성효과는 서로 다른 기작에 의해서 유발될 수 있기 때문에 따로 분리해서 평가해야 한다.

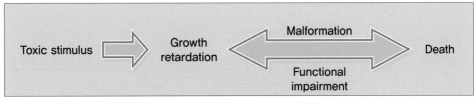

그림 1-1-1. 배·태자발생시험에서 나타나는 독성효과 (Hood 등, 2012)

5) 배자(태자) 독성효과의 용량상관성: 배자(태자) 독성물질의 투여 후에 나타나는 독성효과의 표현에 있어서는 용량상관성(dose-response)의 원칙이 통용된다(Kavlock 등, 1995). 즉 최기형성 등의 생식독성효과는 용량에 따라서 증가하며, 배자(태자) 독성효과가 나타나는 용량 범위는 역치(threshold)로 구분된다. 최소 유효용량으로부터 나타나기 시작하는 배자(태자) 독성작용은 대조군의 결과와 비교할 때에 식별이 가능하다. 배자(태자) 독성용량의 상한선은 모독성을 나타내는 용량의 하한선으로 간주된다. 왜냐하면 임신한 모동물에 현저한 독성을 나타내는 용량의 투여 시 나타나는 배자(태자) 독성효과는 모동물의 독성에 기인한 이차적인 독성효과로 판단될 수 있기 때문에, 제한적인 의미를 가질 수 있다(그림 1-1-2). 어떤 물질은 배자(태자) 독성용량 범위의 한계 내에서 배자(태자) 독성효과에 대해서 충분히 미세한 용량간격으로 용량상관 관계를 직선으로 나타낼 수 있다. 여러가지 형태의 독성효과들에 관한 용량상관 직선들은 일반적으로 상이한 경사를 나타낸다. 또한 시험물질과 동물종에 따라 다른 배자(태자) 독성효과는 상이한 한계용량으로부터 나타날 수 있다. 높은 용량에서 50% 이상의 배자(태자)가 사망하거나 흡수되면 시험물질의 형태학적 기형평가 등 다른 종류의 배자(태자) 독성효과 평가는 현저히 제한된다. 이처럼 높은 배자(태자) 치사용량 범위 내에서는 다른 형태의 배자(태자) 독성효과의 평가는 검사가 가능한 생존 배자(태자) 수의 감소로 현저히 제한을 받는다. 그 밖에 배자(태자) 치사작용이 나타나지 않거나 단지 소수로 나타나는 용량에서 관찰되는 발육정체 또는 최기형성효과는 용량을 높일 때에 배자(태자)에 심한 기능장애를 일으켜서 임신중에 사망함으로서 배자(태자) 치사효과로 전이할 수 있기 때문이다.

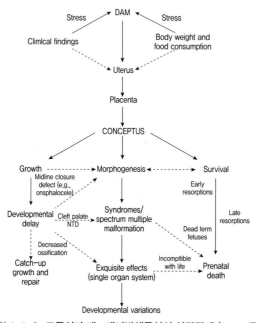

그림 1-1-2. 모독성과 배 · 태자발생독성의 상관관계 (Hood 등, 2012)

4 배·태자 발생시험법

의약품에 의한 기형유발성을 평가하기 위해서는 배·태자 발생시험(Study for effects on embryo-fetal development, Segment II, ICH III)이 실시되고(표 1-1-1), 실험동물로서는 랫드, 마우스, 토끼, 원숭이 등이 주로 사용되고 있다.

표 1-1-1. **배·태자 발생독성시험의 표준시험법 (Wise 등, 2009)**

	Mouse	Rat	Rabbit
Stain or Stock	CD-1	Sprague-Dawley or Wistar	New Zealand or Japanese White, Himalayan, or Dutch Belted
Age on GD 0	10-14 week	10-14 week	4-6 months
Animals per group	22	20	18-20
Number of groups	4	4	4
Duration of dosing	GD 6-15	GD 6-17	GD 7-20
Physical observations	Twice daily	Twice daily	Twice daily
Body weights	Every other day after first dose	Every other day after first dose	Every other day after first dose
Food consumption	Once each week	Once each week	Once each week
Gross examination	GD 18	GD 20 or 21	GD 28 or 29
Cearean section	GD 18	GD 20 or 21	GD 28 or 29
Fetal examination (E/V/S)	100/50/50%	100/50/50%	100/100/100%

·GD) gestation day ·E) extenal ·V) visceral ·S) skeletal

1) 배·태자발생시험

(1) 목적 및 원리: 배·태자발생시험의 목적은 시험물질을 아독성 용량(subtoxic dose)으로 동물에 처치한 후 한가지 혹은 여러 가지 종류의 배자(태자) 독성작용 유발 여부를 조사하는데 있다. 실험동물을 이용하여 얻은 결과는 실제 사람 임산부에 대한 배자(태자) 독성의 위험을 평가하기 위한 위해성 평가(Risk assessment) 자료로서 사용된다. 이러한 시험 목적에 부합되도록 배·태자발생시험에서는 실험동물의 임신 중 배자(태자)가 외부물질에 가장 민감한 시기인 주요기관형성기에 시험물질을 투여한다. 시험물질의 배자(태자) 독성작용은 임신동물과 태자의 여러가지 검사에 의해 평가된다(표 1-1-2).

표 1-1-2. 배ㆍ태자 발생독성시험의 평가항목 (Wise 등, 2009)

Parameter	Details
Number of females in each group	Mated females assigned (may exclude TK Females) Unscheduled deaths (i.e., found dead or euthanized early) Abortions (very rare in rodents) Females that deliver early (defined as the day or morning prior to the cesarean section) Nonpregnant females Pregnant females evaluated at cesarean section
Parameters below would exclude unscheduled dead and aborted	
Corpora lutea	Mean (±SD) of number per pregnant female
Implantations	Mean (±SD) of number per pregnant female
% Pre (peri−)implantation loss[a]	Mean percent (±SD) or all pregnant females
% Early resorptions[b]	Mean percent (±SD) or implantations per litter
% Late resorptions[b]	Mean percent (±SD) or implantations per litter
% Dead fetuses	Mean percent (±SD) or implantations per litter
% Postimplantation loss[c]	Mean percent (±SD) or all pregnant females
Live fetuses	Mean (±SD) of number from each pregnant female
Sex ratio[d]	Mean (±SD) of ratios from females with live fetuses
Fetal weight	Mean (±SD) of rseparate and/or combained sexes per litter
Placental morphology	Number abnormal placentas and total evaluated
Fetal evaluations[e]	Total fetuses evaluated Total and percent (litter mean[f]) affected fetuses Number and percent (litter mean[f]) fetuses with each abnormality

SD, standard deviation (or many use standard error of the mean for and other parameters).
[a]Formula = [(no. corpora lutea − no. implantations)/no. corpora lutea]×100.
[b]Early = implant with no visable fetal morphology; Late = implant with visable fetal morphology and autolyais.
[c]Fomula = [(no. dead fetus no. resorptions)/no. implantations] or [(no. implantations−no. live fetuses)/no. implantations×100.
[d]Fomula = [(live females or live males)/total live per litter]×100.
[e]Tables are needed for each type of examination. summary of affected fetuses may be split between categories (e.g., malformation, variation, incomplete ossification).
[f]Percent (litter mean) = mean of the percentage of affected fetuses per litter.

(2) 시험계획: 어떤 물질의 배ㆍ태자발생시험을 위한 종의 선택은 실제적인 관점(예: 육종, 관리 및 취급비용), 축적된 경험의 정도 그리고 생리적, 발생학적 및 약역학적 측면에서의 인간과의 유사성에 달려있다. 현재 여러 종류의 실험동물들이 배ㆍ태자발생시험을 위해 사용되고 있는데 모든 동물종들이 장단점을 나타낸다. 일반적으로 랫드와 토끼가 실험동물로 많이 사용되고 있는데 다른 종에 비해 배ㆍ태자발생시험에 대한 경험이 많이 축적되어 있고 실제적인 장점 이외에 이미 알려진 기형유발 물질에 대해 충분한 민감성을 나타내기 때문이다. 마우스도 역시 기형유발물질에 대해 민감하게 반응하지만 계통 간의 차이와 비특정 요소에 대한 민감성 때문에 결과해석의 제한성이 있다. 어떤 의약품을 임산부의 치료를 위해 사용하고자 할 때에는 원숭이(예: callithrix, paviane 등)를 실험동물로 사용할 수 있다. 왜냐하면 원숭이는 적어도 번식생리, 태반형성 및 발생에 있어서 인간과 가장 유사하기 때문이다. 그러나 매우 값이 비싼 원숭이를 이용한 배ㆍ태자발생시험은 시험물질의 흡수율, 약

역학검사 항목의 비교 데이터 등 가능한 많은 정보를 확보한 후에 실시하는 것이 좋다. 임신 중의 투여개시 및 기간은 동물종에 따라 다른 주요기관형성기에 따라 선택된다. 보통 3개 용량군을 두며 최저용량군은 대략 임상예정용량 범위에 근접하고 시험물질에 의한 독성학적 증상이 관찰되지 않으며, 최고용량군은 경미한 모독성(예: 10%의 체중증가 억제)이 나타나는 것을 가장 이상적으로 생각한다. 최고용량의 선택은 동일한 종을 사용한 일반독성시험 결과 등 이전에 실시된 실험 결과들을 고려하여 명백한 독성과 과다한 약리작용이 나타나지 않도록 고려해야 한다. 임신동물을 이용한 용량결정 예비시험(dose range finding study)은 낮은 배자(태자) 치사용량의 선택을 위한 정보를 얻을 수 있는 장점이 있다. 통계처리 기준에 따라서 군당 사용 동물 수가 정해지는데, 의미 있고 실제적인 결과 해석에 영향을 주지 않는 범위 내에서 동물이 사용되어야 한다(예: 랫드 및 토끼 16, 원숭이 10마리 임신동물/군). 다산동물을 이용한 생식독성시험은 통계처리의 측면에서 특별히 고려해야 할 점을 지니고 있다. 왜냐하면 동복자들의 시험성적이 얻어지기 때문이다. 이와 같은 자료를 놓고 볼 때 일반적으로 동복자들, 즉 한 모동물의 태자 또는 출산자들이 다른 모동물의 태자 또는 출산자들 보다 유사하게 반응하는 경향을 보인다. 따라서 해당 검사항목, 즉 태자체중, 태자치사, 기형발현 등의 통계처리를 위해서는 태자가 아니라 동복자를 비의존적 통계단위로 사용할 것이 추천되고 있다. 모든 변수(variable)에 대한 통계처리절차 및 방법은 통계단위의 선택과 정상 혹은 비정상 분포 여부에 따라서 결정된다.

(3) 시험수행: 군분리 후에 임신동물들은 각 동물종에 따라 서로 다른 주요기관형성기를 갖기 때문에 이를 고려하여 시험물질을 투여해야 한다. ICH 독성시험 기준(ICH, 2005)에 따르면 투여기간은 수정체의 착상부터 경구개가 닫히는 시기 동안 시험물질을 투여하도록 권고하고 있다. 임신기간 중 매일 모동물의 일반증상을 관찰하고 일정한 간격으로 체중을 측정한다. 분만 1~2일 전에 동물을 안락사 한 후 자궁과 난소를 적출한다. 원숭이에 있어서는 임신 100일째에 제왕절개에 의해 태자를 적출한다. 황체수(랫드, 토끼) 이외에 착상 수 및 위치, 생존 및 사망태자 수, 초기 및 후기 흡수배자 수를 조사한다. 생존태자의 체중측정 및 성별 확인 후 외표기형 검사를 실시한다. 태자의 골격검사는 2가지 방법이 있는데, 뢴트겐 검사와 연조직을 KOH로 처리한 후 골화된 골격부위를 alizarin red S로 염색하는 방법이 있다(그림 1-1-3). 이를 약간 변형한 이중염색법들이 활용되고 있으며(그림 1-1-3) 뢴트겐 방법은 다만 큰 태자에만 성공적으로 이용될 수 있다. 원숭이 태자의 내부장기 검사를 위해서는 병리에서 사용되는 부검법이 이용된다. 작은 태자(마우스, 랫드 등)에 있어서는 Wilson의 절단법을 기반으로 한 검사법이 많이 사용되고 있다(그림 1-1-4). 이 방법의 경우 고정액에 고정된 태자를 약 1~2 mm 두께의 횡단면으로 자르고 실체현미경으로 내부장기의 이상을 조사한다. 이 때 태자의 골격염색이 불가능하므로 충분히 큰 태자수를 조사하기 위

해서는 군당 산자수가 많은 동물종을 선택해야 한다. 또한 소형태자에 맞게 개발된 방법으로서 시간이 많이 소요되는 미세절단법은 랫드 및 토끼태자에 사용될 수 있으며 이중 토끼태자는 검사 후에 골격염색이 가능하다.

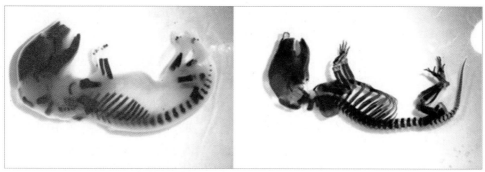

그림 1-1-3 **골격검사를 위해 단일 및 이중염색법으로 염색한 랫드 태자**

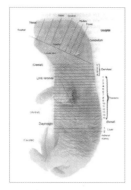

그림 1-1-4. **Wilson 절단법을 기반으로 한 랫드 태자의 내부장기검사** (Barrow 등, 2013)

(4) 결과의 평가: 출생 전 투여에 의해 유도될 수 있는 배자(태자) 독성효과 중 발육지연 및 치사는 형태학적 기형과 구분된다. 발육지연은 태자체중 감소와 골화지연으로 표현되고, 형태학적 기형의 평가는 동물의 계통(strain)에 특이하게 자연발생적으로 정상 범위내에서 규칙적으로 나타나는 경미한 구조적 변화로부터 한 개체의 생존 및 삶에 영향을 미치는 심각한 기형인 중기형(malformation)에 이르기까지 종류가 다양하므로 복잡성을 나타낸다. 따라서 형태학적 이상을 소견의 중증도에 따라 구분하는 것이 유리하다. 이 때 정상적인 구조와 다른 상이도의 기준은 예측되는 생리적 기능장애와 변화의 가역성(reversibility)이 기초가 된다. 각 범주별로 분리해서 평가를 실시함으로써 중기형의 발현율을 흔히 나타나는 다수의 변이(variation)로 구분할 수 있으며, 최근에는 형태학적 이상에 대한 용어통일안이 발표된 바 있다(Makris 등, 2009). 일반적으로 명백히 구분할 수 있는 기형 이외에 경미한 변이들 (예: 랫드와 토끼의 요늑, 랫드의 파상형 늑골, 신우확장)이 나타나는데 이들 소견의 사람에

대한 위해성 평가측면에서의 의미는 다소 의문스럽다. 이와 같이 자연발생적으로 나타나는 기형의 높은 발현율은 최기형성효과가 아니라 발육지연 또는 비특정작용(unspecific effect)의 표현이다. 배자(태자) 독성평가에 있어서 모독성과의 상관성은 매우 중요하게 고려되어져야 하는데, 이는 배자 및 태자에 나타나는 독성영향이 약물에 의해 직접적으로 나타나기도 하지만 모동물의 독성영향에 의해 간접적으로 나타날 수도 있기 때문이다. 배자(태자)독성과 모독성과의 상관성은 각각의 무해용량을 이용한 발생학적 위험지수(developmental hazard index)로 평가하기도 한다. 배자(태자) 독성 작용물질을 규명하는 데에는 동물실험 이외에 인간의 역학조사(epidemiological study)가 큰 도움이 된다. 역학조사는 인과관계의 규명측면에서 본질적으로 제한성이 있다. 따라서 인간에게 있어서 배자(태자) 독성작용을 유발할 가능성이 있는 다수의 약물들이 문헌에 열거되는 것이 이해가 된다. 인체에 확실히 기형을 유발하는 것으로 간주되는 소수의 물질들(예: thalidomide, aminopterin, methotrexate, alcohol, phenytoin)에 반해서 실험동물에 있어서는 최기형성작용을 나타낸 이천종 이상의 화학물질들이 있다. 이러한 차이는 동물실험에서 최기형성효과를 나타낸 많은 물질들이 사람의 임신기간 동안 실험동물의 경우와 동일하게 높은 용량으로 장기간동안 투여되지는 않았기 때문에 차이가 발생하는 것으로 판단된다.

(5) In vitro 배·태자독성시험: 화학물질의 최기형성 잠재력(teratogenic potential)을 조사하기 위한 일련의 in vitro 시험들이 실시되고 있는데, 그중 닭의 배자(태자), 착상 후의 랫드 태자 등을 이용하는 in vitro 시험법들은 척추동물을 이용한 in vivo 결과와 비교했을 때 비교적 높은 상관성을 나타낸다. In vitro 시험법의 사용가능성을 평가할 때에는 적어도 출생 전 발달의 후기에 가능한 치사 및 발육지연 작용은 in vitro 시험법으로는 식별할 수가 없다는 것을 고려해야 한다. 따라서 in vitro 시험법은 현재까지는 주로 최기형성 및 세포독성효과에 대한 다수의 후보 화학물질들의 스크리닝 검사 목적으로 주로 사용하는 것이 일반적이다. 어떤 물질의 최기형성 잠재력의 평가를 위한 이용성의 관점에서 볼 때 in vitro 시험법은 본질적으로 제한성이 있다. 특정(기형유발성) 및 비특정변화의 구분의 난해성 등의 방법적인 문제 이외에도 in vitro 시험법들은 복잡한 출생 전 발달 과정 중 제한된 시점만을 파악할 수 있다. 결론적으로 말해서 지금까지 사용되고 있는 in vitro 시험법들은 단시간에 적은 경비로 최기형성을 평가할 수 있는 장점은 있지만 생식기능의 복잡성으로 인하여 어느 것도 in vivo 시험계의 대체 혹은 인체 최기형성의 위험평가를 위한 충분하고 신뢰할 만한 시험법으로 간주될 수는 없다.

5 맺는말

동물실험을 통해 얻은 배·태자발생시험의 결과를 인체에 실제로 적용하기 위해서는 양적 위험평가(quantitative risk assessment)가 요구되는데, 올바른 양적평가는 종의 특이성(species-specificity)을 고려한 실험동물의 선택과 무해용량(No Observed Adverse Effect Level)의 확립, 약역학적 데이터(pharmacokinetic data)의 고려 및 안전계수(safety factor, 약 10~30)의 사용으로 가능해진다.

▶ 참고문헌

1. Barrow PC. Teratogenicity Testing. Springer New York Heidelberg Dordrecht London. 2013.

2. Dawson AB. A note on the staining of the skeleton of cleared specimens with Alizarin Red S. Stain Technol 1926;1:123-124.

3. Goldenthal E.I. Guidelines for Reproduction Studies for Safety Evaluation of Drugs for Human Use. U.S. Food and Drug Administration, Washington DC. 1966.

4. Hood RD. Handbook of developmental toxicology. CRC Press, Boca Raton. 1997.

5. Hood RD. Developmetnal and Reproductive Toxicology. Informa Healthcare, London. 2012.

6. ICH Guideline S5(R2). Detection of toxicity to reproduction for medicinal products and toxicity to male fertility. 1995.

7. Inouye M. Differential staining of cartilage and bone in fetal mouse skeleton by alcian blue and alizarin red S. Cong Anom 1976;16:171-173.

8. Klaassen. Casarett and Doull's Toxocology. 6th edition. Mc Graw Hill. 2007.

9. Makris SL, Solomon HM, Clark R, et al. Terminology of developmental abnormalities in common laboratory mammals (Version 2). Birth Defects Research(Part B) 2009:86:227-327.

10. Manson JM, Kang YJ. Test Methods for Assessing Female Reproductive and Developmental Toxicology. In: Principles and Methods of Toxicology. Hayes W ed. Raven Press, New York. p. 311-359, 1989.

11. Nishimura K. A microsdissection method for detecting thoracic visceral malformations in mouse and rat fetuses. Cong Anom 1974;14:23-40.

12. Shepard TH. Catalog of Teratogenic Agents. The Johns Hopkins University Press, Baltimore and London. 1989.

13. Stuckhardt JL, Poppe SM. Fresh visceral examination of rat and rabbit fetuses used in teratogenicity testing. Teratogen. Carcinogen. Mutagen. 1984; 4:181-188.

14. Wilson JG. Methods of Examining Rat Fetuses for Malformations. In: Teratology: Principles and Techniques. Wilson JG and Warkany J. ed. University of Chicago Press, Chicago and London. p.263-277, 1965.

15. Wise LD, Buschmann J, Feuston MH, Fisher JE, Hew KW, Hoberman AM, Lerman SA, Ooshima Y, Stump DG. Embryo-Fetal Developmental Toxicity Study Design for Pharmaceuticals. Birth Defects Research (Part B) 2009;86:418-428

동물에서 기형유발물질 연구

◦ 김종춘

1 서론

1960년대에 유럽에서 발생한 thalidomide 복용에 의한 기형아 분만과 일본에서 발생한 임산부의 수은중독에 의한 신생아의 신경계 질환 그리고 diethylstilbestrol를 복용한 임산부의 사춘기 자녀에서 발생한 자궁경부암은 임신 중 유해물질의 노출이 배·태아와 신생아 및 성장기 자녀의 발생에까지 심각한 영향을 끼칠 수 있음을 경고하는 중독사건이다. 1990년대 후반 들어서면서 dioxins, bisphenol A, phthalates, polychlorinated biphenyls 등의 내분비계장애물질에 의한 생식기능이상과 기형유발 및 생태계 파괴에 대한 경고는 생식·발생에 악영향을 끼치는 유해물질에 대한 관심과 연구를 크게 확대시키는 계기가 된 바 있다.

대부분의 의약품과 화학물질은 임산부의 태반을 통과하여 태아에 도달할 수 있으며, 태아는 모체에 비해 생체이물질의 대사와 배설능력이 부족하기 때문에 같은 용량에서 더 큰 영향을 받게 되어 궁극적으로는 발육지연이나 기형, 사망 등의 발생독성을 나타내게 된다. 실제 사람에서 기형을 유발하는 의약품은 30여 종이 알려져 있으며, 실험동물에서 기형을 유발하는 화학물질은 2,000여 종 이상으로 보고되어 있다. 사람과 실험동물에서 기형유발 물질의 수가 크게 차이가 나는 이유로는 종의 차이로 설명되며, 다른 한편으로는 동물실험에서 기형을 유발하는 많은 물질들이 사람의 임신기간 동안에는 실험동물에서와 같이 높은 용량으로 장기간 투여되지 않기 때문이다.

본 chapter에서는 임신 중에 노출되어 임산부의 건강과 배·태아 발생에 유해 영향을 나타낼 가능성이 높은 물질에 대한 동물실험 결과를 중심으로 설명하고자 한다. 특히, 기형유발을 포함한 배·태아 발생독성과 임신 모체에 대한 모독성 영향을 실험동물을 이용하여 평가한 연구결과로 소개함으로써 이들 유해물질에 임산부가 노출되었을 때 나타날 수 있는 인체위해성에 대한 실질적인 정보를 제공하고자 한다.

2 동물실험 결과

(1) 은나노입자(Silver nanoparticles)

① 물질정보: 은나노입자(7.5 nm; 나노폴리, 한국)

② 시험법: 식품의약품안전처 의약품 등의 독성시험기준, 국제조화회의(International Conference on Harmonization, ICH) 가이드라인

③ 실험동물: Sprague-Dawley 랫드

④ 투여방법: 임신 6일에서 19일까지 1일 1회씩 14회 경구투여

⑤ 투여용량: 0, 100, 300 및 1000 mg/kg/day

⑥ 검사항목: 임신동물의 모독성과 배아 및 태아의 발생독성 평가

⑦ 시험결과: 100 mg/kg 이상의 용량에서 모동물의 간조직에 산화적 스트레스를 유발하지만 발생독성은 어떤 용량에서도 관찰되지 않았다. 모동물에 대한 무해용량은 100 mg/kg/day 이하였으며, 배ㆍ태아 발생에 대한 무해용량은 1000 mg/kg/day 이상이었다(Yu 등, 2014).

(2) 싸이클로포스파마이드(Cyclophosphamide)와 다이알릴 다이설파이드(Diallyl disulfide)

① 물질정보: 알킬화 항암제인 싸이클로포스파마이드(Sigma-Aldrich Co., USA)와 마늘 유래 유기황 화합물인 다이알릴 다이설파이드(Tokyo Kasei Chemical Co., Japan)

② 시험방법: 일반적인 배ㆍ태자발생 시험 모델을 일부 변경

③ 실험동물: Sprague-Dawley 랫드

④ 투여방법: 싸이클로포스파마이드는 임신 11일에 1회 피하투여, 다이알릴 다이설파이드는 임신 1일에서 19일까지 1일 1회씩 19회 경구투여

⑤ 투여용량: 싸이클로포스파마이드는 7.5 mg/kg, 다이알릴 다이설파이드는 50 mg/kg/day

⑥ 검사항목: 임신동물의 모독성과 배아 및 태아의 발생독성 평가

⑦ 시험결과: 싸이클로포스파마이드 투여는 심각한 발생독성과 모동물의 간조직에 산화적 스트레스를 초래하였다. 반면, 다이알릴 다이설파이드 처치는 싸이클로포스파마이드가 유발한 발생독성과 모동물 간조직의 산화적 손상을 감소시켰으며, 모동물의 간과 태반 조직에서 CYP3A1의 발현을 증가시켰다. 싸이클로포스파마이드의 발생독성에 대한 다이알릴 다이설파이드의 예방효과는 모동

물의 간과 태반 조직에서 CYP3A1의 유도와 강력한 항산화 효과에 의한 해독 촉진작용에 기인된 것으로 사료된다(Kim 등, 2014).

(3) 멜라민(Melamine)과 시아누르산(Cyanuric acid)

① 물질정보: 두 물질은 대량생산 화학물질로 구조적 유사체(Sigma-Aldrich Co., USA)

② 시험방법: 식품의약품안전청 의약품 등의 독성시험기준, ICH 가이드라인

③ 실험동물: Sprague-Dawley 랫드

④ 투여방법: 임신 6일에서 19일까지 1일 1회씩 14회 경구투여

⑤ 투여용량: 멜라민과 시아누르산을 1:1로 혼합하여 각각 0, 3/3, 10/10 및 30/30 mg/kg/day

⑥ 검사항목: 임신동물의 모독성과 배아 및 태아의 발생독성 평가

⑦ 시험결과: 고용량군에서 모독성 영향으로 일반증상과 사망, 육안적 부검소견 및 신장기능 이상의 증가와 체중과 사료섭취량 및 흉선중량의 감소, 그리고 심장과 폐 및 신장 중량과 신장의 조직병리학적 이상의 증가가 관찰되었다. 발생독성 영향으로 태아체중과 태반중량의 감소가 인정되었다. 중간용량군에서는 모동물의 신장에서 육안적 및 조직병리학적 이상이 증가하였다. 멜라민과 시아누르산의 병용투여는 과도한 모독성 용량에서 발생독성을 유발하며, 모동물에 대한 무해용량은 3/3 mg/kg/day였으며, 배·태아 발생에 대한 무해용량은 10/10 mg/kg/day였다(Kim 등, 2013).

(4) 다이페닐하이단토인(Diphenylhydantoin)

① 물질정보: 항경련제(Sigma-Aldrich Co., USA)

② 시험방법: 식품의약품안전청 의약품 등의 독성시험기준, ICH 가이드라인

③ 실험동물: Sprague-Dawley 랫드

④ 투여방법: 임신 6일에서 15일까지 1일 1회씩 10회 경구투여

⑤ 투여용량: 0, 50, 150 및 300 mg/kg/day

⑥ 검사항목: 임신동물의 모독성과 배아 및 태아의 발생독성 평가

⑦ 시험결과: 고용량군에서 모독성 영향으로 일반증상의 증가와 체중 및 사료섭취량의 감소, 그리고 부신과 간, 신장 및 뇌 중량의 증가가 관찰되었다. 발생독성 영향으로는 태아체중과 태반중량의 감소, 태아의 형태학적 이상의 증가 및 골화지연이 관찰되었다. 중간용량군에서는 모독성 영향으로 일반증상의 증가와 체

중 및 사료섭취량의 감소, 그리고 부신과 뇌 중량의 증가가 관찰되었으며, 발
생독성 영향은 태반중량의 감소와 내부장기 및 골격 변이의 증가가 관찰되었
다. 다이페닐하이단토인은 경미한 모독성 용량인 150 mg/kg/day에서 경미한
발생독성을 나타내지만 심한 모독성 용량인 300 mg/kg/day에서는 현저한 발
생독성과 기형유발성을 나타내었다. 모동물과 배·태아 발생에 대한 무해용
량은 공히 50 mg/kg/day 였으며, 선택적인 발생독성 물질은 아닌 것으로 사
료되었다(Kim 등, 2012a).

(5) 싸이클로포스파마이드(Cyclophosphamide)와 해송껍질 추출물 피크노제놀(Pycnogenol)

① 물질정보: 알킬화 항암제인 싸이클로포스파마이드(Sigma-Aldrich Co., USA)와 프랑
    스 해송껍질 추출물인 피크노제놀(Horphag Research Ltd., France)

② 시험방법: 일반적인 배·태자발생 시험 모델을 일부 변경

③ 실험동물: Sprague-Dawley 랫드

④ 투여방법: 싸이클로포스파마이드는 임신 11일에 1회 피하투여, 해송껍질 추출물은 임신
    1일에서 19일까지 1일 1회씩 19회 경구투여

⑤ 투여용량: 싸이클로포스파마이드는 7.5 mg/kg, 해송껍질 추출물은 20 mg/kg/day

⑥ 검사항목: 임신동물의 모독성과 배아 및 태아의 발생독성 평가

⑦ 시험결과: 싸이클로포스파마이드 투여는 태아와 태반 중량의 감소, 배아흡수와 태아기형
    의 증가, 그리고 모동물의 간조직에 산화 스트레스를 유발하였다. 반면, 해송
    껍질 추출물 처치는 싸이클로포스파마이드가 유발한 발생독성과 모동물 간조
    직의 산화적 손상을 효과적으로 감소시켰다. 해송껍질 추출물은 싸이클로포
    스파마이드가 유발하는 발생독성에 대해 보호효과를 나타내며, 이 보호효과
    는 지질과산화의 억제와 항산화 활성의 증가에 의한 항산화효과에 기인된 것
    으로 판단된다(Kim 등, 2012b).

(6) 다중벽탄소나노입자(Multiwall carbon nanotubes)

① 물질정보: 다중벽탄소나노튜브(직경 10~15 nm, 길이 20 ㎛ 이하; 한화 나노텍, 인천)

② 시험방법: ICH 가이드라인, OECD 가이드라인

③ 실험동물: Sprague-Dawley 랫드

④ 투여방법: 임신 6일에서 19일까지 1일 1회씩 14회 경구투여

⑤ 투여용량: 0, 40, 200 및 1000 mg/kg/day

⑥ 검사항목: 임신동물의 모독성과 배아 및 태아의 발생독성 평가

⑦ 시험결과: 1000 mg/kg 용량에서 흉선 중량의 감소가 인정되었으나 모든 용량에서 어떠한 발생독성도 관찰되지 않았다. 모동물에 대한 무해용량은 200 mg/kg/day 였으며, 배·태아 발생에 대한 무해용량은 1000 mg/kg/day 이상이었다(Lim 등, 2011).

(7) 멜라민(Melamine)

① 물질정보: 대량생산 화학물질(Sigma-Aldrich Co., USA)

② 시험방법: 식품의약품안전청 의약품 등의 독성시험기준, ICH 가이드라인

③ 실험동물: Sprague-Dawley 랫드

④ 투여방법: 임신 6일에서 20일까지 1일 1회씩 15회 경구투여

⑤ 투여용량: 0, 200, 400 및 800 mg/kg/day

⑥ 검사항목: 임신동물의 모독성과 배아 및 태아의 발생독성 평가

⑦ 시험결과: 고용량군에서 모독성 영향으로 일반증상과 사망의 증가, 체중과 사료섭취량의 감소, 그리고 심장과 부신 및 신장의 중량과 신장의 조직병리학적 이상의 증가가 관찰되었다. 발생독성 영향으로 태아의 체중감소와 골격변이 증가 및 골화지연이 인정되었다. 멜라민 투여는 모독성 용량에서 배아와 태아에 발생독성을 유발하지만 기형유발성은 인정되지 않았으며, 임신모체와 배·태아 발생에 대한 무해용량은 공히 400 mg/kg/day였다(Kim 등, 2011).

(8) 1,3-다이클로로-2-프로파놀(1,3-Dichloro-2-propanol)

① 물질정보: 휘발성유기화합물로 대량생산 화학물질(Acros Organics, Fisher Scientific, Korea)

② 시험방법: ICH 가이드라인, OECD 가이드라인

③ 실험동물: Sprague-Dawley 랫드

④ 투여방법: 임신 6일에서 19일까지 1일 1회씩 14회 경구투여

⑤ 투여용량: 0, 10, 30 및 90 mg/kg/day

⑥ 검사항목: 임신동물의 모독성과 배아 및 태아의 발생독성 평가

⑦ 시험결과: 고용량군에서 모독성 영향으로 일반증상의 증가와 체중과 사료섭취량의 감소, 그리고 부신과 간 중량의 증가가 관찰되었다. 발생독성 영향으로 태아체중의 감소와 내부장기 및 골격변이의 증가가 인정되었다. 중간용량군에서는 모동

물의 사료섭취량 감소와 간 중량의 증가가 관찰되었다. 1,3-다이클로로-2-프로파놀은 모독성 용량인 90 mg/kg/day에서 경미한 발생독성을 나타내지만 기형유발성은 없었으며, 경미한 모독성 용량인 30 mg/kg/day에서 발생독성은 관찰되지 않았다. 발생독성 영향은 모독성에 기인된 이차적인 소견으로 판단되며, 모동물과 배·태아 발생에 대한 무해용량은 각각 10 및 30 mg/kg/day였다(Lee 등, 2009).

(9) 3차 부틸 아세트산(tert-Butyl acetate)

  ① 물질정보: 휘발성유기화합물로 대량생산 화학물질(Sigma-Aldrich Co., USA)

  ② 시험방법: ICH 가이드라인, OECD 가이드라인

  ③ 실험동물: Sprague-Dawley 랫드

  ④ 투여방법: 임신 6일에서 19일까지 1일 1회씩 14회 경구투여

  ⑤ 투여용량: 0, 400, 800 및 1600 mg/kg/day

  ⑥ 검사항목: 임신동물의 모독성과 배아 및 태아의 발생독성 평가

  ⑦ 시험결과: 고용량군에서 모독성 영향으로 일반증상의 증가, 체중과 사료섭취량의 감소, 부신과 간 중량의 증가, 그리고 흉선 중량의 감소가 관찰되었다. 발생독성 영향으로 태아의 체중의 감소와 골격변이의 증가 및 골화지연이 인정되었다. 중간용량군에서는 태아의 골격변이 증가와 골화지연이 관찰되었다. 3차 부틸 아세트산은 모독성 용량인 1600 mg/kg/day에서 발생독성을 나타내며, 임신 모체에 독성이 없는 800 mg/kg/day에서도 경미한 발생독성을 나타내었다. 기형유발성은 없었으며, 발생독성은 모독성에 기인된 이차적인 소견으로 판단되었다. 모동물에 대한 무해용량은 800 mg/kg/day였고, 배·태아 발생에 대한 무해용량은 400 mg/kg/day였다(Yang 등, 2007).

(10) 아미트라즈(Amitraz)

  ① 물질정보: Formamidine 계열의 살충제(녹십자수의약품, 한국)

  ② 시험방법: ICH 가이드라인, OECD 가이드라인

  ③ 실험동물: Sprague-Dawley 랫드

  ④ 투여방법: 임신 1일에서 19일까지 1일 1회씩 19회 경구투여

  ⑤ 투여용량: 0, 3, 10 및 30 mg/kg/day

  ⑥ 검사항목: 임신동물의 모독성과 배아 및 태아의 발생독성 평가

⑦ 시험결과: 고용량군에서 모독성 영향으로 일반증상의 증가와 체중 및 사료섭취량의 감소가 관찰되었다. 발생독성 영향으로 태아사망의 증가와 산자수의 감소, 태아 체중의 감소, 그리고 태아의 외표와 내부장기 및 골격 이상의 증가가 관찰되었다. 중간용량군에서는 체중과 사료섭취량의 감소, 태아체중의 감소, 태아의 내부장기와 골격 이상의 증가 및 골화지연이 관찰되었다. 아미트라즈는 모독성 용량인 30 mg/kg/day에서 발생독성과 기형유발성을 나타내고, 경미한 모독성 용량인 10 mg/kg/day에서 미약한 발생독성을 나타내었다. 모동물과 배·태아 발생에 대한 무해용량은 공히 3 mg/kg/day였다(Kim 등, 2007).

(11) 항암제 CKD-602 (랫드)

① 물질정보: 캄토테신계 항암제(종근당, 한국)

② 시험방법: 식품의약품안전청 의약품 등의 독성시험기준, ICH 가이드라인

③ 실험동물: Sprague-Dawley 랫드

④ 투여방법: 임신 6일에서 15일까지 1일 1회씩 10회 정맥투여

⑤ 투여용량: 0, 5, 20 및 80 μg/kg/day

⑥ 검사항목: 임신동물의 모독성과 배아 및 태아의 발생독성 평가

⑦ 시험결과: 고용량군의 모동물에서 사료섭취량과 체중의 감소 및 비장중량의 증가가 관찰되었다. 발생독성으로 흡수수와 사망태아수의 증가, 산자수의 감소, 태아 및 태반 중량의 감소, 태아의 외표, 내부장기 및 골격기형의 증가, 그리고 태아의 골화지연이 관찰되었다. 중간용량군에서는 뇌 중량의 증가가 인정되었다. 본 항암제는 경미한 모독성 용량인 80 μg/kg/day에서 발생독성과 기형유발성을 나타내었다. 모동물에 대한 무해용량은 5 μg/kg/day였고, 배·태아 발생에 대한 무해용량은 20 μg/kg/day였다(Chung 등, 2005a).

(12) 항암제 CKD-602 (토끼)

① 물질정보: 캄토테신계 항암제(종근당, 한국)

② 시험방법: 식품의약품안전청 의약품 등의 독성시험기준, ICH 가이드라인

③ 실험동물: New Zealand White 토끼

④ 투여방법: 임신 6일에서 18일까지 1일 1회씩 13회 정맥투여

⑤ 투여용량: 0, 0.024, 0.048 및 0.096 mg/kg/day

⑥ 검사항목: 임신동물의 모독성과 배아 및 태아의 발생독성 평가

⑦ 시험결과: 고용량군의 모동물에서 임신 후반기에 유산과 사망이 관찰되었고, 배아 흡수의 증가와 산자수의 감소가 관찰되었다. 중간용량군에서는 유산의 증가와 배아흡수 및 태아 형태학적 이상의 증가, 그리고 산자수의 감소가 인정되었다. 본 항암제 CKD-602는 기형유발성 물질로 0.048 mg/kg/day 이상의 용량에서 모독성과 발생독성을 나타내었다. 모동물에 대한 무해용량은 0.048 mg/kg/day 였고, 배·태아 발생에 대한 무해용량은 0.024 mg/kg/day였다 (Chung 등, 2005b).

(13) 항균제 DW-116 (토끼)

① 물질정보: Fluoroquinolone 항균제(동화약품, 한국)

② 시험방법: 식품의약품안전청 의약품 등의 독성시험기준, ICH 가이드라인

③ 실험동물: New Zealand White 토끼

④ 투여방법: 임신 6일에서 18일까지 1일 1회씩 13회 경구투여

⑤ 투여용량: 0, 5, 19.5 및 76.1 mg/kg/day

⑥ 검사항목: 임신동물의 모독성과 배아 및 태아의 발생독성 평가

⑦ 시험결과: 고용량군에서 모독성 영향으로 체중의 감소가 관찰되었다. 발생독성 영향으로는 태아 사망의 증가와 골화지연이 관찰되었다. 본 항균제 DW-116은 모독성 용량인 76.1 mg/kg/day에서 발생독성을 나타내지만 기형유발성은 없었으며, 모동물과 배·태아 발생에 대한 무해용량은 공히 19.5 mg/kg/day였다 (Kim 등, 2005).

(14) 2-브로모프로판(2-Bromopropane)

① 물질정보: 할로겐화 프로판 유사체로 CFC 대체제(Sigma-Aldrich Co., USA)

② 시험방법: ICH 가이드라인, OECD 가이드라인

③ 실험동물: Sprague-Dawley 랫드

④ 투여방법: 임신 6일에서 19일까지 1일 1회씩 14회 피하투여

⑤ 투여용량: 0, 250, 500 및 1000 mg/kg/day

⑥ 검사항목: 임신동물의 모독성과 배아 및 태아의 발생독성 평가

⑦ 시험결과: 고용량군에서 모독성 영향으로 일반증상의 증가와 체중 및 사료섭취량의 감소가 관찰되었다. 발생독성 영향으로 태아사망의 증가와 산자수의 감소, 태아체중의 감소, 그리고 태아의 외표와 내부장기 및 골격 이상의 증가가 관찰되었

다. 중간용량군에서는 태아체중의 감소와 태아의 골화지연이 관찰되었다. 2-브로모프로판은 모독성 용량인 1000 mg/kg/day에서 발생독성과 기형유발성을 나타내고, 비모독성용량인 500 mg/kg/day에서 경미한 발생독성을 나타내었다. 모동물에 대한 무해용량은 500 mg/kg/day였고, 배·태아 발생에 대한 무해용량은 250 mg/kg/day였다(Kim 등, 2004).

(15) 극저주파 자기장(Extremely low frequency magnetic field)

① 물질정보: 60 Hz 극저주파 자기장(한국전기연구원 제작 발생장치)

② 시험방법: ICH 가이드라인, OECD 가이드라인

③ 실험동물: Sprague-Dawley 랫드

④ 투여방법: 임신 6일에서 20일까지 1일 22시간 전신노출

⑤ 투여용량: 0, 5, 83.3 및 500 mT (0, 50, 833 및 5000 mG)

⑥ 검사항목: 임신동물의 모독성과 배아 및 태아의 발생독성 평가

⑦ 시험결과: 모든 용량에서 자기장 노출과 관련된 모독성이나 발생독성 영향은 관찰되지 않았다. 모동물과 배·태아 발생에 대한 극저주파 자기장의 무해용량은 공히 500 mT 이상이었다(Chung 등, 2003).

(16) 플루피라조포스(Flupyrazofos)

① 물질정보: 유기인계 살충제(성보화학, 한국)

② 시험방법: ICH 가이드라인, OECD 가이드라인

③ 실험동물: Sprague-Dawley 랫드

④ 투여방법: 임신 7일에서 17일까지 1일 1회씩 11회 경구투여

⑤ 투여용량: 0, 5, 12 및 30 mg/kg/day

⑥ 검사항목: 임신동물의 모독성과 배아 및 태아의 발생독성 평가

⑦ 시험결과: 고용량군에서 모독성 영향으로 임신동물의 사망과 일반증상의 증가, 체중과 사료섭취량의 감소, 그리고 부신과 신장 및 심장 중량의 증가가 관찰되었다. 발생독성 영향으로 태아의 체중감소와 골화지연이 관찰되었다. 중간용량군에서는 모동물의 사망과 일반증상의 증가, 그리고 태아의 골화지연이 관찰되었다. 플루피라조포스는 모독성 용량에서 발생독성을 나타내며, 모동물과 배·태아 발생에 대한 무해용량은 공히 5 mg/kg/day였다(Chung 등, 2002).

(17) 비스페놀 A(Bisphenol A)

① 물질정보: 발정원성의 산업화학물질(Sigma-Aldrich Co., USA)

② 시험방법: ICH 가이드라인, OECD 가이드라인

③ 실험동물: Sprague-Dawley 랫드

④ 투여방법: 임신 1일에서 20일까지 1일 1회씩 20회 경구투여

⑤ 투여용량: 0, 100, 300 및 1000 mg/kg/day

⑥ 검사항목: 임신동물의 모독성과 배아 및 태아의 발생독성 평가

⑦ 시험결과: 고용량군에서 모독성 영향으로 일반증상의 증가와 체중 및 사료섭취량의 감소, 그리고 착상부전에 의한 비임신의 증가가 관찰되었다. 발생독성 영향으로 배아사망의 증가와 산자수의 감소, 그리고 태아의 체중감소 및 골화지연이 관찰되었다. 중간용량군에서는 모동물의 체중과 사료섭취량의 감소, 그리고 태아의 체중감소가 관찰되었다. 비스페놀 A는 모독성 용량에서 발생독성을 나타내며, 모동물과 배·태아 발생에 대한 무해용량은 공히 100 mg/kg/day였다(Kim 등, 2001).

(18) 항균제 DW-116 (랫드)

① 물질정보: Fluoroquinolone 항균제(동화약품, 한국)

② 시험방법: 식품의약품안전청 의약품 등의 독성시험기준, ICH 가이드라인

③ 실험동물: Sprague-Dawley 랫드

④ 투여방법: 임신 6일에서 16일까지 1일 1회씩 11회 경구투여

⑤ 투여용량: 0, 31.3, 125 및 500 mg/kg/day

⑥ 검사항목: 임신동물의 모독성과 배아 및 태아의 발생독성 평가

⑦ 시험결과: 고용량군에서 모독성 영향으로 일반증상의 증가와 체중 및 사료섭취량의 감소가 관찰되었다. 발생독성 영향으로는 배아흡수율의 증가와 산자수의 감소, 태아체중과 태반중량의 감소, 태아의 외표, 내부장기 및 골격의 기형과 변이의 증가, 그리고 골화지연이 관찰되었다. 중간용량군에서는 태반중량의 감소와 태아 골격변이의 증가가 관찰되었다. DW-116은 모독성 용량인 500 mg/kg/day에서 발생독성과 기형유발성을 나타내고, 비모독성용량인 125 mg/kg/day에서 경미한 발생독성을 나타내었다. 모동물과 배·태아 발생에 대한 무해용량은 공히 31.3 mg/kg/day였다(Kim 등, 2000).

(19) 항암제 SKI 2053R

① 물질정보: 백금착물 항암제(선경제약, 한국)

② 시험방법: 국립보건안전연구원 의약품 등의 독성시험기준

③ 실험동물: Sprague-Dawley 랫드

④ 투여방법: 임신 6일에서 16일까지 1일 1회씩 11회 경구투여

⑤ 투여용량: 0, 0.75, 1.5 및 3.0 mg/kg/day

⑥ 검사항목: 임신동물의 모독성과 배아 및 태아의 발생독성 평가

⑦ 시험결과: 고용량군에서 모독성 영향으로 체중과 사료섭취량의 감소가 관찰되었다. 발생독성 영향으로는 배아흡수율의 증가와 태아의 체중감소, 내부장기와 골격기형의 증가 및 골화지연이 관찰되었다. 주요 기형소견은 뇌실확장과 무안구증, 소안구증, 척추 융합과 결손 및 늑골융합이 관찰되었다. SKI-2053R은 모독성 용량에서 발생독성과 기형유발성을 나타내었으며, 모동물과 배·태아 발생에 대한 무해용량은 공히 1.5 mg/kg/day였다(Chung 등, 1998).

(20) 항암제 DA-125

① 물질정보: 안트라씨이클린계 항암제(동아제약, 한국)

② 시험방법: 국립보건안전연구원 의약품 등의 독성시험기준

③ 실험동물: Sprague-Dawley 랫드

④ 투여방법: 임신 7일에서 17일까지 1일 1회씩 11회 경구투여

⑤ 투여용량: 0, 0.1, 0.3 및 1.0 mg/kg/day

⑥ 검사항목: 임신동물의 모독성과 배아 및 태아의 발생독성 평가

⑦ 시험결과: 고용량군의 모동물에서 사료섭취량과 체중 및 비장중량이 감소하였으며, 배·태아 흡수율의 증가와 태아체중의 감소가 관찰되었다. 태아의 외표, 내부장기 및 골격기형은 11.9, 41.8 및 14.5% 빈도로 증가하였으며, 주로 뇌탈출, 위벽파열, 구순열, 뇌실확장, 늑골유합 등이 관찰되었다. DA-125는 기형유발물질로 확인되었으며, 모동물과 배·태아 발생에 대한 무해용량은 공히 0.3 mg/kg/day였다(Chung 등, 1998).

▶ 참고문헌

1. Chung MK, Kim JC, Han SS. Embryotoxic effects of CKD-602, a new camptothecin anti-cancer agent, in rats. Reprod Toxicol 2005a;20(1):165-73.

2. Chung MK, Kim JC, Han SS. Effects of CKD-602, a new camptothecin anticancer agent, on pregnant does and embryo-fetal development in rabbits. Drug Chem Toxicol 2005b;28(1):35-49.

3. Chung MK, Kim JC, Han SS. Developmental toxicity of flupyrazofos, a new organophosphorus insecticide, in rats. Food Chem Toxicol 2002;40:723-9.

4. Chung MK, Kim JC, Myung SH, et al. Developmental toxicity evaluation of ELF magnetic fields in Sprague-Dawley rats. Bioelectromagnetics 2003;24:231-40.

5. Chung MK, Kim JC, Roh JK. Teratogenic effects of DA-125, a new anthracycline anticancer agent, in rats. Reprod Toxicol 1995;9:159-64.

6. Chung MK, Kim JC, Roh JK. Embryotoxic effects of SKI 2053R, a new potential anticancer agent, in rats. Reprod Toxicol 1998;12:375-81.

7. Kim JC, Kim SH, Shin DH, et al. Effects of prenatal exposure to the environmental pollutant 2-bromopropane on embryo-fetal development in rats. Toxicology 2004;196:77-86.

8. Kim JC, Kim SH, Shin DH, et al. Developmental toxicity assessment of the new fluoroquinolone antibacterial DW-116 in rabbits. J Appl Toxicol 2005;25(1):52-9.

9. Kim SH, Lee IC, Baek HS, et al. Dose-response effects of diphenylhydantoin on pregnant dams and embryo-fetal development in rats. Birth Defects Res (B) 2012a;95(5):337-45.

10. Kim SH, Lee IC, Baek HS, et al. Effects of melamine and cyanuric acid on embryo-fetal development in rats. Birth Defects Res (B) 2013;98(5):391-9.

11. Kim SH, Lee IC, Baek HS, et al. Induction of cytochrome P450 3A1 expression by diallyl disulfide: Protective effects against cyclophosphamide-induced embryo-fetal developmental toxicity. Food Chem Toxicol 2014;69:312-9.

12. Kim SH, Lee IC, Lim JH, et al. Effects of melamine on pregnant dams and embryo-fetal development in rats. J Appl Toxicol 2011;31(6):506-14.

13. Kim SH, Lee IC, Lim JH, et al. Protective effects of pine bark extract on developmental toxicity of cyclophosphamide in rats. Food Chem Toxicol 2012b;50(2):109-15.

14. Kim JC, Shin HC, Cha SW, et al. Evaluation of developmental toxicity in rats exposed to the environmental estrogen bisphenol A during pregnancy. Life Sci 2001;69:2611-25.

15. Kim JC, Shin JY, Yang YS, et al. Evaluation of developmental toxicity of amitraz in Sprague-Dawley rats. Arch Environ Contam Toxicol 2007;52(1):137-44.

16. Kim JC, Yun HI, Shin HC, et al. Embryo lethality and teratogenicity of a new fluoroquino-

lone antibacterial DW-116 in rats. Arch Toxicol 2000;74:120-4.

17. Lee JC, Shin IS, Ahn TH, et al. Developmental toxic potential of 1,3-dichloro-2-propanol in Sprague-Dawley rats. Regul Toxicol Pharmacol 2009;53:63-69.

18. Lim JH, Kim SH, Shin IS, et al. Maternal exposure to multi-wall carbon nanotubes does not induce embryo–fetal developmental toxicity in rats. Birth Defects Res (B) 2011;92(1):69-76.

19. Yang YS, Ahn TH, Lee JC, et al. Effects of tert-butyl acetate on maternal toxicity and embryo-fetal development in Sprague-Dawley rats. Birth Defects Res (Part B) 2007;80(5):374-82.

20. Yu WJ, Son JM, Lee J, et al. Effects of silver nanoparticles on pregnant dams and embryo-fetal development in rats. Nanotoxicology 2014;8(S1):85-91.

동물에서의 신경독성 및 행동발달 연구

○ 신찬영

1 신경독성

신경독성(Neurotoxicity)이란, "물리, 화학적 요인들에 의한 신경계의 화학적, 구조적, 기능적 부작용"으로 정의되며, 신경병증(neuronopathy), 축삭병증(axonopathy), 수초질환(myelinopathy) 등과 같이 신경계의 형태학적 변화가 발생하는 장애가 대표적인 부작용이다.[1] 신경병증(신경세포가 사멸하는 병), 축삭병증(신경 축삭이 퇴화되는 병), 수초질환(신경 축삭을 둘러싸고 있는 교세포가 사멸하는 병) 등과 같은 형태학적인 변화를 일으키는 질병 등이 포함되며, 구조적인 상해(damage)가 없는 신경화학적인 변화도 부작용으로 고려된다. 신경독성은 성인기 및 발달기 모두에서 발생하지만 주로 발달기 신경독성에 초점이 맞춰져 있으며, 실제로 인체에 영향을 미치는 신경독성물질 대부분은 발달기 신경에 영향을 미치는 독성물질로 잘 알려져 있다. 이는 모든 경우에 해당하지는 않지만, 일반적으로 성인기의 신경계에 비해 발달기의 신경계가 독성물질에 더 민감하기 때문인 것으로 사료된다.[2]

신경독성은 간 또는 심혈관계 구조 손상에 의한 간접적인 영향에 의해 발생하기도 하며, 이는 상기 질환들이 내분비계 조절을 방해하기 때문으로 알려져 있다. 몇몇 독성물질들은 다양한 작용기전을 가지고 있기 때문에 신경계에 직간접적으로 영향을 미치게 된다. 예를 들어, 할로겐 화합물들 중 일부는 직접적으로 신경세포들과 반응하지만 thyroid 호르몬의 항상성을 변화시켜서 발달기 신경계에 악영향을 미치기도 한다.[3]

2 발달 신경계의 취약성

일반적으로 발달기의 신경계는 성인기 신경계보다 외부 물질에 의한 독성에 더 취약한 것으로 알려져 있다. 중추신경계는 부위 및 발달 시기에 따라 성장 속도가 다르며 각 시기에 맞는 세포의 분열, 분화, 이동이 적절한 중추신경 기능을 위해 필수적이다.[4,5] 이와 같은 현상은 같은 뇌 부위에 있는 세포라 하더라도 신경세포 계통(subpopulation)에 따라서도 다르게 나타나게 된다. 예를 들어, 소뇌의 푸르키네 세포(Purkinje cells)는 발달 초기(랫드 기준 임신 13-15일, 사람 기준 임신

5-7주)에 생성되는 반면, 과립세포(Granule cells)는 상대적으로 늦은 시기(랫드 기준 생후 4-19일, 사람 기준 임신 24-36주)에 발달이 이루어진다.[4] 이 시기에 수은, 납, 알코올 등과 같은 외부 독성물질에 노출되면 세포의 분열 및 이동에 악영향을 주게 되고, 결과적으로 뇌 발달에 유해한 효과를 초래한다.[6] 뉴런은 일생 동안 필요시에 시냅스를 만드는 능력을 가지고 있으나, 태아의 뇌 발달기 동안 일어나는 시냅스 형성이 신경계 회로를 구성하는데 있어서 성인기의 시냅스 형성보다 더욱 중요하다. 또한, 뇌 발달기에 신경전달물질(neurotransmitter)은 신경전구세포의 분열, 생존, 분화 조절 등과 같은 다양한 역할을 하게 되며, 이는 성인기의 신경전달물질의 역할보다 더욱 다양하다고 볼 수 있다.[7, 8] 결과적으로. 신경발달과정 동안 신경전달을 방해하는 외부 독성물질의 노출에 의해 중추신경계의 영구적인 장해(defect)를 일으킬 수 있음을 알 수 있다.

신경발생(neurogenesis)기에 일반적으로 발생하는 과도한 뉴런의 생성은 세포자살(apoptosis) 과정에 의한 가지치기 반응(prunning, 시냅스 소실반응)이 유도되어 최종적으로 정교하게 조절된다.[9] 이 시기에 외부 독성물질 노출이 생성된 뉴런의 퇴화를 촉진하거나, 세포자살과정 억제를 통한 불필요한 뉴런의 생성 및 유지를 촉발시킬 수 있으며 가지치기 반응을 방해하여 궁극적으로 뇌 기능에 부정적인 영향을 줄 가능성이 높아지게 된다.[10, 11] 신경독성 발생에는 비단 뉴런 뿐만 아니라 성상교세포, 미세아교세포 등과 같은 교세포에 대한 독성도 중요하다. 실제로 알코올, 니코틴, 유기인계 살충제 등과 같은 화학물질은 교세포의 왕성한 분열 및 성숙을 특징으로 하는 뇌 크기 증가 시기에 신경독성반응을 일으키는 것으로 알려져 있으며, 이 시기는 뇌혈관장벽(blood brain barrier)의 발달이 불완전한 시기이기 때문에 외부 독성물질의 두뇌로의 출입이 자유로워 신경독성효과가 더 커지게 된다.[12]

3 신경계 발달에 영향을 미치는 신경독성물질

신경발달독성을 유발하는 다양한 물질들 중 비교적 많은 연구가 진행되어 온 몇몇 물질의 신경독성 특징은 아래와 같다.

1) 메틸수은(Methylmercury, MeHg)

메틸수은은 발달기 신경독성물질 중 가장 잘 알려진 유기금속 중 하나로써, 주로 수은에 지속적으로 노출된 어류 등에 의해 수년 간 인체에 영향을 미치는 것으로 잘 알려져 있다. 1950년 중반 일본 미나마타 현에서 태어난 어린이들에게서 심각한 중추신경학적인 독성이 나타났으며, 연구결과 주변 공장지역의 폐수에 노출된 어류를 섭취한 부모들을 통해 아이에게 독성이 발생됨이 밝혀졌다. 이는 일본 뿐만 아니라 이라크에서도 전 사회적인 문제로 대두되었으며, 두 지역에 관한 연구 결과에서 성인, 어린이, 태아 등 연령에 따라 병리학적인 소견이 각기 다른 것으로 밝혀졌다.[13] 예를 들어, 성인에게서 메틸수은은 소뇌 및 시각 피질(visual cortex)에만 제한적으로 영향을 미치지만 발달기에는 뇌 전체에 걸쳐 손상을 입히게 된다. 또한 메틸수은에 대한 취약성이 태중(in utero) 뇌 발달기에 5배 정도 더 높은 것으로 평가되고 있다.[14] 메틸 수은에 중독된 어린이들은 뇌성마비, 정신지체, 간질, 원시적 반사(primitive reflex), 언어 장애 등의 증상 및 징후를 보이며, 독성 기전에 관련한 연구는 광범위적으로 이루어져 왔으나 매우 복잡한 양상을 띠고 있어 정확한 원인은 아직까지 밝혀지지 않았다. 세포 수준에서 메틸수은은 아포프토시스 세포 사멸(apoptotic cell death), 신경세포 분지 응축, 세포 골격 손상 등의 원인이 되며, 세포의 에너지 대사를 방해하고, 세포 증식 및 신경세포 이동을 억제하는 것으로 알려져 있다.

2) 납(Lead, Pb)

납은 성인과 어린이 모두에게 신경독성을 일으킬 수 있는 독성금속으로써, 성인에게는 말초 신경병증(peripheral neuropathy)을 유발하며, 킬레이트화(chelation)에 의해 증상을 회복시킬 수 있다. 높은 농도(혈액 내 100 ug/dL 이상)에 노출 되었을 때, 뇌증(encephalopathy)을 일으킬 수 있으며, 발달기의 중추신경계에서는 훨씬 적은 농도(60 ug/mL)에서도 독성을 유발할 수 있다.[15, 16] 또한 혈중 2 ug/mL 정도의 노출 농도가 IQ 감소 및 다양한 행동학적 이상 반응과 관련이 있으며, 현재 납 노출에 대한 안전역은 없다는 것이 정설로 받아들여지고 있다.[17-20]

다양한 동물종을 이용한 연구를 통해 발달기에서 납의 노출이 인지능력 저하, 기억력 감퇴, 주의 산만 등의 원인이 됨이 밝혀졌으며, 설치류를 이용한 실험을 통해, 임신 중 낮은 농도의 납 노출이 인지 기능 장애를 유발하는 것으로 알려져 있다.[21, 22] 이러한 납의 독성은 신경세포 분화와 시냅스 형성에 영향을 미치게 되는데, 특히 후기 발달과정(latest stage)에 일어나는 자연 세포 사멸과 시냅스 가지치기에 영향을 미쳐 정상적인 시냅스 형성을 방해하게 된다.[23, 24]

3) 유기인계 살충제(Organophosphorus insecticides)

유기인계 살충제는 1940년대 이후로 가장 많이 사용되는 살충제 중 하나로써, 살충효과가 매우 우수하지만 해충이 아닌 인간과 같은 다른 종에게 부작용을 일으킬 가능성이 높은 물질로 알려져 있다. 대표적인 신경독성으로는 아세틸콜린에스테라아제(Acetylcholinesterase, AChE)의 억제로 인한 시냅스 간 아세틸콜린 축적으로 생기는 콜린성발증(cholinergic crisis)이 있다.[25] 유기인계 살충제의 급성 독성효과는 연령에 따라 다르며, 어릴수록 독성에 더욱 민감한 것으로 알려져 있다. 이는 성인에 비해 발달기 어린이의 대사 능력이 더 낮기 때문으로 여겨지고 있다.[26, 27] Cytochrome P450, paraoxonase-1, carboxylesterase와 같은 효소가 유기인계 살충제의 탈독성화(detoxication)에 관여하는데, 발달기 어린이들에게 있어서 이러한 효소들의 활성 정도는 성인보다 낮기 때문에, 유기인계 살충제가 어린이들에게 미치는 독성은 더 크다고 할 수 있다.[28-30]

설치류를 이용한 연구에 따르면, 임신 중 또는 생후 chlorpyrifos(유기인계 살충제의 일종) 투여가 DNA 복제, 신경세포 생존, 성상교세포 증식 등과 같은 다양한 세포 과정(cellular process)에 영향을 미칠 뿐만 아니라, 비콜린성 생화학적 신호경로(noncholinergic biochemical pathway), 행동학적 이상(locomotor activity, cognition 등)에도 악영향을 주는 것으로 알려져 있다.[31-34] 시험관 내 연구(in vitro study)에 따르면, 유기인계 살충제는 교세포류의 증식을 억제하고 신경세포 사멸을 유도하는데 이는 살충제의 농도가 AChE를 억제하는 수준보다 높을 때 발생한다고 알려져 있다.[35, 36]

4) Polybrominated Diphenyl Ethers (PBDEs)

PBDE는 최근 다양한 소비재(consumer product)에 널리 사용되는 첨가성 내화처리제(additive flame retardant) 중 하나로써, 고분자 물질 등에 화학적으로 결합하지 않는 성질 때문에 인체 혈액이나 모유 등에서 쉽게 검출되는 물질이다.[37, 38] Penta 및 octa BDE의 경우 유럽 연합 및 미국의 대부분의 주(state)에서 사용 규제 물질로 지정되어 있으며 미국 국민의 인체 조직에서 PBDE 검출 농도는 해마다 증가하여 유럽 및 아시아인보다 10-100배 정도 높은 것으로 보고되고 있다.[39] 특히 영아의 경우 모유를 통해서, 어린이의 경우 집 먼지나 음식을 통해 노출될 가능성이 있기 때문에 주의를 더 요한다. 이와 같은 부분 때문에 PBDE의 잠재적인 발달 독성이나 신경독성에 대한 경각심이 점점 증가하고 있다.

대만에서 수행한 연구에 따르면, 모유 내 PBDE의 농도 증가가 태아의 몸무게 및 신장 감소, 머리와 가슴둘레 감소, BMI의 감소와 관련이 높은 것으로 밝혀졌다.[40] 또한, 네덜란드 연구팀에 따르면, 임신 35주째인 모체의 혈중 PBDE 농도가 높아짐에 따라 산후 아이의 운동기능, 인지능력 장애와 관련이 높음을 발표하였다.[41] 미국 뉴욕시에서 수행된 연구 및 스페인에서 수행된 연구에서도 위와 유사한 결과가 도출되었다.[42, 43] 이와 같은 보고에 기반하여, 미국 환경청(US EPA)에서는 발달기 신경독성에 관한 Reference dose (RfD)를 BDE-47은 200 ng/kg/day, BDE-99에 대해서는 100 ng/kg/day, 그리고 BDE-209에 대해서는 7.0 ug/kg/day로 설정하였다.[44]

PBDE가 발달기 신경독성을 유발하는 기전은 명확하게 밝혀져 있지 않지만, 현재까지 잘 알려진 기전으로는 발달기 뇌의 thyroid 호르몬 수치의 변동 및 protein kinase C와 칼슘 항상성 변동에 따른 산화스트레스(oxidative stress) 증가 및 세포 사멸 유도에 의한 것으로 추정하고 있다.[45-47]

5) 알코올(Alcohol)

임신 중 과도한 알코올 섭취는 태아 및 동물 산자에게 광범위적인 정신적, 육체적 발달 장애를 일으키게 되며, 그 대표적인 예로는 Fetal Alcohol Spectrum Disorder (FASD)등이 있다.

아일랜드의 여성 61,241명을 대상으로 조사한 결과, 81%에 이르는 49,628명이 임신 전기 또는 후기에 알코올을 섭취한 경험이 있는 것으로 나타났으며, 그 중 71%는 소량, 9.9%는 중간 정도(moderate), 0.2%는 많은 양(주당 20 unit 이상)을 섭취한 것으로 밝혀졌다. 이는 임신 중 알코올 섭취가 위험하다는 것을 지속적으로 경고했음에도 불구하고, 여전히 임신 중 음주가 만연하고 있음을 나타낸다.[48] 동물을 이용한 Choice reaction time (CRT) 행동 실험 결과 임신 중인 랫드에게 알코올을 투여한 경우, 먹이를 먹기 위한 불빛 신호에 반응하여 정확하고 신속하게 레버를 누르는 비율의 오류 정도가 대조군에 비해 높았을 뿐만 아니라 반응 시간도 다양해졌다. 이러한 연구 결과는 임신 중 알코올 노출이 주의력 결핍 및 충동성을 유발할 가능성이 있음을 나타내는 것이다.[49]

4 동물을 이용한 신경발달독성 시험법

다양한 환경학적 요인들에 의해 일어나는 행동학적 이상을 관찰하기 위한 정교한 행동학적 시험법들이 지속적으로 연구되어 왔으며, 이를 통해 EPA의 Health Effects Test Guidelines OPPTS 870.6300 Developmental Neurotoxicity Study와 OECD의 OECD Guideline for the Testing of Chemicals, Draft Proposal for a New Guideline 426, Developmental Neurotoxicity Study 가이드라인이 만들어졌다.

발달기 신경독성 연구는 기본적으로 태아 발달기 동안의 독성물질 노출에 의해 변화하는 성장, 발달 기형, 운동 및 감각 기능 기반 행동, 인지기능 변화, 신경조직병리학적 이상 등을 기반으로 이루어진다. 랫드 및 마우스를 이용하여 발달기 신경독성을 측정하기 위한 다양한 행동 실험법 묶음(Behavioral test batteries)이 존재한다. 대표적으로는 신시내티 주립대학교에서 정립한 Cincinnati test battery,[50] 미 국립 독성 연구원(National center for toxicology research)의 Collaborative behavioral teratology study (CBTS)[51] 등이 있으며, 가장 최근에는 사회성 행동 실험 등이 포함된 행동 실험법 묶음이 Petruzzi와 Rayburn 연구팀에 의해 제안되었다.[52, 53]

행동 실험을 수행하기 위해 선행되어야 할 주요 원칙은 독성물질을 임신 중인 모체와 이유(lactation) 중인 모체에 투여해야 하며, 무작위적인 선택(random sampling)을 하여 행동실험을 수행해야 한다는 점이다. 이 때, 대조군을 비롯한 3가지 이상의 농도 투여군이 사용되어야 하며, 독성물질 및 vehicle은 임신 6일째부터 이유기가 끝나는 생후 21일째까지 투여가 가능하다. 모체는 산자(offspring)의 이유기가 지날 때까지 지속적으로 돌볼 수 있어야 하며, 생후 4일이 되기 전에 산자들의 균형적인 발달을 위해 일정한 수로 산자를 유지시켜야 한다. 이 때 대략 어미 1마리 당 산자의 수는 8마리 정도로 유지하며, 성별 비율이 1:1이 되도록 해주는 것이 좋다. 표 1-3-1에 나타나있는 것과 같이 다양한 신경행동학적 카테고리에 해당하는 실험들을 수행하며, 각각의 행동 실험들은 산자의 생후 주령을 고려하여 수행하여야 한다(표 1-3-1 참조).

표 1-3-1. 랫드를 이용한 CBTS test battery[54]

측정 카테고리	측정 날짜 (Postnatal day)
Physical growth	
Body weight	1, 7, 14, 21, 30, 60, 90, 110-120
Developmental landmarks	
Upper and lower incisor eruption	7 - completion
Eye opening	12 - completion
Testes descent	21 - completion
Vaginal opening	30 - completion
Sensorimotor function	
Negative geotaxis	7-10
Olfactory orientation	9-11
Auditory startle response (habituation)	18-19, 57-58
Activity and exploration	
Figure 8 activity (1 hr test)	21, 60
Figure 8 activity (24 hr test)	100-108
Learning and memory	
Visual discrimination operant task	75-89
Pharmacologic challenge	
D-amphetamine	120-131

5 환경독성인자 노출에 의한 신경발달질환 유발: ADHD 유사 증상 연구

환경독성인자에 의해 발생 가능한 다양한 신경발달질환의 한 예로 ADHD 유사 증상의 발생과 그 시험법을 소개하고자 한다.

1) ADHD 개요

(1) ADHD의 정의

소아에서 주로 나타나는 정신과 장애로 주의력결핍, 과잉행동, 충동성의 세 가지 증상이 핵심증상으로 나타나며, 정상적인 학교생활 및 가정생활에 큰 지장을 초래하는 발달장애의 하나로 최근 심각한 사회적 문제가 되고 있는 질환이다. ADHD는 1902년 영국의 소아과 의사인 G.F.Still이 보고한 이래 1960년대부터 의학적 치료가 시도되고 있으며 보다 부작용이 적고 효과적인 의약품의 개발이 절실히 요구되고 있는 실정이다.

(2) ADHD의 특징

① 주의력 산만

주의가 산만한 것은 흥미를 느끼지 못하거나 업무 종결에 대한 인지와 노력의 감소에 문제가 발생하였을 경우 발생하게 되며, 만일 보상이나 만족이 기대되는 다른 일이 있을 경우 관심의 대상이 바뀌기 때문에 주의가 산만해지게 된다고 알려져 있다. Single-photon emission computed tomography,[55-57] PET,[58] fMRI[59] 연구를 통해 운동 반응의 억제 기전을 담당하는 전두엽의 문제가 발생할 경우 주의력 산만이 일어난다고 보고되어 있다.

② 과잉행동

전두엽 부분 중 premotor, motor 부분과 subcortical region 특히 소뇌와 cerebellar-frontal 연결 부위가 인지와 시간적인 정보의 처리에 중요한 역할을 담당하고 있다. ADHD는 dopamine 기능저하와 관계된다는 가설과 이에 대한 증거가 많이 제시되고 있다. 특히 D2 receptor 및 DAT 유전자 다형성이 이를 뒷받침한다. 동물모형에서 도파민성 신경세포 내에서 소포저장의 장애를 시사하는 소견이 보고되었고, ADHD 아동들의 뇌에서 여러 영역 간의 상호작용 이상이 발견되었다. 이것은 ADHD 동물 모델인 Spontaneous hypertensive rat의 뇌에서 cytochrome 산화효소활성의 영역별 차이와도 관련되는 것으로 보인다.[60] 또한, 다른 신경전달물질로써 노르아드레날린계 청반(locus ceruleus)의 기능 장해로 아드레날린계의 억제가 실패하여 과다 경계(hypervigilance)가 발생한다고 보는 견해도 있으며, 노르에피네프린 효현제인 clonidine을 투여한 결과 과잉행동 호전에 효과를 보인다는 연구 결과가 있다.

③ 충동성

전전두엽 부분이 충동성과 연관되어 있으며, basal ganglia, 시상, 소뇌가 행동의 제어에 관여한다고 알려져 있다.[61] 또한 dorsal anterior cingulate cortex 기능저하로 인한 신경 활성 억제 조절의 저하가 보고되었다.[62] ADHD 환자에서는 유전적 또는 환경적인 요인들에 의해 대뇌 피질 변연계의 기능저하가 유발되고 이에 따라서 강화지연의 기울기(delay of reinforcement gradient)가 짧아지며 그 결과로 충동성, 과잉운동증상, 지속적 집중의 장애가 초래된다.

충동성 조절에 관한 세로토닌의 역할에 대한 연구도 활발히 진행되고 있다. 5-HT2a와 5-HT2c 수용체에 작용하는 약물이 충동성을 조절하는데 효과를 보이며,[63] 성인 ADHD 환자를 대상으로 fMRI를 수행한 결과 보상을 기대할 때 발생하는 ventral striatum의 활성이 감소되어 있는 것으로 알려져 있다.[64] 또한 자극에 대한 반응에 있어 전두엽 억제기전이 적절하게 수행되지 못해 충동 행동이 발생한다고 알려져 있다.

2) 동물을 이용한 ADHD 유사 행동이상 측정법

과잉운동, 집중력, 학습능력 등은 아래와 같은 시험 방법을 적절히 활용하여 각각의 항목을 분석한다.

(1) 일반 운동 활성(Locomotor activity) 측정: 운동 기능의 항진과 저하, 진정, 흥분, 불안, 우울, 회피 정도 및 독성을 검색하는데 활용한다.

아래 그림과 같이 EthoVision system (Noldus IT b.v., Netherlands)과 같은 행동 관찰 장치 및 프로그램을 활용하여 데이터를 분석한다(그림 1-3-1 참조).

시험 박스 중앙에 흰쥐 또는 생쥐를 놓고 10~20분간 행동 양상 관찰을 한 후 총 움직인 거리, 움직인 속도, 가운데 영역에서 머문 시간, 가운데 영역에서 움직인 거리 등을 측정하게 된다.

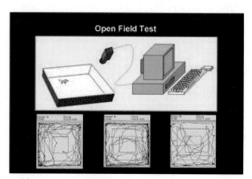

그림 1-3-1. Open field test

(2) Rota-rod test: 균형 유지 능력, 운동 유지 능력 검색에 활용한다.

RPM이 조절되는 쳇바퀴 실험 장치를 활용하여, 동물을 올려놓은 후 떨어지기까지 걸리는 시간과 횟수를 측정한다(그림 1-3-2 참조).

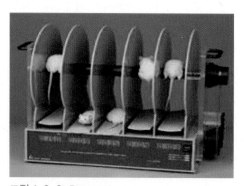

그림 1-3-2. Rota-rod

(3) Y-maze task: 공간 지각력 및 비특이적 집중 검색이 가능한 실험법이다.

실험 도구는 3개의 가지로 구성되어 있으며 각 가지(arm)의 길이는 42 cm, 넓이는 3 cm, 높이는 12 cm이고 세 팔이 접하는 각도는 120°이다. 모든 실험 장치는 검정색의 poly-vinyl plastic으로 구성되어 있으며, 각 가지를 A, B, C로 정한 후 한쪽 가지에 동물을 조심스럽게 놓고 8분 동안 자유롭게 움직이게 한 다음 마우스 및 랫드가 들어간 가지를 기록한다(그림 1-3-3 참조).

세 개의 다른 가지에 차례로 들어간 경우에 1점(실제 변경, actual alternation)씩 부여하여 다음 공식으로 그 변경 행동력을 계산한다.

변경 행동력 (%) = 실제변경(actual alternation) / 최고변경(maxium alternation) × 100(최고변경: 총 입장횟수 – 2)

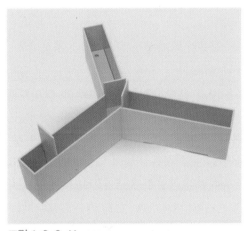

그림 1-3-3. Y-maze

(4) 방사성 미로 검사(Radial arm maze): 주의력, 과잉행동성, 작업기억(working memory) 등을 측정하는 실험법이다.

실험장비 구성은 다음과 같다. 8-arm radial maze는 8개의 arm (14.5 × 75 cm)이 8각형의 판(지름, 80 cm; 높이, 51.5 cm)에 붙어 있다. 먹이를 넣는 조그마한 먹이 통(지름, 4 cm; 깊이, 2 cm)이 각각의 arm의 끝에 위치해 있다. Fruit Loops (Kellog Company)을 보상으로 사용한다(그림 1-3-4 참조).

투명 아크릴 벽(높이, 30 cm × 넓이, 12 cm)으로 쥐가 어떤 arm에 가는 것을 차단시킨 후 훈련을 시작한다. 훈련은 쥐가 먹이를 먹었던 arm에 다시 가지 않고 새로운 arm에 가야만 먹이를 얻을 수 있게 설계하여 진행한다. Information phase 동안에 쥐가 먹이를 먹었던 arm에 다시 들어가면 error로 간주하고 이를 pre-delay error라 명명한다. Information phase와 retention phase 간에 간격 기간을 증가시켜(7시간, 24시간) 실험을 수행한다. 결과는 pre-delay error와 각 arm에 머무른 시간을 고려하여 error가 크거나 특정 arm에 머무르는 시간이 많다면 spatial memory가 떨어져 있다고 해석한다.

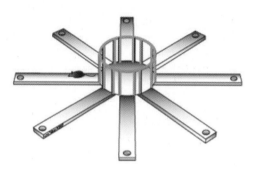

그림 1-3-4. Radial arm maze

(5) Bottle preference test: 집중력 및 충동성을 측정하는 실험이다.

동물을 쓴맛을 느끼게 하는 물과 일반 물이 들어 있는 chamber의 위치를 인지하도록 훈련시키거나 혹은 동물을 처벌하는 방에 위치한 물을 알 수 있도록 훈련시킨다. 이 방식은 절수시켜 목이 마른 실험 동물이 물을 마시러 가는 경우에 footshock을 주어 electrofoot shock aversion의 정도를 측정하는 방식을 사용하여 측정할 수 있다. 이후 물을 제거하여 갈증을 유발시킨 동물에게 쓴 물 혹은 처벌이 있음에도 불구하고 물을 먹게 되는 빈도와 시간을 측정하여 결과를 해석한다(그림 1-3-5 참조).

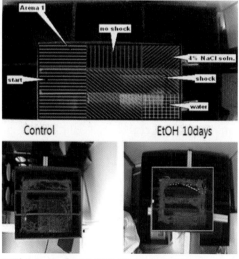

그림 1-3-5. 충동성 측정 장치와 실제 측정 예

3) 선천성 환경독성인자 노출에 의한 ADHD-유사 행동이상

발달 단계에서의 환경독성인자 노출에 의해 ADHD-유사 증상이 발생할 수 있다는 다양한 연구 결과가 있으며 이를 간단히 소개하여 독성 인자에 의한 후세대 신경독성 연구 방식을 설명하고자 한다.

(1) 알코올

과도한 선천성 알코올 노출이 후세대의 ADHD-유사 신경독성과 관련이 있다는 연구결과가 최근 지속적으로 발표되고 있으며, 이 중 대표 연구 결과 및 실험 방법을 본 파트에서 설명하고자 한다.[65, 66] 알코올 노출에 의한 ADHD 증상 발현 실험은 다음과 같은 방법으로 수행되었다. ICR 마우스 암컷 혹은 수컷에 알코올을 투여하고 후세대에 미치는 영향을 검색하였다. 또한 3가지 이상의 알코올 농도를 사용하며 반응의 용량-반응 상관관계를 확인하였다. 동물 모델은 임신 6일째부터 약 10일간, 20% 에탄올 수용액을 경구로 투여하는 방법으로 제작되었다.

태어난 차산자를 이용하여 ADHD의 핵심 증상과 성장 추세 및 기타 신경행동학적인 변동을 확인하였으며, 과잉행동성은 Open filed test, 충동성은 Electroconvulsion aversive drinking test, 그리고 주의력 결핍은 Y-maze를 기준으로 검색하였다.

임신 중 모체에 0.5 g/kg, 1 g/kg, 2 g/kg, 4 g/kg, 6 g/kg 농도의 알코올을 임신 6일째부터 10일간 경구 투여한 후 태자의 몸무게를 주령별로 확인한 결과, 각 군 사이의 몸무게에 유의성 있는 차이는 없었으며, 각 군별 산자의 수나 성별에도 차이는 보이지 않았다.

4 g/kg, 6 g/kg의 중, 고농도 군에서 일반운동 활성이 유의성있게 증가하며 수컷 태자가 암컷 태자 보다 과잉 행동 양상이 알코올의 농도 의존적으로 증가하는 현상이 뚜렷하게 나타났다. 마찬가지로 주의력 결핍을 측정하기 위해 4주령 동물을 이용하여 Y-maze test를 수행한 결과, 집중력 및 공간 지각력의 지표로 볼 수 있는 spontaneous altenation이 농도 의존적으로 감소되어 있었다. 또한 전기자극 벌칙에도 불구하고 목마른 쥐가 물을 마시기 위한 시도 및 실제 음수 횟수 및 양이 증가하는 사실로부터 선천적으로 알코올에 노출된 쥐들은 충동적 경향을 나타냄이 확인되었다.

흥미로운 사실은 이러한 알코올 유도성 ADHD-유사 증상이 더 이상의 알코올 노출이 없음에도 불구하고 2세대 동물에 전이되어 나타날 수 있다는 사실이며 또한 임신 중 암컷 외에도 임신 전 수컷에 알코올이 고농도로 장기간 투여될 때에도 산자에게 영향을 미칠 수 있다는 사실이다. 이러한 연구 결과들은 신경발달과 관련된 알코올의 영향이 매우 광범위함을 나타내며 적극적인 교육 및 중재와 추가 연구가 필요함을 나타내는 것이다. 또한 이러한 연구 방식은 다른 다양한 뇌신경발달 저해제의 연구에도 동일하게 적용될 수 있을 것이다.

(2) 과도한 설탕 섭취

임신 중 과도한 당 섭취가 ADHD를 유발 할 수 있는 가능성을 높인다는 증례 보고들이 있으나 이를 동물 모델을 통해 기전을 밝혀낸 보고들은 없었다. 최근 국내 연구팀이 임신 중 설탕 및 과당 노출 모델을 이용하여 과도한 설탕 섭취가 산자에게 어떻게 ADHD를 유발하는지 확인하였다.[67]

해당 연구팀에서 실험한 방법은 다음과 같다. 우선 실험 동물은 ICR 마우스를 사용하였으며, 임신 중 암컷에게 30% 설탕물을 농도에 맞게 경구 투여하고 후세대에 미치는 영향을 검색하였다. 실험군은 대조군을 포함하여 3군을 사용하였다. 동물 모델 제작의 목표는 인간의 과도한 설탕 섭취와 최대한 유사한 부모 세대 설탕 노출 동물 모델을 확립하는 것으로 하였으며, 인간의 설탕 섭취 습관과 가장 유사한 형태와 양을 임신한 마우스에 투여하여 선천성 설탕 노출 동물 모델을 제작하였다고 밝혔다. 투여기간은 임신 6일째부터 임신 15일째까지 10일이었다.

임신 중 과도한 당 섭취가 산자 독성을 일으키는지 확인하기 위하여 모체의 몸무게를 임신 중 날짜별로 확인한 결과 대조군과 차이가 없었다. 또한 당 섭취가 잘 되었는지 확인하기 위해 꼬리정맥 채혈을 통하여 당 섭취 30분 뒤 혈당을 확인한 결과 대조군에 비해 혈당이 유의적으로 증가되어 있었다.

이러한 조건에서 임신 중 과도한 당 섭취로 sucrose 9 g/kg 군의 산자에서 과잉행동이 관찰되었으며 주의력 결핍 및 충동성도 관찰되었다. 이러한 현상이 일어나는 원인은 아직 불분명하나 활발한 연구가 진행 중이다.

(3) 기타 ADHD 증상 유도 독성물질 연구결과

위에 제시된 인자들 이외에도 흡연, 중금속 노출, 식습관 등 다양한 환경적 요인이 임신 중 태아에게 영향을 미쳐 ADHD를 유발한다는 연구 결과들이 있다. Yochum 등의 연구에 따르면, 임신 중 흡연에 노출시킨 마우스에서 태어난 산자에게서 과잉행동이 유발되며, ADHD에 관여하는 인자들(카테콜아민, BDNF 등)이 mRNA 및 단백질 수준에서 유의적인 감소를 일으킨다고 보고하였다.[68] 또한 비스페놀-A, 다이옥신, Perfluorooctanoic acid 등 다양한 내분비 교란물질을 섞은 화합물을 임신 중 마우스에게 투여하였을 때, 태어난 산자에게서 ADHD 유사 증상이 유의성 있게 증가한다는 연구결과도 있다.[69]

이처럼 다양한 환경인자들이 임신 중 태아에게 영향을 미쳐 생후 신경독성을 유발할 가능성이 높다는 보고들이 계속 발표되고 있으며 지속적인 연구를 통해 명확한 신경독성 유발 기전을 밝혀내는 것이 필요하다.

▶ 참고문헌

1. Costa LG. Neurotoxicity testing: a discussion of in vitro alternatives. Environ Health Perspect. 1998;106 Suppl 2:505-10.

2. Grandjean P, Landrigan PJ. Developmental neurotoxicity of industrial chemicals. Lancet. 2006;368:2167-78.

3. Crofton KM. Thyroid disrupting chemicals: mechanisms and mixtures. Int J Androl. 2008;31:209-23.

4. Bayer SA, Altman J, Russo RJ, et al. Timetables of neurogenesis in the human brain based on experimentally determined patterns in the rat. Neurotoxicology. 1993;14:83-144.

5. Rodier PM. Vulnerable periods and processes during central nervous system development. Environ Health Perspect. 1994;102 Suppl 2:121-4.

6. Costa LG, Aschner M, Vitalone A, et al. Developmental neuropathology of environmental agents. Annu Rev Pharmacol Toxicol. 2004;44:87-110.

7. Rodier PM. Developing brain as a target of toxicity. Environ Health Perspect. 1995;103 Suppl 6:73-6.

8. Nguyen L, Rigo JM, Rocher V, et al. Neurotransmitters as early signals for central nervous system development. Cell Tissue Res. 2001;305:187-202.

9. Johnson EM, Jr., Deckwerth TL. Molecular mechanisms of developmental neuronal death. Annu Rev Neurosci. 1993;16:31-46.

10. Ikonomidou C, Bittigau P, Koch C, et al. Neurotransmitters and apoptosis in the developing brain. Biochem Pharmacol. 2001;62:401-5.

11. Webb SJ, Monk CS, Nelson CA. Mechanisms of postnatal neurobiological development: implications for human development. Dev Neuropsychol. 2001;19:147-71.

12. M Aschner, LG Costa. The Role of Glia in Neurotoxicity, CRC Press, Boca Raton, Fla, USA, 2nd edition, 2004.

13. Takeuchi T. Pathology of Minamata disease. With special reference to its pathogenesis. Acta Pathol Jpn. 1982;32 Suppl 1:73-99.

14. Burbacher TM, Rodier PM, Weiss B. Methylmercury developmental neurotoxicity: a comparison of effects in humans and animals. Neurotoxicol Teratol. 1990;12:191-202.

15. Miodovnik A. Environmental neurotoxicants and developing brain. Mt Sinai J Med. 2011;78:58-77.

16. Needleman HL, Gunnoe C, Leviton A, et al. Deficits in psychologic and classroom performance of children with elevated dentine lead levels. N Engl J Med. 1979;300:689-95.

17. Canfield RL, Henderson CR, Jr., Cory-Slechta DA, et al. Intellectual impairment in

children with blood lead concentrations below 10 microg per deciliter. N Engl J Med. 2003;348:1517-26.

18. Lanphear BP, Hornung R, Khoury J, et al. Low-level environmental lead exposure and children's intellectual function: an international pooled analysis. Environ Health Perspect. 2005;113:894-9.

19. Gilbert SG, Weiss B. A rationale for lowering the blood lead action level from 10 to 2 microg/dL. Neurotoxicology. 2006;27:693-701.

20. Grandjean P. Even low-dose lead exposure is hazardous. Lancet. 2010;376:855-6.

21. Davis JM, Otto DA, Weil DE, et al. The comparative developmental neurotoxicity of lead in humans and animals. Neurotoxicol Teratol. 1990;12:215-29.

22. Guilarte TR, Toscano CD, McGlothan JL, et al. Environmental enrichment reverses cognitive and molecular deficits induced by developmental lead exposure. Ann Neurol. 2003;53:50-6.

23. Bull RJ, McCauley PT, Taylor DH, et al. The effects of lead on the developing central nervous system of the rat. Neurotoxicology. 1983;4:1-17.

24. Oberto A, Marks N, Evans HL, et al. Lead (Pb+2) promotes apoptosis in newborn rat cerebellar neurons: pathological implications. J Pharmacol Exp Ther. 1996;279:435-42.

25. LG Costa. "Toxic effects of pesticides," in Casarett and Doull's Toxicology: The Basic Science of Poisons, C. D. Klaassen, Ed., pp. 883–930, McGraw-Hill, New York, NY, USA, 7th edition, 2008.

26. Pope CN, Liu J. Age-related differences in sensitivity to organophosphorus pesticides. Environ Toxicol Pharmacol. 1997;4:309-14.

27. Costa LG. Current issues in organophosphate toxicology. Clin Chim Acta. 2006;366:1-13.

28. Benke GM, Murphy SD. The influence of age on the toxicity and metabolism of methyl parathion and parathion in male and female rats. Toxicol Appl Pharmacol. 1975;31:254-69.

29. Mortensen SR, Chanda SM, Hooper MJ, et al. Maturational differences in chlorpyrifos-oxonase activity may contribute to age-related sensitivity to chlorpyrifos. J Biochem Toxicol. 1996;11:279-87.

30. Cole TB, Jampsa RL, Walter BJ, et al. Expression of human paraoxonase (PON1) during development. Pharmacogenetics. 2003;13:357-64.

31. Song X, Seidler FJ, Saleh JL, et al. Cellular mechanisms for developmental toxicity of chlorpyrifos: targeting the adenylyl cyclase signaling cascade. Toxicol Appl Pharmacol. 1997;145:158-74.

32. Dam K, Seidler FJ, Slotkin TA. Chlorpyrifos exposure during a critical neonatal period elicits gender-selective deficits in the development of coordination skills and locomotor activity. Brain Res Dev Brain Res. 2000;121:179-87.

33. Aldridge JE, Seidler FJ, Meyer A, et al. Serotonergic systems targeted by developmental exposure to chlorpyrifos: effects during different critical periods. Environ Health Perspect. 2003;111:1736-43.

34. Ricceri L, Markina N, Valanzano A, et al. Developmental exposure to chlorpyrifos alters reactivity to environmental and social cues in adolescent mice. Toxicol Appl Pharmacol. 2003;191:189-201.

35. Guizzetti M, Pathak S, Giordano G, et al. Effect of organophosphorus insecticides and their metabolites on astroglial cell proliferation. Toxicology. 2005;215:182-90.

36. Caughlan A, Newhouse K, Namgung U, et al. Chlorpyrifos induces apoptosis in rat cortical neurons that is regulated by a balance between p38 and ERK/JNK MAP kinases. Toxicol Sci. 2004;78:125-34.

37. Furst P. Dioxins, polychlorinated biphenyls and other organohalogen compounds in human milk. Levels, correlations, trends and exposure through breastfeeding. Mol Nutr Food Res. 2006;50:922-33.

38. Law RJ, Allchin CR, de Boer J, et al. Levels and trends of brominated flame retardants in the European environment. Chemosphere. 2006;64:187-208.

39. Lorber M. Exposure of Americans to polybrominated diphenyl ethers. J Expo Sci Environ Epidemiol. 2008;18:2-19.

40. Chao HR, Wang SL, Lee WJ, et al. Levels of polybrominated diphenyl ethers (PBDEs) in breast milk from central Taiwan and their relation to infant birth outcome and maternal menstruation effects. Environ Int. 2007;33:239-45.

41. Roze E, Meijer L, Bakker A, et al. Prenatal exposure to organohalogens, including brominated flame retardants, influences motor, cognitive, and behavioral performance at school age. Environ Health Perspect. 2009;117:1953-8.

42. Gascon M, Vrijheid M, Martinez D, et al. Effects of pre and postnatal exposure to low levels of polybromodiphenyl ethers on neurodevelopment and thyroid hormone levels at 4 years of age. Environ Int. 2011;37:605-11.

43. Chao HR, Tsou TC, Huang HL, et al. Levels of breast milk PBDEs from southern Taiwan and their potential impact on neurodevelopment. Pediatr Res. 2011;70:596-600.

44. USEPA (United States Environmental Protection Agency), An Exposure Assessment of Polybrominated Diphenyl Ethers, USEPA, Washington, DC, USA, 2010.

45. Zhou T, Taylor MM, DeVito MJ, et al. Developmental exposure to brominated diphenyl

ethers results in thyroid hormone disruption. Toxicol Sci. 2002;66:105-16.

46. He P, He W, Wang A, et al. PBDE-47-induced oxidative stress, DNA damage and apoptosis in primary cultured rat hippocampal neurons. Neurotoxicology. 2008;29:124-9.

47. Kodavanti PR, Ward TR. Differential effects of commercial polybrominated diphenyl ether and polychlorinated biphenyl mixtures on intracellular signaling in rat brain in vitro. Toxicol Sci. 2005;85:952-62.

48. Mullally A, Cleary BJ, Barry J, et al. Prevalence, predictors and perinatal outcomes of peri-conceptional alcohol exposure retrospective cohort study in an urban obstetric population in Ireland. BMC Pregnancy Childbirth. 2011;11:27.

49. Hausknecht KA, Acheson A, Farrar AM, et al. Prenatal alcohol exposure causes attention deficits in male rats. Behav Neurosci. 2005;119:302-10.

50. Vorhees CV, Butcher RE, Brunner RL, et al. Developmental toxicity and psychotoxicity of sodium nitrite in rats. Food Chem Toxicol. 1984;22:1-6.

51. Adams J, Oglesby DM, Ozemek HS, et al. Collaborative Behavioral Teratology Study: programmed data entry and automated test systems. Neurobehav Toxicol Teratol. 1985;7:547-54.

52. Petruzzi S, Fiore M, Dell'Omo G, et al. Medium and long-term behavioral effects in mice of extended gestational exposure to ozone. Neurotoxicol Teratol. 1995;17:463-70.

53. Rayburn WF, Christensen HD, Gonzalez CL. A placebo-controlled comparison between betamethasone and dexamethasone for fetal maturation: differences in neurobehavioral development of mice offspring. Am J Obstet Gynecol. 1997;176:842-50; discussion 50-1.

54. Slikker W, Chang LW. Hanbook of developmental neurotoxicology. Academic Press, San Diego, USA, 1–748, 1998.

55. Lou HC, Henriksen L, Bruhn P. Focal cerebral hypoperfusion in children with dysphasia and/or attention deficit disorder. Arch Neurol. 1984;41:825-9.

56. Lou HC, Henriksen L, Bruhn P, et al. Striatal dysfunction in attention deficit and hyperkinetic disorder. Arch Neurol. 1989;46:48-52.

57. Gustafsson P, Thernlund G, Ryding E, et al. Associations between cerebral blood-flow measured by single photon emission computed tomography (SPECT), electro-encephalogram (EEG), behaviour symptoms, cognition and neurological soft signs in children with attention-deficit hyperactivity disorder (ADHD). Acta Paediatr. 2000;89:830-5.

58. Zametkin AJ, Nordahl TE, Gross M, et al. Cerebral glucose metabolism in adults with hyperactivity of childhood onset. N Engl J Med. 1990;323:1361-6.

59. Zang YF, Jin Z, Weng XC, et al. Functional MRI in attention-deficit hyperactivity disorder:

evidence for hypofrontality. Brain Dev. 2005;27:544-50.

60. Russell V, de Villiers A, Sagvolden T, et al. Differences between electrically-, ritalin- and D-amphetamine-stimulated release of [3H]dopamine from brain slices suggest impaired vesicular storage of dopamine in an animal model of Attention-Deficit Hyperactivity Disorder. Behav Brain Res. 1998;94:163-71.

61. Nigg JT, Stavro G, Ettenhofer M, et al. Executive functions and ADHD in adults: evidence for selective effects on ADHD symptom domains. J Abnorm Psychol. 2005;114:706-17.

62. Bush G, Valera EM, Seidman LJ. Functional neuroimaging of attention-deficit/hyperactivity disorder: a review and suggested future directions. Biol Psychiatry. 2005;57:1273-84.

63. Robinson ES, Dalley JW, Theobald DE, et al. Opposing roles for 5-HT2A and 5-HT2C receptors in the nucleus accumbens on inhibitory response control in the 5-choice serial reaction time task. Neuropsychopharmacology. 2008;33:2398-406.

64. Scheres A, Dijkstra M, Ainslie E, et al. Temporal and probabilistic discounting of rewards in children and adolescents: effects of age and ADHD symptoms. Neuropsychologia. 2006;44:2092-103.

65. Kim P, Park JH, Choi CS, et al. Effects of ethanol exposure during early pregnancy in hyperactive, inattentive and impulsive behaviors and MeCP2 expression in rodent offspring. Neurochem Res. 2013;38:620-31.

66. Kim P, Choi CS, Park JH, et al. Chronic exposure to ethanol of male mice before mating produces attention deficit hyperactivity disorder-like phenotype along with epigenetic dysregulation of dopamine transporter expression in mouse offspring. J Neurosci Res. 2014;92:658-70.

67. Choi CS, Kim P, Park JH, et al. High sucrose consumption during pregnancy induced ADHD-like behavioral phenotypes in mice offspring. J Nutr Biochem. 2015.

68. Yochum C, Doherty-Lyon S, Hoffman C, et al. Prenatal cigarette smoke exposure causes hyperactivity and aggressive behavior: role of altered catecholamines and BDNF. Exp Neurol. 2014;254:145-52.

69. Sobolewski M, Conrad K, Allen JL, et al. Sex-specific enhanced behavioral toxicity induced by maternal exposure to a mixture of low dose endocrine-disrupting chemicals. Neurotoxicology. 2014;45:121-30.

기형발생 예방물질 연구

○ 남상윤

1 배경

1) 기형유발물질(teratogens)의 기형발생 양상

일반적으로 가임기 여성들은 임신 4-6주가 될 때까지 임신을 인지하지 못하는 경우가 많다. 하지만, 이 시기는 뇌, 심장, 얼굴 및 감각기, 혈관형성 등 기관발생이 시작되는 중요한 시기로서 특히 각종 기형유발물질(teratogens)에 취약한 시기이다. 착상초기의 자궁환경은 상대적으로 저산소(hypoxia) 상태로서 특히 외부의 산화스트레스에 매우 민감한 시기이다. 임신기에 산모의 빈혈, 폐질환, 당뇨병, 에피네프린, 니코틴, 코카인 등 약물노출로 인한 자궁혈관의 수축과 음주는 태아의 저산소증을 유발하게 되어 태아의 저체중, 성장장애, 심혈관계 이상 등 심한 경우 태아의 사망을 초래하게 된다(Jones, 2011).

최근 수십 년간, 가임기 여성들의 흡연율은 증가하는 추세이고 2006년 미국에서는 28%에 달한다고 알려져 사회적으로 큰 이슈가 되고 있다. 산모의 흡연은 태아의 성장장애, 유산율의 증가, 태반조기박리(premature placental abruption), 신생아사망, 저체중아, 신생아의 갑작스런 사망증(sudden infant death syndrome), 구순열, 구개열, 정신장애 등을 일으키게 된다. 니코틴(nicotine)은 지금까지 담배에서 알려진 4,700종의 독성물질 중 가장 대표적인 기형유발물질이다. 담배 한 개피에는 약 1 mg의 니코틴이 포함되어 흡연 후 수분 안에 혈장 내 농도가 5-30 ng/mL로 올라가고, 태반장벽을 쉽게 통과하여 모체보다 태아에서 15% 정도의 높은 농도로 유지되어 직접적으로 태아의 발달에 심각한 영향을 미친다. 니코틴은 미토콘드리아와 핵의 DNA와 단백질, 지질의 대사에 영향을 끼쳐 세포에서 비정상적으로 과도하게 활성산소의 생산을 유도하여 기형을 유발하는 것으로 알려져 있다(Lambers와 Clark, 1996). 또한, 알코올은 환경에서 산모가 노출될 수 있는 기형발생의 가장 중요한 인자로 알려져 있다. 과도한 알코올 섭취는 출생전후 성장장애, 비정상적인 뇌와 신경계 형성, 안면기형, 사지 및 심장 기형, 출생 후 지적발달 장애 등의 태아알코올증후군(fetal alcohol syndrome)을 유발한다. 2012년 보고에 의하면 미국과 유럽에서 태아알코올증후군의 발생률은 1,000명의 신생아 중 0.2-2명에 달한다고 알려져 있다. 알코올도 니코틴과 마찬가지로 쉽게 태반장벽을 통과하여 모체로부터 태아의 순환계로 들어가서 정상적인 태아의 발달에 악영향을 끼치게 된다. 알코올의 주요 독성

기전으로서 세포의 지질, 핵산, 단백질의 과산화로부터 생산된 과도한 활성산소와 자유라디칼기의 생산이 세포의 손상을 유도하여 태아기형이 발생하게 된다.

2) 천연예방물질의 중요성

엽산(folate, folic acid)은 비타민 B군의 일종으로서 임신초기의 태아의 심장기형, 신경관 결손을 예방하기 위하여 임산부에게 복용을 권하는 대표적인 물질로 알려져 있다. 엽산은 브로콜리, 시금치, 쑥, 고사리 등 녹색채소류에 풍부하며 한국인 영양섭취기준에 의하면 성인 1일 엽산 권장섭취량은 400 μg이지만, 임신을 하면 평소보다 3배가량의 많은 엽산이 필요하므로 600-800 μg정도를 섭취하는 것이 권장된다.

임신 초기의 배아(embryo)는 기관의 분화와 증식이 매우 역동적으로 이루어지는 데 반해, 배아 자체의 항산화효소로 구성된 항산화계는 미성숙하게 발달되었고 모체로부터 공급되는 항산화물질은 성인에 비해 현저하게 낮은 상태이다. 따라서 배아는 비정상적인 내외적 요인으로부터 과도하게 생성되는 활성산소로 인해 초래되는 세포손상에 대하여 치명적일 수밖에 없기에, 배아의 내인성 항산화효소계를 활성화시키고 외부에서 안전하고 효과가 좋은 항산화물질을 공급받는 것은 산모에게서 기형발생을 사전에 차단하여 건강한 아기를 낳을 수 있는 좋은 대안이 될 수 있다. 실험동물에게 비타민 E와 베타카로틴이 함유된 사료를 먹였을 때 에탄올 투여로 유발된 비정상적인 신경세포와 출생 후 신경행동학적 손상을 효과적으로 줄일 수 있다는 것이 알려져 있다. 지금까지 산모가 실생활에서 유산방지 및 기형예방을 위하여 음식과 천연물질로부터 섭취할 수 있는 물질들은 그 효용성에 대하여 주로 경험적으로 알려진 바가 크기에 보다 과학적인 실험결과에 근거한 데이터는 향후 건강한 산모와 아기의 출산을 위해서는 중요한 예방 및 치료물질이 될 수 있다.

3) 전배아배양계(whole embryo culture system)

본 연구에 사용된 연구방법으로서 실험동물인 마우스(임신주기 약 21일)를 임신 8.5일령에 태반과 함께 양막, 요막, 융모막 등 배아를 둘러싸는 구조물과 함께 배아를 분리하여 특수배양장치인 전배아배양계(whole embryo culture system; 그림 1-4-1)에 넣어 48시간(10.5일령)간 배양하여 기관형성 과정을 분석하였다. 전배아배양계에서 배양되는 마우스 배아는 사람에서 임신초기(1st trimester)에 해당하는 시기로서 기관형성이 가장 활발하여 외부의 영향에 가장 취약한 시기이다. 본 장치를 이용하여 살아있는 정상적인 마우스 배아(심박동 유지)의 기관발달 상황을 형태학적 지표[배아의 굴곡(flexion), 심장(heart), 뒤쪽신경관(caudal neural tube), 뇌(전뇌, 중뇌, 후뇌; forebrain, midbrain, and hindbrain), 청각 및 시각장기(otic and optic systems), 후각기관(olfactory organs), 인두궁(branchial arch), 위턱 및 아래턱(maxilla and mandible), 사지(forelimb and hindlimb buds], 난황낭 순환(yolk sac circulation), 요막

(allantois), 체절(somites), 난황낭 직경(yolk sac diameter), 체장길이(crown-rump length), 머리길이(head length)]에 따라 기형유발 여부를 평가하게 된다.

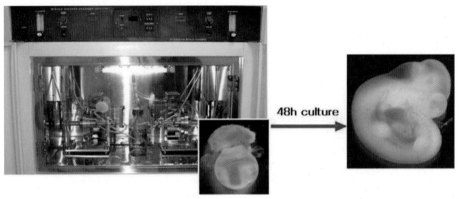

그림 1-4-1. **전배아배양계**

2 목표

전 세계적으로 가임기 여성의 흡연과 음주는 지난 수십 년간 증가하는 추세이며, 2006년 미국에서는 28%의 가임기 여성이 흡연을 하고 있는 것으로 보고되었으며, 국내 여성 흡연자도 2001년 5.2%에서 2008년 7.4%로 증가하는 추세에 있고, 흡연 사실을 밝히지 않은 여성까지 감안하면 여성 흡연자수는 통계치보다 훨씬 많을 것으로 예상된다. 특히 국내 10-20대 젊은 여성 흡연자는 최근 1년 동안 2배 이상 상승하여 빠른 속도로 증가하고 있다. 임신여성에서 흡연과 음주는 기형, 유산, 사산, 및 신생아의 정신적 이상을 증가시킴으로써 사회문제화 되고 있다. 이러한 변화는 국가적 출산율 저하와 맞물려 미래의 한국을 암울하게 만들고 있다. 본 연구결과들에서 오늘날 임산부의 흡연과 음주의 증가가 태아기형발생에 미치는 영향과 양상을 마우스 모델을 이용하여 제시하였고 태아기형 예방물질로서 실생활에서 쉽게 구하여 섭취되는 다양한 천연물질의 기형예방 가능성과 효능을 입증하고 과학적인 작용기전을 제시함으로써 건강한 임산부와 아기를 출산하는 데 있어 필요한 기초정보를 제공하고자 하였다.

3 결과

1) 레스베라트롤(resveratrol)의 기형예방 효과

(1) 레스베라트롤(resveratrol)이란?

레스베라트롤(resveratrol, $C_{14}H_{12}O=228$)은 포도, 오디, 땅콩, 라스베리, 크렌베리 등의 베리류의 식물에서 발견되는 폴리페놀류로서 식물이 스트레스를 받을 때 분비되는 피토알렉신(phytoalexin)의 일종이다. 레스베라트롤은 항암 및 강력한 항산화 작용과 혈청 콜레스테롤을 낮춰 주는 역할과 함께 항바이러스, 신경보호작용, 항염증작용, 항노화 및 수명을 연장시키는 효과 등이 알려져 있다. 신선한 포도껍질 1g에는 약 50-100 mg의 레스베라트롤이 함유되어 있으며 뇌혈관장벽(blood brain barrier)을 통과하여 뇌손상을 예방하는 것으로 알려져 있다.

| 포도 | 산딸기 | 땅콩 |

(2) 투여용량 및 사람에서의 추정용량

마우스 배아(약 3.75 mg)에 레스베라트롤 $1 \times 10-8$ μm과 $1 \times 10-7$ μm을 니코틴(1 mm; 162.23 μg/mL)과 함께 투여하여 배양하였다. 니코틴은 담배 0.16개비에 해당하는 용량으로서 마우스의 기형이 심하게 유발되었지만 심박동이 유지되고 살아있는 배아를 이용하였다. 레스베라트롤 용량선택은 다양한 농도의 예비실험을 통해 기형예방 효과가 가장 좋은 용량을 결정하였고, 본 연구에 사용된 용량은 사람에서 체중 60 kg의 성인에게 약 36.8 ng과 368 ng의 레스베라트롤을 투여한 용량에 해당한다.

(3) 기형발생 억제효과

니코틴을 투여했을 때, 배아의 기관형성과정에서 난황낭 크기와 혈액순환, 요막의 발달, 배아의 굴곡, 체장의 길이, 머리길이, 심장의 발달, 전뇌, 중뇌, 및 후뇌의 발달, 청각, 시각 및 후각기관의 발달, 인두궁의 발달, 위턱과 아래턱의 발달, 앞다리와 뒷다리의 발달, 및 체절형성에 심각한 지연과 기형발생이 관찰되었다. 하지만, 이러한 기형발생은 레스베라트롤을 동시에 투여했을 때 현저하게 억제되었고 특히 높은 용량의 레스베라트롤 $1 \times 10-7$ μm을 투여했을 때 더욱 더 기형발생이 억제되었다.

(4) 작용기전

레스베라트롤은 니코틴 노출로 배아에서 증가된 지질과산화(lipid peroxidation)를 억제시켰고 항산화효소 유전자(SOD1, SOD2, GPx1, GPx4)의 발현과 활성(SOD activity)을 촉진시켰으며, 세포의 저산소증 인자인 HIF-1α의 유전자발현을 증가시켰다. 또한, 니코틴 투여는 배아의 세포자멸사(apoptosis)관련 인자(Bcl-xL, Caspase-3)의 발현의 변화를 가져왔다. 하지만, 레스베라트롤을 동시에 투여했을 때 이러한 변화들을 정상수준으로 회복시켰으며, 레스베라트롤의 세포내 수명연장 기능과 관련되어 알려진 sirtuin 1의 발현을 크게 향상시켰다.

(5) 결론

레스베라트롤은 니코틴으로 유발된 배아의 기형발생을 효과적으로 억제하였고 포도와 같은 과일에서 쉽게 얻을 수 있는 천연물질이기에 기형예방에 유용하리라 기대가 된다.

2) 푸니칼라진(punicalagin)의 기형예방 효과

(1) 푸니칼라진(punicalagin)이란?

푸니칼라진(punicalagin, $C_{48}H_{28}O_{30}$=1084.71)은 엘라그타닌(ellagitanin)의 일종으로 석류주스에 2 g/L이상 함유될 정도로 석류추출물에 다량 포함된 폴리페놀로서 수용성이며 동물실험에서 사료내에 6%까지 포함되어 37일간 섭취시켜도 독성이 없는 것으로 알려져 있다. 푸니칼라진은 항산화, 항염증 및 항암효과가 탁월하고 최근에는 알츠하이머 억제효과가 있는 것으로 보고되었다.

석류

(2) 투여용량 및 사람에서의 추정용량

마우스 배아(약 3.75 mg)에 푸니칼라진 $1×10-5$ µm과 $1×10-4$ µm을 니코틴(1 mm)과 함께 투여하여 배양하였다. 푸니칼라진 용량은 기형예방 효과가 가장 좋은 용량을 선택하였고 사람에서 체중 60 kg의 성인에게 약 0.17 g과 1.7 g의 푸니칼라진을 투여한 용량에 해당한다.

(3) 난황낭태반의 혈관형성장애 개선을 통한 기형발생 예방효과

니코틴 투여로 인해 유발된 난황낭 크기와 혈액순환, 요막, 배아의 굴곡, 체장의 길이, 머리길이, 심장, 전뇌, 중뇌, 및 후뇌, 청각, 시각 및 후각기관, 인두궁, 위턱과 아래턱, 앞다리와 뒷다리, 및 체절의 심각한 기형발생이 푸니칼라진을 동시에 투여했을 때 현저하게 억제되었다. 또한, 니코틴은 난황낭의 혈관형성 장애와 융모막과 요막사이 태반의 혈액순환을 방해하여 배아의 기형발생을 촉진하였으나, 푸니칼라진 투여로 정상적으로 회복되었다.

(4) 작용기전

푸니칼라진은 난황낭태반(yolk sac placenta)에서 니코틴 투여로 유발된 저산소증 관련인자(HIF-1α)와 혈관혈성 및 성장관련 인자(VEGFα, TGF-β1, IGF-1)의 발현 변화를 정상적 수준으로 회복시켰다. 또한, 푸니칼라진은 배아와 난황낭태반에서 니코틴 노출로 인해 감소한 항산화효소의 활성(SOD activity)과 유전자 발현(SOD1, GPx1)을 촉진하고 증가된 지질과산화를 억제시켰으며, 염증관련 인자(TNF-α, IL-1β, NF-αB)와 세포자멸사(apoptosis)관련 인자(Bcl-xL, Caspase-3)의 변화를 정상수준으로 회복시켰다.

(5) 결론

비록 배양배아를 이용한 실험결과이지만, 푸니칼라진은 니코틴으로 유발된 배아의 기형발생을 효과적으로 억제하였고 석류와 같은 과일에서 쉽게 얻을 수 있는 천연물질이기에 기형예방에 유용하리라 기대된다.

3) 베타카로틴(β-carotene)의 기형예방 효과

(1) 베타카로틴(β-carotene)이란?

베타카로틴(β-carotene, $C_{40}H_{56}$=537)은 천연 색소성분인 카로티노이드(carotenoid)의 한 종류로서 녹황색 채소와 과일 그리고 녹조류에 많이 함유되어 있다. 특히 당근, 클로렐라, 고추, 시금치, 쑥갓, 질경이, 케일, 곶감, 살구, 김, 미역, 파래, 다시마 등에 많이 들어 있다. 식품으로 섭취하면 장과 간에서 레티놀로 전환되며, 이는 다시 비타민 A의 형태로 전환된다. 베타카로틴은 강력한 항산화작용으로 체내 세포의 손상을 방지하고 암의 발생을 억제하는 것으로 알려져 있다. 생체 내 베타카로틴 농도를 낮추는 요인으로 과일 및 채소 섭취 부족, 음주, 흡연 등이 있으며 베타카로틴은 비타민 A의 가장 안전한 공급원으로서 과량을 섭취해도 비타민 A 과잉증과 같은 부작용은 없는 것으로 알려져 있다.

(2) 투여용량 및 사람에서의 추정용량

마우스 배아(약 3.75 mg)에 베타카로틴 $1 \times 10-7$ μm과 $5 \times 10-7$ μm을 니코틴(1 mm)과 함께 투여하여 배양하였다. 베타카로틴 용량은 기형예방 효과가 가장 좋고 경제적으로 유익하다고 판단되는 용량을 선택하였고, 투여된 용량은 사람에서 체중 60 kg의 성인에게 약 0.88 mg과 4.4 mg의 베타카로틴을 투여한 용량에 해당한다.

(3) 기형발생 억제효과

니코틴 투여로 인해 난황낭의 직경크기와 혈액순환, 요막의 크기, 체장의 길이, 머리길이, 체절의 숫자 등 배아 성장인자의 변화와 함께 심장, 전뇌, 중뇌, 및 후뇌의 형태, 청각, 시각 및 후각의 감각기, 인두궁, 위턱과 아래턱, 앞다리와 뒷다리의 발달에서 심각한 기형발생이 관찰되었으나 베타카로틴을 동시에 투여했을 때 현저하게 억제되었다. 이러한 기형발생 억제는 베타카로틴 용량이 높을수록 효과가 좋았다.

(4) 작용기전

베타카로틴은 배아에서 니코틴 투여로 증가된 지질과산화물(malondialdehyde)의 수치를 감소시켰으며, 니코틴 투여로 감소된 항산화효소(SOD1, SOD2, GPx1, GPx4) 유전자 발현과 효소활성(SOD activity)을 정상수준으로 회복시켰다. 또한, 베타카로틴은 니코틴 투여로 변화를 받은 저산소증 관련인자(HIF-1α)의 발현, 염증관련 인자(TNF-α, IL-1β)와 세포자멸사(apoptosis)관련 인자(Bcl-xL, Caspase-3)의 발현을 용량 의존적으로 회복시켰다.

(5) 결론

베타카로틴은 니코틴으로 유발된 배아의 기형발생을 효과적으로 억제하였고 실생활에서 접할 수 있는 다양한 녹황색 채소와 과일에서 쉽게 얻을 수 있는 천연물질이기에 기형예방에 유용하리라 기대가 된다.

4) 에모딘(emodin)의 기형예방 효과

(1) 에모딘(emodin)이란?

에모딘(emodin, $C_{15}H_{10}O_5$=270.24)은 갈매나무(Rhamnus, Buckthorn)의 껍질과 뿌리에서 발견된 천연 안트라퀴논(anthraquinone)의 일종으로서 알로에, 양배추, 상추, 강낭콩, 완두콩과 같은 다양한 허브와 채소에 포함되어 있다. 에모딘은 항산화, 항염증 및 항암효과가 알려져 있다.

① 알로에
② 상추
③ 완두콩

(2) 투여용량 및 사람에서의 추정용량

마우스 배아(약 3.75 mg)에 에모딘 1×10^{-5} μg/mL과 1×10^{-4} μg/mL을 알코올(1 μl/mL, 0.1%)과 함께 투여하여 배양하였다. 에모딘 용량은 기형예방 효과가 가장 좋다고 판단되는 용량을 선택하였고 사람에서 체중 60 kg의 성인에게 약 0.16 mg과 1.6 mg의 에모딘을 투여한 용량에 해당한다.

(3) 기형발생 억제효과

에모딘은 알코올 노출로 인해 유발된 난황낭 직경, 요막크기, 배아의 굴곡정도, 체절수, 체장길이 및 머리길이와 같은 성장인자의 비정상적인 발육과 함께 중추신경계, 심혈관계, 감각기계, 얼굴구조 및 사지의 기형발생에 대하여 거의 정상수준으로 회복시켰다.

(4) 작용기전

에모딘은 배아에서 알코올 투여로 감소된 항산화효소(SOD1, SOD2, GPx1) 유전자 발현과 효소활성(SOD activity)을 정상수준으로 회복시켰다. 또한, 에모딘은 알코올 투여로 변화를 받은 저산소증 관련인자(HIF-1α)의 발현, 염증관련 인자(TNF-α)와 세포자멸사(apoptosis)관련 인자(Caspase-3)의 발현을 용량 의존적으로 회복시켰다.

(5) 결론

에모딘은 알코올로 유발된 배아의 기형발생을 효과적으로 억제하였고 실생활에서 접할 수 있는 다양한 채소와 허브에서 쉽게 얻을 수 있는 천연물질이기에 접근이 쉽고 안전하여 기형예방에 유용하리라 기대가 된다.

5) 진저롤([6]-gingerol)의 기형예방 효과

(1) 진저롤(gingerol)이란?

생강의 주요 성분인 진저롤([6]-gingerol, $C_{17}H_{26}O_4$=294.38)은 생강의 매운맛을 내는 성분 중 하나로서 항산화, 항염증, 항암, 항아포토시스 기능 등 다양한 생리학적 활성이 알려져 있으며 소화를 촉진하고 임신 또는 멀미로 인한 구토를 줄이는 역할을 한다.

생강

(2) 투여용량 및 사람에서의 추정용량

마우스 배아(약 3.75 mg)에 진저롤 $1 \times 10-8$ μg/mL과 $1 \times 10-7$ μg/mL을 알코올(1.6 μl/mL)과 함께 투여하여 배양하였다. 진저롤은 기형예방 효과가 크고 경제적이라 판단되는 용량을 선택하였고 사람에서 체중 60 kg의 성인에게 약 0.16 μg과 1.6 μg의 진저롤을 투여한 용량에 해당한다.

(3) 기형발생 억제효과

알코올은 배양된 배아와 태반에서 난황낭과 요막의 크기, 배아의 굴곡, 머리길이 및 체절수의 감소와 함께 중추신경계, 심혈관계, 감각기계, 얼굴구조 및 사지의 기형발생을 유발하였지만, 진저롤의 동시투여로 인해 거의 정상수준으로 회복되었다.

(4) 작용기전

진저롤은 알코올 투여로 감소된 항산화효소(SOD1, SOD2, GPx1)의 유전자 발현과 효소활성(SOD activity)을 정상수준으로 회복시켰다.

(5) 결론

생강은 임신 초기의 구토와 멀미에 효과적이라고 알려져 있다. 본 연구결과, 진저롤은 알코올로 유발된 배아의 기형발생을 효과적으로 억제하였고 음식에서 쉽게 접할 수 있는 생강에서 쉽게 얻을 수 있는 천연물질이기에 기형예방에 유용하리라 기대가 된다.

6) 캡사이신(capsaicin)의 기형예방 효과

(1) 캡사이신(capsaicin)이란?

캡사이신(capsaicin, $C_{18}H_{27}NO_3=305$)은 고추의 매운 맛을 내는 주요 성분으로서 고추씨에 가장 많으며 생체에서는 용량에 따라 자극적으로 작용하거나 세포를 보호하는 기능을 갖는 것으로 알려져 있다. 고추가 캡사이신을 만들어 내는 이유는 곰팡이와 초식동물로부터 자신을 보호하고, 동시에 씨를 퍼뜨려 종자의 번식을 도모하기 위한 것으로 알려져 있다. 캡사이신은 캡사이신 수용체(vanilloid receptor 1)를 자극하여 통증, 염증, 암치료에 효과가 있으며 최근에는 체지방을 줄여 비만의 예방과 치료에 효과가 있다고 알려져 있다. 캡사이신은 고추 g당 0.1-2.5 mg이 함유되어 있다.

(2) 투여용량 및 사람에서의 추정용량

마우스 배아(약 3.75 mg)에 캡사이신 $1 \times 10-8$ μg/mL과 $1 \times 10-7$ μg/mL을 알코올(1

μl/mL, 0.1%)과 함께 투여하여 배양하였다. 캡사이신은 기형예방 효과가 있고 안전하다고 판단되는 용량을 선택하였고, 사람에서 체중 60 kg의 성인에게 약 0.16 μg과 1.6 μg의 캡사이신을 투여한 용량에 해당한다.

고추

(3) 기형발생 억제효과

알코올 투여로 배양된 배아와 태반에서 체장길이, 체절수, 요막의 크기 감소와 함께 뇌, 심혈관계, 감각기계, 인두궁 및 사지의 기형발생이 관찰되었지만, 캡사이신의 동시투여로 모든 기관발생지표들이 정상수준으로 회복되었다.

(4) 작용기전

캡사이신은 알코올 투여로 감소된 항산화효소(GPx1, GPx4)의 유전자 발현과 효소활성(SOD activity)을 정상수준으로 회복시켰다.

(5) 결론

비록 임신시 캡사이신의 용량을 조절하여 투여해야겠지만, 본 연구결과 캡사이신은 알코올로 유발된 배아의 기형발생을 효과적으로 억제하였고 고추에서 쉽게 얻을 수 있는 천연물질이기에 기형예방에 유용하리라 기대가 된다.

7) 흑삼(black ginseng)의 기형예방 효과

(1) 흑삼(black ginseng)이란?

인삼(ginseng)은 전통적으로 한방에서 중요한 약제로 사용되어 왔으며, 건조조건에 따라 단순히 말려서 건조된 백삼(white ginseng), 백삼을 증기(95-100℃, 2-3시간)로 한번 쪄서 말린 적색을 띠는 홍삼(red ginseng), 백삼을 아홉 번 증기로 쪄서 검은색을 띠는 흑삼(black ginseng)으로 분류된다. 인삼은 증기과정을 반복하면서 불순물이 제거되고 사포닌, 진세노사이드(ginsenocide), 페놀류 등 주요 성분의 변동으로 인해 약리학적 효과가 증가된다. 인삼은 항염증, 항암, 스트레스 억제, 항산화작용이 뛰어난 것으로 알려져 있다. 흑삼은 진세노사이드 중 특히 Rg3의 함량이 홍삼보다 높은 것으로 알려져 있다.

흑삼(구증구포과정: 좌 → 우, 천보삼)

(2) 투여용량 및 사람에서의 추정용량

마우스 배아(약 3.75 mg)에 흑삼 1, 10, 100 µg/mL을 알코올(1 µl/mL, 0.1%)과 함께 투여하여 배양하였다. 흑삼은 각 용량을 단독으로 투여했을 때 기형발생이 없어 안전한 것으로 판단되었고, 투여된 용량은 체중 60 kg의 성인에게 약 16, 160, 1600 g의 흑삼을 투여한 비교적 높은 용량에 해당된다.

(3) 기형발생 억제효과

흑삼은 알코올 투여로 유발된 배아의 굴곡, 심장, 중추신경계, 감각기계 및 얼굴의 기형과 체절수의 감소에 대하여 정상수준으로 회복시켰다. 이러한 회복양상은 흑삼 1 µg/mL부터 100 µg/mL까지 유사하게 관찰되었다.

(4) 작용기전

흑삼은 알코올 투여로 배아에서 감소된 항산화효소(GPx1, GPx4, Selenoprotein P)의 유전자 발현을 정상수준으로 회복시켰다.

(5) 결론

비록 임신 시 흑삼의 용량을 조절하여 복용하여야겠지만, 본 연구결과 흑삼은 알코올로 유발된 배아의 기형발생을 효과적으로 억제하였고 천연추출물이기에 기형예방에 유용하리라 기대된다.

8) 메틸호노키올(4-O-methylhonokiol)의 기형예방 효과

(1) 메틸호노키올(4-O-methylhonokiol)이란?

메틸호노키올(4-O-methylhonokiol, $C_{19}H_{20}O_2$=280.37)은 후박나무(Magnolia officinalis) 껍질에서 추출한 폴리페놀류로서 항암, 항산화, 항염증, 항알츠하이머 작용이 알려져 있다. 메틸호노키올은 장관 내 흡수뿐만 아니라 뇌혈관장벽을 통과하여 중추신경계의 기능을 조절한다고 알려져 있다.

후박나무

(2) 투여용량 및 사람에서의 추정용량

마우스 배아(약 3.75 mg)에 메틸호노키올 1×10^{-4} μm과 1×10^{-3} μm을 니코틴(1 mm)과 함께 투여하여 배양하였다. 투여된 메틸호노키올 용량은 기형예방 효과가 좋고 경제적으로 유익하다고 판단되는 용량을 선택하였고, 사람에서 체중 60 kg의 성인에게 약 4.4 mg과 44 mg의 메틸호노키올을 투여한 용량에 해당한다.

(3) 기형발생 억제효과

메틸호노키올은 니코틴 투여로 유발된 난황낭 직경, 요막크기, 배아의 굴곡정도, 체장길이 및 머리길이와 같은 성장인자의 비정상적인 발육과 함께 뇌, 심혈관계, 감각기계, 얼굴구조 및 사지의 기형발생에 대하여 거의 정상수준으로 회복시켰다.

(4) 작용기전

메틸호노키올은 배아에서 니코틴 투여로 증가된 지질과산화물(malondialdehyde)의 수치를 감소시켰으며, 니코틴 투여로 감소된 항산화효소(SOD1, GPx1, GPx4) 유전자 발현과 효소활성(SOD activity)을 정상수준으로 회복시켰다. 또한, 메틸호노키올은 니코틴 투여로 변화를 받은 저산소증 관련인자(HIF-1α)의 발현, 염증관련 인자(TNF-α, IL-1β)와 세포자멸사(apoptosis)관련 인자(Bcl-xL, Caspase-3)의 발현을 정상수준으로 회복시켰다.

(5) 결론

메틸호노키올은 아직까지 생체효능이 많이 밝혀지지 않은 물질로서 본 연구결과, 니코틴으로 유발된 배아의 기형발생을 효과적으로 억제하였고 실생활에서 접할 수 있는 천연물질이기에 기형예방에 유용하리라 기대가 된다.

표 1-4-1. **천연물질의 기형발생 예방효과**

물 질 명	마우스투여용량 (3.75 mg/배아)	사람추정용량 (60kg BW)	기형발생 정도	작용기전	참고 문헌
레스베라트롤	1×10−8 μm	36.8 ng	난황낭, 요막, 배아의 성장과 발달을 저해	항산화, 항아포토시스 효과	Lin 등 (2012)
	1×10−7 μm	368 ng			
푸니칼라진	1×10−5 μm	0.17 g	난황낭, 요막, 배아의 성장과 발달을 저해	항산화, 항저산소증, 혈관 혈성 촉진, 항염증, 항아 포토시스 효과	Lin 등 (2015)
	1×10−4 μm	1.7 g			
베타카로틴	1×10−7 μm	0.88 mg	난황낭, 요막, 배아의 성장과 발달을 저해	항산화, 항저산소증, 항염 증, 항아포토시스 효과	Lin 등 (2013)
	5×10−7 μm	4.4 mg			
에모딘	1×10−5 μg/mL	0.16 mg	난황낭, 요막, 배아의 성장과 발달을 저해	항산화, 항저산소증, 항염 증, 항아포토시스 효과	Yon 등 (2013)
	1×10−4 μg/mL	1.6 mg			
진저롤	1×10−8 μg/mL	0.16 μg	난황낭, 요막, 배아의 성장과 발달을 저해	항산화효과	Yon 등 (2012)
	1×10−7 μg/mL	1.6 μg			
캡사이신	1×10−8 μg/mL	0.16 μg	난황낭, 요막, 배아의 성장과 발달을 저해	항산화효과	Kim 등 (2008)
	1×10−7 μg/mL	1.6 μg			
흑삼	1, 10, 100 μg/mL	16, 160, 1600 g	난황낭, 요막, 배아의 성장과 발달을 저해	항산화효과	Lee 등 (2009)
메틸호노키올	1×10−4 μm	4.4 mg	난황낭, 요막, 배아의 성장과 발달을 저해	항산화, 항저산소증, 항염 증, 항아포토시스 효과	Lin 등 (2014)
	1×10−3 μm	44 mg			

▶ **참고문헌**

1. Jones KL. The effects of alcohol on fetal development. Birth Defects Res C Embryo Today 2011;93:3-11.

2. Kim MR, Lee KN, Yon JM et al. Capsaicin prevents ethanol-induced teratogenicity in cultured mouse whole embryos. Reprod Toxicol 2008;26:292-7.

3. Lambers DS, Clark KE. The maternal and fetal physiologic effects of nicotine. Semin Perinatol 1996;20:115-26.

4. Lee SR, Kim MR, Yon JM et al. Black ginseng inhibits ethanol-induced teratogenesis in cultured mouse embryos through its effects on antioxidant activity. Toxicol In Vitro 2009;23:47-52.

5. Lin C, Yon JM, Hong JT et al. 4-O-methylhonokiol inhibits serious embryo anomalies caused by nicotine via modulations of oxidative stress, apoptosis, and inflammation. Birth Defects Res B Dev Reprod Toxicol 2014;101:125-34.

6. Lin C, Yon JM, Jung AY et al. Antiteratogenic effects of β-carotene in cultured mouse embryos exposed to nicotine. Evid Based Complement Alternat Med 2013;2013:575287.

7. Lin C, Yon JM, Jung AY et al. Resveratrol prevents nicotine-induced teratogenesis in cul-

tured mouse embryos. Reprod Toxicol 2012;34:340-6.

8. Lin C, Yon JM, Lee BJ et al. Punicalagin improves chorioallantoic and yolk sac vasculo-genesis and teratogenesis of embryos induced by nicotine exposure. J Functional Foods 2015;18:617-30.

9. Yon JM, Baek IJ, Lee SR et al. Protective effect of [6]-gingerol on the ethanol-induced teratogenesis of cultured mouse embryos. Arch Pharm Res 2012;35:171-8.

10. Yon JM, Lin C, Oh KW et al. Emodin prevents ethanol-induced developmental anomalies in cultured mouse fetus through multiple activities. Birth Defects Res B Dev Reprod Toxicol 2013;98:268-75.

05 기형발생의 독성발현경로

◦ 유욱준 · 박대의 · 이진수

1 독성발현경로(Adverse Outcome Pathway)의 개념

Adverse Outcome Pathway(이하 AOP)는 국문으로 '독성발현경로'로 번역될 수 있으며, 각종 화학물질이 사람을 포함한 다양한 생물에 미치는 잠재적 위험 즉 유해영향(adverse effect)을 정의하고 평가하기 위하여 제시된 개념이며, 분자수준, 세포소기관, 세포, 조직, 장기, 개체, 집단에 화학물질이 미치는 유해영향에 대한 다양한 실험결과를 토대로 작성되는 것을 말한다(Sturla et al. Chem. Res. Toxicol. 27: 314.329, 2014). AOP는 각종 화학물질에 대한 개인(개인 건강 관점) 및 집단 수준(생태독성학적 관점)의 부작용을 이해하기 위해 독성물질의 영향을 각 단계별로 정의하며, 그림 1-5-1에서 나타난 바와 같이 화학물질(독성물질)의 화학적 특성부터 집단수준까지 나타나는 유해영향을 도식화한다.

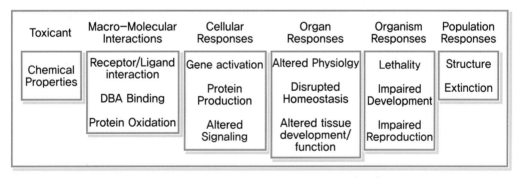

그림 1-5-1. Schematic representation of the Adverse Outcome Pathway (AOP) illustrated with reference to a number of pathways. (출처: http://www.oecd.org/)

AOP는 독성물질에 대한 Molecular Initiating Event (MIE, 독성물질이 생체 내에서 처음으로 미치는 분자적 영향, 즉 독성작용을 나타내기 위해 분자수준에서 생체내 단백질 등의 상호작용)로 시작하여, 세포, 장기, 개체, 집단으로 확대되어 가는 Key Event (KE)들과 KE들 간의 관계 (Key Event Relationship, KER)를 연결하는 형태로 만들어진다(표 1-5-1). KER은 어떤 화학물질의 유해영향이 세포수준(cellular level)에서 증명이 되었고 그 다음 단계인 장기수준(organ level)에서 어떠한 유해영향이 나타난다고 할 때 세포수준에서 관찰된 결과와 장기수준에서 관찰된 독성학적 유해영향이 상호 관계가 있는지를 밝히고 연결하는 것이다.

표 1-5-1. AOP에 사용되는 개념들(Daniel et al., 2014)

TABLE 1. Primary Components of an Adverse Outcome Pathway (AOP)

Key event (KE)	·A measureable change in biological state that is essential, but not necessarily sufficient for the progression from a defined biological perturbation toward a specifie AO. ·Represented as nodes in an AOP diagram or AOP network. ·Provide verifiability to an AOP description.
Key event relationship (KER)	·Define a directed relationship between a pair of KEs, identifying one as upstream and the other as downstream. ·Supported by biological plausibility and empirical cvidence. ·Represented as a directed edge(i.e., an arrow) in an AOP diagram or AOP network. ·Unit of inference or extrapolation within an AOP.
Molecular initiating event (MIE)	·A specialized type of KE. ·Defind as the point where a chemical directly interacts with a biomolecule to create a perturbation—as such, by definition occurs at the molecular level. ·Anchors the "upstream" end of an AOP.
Adverse outcome (AO)	·A Specialized type of KE. ·Measured at a level of organization that corresponds with an established protection goal and/or is functionally equivalent to an apical endpoint measured as part of an accepted guideline test. ·Generally at the organ level or higher. ·Anchors the "downstream" end of an AOP.

AOP를 구성하는 각 단계들은 독성과 직·간접적으로 알려진 다양한 경로들이 포함될 수 있기 때문에 선형(linear sequence)의 형태일 수도 있으며, 네트워크 형태도 가능하다(그림 1-5-2).

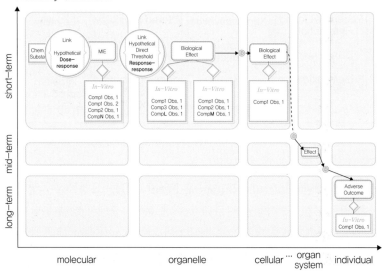

그림 1-5-2. AOP 구성요소(MIE, KE, KER, AO)들간의 관계도(http://aopwiki.org User's Handbook Supplement to the Guidance Document for Developing and Assessing AOPs)

AOP 구축(development)을 위해서는 독성학, 분자생물학, 화학, 공학, 컴퓨터과학, 물리학 등과 같은 다 학제 간 시스템적 기법이 이용된다. 궁극적으로 AOP는 의약품, 농약 등 각종 화학물질이 부작용을 나타내기 위해 생명체의 항상성 시스템(homeostatic system)에 어떻게 변화를 일으키는지에 대한 정보가 포함되며, 이와 같은 AOP의 개발과 표준적인 사용은 화학물질의 독성, 즉 인체에 대한 위해성을 평가하고 관련분야를 발전시킬 것으로 기대된다. 특히 AOP는 기존의 독성경로(toxicity pathway)와 mode of action 개념을 포함한다.

2 AOP 도입의 배경

최근 들어 급증하고 있는 신약개발 비용(20억$, 2010년)과 과거 5년 평균에 비해 50%이상 감소한 FDA 신약 승인건수는 신약개발 패러다임의 전환이 요구되고 있다(그림 1-5-3).

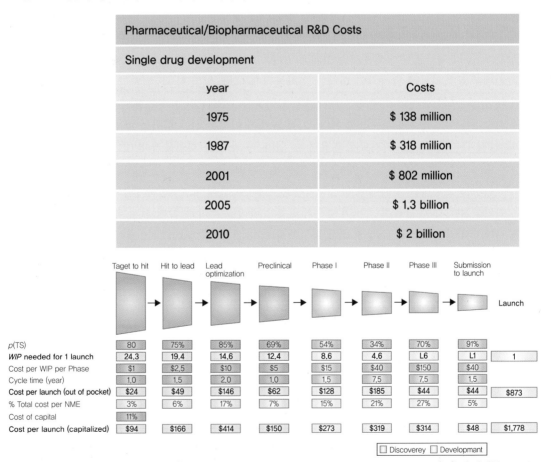

Pharmaceutical/Biopharmaceutical R&D Costs

Single drug development

year	Costs
1975	$ 138 million
1987	$ 318 million
2001	$ 802 million
2005	$ 1.3 billion
2010	$ 2 billion

	Taget to hit	Hit to lead	Lead optimization	Preclinical	Phase I	Phase II	Phase III	Submission to launch	
p(TS)	80	75%	85%	69%	54%	34%	70%	91%	Launch
WIP needed for 1 launch	24.3	19.4	14.6	12.4	8.6	4.6	L6	L1	1
Cost per WIP per Phase	$1	$2.5	$10	$5	$15	$40	$150	$40	
Cycle time (year)	1.0	1.5	2.0	1.0	1.5	7.5	7.5	1.5	
Cost per launch (out of pocket)	$24	$49	$146	$62	$128	$185	$44	$44	$873
% Total cost per NME	3%	6%	17%	7%	15%	21%	27%	5%	
Cost of capital	11%								
Cost per launch (capitalized)	$94	$166	$414	$150	$273	$319	$314	$48	$1,778

☐ Discoverey ☐ Developmant

그림 1-5-3. **신약개발 비용 변화(Pharmaceutical Research and Manufacturers of America) 와 각 단계별 연구개발 수행성공율** p(TS), the probability of successful transition from one stage to the next; WIP, work in process; NME, new molecular entity(Eli Lilly 및 제약사 자료)

특히, 예상하지 못한 독성의 발현은 약물이 시장에서 퇴출되는 주요 원인 중의 하나로, 막대한 자원이 투자된 신약후보물질이 제품화되지 못함으로써 심각한 연구재원의 낭비와 신약개발을 통한 질병치료 기회의 상실을 가져오고 있다. 현재 독성을 평가하기 위하여 설치류, 비설치류, 영장류 등의 실험동물을 이용하여 독성평가를 수행하고 있지만, 이와 같은 동물을 대상으로 한 독성시험들은 많은 비용, 인력, 시간 사용을 전제로 하기 때문에 좀 더 효율적이고 경제적인 대체시험법 개발에 많은 투자가 이루어지고 있다. 신약의 독성을 파악하기 위해 장기(organ)수준의 피해를 확인하는 것만으로는 불충분하며, 분자 수준, 세포, 기관, 개체 등 모든 단계에 이르는 독성 확인 방법이 요구된다. AOP는 약물의 독성학적 영향과 관련된 정보를 수집, 조직화, 평가하는 체계를 구축하는 것뿐만 아니라 약물의 유해영향을 이해하기 위한 작용기전을 확립하는데 이용될 수 있다.

현재 사용되고 있는 화학물질 중에서 약 10%~20% 정도만 동물을 이용한 독성시험이 진행되어 인체에 대한 노출평가가 이루어져 있다. 현재 사용되고 있는 화학물질에 대해서 동물에 대한 독성시험을 모두 진행하고 시험 결과를 통해서 인체 노출평가를 진행한 다음 관련 화학물질을 규제기관에서 관리한다는 것은 현실적으로 불가능하다. 그뿐만 아니라 현재 이 시간에도 전세계적으로수백종의 화학물질이 새롭게 합성되고 있다. 그러나 현재까지 진행된 독성시험과 독성발현기전에 대한 문헌자료를 활용하여 다양한 화학물질에 대한 AOP를 구축한 다음, 새로운 화학물질에 대한 기존화학물질과의 구조적 유사성을 확인하거나 MIE만을 확인할 수 있다면 새로운 화학물질에 대한 독성예측이 가능하게 된다. 이는 인체에 미치는 신규 화학물질의 독성 예측을 통하여 화학물질 관리를 위한 근거자료로 활용할 수 있다. 또한 신규 화학물질에 대한 독성시험이 필요할 경우 이미 어느 정도의 독성이 예측되기 때문에 기존의 동물시험과 비교해 볼 때 훨씬 적은 비용으로 독성을 확인하는 차원에서 동물시험을 진행할 수 있게 된다. 신약개발의 한계 극복 및 수많은 화학물질에 대한 효율적인 관리 이외에도 다양한 연구분야와 함께 현재 유럽 등에서 동물실험을 진행하지 않는 화장품 소재에 대한 독성학적 영향 평가에도 AOP를 이용할 수 있다.

최근 OECD는 새로운 독성예측, 독성평가 방법으로 AOP를 제시하였으며, OECD, 미국, EU에서는 향후 독성 테스트 및 평가를 위해 AOP를 예측독성 분야의 가장 핵심적인 개념으로 간주하고 있다. AOP 개발은 2012년 OECD에서 처음 시작되었으며, OECD내의 chemical safety 프로그램의 일환으로 Extended Advisory Group on Molecular Screening and Toxicogenomics (EAGMST) 산하에서 운영되고 있다. 국제적인 규제기관들은 기존의 동물을 이용하여 제시된 시험방법에 따라 진행하는 전통적인 독성시험 결과만을 관리하는 것에서 벗어나, 생명공학의 발전과 더불어 수십 년간 밝혀진 화학물질의 유해영향에 대한 분자, 세포, 조직 수준에서의 수많은 시험결과들을 통합하고 관리하기 위해 AOP 도입을 진행하고 있다. 따라서 전세계적으로 규제 독성학(regulatory toxicology) 분야에서 AOP의 도입은 급격히 이루어질 것으로 예상되며, OECD에서 주도하고 있는 AOP 체계 확립에 국내 연구자의 참여가 요구된다.

3 현재 신약 개발의 문제점과 AOP 구축

가장 광범위하게 사용되는 진통제인 아세트아미노펜(acetaminophen)의 경우만 보더라도 미국 내에서 급성 간독성의 50% 이상이 아세트아미노펜에 의한 것으로 알려져 있으며, 만약 어떤 약물이 미토콘드리아 독성이 보인다고 하면 상당히 다양한 phenotypic outcome이 생길 수 있다. 이와 같이 다양한 약물들에 대한 독성기전이 명확하지 않아 이를 밝히기 위한 연구들이 진행되고 있다.

Ezetimide는 FDA에 의해 LDL을 낮추는 약물로 승인을 받았으며, 추가적인 임상연구를 통해 ezetimide와 simvastatin은 LDL을 잘 조절 하는 것으로 밝혀졌지만 심장 intima media 두께를 조절하지 못하는 것으로 확인되었다. 이후 연구 결과에 의해 동맥경화증은 혈액 내 LDL 보다는 실제 질환의 disease endpoint로 사용되는 다른 factor들과 더 밀접한 관련성이 있다는 것이 밝혀졌다(Psaty and Lumley, 2008; Lu et al., 2014; Mitka, 2014). 같은 맥락으로 Cholesteryl Ester Transfer Protein (CETP) Inhibitors중에 하나인 Torcetrapib 약물도 HDL을 증가 시켜 주지만 coronary atherosclerosis에는 영향을 주지 못하는 것으로 확인되었으며, Dalcetrapib 약물도 HDL를 조절하지만 short-term과 long-term cardiovascular events에 영향을 주지 못하는 것으로 확인되어 제조사들이 약물 개발을 중단하였다. 이와 같은 일들이 신약 개발단계에서 발생함에도 불구하고 여전이 유사한 여러 약물들이 개발 단계 또는 임상시험 단계에 들어가 있는 실정이다.

AOP는 약물에 의한 병적(morbidity) 문제와 약물에 대한 사망(mortality)과 같은 문제들이 잘 연구된 약물들을 우선적으로 타겟할 필요가 있다. 또한 개인간의 유전적 차이(genetic background) 또는 innate immune의 차이가 약물 부작용에 대한 적응 또는 부작용 outcome이 달라질 수 있으며, 많은 약물들이 대사된 이후 대사체에 의한 독성을 가져오므로 이와 같은 대사체에 의한 독성 연구 또한 요구된다(Tujios and Fontana, 2011; Han et al., 2013).

4 AOP 기술의 국내외 현황

1) 국내·외 연구현황

AOP 개발 또는 구축에 대한 현재 국내·외 연구현황은 표 1-5-2로 정리하였다.

표 1-5-2. AOP 관련 국내·외 연구현황

연구수행 기관	연구개발의 내용	활용현황
하노버 의과대학교 (독일)	사람 심장기형 샘플을 이용한 이상 유전자 분석	심장기형에 영향을 미치는 유전자 규명
교토 의과대학교 (일본)	사람과 마우스의 심장발생에 대한 형태학적 비교	사람과 마우스의 심장발생 ATLAS 구축 및 마우스 동물모델을 이용한 심장기형 연구에 활용
코넬대학교 (미국)	영상장비를 이용한 동물모델의 심장 발생 연구	영상장비를 활용한 심장기형 원인 규명
EUROPEAN COMMISSION JOINT RESEARCH CENTRE (이탈리아)	신경독성(neurotoxicity)과 관련된 putative AOP 구축연구	유럽연합에서 건강 및 소비자보호와 관련된 음식 및 여러 화합물 신경독성연구를 통한 규제 정책에 활용 및 AOP 구축
St Joseph's Healthcare(캐나다)	스트레스에 노출된 후세대의 신경기형에 대한 연구	스트레스에 노출된 후세대의 영향을 연구를 통하여 원인 규명함.
NCATS, USA	NIH산하 센터로서, 화합물의 유효성 뿐만 아니라 독성까지도 HTS을 통해 확인하고자 함	HTS로부터 나온 결과를 AOP와 통합하려고 함
FDA, USA	OECD산하 AOP관련 그룹인 Test Guidelines Programme (TGP), QSAR Project, Hazard Assessment activities 등을 주도 하고 있음	독성평가에 AOP 방법을 도입하여, OECD를 통해 AOP를 제도화하고자 함
EPA, USA	OECD내에서 AOP를 구축하는데 모든 분야에 관여하고 있으며, ToxCast와 같은 Tox21 program뿐만 아니라 AOPwiki 및 QSAR등의 연구를 수행 중임	AOP를 구축하는데, quantitative 연구와 computational 연구를 접목하고 있음
NIEHS, USA	Lab animal toxicology로부터 Omics approache까지 독성평가/연구를 진행하고 있으며, 미국의 Tox21 program을 주도하고 있음	OECD AOP그룹에서 AOP 연구 결과물을 제도화하는데 관여하고 있음
National Toxicology Program, USA	Tox21 산하 프로그램으로서, NTP 소속 센터들에서는 각각의 AOP를 구축하고 있음	NTP 산하 센터들에서 연구된 개별의 AOP들이 OECD에 제출되고 있음
EURL, EU	European Commission산하로 대체 독성연구를 주도하고 있으며, AOP연구도 병행하고 있음	EURL에서 연구된 개별의 AOP들이 OECD에 제출되고 있음
미국 National Institute of Child Health and Human Development	사업명은 The human placenta project로 수행하고 있으며 태반발생을 real-time으로 확인하는 기술 개발, 태반 기능에 관련한 선천성기형, 유산, 바이오마커 검색, 태반의 이상 발생을 예방하는 기술 등에 대한 연구를 진행	2015년부터 연구가 개시

2) 경쟁강도 분석 및 시사점

2007년 미국 국립아카데미(National Research Center)의 보고서 '21세기 독성시험: 비전 및 전략'에서 독성연구의 패러다임이 기존의 실험동물을 이용한 독성시험에서 세포 및 유전자

수준으로 독성 메커니즘을 규명하고 이를 밝히는 데에 집중하게 될 것이라고 언급하였다. 이를 계기로 선진 규제기관에서는 화학물질의 효과적인 관리를 위해 기존의 동물을 이용한 실험결과 외에 작용기전과 분자수준에서의 화학물질의 작용 등의 연구결과를 포함하여 종합적인 판단을 하기 위해 AOP 제도를 도입하고 있다. 또한 AOP 구축은 매년 새로이 합성되는 수없이 많은 화학물질을 관리하기 위한 하나의 수단으로 규제기관에서 이용하기 위하여 연구되고 있으며, 2012년부터 OECD를 중심으로 EU 및 미국에서는 정부주도하에 AOP 구축 사업이 활발히 진행되고 있다.

3) 국내외 AOP 구축 관련 정책동향

AOP의 국제 규격화 및 활성화를 위해서 OECD는 AOP development program을 2012년부터 운영 중이며, 이를 위해 조직 내에서 이해당사자들을 중심으로 여러 그룹들의 협력 작업으로 이루어지고 있다. 이러한 연구 그룹은 아래와 같다.

- OECD Test Guidelines Programme (TGP): OECD 공식 테스트 가이드라인을 만들기 위한 프로그램으로 주로 *in vivo* test 방법을 정의함.
- OECD QSAR Project: chemical을 기능을 그룹화 하기 위한 새로운 방법을 정의하기 위한 프로젝트로서 chemical의 유효성 뿐만 아니라 독성에 대한 그룹화를 위한 방법을 제시함.
- OECD Hazard Assessment Activities: Integrated Approaches to Testing and Assessment (IATA)를 개발하기 위한 활동들로서 이곳을 통해 hazard endpoints들이 정의됨.

AOP는 문서 형태로 최종 정의되며, OECD에서는 연구자들이 통일성 있는 AOP를 만들기 위해 template 문서를 제공하고 있다. 관련 정보는 해당 문서(guidance document on developing and assessing AOP, No. 184 Series Testing and Assessment, 2013)와 AOP user handbook 에서 확인 가능하다. 새로운 AOP를 개발하기 위해서는 먼저 AOP 개발을 위한 프로젝트 제안서를 OECD 산하 EAGMST 국가별 사무국 담당자에게 제출해야 하며, 사무국 담당자가 검토 후 EAGMST에 제출한다. 공공분야 연구자(예: academia, scientific societies, industry groups등)인 경우에 국가별 사무국 담당자에게 AOP 제안서 제출이 가능하다(그림 1-5-4). OECD산하 AOP development programme은 1년에 2회 새로운 AOP 제안서와 기 구축된 AOP 정보를 업데이트 하며, 모임을 통해 제안된 AOP를 검토하고, 통과된 AOP들을 OECD AOP workplan에 포함시켜 다양한 그룹들로부터 검토를 받게 한다.

AOP 검토를 수행하는 산하 기관들은 다음과 같다.

- Test Guidelines Programme(TGP) overseen by Working Group of the National Coordinators of the Test Guideline Programme (WNT)

- Task Force for Hazard Assessment (TFHA) in the design of Integrated Approaches to Testing and Assessment (IATA)

OECD의 AOP는 독성물질의 MIE, KE, 유해영향 등을 과학적으로 기술한 문서형태이며, 연구자들이 AOP를 작업함과 동시에 문헌 출판이 가능하다. OECD는 출판을 강제하지 않으며, 이미 개발된 AOP라 할지라도 과학적인 진보에 따라 계속 업데이트가 가능하다.

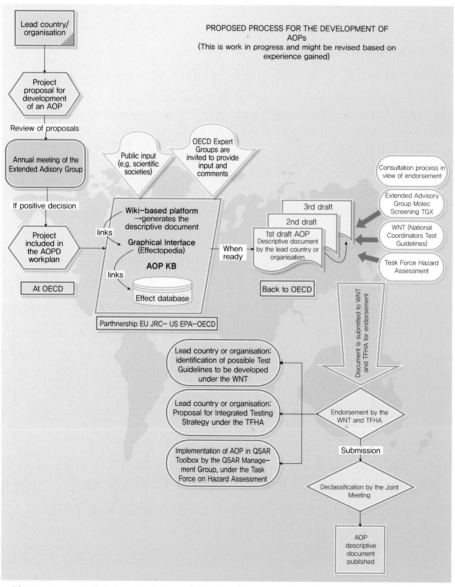

그림 1-5-4. OECD에서의 AOP 개발 과정 (출처: http://www.oecd.org/)

 OECD에 제안 후 AOP 개발자는 그림 1−5−5에서 나타내고 있는 위키 타입의 웹페이지에 게시한다(http://aopwiki.org). 이러한 위키 기반의 웹 브라우저를 통해 현재까지 제안된 AOP 들을 열람하고 리뷰 받을 수 있도록 되어있다. AOP wiki에서는 AOP 개발자 및 abstract와 MIE, KE, KER, AO등의 정보를 자세히 기입하도록 되어있다.

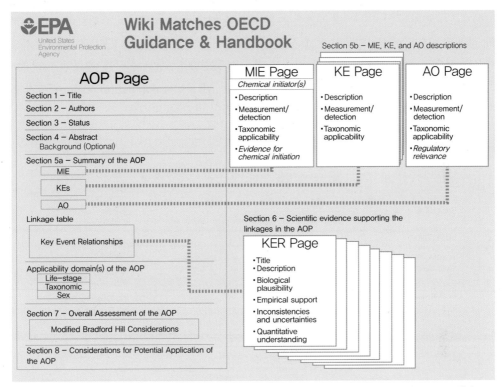

그림 1−5−5. **AOP wiki에서의 AOP 문서 구조.** Title, Authors, Status, Abstract, MIE, KE, KER로 **구조화된 형태임 (출처:** Stephen W. Edwards, AOP Knowledge Base/ Wiki Tool Set)

 AOP 개발자는 어떠한 화학물질이 생체 내 단백질 등과 반응하는 첫 단계인 MIE로부터 세 포단계(cellular response), 장기단계(organ response), 개체단계(organism response), 개체군 단계(population response)에서 나타나는 중요한 KE들을 도출하고 각각 도출된 KE간의 상관 관계(key event relationship)를 연결하여야 한다. 이러한 과정은 그동안 발표된 문헌 및 자신의 연구결과를 바탕으로 이뤄질 수 있으며, 출판된 문헌을 통해서 모든 events와 relationships에 대한 과학적인 근거에 대한 신뢰도(weight−of−evidence)를 제시하여야 한다. KE 또는 KER 에 관련된 연구결과가 명확하게 존재한다면 추가 시험이 필요 없는 높은 신뢰도(strong)로 표시 할 수 있으며, 근거자료가 불충한 경우는 weak한 것으로 판단한다. AOP를 간단한 그림으로 도식화하여 나타낼 때에는 각 KE와 KER의 신뢰도가 strong한 경우는 실선으로 표시되며

weak한 경우는 점선으로 표시할 수 있다. 그림 1-5-6은 KE와 KER의 신뢰도 분류를 나타낸 것이다. 그림 1-5-6에서 Direct Test Data Exists는 해당 events에 대한 과학적인 실험결과가 충분하여 추가적인 실험이나 연구가 불필요한 명확한 근거자료가 충분한 것이다. Inference Possible은 관련된 연구가 어느 정도 진행되어서 해당 events에 대한 추론이 가능한 경우로 추가적인 시험이 굳이 진행할 필요가 없는 경우에 해당된다. Direct Testing Possible은 관련된 실험자료가 있지는 않지만 여러 문헌들을 고려해 볼 때 실험을 계획하여 수행하면 높은 신뢰도의 결과를 얻을 수 있는 경우이다. Research Needed는 관련된 KE나 KER을 가설을 세워서 제시된 것으로 높은 신뢰도를 얻기 위해서 가설을 증명할 수 있는 연구를 계획하고 진행해야 하는 단계이다. 최종적으로 구축이 완료된 AOP에는 MIE에서 population response까지 이어지는 모든 KE와 KER의 높은 신뢰도로 구축되는 것이 바람직하다.

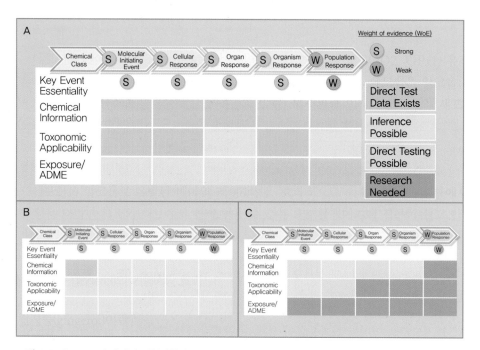

그림 1-5-6. AOP의 단계별 진행사항 체크. KER은 S,M,W로 나눌 수 있으며, KE는 4단계(Direct test data exists), (Inference possible), (Direct testing possible), (Research Needed)등으로 나눌 수 있음 (Stephen W. Edwards, AOP Knowledge Base/ Wiki Tool Set).

5 AOP 구축 방법

1) AOP와 기존 독성학 개념과의 비교

Toxicity Pathway는 MIE와 이에 따른 세포의 영향만을 다루며(예: mitochondrial toxicity), Mode of Action은 독성물질의 MIE 뿐만 아니라 연관된 세포, 기관까지의 부작용을 다루지만 각 단계에서의 관련된 biological context를 다루지는 못한다(예: trichloroethylene causes congenital heart defects). AOP 개념은 독성물질의 최초 분자적 영향에서부터 집단 수준까지의 부작용을 다루며, 각 단계에서의 생물학적 pathway 등을 포함하므로 독성물질의 부작용을 정의하는데 가장 진보된 형태의 개념으로 여겨지고 있다(그림 1-5-7).

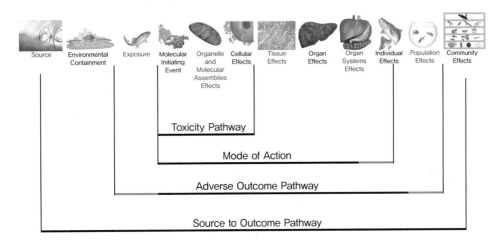

그림 1-5-7. Representation of the relationships between Toxicity Pathways, Mode of Action Pathways, Adverse Outcome Pathways, and Source to Outcome Pathways. The black bars represent the breadth of research common to these concepts. The gray bars represent the theoretical extent of the concepts (OECD AOP Meeting Definition, 2011)

2) AOP 구축

AOP 개발하기 위한 방법으로는

(1) 독성물질에 대한 부작용이 확실해서 부작용으로부터 MIE단계로 내려가면서 AOP를 구축하는 방법을 Top-down 방식(다양한 MIE가 존재한다면 AOP는 선형 형태가 아닌 네트워크 형태의 AOP로 구성될 가능성이 큼),

(2) 독성물질의 구체적인 MIE가 존재하고, MIE를 조절하는 여러 독성물질들에 대한 정보로부터 AOP 구축하기 시작하는 Bottom-up 방식,

(3) 독성물질에 phenotype에 대한 관찰 정보 및 생물학적 측정 정보가 많아서 KE로부터 시작할 경우 Middle-out 방식이 있다.

표 1-5-3은 이러한 개발방법론에 대하여 설명한다.

표 1-5-3. AOP 개발 방법론(Daniel et al., 2014)

TABLE 2. Overview of some Common AOP Development Strategies

Strategy	Definition	Example
Top-down AOP development	Developer starts with an apical AO of interest and then delves down to progressively lower levels of biological organization in an effect to connect that outcome with a specific MIE (or multiple MIE's to construct a network of AOPs)	Investigators are interested understanding the diversity of ays in which chemicals can adversely impact reproduction (Ankley et al, 2009) An important human health issue is strongly associated with chemical exposure, but the causes are poorly understood and predictive assays are lacking (Kimber et al, 2014)
Bottom-up AOP development	Developer starts with a well-defined MIE and begins linking to effects at higher levels of biological organization to develop the AOP	A QSAR model or expert system for predicting chemical structures that will bind a receptor are available, but additional assays and endpoints are required to distinguish agonism from antsgonism and link binding to hazard (Schmiedr et al, 2004)
Middle-out AOP development	Developer starts with an observable phenotype or biological measurement (i.e., KE) that is neither chemicals or stressors not considered to have regulatory relevance in and of itself. The developer then starts developing connections to the mechanisms underlying change in that KE and to the significance of that event as part of a causal chain leading to an AO	

AOP는 의사 결정 및 규정으로 만들어지기 위한 것이므로 반드시 각 단계별 과학적인 증거가 명확해야 하며, 각 단계별로 이미 존재하는 국제적 규정 또는 프레임이 있다면 이를 적용해야 한다(예: OECD's "Validation Principles for (Q)SAR", Inst. of Medicine's Evaluation of Biomarkers and Surrogate Endpoints).

- Analytical Validation: 각 단계별 KE들에 대한 endpoint(예, biomarker)를 확인하기 위한 assay들이 필요하며, 각 assay에 대한 reliability, sensitivity, specificity 등과 같은 평가가 문서화 되어야 한다. 또한 transparent data sets(독립적 검증이 가능할 수 있도록)을 제공할 수 있어야 한다(출처: OECD guidance "Characterizing non-guideline in vitro test methods to facilitate their consideration in regulatory applications").

- Qualification: 다양한 assay로부터 도출된 예측 모델을 평가하는 과정이 필요하다. 예측된 모델에 대해 goodness-of-fit, robustness, predictivity 등을 측정하는 과정을 문서화하고, 모델의 한계점도 명시화해야 한다. 이렇게 예측된 모델은 review과정과 독립적인 검증 작업을 통해 불확실한 부분에 대해 기술되어야 한다.

예를 들어 KE를 확인하기 위한 제시된 분석(assay)에 대한 Qualification 정보를 다음과 같이 제공해야 한다(Daniel Rotroff, 2013). "ToxCast데이터를 바탕으로 Estrogen receptor-mediated assay와 Androgen receptor-mediated assay는 Endocrine Disruptor Screening Program의 Tier 1 assay에서 각각 0.91 (p-value < 0.001)과 0.92 (p-value < 0.001) balanced accuracies를 가진다."

- Utilization: AOP 목적에 맞게 예측된 모델의 정성적, 정량적 사용을 위해 weight-of-evidence 분석을 수행해야 한다. 각 KE들에 대한 과학적인 신뢰성에 대한 weight-of-evidence를 구체화하고 문서화해야 한다.

AOP는 각 단계의 KE 및 KER에 대한 신뢰도에 따라 putative AOP, normal AOP, quantitative AOP로 나눌 수 있다. Putative AOP는 각 KE와 KE relationship이 가설 수준의 단계이며 대부분의 KE와 KER의 신뢰가 낮다. 이와 대조적으로 Normal AOP는 대부분의 KE와 KE relationship의 신뢰도가 높은 것이다. Quantitative AOP의 경우는 구축된 KE와 KER의 높은 신뢰도 뿐만 아니라 각 단계의 양적인 기준도 포함하기 때문에, AOP를 이용

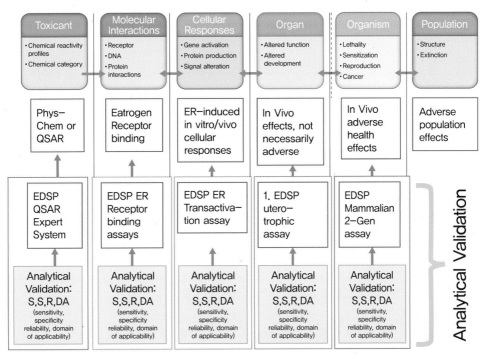

그림 1-5-8. Estrogen receptor antagonist들의 생식독성 AOP. 각 KE에 대한 endpoint와 assay를 확인할 수 있음. (Richard A Becker, "HOW DO WE ESTABLISH SCIENTIFIC CONFIDENCE IN AOPs" presentation at AOP workshop 2014)

해서 AOP의 궁극적인 목표인 화학물질 규제나 신물질에 대한 독성예측 등에 활용할 수 있는 신뢰도가 가장 높은 수준의 AOP이다.

3) 차세대 서열염기 분석법(NGS)을 이용한 putative AOP 구축

Next Generation Sequencing (NGS) 기법 중에 하나인 RNA-Seq을 이용하여 toxicant treatment와 대조군에 대한 전사체를 비교한 후 differential expressed gene들에 대한 gene set enrichment test 및 gene ontology 등의 분석은 putative AOP 구축을 가능하게 한다. 특히 새롭게 합성한 화학물질을 임신한 실험동물에 투여함으로써 심장과 신경계 발달에 기형이 유도된다고 가정할 때, 심장/신경발달 기형유발물질 각각에 대해 NGS 기반 putative AOP 구축을 위한 실험 수행은 다음과 같은 과정을 통해 이루어질 수 있다.

① 심장/신경발달 기형유발 물질과 대조군에 대한 모델 생물의 장기에서의 RNA-Seq을 수행하여 differential expressed gene (Fold change 〉 2, FDR 〈 5)을 선별한다.

② 선별된 유전자를 바탕으로 gene set enrichment test를 수행하여, 핵심 gene set(key event 후보)을 분석한다.

③ 심장/신경발달 기형에서 선정된 다양한 gene set을 기반으로 NGS-based putative AOP를 구축한다.

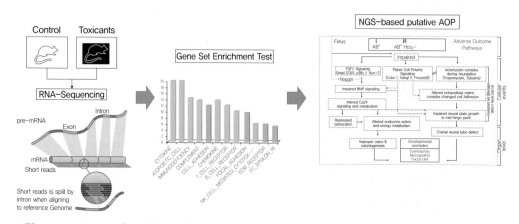

그림 1-5-9. RNA-Seq을 이용한 putative AOP를 구축하는 과정

(1) 차세대 서열염기 분석법(NGS)의 이해

① DNA 또는 RNA와 같은 유전정보를 읽어내는 차세대 기술로서, Sanger 방식과 달리 대량의 병렬 데이터 생산이 가능한 기술을 지칭한다. 2003년 Human Genome Project가 완료된 이후 기술개발이 급속도로 이루어져 현재 한 사람의 genome 전체를 30배 해석하는데 $1,000까지 가능해지고 있다.

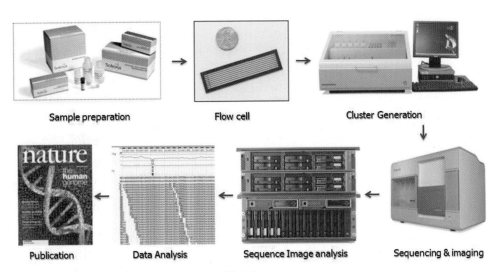

그림 1-5-10. NGS 기계를 이용한 DNA 해독 진행 순서

② 일루미나 시퀀싱(illumina sequencing)

– 전 세계적으로 다양한 NGS 기계들이 개발되었지만, 현재 연구 분야에서는 illumina se-
quencer들이 가장 범용적으로 사용되고 있으며, illumina sequencer는 High through-
put sequencing 방법으로써 DNA 해독 과정은 다음과 같다.

– 해독하고자 하는 target (whole genome, target genome:exon, transcriptome: long
RNA, small RNA, epigenome등)의 DNA를 랜덤으로 자르고, fragment DNA에
adaptor를 붙여 이를 flow cell에 결합시킨 후 primer로부터 증폭시키게 된다. 증폭된 각
DNA 서열들은 이미지 세기가 커져서 해독이 용이하게 되고, 이후에 형광이 있는 base
를 붙인 후에 그 형광의 이미지를 판독하게 된다. 각 base pair마다 형광이 다르게 나타
나는 것을 이용해서 flow cell에 붙은 모든 template의 서열을 판독하게 되며, 이 과정에
서 human의 경우 whole genome인 3 GigaBase의 30배(30X)를 할 경우 1주일 안에 해
독이 가능하며, 금액 또한 $1,000에 근접하고 있다.

③ RNA-Seq(전사체)의 장점

– Genome scale로 전사체를 확인하는 RNA-Seq은 microarray 기법에 비해 발현양이
적은 전사체에 대한 정량화가 가능하며 Alternative splicing과 같은 유전자의 구조적인
분석이 가능하다. 특히 microarray에서는 chip상에 심겨진 probe에 대한 발현양을 확
인할 수 있지만 RNA-Seq은 total RNA를 sequencing함으로써 non-coding RNA,
miRNA 또는 novel gene의 발현도 확인이 가능하다.

4) Bioassays를 통한 normal AOP 구축

문헌 및 NGS 기반으로 putative AOP를 구축한 다음 각각의 KE와 KER의 신뢰성을 확보하기 위해서는 다양한 bioassays 법을 활용하여 각각의 KEs 및 KER을 검증해야 한다. 특히 bioassays 등은 OECD 또는 ICH등과 같은 국제 규약에서 제시하는 assay일수록 normal AOP에 가깝다고 할 수 있다. 아래는 bioassays의 간단한 일부 예를 나열한 것이다. 실제 AOP를 구축하는데 있어서 bioassays는 많은 시간과 인력이 투입되는 가장 어려운 부분으로 AOP구축의 최대 난제이다.

분자생물학적 Assays로서는 많이 사용되고 있는 ① real-time PCR (RT-PCR) 분석, ② 웨스턴 블럿 분석 (Wester blot analysis), 3) 조직면역염색화학법 등이 있다.

세포수준에서의 Assays에서는 ① Cytotoxicity 측정 (MTT, XTT 등의 방법으로 세포의 생존율을 측정할 수 있음), ② 세포 내 활성산소종(ROS)과 산화적 스트레스 측정 (DCF-DA, GSH/GSSG, NO 측정을 통해서 세포 내 ROS나 산화적 스트레스를 측정할 수 있음), ③ Epigenetic 측정: DNA methylation, histone methylation, acetylation, phosphorylation, ubiquitylation 등을 ELISA, 웨스턴 블롯의 방법으로 측정할 수 있다. ④ ER stress 연구: Blue-White DPX 염색이나 ER stress 관련 유전자나 단백질의 발현을 PCR이나 웨스턴 블롯으로 확인할 수 있다. ⑤ 세포사 측정: Hoest 염색법, TUNEL assay법으로 확인할 수 있다.

개체수준에서는 기존에 진행하고 있는 규제기관에서 제시한 시험방법에 따라 진행하는 여러 가지 동물실험이 있을 것이다.

6 AOP의 향후 관건

기존 평가방법을 대체하는 새로운 평가법을 AOP에 어떻게 적용시킬 수 있을지가 관건이며, 새로운 대체방법은 국제 규정에 적합하도록 개발되어야 하는 어려움이 존재한다(Donna L. Mendrick, What is an AOP(and What ISN'T IT?)' Adverse Outcome Pathways: From Research to Regulation 미국 National Toxicology Program 워크샵 자료, https://ntp.niehs.nih.gov/pubhealth/evalatm/3rs-meetings/past-meetings/aop-wksp-2014/index.html, 2014). 또한 AOP는 evidence-based medicine에 기반을 두므로, 현재 evidence-base medicine로 접근하지 못하는 분야에서 쉽게 AOP에 접근할 수 있도록 지원하는 것이 필요하며, 국제적 수준의 사용을 위해서는 AOP 개발은 모든 국가의 규제 가이드라인과의 협의 및 조정이 필요하다. 대체독성방법이 개발되어 받아들여질 경우, 전통적인 독성 평가법은 더 이상이 지원이 되지 않을 것이므로, 대체방법과 전통적 방법과의 조정도 중요하게 여겨진다.

7 AOP 구축의 예시

다음은 현재 구축되어 OECD Aopwiki에 등록된 생식독성 관련 AOP를 분석함으로서 AOP에 대한 이해를 돕고자 한다.

1) 예시 1

(1) 제목: 생식독성을 유발하는 PPARs agonist에 대한 AOP

　① 영어제목: Peroxisome proliferator-activated receptors (PPARs) activation leading to reproductive toxicity in rodents

　② 저자: Małgorzata Nepelska, ECVAM, EU

　③ 출처: https://aopkb.org/aopwiki/index.php/Aop:7

(2) AOP구축 1단계: 유사한 생식독성을 유발하는 화합물에 대한 카테고리를 정리한다.

　① STEP 1. Chose endocrine active, data rich chemicals

　② STEP 2. Matrix display of experimental data

　③ STEP 3. Mechanistic "blueprint" of phthalates

　④ STEP 4. Search for mechanistic analogues (other chemicals that have similar MoA)

　⑤ Phthalate 계열 물질들이 작용하는 주요 유전자와 각각의 세포 및 발현되는 독성을 정리함으로서 MIE, KE, AO등을 선정할 수 있다.

표 1-5-4. Phtalates 계열 화학물질이 작용하는 MIE와 KE, AO

| Phthalates | MIE | | | | KE | | | | | | AO | | |
	ER	PPAR	AR	AhR	Sertoli cells	spermato genesis	Leydig cells	Decreased testosterone	strereodo genesis	oestrus cycle	Male reproductive tract	Sperm parameters	Decreased AGD
DEP	0		1				1	1	0		0	/	0
DiBP	1	1			1	1	1	1	1		1		1
DPP	0				1	1		1	1		1	1	1
DCHP	0	0			1	1	1	1	1	1	1	1	1
DHP	0		/		1	1	1	1	1		1	1	1
DINP	0		0	0	1	1	1	1	1		0	1	/
DIDP	0		0	1				0	0		/	1	0
DnOP	0	1								0	0	/	
BBP	1	1	1	1	1						1	1	1
DprP											1	1	
MEHP		1	1		1	1	1	1	1		1	1	1
DEHP	/	1	/	1	1	1	1	1			1	1	1

(3) AOP구축 2단계: 문헌 정보를 바탕으로 MIE와 KE, AO를 선정한다.

① 해당 AOP에서는 MIE로서 PPAR의 activation을 선정하였다. PPAR 유전자는 alpha, beta and gamma/delta의 isoform이 존재하며, 기능적으로 특정 화합물에 반응하여 전사인자, 지질 대사, 탄수화물 대사, 배아와 태아의 발달, 콜레스테롤 흡수와 전송에 관여하는 것으로 알려져 있다. 특히 지질 및 탄수화물 대사와 reproductive 기능상의 연결고리로서 중요한 역할을 한다.

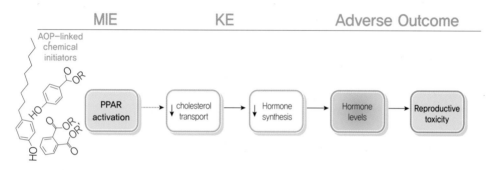

그림 1-5-11. **문헌정보를 바탕으로 정리된 개괄적인 AOP**

(4) AOP구축 3단계: Cell, Organ에서의 구체적인 KE 선정

PPAR의 활성은 translocator protein (TSPO) 유전자의 inhibition을 통해 cholesterol transport의 감소를 가져오므로, AOP 저자들은 PPAR로부터 cholesterol의 감소로 이어지는 생식독성 발현경로를 개괄적으로 정리하고 각 단계별 실험 증명 결과를 문헌상에서 확인하였다.

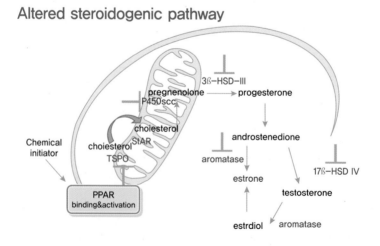

그림 1-5-12. **PPAR 활성을 통해 발생하는 호르몬 균형 변화**

표 1-5-5. Phthalate 물질 별 독성발현 endpoint들에 대한 정보

Chemicl Initiator	Decreased teatosterone levels	Malformation of reproductive organs	Testicular toxicity
DEHP	+ (Howdeshell et al., 2008)	+ (Gray et al., 2000) (Parks, 2000)	+ (Knack et al., 2009)
BBP	+ (Howdeshell et al., 2008)	+ (Gray et al., 2000) (Nagao et all., 2000)	+ (Gray et al., 2000)
DBP	+ (Howdeshell et al., 2008) (Barlow et al., 2003 (Mylchreest, 2000)	+ (Barlow et al., 2003) (Mylchreest, 2000)	+ (Mylchreest, 2000)
Bisphenol A	+ (Tanaka et al., 2006) (Nakamura et al., 2010) (Talsness et al., 2000)	+/- (Takagi et al., 2004) (Kobayashi et al., 2002) (Talsness et al., 2000) (Tinwell et al., 2002)	+ (Talsness et al., 2000)
Butyl paraben	+ (Zhang et al., 2014)	+ (Zhang et al., 2014)	+ (Oishi et al., 2001)

(5) AOP구축 4단계: KE를 바탕으로 여성과 남성 / Fetus와 Adult로 구분된 AOP 작성

    Cholesterol의 감소는 남성에서는 testosterone의 감소를 유발하여 organ 수준에서 reproductive 기관의 발생이상(fetus)과 testicular 독성(adult)을 가져온다. 여성에서는 estradiol의 감소를 유발하여 성주기 불균형 유발하지만, 여성태아에 미치는 유해영향이 명확하지 않아 삭제하였다.

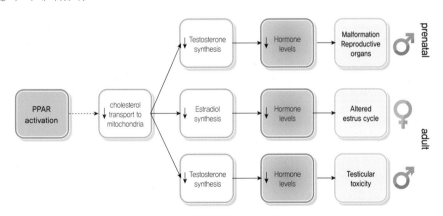

그림 1-5-13. PPAR 활성에 따른 호르몬 변화와 여성과 남성, Fetus와 Adult에 따라 구분된 AOP

(6) AOP구축 5단계: 예측된 AOP를 바탕으로 최종 putative AOP 작성

    남성 fetus과 adult 모두 적용 가능하도록 testosterone의 감소로 인한 생식기관의 이상에

관한 최종 AOP를 작성하였다.

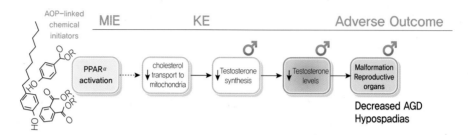

그림 1-5-14. 최종적으로 정리된 PPAR 활성에 의해 발생하는 생식독성 AOP

최종 putative AOP를 바탕으로 KE와 KER 및 strength of evidence 작성

표 1-5-6. 최종 AOP의 각 KE별 실험정보 및 신뢰정도

Key Event	Experimental Support	Strength of Evidence
Molecular Initiating Event: Binding to and activation to PPARα	❍ DEHP/MEHP, BBP, DBP binding to PPARα in vitro, in silico ❍ PPARα transactivation by DEHP/MEHP, BBP, DBP, butyl-paraben ❍ Experiments with PPARα-null mice indicate involvement of the receptor in reproductive toxicity of phthalates	Moderate
Key Event: Impaired steroidogenesis	❍ Impaired transport cholesterol to mitochondria ❍ decreased gene expression of SR-B1, TSPO (PBR), StAR ❍ decreased gene expression of P450sec, 3β-HSD, 17β-HSD	Moderate
Key Event: Decreased testosterone levels	❍ Decreased testosterone level measured in plasma ❍ Decreased testosterone production measured ex-vivo	Strong
Adverse Outcomes: Reproductive tract malformations	❍ DEHP, DBP, BBP, butylparaben, decreased AGD ❍ DEHP, DBP, BBP, Hypospadias	Strong

Weak

Moderate

Strong

2) 예시 2

(1) 제목: 배아 혈관 문제를 야기하는 Vascular Disrupting Component (VDC)의 AOP

　① 영어제목: Embryonic Vascular Disruption and Adverse Prenatal Outcomes

　② 저자: Tom Knudsen, USEPA and Nicole C. Kleinstreuer, ILS/NICEATM

　③ 출처: https://aopkb.org/aopwiki/index.php/Aop:43

(2) AOP구축 1단계: VDC에 의한 MIE 정리하고 세포 및 장기 수준에서의 effect를 KE로 정리

　　문헌을 통해 다양한 VDC로부터 MIE를 정리하고, 혈관신생 관련된 다양한 event들을 정리하였다. 저자는 endothelial proliferation & cell migration, growth factors, chemokine signaling, extracellular matrix degradation, plasminogen activating system, matrix metalloproteinases, neovascular stabilization, Ang/Tie2 signaling, vascular remodeling 등을 KE로 정하였다.

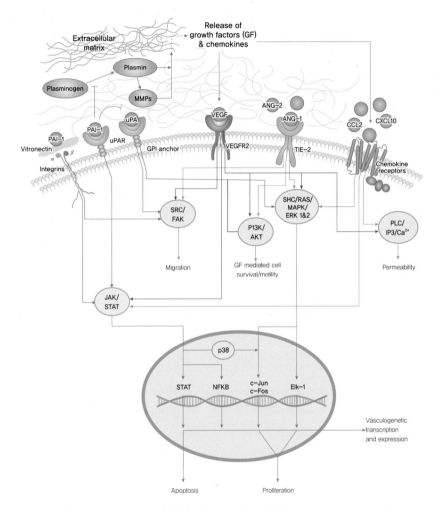

그림 1-5-15. VDC가 배아 혈관문제를 야기하는 경로(Kleinstreuer et al., 2011)

(3) AOP구축 2단계: putative AOP를 완성

Embryo에서의 AO를 altered hemdynaics, impaired growth, dysmorphogene, altered differentiation로 정의하고 putative AOP를 완성하였다. 저자는 여러 KE들을 한번에 효과적으로 도식화하기 위하여 ToxPi 제시를 하였다. ToxPi에서 하나의 색은 하나의 biomarker 또는 KE를 의미한다.

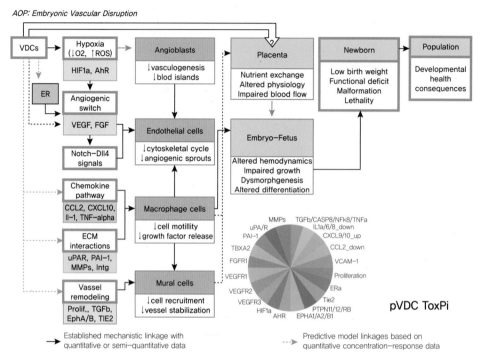

그림 1-5-16. 배아 혈관 독성 유발 VDC의 AOP와 AOP를 표현하기 위한 ToxPi

(4) AOP구축 3단계: putative AOP를 바탕으로 후보 물질의 in vitro 독성평가

구축된 AOP에 따라 ToxCast에 실험된 물질 1060개를 분석하였다. 평가를 위해 positive control과 negative control을 사용하였으며, positive control인 5HPP-33 (thalidomide analog)의 ToxPi는 AOP상에서 상당히 많은 부분의 KE를 나타내는 반면, VDC 중에서도 몇몇 화학물질은 전혀 KE가 나타나지 않는 것을 확인할 수 있다. 특정 화합물질의 ToxPi가 AOP의 KE를 반영할 경우 그 물질은 배아의 혈관 독성을 유발할 가능성이 높은 것으로 해석될 수 있다.

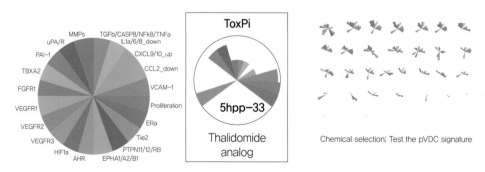

그림 1-5-17. VDC AOP의 ToxPi를 이용한 화학물질의 배아혈관 독성 평가

3) 예시 3

(1) 제목: 선천성 심장기형을 유발하는 TBX1 유전자에 대한 AOP

① 영어제목: TBX1 inhibition leading to congenital cardiac conotruncal anomalies

② 저자: Jinsoo Lee, Wook-Joon Yu, Ji-Seong Jeong, Jung-Hwa Oh, Korea Institute of Toxicology

③ 출처: https://aopwiki.org/aops/304

(2) AOP구축 1단계: 선천성 심장기형 유발에 대한 AOP 구성성분 문헌 조사

선천성 심장기형 유발에 대한 AOP를 구성하기 위하여 AOP 구성성분인 MIE, KE 및 KER의 근거가 되는 문헌을 조사하고 정리하였다. AOP를 구성하는 각 event들을 정리하고, KE와 KER의 근거가 되는 문헌을 아래와 같이 정리하였다.

표 1-5-7. 선천성 심장기형 유발 AOP의 KE와 KER 정리

Event	Description	Triggers	Reference
TBX1 Inhibition	Directly leads to	Neural crest cell migration disruption	* Vitelli, F et al., (2002). Human molecular genetics, 11(8), 915–922.
TBX1 Inhibition	Directly leads to	Progenitor cells of the second heart field differentiation disruption	* Chen et al., (2009). Circulation research, 105(9), 842–851. * Papangeli and Scambler (2013). Wiley Interdisciplinary Reviews: Developmental Biology, 2(3), 393–403.
Neural crest cell migration disruption	Directly leads to	Fourth pharyngeal arch development impairment	* Lindsay et al., (2001). Nature, 410(6824), 97.
Fourth pharyngeal arch development impairment	Directly leads to	Cardiac outflow tract formation abnormalities	* Merscher et al., (2001). Cell, 104(4), 619–629 * Jerome and Papaioannou. (2001). Nature genetics, 27(3), 286.
Progenitor cells of second heart field differentiatiion disruption	Directly leads to	Cardiac outflow tract formation abnormalities	* Epstein, J. A. (2010). New England Journal of Medicine, 363(17), 1638–1647.
Cardiac outflow tract formation abnormalities	Directly leads to	Congenital cardaic contrucal anomalies	* Kirby, M. L. (1987). Pediatric research, 21(3), 219.

(3) AOP구축 2단계: putative AOP 완성

TBX1 유전자의 억제가 발생 단계 세포수준에서 neural crest cell의 이동 및 second heart field의 progenitor cell의 분화를 방해한다는 사실을 확인하였다. 이러한 세포수준의 이상은 장기 수준에서 fourth pharyngeal arch의 발달을 방해하고 결과적으로 cardiac outflow tract의 형성 이상을 유발한다는 것을 확인하였다. 이는 결과적으로 개인 수준에서 심장 혈관에 대한 선천성 기형을 유발하게 된다.

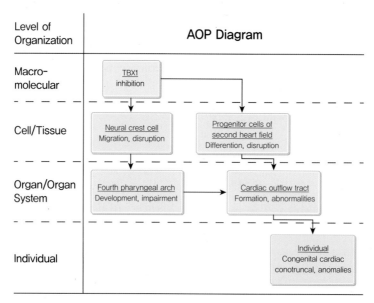

그림 1-5-18. TBX1 유전자 이상에 의한 선천성 심장기형 Putative AOP

(4) AOP구축 3단계: putative AOP를 바탕으로 후보 물질의 in vivo 시험 및 상관관계 규명 연구

Putative AOP의 최종 adverse outcome인 심장혈관의 선천성 이상을 유발하는 후보물질인 bis-diamine을 선정하여 AOP를 정교화하고 근거가 되는 reference를 구축하기 위한 in vivo 연구를 진행하였다. 해당 연구를 통해 bis-diamine의 선천성 심장기형 양상을 확인하고 관련 기전 확인을 위한 추가 연구를 진행할 계획이다.

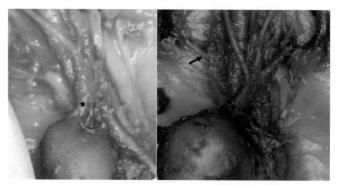

그림 1-5-19. 랫드의 임신 중 Bis-diamine 노출에 의한 선천성 심장기형 유발(asterisk:persistent truncus arteriosus, black arrow: retroesophageal right subclavian artery)

▶ 참고문헌

1. Ankley GT, Bencic D, Breen M et al. Endocrine disrupting chemicals in fish: developing exposure indicators and predictive models of effects based on mechanisms of action. Aquat Toxicol 2009; 92:168–78.

2. Han D, Dara L, Win S et al., Regulation of drug-induced liver injury by signal transduction pathways: critical role of mitochondria. Trends Pharmacol Sci 2013; 34(4):243-53.

3. Kimber I, Dearman RJ, Basketter DA et al. Chemical respiratory allergy: reverse engineering an adverse outcome pathway. Toxicology 2014; 318C:32–9.

4. Kleinstreuer NC, Judson RS, Reif DM et al. Environmental impact on vascular development predicted by high-throughput screening. Environ Health Perspect 2011; 119(11):1596-603.

5. Lu L, Krumholz HM, Tu JV, et al. Impact of the ENHANCE trial on the use of ezetimibe in the United States and Canada. Am Heart J 2014; 167(5):683-9.

6. Mitka M. Ezetimibe prescribing fails to keep up with evidence. JAMA 2014; 311(13):1279-80.

7. Psaty BM, Lumley T. Surrogate end points and FDA approval: a tale of 2 lipid-altering drugs. JAMA 2008; 299(12):1474-6

8. Rotroff DM, Dix DJ, Houck KA et al. Using in vitro high throughput screening assays to identify potential endocrine-disrupting chemicals. Environ Health Perspect 2013: 121(1):7-14

9. Schmieder PK, Tapper MA, Denny JS et al. Use of trout liver slices to enhance mechanistic interpretation of estrogen receptor binding for cost-effective prioritization of chemicals within large inventories. Environ Sci Technol. 2004; 38:6333–6342.

10. Sturla SJ, Boobis AR, FitzGerald RE, et al. Systems Toxicology: From Basic Research to Risk Assessment. Chem Res Toxicol 2014; 27:314-29.

11. Tujios S, Fontana RJ. Mechanisms of drug-induced liver injury: from bedside to bench. Nat Rev Gastroenterol Hepatol 2011; 8(4):202-11.

12. Villeneuve D, Volz DC, Embry MR et al. Investigating alternatives to the fish early life-stage test: a strategy for discovering and annotating adverse outcome pathways for early fish development. Environ Toxicol Chem 2013; 33:158–69.

13. Villeneuve DL, Crump D, Garcia-Reyero N, et al. Adverse outcome pathway (AOP) development I: strategies and principles. Tox Sci 2014; 142(2):312-20.

06 화장품의 위해성 평가

○ 김규봉

1 서론

아름다움에 대한 추구는 인간의 본능이라고 할 수 있다. 이러한 경향은 우리나라에서 산업화 이후 경제 성장이 지속되고 선진국 수준의 경제대국으로 평가받는 현시점에 두드러진 현상이다. 이러한 경향과 더불어 여성 경제활동 인구의 증가, 남성 및 유아 등 화장품 소비계층의 확대는 화장품 소비 증가의 주요한 원인으로 부각되었다(한국보건산업진흥원, 2020). 최근 글로벌 경제 위기에도 불구하고 화장품 시장은 지속적으로 성장하는 추세이다(표 1-6-1).

표 1-6-1. 주요국의 화장품 시장 규모 (단위: 백만달러, %)

순위	국가명	2015년	2016년	2017년	2018년	2019년	점유율	YoY
1	미국	69,826	72,941	75,937	78,770	80429	19.1	2.1
2	중국	41,115	43,590	48,088	54,208	61,940	14.7	14.3
3	일본	32,862	33,433	34,364	35,160	35,677	8.5	1.5
4	브라질	21,981	22,766	23,536	24,688	25,714	6.1	4.2
5	독일	15,163	15,448	15,832	16,185	16,540	3.9	2.2
6	영국	13,512	13,916	14,343	14,600	14,636	3.5	0.2
7	프랑스	13,032	12,830	12,727	12,652	12,553	3.0	−0.8
8	한국	11,068	11,988	12,134	12,170	12,281	2.9	0.9
9	인도	8,554	9,359	10,200	11,180	12,113	2.9	8.3
10	이탈리아	9,227	9,310	9,483	9,624	9,743	2.3	1.2
11	멕시코	7,124	7,710	8,321	8,756	9,108	2.2	4.0
12	러시아	7,782	8,468	8,730	8,864	9,015	2.1	1.7
13	스페인	6,976	7,153	7,313	7,493	7,681	1.8	2.5
14	캐나다	6,350	6,497	6,624	6,772	6,919	1.6	2.2
15	태국	4,763	5,073	5,416	5,794	6,182	1.5	6.7
16	호주	4,970	5,241	5,506	5,792	6,094	1.4	5.2
17	인도네시아	3,726	4,141	4,552	5,037	5,503	1.3	9.2

(계속)

순위	국가명	2015년	2016년	2017년	2018년	2019년	점유율	YoY
18	사우디아라비아	4,983	5,027	4,801	4,839	4,792	1.1	−1.0
19	폴란드	3,693	3,854	4,022	4,221	4,450	1.1	5.4
20	대만	3,350	3,595	3,731	3,827	3,919	0.9	2.4
상위 20개국 합계		290,105	302,340	315,659	330,630	345,287	82.1	4.4
합계(80개국)		351,688	366,735	383,415	402,180	120,317	100.0	4.5

출처: 2020년 화장품산업 분석 보고서, 한국보건산업진흥원
YoY, Year on Year, 전년 동기 대비 증감율

　　2020 화장품산업 분석 보고서(한국보건산업진흥원)에 의하면 국내 화장품 시장규모는 2019년 10조 5,347억원으로 전년대비 4.0% 성장한 것으로 나타났다(표 1-6-1, 2]. 화장품 생산액은 16조 2,633억원으로 전년대비 4.9% 증가했다. 화장품 산업 시장규모는 계속 증가하고 있으며 연평균(2015~2019) 4.0% 증가하였다. 우리나라의 화장품 산업 동향은 지속적으로 성장하고 있음을 알 수 있다.

표 1-6-2. **우리나라 화장품 산업 동향**

구분	2015년	2016년	2017년	2018년	2019년	YoY
시장규모	9,005,079	9,898,726	9,585,993	10,128,876	10,534,735	4.0
(백만 달러)	7,722	8,489	8,220	8,686	9,034	
생산	10,732,853	13,051,262	13,515,507	15,502,849	16,263,316	4.9
(백만 달러)	9,204	11,192	11,590	13,294	13,947	
수출	3,428,769	4,900,311	5,791,641	7,325,924	7,635,909	4.2
(백만 달러)	2,940	4,202	4,967	6,282	6,548	
수입	1,700,995	1,747,775	1,862,127	1,951,951	1,907,328	−2.3
(백만 달러)	1,459	1,499	1,597	1,674	1,636	
무역수지	1,727,774	3,152,536	3,929,514	5,373,973	5,728,581	−
(백만 달러)	1,482	2,703	3,370	4,608	4,913	

출처: 2019년 화장품산업 분석 보고서, 한국보건산업진흥원
YoY, Year on Year, 전년 동기 대비 증감율

　　화장품 산업의 성장은 국가 경제 및 산업(일자리 창출 등)적인 측면에서는 매우 긍정적이다. 그러나, 화장품이 매우 다양한 화학물질로 이루어져 있다는 점을 고려한다면, 화장품 시장의 확대는 매우 다양한 제품을 많은 소비자가 사용하고 있고 이는 소비자의 입장에서는 수많은 화학물질에 노출될 가능성이 증가한다고 할 수 있다. 화장품에 사용되는 원료 물질의 종류는 정확하게 알려진 바는 없다. 2021년 대한화장품협회에서 제공하는 화장품성분사전에 등재된 원료 성분은 20,194건이었다. 다양한 물질로 구성된 천연물 원료를 고려한다면, 화장품에 사용되는 화학물질은 이 숫자보다 훨씬 많을 것으로 예상된다. 따라서, 화장품을 사용할 경우, 수많은 화학물질에 노출될 가

능성이 매우 높아진다. 많은 사람들이 화장품 사용에 따른 안전성을 우려하는 것은 당연한 것이라 할 수 있겠다.

화장품의 인체 위해성 평가는 이러한 화장품 안전성 우려에 대한 해결 방법 또는 안전한 화장품 사용을 위한 과학적인 접근 방법이다. 이 장에서는 화장품의 인체 위해성 평가에 대하여 소개하고자 한다. 일상적으로 접하고 있는 화장품이 어떻게 안전하게 평가되고 관리되고 있는지를

기술하여, 화장품에 대한 불필요한 안전성 우려를 해소하고, 안전성 이슈가 제기될 경우, 합리적인 대처 방안을 제시하고자 하였다.

2 화장품 안전관리 현황

우리나라의 화장품 안전관리에 대하여 살펴보고자 한다. 화장품법은 2000년에 처음으로 제정되었다. 이 당시 화장품은 기존의 약사법에서 관리하는 수준을 벗어나지 못 하였다. 즉, 안전성 측면에서 식품의약품안전처장이 지정 고시한 원료가 아닌 경우, 즉 국내에서 최초로 도입되는 원료를 함유하는 화장품의 경우, 그 원료 성분에 대한 규격 및 안전성에 대하여 식품의약품안전처장의 심사를 받아야 하였다.

2011년 개정된 화장품법(2012년 시행)은 기존 화장품 원료의 안전관리 방식(포지티브리스트 방식)을 선진국과 같은 수준인 네거티브리스트 방식으로 관리하게 되었다. 이것은 화장품에 사용할 수 없는 원료를 고시하고 그 밖의 원료는 자유롭게 사용할 수 있게 하는 방식이다. 현재까지 이 방식은 유지되고 있다. 이러한 화장품 안전관리 방식의 변경은 화장품 산업의 발달과 소득 수준의 향상에 따른 새로운 화장품 원료의 개발을 촉진하여 화장품 산업을 활성화하고 규제를 국제적 수준과 맞추기 위함이었다. 이러한 화장품 안전관리 방식의 변경은 화장품 산업을 위해서는 매우 긍정적인 면이 있지만, 국민 보건을 위한 안전성 측면에서는 안전성 정보가 없는 화장품 원료의 사용 규제가 화장품 업체의 자율에 맡긴다는 우려가 존재하게 되었다. 따라서, 새로운 화장품법에서는 국내외에서 유해물질이 포함되어 있는 것으로 알려지는 등 국민보건상 위해 우려가 제기되는 화장품원료 등의 경우에는 위해평가를 통하여 안전성에 대한 판단을 하도록 하였다(화장품법 제8조 3항). 아울러, 화장품 제조 등에 사용할 수 없는 원료를 고시하였으며, 살균보존제, 색소, 자외선 차단제, 염모제 등 특별히 사용상의 재한이 필요한 원료에 대하여는 그 사용기준을 지정하여 고시하고 있으며, 사용 기준이 지정 고시된 원료 외의 살균보존제, 색소, 자외선 차단제, 염모제 등은 사용할 수 없다.

따라서, 현재의 화장품 안전관리는 화장품법에 근거하고 있으며, 사용할 수 없는 원료(총 1024종) 및 사용할 수 있으나 안전성에 대한 우려로 사용한도를 제한하는 원료(보존제성분 59종; 자외선차단제 성분 30종; 염모제 성분 48종; 기타 성분 78종)는 고시하여 관리하고 있다. 그외의 화장품 원료는 자유롭게 사용할 수 있다. 국민 건강에 우려가 되는 성분이 화장품 원료로 사용되는 경

우 위해성평가를 통하여 화장품의 안전을 관리하고 있다. 표 1-6-3은 사용상의 제한이 필요한
원료의 목록과 그 내용이다.

표 1-6-3. **사용상의 제한이 필요한 원료**

원료명/보존제 성분	사 용 한 도	비 고
글루타랄(펜탄-1,5-디알)	0.1%	에어로졸(스프레이에 한함) 제품에는 사용금지
데하이드로아세틱애씨드(3-아세틸-6-메칠 피란-2,4(3H)-디온) 및 그 염류	데하이드로아세틱애씨드로서 0.6%	에어로졸(스프레이에 한함) 제품에는 사용금지
4,4-디메칠-1,3-옥사졸리딘(디메칠옥사졸 리딘)	0.05% (다만, 제품의 pH는 6을 넘어야 함)	
디브로모헥사미딘 및 그 염류 (이세치오네이트 포함)	디브로모헥사미딘으로서 0.1%	
디아졸리디닐우레아 (N-(히드록시메칠)-N-(디히드록시메 칠-1,3-디옥소-2,5-이미다졸리디닐-4)-N' -(히드록시메칠)우레아)	0.5%	
디엠디엠하이단토인 (1,3-비스(히드록시메칠)-5,5-디메칠이미다 졸리딘-2,4-디온)	0.6%	
2, 4-디클로로벤질알코올	0.15%	
3, 4-디클로로벤질알코올	0.15%	
메칠이소치아졸리논	사용 후 씻어내는 제품에 0.0015% (단, 메칠클로로이소치아졸리논과 메칠이소치 아졸리논 혼합물과 병행 사용 금지)	기타 제품에는 사용금지
메칠클로로이소치아졸리논과 메칠이소치아 졸리논 혼합물(염화마그네슘과 질산마그네 슘 포함)	사용 후 씻어내는 제품에 0.0015% (메칠클로로이소치아졸리논:메칠이소치아졸리 논=(3:1)혼합물로서)	기타 제품에는 사용금지
메텐아민(헥사메칠렌테트라아민)	0.15%	
무기설파이트 및 하이드로젠설파이트류	유리 SO_2로 0.2%	
벤잘코늄클로라이드, 브로마이드 및 사카리 네이트	• 사용 후 씻어내는 제품에 벤잘코늄클로라이 드로서 0.1% • 기타 제품에 벤잘코늄클로라이드로서 0.05%	
벤제토늄클로라이드	0.1%	점막에 사용되는 제품에는 사용금지
벤조익애씨드, 그 염류 및 에스텔류	산으로서 0.5% (다만, 벤조익애씨드 및 그 소듐염은 사용 후 씻어내는 제품에는 산으로서 2.5%)	
벤질알코올	1.0% (다만, 두발 염색용 제품류에 용제로 사용할 경 우에는 10%)	
벤질헤미포름알	사용 후 씻어내는 제품에 0.15%	기타 제품에는 사용금지
보레이트류(소듐보레이트, 테트라보레이트)	밀납, 백납의 유화의 목적으로 사용 시 0.76% (이 경우, 밀납·백납 배합량의 1/2을 초과할 수 없다)	기타 목적에는 사용금지

원 료 명	사 용 한 도	비 고
5-브로모-5-나이트로-1,3-디옥산	사용 후 씻어내는 제품에 0.1% (다만, 아민류나 아마이드류를 함유하고 있는 제품에는 사용금지)	기타 제품에는 사용금지
2-브로모-2-나이트로프로판-1,3-디올(브로노폴)	0.1%	아민류나 아마이드류를 함유하고 있는 제품에는 사용금지
브로모클로로펜(6,6-디브로모-4,4-디클로로-2,2'-메칠렌-디페놀)	0.1%	
비페닐-2-올(o-페닐페놀) 및 그 염류	페놀로서 0.15%	
살리실릭애씨드 및 그 염류	살리실릭애씨드로서 0.5%	영유아용 제품류 또는 만 13세 이하 어린이가 사용할 수 있음을 특정하여 표시하는 제품에는 사용금지(다만, 샴푸는 제외)
세틸피리디늄클로라이드	0.08%	
소듐라우로일사코시네이트	사용 후 씻어내는 제품에 허용	기타 제품에는 사용금지
소듐아이오데이트	사용 후 씻어내는 제품에 0.1%	기타 제품에는 사용금지
소듐하이드록시메칠아미노아세테이트 (소듐하이드록시메칠글리시네이트)	0.5%	
소르빅애씨드(헥사-2,4-디에노익 애씨드) 및 그 염류	소르빅애씨드로서 0.6%	
아이오도프로피닐부틸카바메이트(아이피비씨)	• 사용 후 씻어내는 제품에 0.02% • 사용 후 씻어내지 않는 제품에 0.01% • 다만, 데오드란트에 배합할 경우에는 0.0075%	• 입술에 사용되는 제품, 에어로졸(스프레이에 한함) 제품, 바디로션 및 바디크림에는 사용금지 • 영유아용 제품류 또는 만 13세 이하 어린이가 사용할 수 있음을 특정하여 표시하는 제품에는 사용금지(목욕용제품, 샤워젤류 및 샴푸류는 제외)
알킬이소쿼놀리늄브로마이드	사용 후 씻어내지 않는 제품에 0.05%	
알킬(C12-C22)트리메칠암모늄 브로마이드 및 클로라이드(브롬화세트리모늄 포함)	두발용 제품류를 제외한 화장품에 0.1%	
에칠라우로일알지네이트 하이드로클로라이드	0.4%	입술에 사용되는 제품 및 에어로졸(스프레이에 한함) 제품에는 사용금지
엠디엠하이단토인	0.2%	
알킬디아미노에칠글라이신하이드로클로라이드용액(30%)	0.3%	
운데실레닉애씨드 및 그 염류 및 모노에탄올아마이드	사용 후 씻어내는 제품에 산으로서 0.2%	기타 제품에는 사용금지
이미다졸리디닐우레아(3,3'-비스(1-하이드록시메칠-2,5-디옥소이미다졸리딘-4-일)-1,1'메칠렌디우레아)	0.6%	
이소프로필메칠페놀(이소프로필크레졸, o-시멘-5-올)	0.1%	
징크피리치온	사용 후 씻어내는 제품에 0.5%	기타 제품에는 사용금지

원 료 명	사 용 한 도	비 고
쿼터늄-15 (메텐아민 3-클로로알릴클로라이드)	0.2%	
클로로부탄올	0.5%	에어로졸(스프레이에 한함) 제품에는 사용금지
〈삭제〉	〈삭제〉	
클로로자이레놀	0.5%	
p-클로로-m-크레졸	0.04%	점막에 사용되는 제품에는 사용금지
클로로펜(2-벤질-4-클로로페놀)	0.05%	
클로페네신(3-(p-클로로페녹시)-프로 판-1,2-디올)	0.3%	
클로헥시딘, 그 디글루코네이트, 디아세테이 트 및 디하이드로클로라이드	• 점막에 사용하지 않고 씻어내는 제품에 클로 헥시딘으로서 0.1%, • 기타 제품에 클로헥시딘으로서 0.05%	
클림바졸[1-(4-클로로페녹시)-1-(1H-이미 다졸릴)-3, 3-디메칠-2-부타논]	두발용 제품에 0.5%	기타 제품에는 사용금지
테트라브로모-o-크레졸	0.3%	
트리클로산	사용 후 씻어내는 인체세정용 제품류, 데오도 런트(스프레이 제품 제외), 페이스파우더, 피부 결점을 감추기 위해 국소적으로 사용하는 파운 데이션(예 : 블레미쉬컨실러)에 0.3%	기타 제품에는 사용금지
트리클로카반(트리클로카바닐리드)	0.2% (다만, 원료 중 3,3',4,4'-테트라클로로아조벤젠 1ppm 미만, 3,3',4,4'-테트라클로로아족시벤젠 1ppm 미만 함유하여야 함)	
페녹시에탄올	1.0%	
페녹시이소프로판올(1-페녹시프로판-2-올)	사용 후 씻어내는 제품에 1.0%	기타 제품에는 사용금지
〈삭제〉	〈삭제〉	
포믹애씨드 및 소듐포메이트	포믹애씨드로서 0.5%	
폴리(1-헥사메칠렌바이구아니드)에이치씨엘	0.05%	에어로졸(스프레이에 한함) 제품에는 사용금지
프로피오닉애씨드 및 그 염류	프로피오닉애씨드로서 0.9%	
피록톤올아민(1-하이드록시-4-메 칠-6(2,4,4-트리메칠펜틸)2-피리돈 및 그 모노에탄올아민염)	사용 후 씻어내는 제품에 1.0%, 기타 제품에 0.5%	
피리딘-2-올 1-옥사이드	0.5%	
p-하이드록시벤조익애씨드, 그 염류 및 에스텔류 (다만, 에스텔류 중 페닐은 제외)	• 단일성분일 경우 0.4%(산으로서) • 혼합사용의 경우 0.8%(산으로서)	
헥세티딘	사용 후 씻어내는 제품에 0.1%	기타 제품에는 사용금지
헥사미딘(1,6-디(4-아미디노페녹시)-n-헥 산) 및 그 염류(이세치오네이트 및 p-하이 드록시벤조에이트)	헥사미딘으로서 0.1%	

- 염류의 예 : 소듐, 포타슘, 칼슘, 마그네슘, 암모늄, 에탄올아민, 클로라이드, 브로마이드, 설페이트, 아세테이트, 베타인 등
- 에스텔류 : 메칠, 에칠, 프로필, 이소프로필, 부틸, 이소부틸, 페닐

■ **자외선 차단성분**

원 료 명	사 용 한 도	비고
드로메트리졸트리실록산	15%	
드로메트리졸	1.0%	
디갈로일트리올리에이트	5%	
디소듐페닐디벤즈이미다졸테트라설포네이트	산으로서 10%	
디에칠헥실부타미도트리아존	10%	
디에칠아미노하이드록시벤조일헥실벤조에이트	10%	
〈삭 제〉	〈삭 제〉	
로우손과 디하이드록시아세톤의 혼합물	로우손 0.25%, 디하이드록시아세톤 3%	
메칠렌비스-벤조트리아졸릴테트라메칠부틸페놀	10%	
4-메칠벤질리덴캠퍼	4%	
멘틸안트라닐레이트	5%	
벤조페논-3(옥시벤존)	5%	
벤조페논-4	5%	
벤조페논-8(디옥시벤존)	3%	
부틸메톡시디벤조일메탄	5%	
비스에칠헥실옥시페놀메톡시페닐트리아진	10%	
시녹세이트	5%	
에칠디하이드록시프로필파바	5%	
옥토크릴렌	10%	
에칠헥실디메칠파바	8%	
에칠헥실메톡시신나메이트	7.5%	
에칠헥실살리실레이트	5%	
에칠헥실트리아존	5%	
이소아밀-p-메톡시신나메이트	10%	
폴리실리콘-15(디메치코디에칠벤잘말로네이트)	10%	
징크옥사이드	25%	
테레프탈릴리덴디캠퍼설포닉애씨드 및 그 염류	산으로서 10%	
티이에이-살리실레이트	12%	
티타늄디옥사이드	25%	
〈삭 제〉	〈삭 제〉	
페닐벤즈이미다졸설포닉애씨드	4%	
호모살레이트	10%	

- 다만, 제품의 변색방지를 목적으로 그 사용농도가 0.5% 미만인 것은 자외선 차단 제품으로 인정하지 아니한다.
- 염류 : 양이온염으로 소듐, 포타슘, 칼슘, 마그네슘, 암모늄 및 에탄올아민, 음이온염으로 클로라이드, 브로마이드, 설페이트, 아세테이트

■ 염모제 성분

원료명	사용할 때 농도상한(%)	비고
p-니트로-o-페닐렌디아민	산화염모제에 1.5%	기타 제품에는 사용금지
니트로-p-페닐렌디아민	산화염모제에 3.0%	기타 제품에는 사용금지
2-메칠-5-히드록시에칠아미노페놀	산화염모제에 0.5%	기타 제품에는 사용금지
2-아미노-4-니트로페놀	산화염모제에 2.5%	기타 제품에는 사용금지
2-아미노-5-니트로페놀	산화염모제에 1.5%	기타 제품에는 사용금지
2-아미노-3-히드록시피리딘	산화염모제에 1.0%	기타 제품에는 사용금지
4-아미노-m-크레솔	산화염모제에 1.5%	기타 제품에는 사용금지
5-아미노-o-크레솔	산화염모제에 1.0%	기타 제품에는 사용금지
5-아미노-6-클로로-o-크레솔	• 산화염모제에 1.0% • 비산화염모제에 0.5%	기타 제품에는 사용금지
m-아미노페놀	산화염모제에 2.0%	기타 제품에는 사용금지
o-아미노페놀	산화염모제에 3.0%	기타 제품에는 사용금지
p-아미노페놀	산화염모제에 0.9%	기타 제품에는 사용금지
염산 2,4-디아미노페녹시에탄올	산화염모제에 0.5%	기타 제품에는 사용금지
염산 톨루엔-2,5-디아민	산화염모제에 3.2%	기타 제품에는 사용금지
염산 m-페닐렌디아민	산화염모제에 0.5%	기타 제품에는 사용금지
염산 p-페닐렌디아민	산화염모제에 3.3%	기타 제품에는 사용금지
염산 히드록시프로필비스(N-히드록시에칠-p-페닐렌디아민)	산화염모제에 0.4%	기타 제품에는 사용금지
톨루엔-2,5-디아민	산화염모제에 2.0%	기타 제품에는 사용금지
m-페닐렌디아민	산화염모제에 1.0%	기타 제품에는 사용금지
p-페닐렌디아민	산화염모제에 2.0%	기타 제품에는 사용금지
N-페닐-p-페닐렌디아민 및 그 염류	산화염모제에 N-페닐-p-페닐렌디아민으로서 2.0%	기타 제품에는 사용금지
피크라민산	산화염모제에 0.6%	기타 제품에는 사용금지
황산 p-니트로-o-페닐렌디아민	산화염모제에 2.0%	기타 제품에는 사용금지
p-메칠아미노페놀 및 그 염류	산화염모제에 황산염으로서 0.68%	기타 제품에는 사용금지
황산 5-아미노-o-크레솔	산화염모제에 4.5%	기타 제품에는 사용금지
황산 m-아미노페놀	산화염모제에 2.0%	기타 제품에는 사용금지
황산 o-아미노페놀	산화염모제에 3.0%	기타 제품에는 사용금지
황산 p-아미노페놀	산화염모제에 1.3%	기타 제품에는 사용금지
황산 톨루엔-2,5-디아민	산화염모제에 3.6%	기타 제품에는 사용금지

원 료 명	사용할 때 농도상한(%)	비고
황산 m-페닐렌디아민	산화염모제에 3.0%	기타 제품에는 사용금지
황산 p-페닐렌디아민	산화염모제에 3.8%	기타 제품에는 사용금지
황산 N,N-비스-(2-히드록시에칠)-p-페닐렌디아민	산화염모제에 2.9%	기타 제품에는 사용금지
2,6-디아미노피리딘	산화염모제에 0.15%	기타 제품에는 사용금지
염산 2,4-디아미노페놀	산화염모제에 0.5%	기타 제품에는 사용금지
1,5-디히드록시나프탈렌	산화염모제에 0.5%	기타 제품에는 사용금지
피크라민산 나트륨	산화염모제에 0.6%	기타 제품에는 사용금지
황산 2-아미노-5-니트로페놀	산화염모제에 1.5%	기타 제품에는 사용금지
황산 o-클로로-p-페닐렌디아민	산화염모제에 1.5%	기타 제품에는 사용금지
황산 1-히드록시에칠-4,5-디아미노피라졸	산화염모제에 3.0%	기타 제품에는 사용금지
히드록시벤조모르포린	산화염모제에 1.0%	기타 제품에는 사용금지
6-히드록시인돌	산화염모제에 0.5%	기타 제품에는 사용금지
1-나프톨(α-나프톨)	산화염모제에 2.0%	기타 제품에는 사용금지
레조시놀	산화염모제에 2.0%	
2-메칠레조시놀	산화염모제에 0.5%	기타 제품에는 사용금지
몰식자산	산화염모제에 4.0%	
카테콜(피로카테콜)	산화염모제에 1.5%	기타 제품에는 사용금지
피로갈롤	염모제에 2.0%	기타 제품에는 사용금지
과붕산나트륨 과붕산나트륨일수화물 과산화수소수 과탄산나트륨	염모제(탈염·탈색 포함)에서 과산화수소로서 12.0%	

■ 기 타

원 료 명	사 용 한 도	비고
감광소 감광소 101호(플라토닌) 감광소 201호(쿼터늄-73)　의 합계량 감광소 301호(쿼터늄-51) 감광소 401호(쿼터늄-45) 기타의 감광소	0.002%	
건강틴크 칸타리스틴크　의 합계량 고추틴크	1%	
과산화수소 및 과산화수소 생성물질	• 두발용 제품류에 과산화수소로서 3% • 손톱경화용 제품에 과산화수소로서 2%	기타 제품에는 사용금지
글라이옥살	0.01%	
〈삭 제〉	〈삭 제〉	
α-다마스콘(시스-로즈 케톤-1)	0.02%	

원료명	사용한도	비고
디아미노피리미딘옥사이드(2,4-디아미노-피리미딘-3-옥사이드)	두발용 제품류에 1.5%	기타 제품에는 사용금지
땅콩오일, 추출물 및 유도체		원료 중 땅콩단백질의 최대 농도는 0.5ppm을 초과하지 않아야 함
라우레스-8, 9 및 10	2%	
레조시놀	• 산화염모제에 용법·용량에 따른 혼합물의 염모성분으로서 2.0% • 기타제품에 0.1%	
로즈 케톤-3	0.02%	
로즈 케톤-4	0.02%	
로즈 케톤-5	0.02%	
시스-로즈 케톤-2	0.02%	
트랜스-로즈 케톤-1	0.02%	
트랜스-로즈 케톤-2	0.02%	
트랜스-로즈 케톤-3	0.02%	
트랜스-로즈 케톤-5	0.02%	
리튬하이드록사이드	• 헤어스트레이트너 제품에 4.5% • 제모제에서 pH조정 목적으로 사용되는 경우 최종 제품의 pH는 12.7이하	기타 제품에는 사용금지
만수국꽃 추출물 또는 오일	• 사용 후 씻어내는 제품에 0.1% • 사용 후 씻어내지 않는 제품에 0.01%	• 원료 중 알파 테르티에닐(테르티오펜) 함량은 0.35% 이하 • 자외선 차단제품 또는 자외선을 이용한 태닝(천연 또는 인공)을 목적으로 하는 제품에는 사용금지 • 만수국아재비꽃 추출물 또는 오일과 혼합 사용 시 '사용 후 씻어내는 제품'에 0.1%, '사용 후 씻어내지 않는 제품'에 0.01%를 초과하지 않아야 함
만수국아재비꽃 추출물 또는 오일	• 사용 후 씻어내는 제품에 0.1% • 사용 후 씻어내지 않는 제품에 0.01%	• 원료 중 알파 테르티에닐(테르티오펜) 함량은 0.35% 이하 • 자외선 차단제품 또는 자외선을 이용한 태닝(천연 또는 인공)을 목적으로 하는 제품에는 사용금지 • 만수국꽃 추출물 또는 오일과 혼합 사용 시 '사용 후 씻어내는 제품'에 0.1%, '사용 후 씻어내지 않는 제품'에 0.01%를 초과하지 않아야 함

원 료 명	사 용 한 도	비 고
머스크자일렌	• 향수류 향료원액을 8% 초과하여 함유하는 제품에 1.0%, 향료원액을 8% 이하로 함유하는 제품에 0.4% • 기타 제품에 0.03%	
머스크케톤	• 향수류 향료원액을 8% 초과하여 함유하는 제품 1.4%, 향료원액을 8% 이하로 함유하는 제품 0.56% • 기타 제품에 0.042%	
3-메칠논-2-엔니트릴	0.2%	
메칠 2-옥티노에이트(메칠헵틴카보네이트)	0.01% (메칠옥틴카보네이트와 병용 시 최종제품에서 두 성분의 합은 0.01%, 메칠옥틴카보네이트는 0.002%)	
메칠옥틴카보네이트(메칠논-2-이노에이트)	0.002% (메칠 2-옥티노에이트와 병용 시 최종제품에서 두 성분의 합이 0.01%)	
p-메칠하이드로신나믹알데하이드	0.2%	
메칠헵타디에논	0.002%	
메톡시디시클로펜타디엔카르복스알데하이드	0.5%	
무기설파이트 및 하이드로젠설파이트류	산화염모제에서 유리 SO2로 0.67%	기타 제품에는 사용금지
베헨트리모늄 클로라이드	(단일성분 또는 세트리모늄 클로라이드, 스테아트리모늄클로라이드와 혼합사용의 합으로서) • 사용 후 씻어내는 두발용 제품류 및 두발 염색용 제품류에 5.0% • 사용 후 씻어내지 않는 두발용 제품류 및 두발 염색용 제품류에 3.0%	세트리모늄 클로라이드 또는 스테아트리모늄 클로라이드와 혼합 사용하는 경우 세트리모늄 클로라이드 및 스테아트리모늄 클로라이드의 합은 '사용 후 씻어내지 않는 두발용 제품류'에 1.0% 이하, '사용 후 씻어내는 두발용 제품류 및 두발 염색용 제품류'에 2.5% 이하여야 함)
4-tert-부틸디하이드로신남알데하이드	0.6%	
1,3-비스(하이드록시메칠)이미다졸리딘-2-치온	두발용 제품류 및 손발톱용 제품류에 2% (다만, 에어로졸(스프레이에 한함) 제품에는 사용금지	기타 제품에는 사용금지
비타민티(토코페롤)	20%	
살리실릭애씨드 및 그 염류	• 인체세정용 제품류에 살리실릭애씨드로서 2% • 사용 후 씻어내는 두발용 제품류에 살리실릭애씨드로서 3%	• 영유아용 제품류 또는 만 13세 이하 어린이가 사용할 수 있음을 특정하여 표시하는 제품에는 사용금지(다만, 샴푸는 제외) • 기능성화장품의 유효성분으로 사용하는 경우에 한하며 기타 제품에는 사용금지

원 료 명	사 용 한 도	비 고
세트리모늄 클로라이드, 스테아트리모늄 클로라이드	(단일성분 또는 혼합사용의 합으로서) • 사용 후 씻어내는 두발용 제품류 및 두발용 염색용 제품류에 2.5% • 사용 후 씻어내지 않는 두발용 제품류 및 두발 염색용 제품류에 1.0%	
소듐나이트라이트	0.2%	2급, 3급 아민 또는 기타 니트로사민형성물질을 함유하고 있는 제품에는 사용금지
소합향나무(Liquidambar orientalis) 발삼 오일 및 추출물	0.6%	
수용성 징크 염류(징크 4-하이드록시벤젠설포네이트와 징크피리치온 제외)	징크로서 1%	
시스테인, 아세틸시스테인 및 그 염류	퍼머넌트웨이브용 제품에 시스테인으로서 3.0∼7.5% (다만, 가온2욕식 퍼머넌트웨이브용 제품의 경우에는 시스테인으로서 1.5∼5.5%, 안정제로서 치오글라이콜릭애씨드 1.0%를 배합할 수 있으며, 첨가하는 치오글라이콜릭애씨드의 양을 최대한 1.0%로 했을 때 주성분인 시스테인의 양은 6.5%를 초과할 수 없다)	
실버나이트레이트	속눈썹 및 눈썹 착색용도의 제품에 4%	기타 제품에는 사용금지
아밀비닐카르비닐아세테이트	0.3%	
아밀시클로펜테논	0.1%	
아세틸헥사메칠인단	사용 후 씻어내지 않는 제품에 2%	
아세틸헥사메칠테트라린	• 사용 후 씻어내지 않는 제품 0.1% (다만, 하이드로알콜성 제품에 배합할 경우 1%, 순수향료 제품에 배합할 경우 2.5%, 방향크림에 배합할 경우 0.5%) • 사용 후 씻어내는 제품 0.2%	
알에이치(또는 에스에이치) 올리고펩타이드-1(상피세포성장인자)	0.001%	
알란토인클로로하이드록시알루미늄(알클록사)	1%	
알릴헵틴카보네이트	0.002%	2-알키노익애씨드 에스텔(예 : 메칠헵틴카보네이트)을 함유하고 있는 제품에는 사용금지
알칼리금속의 염소산염	3%	
암모니아	6%	
에칠라우로일알지네이트 하이드로클로라이드	비듬 및 가려움을 덜어주고 씻어내는 제품(샴푸)에 0.8%	기타 제품에는 사용금지
에탄올·붕사·라우릴황산나트륨(4:1:1)혼합물	외음부세정제에 12%	기타 제품에는 사용금지
에티드로닉애씨드 및 그 염류(1-하이드록시에칠리덴-디-포스포닉애씨드 및 그 염류)	• 두발용 제품류 및 두발염색용 제품류에 산으로서 1.5% • 인체 세정용 제품류에 산으로서 0.2%	기타 제품에는 사용금지
오포파낙스	0.6%	
옥살릭애씨드, 그 에스텔류 및 알칼리 염류	두발용제품류에 5%	기타 제품에는 사용금지

원료명	사용한도	비고
우레아	10%	
이소베르가메이트	0.1%	
이소사이클로제라니올	0.5%	
징크페놀설포네이트	사용 후 씻어내지 않는 제품에 2%	
징크피리치온	비듬 및 가려움을 덜어주고 씻어내는 제품(샴푸, 린스) 및 탈모증상의 완화에 도움을 주는 화장품에 총 징크피리치온으로서 1.0%	기타 제품에는 사용금지
치오글라이콜릭애씨드, 그 염류 및 에스텔류	• 퍼머넌트웨이브용 및 헤어스트레이트너 제품에 치오글라이콜릭애씨드로서 11% (다만, 가온2욕식 헤어스트레이트너 제품의 경우에는 치오글라이콜릭애씨드로서 5%, 치오글라이콜릭애씨드 및 그 염류를 주성분으로 하고 제1제 사용 시 조제하는 발열 2욕식 퍼머넌트웨이브용 제품의 경우 치오글라이콜릭애씨드로서 19%에 해당하는 양) • 제모용 제품에 치오글라이콜릭애씨드로서 5% • 염모제에 치오글라이콜릭애씨드로서 1% • 사용 후 씻어내는 두발용 제품류에 2%	기타 제품에는 사용금지
칼슘하이드록사이드	• 헤어스트레이트너 제품에 7% • 제모제에서 pH조정 목적으로 사용되는 경우 최종 제품의 pH는 12.7이하	기타 제품에는 사용금지
Commiphora erythrea engler var. glabrescens 검 추출물 및 오일	0.6%	
쿠민(Cuminum cyminum) 열매 오일 및 추출물	사용 후 씻어내지 않는 제품에 쿠민오일로서 0.4%	
퀴닌 및 그 염류	• 샴푸에 퀴닌염으로서 0.5% • 헤어로션에 퀴닌염으로서 0.2%	기타 제품에는 사용금지
클로라민T	0.2%	
톨루엔	손발톱용 제품류에 25%	기타 제품에는 사용금지
트리알킬아민, 트리알칸올아민 및 그 염류	사용 후 씻어내지 않는 제품에 2.5%	
트리클로산	사용 후 씻어내는 제품류에 0.3%	기능성화장품의 유효성분으로 사용하는 경우에 한하며 기타 제품에는 사용금지
트리클로카반(트리클로카바닐리드)	사용 후 씻어내는 제품류에 1.5%	기능성화장품의 유효성분으로 사용하는 경우에 한하며 기타 제품에는 사용금지
페릴알데하이드	0.1%	
페루발삼 (Myroxylon pereirae의 수지) 추출물(extracts), 증류물(distillates)	0.4%	
포타슘하이드록사이드 또는 소듐하이드록사이드	• 손톱표피 용해 목적일 경우 5%, pH 조정 목적으로 사용되고 최종 제품이 제5조제5항에 pH기준이 정하여 있지 아니한 경우에도 최종 제품의 pH는 11이하 • 제모제에서 pH조정 목적으로 사용되는 경우 최종 제품의 pH는 12.7이하	

원 료 명	사 용 한 도	비 고
폴리아크릴아마이드류	• 사용 후 씻어내지 않는 바디화장품에 잔류 아크릴아마이드로서 0.00001% • 기타 제품에 잔류 아크릴아마이드로서 0.00005%	
풍나무(Liquidambar styraciflua) 발삼오일 및 추출물	0.6%	
프로필리덴프탈라이드	0.01%	
하이드롤라이즈드밀단백질		원료 중 펩타이드의 최대 평균분자량은 3.5 kDa 이하 이어야 함
트랜스-2-헥세날	0.002%	
2-헥실리덴사이클로펜타논	0.06%	

- 염류의 예 : 소듐, 포타슘, 칼슘, 마그네슘, 암모늄, 에탄올아민, 클로라이드, 브로마이드, 설페이트, 아세테이트, 베타인 등
- 에스텔류 : 메칠, 에칠, 프로필, 이소프로필, 부틸, 이소부틸, 페닐

3 인체위해평가방법

　인체위해성평가는 인체가 화장품 사용으로 인하여 유해요소(원료성분)에 노출되었을 때 발생할 수 있는 유해영향과 발생확률을 과학적으로 예측하는 일련의 과정이다. 위해요소라 함은 화장품 원료 물질 중 사용할 수 없는 원료나 사용상의 제한을 두는 원료, 중금속이나 농약 등 환경오염으로 인하여 비의도적으로 노출되는 독성 물질 등 인체에 노출시 독성을 야기할 수 있는 물질을 말한다. 유해성(hazard 또는 toxicity)과 위해성(risk)이라는 용어를 구분하는데, 유해성은 물질이 가지고 있는 고유한 특성으로 인체에 노출시 야기할 수 있는 유해반응 또는 독성을 일컫는다. 예를 들면, 납이나 카드뮴 같은 중금속은 인체에 노출시 신장에 유해반응(독성)을 일으킨다. 유해성은 다양한 연구(독성시험)를 통하여 규명하는 물질의 특성이다. 반면, 위해성은 특정 유해물질에 노출되었을 때 그 유해물질에 의하여 유해반응(독성)이 일어날 수 있는 가능성으로 확률적인 개념이다. 예를 들면, 식인 상어는 매우 무섭고 위험한 존재이다. 비록 가능성은 낮지만, 바다에서 수영을 할 경우 식인 상어에게 물려서 사망할 가능성은 존재한다. 바다 수영은 식인 상어로 인한 사망의 가능성(위해성)이 있다. 그러나, 풀장에서 수영을 할 경우 식인 상어로 인한 사망의 가능성(위해성)은 없다.

　인체위해성평가는 사람이 생활 환경이나 작업장과 같은 특정환 환경에서 노출로 인한 유해요소의 발생 가능성을 과학적으로 평가하는 것이다. 이 과정은 위험성 확인(hazard identification), 위험성 결정(hazard characterization), 노출평가(exposure assessment), 위해도 결정(risk characterization) 등의 4단계로 이루어진다.

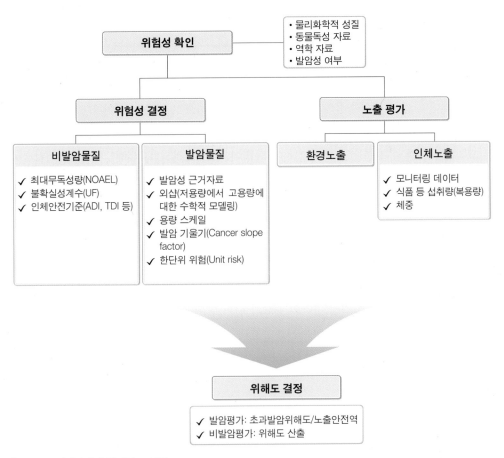

그림 1-6-1. 위해평가 수행절차 도식화

NOAEL, No observed adverse effect level; UF, Uncertainty factor; ADI, Acceptable daily intake; TDI, Tolerable daily intake

1) 위험성 확인(Hazard Identification)

국내 외 자료를 조사하거나 실험 연구를 통해 화장품 원료 물질의 위험성을 확인하는 과정이다. 여기서 위험성이란 물질 자체의 독성을 의미하는 것으로 앞서 정의한 유해성과 같은 용어이다. 위험성을 확인하기 위하여, 우선 성분 물질의 물리적 화학적 생물학적 특성을 조사하고, 사용 용도, 기존의 독성 자료(동물실험 결과, 인체 영향 여부, 인체 축적 여부, 발암성 등), 인체역학 연구 결과 들을 조사한다. 임상 및 역학 자료는 동양인, 특히 한국인을 대상으로 한 연구결과를 우선 사용하며 반드시 과학적 근거가 있어야 한다.

위험성 확인에서 우선 평가해야 하는 것은 대상 물질이 발암성 물질인지 비발암성물질인지 분류해야 한다. 비발암성 물질의 경우 역치(threshold)를 가지므로 독성을 나타내지 않는 최고 용량을 결정하는 과정이 필요하다. 반면, 발암성 물질의 경우, 유전독성을 나타내는 발암성 물질과 유전독성을 나타내지 않는 발암성 물질로 나뉠 수 있다. 유전독성을 나타내는 발암성물질의 경우, 역치(threshold)를 가지지 않는다. 즉, 이론적으로 단 하나의 발암물질에 노출이 되어도 유전 독성을 야기하고 발암을 일으킬 가능성이 있다. 이 경우에는, 자연 발암성보다 상회하는 발암성을 산출하기 위하여 단위위해도나 발암력을 결정하는 과정을 거치게 된다. 유전독성을 나타내지 않는 발암물질의 경우, 역치값이 존재하므로 NOAEL이나 benchmark dose (BMD)를 결정하는 과정을 거치게 된다.

그 다음으로는 유해성 정보를 수집하는 과정이 우선 고려된다. 유해우려가 있는 원료 물질의 안전성 정보를 수집 검토한다. 이 과정은 원료 물질이 어떠한 독성을 나타내는지에 대한 답을 하는 과정이다. 정량적 평가보다는 정성적 평가가 필요하다. 방법적으로는 동물을 이용한 비임상시험자료(독성시험자료)와 사람에 대한 임상 또는 역학자료 검토가 있다. 화장품 원료의 경우, 대부분이 동물을 이용한 비임상시험자료(독성시험자료)가 많이 수집 검토된다. 독성시험자료는 시험 결과에 대한 신뢰성이 매우 중요하다. 독성시험이 국제적으로 인정되는 시험가이드라인에 따라 수행되었는지, GLP(우수실험실관리규정, Good Laboratory Practice) 를 준수하여 수행되었는지 등이 신뢰성 판단의 중요한 근거가 된다. 동물을 이용한 독성시험의 종류는 다음과 같다.

- 단회투여독성시험
- 반복투여독성시험
- 피부자극성시험
- 피부감작성시험
- 생식발달독성시험
- 유전독성시험
- 발암성시험
- 면역독성시험

2016년도부터 우리나라에서는 화장품 원료의 안전성평가를 위하여 동물을 이용한 독성시험을 허용하지 않는다. 동물보호 및 동물실험의 최소화를 위하여 '화장품 독성시험 동물대체시험법 가이드라인(2007)'을 제정하여 동물실험을 실시하여 제조한 화장품 등의 유통 판매를 금지시키고 있다. 그러나, 위해성평가 등 국민의 생명과 건강에 중요한 경우이거나 동물대체시험법이 개발되어 있지 않은 경우는 예외적으로 동물실험이 가능토록 하고 있다.

2) 위험성 결정(Hazard Characterization)

위험성 결정 단계에서는 '용량-반응 평가'라는 방법을 통해 화장품 성분의 용량에 따른 독성 반응을 평가한다. '용량-반응 평가'는 용량에 따른 독성 반응을 평가하여 확실중독량, 최소유해

반응용량, 최대무해반응용량 등을 결정한다. 동물실험에서 독성이 나타나지 않는 최대 용량(최대무독성량 또는 최대무해반응용량, NOAEL)을 기준으로 인간에 대한 안전 사용량을 결정한다. 물론 연령, 성별, 민감 계층 등에 대한 고려도 한다. 이 때 동물과 사람은 생리적 차이로 인해 화학물질이 체내에서 반응하는 속도나 대사과정이 다를 수 있다. 따라서 위해 평가를 실시할 때 동물과 비교해 인체의 화학물질에 대한 민감성, 방어기전의 유무, 안전한 독성물질의 농도 등을 고려한 후 안전계수를 적용한다.

위험성 확인 단계에서 발암성 물질인지 비발암성 물질인지 구분하는 것은 매우 중요하다고 하였다. 비발암성 물질의 경우, 위험성 결정 단계에서 최대무해반응용량을 결정하는 것이 중요하다. 이것은 물질의 비발암 독성의 용량–반응 평가를 통하여 역치값을 결정하여 산출 가능하다. 다양한 독성실험 결과값이 존재할 때, NOAEL값의 존재도 다양할 수 있다. 이때, 어떤 NOAEL값을 선택하는 가는 위험성 결정 단계에서 매우 중요하다. 위험성 확인 단계에서 신뢰성이 높은 시험 결과값을 이용하는 것이 타당하다. 최근에는 통계학적인 방법을 이용한 benchmark dose(BMD)를 이용하여 위험성 결정을 하고 있다. BMD의 경우 역치값이 존재하는 비발암성 물질의 용량–반응 평가 뿐만 아니라, 발암성 물질의 용량 반응평가에도 이용된다. 통상 용량–반응 곡선에서 대조군 대비 10%의 독성(발암성) 반응을 나타내는 용량의 통계학적 유의수준을 나타내는 낮은 값(lower bound of effective dose, BMDL10)을 사용한다. 유전독성을 나타내는 발암성 물질의 경우에도 최근에는 BMDL을 이용하여 위험성 결정을 한다. 고전적인 방법으로는 용량–반응 곡선에서 암을 일으키는 최소용량과 원점을 이은 기울기를 '발암력(slope factor)'이라고 한다.

화장품 원료 중 발암성이 알려진 물질은 없다. 발암성을 나타내는 물질들은 사용금지물질로 사전에 배제된다. 따라서, 발암성 위해평가를 할 가능성은 거의 없으나, 중금속이나 벤조피렌 등 환경오염으로 인하여 비의도적으로 화장품에 오염될 경우 발암성에 대한 위해평가가 필요할 수도 있다.

3) 노출평가(Exposure Assessment)

노출평가는 화장품 등을 통하여 사람이 바르거나 섭취하는 위해요소의 양 또는 수준을 정량적으로 산출하는 과정이다. 화장품의 경우 매우 다양한 제품별 유형이 존재하므로 유형별 사용방법을 고려한 노출 시나리오를 설정해 노출평가를 실시한다. 식품은 입을 통해 노출되지만, 화장품은 주로 피부를 통해 몸으로 들어온다. 화장품을 피부에 직접 바르면서 화장품 성분에 노출되는 경우가 가장 흔하다. 아이섀도처럼 눈 주위에 사용하는 제품은 눈의 결막과 접촉을 고려해야 한다. 립스틱은 섭취를 통해 입으로 들어올 수 있다. 또한, 샴푸나 린스 등을 통해 두피에 직접적으로 노출된다. 스프레이 제품(썬 스프레이, 미스트 등)은 호흡기로 노출될 수 있다. 노출 대상에 대한 고려도 필요하다. 미용사 등 특수직 종사자는 일반인보다 더 많이 노출될 수 있으며, 어린이 및 영유아는 피부 장벽이 성인만큼 충분히 발달하지 못한 상태이다. 이 단계에서는 사용자 계층, 사용기간, 사용 빈도, 사용량 등과 함께 다양한 노출 경로를 고려해 실제로 노출되는 양을 평가한다.

화장품의 주된 노출경로는 피부이므로 피부흡수에 대하여 살펴보겠다. 피부에 적용한 화장품이 모두 그대로 체내에 흡수되지는 않는다. 화장품 사용 직후 성분 물질이 피부 표면에서 증발되기도 하고, 물질별 흡수율도 달라서 실제로 체내에 흡수되는 양은 다르다. 또한 개개인마다 민감성에 따라 흡수되는 양이 다를 수 있다. 따라서 성분 물질에 대한 노출량은 화장품 사용량, 사용빈도, 사용 기간 뿐만 아니라 '체내 흡수율(피부 흡수율)'을 고려해 1 kg 체중당(mg/kg · bw/day)으로 계산된다. 즉, 어떤 화장품을 많이 사용하더라도 그 화장품 속 성분 물질의 체내 흡수율이 낮으면 물질에 대한 노출량이 적어지고, 적게 사용하더라도 체내 흡수율이 높은 성분은 노출량이 많아진다.

단위면적당 피부흡수량(μg/cm^2)을 기초로 한 전신노출량 산출	**제품 중 적용물질의 양(%)을 기초로 한 전신노출량 산출**
$$SED = \frac{DA_a(\mu g/cm^2) \times 10^{-3}\,mg/\mu g \times SSA(cm^2) \times F(day^{-1})}{60\,kg}$$	$$SED = \frac{A(g/day) \times 1000\,mg/g \times C(\%)/100 \times DAp(\%)/100}{60\,kg}$$
• SED(mg/kg bw/day) = 전신노출량(Systemic Exposure Dosage) • DAa(μg/cm^2) = 피부 흡수량 • SSA(cm^2) = 최종생산단계의 화장품을 처리한 피부 표면적 • F(day^{-1}) = 최종생산단계의 화장품을 노출시킨 빈도 • 60 kg = 성인평균체중 • 이 식을 사용하는 데 있어서는 평가대상 원료를 함유하는 최종제품의 사용되는 **피부표면적(SSA)과 사용빈도(F)**를 알고 있어야 한다.	• SED (mg/kg bw/day) = 전신노출량(Systemic Exposure Dosage) • A (g/day) = 화장품의 1일 사용량 • C(%) = 최종생산단계 화장품을 사용하는 부위에서 화장품 원료의 농도 • DAp(%) = 실제 사용조건에서 사용한다고 가정한 시험용량의 백분율로 표현되는 피부 흡수율 • 60 kg = 성인평균체중 • 이 식을 사용하는 경우 최종제품의 **체중 1 kg당 1일 사용량**을 아는 것이 가장 중요하다.

그림 1-6-2. **피부를 통한 전신노출량 산출방법**

그림 1-6-2는 피부를 통하여 흡수되는 물질의 전신노출량을 산출하는 방법을 나타낸다. 일반적으로 두가지 방법이 있는데, 물질에 대한 피부흡수 정보가 단위면적당 흡수되는 양으로 결정되는 경우와 흡수되는 흡수율(%)로 나뉠 수 있다.

4) 위해도 결정(Risk Characterization)

위해도 결정은 위험성 확인, 위험성 결정 및 노출평가 결과를 근거로 하여 평가대상 위해요인이 인체건강에 미치는 위해영향 발생과 위해정도를 정량적으로 예측하는 과정이다. 비발암성 물질의 경우, 위험성 결정에서 산출된 NOAEL값 또는 BMDL10값과 전신노출량을 비교하여 안전역(margin of safety)을 산출하여 위해도를 결정한다.

$$\text{MoS (안전역)} = \text{NOAEL/SED}$$

그림 1-6-3. 안전역 산출식

이때, 안전역은 100을 기준으로 한다. 즉, 100이상으로 안전역이 충분할 경우, 위해도는 감당할 만한 수준이라고 판단하며, 100보다 적을 경우, 현재의 유해인자의 노출 수준이 그 안전성을 감당할 수준이 아니므로 노출을 낮춰야 할 필요가 있다는 것을 의미한다. 위해도 결정 결과는 간단한 수치로 제시될 수 있다.

발암성 물질의 경우 노출안전역(margin of exposure)을 산출하여 평가한다. 그 기준은 10^5이상이 권고된다.

$$\text{노출안전역(MOE)} = \text{독성기준값(BMD)/일일인체노출량}$$

4 화장품 인체위해평가 사례

화장품의 인체위해평가 사례를 살펴봄으로써 화장품 위해평가의 이해를 높이고자 한다. 화장품에서 살균보존제로 사용되는 트리클로산에 대한 위해평가 사례는 다음과 같다(Lee et al., 2019).

1) 위험성확인

(1) 현황

트리클로산은 국내 및 유럽에서 화장품의 살균·보존제로 사용되고 있으며, 사용한도 원료로 사용 후 씻어내는 인체세정용 제품류 등 일부 제품 유형에서 0.3% 이하로 사용 가능하다. 또한 일본에서는 화장품 중 0.1% 이하로 관리하고 있으며, 미국에서는 따로 사용기준이 정해져 있지 않다(표 1-6-4).

표 1-6-4. 각국의 화장품 중 트리클로산 관리 기준

용도	국내	유럽	일본	미국
살균·보존제	사용 후 씻어내는 인체세정용 제품류(샤워젤, 손세척비누), 데오도런트, 색조화장용 제품류(아이, 립 제품 제외)에 0.3% 이하	바디솝, 핸드솝, 샤워젤, 데오도런트, 페이트파우더, 블레이쉬컨실러, 치약 0.3% 이하 마우스워시 0.2% 이하	0.1% 이하	–

(2) 물리·화학적 성질

트리클로산의 물리·화학적 성질에 대해 정리한 내용은(표 1-6-5)와 같다.

표 1-6-5. 트리클로산의 물리·화학적 성질

항목	내용
물질명(INCI)	Triclosan
IUPAC명	5-Chloro-2-(2,4-dichlorophenoxy)phenol
CAS No.	3380-34-5
화학식	$C_{12}H_7Cl_3O_2$
분자량	289.54
구조식	
물리적 성상	흰색 고체 가루, 약한 방향성 냄새
동의어(synonyms)	2,4,4'-Trichloro-2'-hydroxy-diphenyl ether
용도	살균·보존제

(3) 흡수, 분포, 대사, 배설(ADME)

트리클로산은 경피로는 천천히 흡수되는 반면, 경구로는 신속하게 흡수된다. 경피로는 10% 이하로 흡수가 일어나고 경구로는 거의 100% 흡수가 일어난다(Rodricks et al., 2010).

트리클로산의 분포는 주로 간과 폐, 신장, 위장관, 담낭으로 이루어지는데, 인간의 경우 혈장, 소변, 유즙에서 발견되며(Cullinan et al., 2015), 마우스의 경우 간에 트리클로산이 축적될 수 있다(NICNAS, 2009).

흡수된 트리클로산의 90% 이상이 대사되며(FDA, 2008), 사람의 경우 흡수된 트리클로산 중 최대 87%가 72시간 이내에 소변으로 배설되었다(EPA, 2008).

경구 투여시 혈중 소실 반감기는 사람, 랫드, 마우스, 햄스터에서 각각 13~29시간, 10~15시간, 8~12시간, 25~32시간이었다. 사람과 토끼, 햄스터 등 포유류에서의 주 배설

경로는 소변이었고, 대변으로도 약간 배설되었다. 랫드와 마우스, 비글견에서는 담즙을 통한 배설이 신장을 통한 배설보다 많았다. 사람의 경우 경구 및 경피를 통해 투여할 때 생물농축(bioconcentration)의 현상은 관찰되지 않았다(SCCS, 2011; SCCP, 2009).

(4) 피부흡수율

트리클로산의 피부흡수율에 대해 정리한 내용은 표 1-6-6과 같으며, 현재까지 보고된 사람의 피부흡수율 자료 중 가장 높은 값인 14%를 위해평가에 적용하였다.

표 1-6-6. **트리클로산의 피부흡수율에 관한 요약**

구분	투여경로	시험대상	흡수율	참고문헌
In vivo	경피	사람	14%	NICNAS (2009)

(5) 독성자료

① 단회투여독성시험

트리클로산의 단회투여독성시험에 대해 정리한 내용은 표 1-6-7과 같다.

표 1-6-7. **트리클로산의 단회투여독성시험 자료 요약**

투여경로	시험대상	투여용량	LD50 (mg/kg bw/day) 또는 LC50 (mg/L air/day)	참고문헌
경구	랫드	5000 mg/kg bw/day	$LD_{50} < 5000$	ECHA (1994)
흡입	랫드	0.123, 0.466, 0.513, 0.678 mg/L air/day	LC_{50} 수컷 0.286, 암컷 0.603	ECHA (1980)
경피	토끼	0, 1000, 6000 mg/kg bw/day	LD_{50} 암·수컷 < 6000	ECHA (1980)

② 국소독성시험

트리클로산의 국소독성시험에 대해 정리한 내용은 표 1-6-8, 9와 같다.

표 1-6-8. **트리클로산의 피부자극시험 및 점막자극시험 자료 요약**

시험방법	시험대상	투여용량	결과	참고문헌
패치단회 처치	사람	0.3%	– 피부자극이 나타나지 않음	Barkvoll and Rolla (1994)
피부적용	기니픽	0.1, 0.5, 1, 5%	– 24시간 후 10마리 중 4마리에서 홍반이 나타남 – 48시간 후 증상이 나타나지 않음	SCCP (2009)
피부적용	마우스	1.5~6%	– 홍반과 피부 벗겨짐이 나타남 – 중등도 또는 심한 피부자극을 유발함	SCCP (2009)
피부적용	랫드	1, 2%	– 홍반, 부종, 갈라짐, 딱지, 탈모, 피부 두꺼워짐, 탈색 등이 나타남 – 중등도 또는 심한 피부자극을 유발함	SCCP (2009)

시험방법	시험대상	투여용량	결과	참고문헌
피부적용	랫드	0.5%	− 가역적인 피부자극을 유발함	SCCP (2009)
피부적용	햄스터	0.3%	− 점막자극성이 나타나지 않음	SCCP (2009)
Draize 시험	토끼	0.1g	− 각막과 홍채, 결막에서 점막자극성을 유발함	SCCP (2009)

표 1-6-9. 트리클로산의 피부감작성시험 자료 요약

시험방법	시험대상	투여용량	결과	참고문헌
패치, maximization 시험	사람	5~20%	− 피부 반응의 정도는 대조군과 비교하여 차이가 없었음	SCCP (2009)
폐쇄첩포 시험	기니픽	0.1%	− 시험군이 음성 대조군과 비슷한 반응이 나타남	ECHA (1979)
폐쇄첩포 시험	기니픽	10%	− 20마리 중 7마리에서 약간의 홍반이 나타났으나 부종은 나타나지 않음 − 매우 낮은 민감지수를 보임	ECHA (1979)

③ 반복투여독성시험

트리클로산의 반복투여독성시험에 대해 정리한 내용은 표 1-6-10과 같다.

표 1-6-10. 트리클로산의 반복투여독성시험 자료 요약

투여경로	시험대상	노출기간	투여용량	결과	참고문헌
경피	마우스	14일	12, 24, 60, 120, 240 mg/kg bw/day 아세톤과 프로필렌글리콜에 각각 녹임	− NOAEL을 24 mg/kg bw/day로 평가함 − 60 mg/kg bw/day 용량(프로필렌글리콜)에서 피부자극 및 케라틴화가 시작됨 − 간 소엽중심 비대로 간 무게 증가 등이 나타남	SCCP (2009)
경구	랫드	104주	수컷: 12, 40, 127 mg/kg bw/day 암컷: 17, 56, 190 mg/kg bw/day	− NOAEL을 48 mg/kg bw/day로 평가함 − 수컷 12 mg/kg bw/day 용량과 암컷 17, 56 mg/kg bw/day 용량에서 헤모글로빈의 농도 증가가 나타남 − 고농도의 수컷에서 혈액 응고시간 증가와 암컷에서 백혈구 감소가 나타남 − SCCP는 12 mg/kg bw/day로 제안함	SCCP (2009)

④ 생식 · 발생독성시험

트리클로산의 생식 · 발생독성시험에 대해 정리한 내용은 표 1-6-11과 같다.

표 1-6-11. **트리클로산의 생식 · 발생독성시험 자료 요약**

투여 경로	시험 대상	노출 기간	투여용량	결과	참고 문헌
경구	랫드	교배 전 10주 (2세대 노출)	수컷: 17, 56, 176 mg/kg bw/day 암컷: 23, 73, 229 mg/kg bw/ day	− 전반적인 NOAEL(F2 포함)을 56〜73 mg/kg bw/day로 평가함 − 176〜229 mg/kg bw/day 용량에서 태자의 무게 와 생존율이 약간 감소함 − 그러나, 모체와 차산자(F1)의 생식에 관한 NOAEL을 176〜229 mg/kg bw/day로 평가 함	SCCP (2009)
경구	랫드	임신 전 8〜21일	1, 10, 50 mg/kg bw/day	− 1 mg/kg bw/day의 용량에서 수컷/암컷의 비율 감소가 나타남 − 50 mg/kg bw/day의 용량에서 정상적인 출 산지수와 6일 생존지수 감소가 나타남 − 암컷에서 질개구까지의 날짜가 지연되는 등 성성숙의 지연이 모든 농도에서 나타남	Rodríguez and Sanchez (2010)
경구	마우스	임신기간 6〜15일	10, 25, 75, 350 mg/kg bw/day	− 모체와 태자의 NOEL을 25 mg/kg bw/day로 평가함 − 모체는 간 색깔의 변색 및 간 무게 증가가 나타났 고 태자무게감소 및 골화 지연이 나타남	SCCP (2009)

⑤ 유전독성시험

트리클로산의 유전독성시험에 대해 정리한 내용은 표 1-6-12와 같다.

표 1-6-12. **트리클로산의 유전독성시험 자료 요약**

시험방법	시험대상	투여용량	결과	참고문헌
염색체이상 시험	햄스터	600 mg/kg bw/day	− 유전독성을 일으키지 않음	Strasser and Muller (1973, 1979)
세포핵변이시험	햄스터	−	− 세포핵의 이상이 관찰되지 않음	Langauer and Muller (1974, 1978)

⑥ 발암성시험

트리클로산의 발암성시험에 대해 정리한 내용은 표 1-6-13과 같다.

표 1-6-13 **트리클로산의 발암성시험 자료 요약**

투여 경로	시험 대상	노출 기간	투여 용량	결과	참고 문헌
경구	마우스	18개월	10, 30, 100, 200 mg/kg bw/day	− 농도별로 수컷은 6, 10, 17, 32, 42마리, 암컷은 0, 1, 3, 6, 20 마리 중, 간에서 선종 혹은 암종이 관찰됨 − 마우스는 30 mg/kg bw/day 용량에서 간암발생 가능성 있어 peroxisome proliferator로 분류해야 하지만, 사람에서는 간암 유발 가능성이 크지 않다고 평가함	SCCP (2009)
경구	햄스터	90〜95주	12.5, 75, 250 mg/ kg bw/day	− 250 mg/kg bw/day 용량에서 사망률이 증가하고 신병증(nephropathy)이 나타남	ECHA (1999)
경피	마우스	18개월	0.5, 1%	− 발암성 없음	ECHA (1968)

국외 독성연구기관인 IARC, ACGIH, NTP, 또는 OSHA에서는 발암물질로 분류하고 있지 않다.

⑦ 광독성시험

트리클로산을 1%까지 사용 시 기니픽, 마우스, 돼지에서 광민감화는 나타나지 않았다 (SCCP, 2009). 단, OECD 가이드라인 이전의 연구결과이다.

2) 위험성결정

(1) 독성기준값 선정

트리클로산에 대한 랫드 104주 경구반복투여독성시험 결과 수컷 127 mg/kg bw/day, 암컷 190 mg/kg bw/day 이상 용량군에서 헤모글로빈의 농도가 증가하였으며 이를 근거로 NOAEL을 48 mg/kg bw/day로 추정하였다. 하지만 암컷 56 mg/kg bw/day 이상의 농도에서 적혈구 혈색소 농도 증가와 비장 무게 감소가 관찰되었으며, 유럽 소비자안전과학위원회(SCCS)는 NOAEL을 12 mg/kg bw/day로 선정하였다. 따라서 이 값을 독성기준값으로 선정하였다.

트리클로산에 대한 위험성 결정에 대해 정리한 내용은 표 1-6-14와 같다.

표 1-6-14. 트리클로산의 독성기준값 자료 요약

시험 방법	투여 경로	시험 대상	노출 기간	투여용량 (mg/kg bw/day)	NOAEL (mg/kg bw/day)	참고 문헌
반복투여 독성시험	경구	랫드	104주	수컷: 12, 40, 127 암컷: 17, 56, 190	12	SCCP (2009)

3) 노출평가

(1) 화장품 사용량에 따른 전신노출량 산출

사용 후 씻어내는 인체세정용 제품(샤워젤, 손세척비누), 데오도런트, 색조 화장용 제품 (아이, 립 제품 제외)에 트리클로산이 최대 0.3% 함유된 것을 가정하여 평가하였을 때, 전신노출량은 0.02226 mg/kg bw/day로 산출되었다(표 2-8-15). 또한, 하루 중 '구강 제품'을 모두 사용하고, 트리클로산이 치약에 0.3%, 구중청량제에 0.02% 함유된 것을 가정하여 평가하였을 때, 전신노출량은 0.02510 mg/kg bw/day로 산출되었다(표 1-6-16).

표 1-6-15. 화장품 사용량에 따른 전신노출량 산출

대상화장품		제품 내 트리클로산의 농도(%)	화장품 사용량 (g/day)	트리클로산 피부흡수율 (%)	체중 (kg)	전신노출량 (mg/kg bw/day)
사용 후 씻어내는 인체세정용 제품	샤워젤	0.3	0.10	14	60	0.00007
	손세척비누		0.24			0.00017
데오도런트			2.33			0.01631
색조화장용 제품 (아이, 립 제품 제외)	액체파운데이션		0.30			0.00210
	메이크업리무버		0.21			0.00147
합						0.02012

표 1-6-16. 화장품 사용량에 따른 전신노출량 산출 (경구)

대상 화장품	제품 내 트리클로산의 농도(%)	트리클로산 생체이용률	화장품 사용량 (g/day)	잔류지수[3]	노출량 (g/day)[4]	체중 (kg)	전신노출량 (mg/kg bw/day)
치약	0.3	100	3.36 [1]	0.05	0.168	60	0.02510
구중청량제	0.02		50 [2]	0.1	5		

1) 국내 일일 치약사용량 조사, 1일 3회 사용 가정 (박일순&이선희, 2010)
2) 국내 용법 용량 기준 10 mL씩 하루 5회 적용가능의 최대치
3) Retention value was taken from Table 3, Section 4-2 (SCCS, 2012)
4) 노출량 = 생체이용률 x 사용량 x 잔류지수

4) 위해도결정

(1) 위해도 산출

사용 후 씻어내는 인체세정용 제품(샤워젤, 손세척비누), 데오도런트, 색조 화장용 제품(아이, 립 제품 제외)에 트리클로산이 0.3% 함유된 것을 가정하여 평가하였을 때, 최대 병용 사용 시 안전역은 596로 산출되어 0.3% 이하의 농도에서 위해 우려가 없는 것으로 평가되었다. 구강제품에 트리클로산이 치약에 0.3%, 구중청량제에 0.02% 함유된 것을 가정하여 평가하였을 때 안전역은 478로 산출되어 위해 우려가 없는 것으로 평가되었다. 또한, 통합사용을 기준으로 평가하였을 때 안전역은 253으로 산출되어 위해 우려가 없는 것으로 평가되었다 (표 1-6-17).

표 1-6-17. 위해도결정

대상화장품		제품 내 트리클로산의 농도 (%)	전신노출량 (mg/kg bw/day)	NOAEL (mg/kg bw/day)	안전역
사용 후 씻어내는 인체세정용 제품 + 데오도런트 + 색조화장용 제품		0.3	0.02012	12	596.4
구강제품	치약	0.3	0.02510		478.1
	구중청량제	0.02			
대표유형 화장품 +구강제품	대표유형 화장품	0.3	0.04736		253.4
	치약	0.3			
	구중청량제	0.02			

5) 결론

　트리클로산은 국내 및 유럽에서 화장품의 살균·보존제로 사용되고 있으며, 사용한도 원료로서 사용 후 씻어내는 인체세정용 제품류 등 일부 제품 유형에서 0.3% 이하로 사용 가능하다. 트리클로산에 대한 위험성결정은 SCCP 제안에 따라 NOAEL을 12 mg/kg bw/day로 선정하였다. 하루 중 화장품 대표 유형을 모두 사용하고, 사용 후 씻어내는 인체세정용 제품(샤워젤, 손세척비누), 데오도런트, 색조화장용 제품(아이, 립 제품 제외)에 트리클로산이 0.3% 이하로 함유된 것을 가정하여 평가하였을 때, 안전역은 596으로 산출되어 0.3% 이하의 농도에서 위해 우려가 없는 것으로 평가되었다. 치약 및 구중청량제 제품에 트리클로산이 각각 0.3% 및 0.02%로 함유된 제품을 매일 사용한 것을 가정하여 평가하였을 때 안전역은 478로 산출되어 위해 우려가 없는 것으로 평가되었다. 또한, 이 제품들을 동시에 사용한 것을 가정하여 평가하였을 때 안전역은 253으로 산출되어 위해 우려가 없는 것으로 평가되었다.

5　마무리

　화장품의 인체 위해성평가와 이를 기반으로 한 화장품 안전관리에 대하여 살펴보았다. 화장품의 사용량 증가 추세는 향후 지속적일 것으로 전망된다. 다양한 화학물질로 구성된 화장품의 특성을 고려한다면, 화학물질의 지속적인 노출은 불가피하며 이에 따른 소비자의 건강에 대한 우려는 커질 것이며 화장품의 안전성에 대한 우려는 불가피할 것이다. 그러나, 화장품 원료의 위험성 확인, 위험성 결정, 노출 평가, 위해성 결정을 통하여, 위해 우려가 있는 원료 물질들에 대한 위해성평가는 지속적으로 이루어지며, 새로운 과학적인 결과들이 제시되면 위해성 평가도 새로운 수치들을 제시할 것이다.

　화장품 원료의 위해성평가는 현재 우리가 가지고 있는 과학적 수준에서 화장품 원료의 안전 사용에 대한 가장 합리적인 방식이다. 수치로 제시되는 위해성평가의 결과는 단순히 위해 요소가 인체에 위해를 줄 가능성에 대한 것이므로 그 수치(노출안전역)가 낮다고 지나치게 우려하거나 높다고 지나치게 안심할 수는 없다. 즉, 안전하다고 여겨지는 원료라도 지나친 화장품의 사용으로 안전이 우려될 수도 있다. 생활 속에서 접하는 물질들에 대한 정보에 대하여 관심을 기울이되, 국가에서 관리하는 시스템을 신뢰하고 전문가의 조언을 참조하면 안전한 화장품 사용이 가능할 것이다.

▶ 참고문헌

1. 대한화장품협회, 원료목록보고. 2015.

2. 박일순·이선희. 일부 대학생의 세치제 사용량 조사. 한국치위생학회지 10(4):577-584, 2010.

3. 식품의약품안전처, 화장품 독성시험 동물대체시험법 가이드라인(I), 2007.

4. 한국보건산업진흥원. 2020년화장품산업분석보고서, 2021.

5. CIR (Cosmetic Ingredient Review), Final Report Triclosan. 2010. Available at: http://www.cir-safety.org/sites/default/files/FR569.pdf

6. Cullinan MP, Palmer JE, Carle AD, West MJ, Westerman B, and Seymour GJ. The influence of a triclosan toothpaste on adverse events in patients with cardiovascular disease over 5-years. Science of the Total Environment 508:546–552, 2015.

7. ECHA (European Chemicals Agency), Exp Disregarded Repeated dose toxicity: inhalation. 001, 1974.

8. ECHA (European Chemicals Agency), Exp Key Carcinogenicity.001, 1986.

9. ECHA (European Chemicals Agency), Exp Key Carcinogenicity.002, 1999b.

10. ECHA (European Chemicals Agency), Exp Key Carcinogenicity.003, 1968.

11. ECHA (European Chemicals Agency), Exp Key Carcinogenicity.004, 1976.

12. ECHA (European Chemicals Agency), Exp key Repeated dose toxicity: dermal.001, 1994c.

13. ECHA (European Chemicals Agency), Exp Key Repeated dose toxicity: oral.001, 1987.

14. ECHA (European Chemicals Agency), Exp Key Repeated dose toxicity: oral.002, 1970.

15. ECHA (European Chemicals Agency), Exp Key Repeated dose toxicity: oral.003, 1999a.

16. ECHA (European Chemicals Agency), Exp Key Repeated dose toxicity: oral.004, 1994a.

17. EPA (Environmental Protection Agency), Office of Prevention, Pesticides and Toxic Substances. Reregistration eligibility decision (RED) for Triclosan, List B, Case 2340. 2008.

18. FDA (Food and Drug Administration), National Toxicology Program. Department of

Health and Human Services. Nomination Profile. Triclosan. [CAS3380-34-5]. Supporting Information for Toxicological Evaluation Toxicology Program. 2008.

19. Lee JD, Lee JY, Kwack SJ, Shin CY, Jang H-J, Kim HY, Kim MK, Seo D-W, Lee B-M, Kim K-B. Risk assessment of triclosan, a cosmetic preservative. Toxicological Research, 35:137-154, 2019.

20. Lin YJ, and Smith NL. Pharmacokinetics of Triclosan in Rats Following a Single Oral Administration. Colgate-Palmolive Company, Piscataway, NJ, U.S.A. March 8, 1990.

21. MFDS (The Ministr y of Food and Drug Safety), Guideline for risk assessment of cosmetic products, 2013. Available at: http://www.mfds.go.kr/index.do?mid=689&seq=7116&cmd=v

22. MFDS (The Ministry of Food and Drug Safety), The regulation on safety standards and others of cosmetics. MFDS notification 2014-118, 2014. Available at: http://www.mfds.go.kr/index.do?mid=687&pageNo=2&seq=8003&cmd=v

23. NICNAS (National Industrial Chemicals Notification And Assessment Scheme), Priority Existing Chemical Assessment Report No. 30. Triclosan. January 2009. Available at: http://www.nicnas.gov.au/__data/assets/pdf_file/0017/4391/PEC_30_Triclosan_Full_Report_PDF.pdf

24. Rodricks, J.V., Swenberg, J.A., Borzelleca, J.F., Maronpot, R.R., and Shipp, A.M., Triclosan: A critical review of the experimental data and development of margins of safety for consumer products. Critical Reviews in Toxicology, 40(5):422–484, 2010.

25. Rodriguez, P.E. and Sanchez, M.S. Maternal exposure to triclosan imparies thyroid homeostasis and female pubertal development in Wistar rat offspring. Journal of Toxicology and Environmental health A. 73:1678-1688, 2010.

26. SCCP (Scientific Committee on Consumer Products), OPINION ON Triclosan COLIPA n°P32. 2009. Available at: http://ec.europa.eu/health/ph_risk/committees/04_sccp/docs/sccp_o_166.pdf

27. SCCS (Scientific Committee on Consumer Safety), OPINION ON TRICLOSAN. SCCS/1414/11, 2011.

28. Strasser FF and Muller D. Chromosome studies on somatic cells-GP 41353 (triclosan), Chinese hamster. Ciba-Geigy Ltd., Basel, Switzerland. April 16, 1973.

29. Strasser FF and Muller D. Chromosome studies in somatic cells, long-term study with FAT 80023/A, Chinese hamster (Experiment no. 78-3105). Ciba-Geigy Ltd, Basel, Switzerland.February 15, 1979.

태아기형발생물질

chapter 01

기형학의 원칙

한정열

1 서론

James G. Wilson이 제안했던 6가지 기형학의 원칙을 우리가 이해하고 임신을 하기 전부터 적용한다면 기형유발물질에 의해 발생하는 기형을 예방할 수 있을 것이다. 계획되지 않은 임신으로 약물에 노출되거나 고혈압, 당뇨병, 천식 등의 만성질환으로 불가피하게 약물에 노출되는 경우에도 기형학의 원칙을 이해하고 있다면 노출에 따른 기형발생률에 관한 상담이 가능하다. 막연히 불안해하는 임신부와 가족들에게 적절한 정보를 제공할 수 있어서 그들이 노출에 따른 태아의 위험 정도를 정확히 알고 그들의 임신유지 여부를 결정하는 데 도움을 줄 수 있을 것이다.

현재 알려진 Wilson의 6가지 기형학의 원칙은 1977년에 제안되었고 표 2-1-1에서 보여주고 있다. 이는 1959년 Wilson이 발표했던 기형학의 원칙으로 5가지를 제안했던 내용이 수정된 내용이다.

표 2-1-1. **Wilson's six principles of teratology**

1	Susceptibility to teratogenesis depends on the genotype of the conceptus and the manner in which this interacts with environmental factors.
2	Susceptibility to teratogenic agents varies with the developmental stage at the time of exposure.
3	Teratogenic agents act in specific ways(mechanisms) on developing cells and tissues to initiate abnormal embryogenesis(pathogenesis)
4	The final manifestations of abnormal development are death, malformations, growth retardation, and functional disorder.
5	The access of adverse environmental influences to developing tissue depends on the nature of the influences(agent).
6	Manifestations of deviant developmental increases in degree as dosage increases from the no-effects to the totally lethal level.

Wilson이 원래 제안했던 내용은 다음과 같다.
　1) 배아의 민감성은 agent에 노출된 발달 단계에 의존한다.
　2) 각 기형유발물질은 특정한 방식으로 세포 대사에 작용한다.
　3) Genotype이 민감성에 영향을 미친다.
　4) 기형을 유발하는 agent는 배아의 유산을 증가시킬 수 있다.
　5) 기형유발물질은 모체의 기관에 해로울 필요는 없다.
이는 1977년에 수정되었던 내용에 비해 부족한 부분이 있어 보인다.

원래 제안된 이 원칙은 Wilson이 1959년 미국의 National Foundation(현재의 March of Dimes)이 지원했던 Polio virus 백신의 성공적인 개발이 있은 후 이를 보다 확대하여 선천성기형아 발생을 예방하고자 하는 노력으로 개최했던 한 Conference에서 발표했던 내용이다. 이는 그 당시 선천성기형아 발생과 관련된 가장 최신의 내용이었으리라 추정된다. 이후 선천성기형아 발생에 대한 이해가 더욱 확장되고 깊어짐으로써 1977년 현재 알려진 Wilson의 6가지 기형학의 원칙이 완성되게 된다.

Wilson이 기형학의 원칙을 제안하기 전에는 1860년대와 1900년대 사이에 프랑스의 파리에서 Embryology와 Zoology를 연구했던 Gabriel-Madeleine-Camille Dareste(Professor of zoology, University of Lille, 1864~72)가 배아의 발달 초기에 노출이 있을수록 기형이 심하다는 것을 발견하였다. 그는 기형학의 5대 원칙을 그의 책 Research on the Artificial Production of Monstrosities, or Experimental Teratogenicity Testing에 기술하였다. 이는 뉴욕에 있는 James G. Wilson에 의해 더욱 확장되어 1959년 "Experimental Studies on Congenital Malformations"에 기술되었다. 이후 여기에 dosage effect에 관한 내용이 추가되었다.

기형학의 원칙은 Wilson 전부터 시작해서 Wilson에 의해서 수정과 재수정의 과정을 거치면서 발전해왔다. 최근에는 Friedman JM(2010)에 의해서 Wilson의 기형학의 원칙이 다시 수정될 필요가 있음을 제안하고 있다. 그는 "The Principles of Teratology: Are They Still True?"라는 제목으로 Wilson이 Handbook of Teratology에서 제안했던 기형발생의 9가지 기전(표 2-1-2)에 최근의 기형발생 기전에 대한 분자적 이해에 관한 연구결과들에 근거하여 아래 내용의 추가가 필요하다고 주장하고 있다(표 2-1-3).

표 2-1-2. **Mechanism of teratogenesis**

- Mutation
- Chromosomal nondisjunction and breaks
- Mitotic inferences
- Altered nucleic acid integrity or function
- Lack of precursors and substrates needed for biosynthesis
- Altered energy sources
- Enzyme inhibitions
- Osmolar imbalance
- Altered membrane characteristics

표 2-1-3. **Mechanism of teratogenesis based on molecular study**

- Epigenetic control of gene expression
- The effects of small regulatory RNAs
- The imbalance of gene products resulting from submicroscopic alterations of genomic structure such as copy number changes
- Alterations of the cytoskeleton
- Perturbations of the extracellular matrix
- Effects of mechanical forces on embryogenesis
- Disturbances of intracellular signaling
- Dysfunction of molecular chaperones
- Effects on the distribution of molecules into subcellular compartments
- Alteration of the integrity of the intracellular organelles

2 기형학의 원칙(Principles of teratology)

원칙 1. 기형발생의 민감성은 수정체의 유전형에 의존하며 이는 환경과 상호작용한다.

Wilson은 1959년에 발표했던 기형학의 원칙에서 기형발생의 민감성이 수정체의 유전형에 의존한다는 원칙에 4개의 section을 포함하였다.

Section A. 종간 차이(species difference)에 관하여 언급하였다. 예를 들면 1950년대 입덧 치료를 위해 사용되었던 탈리도마이드는 사람과 다른 영장류는 매우 취약하여 사지와 안면기형을 유발하였다. 하지만 rats와 mice는 탈리도마이드에 저항성이 강했다.

Section B. 계통과 한배의 새끼 내 차이(strain and intralitter difference)에서 다른 유전적 배경을 가진 경우 같은 종의 동물이라도 같은 기형유발물질에 의해서 유발된 이상(abnormalities)의 빈도와 강도가 다를 수 있으며, 이는 일부 혈통(lineage)은 다른 혈통과 비교해서 기형유발물질에 더 저항성이 강하기 때문인 것으로 언급하고 있다.

Section C. 유전체와 환경의 상호작용(interaction of genome and environment)에서는 다른 환경에서 자란 같은 유전체를 가지고 있는 개체들 사이, 같은 환경에서 자란 다른 유전체를 가지고 있는 개체들 사이에 다른 이상(abnormalities)을 보여주는 환경과 유전자 사이의 상호작용을 강조한다. 예를 들면 기형유발물질을 대사하는 임신부의 능력과 같은 모체의 특징이 태아에 이상이 발생할지 여부를 결정한다.

Section D. 다요인 원인(multifactorial causation)으로서 1개 이상의 유전자들과 1개 이상의 환경적 요인들 사이의 상호작용에 의해서 한 개의 기형유발물질에 의해 유발된 기형의 중증도에 영향을 미칠 수 있다고 주장하고 있다.

이러한 Wilson의 원칙은 기형유발물질에 의해서 나타나는 두 가지로 특징 지을 수 있다. 하나는 기형유발물질에 노출되고 영향을 받은 영아에서 다양한 표현형(variable phenotype)을 보이며, 다른 하나는 노출된 모든 영아가 영향을 받지 않는다. 즉 민감성이 다양하다(variable susceptibility)는 것이다.

다양한 표현형(variable phenotype)과 관련하여 기형유발물질에 영향을 받은 영아들에게서 나타나는 표현형의 범주는 극도로 다양하다. 하지만 많은 연구에서 대부분 기형유발물질은 특징적 기형을 유발하는 것으로 밝히고 있다. 그럼에도 기형의 정도는 영향을 받은 개체마다 다를 수 있다.

다양한 민감성(variable susceptibility)은 기형유발물질에 노출된 영아의 소수만이 부정적

영향을 보여준다. 왜 일부의 태아들만 위험이 증가하는지 명확하지 않지만, 민감성은 기형유
발물질과 상호작용하는 특정 유전자에 기인하며, 이는 정상적 형태형성학적 경로(morphoge-
netic pathway)의 변형을 일으키고, 결국에는 기형을 일으킨다고 널리 믿어져 왔다.

　　다양한 민감성을 보여주는 기형유발물질들의 예를 들면 항전간제인 히단토인(hydantoin)
은 노출된 영아의 10% 미만에서만 Fetal Hydantoin Syndrome을 유발한다(그림 2-1-1).
태아알코올증후군의 경우에도 어떤 임신부는 정기적으로 음주함에도 영아에게 영향을 미치지
않는다. 하지만 다른 임신부는 약간의 음주에 의해서도 영향을 미친다.

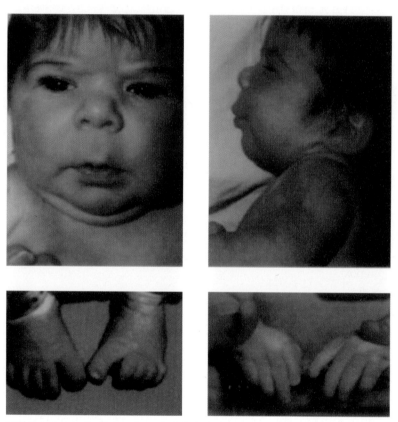

그림 2-1-1. Infant with the characteristic facial features and distal hypoplasia of the
Fetal Hydantoin Syndrome

　　항전간제의 기형유발성에 있어서 유전적 민감성이 중요한 역할을 하는 것으로 알려져 있
다. 예를 들면 항전간제의 대사에 영향을 주는 특정 생화학적 경로들에서 유전자의 돌연변이
를 가지고 있는 태아는 모체의 노출 후 높은 위험을 가진다. 이들 태아는 생산된 효소의 양을
조절하거나 효소의 기능적 활성을 결정하는 유전자의 비정상적인 형태를 가질 것이다.

항전간제는 에폭시드(epoxide)와 같은 산화성대사체로 생체변환된다. 이들 산화성 물질은 핵산(nucleic acid)과 같은 큰 분자들에 반응성이 높고 강한 공유결합을 할 수 있다. 이런 상황이 배아기의 중요시기에 일어나면 DNA 수선에 문제를 일으키거나 RNA와 단백질의 질적 저하가 일어날 수 있다. 그 결과는 정상적인 세포의 필수적인 기능들의 손상을 가져와서 기형이 발생한다(그림 2-1-2).

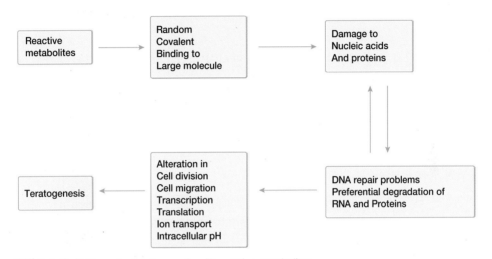

그림 2-1-2. Pathway for teratogenesis with reactive metabolites

항전간제의 유전적 감수성에 관한 증거는 항전간제의 해독 효소라 할 수 있는 에폭시드 히드록시효소(epoxide hydroxylase:EH)에 의해서 나타난다. 이 효소는 항전간제에 노출된 임신부들이 불량한 임신결과에 대한 고위험군임을 나타내는 생체마커로써 연구되었다.

EH 수준은 무작위로 추출된 대조군에서 최빈치가 세 개인 분포(trimodal distribution)를 나타내었다(그림 2-1-3).

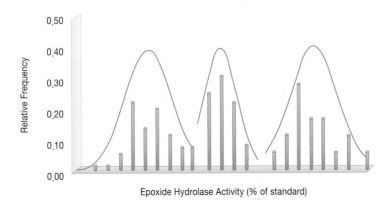

그림 2-1-3. Distribution of epoxide hydrolase activity in the normal population

이들 EH수준은 2개의 alleles를 가지고 있는 단일 유전자에 의해 조절된다. 열성 allele이 homozygous인 경우 가장 낮은 표준의 평균 31%의 EH수준을 나타내었고, 우성 allele를 갖는 homozygous인 경우 EH수준이 가장 높아 표준의 75% 이상이었다. heterozygotes인 경우 중간 수준인 표준의 50~75%를 나타내었다.

EH수준은 무작위로 추출된 100명의 태아에서 표준의 평균 51.7%인 것에 비해 히단토인 증후군을 가진 태아에서의 EH 수준은 표준의 평균 23.9%로 낮게 나타났다.

원칙 2. 기형유발물질에 의한 민감성은 노출 당시의 발달 단계에 따라 다르다.

Wilson은 이 원칙과 관련하여 발달 기간의 세분화(subdivision of the developmental span)에는 초기의 불응기(refractory period)로부터 출산 및 출산 후의 발달 단계까지 보여준다. 배아 발달의 각 단계 내에서 기형유발물질에 대한 민감성을 기술하고 있다.

이는 발달 중인 개체들은 충분히 성숙한 개체보다 변화에 훨씬 더 민감하다는 기본적인 생물학적 인식을 보여주는 것이다.

임신은 크게 세 시기로 나뉜다. 임신 4주까지를 착상전기(preimplantation period)라 하며 이 시기에는 배아의 세포가 전능(totipotential)하여 이 세포들은 모든 조직으로 분화할 수 있는 능력을 가지고 있어서 일부 세포의 손상에도 불구하고 특별한 기형을 유발하지 않는다. 따라서 이 시기에 기형유발물질에 영향을 받는 경우 '모 아니면 도(all-or-nothing)'의 효과를 낸다. 노출이 충분하다면 배아는 죽는다. 반면 배아가 생존한다면 정상으로 발달한다.

기관형성기는 임신 5주부터 10주까지이며 기형유발물질에 가장 민감한 시기이다. 분열되는 세포의 특별한 요구가 많을수록 세포들을 손상에 더 민감하게 만든다. 중추신경계에 가장 민감한 시기는 임신 5~7주이다. 비뇨생식기계 발달에 가장 민감한 시기는 임신 9~11주이다. 임신 10주 이후는 태아기로 영향은 주로 성장 또는 기능의 성숙이다. 이는 생후에도 계속된다. 예를 들면 신경계의 수초화(myelination)는 생후 적어도 2년까지 계속된다. 이들 발달의 단계를 아는 것은 주어진 임신 기간 동안 약물치료를 고려할 때 중요하다.

원칙 3. 기형유발물질에 의한 비정상적 배아발생은 특정 기전에 의해서 일어난다.

Wilson은 이 원칙에서 기형발생의 기전들(mechanism of teratogenesis)과 기형의 발병 과정(pathogenesis of defect)에 관해 기술한다. 또한, 특정 기형유발물질은 특징적 기형 양상을 만들어내므로 임신부들은 특정 기형유발물질로부터 보호받기 위해서 영양보조제(supplements)를 섭취할 수 있음을 언급하였다.

Wilson의 언급은 기형발생의 기전을 이해하고 예방할 수 있는 방법을 제시한다는 점에서 매우 의미가 있어 보인다. 이에 관한 증거들이 현재까지도 계속 축적되고 있기 때문이다.

기전(mechanism)은 원인(cause)과 영향(effect) 사이에 일련의 매개되는 사건(event)들에서 초기 또는 최초의 사건을 언급한다. 초기의 사건이 중요한 이유는 원인과 뒤따르는 생리학적 변화들 사이에 연결되는 링크일 뿐만 아니라 나중의 변화에 영향을 줄 가능성이 크기 때문이다. 기형발생 기전의 일부는 표 2-1-4에 기술되어 있다.

표 2-1-4. Proposed mechanism for teratogenic pathogenesis

- Excessive apoptosis
- Reduced apoptosis
- Reduced biosynthesis
- Impeded morphogenetic movements
- Mechanical disruption of tissues

기형발생의 기전이 밝혀진 예들을 보자. 페니토인에 의해서 유발되는 기형은 중요시기에 핵산의 정상적 상태나 기능을 변형시킴으로써 발생된다. 페니토인, 발프로익산, 아미노프테린, 메토트렉세이트 같은 기형유발약물들은 엽산 길항에 의해서 기형을 유발한다. 아조 염료(azo dye)는 필수 대사물들의 태반통과를 방해함으로써 기형을 유발한다.

하지만 일반적으로 기형유발물질에 의해 나타나는 변화는 원인적 요인들에 반드시 특이적이지만 않고 다양하고 복합적인 기전의 결과라 할 수 있다. 예로서 이온화 방사선은 유전자의 돌연변이, 염색체이상, 세포분열방해, 효소억제를 일으킬 수 있다. 마찬가지로 영양의 결핍은 생합성을 위한 전구물(precursors)과 기질(substrates)의 결핍을 가져오지만, 에너지 소스의 변형이나 삼투성의 불균형을 가져올 수도 있다.

원칙 4. 비정상발달의 최종결과는 사망(death), 기형(malformation), 성장장애(growth retardation), 기능이상(functional disorder)이다.

Wilson은 이 원칙에서 발달 동안의 어떤 시점에서 기형유발물질에 노출되는 경우 한가지 또는 그 이상의 징후를 나타낼 수 있음을 제안하고 있다.

기형유발물질에 의해서 비정상적인 발달의 가능한 결과들은 같은 확률로 일어난다기보다는 태아발달 단계에서의 노출 시기와 관련될 가능성이 크다.

착상전기에는 유산될 가능성이 크며, 기관형성기에는 구조적 기형이 발생할 가능성이 크다. 태아기에는 손상된 세포를 잘 회복시키지 못하는 경우에 기형보다는 성장장애나 기능적 이상을 초래하기 쉽다. 이와 관련된 증거로써 잘 보여주는 예가 기형유발약물인 여드름치료제 아큐탄(accutane)이다. 아큐탄에 노출되는 경우 노출되는 시기에 따라서 40%가 자연유산되고, 나머지 60% 중에서 25%가 기형이 유발되고, 52%는 인지나 발달 장애를 가져온다.

원칙 5. 발달하는 조직에 기형유발물질의 접근은 그 물질의 속성에 의존한다.

Wilson은 기형유발물질을 물리적 인자(physical agents)와 화학물(chemical agents)로 나눈다. 태반이 있는 포유류에서는 낮은 에너지의 방사선 같은 물리적 인자는 태아에 영향을 미치지 못하지만, 치료용 이온화 방사선은 태아에 도달할 수 있기 때문에 영향을 미칠 수 있다. 물리적 인자와 다르게 화학물들은 거의 항상 모체의 혈액을 통해서 태아에 도달한다고 주장하고 있다.

화학물에는 임신부에 의해서 소비되는 약물 등이 포함된다. 이들은 태아에 도달하기 전에 대사과정을 거친다. 결과적으로 화학물 또는 약물은 모체의 혈중 내 농도의 일부가 태아에게 전달된다. 이들이 문제를 일으킬 만큼 충분한 양이 태아에게 전달되는 것은 몇 가지 요인들에 의존한다. 주로 고려되는 중요 요인들로는 용량, 주입경로, 물리적 특성(고체, 액체, 가스), 전신으로의 흡수율이다.

모체는 외부물질을 해독시키는 효소를 가지고 있기 때문에 비록 대사체가 오히려 기형유발성을 가질 수는 있지만, 모체의 화학물이 태아에게 도달하는 양을 감소시킨다.

태반 통과는 또 하나의 중요한 인자이다. MW 600 kDa 미만이며 이온화가 낮은 경우 단순확산(simple diffusion)에 의해서 태반을 통과한다. 그 외의 태반 통과 방법은 촉진확산(facilitated diffusion)과 능동수송(active transport)이 있다.

결과적으로 태아에게 도달되는 화학물의 총량은 많은 변수의 상호작용 결과이다. 포함되는 변수들은 모체의 기능적 용량(maternal functional capacity), 화학물의 특성, 태반 통과 등이다.

원칙 6. 비정상 발달은 용량이 무해(no-effect)수준으로부터 치사수준까지 증가하는 정도에 따라 증가한다.

Wilson은 기형발생에서 역치(thresholds in teratogenesis)에 관해 언급하기를 개체는 기형유발물질에 관한 역치를 가지고 있는 것 같다고 하였으며, 무해 수준(no effect level)의 존재를 명확히 하기 위해서는 많은 수의 동물이 필요하다고 하였다. 또한, 용량-반응 곡선(dose-response curve)에 관해 기술하기를 발달에 미치는 영향은 기형유발물질의 용량과 배아의 발달단계에 의존하여 변한다고 한다.

약물이나 제품의 안전성을 정의하기를 시도하는 규제기관들은 불량한 영향을 나타내지 않는 무해 수준(no effect level)이나 역치의 수준이 매우 중요한 기준점(critical benchmark)이 된다.

그림 2-1-4는 환경적 물질(약물, 화학물, 그리고 물리적인자들)의 용량-반응곡선은 역치(threshold or deterministic) 그리고/또는 확률론적(stochastic) 효과를 보여주고 있다. 돌연변이나 발암은 확률론적 현상으로 일정 수준 미만에서 위험이 없는 역치 수준을 가지지 않는

다. 따라서 낮은 노출에 의해서도 위험이 존재한다. 하지만, 대부분 자연발생적 암이나 돌연변이의 위험 미만이다.

기형발생과 같은 독성학적 현상은 역치 수준을 가지고 S자모형을 따른다.

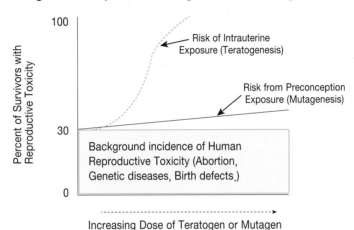

Dose Response Relationship of Teratogen As compared to Mutagens and Carcinogens

그림 2-1-4. Dose Response Relationship of Teratogen as compared to Mutagens and Carcinogens (Brent RL. 1999)

▶ 참고문헌

1. Brent RL. Utilization of developmental basic science principles in the evaluation of reproductive risks from pre- and postconception environmental radiation exposures. Teratology. 1999 Apr;59(4):182-204.

2. Buehler BA, Delimont D, van Waes M, et al. Prenatal prediction of risk of the fetal hydantoin syndrome. N Engl J Med 1990;322(22):1567-72.

3. Friedman JM. The Principles of Teratology: are they still true?. Birth Defects Res A Clin Mol Teratol 2010;88(10):766-8.

4. The Embryo Project Encyclopedia. [Cited December 26, 2015] Available from: https://embryo.asu.edu/pages/james-g-wilsons-six-principles-teratology

배아의 정상 발생

◦ 전이경

사람 발생학은 9개월만에 한 개의 수정란에서 아이가 되어가는 일련의 과정을 연구하는 학문이다. 발생학과 선천성기형은 밀접하게 연관되어 있기 때문에 발생학에 대한 지식은 임신 중 약물이나 방사선, 중금속 등에 노출되었을 때 태아에 미치는 영향을 노출 시기별로 평가하는데 필수적이다.

발생 첫 주에는 배란에서부터 수정란이 난할을 지속하여 주머니배(blastocyst) 상태로 자궁내막에 착상되는 과정이 전개된다. 발생 2주에는 주머니배 안의 세포덩어리인 배아모체(embryoblast)에서 2겹의 납작한 원반모양의 배반(germ disc)이 만들어진다. 발생 3주에서 발생 8주까지를 배아기(embryonal period), 또는 기관형성기(period of organogenesis)라고 하며 인체의 주요 기관이 형성되는 중요한 시기이다. 중추신경계를 선두로 심장, 귀, 눈, 사지, 치아, 구개, 외부생식기 등 주요한 기형이 발생하는 시기이기도 하다. 발생 9주부터 출생까지가 태아기(fetal period)이며, 태아가 성장하면서 기관이 성숙해지는 시기이다. 대부분의 기형은 배아기에 일어나지만 이전과 이후에도 기형은 유발되기 때문에 임신기간 전반을 통하여 주의를 기울여야 한다.

본문은 한국모자보건학회지 2016년 제 20권 1호에 발표될 내용을 발췌하여 정리하였고 배아기까지 사람의 정상 발생과정과 연관된 선천성 기형을 함께 기술하여 기형발생 시기와 기전에 대한 이해를 돕고 산전상담에 유용한 정보를 제공하고자 하였다.

1 발생 1주: 배란에서 착상까지

수정은 정자와 난자가 결합되어 접합체(zygote)가 되는 과정이며 자궁관 팽대부위에서 일어난다. 수정이 되면 부모와는 다른 새로운 염색체 조합을 가지는 이배수체(diploid) 염색체가 되며, 성(sex)이 결정되고, 세포분열이 시작된다. 수정란에 일어나는 세포분열을 난할이라 하며, 수정란이 두 개의 세포로 분열하는 데는 수정 후 약 30시간이 걸린다. 16개의 세포덩이로 나눠지는 데는 약 3일이 걸리며, 세포덩이 모양이 뽕나무열매와 비슷하게 보여 오디배(morule)라고 부른다. 오디배의 안쪽에 있는 세포는 속세포덩이(inner cell mass), 바깥쪽을 둘러싸는 세포는 바깥세포덩이(outer cell mass)이다.

난할을 계속하는 오디배가 자궁내강으로 들어갈 즈음, 안쪽으로 액체가 차있는 공간이 생겨서 주머니 모양을 만들며, 주머니배(blastocyst)라고 부른다. 주머니배는 바깥세포덩이가 주머니를 만들며, 속세포덩이는 모여서 주머니 한쪽에 붙어있다. 주머니배 시기의 속세포덩이를 배아모체(embryoblast)라고 하며 향후 배아(embryo)가 된다. 바깥세포덩이는 영양막세포(trophoblast)라고 부르며 태반을 만들게 된다. 주머니배는 수정 6–7일에 자궁내막에 착상한다(그림 2-2-1).

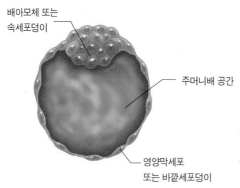

배아모체 또는
속세포덩이

주머니배 공간

영양막세포
또는 바깥세포덩이

그림 2-2-1. 주머니배 시기의 속세포덩이는 배아모체, 바깥세포덩이는 영양막세포라고 부른다. 주머니배는 수정 6–7일에 자궁내막에 착상한다.

2 발생 2주: 2겹 배반(bilaminar germ disc)

주머니배의 속세포덩이인 배아모체가 분화하여 배아덩이 위판(epiblast layer)과 배아덩이 아래판(hypoblast layer)으로 구성된 2겹의 납작한 원반모양의 배반(germ disc)을 만든다. 배아덩이 위판은 양막강(amniotic cavity)과 맞닿아있고 배아덩이 아래판은 난황주머니(yolk sac)에 맞닿아있다.

난황주머니는 발생 2주 초에 보이는 1차 난황주머니와 발생 2주 말에 만들어지는 2차 난황주머니가 있다. 1차 난황주머니는 배아덩이 아래판과 체강밖막(exocoelomic membrane)으로 구성된다. 1차 난황주머니에서 유래한 세포가 배아밖중배엽(extraembryonic mesoderm)을 만든다. 발생 2주말에 배아밖중배엽에서 융모막강(chorionic cavity)이 만들어진다. 이 시기에 배아덩이 아래판 기원 세포에서 융모막강에 새로 주머니가 만들어지는데, 이것이 2차 난황주머니이다. 사람에서 난황주머니는 발생초기 혈관이 형성되기 전에 잠시 영양을 공급하고, 일시적으로 최초의 혈액세포형성에 관여한다.

주머니배의 바깥세포덩이인 영양막세포는 태반을 만드는 세포영양막(cytotrophoblast)과 융합세포영양막(syncytiotrophoblast)으로 구성된 두 종류 세포로 분화한다. 세포영양막은 안쪽에 위치하는 핵이 하나인 세포이며 활발히 세포분열을 한다. 바깥쪽에 있는 세포질의 경계가 분명하지 않은 다핵성의 융합세포영양막은 자궁내막을 뚫고 모체의 모세혈관을 침식한다. 발생 2주 말에는 침식당한 모체의 모세혈관과 영양막 공간(trophoblastic lacunae)이 연결되어 모체의 혈액이 들어와 흐르게 되는 자궁태반순환이 시작된다.

배아밖중배엽(extraembryonic mesoderm)은 벽쪽중배엽(somatic mesoderm)과 내장쪽중배엽

(splanchnic mesoderm)으로 나뉜다. 발생 2주 말에 배아밖중배엽으로 구성된 연결줄기(connecting stalk)에 의해 배아가 융모막강에 떠있는 상태가 된다. 이 연결줄기는 차후에 탯줄이 된다.

발생 2주는 두 가지로 나눠지는 것이 많아서 다른 이름으로 week of two's 라고도 알려져 있다. 두 가지로 나눠지는 것을 정리해보면 다음과 같다(그림 2-2-2).

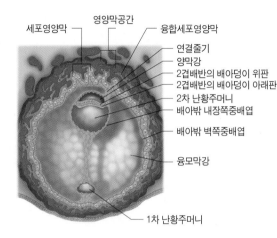

세포영양막　영양막공간　융합세포영양막
연결줄기
양막강
2겹배반의 배아덩이 위판
2겹배반의 배아덩이 아래판
2차 난황주머니
배아밖 내장쪽중배엽
배아밖 벽쪽중배엽
융모막강
1차 난황주머니

그림 2-2-2. 발생 13일의 사람주머니배. 발생 2주는 week of two's 라고도 알려져 있다. (1) 배아덩이 위판와 배아덩이 아래판으로 구성된 2겹 배아원반 (2) 양막강과 난황주머니 (3) 세포영양막과 융합세포영양막 (4) 벽쪽중배엽과 내장쪽중배엽으로 나뉜 배아밖중배엽

1) 배아덩이 위판와 배아덩이 아래판으로 구성된 2겹 배아원반

2) 양막강과 난황주머니

3) 세포영양막과 융합세포영양막

4) 벽쪽중배엽과 내장쪽중배엽으로 나뉜 배아밖중배엽

3 창자배 형성(gastrulation)

창자배 형성(gastrulation)은 배아덩이 위판과 배아덩이 아래판으로 구성된 2겹의 배반이 외배엽(ectoderm), 중배엽(mesoderm), 내배엽(endoderm)으로 구성된 3겹 배반(trilaminar germ disc)으로 변하는 과정이며 발생 3주 초에 시작하여 4주 말까지 계속된다. 발생 3주 초의 배반은 길고, 꼬리쪽보다 머리쪽이 더 넓고 납작한 원반모양이다. 창자배 형성은 2겹 배반의 배아덩이 위판 표면에 원시선(primitive streak)이라고 부르는 줄무늬가 나타나는 것으로 시작되며 4주말이 지나면 원시선은 크기가 급속히 작아지다가 곧 사라진다. 원시선의 머리 쪽 끝은 원시결절(primitive node)이다. 배아덩이 위판 세포는 원시선을 향해 이동하다가 원시선에 도달하면 깔때기 모양으로 바뀐다. 모양이 바뀐 배아덩이 위판 세포는 배아덩이 위판에서 떨어져 나와 배아덩이 아래판에 끼어들어가거나 배아덩이 위판과 아래판 사이를 파고 들어가는데 이 과정을 합입(invagination)이라

고 한다(그림 2-2-3).

배아덩이 위판 세포에서 외배엽, 중배엽, 내배엽의 세 종자층이 발생한다. 즉 원시선을 따라 이동하지 않고 배아덩이 위판에 머무는 세포는 외배엽이 되고, 위판과 아래판 사이를 파고 들어가는 세포는 중배엽, 배아덩이 아래판으로 끼어들어간 세포는 내배엽을 형성한다.

외배엽은 중추신경계, 말초신경계, 귀, 코, 눈 등의 감각상피, 털과 손톱을 포함하는 표피, 땀샘, 젖샘, 뇌하수체, 치아 사기질 등으로 분화한다. 중배엽은 축엽중배엽(paraxial mesoderm), 중간중배엽(intermediate mesoderm), 가쪽판중배엽(lateral plate mesoderm)으로 분화한다. 축엽중배엽은 발생 3주 초부터 몸분절(somite)로 나뉘고, 몸분절은 근육분절(myotome), 뼈분절(sclerotome), 피부분절(dermatome)이 되어 근육, 연골과 뼈 및 진피와 피하조직으로 분화한다. 중간중배엽에서 비뇨생식기관이 만들어진다. 가쪽판중배엽은 벽쪽중배엽(somatic mesoderm)과 내장쪽중배엽(splanchnic mesoderm)으로 나뉘어 배아 속의 내강과 장기를 둘러싼다. 그 밖에 혈관계통과 비장, 부신겉질도 중배엽에서 기원한다. 내배엽에서는 소화기관과 호흡기관, 방광과 요도의 상피와 갑상샘, 부갑상샘, 간과 이자의 실질, 고실과 귀인두관의 상피 등이 형성된다.

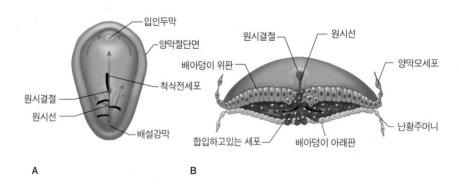

그림 2-2-3. A. 발생 2주말 배아원반을 등쪽에서 본 그림. 창자배 형성은 2겹 배반의 배아덩이 위판 표면에 원시선이 나타나는 것으로 시작된다. B. 배아덩이 위판세포의 합입. 배아덩이 위판 세포가 원시선에 도달하면 떨어져 나와 배아덩이 아래판에 끼어들어가거나 배아덩이 위판과 아래판 사이를 파고 들어간다.

앞뒤 몸통 축은 창자배형성 전부터 정해지고, 등배(dorsoventral)방향과 좌우(left-right)방향은 창자배 형성기에 확립된다. 신경전달물질인 세로토닌은 쪽치우침(laterality, left-right-sidedness)을 형성하는 신호전달연쇄반응에서 중요한 역할을 담당하며, PITX2(paired-like homeodomain transcription factor 2)는 왼쪽 특이발생(left sidedness)을 유도하는 인자이다.

창자배형성 시기의 배아덩이 위판 세포의 특정 부위가 최종적으로 무엇으로 분화하는지에 대한 분화설계도(fate map)가 이미 만들어져 있다. 예를 들어 원시선의 머리 쪽으로 이동한 배아덩이위판 세포는 축엽중배엽이 되고, 중간 쪽은 중간중배엽, 꼬리 쪽은 가쪽판중배엽이 된다.

배아원반의 머리 쪽과 꼬리 쪽 끝에 각각 입인두막(oropharyngeal membrane)과 배설강막(cloacal membrane)이 생긴다. 발생 16일경에 난황주머니 뒤쪽 벽에서 연결줄기 속으로 요막(allantois)이라 부르는 작은 주머니가 튀어나온다. 요막은 후에 방광과 연결되다가 막혀서 정중배꼽인대(median umbilical ligament)라는 두꺼운 섬유띠로 남는다.

4 창자배 형성시기의 기형발생

창자배 형성이 시작되는 발생 3주 초는 원시선을 통하여 이동하는 배아덩이 위판의 분화설계도가 만들어졌기 때문에 기형유발인자에 아주 민감하지만, 임신부는 마지막 월경 일에서 4주 정도 경과한 시점이므로 임신한 것을 모르고 주의를 소홀히 할 수 있다.

창자배가 만들어지는 과정에서 배아의 꼬리 쪽 중배엽형성이 부족하면 인어다리증(syrenomelia)이라고도 부르는 꼬리 쪽 발생장애(caudal dysgenesis)가 생긴다. 그 부위의 중배엽이 하지, 비뇨생식기관, 허리엉치뼈 형성에 관여하기 때문에 양쪽 하지가 제대로 자라지 못하고 붙어있거나 비뇨생식계 이상, 허리엉치뼈 이상, 항문막힘증(imperforate anus) 등 다양한 기형을 보인다(그림 2-2-4).

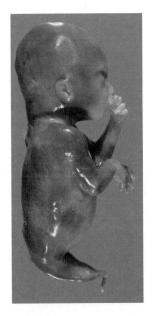

그림 2-2-4. 창자배가 만들어지는 과정에서 배아의 꼬리쪽 중배엽형성이 부족하면 인어다리증이라고도 부르는 꼬리쪽 발생장애(caudal dysgenesis)가 생긴다.

창자배 형성과 관련된 종양에는 엉치꼬리 기형종(sacrococcygeal teratoma)이 잘 알려져있다. 기형종은 내배엽, 중배엽, 외배엽의 세 종자층에서 유래한 조직이 혼합된 종양이다. 엉치꼬리부위에 남은 원시선 잔유물은 내배엽, 중배엽, 외배엽으로 분화할 수 있는 능력이 있기 때문에 엉치꼬리 기형종이 발생할 수 있다. 한편, 원시종자세포(primordial germ cell)에서도 기형종이 발생한다. 생식세포(gamate)는 발생 2주에 배아덩이 위판에서 생겨나며 난황주머니 벽으로 이동하여 원시종자세포가 된다. 원시종자세포는 발생 4주에 난황주머니에서 이동하기 시작하여 발생 5주 말에 생식샘에 도달한다. 이동경로에서 이탈한 원시종자세포가 기형종을 형성하기도 한다.

쪽치우침과 왼쪽 특이발생에 연관이 있는 세로토닌이 없거나 PITX2가 다른 곳에 발현되면 좌우바뀜증(situs inversus)이나 오른심장증(dextrocardia)같은 좌우대칭 이상과 무비증후군(asplenia syndrome, right isomerism)이나 다비증후군(polysplenia syndrome, left isomerism)같은 쪽치우침 배열(laterality sequences)을 초래한다. 선별세로토닌재흡수억제제(SSRI) 계열의 항우울제를 임신 직전 또는 직후에 복용하면 선천성심장이상을 지닌 아기를 출산할 확률이 높아진다.

좌우바뀜증은 심장과 복부장기의 배열이 완전히 뒤바뀌어서 심장과 위, 비장이 오른쪽에 있고 간이 왼쪽에 위치한다. 좌우바뀜증의 약 20%에서 비정상적인 편모 때문에 기관지확장증, 만성부비동염, 불임증 등이 생기는 Kartagener 증후군을 보인다. 오른심장증(dextrocardia)은 심장고리가 왼쪽으로 형성되어서 심장이 오른쪽에 위치하는 경우이다. 쪽치우침이 생기는 창자배형성시기나 심장고리(cardiac loop)가 형성되는 발생 4주 말에 발생한다.

무비증후군은 몸의 좌우 모두가 오른쪽 모습을 보이고, 비장은 없거나 형성부전을 보이며, 거의 100%에서 심장기형을 동반한다. 다비증후군은 몸의 좌우 모두가 왼쪽 모습을 보이고, 여러 조각의 비장을 가지며 75%에서 심장기형을 동반한다.

5 신경배 형성(neurulation)

발생 3주 초에 원시 결절에서 척삭전세포(prenotochordal cell)가 머리 쪽으로 이주하여 척삭판(notochordal plate)을 만들고, 이 척삭판에서 가래떡같이 긴 척삭(notochord)이 만들어진다. 척삭은 몸통뼈대형성의 기초가 되며 신경판(neural plate)을 유도한다. 척삭 위에 놓인 외배엽은 머리 쪽이 넓은 주걱모양으로 두터워져서 신경판을 만든다. 신경배 형성(neurulation)이란 신경판에서 장차 뇌와 척수가 되는 신경관(neural tube)이 만들어지는 과정이다. 발생 3주 말에 신경판의 양쪽 경계가 위로 볼록하게 솟아 신경주름(neural fold)을 만들고, 양쪽 신경주름이 가운데에서 만나 합쳐져 신경관(neural tube)이 만들어진다. 신경관은 목부위에서 합쳐지기 시작하여 머리 쪽과 꼬리 쪽 양방향으로 닫힌다. 발생 25일과 28일경에 머리 쪽과 꼬리 쪽 신경구멍이 막히면, 중추신경계통은 폐쇄된 관 모양이 된다. 발생 28일 째 배아는 머리와 꼬리가 새우처럼 배쪽으로 구부러진 자세이고 첫째, 둘째 및 셋째 인두굽이(pharyngeal arch)와 귀기원판(otic placode), 수정체기원판(lens placode), 앞가슴의 심장융기(heart bulge)와 팔능선(limb ridge)이 보인다(그림 2-2-5).

신경관이 제대로 닫히지 않으면 신경관 결손(neural tube defect)이 생기며, 결손의 위치와 범위에 따라 무뇌증(anencephaly), 뇌류(encephalocele), 뇌수막류(meningoencephalocele), 수막류(meningocele), 척수수막류(meningomyelocele), 척추갈림증(spina bifida) 등 다양한 이름이 붙

여진다. 임신 전과 임신 초기에 엽산을 복용하면 신경관 결손 기형의 50-70%는 예방할 수 있다. 무뇌증과 양막이 찢어져서 절단이나 조임이 생기는 양막대증후군(amniotic band syndrome)과의 감별이 필요한 경우가 있다.

신경관의 넓은 머리 쪽은 앞뇌(prosencephalon, forebrain), 중간뇌(mesencephalon, midbrain), 마름뇌(rhombencephalon, hindbrain)의 세 부분으로 나눠진 다음, 각각 대뇌 반구, 중간뇌, 다리뇌(pons), 숨뇌(medulla oblongata)와 소뇌(cerebellum)로 분화한다.

대뇌 반구는 발생 5주 초에 앞뇌의 바깥쪽 벽이 양 옆으로 자라나오면서 만들어지기 시작한다. 통앞뇌증(holoprosencephaly)은 앞뇌가 좌우 대뇌 반구로 분할되는 과정에서의 결함으로 발생한다. 정중선에 있어야 할 구조가 결여되기 때문에 뇌와 안면부 중앙기형이 동반되는 경우가 흔하다. 뇌 기형의 정도에 따라 alobar, semilobar, lobar형으로 분류한다.

뇌이랑 없음증(agyria)은 신경세포의 증식, 이주 및 조직화 과정에서 발생하는 대뇌 겉질의 이상이다.

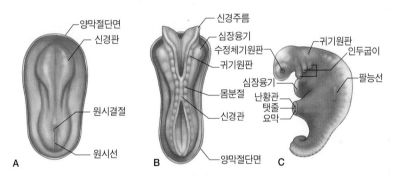

그림 2-2-5. A. 발생 19일. 척삭 위에 놓인 신경외배엽은 머리 쪽이 넓은 주걱모양으로 두터워져서 신경판을 만든다. B. 발생 22일. 신경판의 양쪽 경계가 솟아올라 신경주름을 만들고, 양쪽 신경주름이 가운데에서 만나 합쳐져 신경관이 만들어진다. C. 발생 28일. 배아는 머리와 꼬리가 배쪽으로 구부러진 자세이고 첫째, 둘째 및 셋째 인두굽이와 귀기원판, 수정체기원판, 앞가슴의 심장융기와 팔능선이 보인다.

6 신경능선세포(neural crest cells)

신경능선세포는 양쪽 신경주름의 꼭대기에 위치한 신경외배엽 세포이며, 신경관이 형성되고 융합되는 시기에 떨어져 나와 아래층인 중배엽으로 이동한다. 머리와 얼굴의 뼈대와 결합조직, 얼굴과 목의 진피, 심장의 유출로, 뇌신경절, 신경아교세포, 교감신경절, 부교감신경절, 창자신경세포, 슈반세포, 부신수질세포, 멜라닌세포, 갑상샘의 C세포 및 상아질모세포 등을 만든다. 다양한 조직과 세포를 만드는데 관여하므로 신경능선세포는 발생에서 매우 중요하며, 따라서 제 4의 종자층(the fourth germ layer)이라고도 부른다(그림 2-2-6).

신경외배엽을 떠난 신경능선세포는 알코올이나 레티노산(retinoic acid)등의 여러 기형유발물질에 손상받기 쉬워진다. 이 세포가 얼굴뼈대와 이마뼈, 척삭앞연골머리뼈(prechordal chondro-cranium), 얼굴과 목의 진피를 만들기 때문에 손상을 받으면 머리얼굴부위에 심각한 기형이 발생한다. 트레처 콜린스 증후군(Treacher Collins syndrome)은 아래턱얼굴뼈발생이상(mandibulo-facial dysostosis)이라고도 하는데, 광대뼈 형성저하증(malar hypoplasia), 아래턱뼈 형성저하증(mandibular hypoplasia), 아래 눈꺼풀 처짐, 바깥귀 기형, 구개파열 등의 증상이 나타난다. 5번 염색체의 긴 팔에 위치한 'TCOF1' 이라 불리는 유전자의 돌연변이에 의해 발생하는데, 이 유전자의 산물인 treacle 핵단백질이 신경능선세포분화에 관여한다.

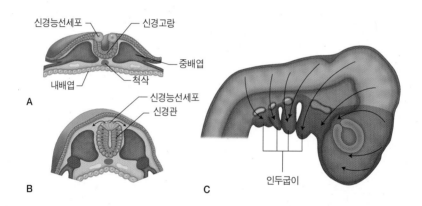

그림 2-2-6. A. 신경능선세포는 양쪽 신경주름의 꼭대기에 위치한 신경외배엽세포이다. B. 신경관이 형성되고 융합되는 시기에 떨어져 나와 아래층인 중배엽으로 이동한다. C. 화살표는 머리영역에서 신경능선세포가 이동하는 경로를 보여준다. 머리, 얼굴부위 구조물 형성에 신경능선세포가 필수적이다.

신경능선세포는 또한 심장의 동맥줄기(truncus arteriosus)와 원뿔부(conus cordis)에서의 사이막 형성에 관여하므로 얼굴기형이 있는 아이 중 상당수에서 심방중격결손이나 심실중격 결손과 같은 단순한 기형부터 동맥줄기존속(persistent truncus arteriosus), 팔로 네 징후(tetralogy of Fallot), 큰혈관자리바꿈(transposition of great vessels)과 같은 복잡한 기형까지 여러 가지 심장기형이 동반된다.

디조지 증후군(DiGeorge syndrome)은 신경능선세포의 손상으로 인한 여러 가지 기형이 함께 나타난다. 심장기형(Cardiac defects), 비정상 얼굴 모양(Abnormal facial fea tures), 흉선발육부전(Thymus underdevelopment), 구개열(Cleft palate), 저칼슘혈증(Hypocalcemia)의 첫 글자를 따서 CATCH라는 약어로 표현하며, 이 질환이 22번 염색체 22q11.2영역의 결손에 의해 일어나므로, CATCH-22로 부르기도 한다. 디조지 증후군의 얼굴 특징은 넓게 퍼진 눈, 처진 귀, 작은 턱과 좁고 짧은 인중이다.

선천거대 잘록창자(congenital megacolon, Hirschsprung disease)는 신경능선세포의 이주장

애로 인해 잘록창자(colon)와 곧창자(recrum)벽의 일부 또는 전부에 부교감 신경절이 형성되지 못하여 발생한다. 신경절이 없는 부위의 장 근육이 수축되어 가늘어지고, 병변보다 상부에 위치한 장은 이차적으로 확장된다.

7 혈관과 심장

혈관은 혈액섬에서 만들어지는 혈관형성(vasculogenesis)이나 기존 혈관에서 새로운 혈관이 돋아나는 혈관신생(angiogenesis)으로 만들어진다. 발생 3주 초에 난황주머니벽을 둘러싸는 중배엽에서부터 혈관섬이 나타나기 시작하고 점차 가쪽판중배엽 등 다른 부위로 확장된다.

발생 3주 초의 영양막(trophoblast)는 융합세포영양막으로 둘러싸이고 속은 세포영양막으로 구성된 1차 융모(primary villi)구조이다. 중배엽세포가 일차융모 속을 파고 들어가면 2차 융모가 된다. 발생 3주 말에 이차융모 안에 있는 중배엽세포에서 모세혈관이 생기는 3차 융모가 만들어진다. 3차 융모 속의 모세혈관은 융모막판과 연결줄기 안의 모세혈관과 연결되고 계속하여 배아의 순환계통과 연결되어 심장박동이 시작되는 발생 4주에는 영양과 산소를 배아에게 공급할 수 있게 된다.

심장의 형태학적 발생은 발생 3주에 시작하여 발생 8주면 대부분 완성된다. 배자에서 최초로 기능을 하는 장기는 심장으로 발생 4주 초에 박동을 시작하여 혈액순환이 일어나게 된다.

심장의 발생은 발생 16일경 심장발생세포(heart progenitor cell)가 원시선을 통해 신경주름의 머리쪽으로 이동하여 말발굽모양의 일차심장영역(primary heart field)을 만들면서 시작된다. 일차심장영역의 세포는 두 심방과 왼심실 및 오른심실의 대부분을 만드는데, 세포가 이동하는 동안 쪽치우침 신호전달기전에 의해 어느 부위를 만들지 여부가 결정된다. 오른심실일부와 심장원뿔, 동맥줄기를 만드는 이차심장영역(secondary heart field)의 세포는 발생 20-21일 사이에 나타나며 신경능선세포에 의해 조절된다.

발생 4주 초에 좌우 한 쌍의 심장대롱(heart tube)이 하나로 합쳐지고 S자로 구부러진다. S자 심장대롱은 심장팽대(bulbus cordis), 심실, 심방, 정맥굴(sinus venosus)로 구성된다. 심장대롱의 심실은 배쪽, 오른쪽으로 이동하고 심방은 등쪽, 왼쪽으로 이동하여 발생 4주 말에 심장고리(cardiac loop)를 완성한다. 발생 4주 말의 심장은 외형적으로는 동맥줄기와 좌우심방과 좌우 심실이 만들어져 있지만 내부는 하나의 공간으로 뚫려있는 상태이다.

심장 안의 공간을 나누는 심장사이막(cardiac septa)은 발생 4주 중간부터 발생 6주 사이에 형성된다. 심장속막방석(endocardial cushion)은 사이막 형성에 매우 중요한 구조이며 심방심실부위와 동맥줄기(tuncus arteriosus)와 심장원뿔(conus cordis)부위에 형성된다. 심장속막방석은 심방사이막(atrial septum), 심실사이막의 막부분(membranous portion of ventricular septum), 심방심실관(atrioventricular canal)과 판막, 대동맥허파동맥사이막(aoticopulmonary septum)형성에 기여한다. 심장속막방석이 놓이는 위치가 매우 중요하기 때문에 이 부분의 발달이 잘못되면 심방사이막 결손, 심실사이막 결손, 큰 혈관 자리바꿈증, 온동맥관증, 팔로네징후와 같은 다양한 심장기형이 발생한다. 마름뇌부위의 신경능선세포들이 심장의 유출로 부위로 이동해와서 심장원뿔과 동맥줄기의 심장속막방석을 형성한다. 신경능선세포들이 얼굴과 머리의 발생에 관여하므로 얼굴과 심장기형의 동반이 드물지 않다.

8 창자관과 몸통공간

배아의 등쪽에서 신경관이 만들어지는 동안, 배쪽에서는 내배엽으로 구성된 창자관(gut tube)을 만든다. 즉, 배아는 등쪽에는 신경관, 배쪽에는 창자관이 위치하는 형태가 된다. 창자관은 난황관(vitelline duct)를 통해 난황주머니와 연결된다. 난황관은 탯줄에 합쳐지면서 점차 좁아지고 임신 2–3개월 경에 난황주머니와 함께 퇴화한다. 난황관의 잔류물에는 멕켈게실(Meckel's diverticulum), 난황물혹(vitelline cyst), 난황샛길(vitelline fistula) 등이 있다. 멕켈게실은 회장하부에 위치하는 소화기 선천기형이며 전체 영아의 2–3%에서 발견된다.

가쪽판중배엽에서 갈라져 나온 벽쪽중배엽이 외배엽과 함께 배아의 양쪽에 가쪽몸통벽주름(lateral body wall fold)를 만든다. 이 주름들이 배쪽으로 이동하여 정중선에서 합쳐지면 배꼽영역을 제외한 배쪽몸통벽이 닫힌다. 배쪽몸통벽이 닫히지 못하면 심장판곳증(ectopia cordis), 배벽갈림증(gastroschisis), 방광 및 배설강의 뒤짚힘증(estrophy)등 배쪽몸통벽 결함이 생긴다.

발생 6주에서 10주 사이에 창자고리가 정상적으로 탯줄 속의 배아밖체강으로 들어가는 것을 생리적 배꼽탈장(physiologic umbilical herniation)이라고 한다. 배꼽탈출(omphalocele)은 생리적으로 탈장된 창자고리가 뱃속으로 돌아오지 못하고 배꼽에 머무는 기형이다. 탈출된 장기는 배벽갈림증과 달리 양막에 싸여있다. 사망률이 높고 심장기형이나 신경관 결손 같은 다른 기형들과 자주 동반되며 약 15%에서 염색체이상이 관찰된다.

9 머리와 목

인두굽이(pharyngeal arch)와 인두고랑(pharyngeal cleft)은 발생 4주와 5주 사이의 배아의 앞목부분에 존재하는 특징적인 구조이며 목과 얼굴발생에 중요하다. 인두굽이의 내부는 중배엽과 뇌에서 이주해 온 신경능선세포에서 유래한 중간엽조직(mesenchymal tissue)으로 구성되어있다. 얼굴과 목의 근육은 중배엽에서 생기고, 뼈대는 신경능선세포에서 유래한다. 각 인두굽이마다 고유의 동맥과 뇌신경, 근육, 연골 또는 뼈대성분이 존재한다.

안쪽에 있는 네 쌍의 인두주머니(pharyngeal pouch)를 덮는 내배엽기원 상피에서 생기는 구조는 다음과 같다.

1) 첫째 인두주머니에서 고실(middle ear cavity)과 귀관(auditory tube),

2) 둘째 인두주머니에서 목구멍편도,

3) 셋째 인두주머니에서 아래 부갑상샘과 가슴샘,

4) 넷째 인두주머니에서 위 부갑상샘과 아가미끝소체(ultimobranchial body)

얼굴은 발생 4주 말경 만들어지기 시작하여 발생 10주 경 완성된다. 신경능선세포에서 유래한 중간엽조직이 주성분이며, 이마코융기(frontonasal prominence), 위턱융기(maxillary prominence), 아래턱융기(mandibular prominence), 안쪽코융기(medial nasal prominence), 바깥쪽코융기(lateralnasal prominence)로 구성된 5개의 중간엽융기가 이동하여 얼굴을 형성한다.

윗입술은 안쪽코융기와 위턱융기의 융합에 의해 만들어진다. 위턱융기에서 유래하는 좌우 입천장선반(palatine shelf)은 발생 6주에 나타난다. 입천장선반이 만나 융합되면 단단입천장(hard palate)과 물렁입천장(soft palate)이 형성된다. 여자는 남자보다 1주일 정도 늦게 입천장융합이 완성된다. 안면부에 발생하는 기형 중 가장 흔한 것이 입술갈림증(cleft lip)과 입천장갈림증(cleft palate)이며, 전자는 발생 4~7주에, 후자는 발생 7~12주에 주로 발생한다. 입천장이 융합하지 못하는 이유는 입천장선반크기가 작거나 상승장애, 융합과정의 이상이나 아래턱이 작아서 입천장선반 사이로 혀가 내려가지 못하는 경우 등이다.

10 팔다리

발생 4주 말에 주걱모양의 팔싹과 다리싹이 몸통벽의 배쪽 측면에서 나타난다. 팔싹이 먼저 나타나고 1-2일 후에 다리싹이 나타난다. 발생 4주에서 5주 사이에 팔다리없음증(amelia)나 부분팔다리증(meromelia), 바다표범손발증(phocomelia)등의 팔다리기형이 가장 흔히 생긴다. 태반을 통과하는 기형유발물질 중 진정제인 탈리도마이드(thalidomide)와 팔다리기형의 연관성이 잘 알려져있다. 발생 6주에 팔싹과 다리싹 끝이 납작해지면서 세포사멸에 의한 부채살 고랑(radial grooves)이 생겨 손가락과 발가락을 만든다. 부채살 고랑도 손에서 먼저 생긴다. 세포사멸이 일어나지 않으면 손발가락이 붙는 손발가락융합증(syndactyly)을 초래한다.

11 눈

눈의 발생은 발생 22일경 앞뇌의 양옆으로 튀어나오는 눈소포(optic vesicle)에서 시작된다. 눈소포가 자라서 표면 외배엽과 접촉하여 수정체 형성을 유도하며 발생 5주에 수정체소포(lens vesicle)가 표면 외배엽에서 분리된다. 선천백내장은 태아 때 수정체가 혼탁해지는 기형이며 풍진에 걸린 산모의 아기에서도 발생할 수 있다. 발생 4주와 7주 사이에 수정체가 만들어지므로 임신부가 이 시기에 풍진에 걸리면 선천성 백내장이 발생할 수 있고, 7주 이후에 걸리면 달팽이관 이상으로 청력을 잃을 수 있다.

12 귀

속귀는 발생 22일경 배아의 마름뇌 양쪽 바깥면에 있는 표면외배엽이 두꺼워져서 생긴 귀기원판(otic placode)에서 만들어진다. 가운데귀와 바깥귀는 첫째와 둘째 인두굽이와 인두고랑과 첫째 인두주머니에서 발생한다. 가운데귀와 바깥귀는 발생학적으로 서로 연관성이 있기 때문에 기형이 함께 나타나는 경우가 흔하다.

▶ 참고문헌

1. Bartram U, Wirbelauer J, Speer CP. Heterotaxy syndrome -- asplenia and polysplenia as indicators of visceral malposition and complex congenital heart disease. Biol Neonate 2005;88(4):278-90

2. Dixon J, Jones NC, Sandell LL, Jayasinghe SM, Crane J, Rey JP, et al. Tcof1/Treacle is required for neural crest cell formation and proliferation deficiencies that cause craniofacial abnormalities. Proc Natl Acad Sci U S A 2006;103(36):13403-8

3. Fukumoto T, Kema IP, Levin M. Serotonin signaling is a very early step in patterning of the left-right axis in chick and frog embryos. Curr Biol 2005;15(9):794-803

4. Harrington BJ, Horger EO, Edwards JG. A counseling dilemma involving anencephaly, acrania and amniotic bands. Genet Couns 1992;3(4):183-6

5. Sadler TW, Langman's medical embryology 12TH edition. Lippincott Williams & Wilkins, 2012

6. Tan S, Pektaş MK, Arslan H. Sonographic evaluation of the yolk sac. J Ultrasound Med 2012;31(1):87-95

7. Valenzano M, Paoletti R, Rossi A, Farinini D, Garlaschi G, et al. Sirenomelia. Pathological features, antenatal ultrasonographic clues, and a review of current embryogenic theories. Hum Reprod Update 1999;5(1):82-6

8. 안효섭 편, 홍창의 소아과학 제 10판. 미래엔, 2012

03 임신 중 약동학의 변화

◦ 김은경

가임 여성이나 임신부에게 적절한 임상진단을 통해 약물요법을 시작하고 적정화된 요법을 유지하는 것은 모체의 질환 치료와 태아의 건강에 중요한 사안이다. 연구 보고에 의하면 전체 임신부 중 50%-70% 정도가 최소 1개의 전문의약품이나 일반의약품을 사용한다고 알려져 있다.[1, 2] 일반적으로 임신 중 약물은 임신 전 당뇨병, 고혈압, 천식, 갑상선질환, 신경정신계질환과 같이 약물요법이 필요한 만성적 기저 질환 뿐 아니라, 감염 질환과 같은 급성 질환, 혹은 임신으로 기인된 당뇨, 조기 분만, 혹은 임신 오조와 같은 임신성 질환을 치료하기 위해 사용된다.[3]

근거 중심의 약물요법을 사용하여 질환을 치료하려는 임상가에게 의약품의 안전성 관련 정보제공은 중요하고 필수적이다. 그러나 임신 중 사용하는 약물의 안전성에 대한 정보량의 제한성, 연구방식의 한계로 인한 정보의 질적 취약함, 통계적인 유의성의 확립이나 인과성 평가의 어려움 등 임상가가 경험하는 문제점은 다양하다. 그러므로 약물의 노출이 불가피한 임신부에게 안전한 약물사용을 도모하기 위해서 다음과 같은 몇 가지 방법을 활용하며 약물치료에 접근하여야 한다. 우선 계획된 임신을 권장하여 임신 전부터 예방접종과 엽산 섭취를 적정화 하고 음주/흡연을 피한다. 그리고 기형유발물질로 의심되거나 확인된 약물은 피하고 임신 시기에 따라 약물의 노출을 조절한다. 만약 약물을 사용하여야 할 때는 전신 노출을 최소화하는 투여 방식을 선택하고, 가장 효과적이며 적은 용량을 사용하도록 하며, 임신 중 약동학적 변화를 고려한다.[4]

임신으로 인해 해부학적 또는 생리학적 변화가 발생하고, 그로 인해 약물의 흡수, 분포, 대사, 배설 과정에 변화가 초래된다. 이러한 약동학적 변화는 크게 두 관점에서 이해될 수 있다. 하나는 산모의 생리학적 변화에 따른 약동학적 변화이고, 다른 하나는 새롭게 생성된 태반으로 인해 발생하는 약동학적 변화이다. 임신 중 약물치료가 필요한 임신부에게 약물로 인한 위험보다 약물을 사용하여 치료를 하는 것이 모체와 태아에게 임상적 이점이 우위에 있을 때 임상가는 약동학적 변화를 감안하여 약물을 선택하거나 약물의 용량조절을 고려하여 약물치료를 수행할 수 있다. 이번 장에서는 단계적인 약동학의 변화, 태반을 통한 약물의 이동, 임상약동학적 모니터링(therapeutic drug monitoring, TDM)에 대하여 살펴보기로 한다.

Ⅰ. 임신과 약동학적 변화

1 약물의 흡수

투여된 약물은 일반적으로 흡수, 분포, 대사, 배설의 순차적인 과정을 거치게 된다. 경구 투여된 약물은 위 또는 소장에서 흡수되는데, 이 때 대부분의 흡수 과정은 표면적이 넓고 연동운동과 융모운동이 일어나는 소장에서 발생한다. 약물의 흡수에 미치는 임신 중 생리적 변화는 progesterone의 증가로 인한 위장관의 운동성 감소와 평활근 이완이다. 그로 인해 약물을 포함한 내용물의 방출 시간이 지연되어 임신 전 보다 약물이 위장관에 머무는 시간이 30%-50% 정도 증가한다. 약물의 특성에 따라 임신 중에는 생체 이용률 변화와 약물 활성의 변화가 나타나며, 임신 전에 비해 위산 분비는 약 40% 감소하고, 동시에 점액 분비가 증가하게 되어 위의 pH가 높아져서 약산성 약물들은 이온화 되므로 체내 흡수가 감소된다.[3]

임신 중 증가된 progesterone으로 인해서 폐포를 통한 약물의 흡수도 증가된다고 알려진다.[4] 이 것은 심박출량과 1회 호흡량이 증가함에 따른 폐혈류량의 증가와 관련이 있고 결과적으로 약물의 흡수에 영향을 준다고 예상한다.[3] 실제 halothane, isoflurane, methoxyflurane과 같은 흡입 마취제를 임신부에게 투여할 때에는 용량을 낮추어 투여한다.[5] 또한 임신 중에는 피부의 혈류량이 증가하므로 경피제제의 흡수가 임신 전 보다 빠른 것으로 보고된다.[6] 비경구로 투여한 약물은 경구로 투여한 약물에 비해 빠르게 흡수되며, 이 중 정맥 내 주사는 흡수의 과정을 거치지 않는다.

앞서 언급된 호르몬의 영향으로 임신 중에는 약물의 위장관 체류시간이 증가하여 약물 흡수의 폭이 커질 것으로 예상되지만, 동시에 입덧과 동반된 구토로 인하여 흡수되는 총 약물의 양이 오히려 줄어들 수도 있다. 구토로 인한 약물 흡수의 변화는 주로 임신 초기에 발생할 수 있기 때문에, 약물의 혈중농도를 유지하기 위해서 구토 증상이 빈번하지 않은 저녁에 복용하거나, 경구 투여와 같이 약물의 흡수에 영향을 미치는 투여 경로 이외 다른 투여 경로가 추천되기도 한다.[7] 추가적으로 임신 중 빈번히 일어나는 변비나 분만 시 통증 경감의 목적으로 투여되는 opioid계 진통제로 인해 위장관의 운동성이 저하되어 약물이 비교적 긴 시간 동안 흡수될 수 있으므로 결과적으로 약물의 혈중농도가 높아질 수 있다.[8] 제산제 혹은 철분제제는 함께 투여된 약물과 chelate결합을 일으키는 상호작용 때문에 약물의 흡수를 낮출 수 있다고 보고된다.[9]

2 약물의 분포

위장관, 폐포, 피부 등과 같은 장기를 통해 흡수되어 혈액에 존재하는 약물이 조직으로 분포될 때 영향을 미치는 중요 인자는 혈장량(plasma volume)과 혈장 단백(plasma protein)이다. 혈장량은 임신 초기부터 증가하기 시작하여 임신 32주-34주에는 임신 전보다 40%-50%까지 증가한다.[3, 4] 증가한 체내 총 수분량(total body water)으로 인하여 aminoglycosides와 같은 수용성 약물은 높은 loading dose가 필요하고, 낮은 수치의 최고혈중농도(peak serum concentration, Cmax)가 예상된다.[7]

혈장량과 더불어 혈장단백량은 약물의 약동학적 지표인 분포용적(volume of distribution, Vd)에 변화를 초래하는 주요 변수이다. 혈장단백질 중 가장 많은 비율을 차지하는 알부민은 약물과 결합하는 주요 단백질이며 α1-acid glycoprotein도 약물과 결합하는 대표적인 혈장단백질 중 하나이다. 혈장단백질과 결합한 약물은 비활성형이므로 혈장단백질의 양은 약물 활성도에 영향을 주며, 혈장단백질과의 결합을 경쟁하는 타약물의 존재유무도 약물 활성도에 영향을 끼친다. 또한 임신 중 생성되는 호르몬이 혈장단백질과 결합함으로써 약물이 결합할 수 있는 protein-binding site가 줄어들어 결과적으로 활성형의 약물 비율이 높아진다고 알려진다.[10]

임신 중 혈장 알부민의 농도는 낮은 것으로 알려진다. 그 이유는 혈장량의 증가로 인한 희석효과로 파악되나 알부민 생성의 감소 혹은 분해의 증가도 알부민의 낮은 혈장농도에 기여하는 것으로 추정된다.[6] 혈장 단백질의 농도가 낮은 경우에는 상용량의 약물을 투여하더라도 비결합형, 즉 활성형 약물의 비율이 증가하여 약물로 인한 독성이 나타날 수 있다. 혈액 중으로 흡수된 약물의 일부는 체내 조직으로 분포되고 나머지 일부는 간에서 대사되거나 신장을 통해 배설된다.

3 약물의 대사

약물은 위장관 점막, 혈액, 근육 조직 및 신장 등에 있는 효소에 의해 대사가 되기도 하지만 주로 간에 있는 효소에 의해 대사된다. 간을 통한 약물의 청소율(hepatic clearance)은 약물의 혈장단백질과의 결합여부, 간 효소의 활성도, 그리고 간혈류량(hepatic blood flow)에 의해 결정된다. 임신 중 증가하는 estrogen과 progesterone의 농도로 인하여 제1상 대사(reduction, oxidation, hydrolysis)와 제2상 대사(glucuronidation, acetylation, methylation, sulfation)에 필요한 효소에도 변화가 발생한다.[3, 11] 연구보고에 의하면 뇌전증치료제인 lamotrigine이나 oxcarbazepine은 glucuronidation대사가 증가하여 약물의 혈중농도가 감소하기 때문에 임신 중 증량이 요구된다.[3, 12]

Cytochrome P450 (CYP450)은 간의 대사 효소로, 많은 약물이 이 효소군에 의해 대사가 이루어진다. 임신 중 분비되는 progesterone에 의해 간 효소 활성에 변화가 발생하여 CYP3A4, CYP2D6, CYP2C9의 활성이 증가된다고 알려져 있다.[13] 이 효소에 의해 대사되는 약물은 반감기가 낮아질 것으로 예상된다. 예를 들면 임신 중에 활성이 증가되는 CPY3A4효소의 기질인 nifedipine, carbamazepine, midazolam과 같은 약물은 대사가 증가하여 약물의 용량 조절이 필요한 것으로 보고된다.[10] 또한 CYP2D6의 활성 증가로 인하여 phenytoin의 대사도 증가한다.[7] 그러나 증가된 progesterone, estradiol이 간 효소의 기질로서 경쟁적으로 작용하게 된다면 간 효소

활성이 증가하더라도 약물 대사량이 증가되지 않을 수도 있다는 해석도 존재한다.[13] CYP450 효소군 중 활성이 증가되는 효소가 있는 반면 CYP1A2, CYP2C19은 임신 중 활성이 감소되는 것으로 알려져 있어, 이 효소에 의해 대사되는 약물은 반감기 증가가 예상된다. 또한 xanthine oxidase, N-acetyltransferase의 활성은 감소되어 theophylline이나 caffeine의 대사가 감소된다고 알려진다.[7, 10]

간효소 이외에 약물의 대사에 관련이 있는 간혈류량은 증가한 심박출량에 비교하여 임신 중 상대적으로 감소하지만 혈류속도는 변하지 않는 것으로 알려진다.[6, 7] 이렇게 임신 중 약물의 대사에 영향을 미치는 혈장 단백질과의 결합, 간 효소활성의 다양한 변화, 혈류량의 변화 등은 약물요법에 영향을 미치지만 그 영향의 폭은 약물에 따라 다르고 임신기간과 개인간의 편차도 감안한다면 명확히 정량화 하기는 어렵다고 할 수 있겠다.

4 약물의 배설

약물은 간, 피부, 폐, 침샘, 눈물샘 등의 장기를 통해 배설이 되지만, 대부분은 신장을 통하여 소변으로 배설되므로, 신장은 약물의 배설에 가장 주요한 장기로 이해된다. 신장의 사구체여과율 (glomerular filtration rate, GFR)은 임신1기의 전반부터 증가하기 시작해서 임신 2기에 접어들면 50% 정도까지 증가하는 것으로 알려진다.[7, 10] 임신1기와 임신 2기 중에는 증가된 GFR로 인하여 serum creatinine의 농도가 낮아지며serum urea nitrogen과 요산 농도에도 유사한 변화가 발생한다.[5] 특히 신혈류량은 임신 중에 25%~50%정도 증가하여 beta-lactam 항생제, digoxin, enoxaparin과 같은 약물의 배설이 증가되는 것으로 보고된다.[7, 14] 신장으로 배설되는 다양한 약물들이 임신 중 적절한 혈중농도로 유지되기 위하여 20%에서 65%까지 용량의 상향 조절이 요구되기도 한다.[7, 15]

II. 약물의 태반 통과

태반을 통한 약물 분포에 대한 이해는 임신 중 복용한 약물이 실제 태아에게 미치는 영향을 예측하는 데 중요하다. 과거에는 태반이 약물의 이행을 막는 장벽인 것으로 이해되었으나 태반은 약물을 포함한 많은 종류의 물질이 모체와 태아 사이에 교환되는 장소로 알려진다.[4] 태반을 통해 약물이 운송되는 방법은 크게 4가지로, 약물의 농도가 높은 곳에서 낮은 곳으로 이동하는 단순확산 (simple diffusion), 태반내 존재하는 운반 단백질이 관여된 촉진확산(facilitated diffusion), 모체와 태아 혈중의 약물 농도차를 거슬러 운송하기 위해 에너지가 요구되는 능동수송(active transport) 및 음세포작용(pinocytosis)이다.[16]

많은 약물은 단순확산에 의해 태반을 통과하는데 이때 약물이 가진 특성, 즉 약물의 지방용해도가 높을수록, 이온화가 낮을수록, 분자량이 작을수록, 단백 결합률이 낮을수록 태반을 용이하게 통과하는 것으로 알려진다.[4] 예를 들어 태반을 쉽게 통과할 수 있는 약물은 분자량이 600Da 이하인 약물로 대부분의 약물들이 이에 속하며, 반면 heparin, insulin 등 분자량이 1,000Da 이상인 약물들은 태반을 통과하기 어렵기 때문에 비교적 안전하게 사용된다고 알려진다.[17] 임신의 후반기로 진행될수록 자궁으로의 혈류량이 증가하게 되어 약물이 태반을 통과할 확률도 높아진다고 할 수 있다.

단백질과 결합한 약물은 단순확산에 의해 태반을 통과하기 어렵지만 비결합형 약물, 즉 활성형 약물로 분자량이 낮은 약물은 태반을 수월하게 통과한다. 약물에 따라 태아 혹은 모체의 단백질과 결합하는 친화성이 다른데, salicylate는 태아의 단백질에 결합을 잘 하는 것으로 알려지고 있어[19] 태아에 약물이 축적될 수 있다. 반대로 ampicillin 혹은 benzylpenicillin(penicillin G)은 모체 단백질에 결합을 더 잘하는 약물로 알려져[19] 모체에 결합형 약물로 존재하여 단순확산으로 태반을 통과하지 못하기 때문에 모체에 머물 확률이 높다고 할 수 있겠다.

산-염기 평형이 태아의 약물 분포에 영향을 미칠 수 있다. 약물은 이온화 되지 않았을 때 태반을 통과할 수 있다. 약염기성 약물들은 생리적 pH인 7.4에서 이온화 되지 않으므로 태반을 통과하게 된다. 태아의 pH는 모체의 pH보다 더 산성이므로[14] 모체에서 태아의 방향으로 태반을 통과한 약염기성 약물들은 이온형으로 전환되어 다시 태반을 통과하여 모체 방향으로 이행될 수 없기 때문에 태아 측에 머물게 되는 'ion trapping'현상이 발생한다. 그러므로 이러한 약물들의 영향은 태아에서 오래 연장되기도 한다. 이와 같이 임신기간을 통한 모체의 변화와 태반의 생리적 특성, 그리고 모체-태반-태아 시스템(maternal-placental-fetal system)에 영향을 미치는 다양한 요소에 따라 약물의 행로와 임상적 결과가 나타난다.

최근 류마티스 관절염이나 염증성 장질환에 사용되는 생물학적 제제 중 임신 중 사용과 관련된 연구자료가 가장 많은 약물은 종양괴사인자-α(tumor necrosis factor-α, TNF-α) 억제제이며, 이 약물이 유일하게 임신 중에 사용될 수 있다고 알려진다.[20] TNF-α 억제제는 약물의 분자적 구조 차이에 따라 태반 통과성이 다르다.[21] 통상적으로 자가면역질환 치료에 사용되는 생물학적 제제는 immunoglobulin G(IgG)의 monoclonal antibody(mAb)이거나 항체의 fragment로 구성된다.[22] IgG는 trophoblast 세포에 존재하는 neonatal Fc receptor와 결합하여 모체 혈행에서 태아 혈행으로 전달되며, 특히 임신3기에서 유의하게 증가된다고 보고된다.[20, 21] Infliximab, adalimumab, golimumab 등의 약물을 임신3기에 사용하는 경우 신생아의 제대혈 농도가 모체 혈행에서 검출되는 농도보다 높았으나[23, 24], 수용성의 fusion protein인 etanercept는 neonatal Fc receptor와의 결합력이 낮아 신생아 제대혈에서 매우 낮은 수준으로 검출되며, 생물학적 구조상 Fc receptor와 결합하지 못하는 certolizumab은 검출 수준 이하임이 보고되었다.[21, 25] 최근 고찰 문헌에서 TNF-α 억제제는 선천성 기형의 증가 위험에 대한 과거의 우려에도 불구하고 심각한

위험 없이 안전하고 효과적으로 사용되고 있다고 보고되었다.[20]

Ⅲ. 임신 중 약물의 임상약동학적 관리

앞서 제시된 것과 같이 임신 중에는 약물의 흡수, 분포, 대사 및 배설의 약동학적 변화가 역동적으로 일어나는 시기이며 전반적으로 약물의 혈중 농도는 임신 전 보다 낮은 경향이므로 용량을 상향 조절해야 하는 필요성이 보고된다.[4] 약동학적 변화는 임신 전체 기간 동안 일정하지 않고 임신주기에 따라 다양하게 변하며 약물 반응에 대한 개인차가 크기 때문에 임신 중 약물의 혈중농도를 관찰하여 투여량의 적정화를 실현하고 보다 나은 질환 관리를 하고자 임상약동학적 모니터링(TDM) 서비스가 제안되어 왔다.

성공적인 TDM의 시행에 필요한 치료혈중농도와 관련된 정보들이 아직까지는 충분히 입증이 되지 못한 부분이 있고, 대부분의 정보는 임신하지 않은 환자군에 근거한 정보이므로 임신한 환자에게 적용할 때에는 추정을 해야 하는 제약점이 존재하고, 약물의 혈중농도를 분석하는 시스템으로의 접근성이나 임신 중 TDM서비스의 비용·효과성을 증명하는 연구 근거도 미약한 것도 제한점이다.[4] 그러나 임신 중인 환자에게 TDM 서비스는 환자의 복약 이행도 평가에 도움이 되는 순기능이 있다고 제시된다.[1] 약물복용이 태아에게 해로운 영향을 줄 것이라는 우려로 인해 필요한 약 임에도 불구하고 임신한 여성들이 약을 복용하지 않은 경우, TDM서비스는 치료에 반응을 보이지 않는 환자를 겨냥하여 복약이행도를 평가하고 복약이행이 부적절한 환자에게 초점을 맞추어 치료 전략을 수립하게 하는 장점이 있음을 시사하는 것이다.[1]

TDM을 수행하는 것이 질환 관리에 도움이 된다고 알려져 있는 약물의 특징은 다음과 같다. 혈중농도가 임상적 효과 또는 독성과 유의한 관계를 보이는 약물, therapeutic index가 좁은 약물, 투여 용량과 약물의 혈중 농도 간 상관성이 낮은 약물, 약동학적 변화가 심한 약물, 해당 약물의 농도를 측정하는 방법이 존재하는 경우에 TDM이 유익하다고 알려진다.[1] 특히 약물 농도를 측정하는 방법은 접근이 수월하며 검사 소요시간이 짧아야 임상적 판단을 내릴 때 현실적으로 도움이 된다고 알려진다.[1] 임신 중 TDM이 제시되거나 문헌에서 논의가 된 약물들은 다음과 같다.

1 뇌전증 치료제

뇌전증 치료약물은 임신 중에 약동학적 변화가 크다고 알려진다.[12] Phenobarbital, phenytoin과 같은 이전 세대 뇌전증 치료제들은 임신 중 신배설이 증가되거나 간대사효소가 유도되어 약물의 혈중농도가 각각 55%, 60~70% 정도 감소하여 결과적으로 치료 농도 보다 낮아진 약물의 농도로 인해 간질 발작(epileptic seizure)이 발생할 수 있으므로[1, 12, 26] 가능하다면 월 1회의 TDM 서비스를 받는 것이 권고된다.[12] 약물로 인한 주요 기형 발생의 위험과 약물의 용량과의 상관관계를 살펴본 연구결과에 의하면 valproic acid의 용량이 증가함에 따라 기형 발생의 위험도 증가되었다고 보고되었다.[27] 기형 발생을 일으킨 경우는 임신 1기 중 1일 약물의 용량 중간값(median)이 1,000 mg인 반면, 기형 발생이 없는 경우에는 750 mg였다.[27] Carbamazepine이나 valproate도 대략 10~20% 정도의 폭으로 혈중농도가 감소하지만 활성형 약물의 농도 변화는 거의 없는 것으로 보고되어 TDM은 선택사항으로 권고된다.[12]

Lamotrigine은 뇌전증 치료제 중 약동학 연구가 가장 많이 된 약물로 보고되며, 임신 중 estrogen으로 인한 glucuronidation의 증가로 현저하게 배설이 촉진된다고 알려진다.[12, 28, 29] Lamotrigine의 혈중 농도는 특히 개인차가 크다고 보고되며 약물의 청소율은 임신 3주차 때에도 증가한다고 보고되어 TDM의 시작 시기도 가능한 한 임신초기부터 진행하도록 권고한다[12, 30] 신장을 통한 levetiracetam의 청소율은 임신1기 때부터 증가하여 임신 전에 비해 대략 70% 정도 배설이 증가된다고 보고된다.[12, 31] Levetiracetam은 신배설 증가, 가수 분해에 의한 대사 증가로 인해 혈중 농도가 감소된다고 보고된다[1, 32] Oxcarbazepine도 임신 중에는 glucuronidation의 증가로 인해 신장으로 배설이 되면서 약물의 혈중농도가 감소하여 대부분의 환자들에게서 용량의 증가가 요구되었다.[1, 12] Topiramate도 임신 중 사구체 여과량의 증가에 의해 혈중 농도가 감소된다고 보고되어, 평균적으로 임신 2기에는 42%의 용량증가가 필요하고 임신3기에는 52%의 용량 증가가 제안되었다.[1, 33] Levetiracetam, oxcarbazepine, topiramate 등의 뇌전증 치료제도 가능한 한 월 1회의 TDM 을 권고한다.[12] 약물의 최적 농도는 임신 전 개인의 약물반응을 고려하여 결정하며, 혈중 농도가 임신 전에 비하여 35% 이상 낮아질 때 간질 발작의 위험이 높아진다고 알려진다.[12]

2 항우울제

임신 중 약동학적 변화로 인해 항우울제의 혈중 농도가 저하된다는 것은 다수의 연구물에서 보고되었으며, 특히 임신3기에 현저하다고 보고된다.[34] 이러한 혈중 농도 변화는 CYP450효소로 인한 대사의 변화이며, 일반적으로 CYP2D6와 CYP3A4를 통한 대사 증가로 인한 혈중 농도 저하로 알려지지만 약물에 따라 다양한 효소가 대사에 영향을 끼치므로 약물별로 제시된 연구물을 살펴볼 필요가 있다.

임신 중 우울증 치료제로 빈번히 사용되는 선택적 세로토닌 재흡수 저해제(selective serotonin reuptake inhibitor, SSRI)와 삼환계 항우울제(tricyclic antidepressants, TCAs)의 임신 중 혈중 농도의 변화 관련 체계적 논문고찰 및 메타 분석 연구자료에 의하면, 임신3기 혈중 농도는 trimipramine, fluvoxamine, nortriptyline이 가장 큰 변화를 보이며, clomipramine, imipramine, citalopram, paroxetine은 그보다 작은 수준의 변화, escitalopram, venlafaxine, fluoxetine은 무시할 수 있는 수준의 극히 작은 변화, sertraline은 다소 상승되었으나 임상적인 영향을 끼칠 가능성은 낮은 것으로 보고되었다.[34] 항우울제의 용량 증량이 필요한 시기는 임신 20주 이후로 제시되

며 임신 초기에 비해 임신 말기에는 거의 2배 정도의 용량 증가가 필요할 수도 있다고 한다.[35, 36]

TCA 약물군 중 amitriptyline은 TDM으로 용량조절을 하기 위한 데이터가 불충분하지만, 임신 전과 후에 nortriptyline, clomipramine, imipramine의 혈중농도를 비교한 연구에 의하면 임신 전 용량보다 임신 중에 1.3-2배 정도 높은 용량이 요구되었고, 특히 증량된 약물의 요구는 임신3기에 더 확실히 나타났다고 한다.[35, 37] TCAs의 TDM 은 약물의 효능 뿐 아니라 안전성 모니터링에 도움을 줄 수 있다고 보고된다.[35]

임신 과정의 전체 기간 동안 항우울제의 약동학적 변화가 진행이 되며 변화의 최고조는 임신3기에 발생하고 임신부에 따라 초기부터 혈중 농도의 변화가 발생할 수 있으므로 항우울제로 치료를 받는 임신부에게 TDM을 활용하여 임상적 추적 관찰을 하도록 권고한다.[34]

3 기분조절제

양극성 장애를 가진 임신부는 출산 후 질병의 재발 위험이 높아지기 때문에 임신 후반기와 산후 초반에 임상적 관찰과 치료의 적정화가 중요하다. 임신 중 lithium의 약동학적 변화에 대하여 많은 연구물이 존재하여 항우울제에 비하여 lithium의 TDM은 확립되어 있는 편이다.[35] Lithium은 위장관에서 빨리 흡수되고 거의 대부분의 약물이 변화되지 않고 신장을 통해 배설된다. 임신 중 증가된 GFR과 신혈류량에 비례하여 lithium의 신장을 통한 청소율은 거의 2배로 증가하고, 그에 따라 약물의 혈중농도는 낮아지기 때문에 질환의 재발위험성이 높아진다고 보고된다. 그러므로 임신 중에는 월1회, 임신 마지막 달에는 주 1회, 혹은 2주 1회 정도의 잦은 빈도로 TDM을 수행하도록 권고하기도 한다.[35, 38] Lithium의 치료혈중농도 범위는 0.6-1.2mEq/L의 좁은 therapeutic index를 갖고 있으므로 효과적인 최저 용량을 사용하여 치료하도록 하고, 출산과 함께 임신 전의 상태로 급격히 떨어지는 혈류량과 lithium의 청소율을 감안하여 출산 전과 출산 직후의 lithium level에 대해 보다 면밀하게 TDM을 수행하도록 권고한다.[35]

4 항레트로바이러스제

항레트로바이러스제는 모체의 질환 치료 뿐 아니라 태아에게 사람면역결핍바이러스(human immunodeficiency virus, HIV) 전염을 방지하기 위해서 혈중에서 HIV RNA가 감지되지 않을 정도의 수준으로 약물의 농도를 유지하게 한다.[1] 여러 연구에서 강력한 항레트로바이러스 제제의 약동학적 변화로 인해, 특히 임신3기에 낮은 약물의 혈중 농도가 보고되었다. 단백분해효소 억제제(protease inhibitors, PIs)는 임신 중 유도되는 CYP3A4 효소로 인해 청소율이 높아지기 때문에 임신 후반기에 용량 증량의 필요성이 시사되었다.[1, 39] 최근에는 HIV 환자의 1차 치료요법으로 권고되는 integrase strand transfer inhibitor(INSTIs)와 관련된 약동학적 연구물이 보고되고 있으며, INSTIs약물군 중 dolutegravir는 임신 중 선호되는 치료제로 제시되고 있다.[40] 항레트로바이러스제TDM은 최근 미국, 영국, 유럽 가이드라인에서 HIV 치료 실패의 위험이 높은 임신부에서 권고된다.[40]

IV. 결론

임신 중 약동학적 변화를 이해하는 것은 약물요법의 적정화와 면밀한 모니터링을 통해 성공적인 질환 치료를 기하는 의료인에게 매우 중요한 사안이다. 임신 기간 동안 생리학적, 약동학적 변화가 크게 나타날 뿐만 아니라 약물의 반응에 대한 개인차가 크며 모체와 태반을 통한 태아로의 약물 이행을 동시에 고려해야 하므로 약물의 분포와 혈중농도의 예측은 더욱 어렵다. 더욱이 임신한 여성과 관련된 많은 약동학 연구의 대부분은 연구대상자의 수가 적고 연구방법론적으로 신뢰도가 떨어지는 연구에 기반되어 있으므로 연구결과의 임상적 적용을 위한 증거로 채택되기에 많은 제약이 있다. 그러나 임신 중 약물요법을 사용하여 질환을 치료하는 것이 매우 중요하며 therapeutic index가 좁은 몇몇 약물에 대하여 TDM의 수행이 유익하다는 연구결과에 근거한 TDM 방법이 제시되었다.

약물로 인한 기형은 예방할 수 있다는 점에서 임신과 약물의 사용의 임상 영역을 다루는 의료인과 모태독성 전문가를 대상으로 한 지속적인 교육은 의미가 있고 반드시 필요하다. 가임기 여성에게는 임신 전 계획된 노력으로 안전한 임신 전– 또는 초기–관리를 할 수 있도록 계획 임신을 유도하며, 임신 중 안전한 약물사용을 위하여 의학, 치의학, 간호학, 약학, 보건계 등 다학제간 협력체계를 구축하여 임상 약동학적 정보를 공유하고 다학제적 교육, 전파, 연구의 노력이 필요하다. 의약품 안전성에 대한 정보 수집과 약물노출에 대한 관심, 특히 최근 시장 진입이 이루어진 신약들에 대한 관심은 지속적으로 이루어져야 한다.

임상 증례:

갑상선기능저하증의 치료목적으로 레보티록신을 복용하며 질환 조절이 잘 되고 있는 환자가 임신을 하였다. 임신 초기인 이 환자에게 발생할 수 있는 약물과 관련된 약동학적 변화와 치료 요법에 미치는 영향은 무엇인가?

답:

임신 중 모체와 태아에게 발생할 수 있는 유해한 임상결과를 방지하기 위해 정상적인 갑상선기능의 유지와 정기적인 관찰이 중요하다. 일반적으로 임신 기간 동안 레보티록신과 같은 갑상선호르몬제제는 30%–50% 정도의 용량의 증가가 요구되는데, 빠르게는 임신5주부터 증량의 필요성이 보고되기도 한다.[41] 증량이 요구되는 이유는 모체의 체중 증가, 약물의 분포용적의 증가, 혈장 단백량의 증가, 태반의 deiodinase의 활성 증가로 인한 청소율 증가, 비타민 제제에 포함된 철분 제제와 약물상호작용으로 인한 레보티록신의 위장관 흡수 감소 등으로 알려진다.[41]

▶ 참고문헌

1. Matsui D. Therapeutic drug monitoring in pregnancy. Ther Drug Monit 2012;34:507-511

2. Mitchell AA, Gilboa SM, Werler MM, et al. Medication use during pregnancy, with particular focus on prescription drugs:1976-2008. Am J Obstet Gynecol 2011;205:51 e1-e8

3. Costantine MM. Physiologic and pharmacokinetic changes in pregnancy. Frontiers in Pharmacology. 2014;5:65

4. Kelsey JJ and Ward KE. Pregnancy and lactation: therapeutic consideration. In: DiPiro JT, Yee GC, Posey M, Haines ST, Nolin TD, Ellingrod V. Pharmacotherapy: A Pathophysiologic Approach, 11th ed. 2020 McGraw Hill

5. Palahniuk RJ, Schneider SM, Eger EI. Pregnancy decreases the requirement for inhaled anesthetic agents. Anesthesiology 1974;41:82-83

6. Frederiksen MC. Physiologic changes in pregnancy and their effect on drug disposition. Semin Perinatol. 2001 Jun;25(3):120-3.

7. Ung KD and McNulty J. Obstetric drug therapy. In: Applied Therapeutics. The clinical use of drugs. Koda-Kimble MA, et al eds. 10th Edition. 2013. Lippincott Williams & Wilkins. Baltimore, Maryland USA.

8. Kazma JM, van den Anker J, Allegaert K, et al. Anatomical and physiological alterations of pregnancy. J Pharmacokinet Pharmacodyn. 2020;47(4):271-285.

9. Carter BL, Garnett WR, Pellock JM, et al. Effect of antacids on phenytoin bioavailability. Ther Drug Monit 1981;3:333-340

10. Little BB. Pharmacokinetics during pregnancy: evidence based maternal dose formulation. Obstet Gynecol 1999;93:858-868

11. Evans, W.E. and Relling, M.V. Pharmacogenomics: translating functional genomics into rational therapeutics. Science 1999;286:487–491.

12. Tomson T, Battino D, Bromley R, et al. Management of epilepsy in pregnancy: a report from the International League Against Epilepsy Task Force on Women and Pregnancy. Epileptic Disord 2019;21(6):497-517

13. Betcher HK, George AL Jr. Pharmacogenomics in pregnancy. Semin Perinatol. 2020;44(3):151222

14. Loebstein R et al. Clinical relevance of therapeutic drug monitoring during pregnancy. Ther Drug Monit 2002;24:15-22

15. Anderson G. Pregnancy-induced changes in pharmacokinetics; a mechanistic-based approach. Clin Pharmacokinet 2005;44:989-1008

16. Griffiths SK and Campbell JP. Placental structure, function and drug transfer. Continuing Education in Anesthesia, Critical Care & Pain 2015;15:84-89

17. McCarter-Spaulding DE. Medications in pregnancy and lactation. MCN Am J Matern Child Nurs 2005;30:10-17.

18. Levy G, Procknal JA, Garrettson LK, Distribution of salicylate between neonatal and maternal serum at diffusion equilibrium. Clin Pharmacol Ther 1975;18(2):210-214

19. Bray RE, Boe RW, Johnson WL, Transfer of ampicillin into fetus and amniotic fluid from maternal plasma in late pregnancy, Am J Obstet Gynecol 1966;96:938-942

20. Beltagy A, Aghamajidi A, Trespidi L, Ossola W and Meroni PL. Biologics During Pregnancy and Breastfeeding Among Women With Rheumatic Diseases: Safety Clinical Evidence on the Road. Front. Pharmacol. 2021;12:621247.

21. Förger F. Treatment with biologics during pregnancy in patients with rheumatic diseases. Reumatologia 2017; 55: 57–58

22. Strohl WR, Strohl LM. 1 --Introduction to biologics and monoclonal antibodies. Therapeutic antibody engineering. Current and future advances driving the strongest growth area in the pharmaceutical industry. Woodhead Publishing, Philadelphia. 2012.

23. Zelinkova Z, de Haar C, de Ridder L, et al. High intra-uterine exposure to infliximab following maternal anti-TNF treatment during pregnancy. Aliment Pharmacol Ther 2011; 33: 1053-1058.

24. Zelinkova Z, van der Ent C, Bruin KF, et al. Effects of discontinuing anti-tumor necrosis factor therapy during pregnancy on the course of inflammatory bowel disease and neonatal exposure. Clin Gastroenterol Hepatol 2013; 11: 318-321.

25. Forger F, Villiger PM. Treatment of rheumatoid arthritis during pregnancy: present and future. Exp Rev Clin Immunol 2016; 12: 937-944.

26. Sabers A, Tomson T. Managing antiepileptic drugs during pregnancy and lactation. Curr Opin Neurol. 2009;22:157–161.

27. Hernández-Díaz S1, Smith CR, Shen A, et al. North American AED Pregnancy Registry; North American AED Pregnancy Registry. Comparative safety of antiepileptic drugs during pregnancy. Neurology. 2012;78(21):1692-1699.

28. Pennell PB, Peng L, Newport DJ, et al. Lamotrigine in pregnancy: clearance, therapeutic drug monitoring, and seizure frequency. Neurology 2008;70:2130-2136

29. Tomson T, Johannessen Landmark C, Battino D. Antiepileptic drug treatment in pregnancy: changes in drug disposition and their clinical implications. Epilepsia 2013;54(3):405-414

30. Karanam A, Pennell PB, French JA et al. Lamotrigine clearance increases by 5 weeks gestational age: relationship to estradiol concentrations and gestational age. Ann Neurol 2018;84:556-563

31. Voinescu PE, Pennell PB. Delivery of a personalized treatment approach to women with epilepsy. Semin Neurol 2017;37(6):611-623

32. Westin AA, Reimers A, Helde G, et al. Serum concentration/dose ratio of levetiracetam before, during and after pregnancy. Seizure 2008;17:192-198

33. Westin AA, Nakken Ko, Johannessen SI et al. Serum concentration dose ratio of topiramate during pregnancy. Epilepsia 2009;50:480-485

34. Schoretsanitis G, Spigset O, Stingl JC et al. The impact of pregnancy on the pharmacokinetics of antidepressants: a systematic critical review and meta-analysis. Expert Opin Drug Metab Toxicol 2020;16(5):431-440

35. Deligiannidis KM, Byatt N, Freeman MP. Pharmacotherapy for mood disorders in pregnancy: a review of pharmacokinetic changes and clinical recommendations for therapeutic drug monitoring. J. Clin Psychopharmacol 2014;34;244-255

36. Hostetter A, Stowe ZN, Strader JR Jr. et al. Dose of selective serotonin uptake inhibitors across pregnancy: clinical implications. Depress Anxiety. 2000; 11(2):51–57

37. Wisner KL, Perel JM, Wheeler SB. Tricyclic dose requirements across pregnancy. Am J Psychiatry. 1993; 150(10):1541–1542

38. Ward S, Wisner KL. Collaborative management of women with bipolar disorder during pregnancy and postpartum: pharmacologic considerations. J Midwifery Womens Health. 2007; 52(1):3–13

39. Roustit M, Jlaiel M, Leclercq P, et al. Pharmacokinetics and therapeutic drug monitoring of antiretrovirals in pregnancy women. Br J Clin Pharmacol 2008;66:179–195

40. O'Kelly B, Murtagh R, Lambert JS. Therapeutic drug monitoring of HIV antiretroviral drugs in pregnancy: a narrative review. Ther Drug Monit 2020:42:229-244

41. Ross DS. Hypothyroidism during pregnancy: clinical manifestations, diagnosis, and treatment. UpToDate Topic 16609 Version 28.0. Available at http://www.uptodate.com, accessed onAugust 22, 2022

04 태아기형유발물질의 상담

○ 한정열

1 서론

기형유발물질(Teratogen)은 수정된 배아나 태아에 구조적 손상을 발생하는 환경적 물질로 정의 되고 있으며, 기형유발물질로 해석되는 teratogen은 그리스어인 teratos(monster: 괴상한 모양을 한 것)와 gen(producing: −을 낳는 것)으로부터 유래하고 있다.

한편, 눈으로 볼 수 있는 구조적 기형보다는 기능의 이상을 초래하는 환경적 물질은 하데젠(Hadegen)으로 이는 지하세계를 지배하였으며 자신을 볼 수 없게끔 헬멧을 썼었다는 그리스 신 하데스(Hades)로부터 유래하였다. 또한, 트로포젠(Trophogen)은 성장에 영향을 주는 환경적 물질들을 기술하기 위해 사용되었다.

하지만, 하데젠과 트로포젠은 일반적으로 기관형성기 이후나 심지어 출생 후 영향을 미치며, 하데젠 또는 트로포젠으로 작용하는 물질과 구조적기형을 발생하는 기형유발물질(teratogen)과 독립적으로 기술하기는 쉽지 않아 보인다. 예를 들면, 흡연은 위의 세 가지 모든 형태의 손상을 임신시기에 따라서 일으킬 수 있다.

따라서, 최근의 기형유발물질(Teratogen)의 일반적 정의는 수정된 배아나 태아의 발달 단계에서 구조적, 기능적 손상 그리고 성장에 장애를 발생하는 모든 물질을 포함한다 하겠다.

한편, 기형학(Teratology)은 고전적 의미로는 신체적 기형만을 다루는 학문으로 간주될 수 있지만, 인류 환경의 많은 변화와 더불어 의료법률적(medicoleagal) 그리고 과학적 이유로 인해 기형학에 대한 관심은 최근 더욱 높아지고 있으며 기형학에 대한 보다 폭 넓은 정의를 필요로 하고 있다. 따라서 현대에서의 기형학은 출생 시 또는 출생 후, 구조적기형(structural malformations), 대사성(metabolic) 또는 생리적(physiologic) 기능부전, 또는 정신적(psychological), 또는 행동적(behavioral) 이상 또는 자손의 손상을 발생하는 모든 인자들로 즉, 발생학적(developmental) 기형유발물질을 포함하고 있다.

선천성기형(birth defects)은 선천적으로 정상 형태(morphology)나 기능(function)으로부터 큰 변이로써 정의될 수 있으며, 전체 출생아의 약 3%는 구조적 대기형을 동반한다. 하지만, 태어난 아기가 1년이 지나면 이러한 빈도는 6−7%까지 증가한다. 한편 다른 불량한 임신결과들의 추정치는 착상 후 임신손실, 31%, 출생 시 소기형은 14%, 신경학적 기능이상은 16-17%에 이르는 것으로 알려져 있다.

Shardein(1985)은 선천성기형 발생의 4-6%는 알려진 약물이나 작업장 및 환경적 노출과 관련된다고 한다. 한편, Brent RL & Beckman DA(1990)은 선천성 기형발생의 추정원인으로 1% 미만이 화학물 및 다른 환경적 영향에 의하며, 다른 원인으로는 유전적 이유 15-25%, 모성이유 4%, 모성 감염 3%, 1-2%는 양막대로 인한 사지절단(limb amputations)같은 기계적 이유, 그리고, 나머지 65%는 원인을 잘 모른다고 한다.

기형발생(teratogenesis)의 주요 기전은 세포독성(cytotoxicity)으로 예를 들면 항암제인 Aminopterin은 엽산(folic acid)의 대사과정에 작용하는 dihydrofolate 환원효소의 활성을 억제함으로써 세포분열을 억제하여 세포를 사멸시킨다. 만약 이러한 세포독성물질에 발생 초기에 노출 시 배아는 유산되나, 만약 노출이 기관형성기에 있었고 치명적이지 않았다면 특정 기관의 세포에 손상을 주어 비정상적 발달을 발생하고 한편, 나머지 정상적인 세포들은 회복을 시도하지만 이러한 회복의 결과는 부조화적인 성장과 원래의 기형을 더욱 악화시킬 것이다. 하지만, 세포독성의 경우에 기형발생의 기전은 이해가 되지만, 특정 인자가 특정기관에만 왜 영향을 미치는지는 명확하지 않다.

하지만, 생물학 및 약물학적 수용체에 의해 매개되는 기형발생의 예로 글루코코르티코이드의 경우는 작용하여 영향을 미치는 기관이 명확하다. 고용량으로 글루코코르티코드를 동물에게 주는 경우 구개(palate)에 기형이 발생된다. 이는 구개(palate)에 고농도의 글루코코르티코이드 수용체(receptors)의 발견과 관련되는 것으로 밝혀져 있다. 또한, 비타민 A와 관련된 retinol, etretinate, isotretinoin 그리고 탈리도마이드, 스트렙토마이신 등은 관련된 수용체 매개에 의해서 기형을 발생한다. 그 외의 기형발생 기전들로는 세포의 괴사나 손실 등으로 인해 비정상적으로 조직이 형성되는 경우, 또는 혈관손상(vascular disruption), 염증(inflammatory lesions), 양막대증후군(Amniotic band syndrome)과 같은 물리적 손상이 있다. Brent RL.(1999)은 표 2-4-1처럼 좀 더 구체화하여 기형유발물질의 작용기전을 기술하고 있다.

표 2-4-1. **기형발생의 기전**

- 배아나 태아의 회복능력을 벗어나는 세포사멸이나 유사분열의 지연(이온화 방사선, 항암제, 알코올)
- 세포의 이동, 분화, 그리고 세포 간 소통의 억제
- 세포의 손실, 괴사, 석회화, 또는 반흔에 의한 조직발생의 간섭
- 생물학적, 약리학적 수용체 매개에 의한 발생학적 효과
- 대사억제(와파린, 항경련제, 영양결핍)
- 물리적 압박, 혈관 파괴, 염증 반응, 양막대증후군

2 기형유발물질의 평가

임신 중 약물 및 환경적 인자에 노출 시 기형아 출산에 대한 지나친 우려가 있다. 그에 대한 이유는 권위 있는 기관으로부터 승인되고 사용되는 약물들 조차도 90%이상이 기형발생에 관한 인

간에서의 연구 자료가 없는 것과 무관하지 않는 것 같다.

어떤 물질의 인간에서의 기형발생(teratogenicity) 평가는 주로 임신 중 노출된 물질에 따른 기형발생 여부를 평가하는 추적관찰 연구(follow up studies)와 기형과 특정물질 간의 연관성을 평가하는 환자대조군연구(case control studies)에 의해서 이루어진다. 하지만, 보다 근본적으로는 어떤 약물의 기형발생에 대한 평가는 아래 제시된 것과 같은 특별한 기준의 충족이 필요하다.

표 2-4-2. **인간에서 기형유발물질의 평가: 원인관계의 증거**

1. 특정 물질에 대한 노출 후 특별한 기형의 증가가 잘 짜여진 2개 이상의 역학연구(epidemiologic study)에서 일치된 결과가 나타나야 한다.
   a. 혼란변수들의 조절
   b. 충분한 숫자의 연구군
   c. 긍정적, 부정적인 편견의 제거
   d. 가능하면, 전향적연구(prospective studies)
   e. 3배 이상의 상대위험도
2. 장기지속경향(secular trend)자료가 있어야 한다. 장기지속경향이 인간에서의 노출물질의 변화와 배아 또는 태아에 미치는 특별한 효과의 발생률 사이의 관련성을 나타내야 한다.
3. 인간에서 나타나는 유사한 효과가 동물모델에서 나타나야 한다.
4. 양-반응관계가 있어야 한다. 노출량이 클수록 태아의 기형이 심해야 한다.
5. 추정되는 기형유발물질의 작용 기전을 위한 생물학적인 개연성이 있어야 한다. 예를 들면, 레티노익 애시드는 정상 neural crest cell의 기능과 이동을 방해한다.

그러나, 인간에서 중요 기형유발물질인 탈리도마이드의 경우는 동물모델에서 기형을 나타내지 않았고, 또한 잘 알려진 기형유발물질인 레티노익애시드, 탈리도마이드 그리고 디에틸스틸 베스테롤의 경우 양-반응관계를 나타내지 않았다. 따라서 표 2-4-2의 인간에서의 기형발생(teratogenicity)평가를 위한 기준들은 가이드라인으로서만 이용되어질 수 있으며, 다른 관련된 자료와 함께 고려되어질 필요가 있다.

3 알려진 기형유발물질과 기형발생의 기전

인간에서 기형을 발생시키는 물질들은 방사선, 바이러스, 환경적 인자, 물리적 요인들 그리고 약물과 화학물이 포함된다.

화학물의 경우, Schardein(2000)에 의하면, 기형발생에 관하여 4,100개의 화학물질들을 시험한 결과 대략 66%는 기형유발물질이 아닌 것으로 나타났고, 7%만이 1종 이상의 동물에서 기형이 발생했으며, 18%는 시험된 대부분의 동물 종에서 기형이 발생되었다. 그리고 나머지 9%는 분명하지 않고 모호한 시험결과를 나타내었다. 하지만, 실제로는 표 2-4-3에서처럼 단지 약 35-40개의 화학물만이 인간배아의 발달에 영향을 미치는 것으로 나타났다.

1) 안드로겐(Androgens)
(1) 테스토스테론, 안드로겐성 푸로제스틴(norethindrone), 다나졸, 선천성부신증식증(con-genital adrenal hyperplasia)

① 태아에 미치는 영향
- 여성배아의 남성화: 음핵거대증(clitoromegaly), 소음순융합(fusion of labia minora)

② 기형발생의 기전
- 용량 의존적이며, sex-steroid 수용체를 가지고 있는 조직의 성장과 분화를 자극

2) 항고혈압제(ACI inhibitors)

(1) Captopril, enalapril

① 태아에 미치는 영향
- 태아/신생아사망, 미숙아, 양수과소증, 신생아 무뇨증, 성장지연, 2차적 두개골 형성부전, 사지경축(limb contracture), 폐발육부전(pulmonary hypoplasia)

② 기형발생의 기전
- 기관형성에 영향을 미치지 않음. 임신 2기, 임신 3기동안 만성적 태아 저혈압, 양수과소에 의해 이차적으로 태아에 영향 미침

표 2-4-3. 인간에서 밝혀진 기형유발물질

Radiation	Drugs/Chemicals
Therapeutic	Androgens
Radioiodine	Testosterone, Danazol
Atomic fallout	Angiotensin converting enzyme inhibitors
Infections	Captopril, Enalapril
	Antibiotics
Rubella virus	Tetracylines
Cytomegalovirus(CMV)	Anticancer drugs
Herpes simplex virus I & II	Aminopterin, methylaminopterin
Toxoplasmosis	Cyclophosphamide, busulfan
Venezuelan equine encephalitis virus	Anticonvulsnats
Syphilis	Diphenylhydantoin, trimethadione,
Parvovirus B-19(erythema infectiosum)	Valproic acid
Varicella virus	Antithyroid drugs
Maternal Trauma and Metabolic imbalances	Methimazole
	Chelators
Alcoholism	Penicillamine
Amniocentesis, early	Chlorobiphenyls
Chorionic villus sampling	Cigarette smoke
(before day 60)	Cocaine
Cretinism, endemic	Coumarin anticoagulants(warfarin)
Diabetes	Ethanol
Folic acid deficiency	Fluconazole, high dosage
Hyperthermia	Diethylstilbesterol
Phenylketonuria	Iodides
Rheumatic disease and congenital heart block	Lithium
Sjögren's syndrome	Metals
Virilizing tumors	Mercury(organic)
	lead
	Methylene blue via intraamniotic injection
	Misoprostol
	Retinoids
	(13-cis-retinoic acid, Etretinate)

(계속)

표 2-4-3. **인간에서 밝혀진 기형유발물질**

	Drugs/Chemicals
	Thalidomide
	Toluene abuse

3) 항생제(Antibiotics)

(1) Tetracylines

① 태아에 미치는 영향

- 유치(deciduous teeth)의 노랑, 회-갈색, 갈색 착색, 치아에나멜형성부전(hypo-plastic tooth enamel)

② 기형발생의 기전

- 체내의 석회성 조직과 테트라사이클린의 상호작용에 의해서 뼈와 치아에 문제가 발생하므로 임신 4개월부터 영향을 미친다. 테트라사이클린에 노출된 50%에서 나타남.

(2) Streptomycin

① 태아에 미치는 영향

- 청력감퇴(hearing deficiency)

② 기형발생의 기전

- 8차 중추신경(8th cranial nerve) 손상에 의함.

4) 항암제

(1) Alkylating agents: Cyclophosphamide, Busulfan, Chlorambucil

① 태아에 미치는 영향

- 성장지연, 구개열, 소안구증(microopthalmia), 난소형성부전, 각막혼탁, 신무형성증, 손·발가락 기형, 심장기형

② 기형발생의 기전

- 대사물들이 DNA에 영향을 미쳐 세포사멸 일으킴. 기형발생위험률 10-50%임.

(2) Antimetabolites: aminopterin, 5-FU, 6-MP, methotrexate

① 태아에 미치는 영향

- 뇌수종, 소뇌증, 수막뇌류(meningoencephalocele), 무뇌증, 비정상두개골화, 대뇌형성 부전, 성장장애, 눈·귀·코기형, 구개열

② 기형발생의 기전

- dihydrofolate reductase를 억제하여 엽산길항작용함. 결과적으로 세포사멸일으킴. 기형 발생위험률 7-75%임.

5) 항경련제(Anticonvulsnats)

(1) Carbamazepine

① 태아에 미치는 영향

- 척추이분증(spina bifida), 심하게 눈꼬리가 올라감(upslanting palpebral fissure), epicanthal fold, short nose with long philtrum, finger nail hypoplasia, 지능저하

② 기형발생의 기전

- 중간 대사물인 epoxide에 의해 DNA나 단백질 손상을 일으켜 세포 사멸시킴. 신경관결손증의 위험률 1%임.

(2) Phenytoin

① 태아에 미치는 영향

- 태아하이단토인증후군: 소뇌증, 정신지체, 구순/구개열, 단지증, 특징적 안면기형(low nasal bridge, inner epicanthal folds, ptosis, strabismus, hypertelorism, low-set ears, wide mouth)

② 기형발생의 기전

- 세포막, 엽산과 비타민 K대사에 직접적으로 영향을 주며, 또한 중간 대사물인 epoxide가 기형을 발생할 것으로 추정함. 만성적인 노출 시 전형적 증후군은 5-10%에서 발생하며, 부분적 증후군은 30%에서 발생함.

(3) Valproic acid

① 태아에 미치는 영향

- 뇌척수막류(meningomyelocele)를 동반한 척추이분증(spina bifida), 중추신경계 손상, 소뇌증 심장기형, 특징적 안면기형(narrow face with high forehead, epicanthal folds, broad nasal bridge with short nose, long philtrum with a thin vermillion border), 길고 가는 손·발가락

② 기형발생의 기전

- 기형발생기전은 분명하지 않지만, glutathione, 엽산, 그리고 zinc 대사 그리고 세포 내 pH조절 방해에 의할 것으로 추정함. 척추이분증의 발생률은 약 1%이고 안면기형의 발생빈도는 더 높음.

6) 항혈액응고제 Coumarin anticoagulants(Warfarin)

① 태아에 미치는 영향

- 태아의 와파린증후군: nasal hypoplasia, chondrodysplasia punctata, brachydactly, 두개골 손상, 귀이상, 눈기형, 소뇌증, 수두증, 골격계이상, 정신지체, 경련

(spasticity)

② 기형발생의 기전

- 중추신경계손상은 임신 2기나 3기에 출혈에 의해서 일어남. 하지만, 임신 1기에 나타나는 영향들을 출혈로 설명하기는 어려움. 임신 1기 노출 시 기형발생위험률 10-25%, 출혈 3%, 사산 8%임.

7) Fluconazole, high dosage

① 태아에 미치는 영향

- 상염색체열성유전질환인 Antley-Bixler 증후군과 유사한 기형: 두개골 기형, 구개열, 사지의 기형(humeral- radial fusion, and other arm and leg malformations)

② 기형발생의 기전

- 임신 중 400 mg/d 이상의 고용량에 노출되는 경우 발생함. 증례보고만 있음. 기형발생 기전은 명확하지 않음.

8) Diethylstilbestrol(DES)

① 태아에 미치는 영향

- 여아: vaginal adenosis, clear cell carcinoma, 월경불순, 수태율감소, 조산, 주산기사망률 증가, 자연유산
- 남아: 부고환낭종(epididymal cysts), 잠복고환, 성기능부전(hypogonadism), 정자형성감소

② 기형발생의 기전

- DES가 estrogen 수용체를 가지고 있는 조직을 자극함.

9) 항조울증제(Lithium)

① 태아에 미치는 영향

- 심장기형, 특히 Ebstein's anomaly, 다른 기형

② 기형발생의 기전

- 기형발생의 기전 명확하지 않음. 발생률 낮음.

10) 위궤양 치료제(Misoprostol)

① 태아에 미치는 영향

- limb reduction defects: 뫼비우스증후군(Moebius syndrome)

② 기형발생의 기전

- prostaglandin E1으로 혈관의 손상을 일으킴. 주로 초기 기관형성기 이후 배아에 영향 미침.

11) 레티노이드(Retinoids): Isotretinoin, etretinate, high-dose Vitamin A

① 태아에 미치는 영향

- 자연유산, 소뇌증, 수두증, 두개골, 귀, 안면, 심장, 사지 그리고 간의 변형, 지능저하

② 기형발생의 기전

- 레티노이드가 직접 세포독성과 programed cell death의 변형을 발생함. 신경능세포(neural crest cells)가 특별히 민감함.

12) 비타민 D(Vitamin D)

① 태아에 미치는 영향

- Supravalvular aortic stenosis, elfin facies, 지능저하

② 기형발생의 기전

- 비타민 D의 고용량은 세포의 칼슘조절기능 파괴함. 유전적 민감성이 관련됨.

13) 탈리도마이드(Thalidomide)

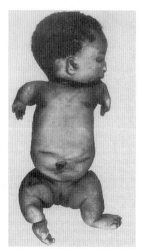

그림 2-4-1. **탈리도마이드로 인한 포코멜리아**

제04장 태아기형유발물질의 상담 **159**

① 태아에 미치는 영향

- 사지의 해표상기형(phocomelia), 무지(amelia), 선천성 심장기형, 신장기형, 잠복고환, 외전성 마비(abducens paralysis), 농아, 소이증(microtia), 무이증(anotia)

② 기형발생의 기전

- 탈리도마이드의 성분이 G-C base pair가 많이 있는 DNA에 삽입됨으로써 기형 발생하는 것으로 추정

14) Methylene blue(tetramethylthionine chloride)

① 태아에 미치는 영향

- 소장폐쇄증(intestinal atresia)(주로 jejunum과 ileum), methemoglobinemia, skin photosensitization

② 기형발생의 기전

- Methylene blue가 태아의 소장에 혈액 공급을 방해하는 동맥의 수축을 발생하고, 장관 혈관에서 NO(nitric oxide)의 혈관이완을 막음으로써 장폐쇄증 발생하며, 임신 중기 methylene blue를 양수 내로 주입함으로써 발생함. Methemoglobinemia는 고용량의 methylene blue가 산화-환원체계의 평형을 깨뜨림으로써 발생됨.

15) 킬레이터(Chelators): Penicillamine

① 태아에 미치는 영향

- 이완성 피부(Cutis laxa), 관절의 과유연성(hyperflexibilty of joints)

② 기형발생의 기전

- 구리의 킬레이터로 작용하여 구리 결핍 시 콜라겐합성과 숙성을 방해함. 기형발생 위험률 낮음.

16) 유기용제(Toluene abuse)

① 태아에 미치는 영향

- 성장장애, 태아알코올증후군과 유사한 fetal solvent syndrome; microcephaly, narrow bi-frontal diameter, short palpebral fissures, deep-set eyes, flat mid-face, flat nasal bridge, and small nose.

② 기형발생의 기전

- 만성적 toluene 노출에 의해 모체의 영양결핍과 renal tubular damage로 인한 대사성산증으로 근마비와 심기능 쇠약으로 태아에 저산소증 발생 결과적으로 태아의

저체중증 발생함. 또한, 유전적 변이로 toluene을 대사하는 효소인 ALDH2가 부족한 경우 저용량에서도 태아에 영향 미칠 수 있음.

17) Chlorobiphenyls

① 태아에 미치는 영향

- 콜라색의 어린이(잇몸, 손톱 그리고 서혜부의 색소침착), 손톱의 형성부전과 손상, 성장장애, 비정상적 두개골석회화

② 기형발생의 기전

- 세포독성에 의함. 체내에 남아 있으면 노출 후 4년까지 다음 아기에도 영향을 미침. 대부분 예는 chlorobiphenyls에 오염된 쌀기름의 고용량 소비 후 발생함. 자손의 4-20%가 영향 받음.

18) 음주(Ethanol)

① 태아에 미치는 영향

- 태아알코올증후군: 산전/산후 성장장애, 정신지체, 미세운동장애, 과잉행동, 소뇌증, 특징적 안면이상(maxillay hypoplsia, short palpebral fissures, hypoplastic philtrum, thinned upper lips) 관절 및 손발가락기형, 자연유산, 조산 그리고 사산률 증가, 신생아 금단증상

② 기형발생의 기전

- 에탄올과 아세트알데하이드의 직접적인 세포독성 효과와 알코올중독증과 담배 등의 다른 물질에 의한 간접 영향에 의함. 임신 1기에 2 g/kg/d(6 oz/d)을 소비하는 알콜중독증이 있는 경우 10-40%에서 태아알코올증후군 나타남. 하지만, 낮은 용량에서는 태아알코올효과(Fetal alcohol effects) 나타남. 아마도 역치가 있겠지만 안전하다고 알려진 용량은 밝혀져 있지 않음.

19) 흡연(Cigarette smoking)

① 태아에 미치는 영향

- 태반이상, 자궁 내 성장지연, 주산기사망률 증가, 영아돌연사증후군 증가

② 기형발생의 기전

- nicotine에 의한 혈관수축과 이차적인 혈류감소, CO, CN의 복합적인 영향, 신경세포와 신경경로의 발달이상에 의함.

20) 코카인(Cocaine)

① 태아에 미치는 영향

- 자궁내성장지연, 소뇌증, 신경행동학적이상, 혈관손상현상(사지절단, 대뇌경색, 장관/요로기형)

② 기형발생의 기전

- 자궁혈류감소에 의해 발생된 혈관손상과 임신초기부터 임신말기까지 태아의 혈관에 미치는 영향에 의함.

21) 중금속(Metals): Mercury(organic)

① 태아에 미치는 영향

- 출생 시 정상처럼 보이지만 여러 달 후에 뇌성마비와 같은 증후군, 소뇌증, 정신지체, 소뇌관련증상, 눈·치아기형

② 기형발생의 기전

- 주로 Sulfhydryl groups의 효소를 억제함으로써 태아에 영향을 미침. 미나마타만에서 당시 태어난 아이 220명 중 13명에서 심한 질환을 나타냄. 문제가 있었던 아이를 낳은 임신부는 9–27 ppm의 수은을 먹음. 병리학적으로 대뇌의 위축과 발육부전이 있음.

22) 납(lead)

① 태아에 미치는 영향

- 지능저하, 신경행동학적 기능이상

② 기형발생의 기전

- 명확하지 않지만, calcium modulated neurotransmitter pathway의 방행와 blood brain barrier의 파괴에 의할 것으로 추정. 모체의 혈중 납이 >10μg/dl인 경우 고위험

23) 방사선동위원소(Iodine)

① 태아에 미치는 영향

- 갑상선형성부전(thyroid hypoplasia)

② 기형발생의 기전

- 고용량의 radioisotopes은 세포를 사멸시키고 유사분열을 지연. 조직과 기관에 특이적인 손상이 radioisotope의 종류, 용량, 분포, 대사 그리고 국소적 축적에 따라 달라짐. 수정 후 8주 이후에 발생함.

24) 방사선(Radiation, ionizing)

① 태아에 미치는 영향

- 소뇌증, 지능저하, 눈기형, 성장장애, 내장기형(visceral anomalies)

② 기형발생의 기전

- 진단, 치료용의 고용량은 세포사멸과 유사분열을 지연시킴. 임신 중 5 rads 미만에서는 위험이 거의 없음.

4 태아기형유발물질의 상담

임신부가 약물에 노출되는 경우는 빈번하다. 이때 병원을 방문한 임신부는 불안해하며 노출된 약물이 태아에게 어떤 영향을 얼마나 주는지 궁금해한다. 임상에서 이러한 궁금증을 해결해주기 위해서는 첫째는 노출된 약물이 기형유발물질인지? 둘째는 약물에 노출된 시기가 언제인지?가 중요하다.

1) 기형유발물질과 임신시기

전통적인 관점에서 기형학은 수정 후부터 출산까지의 기형유발물질의 노출 시기와 출산 후 눈으로 보이는 형태학적 기형에 집중되어 있었다. 그러나, 다양한 관련 과학의 발전은 임신이라는 과정은 수정되어 배아를 형성하는 정자, 난자가 만들어지는 배우자형성기(gametogenesis)의 연장선상에 있음을 명백히 하고, 또한, 이시기의 기형유발물질의 노출에 따른 가능성 있는 부정적인 결과에 관심을 가지게 하고 있으며, 이제는 출산 시에 알 수 있었던 구조적 기형을 포함해서 청소년기를 지난 후의 기능손상까지도 관심을 가지게 하고 있다. 임상에서도 임신한 많은 여성들은 남편이 복용한 약물에 관해서 그리고 임신을 계획한 상태에서 약물을 복용하고 있을 때 언제부터 임신이 가능한지, 그리고 임신 중 기형발생 가능 약물 및 물질에 노출되었을 때 기형아 출산 말고도 향후 성장기에 나타날 수 있는 장기적인 문제와 정신지체와 같은 기능적 손상에 관해서도 많은 질문과 관심을 보이고 있다.

따라서, 우리는 배우자형성기와 수정 후 착상 전까지의 착상전기 그리고 기형유발물질에 가장 예민한 수정 후 2주경의 외배엽, 내배엽, 중배엽이 형성되는 낭배형성(gastrulation)부터 수정 후 2개월경의 구개(palate)의 봉합까지의 기관형성기 그리고 형성된 기관이 성장하고 발달하는 태아기의 각 임신 시기에 따라서 기형유발물질이 배아나 태아에 영향을 미쳐 출생 시 그리고 출생 후에도 장기적으로 어떤 형태로 어떤 결과를 나타내는지 이해할 필요가 있다.

(1) 배우자형성기(gametogenesis)

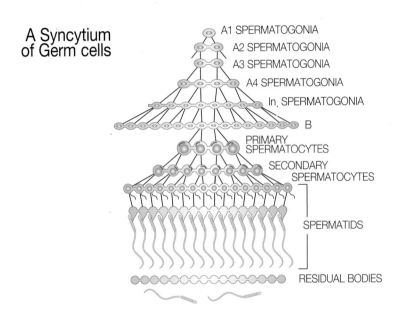

그림 2-4-2. **정자의 형성과정**

수정 전 난자나 정자가 형성되는 과정에서의 기형유발물질의 노출이 부정적인 임신 결과와 관계 있는가?

여성의 일생동안 배란될 난자(eggs)들은 출산 전 난모세포(oocytes)로 생성되어 감수분열(meiosis)의 특정시기에 멈추어 있다가, 단지 여성이 사춘기가 되어 임신을 할 수 있을 때만 마지막 단계를 경험한다. 따라서, 수정 전 난자의 경우 분할하지 않은 세포(non-dividing cells)로 유지 되기 때문에 손상에 저항력이 강할 것으로 추정되고 있다.

하지만, 남성의 생식세포는 정자가 형성되는 과정에서 여러번의 유사분열(mitotic division)과 감수분열(meiotic division)을 경험하게 된다. 이러한 여러번의 분열과정은 화학물이나 환경물질에 취약하다는 점에서 중요하다. 일부 연구에서 용접공, 페인트공, 또는 소방수들이 불임이나 자연유산, 기형아출산과 같은 불량한 임신결과와 소아기 암의 위험률이 높은 것으로 보고하고 있다. 하지만, 이러한 부정적인 결과들과 특정 화학물질과의 구체적 연관성은 밝혀지지 않고 있다. 이러한 이유로는 인간에서의 노출이 일반적으로 복합적이고, 노출된 양이나 기간 그리고 화학물 질간의 상호작용에 관한 정보의 부족 등에 기인한다.

남성에서 약물이나 화학물같은 기형유발물질에 노출되는 경우 불량한 임신결과로 나타날 수 있는 이론적인 기전들을 살펴보자.

첫째, 성교동안 정액(seminal fluid)이 직접 화학물을 배아나 태아에게 전달할 수 있다.

동물실험에서 마취성 진통제인 메타돈(methadone), 모르핀(morphine) 그리고 cyclophosphamide와 같은 항암제를 교미 전에 주는 경우 불량한 임신결과를 나타낸다. 특히 cyclophosphamide의 경우 용량의존적으로 배아의 숫자가 감소한 것으로 나타났다.

둘째, 정상적인 남성의 고환(testis)의 기능은 hypothalamic-pituitary complex로부터 오는 호르몬의 신호에 의존함. 하지만, 농약의 일종인 DDT의 대사물인 p, p'-DDE는 이들 complex와 고환사이의 소통을 방해함으로써 정자형성에 영향을 미칠 수 있다. 또한, 일부 화학물들로 TCDD(2, 3, 7, 8-tetra-chlorodibenzo-p-dioxin)나 hexadione은 고환의 Sertoli 세포, 그리고 ethane dimethanesulphonate는 Leydig 세포를 표적으로 하여 발생할 세포의 파괴는 정자의 양이나 질에 영향을 미칠 수 있는 것으로 알려져 있다.

셋째, 기형유발물질이 고환(testis)에서 정자형성동안 또는 부고환(epididymis)에서 정자의 성숙과정 동안 남성의 생식세포에 직접적으로 영향을 미치는 것이다.

고환에서 정원세포(spermatogonia)는 여러 번의 유사분열 후에 정모세포(spermatocytes)가 된다. 그다음에 두 번의 감수분열 후에 정세포(spermatid)가 된다. 그다음에 그들의 핵물질을 응축시키고 세포질의 대부분을 제거한 후 결국 정자(spermatozoa)가 된다.

따라서, 우리는 노출과 교미 후에 나타나는 부정적 영향이 나타나는 시간에 근거하여 기형발 생물질에 의해 영향을 받는 정자형성의 단계를 추론할 수 있다.

예를 들면, 랫드에서 약물이나 방사선에 노출된 후 첫 주 동안 태자에서 나타나는 효과는 부고환에서 처음 정자(spermatozoa)가 영향을 받았음을 의미한다. 또한, 수정 전 2-4주에 노출은 정세포(spermatid)로서 처음 영향을 받은 생식세포에 관한 효과를 나타내며, 수정전 5-6주에 노출은 정모세포(spermatocytes)로서 노출된 생식세포에 관한 효과를 나타내며, 수정 전 7주 이전에 노출은 정원세포(spermatogonia)로서 처음 생식세포에 관한 효과를 나타낸다 할 수 있다. 항암제인 cyclophosphamide는 노출된 시기와 노출량에 따라서 매우 다른 효과를 나타낸다. 정원세포(spermatogonia)때 cyclophosphamide에 노출되는 경우 기형 발생률이 증가하고, 성장장애가 나타난다. 그러나 정세포(spermatid)나 정자(spermatozoa)가 낮은 용량의 cyclophosphamide에 노출되는 경우 착상 후 태자 손실이 증가되지만, 기형이나 성장장애는 나타나지 않는다. 한편, cyclophosphamide의 경우 더욱 흥미를 끄는 것은 랫드에서 착상 후 태자손실과 기형 그리고 심지어 행동장애를 일으키는 효과뿐만 아니라 2세대인 손자에게까지 영향을 미친다는 점이다.

한편, 정자는 부고환을 통과하는 동안 난자에 수정할 수 있는 능력을 얻게 된다. 방사선이나 약물들은 부고환(epididymis)과 정관(vas deferens)에서 정자에 영향을 미칠 수 있다. 냉각제로 사용되는 메칠 클로라이드(methyl chloride)의 경우 부고환의 염증반응을 증가시킴으로써 배아의 손실을 증가시킨다. 하지만, 항염증제의 처치는 이러한 효과를 역전시킬 수 있다. cyclophosphamide는 노출된 정자가 부고환의 전반부인 두부나 체부에서 일어났을 때 착상 후 태자손실이 증가된다. 그러나 부고환의 미부에서 노출되었을 때는 이러한 태자손실은 일어나지 않는다.

결국 손상에 대한 생식세포의 반응은 손상의 시기와 손상의 정도에 의존한다. 하지만, 다행히, 오늘날까지 인간에서의 연구결과는 항암치료나 방사선에 노출된 남성에서 태어난 어린이들에서 기형아 발생의 증가나 유전질환의 증가는 보고되지 않고 있다. 그러나, 관련 과학자들은 인간에서의 연구는 아직은 적어서 연구 효과를 정확히 파악하는데 한계가 있음을 지적하고 있으며, 위의 예에서 보여주는 것처럼 동물실험에서 정자에 의해서 매개되는 많은 부정적인 임신결과가 보고되고 있기 때문에 임신을 계획하는 예비임신부의 경우 최소한 임신에 임박해서 인간에서의 정자 형성과정이 64일로 알려져 있으므로 최소 임신 3개월 전부터는 생식세포에 영향을 줄 수 있는 기형유발물질의 노출을 피하는 것이 바람직해 보인다.

발달의 특징은 크기의 변화, 생화학과 생리학적 변화 그리고 형태와 기능의 변화이다. 또한, 발달의 과정 중에 일어나는 빠른 변화는 기형유발물질의 표적으로써 배아나 태아의 속성을 변화시키고 있는 것이다. 따라서, 기형유발물질에 특징적인 반응을 보이는 중요 발달단계를 이해하는 것은 기형학을 연구하는 것 뿐만 아니라 이해하고 활용하는 입장에서도 매우 중요하다.

표 2-4-4. 포유류의 중요기관의 발생시기

	인간	랫드	토끼	원숭이
포배형성(Blastocyst formation)	4-6일	3-5일	2.6-6일	4-9일
착상(Implantation)	6-7일	5-6일	6일	9일
기관형성(Organogenesis)	21-56일	6-17일	6-18일	20-45일
원조(Primitive streak)	16-18일	9일	6.5일	18-20일
신경판(Neural plate)	18-20일	9.5일	-	19-21일
상지눈(Upper limb buds)	29-30일	10.5일	10.5일	25-26일
하지눈(Lower limb buds)	31-32일	11.2일	11일	26-27일
고환분화(Testes differentiation)	43일	14.5일	20일	-
구개봉합(Palate closure)	56-58일	16-17일	19-20일	45-47일
남성에서 요도구폐쇄 (Urethral groove closed in male)	90일	-	-	-
임신기간	267일	21-22일	31-34일	166일

(2) 착상전기(preimplantation period)

정자와 난자가 수정되어 2배체의 접합체(zygote)로 1개의 세포인 배아가 된다. 이때 모성과 부성의 게놈(genome)은 접합체 게놈에 대한 기여에 있어서 같지 않다. 임프린팅(imprinting:인상 찍히기)과정은 이미 정자나 난자가 만들어지는 과정에서 일어나고, 어떤 대립유전자(allelic gene)들은 그들이 모성 또는 부성에서 기원하는지에 따라 다르게 발현된다.(Latham KE: Epigenentic modification and imprinting of the mammalian genome during development. Curr Top Dev Biol 43:1-49,1999.)

임프린팅은 시토신을 메칠화(cytosine methylation)시키고 염색질(chromatin)의 입체구조를 변화시키기 때문에 이러한 과정은 이들 표적에 영향을 미치는 기형유발물질에 민감하다. 임프린팅에 관한 기형유발물질의 독성 효과는 부성에 의해 매개되는 발달 독성에서 중요한 역할을 할 것 같다.

한편, 수정 후 배아는 나팔관을 따라 이동하여 자궁의 벽에 착상을 하게 되는데, 착상 전 첫 주에 화학물질이나 물리적 물질에 노출되었을 때 기형이 발생하는지는 매우 중요한 관심사가 되고 있다. 기존의 전통적 개념은 착상 전 이 시기는 포배(blastocyst)의 모든 세포들은 유사하여 손상 되거나 손실된 세포들을 보상할 수 있어서, 기형유발물질에 의해서 영향을 받으면 배아가 죽거나 아니면 완전히 회복되는 시기인 'All or None Period'로 알려져 있기 때문이다.

실제로 DDT, 니코틴, methylmethane sulfonate에 대한 착상전기에 노출은 신체나 뇌의 무게의 부족과 배아의 치사를 일으켰지만 기형을 발생하지는 않았다. 그러나, methylnitrosourea를 임신한 마우스에 착상전기에 투여 시 신경관결손증과 구개열 파열(cleft palate)을 일으켰다. 마찬가지로 cyproterone acetate와 medroxyprogesterone acetate도 착상전기에 투여 시 기형을 발생하였으며, all -trans retinoic acid를 마우스의 말기 포배(blastocyst)에 처치했을 때 hind-limb과 lower body의 중복(duplications)이 나타났다. 이러한 실험 결과가 시사하는 것은 limbs과 lower body의 도안은 낭배형성(gastrulation)전에 이미 시작되는 것 같다. 착상전기에 일어나는 빠른 유사분열 때문에 DNA합성이나 보전 그리고 미세소관(microtuble)의 조립에 영향을 미치는 화학물질은 독성 효과를 일으킬 수 있다.

하지만, 인간에서 착상전기 기형유발물질에 노출되어 기형이 발생되는 결과를 얻는 것은 거의 불가능하다. 이유는 지금까지 사용되는 기형유발물질들은 사고에 의한 노출이 아니라면 인간에서 일어나기 힘든 상황이고, 또한 동물실험에서의 용량은 거의 항상 배아에 치명적이다. 또한, 이렇게 매우 이른 임신초기에 배아의 손실은 잘 알지 못하며, 또한 기본적으로 발생하는 3-5%의 기형의 동반은 특정한 노출에 대한 추가적인 효과를 알기 어렵게 한다.

(3) 기관형성기(organogenesis)

배아는 착상 후 외배엽, 중배엽, 내배엽을 형성하는 낭배형성(gastrulation)기를 거친다. 낭배형성동안 세포들은 원조(primitive streak)라 불리는 구조를 통하여 이동한다. 이러한 세포들의 이동은 배아에서 기본적 형태형성(morphogenetic)의 필드를 열게 한다. 한편, 낭배형성은 기관형성기의 직전에 있기 때문에 낭배형성기는 기형유발물질에 상당히 민감하다. 실제로 낭배형성기 동안 투여된 기형유발물질들은 눈, 뇌, 그리고 안면의 기형을 발생한다. 이들 기형은 낭배형성 시 세포들의 이동이 있는 전방신경판(anterior neural plate)의 손상에 의한 것임을 시사한다.

외배엽에서 신경판(neural plate)의 형성은 기관형성기의 시작을 알리는 것이다. 기관형성기는 기형에 가장 민감한 시기이며, 대략 수정 후 3주부터 8주까지이다. 수정 후 3주에 인간의 배아는 다른 포유류와 구분이 되지 않는다. 수정 후 8주가 되어야 비로소 명백히 인간임을 알 수 있으며 이때부터 태아라고 불리운다. 기관형성기의 빠른 변화는 세포분열, 세포이동, 세포 간 상호작용, 그리고 형태형성 조직의 리모델링을 필요로 한다. 이러한 과정을 잘 알 수 있게 해주는 것이 신경능세포(neural crest cells)이다. 이 세포들은 신경판의 경계 부위에서 시작하여 배아에서 골(bone)과 결합조직(connective tissue)과 같은 다양한 기관을 형성하기 위해 이동한다.

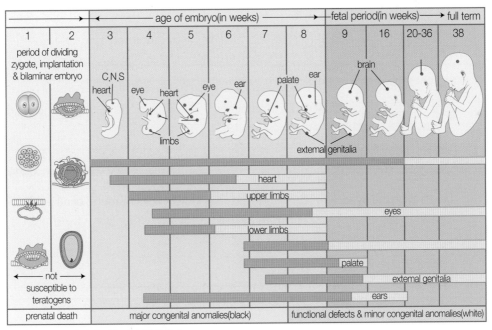

그림 2-4-3. **사람의 중요기관 발생시기**

기관형성기에는 각 기관을 형성하는 최고 민감한 시기가 있다. 눈은 매우 이른 시기에 발생하여 microphthalmia와 같은 기형은 이시기에 일치하여 발생하며, 기관형성기의 사지의 장골(long bone)은 후반부에 발생하므로 앞다리의 단지증(forelimb short) 역시 후반부에 발생한다. 경구개는 2개의 분리된 최고 민감 시기를 갖는다. 첫 번째는 경구개의 폴드(fold)가 형성되는 시기, 두 번째는 경구개가 봉합되는 시기이다.

또한, 기관형성기에 기형유발물질은 한 개 이상의 기관에 영향을 미칠 수 있어서 각 기관의 민감성의 유형은 기형유발물질의 속성에 따라 변할 수 있다. 구개열(cleft palate)은 마우스에서 5일 째에 유도되어 7일째 최고 민감한 시기를 보이지만 9일 후에는 전혀 반응을 보이지 않는다. 그러나 대부분 기형유발물질의 구개열 유도의 최고 민감한 시기는 11일과 13일 사이이다. TCDD의 경우 11일이 구개열 유도의 최고 민감한 시기이며, 2, 4, 5-trichlorophenoxyacetic acid는 12일, 그리고 dexamethasone은 13일이다.

(4) 태아기(fetal period)

인간에서 태아기는 56일경부터 출산까지이다. 이시기의 주요 특징은 조직분화, 성장, 생리학적 성숙이다. 하지만, 기관형성기의 끝은 태아기의 시작을 의미하며, 이 시기에도 태아의 모든 기관의 형성이 끝났다고 할 수는 없다. 태아기 동안 기관들은 출산 전까지 필요한 기능들을 획득하는 것 외에도 신경분화, 시냅시스형성, 아가미의 분지 등 미세 기관의 형태형성(morphogenetic), 그리고 조직 특이적인 효소와 기관의 단백질 유도와 같은 생화학적 성숙을 얻는다. 그리고 마지막 기관형성은 남성에서 요도구(urethral groove)의 폐쇄이다. 만약 이러한 폐쇄가 실패한다면 음경의 복부가 열려 있는 요도하열(hypospadia)이 발생한다.

태아기 동안에 기형유발물질에 노출은 성장과 기능의 성숙에 영향을 미친다. 중추신경계 기능의 이상은 행동(behavioral), 정신(mental), 그리고 운동성의 손상(motor deficits)을 일으키며, 생식기계의 기능 이상은 수정능력의 감소로 나타난다.

한편, 대기관의 구조적 이상은 태아기에도 일어날 수 있다. 하지만, 이들의 이상은 이미 정상적으로 형성된 기관의 변형(deformation)에 의해서 일어난다. 예를 들면 양막대증후군(amniotic band syndrome)은 이미 형성된 상하지가 양막대(amniotic band)나 제대에 둘러싸이거나, 또는 혈관의 손상에 의해서 사지의 말단부가 절단됨으로써 발생된다.

2) 노출약물의 기형유발성 여부 파악

지구상에 약 9백만가지의 물질이 있으며 연간 약 3만가지의 화학물이 기형유발성에 대한 평가를 받고 있다. 하지만 실제로 사람에서 기형을 유발하는 것으로 알려진 약물 및 케미칼은 표 2-4-3에서 보여지는 것처럼 30여가지에 불과하다. 이중에서 일부는 현재 처방되지 않고 있다.

임신부들이 노출되는 약물의 상당수는 기형유발성이 낮다. 하지만, 대부분의 약물들은 기형유발성에 대한 정보가 부족하다.

2015년 6월이후부터는 미국 FDA의 New labeling에 따라 임신부의 약물의 등급(A,B,C,D,X)이 없어지고 새로운 포맷으로 보다 구체적인 약물의 위험을 제시한다고 하니

기대해 볼만 하다. 하지만, 이전에 승인된 약물들은 여전히 일정기간 FDA등급이 혼용되어 혼란을 가져올 것 같다.

하지만, 약물의 기형유발성 여부 파악은 Reprorisk®와 같은 생식발생독성정보를 활용함으로써 보다 informative한 정보를 얻을 수 있다. 그리고 약물의 약동학에 대한 정보를 활용함으로써 도움을 받을 수 있다.

3) 태아기형유발물질 상담의 한계

(1) 지능저하, 행동장애와 같은 장기적 추적에 의해서 알 수 있는 연구 결과 부족

대부분의 임신부들은 출산 시 아기의 손가락 발가락은 다 있는지를 물은 후 다 있다고 하면 안도를 한다. 마찬가지로 많은 관련 과학자들도 외형적인 이상의 관점에서만 기형아 출산에 관해 관심을 가질 수 밖에 없었던 때가 있었다. 실제로, 비정상적 지능과 비정상적 행동 발달은 출산 후 상당기간이 지나도 명확하지 않은 경우가 많기 때문이다.

하지만, 신경행동학적 기형발생과 발생독성에 관한 연구가 활발해지면서 기형유발물질에 의해 외관상의 기형 외에도 지연되어 나타나는 장기적 영향으로서 지능저하와 비정상적 행동발달에 관한 관심이 높아지고 있다.

처방약물중 비타민 A계통의 약물인 아큐탄(13-cis-retinoic acid)은 여드름을 치료하기 위해 시장에 출시된 후 동물 실험에서 예상되었던 것처럼 임신 중 이 약물에 노출된 후 복합 기형을 동반한 많은 어린이가 출산되었다. 이러한 증후군은 retinoid embryopathy라고 명명되었다. 나중에 이들 어린이들은 지능이 낮은 것으로 나타났다. 하지만, 더욱 놀라운 것은 이 약물이 지능에 미치는 영향은 심한 기형이 동반된 어린이에서만 나타난 것은 아니었다. 기형이 거의 나타나지 않은 일부 어린이들조차 지능이 심각하게 손상된 경우들이 나타났다.

또한, 많은 항경련제들은 발생학적 이상을 발생한다. 처음에는 외형적 기형만 문제가 되었지만 나중에 태아알코올증후군과 유사한 증후군을 보이는 것으로 드러났다. 페니토인은 안면이상, 단지증(short digit), 그리고 지능저하증을 동반한 하이단토인증후군을 보인다. 다른 항경련제로 발푸로익애시드(valproic acid), 트리메싸디온(trimethadione), 페노바비탈, 카바마제핀도 지능저 하와 관련되는 증후군을 나타낸다.

이외도 흡연의 경우 자궁내성장지연과 언청이 발생과만 관련된다고 하였지만, 최근 연구들은 임신 중 흡연에 노출된 어린이들은 지능지수가 10점정도 낮은 것으로 나타났으며, 주로 언어 기능에 손실이 있는 것으로 나타났다. 또한, 알코올의 남용 역시 태아알코올증후군으로 지능저하를 동반한다. 그리고 헤로인, 메싸돈(methadone)과 같은 마약류는 행동발달장애와 관련되는 것으로 나타났다. 그리고 미나마타질병(Minamata disease)을 발생하는 것으로 알려진 수은(methyl mercury)의 경우 수은에 노출된 모체에서 특별한 증상이 나타나지 않은 경우조차도 태어난 아이에서 정신지체가 동반되었다. 납의 경우도 지능저하와 관련되어진다. 특히 납은 임신 중 납에 노출되는 경우뿐만 아니라 어린이가 노출되는 경우도 뇌발달에 영향을 주는 것으로 알려져 있다.

위의 다양한 물질에 따른 예와 같이 뇌는 오랜 기간 동안 발달하는 기관으로 다양한 경로로 손상 받기 쉽다. 특히 뇌는 출생 전 만큼 중요하게 출생 후에도 기형유발물질에 취약한 시기를 가지고 있기 때문에 기형유발물질 노출에 따른 태아에 미치는 영향을 평가할 때 특별한 관심과 주의가 필요하며, 임신 중 노출된 임신부의 기형유발물질에 따른 위험도에 관해 상담할 때도 각별한 주의가 요구된다.

(2) 기형유발성을 평가하기 어려운 연구방법으로부터의 정보

동물실험: 동물실험은 기형유발성의 기전과 기형유발성 여부를 파악하는데 도움이 됨. 하지만 근본적으로 동물과 사람은 종이 다르고 생리가 다름. 또한, 동물에서 사용되는 약물의 용량은 사람에서 사용되는 양의 많게는 수천 배 차이가 남.

증례연구: 사람연구로서 도움이 되는 자료이지만 우연히 발생할 수 있어서 전혀 도움이 되지 않을 수 있음.

환자대조군연구: 기형아 발생군과 정상아 출산군의 약물 노출에 대한 연구로 기형아발생 환자군에서 회상에 의한 편견(recall bias)이 발생하여 결과에 비뚤림 현상이 발생할 수 있음.

(3) 표본수의 부족으로 인한 연구결과의 한계

어떤 약물의 기형유발성 여부를 평가하기 위해서 기본위험률을 3%로 하였을 때 약물노출군과 비노출대조군의 표본수는 최소 각각 220명이상이 되어야 함.

(4) 기형유발성이 낮은 약물(less potent teratogenic drug)들에 의한 정보 부족

5 한국마더세이프전문상담센터 태아기형유발물질상담

대부분의 임신부들은 잠재적 기형유발물질에 노출되어 임신을 계속 유지할지 아니면 중단할지에 관해 중대한 결정에 직면하게 되었을 때, 그들의 교육적, 윤리적, 사회적 배경 때문에, 또는 두려움, 불안 그리고 죄의식의 정도에 따라서 같은 노출에도 매우 다르게 받아들인다. 특히, 기형 발생물질의 위험도에 관해 잘못된 인식은 임신중절의 중요한 이유가 되고 있다.

따라서, 이들 임신부들을 상담할 때 목표로 삼아야 하는 것은 임신부나 가족이 쉽게 이해 할 수 있도록 하고, 또한 어떤 방향으로든지 유도되지 않는 공정한 상태에서 특정 노출의 위험도를 정확하고 최근 지식에 의해서 평가하여 제시하는 것이다. 한편 한국마더세이프전문상담센터에서 상담

결과는 임신초기 약물을 포함한 potential teratogen 노출 후 7-8%에서 임신중절을 선택하였고 나머지는 임신을 유지하였다. 출산결과 기형아 발생률은 3.7%로 비노출군 3.2%와 비교해서 통계학적 차이는 없었다.

1) 한국마더세이프전문상담센터에서의 태아기형유발물질의 상담 단계는 다음과 같다.

① 인터넷과 전화를 통해서 또는 직접 클리닉을 통해서 등록한다.

② 임신부와 보호자의 나이, 전화번호, 주소 그리고 직업력 청취

③ 임신부의 과거 임신력과 가족력을 청취

④ 임신부의 마지막 월경일 및 초음파에 의한 임신주수 확인

⑤ 약물, 알코올, 방사선, 고열 등에 노출 시기, 노출량, 노출경로를 확인한다. 알코올의 경우 TWEAK score를 체크하여 고위험군을 분류한다.

⑥ 직장 내에서 유해물질의 노출여부 및 노출 시기, 노출량, 노출경로 및 보호 장비 착용여부 등 평가

⑦ 상담 전에 이번 임신에서 노출에 따른 임신부가 느끼는 기형발생 위험률, 임신중절경향에 관하여 Visual analogue scale를 이용하여 평가하고(그림 2-4-4), 또한, 아무 노출이 없었을 때도 기형이 발생할 수 있는 기본위험률에 관하여 질문한다.

⑧ 각 노출물질의 기형발생 위험도 평가
노출물질에 관한 정보는 주로 Micromedex 내에 있는 TERIS, Reprotox, Shepard's database를 활용하며, 새로운 약물의 경우는 동물의 생식독성과 기형에 관한 연구결과, 그리고 사후시판감시(postmarketing surveillance)자료를 활용하고, 일부 약물의 경우, 예로, 응급피임약을 포함한 경구용 피임약, 한국마더세이프전문상담센터 자체적으로 연구된 결과를 활용하고 있다.

⑨ 노출된 약물 및 잠재적 기형유발물질의 노출된 임신시기와 노출량, 노출경로, 그리고 약물의 기형발생가능성(teratogenicity)을 고려하여 태아의 기형 발생 위험도를 평가 후 정보를 알려주며 또한, 각 개인의 유전적 감수성에 따라 위험도는 달라질 수 있다는 것, 그리고, 구조적 기형을 진단하는 산전검사로서 초음파와 신경관결손증과 다운증후군을 스크리닝하는 생화학적 검사의 민감도와 한계, 그리고, 양수검사나 융모막검사의 유용성과 태아를 잃을 수 있는 위험도에 관해 설명한다. 그리고, 특별한 노출이 없어도 기형이 발생할 수 있는 기본위험률 3%에 관해 설명한다.

⑩ 상담 후 Visual analogue scale를 이용하여 다시 임신부가 느끼는 기형발생 위험률, 임신중절경향에 관하여 재평가한다.

⑪ 마지막으로 출산 후 아기가 생후 1년이 될 때 아기의 추적 관찰을 위한 사전 동의서를 얻는다.

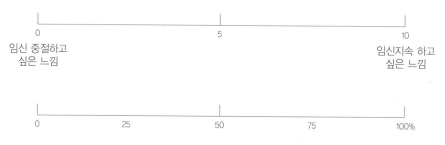

위험요인에 폭로된 임산부가 추정하는 태아의 기형 발생률

그림 2-4-4. 약물에 노출된 임신부가 느끼는 임신중절경향과 기형발생위험률을 나타내는 Visual Analogue Scale

▶ 참고문헌

1. 한정열. 임신부의 임신초기 흡연, 음주, 약물 복용 등 위험요인이 임신부의 건강에 미치는 영향. 보건사회 연구원 연구보고서 [건강증진기금연구사업] 2003.

2. Cunningham FG, Leveno KJ, Bloom SL, Hauth JC, Gilstrap III LC, Wenstrom KD. Teratology, Drugs, and other Medications, Williams Obstetrics 22nd ed, pp. 342. USA, McGraw-Hill Companies, Inc. 2005.

3. Schardein JL: Chemically Induced Birth Defects. New York, Marcel Dekker, 1985.

4. Schardein JL: Chemically Induced Birth Defects. New York, Marcel Dekker, 1993.

5. Brent RL, Beckman DA: Environmental teratogens. Bull NY Acad Med 66:123-163,1990.

6. Schardein JL: Chemically Induced Birth Defects, 3rd ed. New York: Marcel Dekker, 2000.

7. Schardein JL, Keller KA: Potential human developmental toxicants and the role of animal testing in their identification and characterization. CRC Crit Rev Toxicol 19:251-339,1989.

8. Shepard TH: Catalog of Teratogenic agents, 9th ed. Baltimore: The Johns Hopkins University Press, 1998.

9. Klassen CD. Developmental Toxicology, Casarett& Doull's Toxicology 6th ed. pp353. USA, McGraw-Hill Companies, Inc. 2001.

10. Cragan JD. Teratogen update: methylene blue. Teratology. 1999 Jul;60(1):42-8.

11. Orofacial clefts, parental cigarette smoking, and transforming growth factor-alpha gene variants. Am J Hum Genet. 1996 Mar;58(3):551-61.

12. Han JY, Yang JH, Chung JH, Choi JS, Ahn HK, Ryu HM, Kim MY, Cho SI, Nava-Ocampo AA.Teratogen risk counselling by internet: a prospective cohort study.J Obstet Gynaecol. 2005 Jul;25(5):427-31.

임부금기 의약품 적정사용(DUR) 정보의 개발 및 제공

○ 한국의약품안전관리원

I. 의약품적정사용(DUR) 정보의 개념과 국내 DUR 운영 현황

1 DUR의 개념과 목적

의약품 적정사용(Drug Utilization Review, DUR)은 환자들에게 보다 적절한 약물요법을 제공하기 위하여 사전에 정한 표준에 따라 약물사용을 평가하며 구조화되고 지속적인 노력으로 정의되고 있다. DUR의 주된 목적은 적절한 약물요법을 통하여 환자에 대한 의료서비스의 수준을 향상시키고자 하는데 있다. 환자의 나이, 성별, 질병과 과거력, 현재 복용중인 약물 등을 고려하여 처방하고자 하는 약물의 선택이 적절한지와, 그 약물의 투여용량 및 투여기간의 적정성 등을 평가하는 과정이 포함되며, 이를 통해 부적절한 의약품 사용과 약물사용 과오를 줄이고 안전하고 효과적인 약물 사용을 도모할 수 있다. 더 나아가 약물치료를 통한 질병으로부터의 회복 및 재발, 이상사례의 발생, 사망, 삶의 질 등의 측면에서 개선된 정도를 평가하여 총체적으로 환자 건강보장과 삶의 질 향상에 기여하는 것을 목적으로 한다.

DUR은 그 적용시점에 따라 전향적 DUR(prospective DUR) 및 동시적 DUR(concurrent DUR), 후향적 DUR(retrospective DUR)로 분류된다. 전향적 DUR과 동시적 DUR은 환자에게 의약품이 전달되기 전에 의약품의 적정성을 평가하는 과정으로, 환자에게 부적절하다고 판단된 경우에는 의약품 변경을 유도함으로써 약물요법에 직접적인 영향을 미친다. 전향적 DUR은 환자가 의사로부터 처방전을 받은 후 약을 타기 위하여 약국의 약사에게 처방전을 제시했을 때, 약사가 환자의 상태, 질병, 과거력, 현재 복용중인 다른 약물과의 상호작용 등을 고려하여 처방 내용을 검토하는 과정으로, 필요시 처방 의사와 상의하여 약물 요법의 적정성을 평가하고 변경함으로써 예상되는 이상사례를 사전에 예방하는 방법이다. 동시적 DUR은 의약품 처방이 발생하는 시점에 적정성을 평가하는 과정으로, 의사가 환자의 질환, 기존 약물과 새로 추가하고자 하는 약물과의 상호작용 등을 검토하여 처방 내역의 적정성을 확인하고 문제점을 즉각 수정함으로써 원천적으로 약물의 적정한 사용이 이루어 질 수 있도록 한다. 전향적 DUR은 일찍이 의약분업과 임상약사 제도가 도입된 미국에서 발달한 제도이며, 동시적 DUR의 경우 병원 내 처방 시스템이 전

산화 되면서, 이를 이용하여 수행되어 왔다. 현재 우리나라의 경우 의사의 처방 시점과 약사의 조제 시점에서 의약품의 적정성을 평가하는 이중 점검체계로 이루어져 있어, 전향적 DUR과 동시적 DUR이 모두 활발하게 수행되고 있다.

한편, 후향적 DUR은 이미 의약품 처방이나 복용이 일어난 이후에 특정 인구집단을 대상으로 사전에 정한 기준에 따라 의약품 사용이 적절했는지 평가하는 과정을 말한다. 평가 결과, 부적절한 사용 양상이 파악되면 이에 대한 중재의 필요성을 결정하고, 개선을 위하여 의사 또는 약사에게 평가결과를 전달함으로써 향후 처방 또는 조제 시 문제점이 재발하지 않도록 하여 의약품의 안전한 사용을 도모할 수 있다.

2 우리나라의 DUR 제도

DUR은 중복처방을 방지하고 약물 부작용을 사전에 예방함으로써 약물사용의 안전성을 확보할 수 있는 제도이며, 약물요법을 표준화하여 지역 또는 처방의사 간 환자진료 수준의 차이를 줄일 수 있고, 불필요한 약물사용을 줄임으로써 의료비를 절감시킬 수 있는 긍정적인 효과가 있다. 미국의 경우, 1960년대 DUR 개념이 도입되었고, 1990년 총괄예산조정법 개정안(Omnibus Budget Reconciliation Act, OBRA '90)의 제정으로 의료급여사업 환자들에 대한 약물사용 적정화를 위해 각 주정부에 DUR 적용을 의무적으로 운영하도록 하면서 본격적으로 발전하게 되었고, 현재까지 활발히 수행되고 있다.

우리나라는 1980년대 후반 DUR의 개념이 처음 소개되었고, 2003년 DUR 제도 도입에 대한 필요성이 제기됨에 따라 본격적으로 의약품사용평가위원회라는 조직을 구성하여 논의되기 시작하였다. 2004년에 처음으로 보건복지부에서 병용금기 162개 조합과 특정연령대 금기 10개 성분을 고시하였다. 이후, 금기의약품 기준 마련에 대한 업무가 안전성, 유효성 평가를 주관하는 식품의약품안전처(이하 식약처)로 이관되었으며, 현재의 '의약품 적정사용정보'라는 용어가 제시되었다. 식약처에서는 처방·조제에 이르는 전 과정에서 약물안전사용을 위한 정보를 제공한다는 취지로 각종 연구를 지원·수행하였으며, 임신부를 비롯하여 노인, 소아, 간질환자, 신질환자 등 취약군 및 특정질환자 등에 대한 의약품 적정사용 정보집 등을 지속적으로 개발해왔다.

이후 식약처에서는 병용, 특정연령대 금기 의약품을 추가 지정하여 지속적으로 제공해오고 있으며, 2008년에는 임부금기 의약품을 처음으로 지정하여 이에 대한 DUR 정보도 제공하기 시작하였다. 2012년 4월에는 식약처 산하기관으로서 한국의약품안전관리원(이하 의약품안전원)이 개원하면서 DUR 정보 개발 업무에 참여하여, 효능군중복주의, 용량주의, 투여기간주의, 노인주의 등 DUR 정보의 범위가 확대되었고, 전문가 및 일반인을 대상으로 의약품 안전사용정보를 지속적으로 개발·제공하고 있다.

현재, 우리나라 DUR 제도는 여러 유관기관의 유기적인 협조체계 하에 운영되고 있다. 식약처와 의약품안전원에서는 안전성 정보에 대한 근거수집 및 평가를 통해 병용금기, 특정연령대 금기, 임부금기 등 금기 및 주의 의약품을 지정하고 이에 대한 정보를 제공하는 DUR 정보 생산·제공 기능을 담당하고 있다. 건강보험심사평가원(이하 심평원)에서는 전산 인프라를 구축하여 이를 의약품 코드에 연결함으로써 전국 의료기관 및 약국에서 처방·조제 시 본 정보가 알림창을 통해 제공될 수 있도록 의료현장에서의 DUR 시스템 구축과 적용에 대한 역할을 수행하고 있다. 2008년 4월, 동일 처방전 내에서 병용, 특정연령대, 임부금기 의약품에 대한 DUR 알림창이 제공되도록 하였고, 2010년 12월에는 처방전 간에도 DUR 점검이 이루어지는 현재의 DUR 시스템이 전국적으로 확대되어 적용되기 시작하였다. 2015년 12월에는 의료법 및 약사법이 개정되며 DUR 정보 확인 의무조항이 신설되었다. 한편, 보건복지부에서는 DUR 제도와 관련된 정책적 분야에 대한 사항을 담당하고 있다. 즉, 우리나라 DUR은 금기 및 주의 의약품 정보를 개발하는 DUR 기준 마련부터 정보의 제공 및 일선 의료현장에서의 실시간 처방·조제 지원까지 각 분야별로 분업화 되어, 각 기관에서 전문적으로 담당하며, 이러한 기관간의 상호협조를 통해 DUR이 순조롭게 정착되어 운영되고 있다.

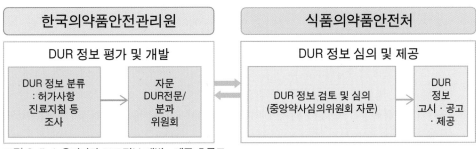

그림 2-5-1 우리나라 DUR정보 개발·제공 흐름도

II. 임부금기 의약품 적정사용(DUR) 정보의 개발

1 임부금기 의약품 적정사용(DUR) 정보

임부금기 성분은 '태아에게 매우 심각한 위해성(태아기형 또는 태아독성 등)을 유발하거나 유발할 가능성이 높아 임부에게 사용하는 것이 권장되지 않는 유효성분'으로서, 2008년 12월 식품의약품안전청공고(제2008-272호)를 통해 첫 공고된 임부금기 의약품은 314개 성분이며, 크게 1등급과 2등급으로 나뉘어진다.

임부금기는 국내 허가사항과 미국, 호주 등 국외 태아위험도 분류 체계 등의 정보를 바탕으로 성분이 지정되었다. 그러나, 외국의 태아위험도 분류 체계를 그대로 적용한 것이 아니라, 임상 현장에 적용 가능하도록 분류를 개선하여 적용했다는 측면에서 의미가 깊다. 외국의 태아위험도 분류체계는 약물투여에 따른 치료적 이득과 위험을 반영하고자 노력하고 있음에도 불구하고, 분류기준의 근거를 임상자료의 정확성에 두고 있기 때문에 약물투여에 따른 치료적 이득과 위험성을 간접적으로만 반영하고 있다. 실제 임상에서는 임부의 질병상태에 따라 부득이한 경우에는 의약품 투여가 필요하지만, 기존의 태아위험도 분류체계는 이러한 임상현실을 직접 반영하지 못하므로 정보의 유용성 측면에서 한계가 있다. 예를 들어, 일부 항암제의 경우 태아에게 심각한 기형을 일으키므로 위험도가 높은 수준이고, 그 근거가 비교적 잘 알려져 있으므로 명확하게 임신부에게 사용해서는 안 되는 약물이지만, 태아에 대한 위험만을 고려하여 항암제 투여를 하지 않는 경우 모체가 사망할 수 있어 결과적으로 태아와 모체 모두에게 생명에 위협이 될 수 있다. 따라서 이 경우 태아에 영향이 적은 임신 시기에 항암제를 투여하여 모체의 생명 보호와 함께 태아의 기형, 사망위험을 최소화 하는 것이 최선의 선택이 될 수 있다.

임부금기 의약품은 외국에서 개발한 기존 태아위험도 분류체계를 참고하여 대상성분을 선정함으로써 선정 배경에 대한 근거의 객관성과 신뢰도를 확보하고, 정보를 제공받는 주수요자층인 의약전문가에게 수용가능한 정보가 되도록 하였다. 또한, 임부금기 의약품의 분류는 약물 투여에 따른 치료적 유익성과 위험성도 함께 평가기준으로 고려하여 이에 따라 등급을 정함으로써, 기존 외국 태아위험도 분류체계의 한계점을 극복하고 임상현장에서 활용가치가 높은 정보가 될 수 있도록 하였다.

임부금기 등급은 1등급과 2등급으로 나뉘어지며, 1등급은 사람에서 태아에 대한 위해성이 명확하고, 약물사용의 위험성이 치료상의 유익성을 상회하는 경우로 원칙적으로 사용을 금지하는 의약품을 말한다. 2등급은 사람에서 태아에 대한 위해성이 나타날 수 있으며, 약물사용의 위험성이 치료상의 유익성을 상회하는 경우로 원칙적으로 사용금지이나, 다만, 치료 상의 유익성이 약물사용의 잠재적 위험성을 상회하거나 명확한 임상적 사유가 있어 사용하는 경우에는 예외로 하는 의약품이다. 2008년 첫 공고된 임부금기 성분은 314개 성분으로, 1등급은 65개 성분, 2등급은 255개 성분으로 분류되어 있는데, 이 중 일부 6개 성분은 임상적 상황에 따라 금기 등급(1등급 또는 2등급)이 다르게 지정되었다. 또한, 임부금기 1등급에 해당하는 성분 중 Progesterone, Dydrogesterone, Hydroxyprogesterone은 황체호르몬 부족으로 인한 유 · 조산 치료 시 예외가 인정되며, Oxytocin의 경우 분만유도 및 촉진 시에는 예외적으로 사용할 수 있도록 하고 있어, 의약품의 안전 사용에 일차적 목표를 두지만 임상적 필요성 측면도 함께 고려하여 정보가 제공되었다.

이렇게 임부금기 의약품 지정 시 예외의 경우를 함께 정의하여 제시하기도 하지만, 환자의 임상적 다양성을 일률적인 기준으로 모두 반영하기에는 한계가 있으므로 금기의약품의 부적절한 사용은 최대한 줄이되 필요시에는 의약전문가 판단에 따라 적절하게 사용될 수 있도록 임상적 유용성은 보장하는 방향으로 정보를 제공하고 있다. 현재 임부금기 1등급은 부득이하게 처방 또는 조제해야 할 경우에는 해당 사유를 제시하고 사용할 수 있으며, 임부금기 2등급은 알림창만 제공하고 있는 형태로 되어있다. 즉, 임부금기로 지정된 의약품이더라도, 이를 대체할 만한 의약품이 없고 임부의 질병치료를 위해 반드시 필요하다면, 환자 가장 가까이에서 진료하는 의약전문가의 판단을 존중하는 것이 바람직하므로, 임부금기 의약품을 절대적으로 막는 것이 아니라 의약품 사용의 적정성을 다시 한 번 평가할 수 있도록 지원하는 방향으로 적용이 되고 있다.

표 2-5-1. **임부금기 성분의 의미와 분류**

		의미
임부금기 성분		태아에게 매우 심각한 위해성(태아기형 또는 태아독성 등)을 유발하거나 유발할 가능성이 높아 임부에게 사용하는 것이 권장되지 않는 유효성분
분류	1등급	사람에서 태아에 대한 위해성이 명확하고, 약물사용의 위험성이 치료 상의 유익성을 상회하는 경우로 원칙적으로 사용금지
	2등급	사람에서 태아에 대한 위해성이 나타날 수 있으며, 약물사용의 위험성이 치료 상의 유익성을 상회하는 경우로 원칙적으로 사용금지. 다만, 치료 상의 유익성이 약물사용의 잠재적 위험성을 상회하거나 명확한 임상적 사유가 있어 사용하는 경우에는 예외로 한다.

2 임부금기 의약품 적정사용(DUR) 정보 개발 체계

임부금기 의약품 DUR 정보 개발은 현재 식약처와 그 산하기관인 의약품안전원 DUR정보팀에서 담당하고 있다. DUR 정보 개발 트랙은 크게 평가대상 성분 선정배경에 따라 정기평가, 수시평가 체계로 이루어져 있다. 정기평가는 국내 허가 의약품 전체에 대해 임부금기 의약품에 해당하는 성분을 지속적으로 발굴해 가는 과정을 의미하는 것으로, 2008년 12월 임부금기 첫 공고 이후 매년 단계적으로 임부금기 DUR 정보를 평가하여 금기의약품을 추가, 확대해나가고 있다. 수시평가는 신약의 도입, 허가사항 변경 등 변화하는 의약품 사용 환경에 맞추어 DUR 정보를 제공하고자 하는 취지로 2014년부터 운영되었다. 기허가 의약품에 비해 상대적으로 생소하고 사용경험이 많지 않은 신약에 대한 안전사용 정보를 제공해 준다는 측면과, 허가사항 변경 등 새로운 안전성 정보를 DUR로 신속히 반영하여 조기부터 의약품 안전사용이 이루어지도록 한다는 측면에서 그 의미가 있다. 또한, 의·약사 등 전문가와 일반인으로부터 DUR에 대한 제안을 경청하고 이를 수렴하기 위해 이미 제공된 임부금기 의약품에 대해 수정 또는 삭제가 필요한 건, 임부금기 의약품으로 추가가 필요한 건 등에 대해 의견을 접수하고 있으며, 제안된 의견에 해당하는 성분을 대상으로 임부금기 의약품에 대한 적정성을 평가한다.

위와 같은 여러 트랙으로 평가대상 성분이 정해지면, 일차적으로 문헌 검토에 착수한다. 문헌 검토에 포함되는 자료원으로 가장 기본적으로는 국내외 허가사항을 모두 수집하여 검토한다. 국내 허가사항에서는 사용 상의 주의사항 중 '임부 및 수유부에 대한 투여' 항목을 포함하여 '경고', '다음 환자에는 투여하지 말 것', '다음 환자에는 신중히 투여할 것', '소아에 대한 투여' 등에 기재된 내용을 전반적으로 검토한다. 일반적으로 '투여하지 않는다', '권장되지 않는다', '잠재적 유익성이 위험성을 상회한다고 판단되는 경우에만 투여한다', '투여 중에는 임신하지 않는다', '명백히 필요시 관리하에 투여한다', '임부 또는 사람에 대한 임상경험은 없다' 등의 문구가 기재된 경우, 해당 성분에 대해서 국외 허가사항을 추가 검색한다. 국외 허가사항은 미국, 영국, 일본 허가사항을 기본으로 하며, 정보가 부족한 경우에는 독일, 스위스, 이탈리아, 캐나다, 프랑스의 허가사항까지 포함하여 8개국의 국외 허가사항을 종합적으로 비교 · 검토하고 있다. 국내외 허가사항 검토후에는 임신부에 대한 약물정보 데이터베이스인 Micromedex Reprotox®, TERIS (Teratogen Information System), Shepard's Catalog 등의 3차 정보원에 기재된 임부에 대한 안전성 분류 현황, 근거 수준 및 근거 내용 등을 검토한다. 또한, 임신부 약물사용과 관련된 다양한 교과서(예, Drugs in pregnancy and lactation: A Reference Guide to Fetal and Neonatal Risk (Lippincott Williams & Wilkins), Drugs during pregnancy and lactation (Elsevier) 등)을 통해 개별 해당 성분에 대한 정보 뿐 아니라, 약물학적 계열 상 태아 독성 여부에 대해서도 자료를 수집 · 검토하며, 의약품의 적응증에 해당하는 질환에 대하여 국내외 임상진료지침을 수집하여 임신부에서 치료 시 주의해야 할 사항을 파악한다. 이 외, 국내외 다양한 논문을 검색하여, 최신 안전성 정보 또한 파악하고 있다.

문헌 검토와 더불어, 임상 현장에 합리적으로 적용될 수 있는 정보를 개발 · 제공하기 위하여, 다학제적 의약학 전문가 자문의견을 수렴하는 과정을 거친다.

DUR 정보는 임상현장의 처방 · 조제 시 주로 활용되고 있으므로, 정보의 주수요자층인 의사, 약사 등 보건의료전문가와의 의견 수렴과 소통이 매우 중요한 분야이다. 이에, 의약품안전원에서는 DUR 정보개발을 위하여 전문위원회와 분과위원회를 구성하여 운영하고 있다. 전문위원회는 여러 분야의 전문가로 구성되어 있으며, 분기별 정기적인 회의 개최와 상시적 자문을 통해 DUR 정보개발 업무의 전반적인 방향성 정립과 실적 평가 등 다양한 측면에서 의견을 수렴하고 있다. 분과위원회는 성분별 안전성 정보 자료 및 임상적 실례를 바탕으로 금기의약품 선정에 대한 적정성에 대해 학술적인 자문 역할을 수행한다. 현재 분과위원회에는 16여개 분과가 있으며 각 분과는 관련 의 · 약학 학회 및 단체로 구성되어 있다. 임부금기 DUR 정보를 개발하는 데에는 산부인과 분과가 반드시 자문에 참여하고 있으며, 이와 함께 약효군별 특성에 따른 관련 학회가 자문패널로 참여하여 임부금기 의약품으로 선정 여부 및 '1등급' 또는 '2등급' 분류에 대한 적정성에 대해 논의하여 결정한다.

그간의 임부금기 의약품의 적정성을 평가하는 주요 핵심 논의는 동물 실험 데이터 및 임상 시험 데이터, 시판 후 조사결과 등 인체에서 나타난 영향, 태아에서 나타난 부정적 결과의 심각도(가역성, 비가역성 등), 태아로의 이행 여부, 동일 계열의 다른 성분에서 보고된 독성 등의 안전성 정보와 이에 대한 근거로 활용된 자료원의 근거 수준(잘 설계된 임상시험, 체계적 문헌고찰 등)과 관련하여 검토가 이루어졌으며, 더불어 더 안전하게 사용할 수 있는 대체 의약품 존재 여부나 의약품 적응증상 산모의 생명과도 직결되어 임상적 필수성이 높은 경우 등 의약품 사용상의 측면도 함께 종합적으로 검토하고 있다.

기초적인 국내외 허가사항 검토 자료, 문헌 검토 자료, 전문가 자문의견 등을 바탕으로 임부금기 의약품 정보제공(안)이 마련되면, 이는 식약처 산하 자문기구인 중앙약사심의위원회에 상정되어 약효 및 의약품 등 안전대책 분과위원회 의약품적정사용정보 소분과위원회에서 임부금기 DUR 정보에 대한 적정성에 대해 심의하여 결정된다. 식약처에서는 최종적으로 이를 임부금기 의약품으로 지정하여 고시함으로써 전국적으로 정보를 제공하게 된다.

III. 임부금기 의약품 적정사용(DUR) 정보의 제공

1 임부금기 의약품 DUR 정보 제공 체계

우리나라 임부금기 의약품 등 DUR 정보의 관리 및 제공을 담당하는 기관은 식약처로, 주요업무를 의약품안전국 의약품안전평가과에서 수행하고 있다. 임부금기 의약품은 식약처장에 의해 고시 형태로 정보가 제공되며, 임부금기 의약품으로 지정된 성분명과 이에 해당하는 임부금기 등급을 식약처 홈페이지(법령/자료 〉 법령정보 〉 입법/행정예고)에 게시하여 누구나 열람이 가능하도록 하고 있으며, 관련 기관, 학회, 단체 등에 전파한다.

식약처로부터 고시된 임부금기 의약품 목록을 바탕으로, 심평원에서는 고시된 성분명에 해당하는 의약품(제품명)을 연계하여 처방조제 시스템에 정보를 탑재함으로써 DUR 알림창으로 제공될 수 있도록 전산시스템에 적용한다.

2 임부금기 의약품 DUR 정보 제공 현황

2008년 12월 11일, 우리나라 첫 임부금기 의약품이 식품의약품안전청 공고되었으며, 이후, 2013년 3월 식품의약품안전처로 승격되었으며, 2016년 12월부터는 식약처장 고시 '의약품 병용금기 성분 등의 지정에 관한 규정'으로 정보가 제공되고 있다. 2008년 임부금기 의약품 314개 성분 지정 이후, 2012년에는 기공고된 임부금기에서 Flucytosine 등 3개 성분이 삭제되었고, Anastrozole 등 6개 성분의 등급이 변경되었으며, 92개 성분이 추가로 공고되었다. 이후 2013년부터 지속적으로 추가 고시되어 2021년 12월 기준 총 1,075개 성분이 임부금기 의약품으로 지정되어 정보가 제공되고 있다.

표 2-5-2. **연도별 임부금기 DUR 정보 제공 현황(2021년 12월 기준)**

지정 년도	내용	누적 성분
2008년	314개 성분 첫 공고	314개 성분
2012년	92개 성분 추가, 3개 성분 삭제, 6개 성분 등급 변경	403개 성분
2013년	134개 성분 추가	537개 성분
2014년	31개 성분 추가	568개 성분
2015년	45개 성분 추가	613개 성분
2016년	59개 성분 추가 1개 성분 삭제, 2개 성분 연번 통폐합	669개 성분
2017년	31개 성분 추가	700개 성분
2018년	18개 성분 추가	718개 성분
2019년	138개 성분 추가, 1개 성분 삭제	855개 성분
2020년	221개 성분 추가, 3개 성분 삭제	1,073개 성분
2021년	2개 성분 추가	1,075개 성분

임부금기 DUR 정보는 건강한 임신과 출산을 위해 국가에서 개발된 정보로 누구나 무료로 그 정보를 활용할 수 있으며, 특히 처방·조제 시 의·약사가 이를 참고하여 보다 적정한 처방이 이루어지도록 유도하고 있다. 국내 의·약사를 대상으로 한 설문조사에 따르면 응답자의 74.3%가 임부금기 DUR 정보를 유용하게 활용하고 있다고 답했다(한국의약품안전관리원, 2014).

임신부의 임상 데이터가 부족한 현실에서 안전성 자료가 미흡하거나 사용 경험이 많지 않은 성분은 임부금기 DUR정보를 개발하는 데 어려움이 되기도 한다. 이러한 근거 부족의 여건을 극복하면서도 의약품 사용 시 주의는 반드시 인지할 수 있도록 정보개발 및 제공 체계의 변화가 모색되고 있다. 이를 위한 하나의 시도로, 2015년 9월부터는 임부금기 DUR 정보에 투여 시 우려되는 이상사례 등 상세정보를 추가적으로 제공하기 시작하였는데, 현재까지 알려진 관련 정보를 함께 제공함으로써 정보 수요자가 안전성 수준을 정확히 인지하고 적정하게 사용할 수 있도록 점차 발전될 전망이다. 향후 임부금기 DUR 정보는 신약의 도입, 안전성 정보의 변경 등 대내외 의약품 사용 환경에 대응하여 계속적으로 추가·변경될 것이다.

▶ 참고문헌

1. 대한약물역학위해관리학회, 약물역학, 서울:서울대학교출판문화원. p172-82, 2011.
2. 박병주, 약물사용평가, 대한약물역학위해관리학회지 2008;1:3-19.
3. 식품의약품안전청공고 제2008-272호, 2008.12.11
4. 식품의약품안전처공고 제201630호, 2016.1.29

5. 식품의약품안전처 알림 공지/공고, Available from: http://www.mfds.go.kr/index. do?mid=1043

6. 임부에 대한 의약품 적정사용 정보집 전문가용, 식품의약품안전청, 2010

7. 정수연, 정선영, 신주영, 박병주, 의약품안전관리 선진화를 위한 한국의약품안전관리원의 역할, 대한의사협회지 2012;55:861-8e

8. 최남경, 박병주, 한국형 DUR의 효과적 추진전략, 대한의사협회지 2010;53:1130-38.

9. 한국의약품안전관리원 임부에서 주의해야 하는 약물, Available from: https://www.drug-safe.or.kr/iwt/ds/ko/useinfo/EgovDurInfoSerPn.do

10. DUR 이해, Available from: https://www.drugsafe.or.kr/iwt/ds/ko/useinfo/EgovDurUds. do?pageCsf=KR

11. Erwin WG. The definition of drug utilization review: statement of issues. Clin Pharmacol Ther 1991;50:596-599.

12. Omnibus Budget Reconcilliation Act of 1990. Public Law 101-508; 1990.

임산부에서 약물의 안전성 정보를 제공하기 위한 FDA New Labeling

한정열

임상증례:

    2015년 이후에는 미국 FDA의 약물 카테고리 A, B, C, D, X가 없어진다는데, 임신부에서 약물의 안전성 및 위험성 정보는 어떻게 바뀌고 알 수 있나요?

1 서론

    2015년 8월 30일부터 9월 4일까지 네덜란드 암스테르담에서 43회 유럽 기형 학회가 열렸다.

    여기에서 주로 다루었던 이슈는 2014년 미국 FDA에서 만든 PLLR의 final draft에 관한 논의였다. 학회 첫날 Education program에서 새로운 PLLR에 관한 제약산업계(industry), 임상(clinical), 그리고 규제 기관의 약물 부작용 감시(pharmacovigilance)의 관점에서 조망을 하였다. 그리고 마지막 날은 Workshop을 하였다. 제목은 "Labels Without Categories: A Workshop on FDA's Pregnancy and Lactation Labeling Rule" 이었으며 미국 FDA의 관계자인 Melissa Tassinari 박사가 PLLR의 Overview를 시작으로 Human data가 없는 상황에서 Animal data에 근거하여 Pregnancy에서 Risk summary, Clinical considerations, 그리고 Lactation에서도 같은 내용을 기술할 수 있도록 참석자들을 3개 조로 나누어서 토론 후 발표하고 다시 전문가들과 함께 토론하는 시간을 가졌다. 당시 학회의 분위기는 온통 미국 FDA의 New Labeling에 초점이 맞추어져 있고 관련하여 참석자들 모두 긴장된 분위기가 감지되었다. 이유는 기존의 약물 분류(category)를 제거하고 새로운 체계를 받아들여야 하는 상황이기에 긴장될 수밖에 없으리라 생각된다.

    임신부에서 약물의 위험성에 대한 우려는 1962년 입덧 약으로 탈리도마이드(thalidomide)를 복용했던 아이들에서 사지 기형인 단지증(phocomelia)이 세계적으로 1만 명 이상 발생한 것을 계기로 현실화되었다. 미국 FDA에서는 1979년부터 약물 분류(category) A, B, C, D, X를 적용하였다. 하지만, 이러한 문자 체계의 분류는 임신부에 대한 약물정보를 지나치게 단순화한 결과로 의료인들조차 각 문자에 의한 분류를 이해하기 어려웠다. 예를 들면, C 군은 약물의 위험성이 평가되지 않은 상태임에도 A 군부터 X 군까지 순차적으로 약물의 기형 유발성이 더 높은 것으로 오해를 불러일으켰고, 같은 분류에 있는 약물들은 기형유발 위험이 같은 것으로 착각하게 만들었다. 그리고 50% 이상의 약물이 위험상태를 모르는 C 군에 속해 있었다. 또한, X군은 약물을 우연히 복용하게 된 경우 기형유발 약물에 노출되었다는 각인으로 불안해하고 많은 경우에 임신중절을 선택하게 하는 결과를 낳았다.

이런 문제를 개선하기 위해서 그림 2-6-1에서와 같이 미국 FDA는 10여 년 전부터 여러 단계의 준비를 통해 2014년 12월에 2015년 6월부터 새 레이블링(New labeling)을 시행할 수 있는 법을 2014년 12월에 통과시켰다. 여기에는 분류(category)를 제거한 것 외에도 그림 2-6-2에서와 같이 기존의 8.2 Labor and Delivery가 8.1 Pregnancy에 통합되었고 기존의 8.3 Nursing Mothers가 8.2 Lactation으로 바뀌었고, 기존에 없던 8.3 Females and males of Reproductive Potential이 새로 생겼다.

PLLR: a brief history

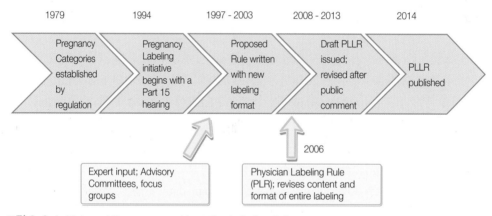

그림 2-6-1. History of Pregnancy and Lactation Labeling Rule

새 레이블링에 담긴 내용은

1) 약물에 대한 정보를 기존의 문자 분류(A, B, C, D, X) 대신 서술적 (narrative) 기술로 바꾼다.

2) 3개의 분야로 임신(pregnancy), 수유(lactation), 여성과 남성의 수정능력(Females and Males of Reproductive Potential)이 포함된다. 각 분야에는 약물의 자세한 위험 요약(risk summary), 임상적 고려들(clinical considerations), 그리고 관련 과학적 증거(data)들이 포함된다.

3) 이러한 큰 변화는 그림 2-6-2에서와 같이 단계적으로 시행될 예정이다. 2015년 6월 이후부터 승인되는 신약은 임신부 약물 분류 A, B, C, D, X를 더 이상 사용하지 않고 새로운 labeling을 사용해야 한다. 또한, 2001년 6월 30일 이후 승인된 약들도 3년 내에 약물 분류를 없애고 updated labeling을 제출하게 한다.

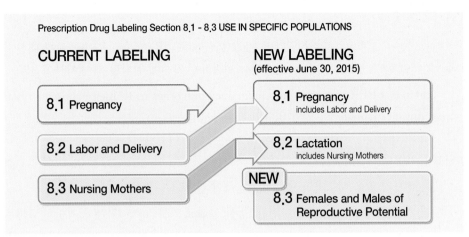

그림 2-6-2. Labeling Changes with Pregnancy and Lactation Labeling Rule

2 임신부, 수유부 그리고 수정능력에 관한 New Labeling

1) 임신(Pregnancy)

임신에는 그림 2-6-3과 같은 format으로 약물에 대한 정보가 제공된다. 여기에 포함된 drug 또는 drug product은 사람에서 처방되는 약물(drug)과 백신과 같이 약물로써 규제되고 있는 생물학적 제제(biological products)를 말한다.

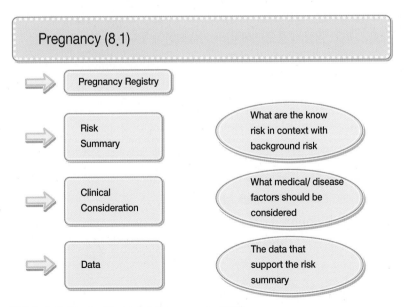

그림 2-6-3. Revised format of Pregnancy in PLLR

(1) 임신 노출 레지스트리(Pregnancy Exposure Registry)

여기에는 우선적으로 만약 있다면 PER(Pregnancy Exposure Registry)에 대한 정보가 제공되어야 한다. PER은 미국 FDA에서 제시하는 기준에 일치할 때 받아들여진다.

" There is a PER that monitors pregnancy outcomes in women exposed to (name of drug) during pregnancy." 만약 없다면 기술하지 않는다.

(2) 위험 요약(Risk Summary)

비록 정보가 없을 때조차도 반드시 기술해야 한다.

위험 기술(Risk statement(s)): 인간, 동물 그리고 약물의 약리학에 근거한 발달의 부정적 결과에 대한 위험(risk of adverse developmental outcomes based on all relevant human data, animal data and drug's pharmacology)

① 발달의 부정적 결과들:

Ⅰ) 구조적 이상–기형(malformations), 변이(variations), 변형(deformations), 그리고 파열(disruptions)

Ⅱ) 배아–태아 그리고 또는 영아 사망–유산, 사산, 그리고 영아 사망

Ⅲ) 기능적 손상–청각장애, 내분비이상, 신경발달이상, 그리고 수정능력이상(impairment of reproduction)

Ⅳ) 성장 이상– 성장 제한, 과도한 성장, 그리고 지연과 조기 성숙 위험 기술(Risk statements)에서는 사람, 동물, 그리고 약리학적 근거 순으로 기술되어야 하며, 통합적 요약으로 그리고 임상적 중요도에 따라 기술되어야 한다.

만약 약물이 전신 흡수가 된다면, 위험 요약(Risk summary)에는 약물 노출에 상관없이 기본적인 기형발생률 2–4%와 임상적으로 알게 된 임신에서 자연 유산율 15–20%가 포함되어야 하며 어떤 약물이 임신 중 금기될 때 위험 요약(Risk summary)에 우선적으로 기술되어야 한다. 만약 약물이 전신 흡수가 되지 않는다면, "약 물명은 경로를 따라 전신적으로 흡수되지 않는다, 그리고 모체에서의 사용이 약물에 의해 태아 노출이 기대되지 않는다."

가. 인체 데이터에 근거한 Risk statement

인체 데이터(human data)

연구 종류: 임상시험(clinical trials), Pregnancy exposure registry, 다른 광범위 역학연구들

* 증례 들(Case series)은 드문 구조적 이상과 상대적으로 높은 빈도인 경우 포함된다.

연구 내용: 발생률, 용량의 효과, 노출 기간의 효과, 노출 시 임신 주수에 따른 효과

기술: 위험이 높아진다면 위험은 양적으로 비교되어야 한다. 만약, 인체 데이터가 없다면 Risk summary에 기술되어야 한다.

나. 동물 데이터에 근거한 Risk statement

동물 데이터가 있을 때 Risk statement는 인간에서의 발달의 부정적 결과를 위한 잠재적 위험을 기술하여야 한다.

- 영향을 받은 동물의 종류와 숫자
- 노출 시기
- 인간 용량 또는 동등한 노출에서의 동물용량
- 임신 동물과 새끼들에서의 결과

Risk statement는 동물 연구들이 현재의 표준에 충족되지 않거나 동물 데이터가 없을 때도 기술해야 한다.

FDA는 단지 동물 데이터에만 근거하여 어떤 약물이 특정 발달 이상의 위험 증가의 원인이라고 결론짓는 것이 가능하다고 믿지 않는다. 하지만, 한 종류 이상의 동물에서 결과가 나타날 때, 특히 결과가 종을 건너뛰어서 일치된 결과가 나타날 때 좀 더 주의(concern)한다.

다. 약리학에 근거한 Risk statement

약물이 발달의 부정적 결과를 일으키는 충분히 이해가 되는 약리학적 작용기전(mechanism of action)을 가졌다면, Risk summary는 작용기전과 잠재적 관련 위험을 설명해야 한다.

예로는, 세포독성 약물들, 정상 성호르몬 생산을 억제하는 약물 등이 포함된다.

(3) 임상적 고려들(Clinical considerations)

처방과 위험-이익(risk-benefit) 상담에 대한 추가적 정보를 제공하기 위한 것이다.

5개의 주제:

- 질병 관련된 모체 및 배아/태아의 위험
- 임신 중 및 산후기간 동안의 약물 조절
- 모체에서의 부정적 반응들
- 태아/신생아에서 부정적 반응들
- 진통 또는 분만

① 질병 관련된 모체 및 배아·태아의 위험

치료에 대한 정보가 제공된 결정을 위해 임신 중 치료되지 않는 경우 질환에 의한 모든 심각한 위험들에 관한 정보를 포함해야 한다.

예로는, 당뇨병이 잘 조절되지 않는다면,

모체의 위험: 당뇨병성 케토산증, 임신중독증, 거대아로 인한 출산 합병증

태아의 위험: 신경관결손증, 심혈관기형, 구순열, 사산, 신생아 저혈당증

가. 임신 중 및 산후기간 동안의 약물 조절

임신 및 산후기간 동안 약물 용량의 조절을 뒷받침하는 약동학적 데이터가 있다면, 이 정보는 기술되어야 한다.

다른 관련 정보로는 CYP 450효소, 약물의 알려진 대사 경로가 포함된다.

예로는, 임신 중 CYP1A2의 활성은 감소, CYP2D6의 활성은 증가된다.

하지만, 백신은 약동학적 데이터에 근거하여 용량 조절이 되지 않기 때문에 적용되지 않는다.

나. 모체의 부정적 반응들

임신 중 독특하거나 임신한 여성에서 빈도나 중증도가 심해지는 약물 관련 부정적 반응들을 기술해야 한다.

만약, 임상적 중재가 약물 관련 모체의 부정적 약물 반응들을 모니터 하거나 완화시킬 수 있다면, 이들 중재는 기술되어야 한다.

예로는, 임신 중 고혈당을 유발하는 약물을 위한 혈당 모니터링이 포함된다.

만약, 이들 부정적 반응의 모체의 위험에 관한 용량, 시기, 그리고 기간의 효과가 알려져 있다면 기술되어야 한다.

다. 태아 · 신생아의 부정적 반응들

발달의 부정적 결과가 아니고 Risk summary에 기술되지 않은 태아 · 신생아 부정적 반응들을 기술한다. 예로는, 진통 중에 진통제로 투여된 아편류(opiates)는 신생아에서 가역적 호흡 억제를 유발한다. Naloxone의 투여는 부정적 반응을 완화시키는 중재이다.

라. 진통 또는 출산

만약 약물이 진통 또는 출산에 영향을 미칠 것 같으면, labeling은 모체, 태아 또는 신생아 그리고 진통과 분만에 미치는 약물의 영향을 기술해야 한다.

진통과 분만에만 사용되기 위해 승인된 약물들의 경우 이 주제는 제거된다.

(4) 데이터(Data)

Risk summary와 임상적 고려들에서 나타난 정보들의 과학적 근거를 제공하는 데이터를 기술해야 한다. 인간 데이터와 동물 데이터는 분리해서 기술되어야 하며, 반드시 인간 데이터가 먼저 기술되어야 한다.

① 인간 데이터(human data)

양성과 음성 연구결과 모두 포함되어야 하며 지원자들은 새로운 데이터가 있을 때 업데이트해야 한다. 데이터 출처로는 controlled clinical trials에서 진행 중이거나 완료된 pregnancy exposure registries, 다른 약리학적 또는 감시 연구들, 증례들이 포함된다.

- 연구 참여자의 수
- 연구기간
- 노출 정보(시기, 기간, 노출 용량)
- 데이터의 한계(혼란변수, 편향)

② 동물데이터(animal data)

Labeling은 다음을 기술해야 한다.

- 연구의 유형
- 동물의 종
- 동물의 용량 또는 노출은 인간 용량 또는 동등한 노출의 관점에서 기술해야 한다.
- 노출의 기간과 시기
- 연구 소견-용량-반응/ 발달 부정적 결과의 중증도
- 모체 독성의 존재 또는 부재

그림 2-6-4에서와 같은 다양한 요인들이 양성 신호(positive signal)와 관련된 주의(concern)의 수준에 영향을 미친다.

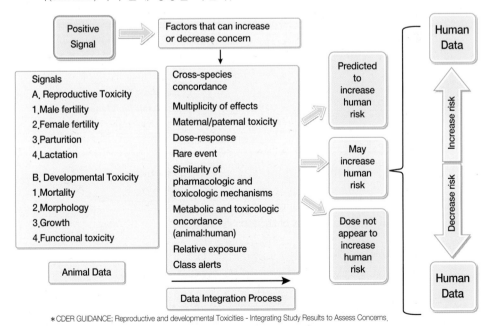

* CDER GUIDANCE; Reproductive and developmental Toxicities - Integrating Study Results to Assess Concerns.

그림 2-6-4. Integration of Reproductive and developmental Toxicities

2) 모유수유(Lactation)

모유 수유에는 그림 2-6-5와 같은 format으로 약물에 대한 정보가 제공된다. 기존의 Nursing mothers 부분을 대신한다.

약물 수준(Drug levels): 인간의 모유에서 약물, 전 약물(prodrug) 그리고 활성 대사물질들 모두 약물 수준에 포함한다.

(1) 위험 요약(Risk summary)

비록 정보가 없는 경우에도 항상 기술되어야 한다.

다음의 내용이 반드시 기술되어야 한다:

– 모유에서 약물 또는 활성 대사물질들의 존재

– 모유 수유하는 아이에 대한 약물 또는 활성 대사물질들의 영향

– 모유생산에 대한 약물 또는 활성 대사물질들의 영향

모유 수유 동안 금기되는 약물들(예, 방사능 요오드 포함 진단 및 치료를 위한 제제)은 risk summary에 우선적으로 기술되어야 한다.

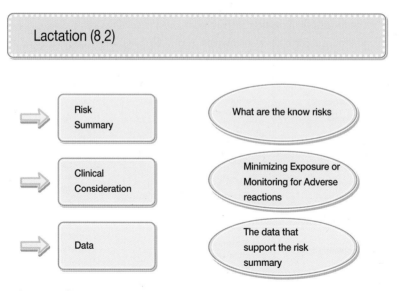

그림 2-6-5. Revised format of Lactation in PLLR

① 모유에 약물의 존재

약물 또는 활성 대사물질들이 모유에 존재하는지를 반드시 기술해야 한다. 만약, 연구들이 모유에 약물의 존재를 밝힌다면, 모유에서 농도, 안전에 대한 주의를 위한 실제적 또는 추정적 영아의 하루 용량을 포함해야 한다. 만약, 단지 동물 데이터만 있다면, 약물

이 동물 모유에 존재하는지 여부 그리고 동물의 종을 기술해야 한다.

② 모유수유아에 대한 약물의 효과

전신 또는 국소적(예, 위장관)인 부정적 반응들 약물의 흡수, 분포, 대사 그리고 제거에서 나이와 관련된 차이 들이 포함되어야 한다.

③ 모유의 생산과 분비에 관한 약물의 효과

만약 데이터가 있다면 모유의 생산과 분비에 관한 약물의 효과를 기술해야 한다. 그리고 이러한 효과가 일시적인지 영구적인 것인지 구체화해야 한다.

(2) 위험과 이익의 기술(Risk and benefit statement)

약물이 모체에 전신적으로 흡수되고 금기시되지 않는다면, 모유 수유 자체로 인한 발달과 건강에 미치는 이익들은 모체에서 약물의 임상적 필요와 약물 또는 수유부의 기전 질환에 의한 수유아에 대한 모든 잠재적 영향들이 함께 고려되어야 한다.

① 임상적 고려들(Clinical considertions)

Ⅰ) 최소 노출(minimizing exposure)

다음의 경우에 모유수유아에 대한 약물의 최소 노출 방법을 기술해야 한다.

– 임상적으로 금기가 되는 약물이 모유에 존재하는 경우

– 영아에서 안전성이 확립되지 않은 약물의 경우

– 간헐적 사용(예, 급성 편두통 치료), 1회 용량(예, 방사능 약물, 마취 약물) 또는 단기간치료(예, 일부 항생제)

노출을 최소화 할 수 있는 중재가 있다면 기술해야 하며 모유 수유부에서 만성적으로 사용하는 약물들은 항정상태(steady state)에 있기 때문에 노출의 최소화가 요구되지 않는다.

Ⅱ) 부정적 반응들의 모니터링

Risk summary에 포함되었던 모유수유아에서 약물의 부정적 반응들을 모니터링하고 완화하기 위한 가능한 중재를 기술해야 한다.

(3) 데이터(Data)

Risk summary와 임상적 고려들의 근거가 되는 데이터를 기술해야 한다. 지원자들은 새로운 데이터가 있을 때에는 업데이트해야 한다.

3 여성과 남성의 수정력에 미치는 영향 (Females and males of reproductive potential)

1) 약물 치료 전, 중, 또는 후에 임신검사, 피임이 필요하거나 권고되는 경우

2) 약물이 임신, 착상 전 유산에 영향을 미친다는 인간 또는 동물 데이터가 있는 경우

이들에 대한 정보가 요구된다.

이들 정보는 임신 검사(pregnancy testing), 피임(contraception), 그리고 불임(infertility) 순으로 기술되어야 한다. 만약 동물 연구로부터의 데이터가 여성 또는 남성에서 유전자돌연변이(mutagenesis) 또는 수정에 영향을 준다는 주의가 있다면, 이러한 정보와 임상적 중요성을 기술하여야 한다.

4 PLLR 적용 절차에 대한 정보

FDA는 PLLR이 약물의 정보를 소통하는데 중요한 진보라는 것을 강력하게 믿고 있으며 다음과 같이 최종 규칙에 대한 새로운 내용과 포맷의 요구들이 모든 지원 약물들(NDAs, BLA, 또는 Efficacy supplements)에 적용되어야 한다.

표 2-6-5. Implementation Schedule of PLLR

	NDAs, BLA, ESs	Required date of PLLR Format
New Application (prospective cohort)	Submitted on or affter 6/30/2015	At time of submission
Start (6/30/15)		
Older Approved Applications (retrospective cohort)	Approved 6/30/2001 to 6/29/2002 Approved 6/30/2005 to 6/29/2007	6/30/2018
	Approved 6/30/2007 to 6/29/2015 or pending on 6/30/2015	6/30/2019
	Approved 6/30/2002 to 6/29/2005	6/30/2020
	For application approved prior to 6/30/2001 in old format labeling	Not required to be in PLLR format. However, must remove Pregnancy Category by 6/39/2018

5 결론

FDA의 기존의 약물 분류(category)에 따른 문제점들이 이번 New labeling의 적용으로 약물분류가 제거되고 임신, 모유 수유, 그리고 수정에 대한 약물의 위험을 서술적(narrative) 기술을 보여줌으로써 환자들과 약물의 정보를 소통하는 관점에서 매우 진보된 변화로 인식되고 있다. 하지만, 한편에서는 이런 갑작스러운 변화로 인해 산업계, 임상, 그리고 규제 기관에 미치는 파급력이 매우 크다.

임상의사들 입장에서는 이런 약물정보에 대한 체계의 변화는 환자 진료에 엄청난 영향을 미칠 것이 분명하며 임상의사들에게 큰 책임이 따르게 될 것이다. 일부 우려는 약물 위험에 대한 서술적 기술이 처방 의사들이 처방 시 약물 선택이 쉽지 않게 할 것이다. 하지만, 긍정적인 측면으로는 New labeling은 처방을 더 잘 할 수 있게 해줄 것이다. 태아의 위험 뿐만 아니라 모체 질환의 중증도, 질병이 태아에 미치는 영향, 대체 치료에 대한 정보를 제공해 줄 것이다. 따라서, 만약 권고가 불확실한 경우라 하더라도 의료인이 치료의 위험과 이익에 대한 정보를 얻기 위한 적절한 노력을 기울인다면 환자와 처방의사 모두에게 긍정적 결과를 가져오게 할 것이다.

임상증례 답변:

미국 FDA에서는 2015년 6월 이후 승인되어 시판되는 약물부터는 더 이상 임신부 약물 카테고리 A, B, C, D, X를 사용하지 않고 FDA의 New Labeling에 따라 약물의 risk summary에 약물의 안전성 및 위험성을 구체적으로 기술할 예정이며, 이전에 승인된 약물들은 3년 내에 업데이트하여 카테고리를 없애기로 결정하였습니다. 이러한 정보는 아직 구체적으로 어디에서 얻을 수 있을지는 아직 알 수는 없지만, 아마도 미국 FDA 웹 등에서 얻을 수 있을 것입니다. 한편, 이런 내용들은 이미 Micromedex®의 Reprorisk에 유사하게 반영되어 있기 때문에 이를 통해서도 어느 정도 알 수 있으며 한국마더세이프전문상담센터(☎1588-7309)를 통해서도 알 수 있습니다.

▶ 참고문헌

1. American College of Obstetricians and Gynecologists Frequently Asked Questions: Miscarriage and Molar Pregnancy;2011

2. FDA,[Cited2015.Sept18] Available from: http://www.hesiglobal.org/files/Tassinari%20-%20ILSI_HESI%20PLLR%20Workshop.pdf

3. NDAs: New Drug Applications, BLA: Biologics License Applications, ESs: Efficacy Supplements

4. Rynn L, Cragan J, Correa A. Update on Overall Prevalence of Major Birth Defects-Atlanta, Georgia, 1978-2005; 01:1-5

5. Uropean teratology society, [Cited 2015.Sept 18] Available from: http://www.etsoc.com/43rd-annual-meeting,-2015,-amsterdam,-the-netherlands

PART

III

임신부에서 약물사용

chapter

01 임신 중 안전한 약물사용

─○ 한정열

1 서론

국내의 한 연구에 의하면 연구에 포함된 1,354명의 임신부중 임신 13주 이전에 약물을 복용한 경우는 약 10%로 조사되었다. 외국의 경우도 임신부들이 임신 중 평균 3번의 약물처방을 받으며 평균 약 13가지의 약물을 복용하는 것으로 알려져 있다. 노출되는 약물들의 빈도순을 보면 소화제나 제산제등을 포함한 위장관계 약물이 가장 많았으며, 다음이 아세트아미노펜이나 이부푸로펜 같은 비스테로이드성 소염진통제, 암피실린이나 세팔로스포린같은 항생제, 감기약, 코르티코스테로이드와 같은 호르몬, 그리고 항히스타민제 순이었다.

하지만 이렇게 임신 중 복용한 약물들에 관해서는 처방하는 의료인 입장에서도 그리고 복용해야 하는 임신부 입장에서도 항상 딜레마를 가지고 있다. 실제로 이러한 신약이 시판되기 전에 임신부를 대상으로 윤리적, 의료-법률적, 태아의 안전성의 이유로 약물의 약동학(pharmacokinetics), 약력학(pharmacodynamics) 그리고 임상적 시험이 거의 이루어지지 않고 있기 때문이다. 따라서 Physician's Desk Reference 등의 자료에서는 약물에 관하여 대부분 "태아에 대한 잠재적 위험을 정당화할 만큼의 이익이 없다면 임신부에서의 사용은 추천되지 않는다"고 기술하고 있다.

그러나 현실에서는, 감기의 경우 대부분은 임신 중 약을 복용하지 않고도 완쾌되지만, 드물지만 폐렴으로 악화될 수 있어 이때는 항생제의 치료가 필요하며, 또한, 임신으로 인하여 생기는 구역이나 구토는 임신부의 약 80%가 경험하며 심한 경우는 Diclectin같은 약물이 증상을 완화 시킬 수 있다. 한편, 임신하는 여성들의 고령화 추세는 임신 전에 치료가 필요하고 임신 중에도 치료가 계속되어야 하는 경우가 늘고 있다. 예를 들면, 임신 전부터 진단된 천식, 고혈압, 간질 등의 만성 질병이 있는 경우는 임신부와 태아의 안전을 위해 오히려 약물을 사용해야만 하는 경우가 적지 않다.

하지만 임신부의 경우는 호르몬의 영향 등에 의해서 비임신부와는 다른 생리학적 변화를 겪게 된다. 따라서, 임신중 약물 투여 시 임신에 따른 생리학적 변화를 고려해야 한다. 그러나, 이러한 변화를 무시한다면 약물의 흡수, 대사, 분포, 배설에 영향을 주어 약동학(Pharmacokinetics)적 변화를 초래하고 결과적으로 약물의 효능에 영향을 미쳐 결국 임신부와 태아에 부정적 영향을 미칠 것이다.

따라서 본 장에서는 임신 중 생리학적 변화에 따른 약물의 약동학적 변화에 관해서 기술하고, 임상적 증상과 적응증에 따라서 어떤 약물이 임신부에게 이로운지 평가 할 수 있도록 각 약물의 안전성과 위험성에 관하여 기술하고자 한다.

2 임신 중 자주 나타나는 증상에 따른 약물치료

1) 변비(Constipation)

변비의 정의는 갑자기 배변 습관이 어떤 이유로 달라져 변이 만족스럽게 나오지 않는 경우이며, 일반적으로는 배변 횟수가 주 2-3회 미만이면 변비라고 한다. 변비의 원인은 저섬유질 식사, 지방이 적은 식사, 수분 섭취부족과 같은 식이요인, 정신적인 긴장에 의한 스트레스, 장폐색 같은 위장관이상 등이 원인이 되지만 임신에 의한 변비는 프로게스테론에 의한 위장의 평활근 활동 감소와 자궁이 커져 장을 눌러서 주로 발생하는 생리적인 것으로 알려져 있다.

■ **임신 중 변비의 치료**

- 과일이나 야채를 포함하여 부피를 늘리는 방법으로 식이습관을 변화 시키면 변비를 해결하는데 도움이 된다. 하지만, 철분제를 추가하는 경우 변비는 더 심해진다.

- 약물요법

① 팽대성 하제(Bulk forming laxatives)

변비의 일차 선택 약으로 배변을 촉진하는데 가장 생리작용과 유사하며 장의 연동운동을 촉진 시킨다.

; 차전자피(Psyllium husk)

② 완하성 하제(Emollient laxatives)

수분과 지방을 잘 혼합하여 변덩어리를 부드럽게 한다.

; Docusate sodium

③ 자극성하제(Stimulant laxatives)

점막자극 또는 평활근 신경총에 대한 작용으로 연동운동 촉진한다.

; 비사코딜(Bisacodyl)

④ 그 외: Calcium, Glycerin, Sorbitol, Lactulose, Magnesium hydroxide

※ 상기 약물들은 임신 중 사용 시 안전한 것으로 알려져 있다.

2) 감기(Common cold)

임신 중에 임신부의 면역력이 떨어지면서 Rhinovirus, Adenovirus, Influenza virus 등에 의해서 발생되며 임신 시기에 상관없이 매우 흔하다. 감기는 상부 기도에 생기는 복합증상으로 급성 비염, 감염성 비염, 코감기 등이 급성으로 발병한다. 나타나는 증상으로는 코의 충혈과 콧물, 목이 건조하거나 통증, 기침, 후두염, 발열과 두통, 오한, 발열, 권태, 근육통, 오심, 구토, 복통, 설사 등이 동반된다. 감기의 합병증으로는 중이염, 축농증, 그리고 기관지염이 합병되기 쉽다.

■ 임신 중 감기의 치료

- 일반요법

  충분한 휴식이 필요하며, 탈수를 예방할 수 있도록 충분한 음료를 섭취하거나 가습하도록 한다.

- 약물요법: 증상에 따라서 치료가 필요하다.

  임신 중 사용할 수 있는 약물로 해열 진통을 위해서 Acetaminophen이나 Ibuprofen이 추천되나, NSAIDs는 임신 3기에 장기적으로 사용 시 태아의 동맥관을 조기에 폐쇄시킬 수 있음. 한편, 임신초기에 섭씨 38도 이상의 고열 시는 고열로 인해 무뇌아 같은 신경관결손증 발생률이 증가 될 수 있어서 이때는 열을 떨어뜨릴 수 있도록 NSAIDs 사용이 추천됨. 알러지성 비염이 나타나는 경우 chlorpheniramine maleate, 그리고, 기침이 심한 경우 Diphenhydramine, Codeine, Dextromethorphan을 임신 중 안전하게 사용할 수 있음. 하지만, 비강의 decongestant로 사용되는 Pseudoephedrine은 sympatho-mimetic agent로 일부 연구에서는 gastroschisis나 hemifacial microsomia 발생 가능성이 일부 연구에서 제기되어 있다. 하지만, 발생 가능성은 높지 않다.

3) 두통(Headache)

두통은 임신 중 가장 흔한 증상의 하나이다. 특히, 임신 초기에 더 흔하다. 원인으로는 임신으로 인한 호르몬의 변화, 수면부족, 혈액순환의 변화, 저혈당증, 탈수, 새로운 아기에 대한 불안감, 카페인 중단에 따른다.

(1) 두통의 유형

① 긴장두통(tension headache)

긴장두통은 두통의 가장 흔한 유형이다. 가끔 머리의 양쪽에 짓누르는 통증이 나타난다. 긴장 두통은 수면부족, 우울증, 카페인 중단에 의해서 종종 발생한다. 임신 중에 호르몬의 변화가 이러 한 두통을 발생할 수 있다.

■ **치료**

- 일반요법

  충분히 휴식을 하면서 긴장을 풀거나, 규칙적인 운동, 충분한 잠을 자면 긴장두통은 완화되고 빈도도 줄어든다. 어깨 마사지나 얼굴에 따뜻한 수건으로 덮고 있는 것도 도움이 된다.

- 약물요법

  NSAIDs: Acetaminophen, Ibuprofen, Naproxen

  * 착상 시기에는 유산을 증가시킬 수 있으며, 임신 20주이후 사용시 태아의 신장손상으로 양수과소증과 태아의 동맥관(ductus arteriosus)의 조기폐쇄를 유발할 수 있음. 임신 20주에서 30주사이는 주의 사용 그리고 30주이후는 금기임

② 편두통(Migraine headache)

여성의 약 20%는 일생에서 일시적으로라도 편두통을 경험한다. 증상은 머리의 한쪽에, 가끔은 양쪽, 심한 박동성 통증이 나타난다. 이러한 편두통의 정확한 원인은 알려져 있지는 않지만, 뇌에서 혈류의 변화 때문인 것으로 추정되고 있다. 편두통은 구역, 빛과 큰 소리에 예민함 등의 다른 증상들을 동반한다. 일부에서는 편두통이 오기 전에 번쩍이는 빛이 보인다거나, 언어장애, 손이나 얼굴이 따끔거리는 증상 같은 전조가 1–2분간 나타나기도 한다. 긴장두통은 임신 중에는 드물게, 특히 임신 1기 이후, 나타난다. 하지만, 일부에서는 임신 중 이러한 두통이 더 악화되기도 하며, 임신중독증이 있는 경우도 두통이 나타난다.

■ **치료**

- 일반요법

  우선은 환자가 안심할 수 있도록 충분한 설명을 통해 비록 두통 발작이 고통스러울지라도 이 질환은 나쁜 병으로 넘어가지 않고 대부분 양성경과를 밟게 된다는 사실을 인식시키는 것이 매우 중요하다. 그리고 충분한 수면을 취하게 하고, 흔한 발생요인들(쵸콜릿, 알코올, 땅콩, 요거트, 핫도그, 소세지 등)을 피하게 하여 편두통 발생을 줄일 수 있게 한다.

- 약물요법

  NSAIDs: Acetaminophen(타이레놀 325–650 mg을 4–6시간 간격으로 투여)
  Naproxen(나프록센정 750 mg 투여 후 8시간 간격으로 투여)

  * 착상 시기에는 유산을 증가시킬 수 있으며, 임신 20주이후 사용시 태아의 신장손상으로 양수과소증과 태아의 동맥관(ductus arteriosus)의 조기폐쇄를 유발할 수 있음. 임신 20주에서 30주사이는 주의 사용 그리고 30주이후는 금기임

  Metoclopramide(멕소롱정 5 mg을 12시간 간격으로 투여)

  Codeine Dimenhydrinate

– 임신 중 주의가 필요한 약물

Ergotamine: 편두통시 가장 흔하게 쓰이는 약이다. 하지만, 임신 중에는 기형에 대한 위험을 증가시킨다는 보고는 없지만, 혈관 수축과 자궁 수축을 일으켜서 추천되지 않다.

Sumatriptan(Imitrex): 5-Hydroxy tryptamine(serotonin) receptor agonist 이고 약효가 짧다. 코에 뿌리는 분무제로 경구투여제 보다 빠른 효과를 나타냄, 하지만 임신 중 약물의 기형발생성 등의 안전성에 관한 연구가 없다.

– 임신 중 편두통 예방을 위해서 위험과 이익을 잘 고려해서 사용가능 약물

β-아드레날린 효능 차단제: propranolol HCl, atenolol, nadalol
칼슘 채널 차단제: nifedifine, verapamil HCl, flunarizine
삼환계 항우울약: amitriptyline HCl, doxepin HCl

3) 알레르기성 비염(Allergic rhinitis)

알레르기성 비염은 호흡 중에 콧속으로 흡입된 이물질(allergen)에 대해 코 점막에서 일어나는 일련의 면역학적 반응으로 재채기를 연속적으로 하고 맑은 콧물이 흐르며 코가 막히는증상이 나타나며, 이외에도 눈이나 인후두의 가려움증, 냄새감지 능력의 감퇴, 두통, 피로 등의 증상이 나타 나기도 한다. 알레르기성 비염은 크게 계절성 알레르기성 비염(seasonal allergic rhiniris)과 통년성 알레르기성 비염(perennial allergic rhinitis)으로 나눌 수 있다. 계절성 알레르기성 비염은 일명 화분증 또는 고초열(hay fever)이라고도 하며 주로 봄철에 증상이 나타나고, 그 원인은 나무, 풀, 잡초와 곰팡이 포자 등으로부터 나온 공기중의 꽃가루이다. 한편 통년성알레르기성 비염은 계절에 관계없이 나타나며 주원인은 집먼지, 집먼지 진드기, 고양이나 개 털, 음식물, 그리고 약물 등이 있다. 알레르기성 비염이 적절히 치료되지 않으면 수면장애, 만성불쾌감, 피로감이 더욱 악화되고 중이염, 청각소실, 축농증 등의 합병증이 나타날 수 있다. 한편 천식이 있는 경우는 이러한 비염이 천식 증상을 더욱 악화 시켜 임신부의 경우 임신부의 건강과 태아의 안녕에 영향을 미친다.

■ 치료

• 일반요법

가장 기본적이고 중요한 치료법은 원인 인자들에 대한 회피요법으로 계절성 알레르기 비염의 경우에는 가급적 외출을 삼가고 외출 시에는 마스크를 사용하여 꽃가루에 노출되지 않게 노력해야 한다. 통년성 알레르기성 비염의 경우에는 집먼지진드기나 곰팡이가 문제되므로 이들이 살수 없도록 먼지가 많은 카페트, 소파, 커튼의 사용은 피하거나 이불

이나 침구류를 자주 햇볕에 소독 한다. 가능하면 고양이나 강아지와 같은 애완동물을 키우지 않도록 한다.

- 약물요법

  - 흡입성 스테로이드:

    Fluticasone(Flixonase Nasal Spray 1일 1회 아침 비공에 2번씩 분무)

    Budesonide(Pulmicort Nasal Aqua 1일 2회, 1회 2번씩 분무)

    Triacnolone(Nasacort nasal inhaler 1일 1회 양 비공에 2번씩 분무)

  - 항히스타민제:

    Loratadine(Clarityne 10 mg 1일 1회) Cetrizine(지르텍 10 mg 1일 1회)

    ※ 경구용 decongestants인 pseudoephedrine은 선천성 gastroschisis의 발생과 관련될 수 있다.

4) 가슴앓이(Heart burn)

가스앓이는 위식도 역류질환, 역류성 식도염, 소화불량이라고도 불린다. 임신 중에는 자궁에 의하여 위가 상방으로 이동하고 압박되며 위십이지장의 운동성이 감소하여 위십이지장의 내용물이 식도로 거슬러 올라와서 발생하며 임신부 45-80%가 경험한다. 가장 흔한 증상은 가슴이 쓰리는 가슴앓이로 증상이 식사 후 30-60분, 눕거나 잘 때 대개 나타나며 길게는 2시간 정도 지속될 수도 있다. 이러한 통증은 가슴 중앙을 따라 흉골 뒤쪽이 쓰리거나 타는 듯한 느낌을 호소 할 수 있다. 이러한 경우 임신부에게는 드물지만 협심증 같은 심장질환을 의심할 수 있다.

■ 치료

- 일반요법

  가능하면 베게를 높이고, 식사 후 3시간 내에는 자지 말고, 잠자기 2-3시간 전에는 음식을 먹지 않는다. 그리고, 술, 담배, 카페인이 들어 있는 커피, 차, 초콜릿, 지방이 많은 음식, 양파, 페퍼 민트 등을 피한다.

- 약물요법

  일반요법과 함께 약물요법이 병행되어야 하며 일단 약물로 치유되어도 유지요법으로 상용량의 약제를 사용해야 한다. 하지만, 유지요법을 하지 않으면 80%이상 재발한다.

  - Omeprazole 오엠피 정 20 mg 1일 1-2회 투여

  - Domperidone 모티리움엠 정 10 mg 1일 1-2T를 3회 식전에 투여 장운동을 촉진시킨다. 사람에서 Teratogenicity에 관한 보고 없으며 미국의 FDA에서는 아직 승인되지 않음.

  - Cisapride는 동물실험에서 cardiac arrhythmia을 일으키며, 더 이상 시장에 나오지 않음.

5) 소화성 궤양(Peptic ulcer)

소화성 궤양은 위액 중에 포함된 염산과 펩신에 의해 위나 십이지장에 조직결손이 생기면서 궤양이 발생한다. 위에 생긴 경우는 위궤양, 십이지장에 생긴 경우는 십이지장궤양이라 한다. 증상은 소화불량, 상복부 통증, 오심과 구토, 가슴앓이, 위장관 출혈 그리고 위장 천공이 일어날 수 있다. 하지만, 위장천공은 임신 중에는 잘 발생하지 않는다.

소화성 궤양 또한 임신 중에는 흔하지 않으며, 임신 시 위산이 감소함으로 인해 호전되는 것으로 알려져 있다. 대부분의 소화성 궤양은 Helicobactor Pylori 균에 의해 발생하고 재발하는 것으로 알려져 있지만, 흡연, 알코올, 스트레스 등과도 관련있다.

■ **치료**

- 증상치료
  위 점막 Coating agen: Sucralfate
  제산제: ammonium hydroxide, Magnesium hydroxide, Calcium carbonate
  H2-수용체 차단제: Famotidine
  * Ranitidine은 퇴출, Ranitidine 포함 의약품에서 기준치를 초과한 발암물질 NDMA(N-Nitrosodimethyl-amine) 발견됨

  Proton Pump 억제제: Omeprazole, Lansoprazole

- H-Pylori gastritis를 위한 치료;
  추천되는 약물들이 임신 중 안전성이 확립되지 않아 출산 후로 미루는 것이 좋다.

6) 소양증(Pruritus)

가려움증은 임신 중에 가장 흔한 피부증상이다. 임신에 기인한 경한 가려움증은 자주 있으며, 주로 복부 주위에서 일어나서 허벅지, 엉덩이, 유방, 그리고 팔로 확장된다. 하지만, 소양증으로 정밀 검사가 필요한 경우는 약 1-2%이다. 임신과 관련되지 않는 소양증의 원인으로는 아토피 피부염이나 접촉성 피부염을 의심해야 한다. 임신 중 소양증의 흔한 원인으로는 intrahepatic cholestasis, prurigo of pregnancy가 포함된다.

■ **치료**

- 일반치료
  피부가 건조하지 않도록 실내 환경을 가습한다. 그리고 정전기를 피하고 피부를 자극하는 천 을 가진 이불을 피해야 한다. 또한 음식물로는 카페인, 알코올, 매운 것 그리고 뜨거운 물을 피해야 한다.

- 국소적 치료 보습크림 항소양증 로션;
  Menthol/camphor/Calamine/Doxepin 5% cream 하루에 4회 바른다.
  * 코르티코스테로이드의 경우는 피부의 atrophy의 위험이 있다.

- 전신적치료
  - Hydroxyzine Centilax 10mg 하루에 3회 투여
  - Diazepam같은 benzodaizepine계의 약물은 동물실험에서 cleft palate의 발생률을 증가시키는 것으로 알려져 있지만, human에서의 대부분의 연구에서는 이러한 기형발생 증가와 관련 되지 않았다. 하지만, 신생아 금단증상이 일어날 수 있다.

7) 요통 및 골반통(Back and pelvic pain)

임신부의 대략 80%는 요통 및 골반통을 경험한다. 일부 임신부는 임신의 시작과 함께 이러한 통증을 경험한다. 하지만, 대부분의 여성들은 체중이 많이 나가거나 이미 임신 전에 이러한 통증이 있었던 경우들이다. 임신 중 요통 및 골반통을 일으키는 원인들로는 호르몬의 증가로 골반에 있는 ligaments들이 약해지고 관절들이 출산을 위해 풀어지며, 자궁과 아기가 커지면서 중력에 대한 무게중심이 앞으로 쏠리면서 자세가 변하고, 아기가 커가면서 척추에 대한 부담이 더 커지고, 골반이 변하게 되고, 임신에 따른 스트레스가 포함된다.

- ■ 치료
  - 일반적요법

    충분한 휴식을 취하고, 하이힐 같은 신발을 피하고, 바른 자세를 유지하고, 등을 대고 바로 자지 않도록 하고, 왼쪽 옆으로 자도록 한다. 발을 올린다거나, 복대를 하고, 허리 근육을 강화시키는 운동을 한다.
  - 약물요법

    Acetaminophen같은 NSAIDs는 일시적으로 효과가 있음. 하지만, 임신 3기에는 폐동맥의 조기 폐쇄와 관련될 수 있으므로 장기적으로 사용해서는 안 된다.

8) 빈뇨증(Urinary frequency)

빈뇨증은 임신의 초기 증상중의 하나이다. 임신 중 신장이 커지고 요관도 확장된다. 그리고 임신 시 증가되는 프로제스테론은 착상을 돕기 위해 자궁의 평활근에 이완 효과를 가질 뿐만 아니라 방광의 이완과 요관을 확장시킨다. 또한, 임신이 진행되면서 자궁이 커지고 방광에 대한 압박이 증가하면서 빈뇨증을 발생한다. 한편, 당뇨병이나 방광염이 이러한 증상의 원인이 되기도 한다.

- ■ 치료
  - 일반요법

    임신 중에 발생하는 정상적인 과정으로 안심시키고, 요로계의 감염을 예방하기 위해 청결상태를 유지하고 박테리아에 의한 감염이 되지 않도록 손을 잘 씻게 한다거나, 배뇨나 배변 시 휴지를 앞에서 뒤로(wiping front-to-back)사용, 액체 비누를 사용하여 회음

부를 깨끗하게 유지하고, 요 도구를 청결하게 유지하도록 한다.

- 약물요법

    방광염이 동반되는 경우 Ampicillin 앰씰린캅셀 250-500 mg을 1일 4-6회 Ce-fadroxil 비드세프캅셀 500 mg 하루에 2번 투여

    * Ofloxacin과 같은 다른 퀴놀론계 약물들은 연골에 대한 독성가능성이 있기 때문에 임신 중에 삼가야함. 하지만 human에서 그러한 독성이 아직 보고된적 없었음.

3 임신 중 동반되는 만성질환의 약물치료

1) 임신 중 갑상선질환

(1) 갑상선기능저하증(Hypothyroidism)

임신 중 갑상선기능저하증의 가장 흔한 원인은 Hashimoto's thyroiditis로 알려진 자가면역질환이다. 이외에도 갑상선암으로 인한 갑상선제거술 등의 원인으로 인한 경우 부적절한 치료 그리고 갑상선기능항진증 환자를 항갑상선제재로 지나치게 치료하는 경우 등이다. 임신 중 여성들의 2.5% 이상은 갑상선 자극 호르몬인 TSH가 정상보다 높은 것으로 알려져 있다. 임신중 갑상선 기능저하증을 치료하지 않거나 부적절하게 치료되는 경우 임신부의 빈혈, 근육질환(근육통, 근육쇠약), 울혈성심부전, 임신중독증, 태반이상, 저체중증, 산후출혈이 증가될 수 있다. 이러한 합병증은 갑상선기능저하증이 심할수록 더 많이 나타나는 것으로 알려져 있다.

하지만, 경한 갑상선기능저하증의 대부분은 증상이 없거나 임신에 기인한 증상만을 가질 수 있다. 한편, 갑상선호르몬은 아기의 뇌발달에 매우 중요하다. 선천성 갑상선기능저하증이 있었 던 아이들은 만약 빨리 발견하여 치료하지 않는다면, 심한 인지, 신경학적, 발달장애를 가질 수 있다. 하지만, 출산 후 바로 알고 치료한다면 발달장애를 상당부분 예방할 수 있다. 따라서, 출산된 아이들은 반드시 선천성 갑상선기능저하증이 스크린되어 가능한 빨리 치료되어야 한다.

한편, 임신부의 심한 갑상선기능저하증을 치료하지 않는 경우도 아이의 뇌 발달에 영향을 미 칠 수 있다. 특히 임신부의 갑상선기능저하증이 iodine deficiency에 의한 경우는 태아에 미치는 영향이 더 자주 발생할 수 있다. 하지만 최근 연구들은 임신중 mild hypothyroidism을 치료하지 않은 경우도 mild brain developmental abnormalities가 나타남을 보고하고 있다. 현재까지는 임신 중 갑상선기능저하증을 위해 모든 여성을 스크리닝해야 한다는 견해에 대한 일반적 공감이 형성되어 있지는 않지만, 일부 그룹들은 임신 전 또는 임신이 확인되자마자 여성들의 TSH를 체크 하도록 권하고 있다. 또한 갑상선기능저하증이 생길

수 있는 고위험 여성들로 갑상선기능항진증을 위해 이전에 치료를 받았거나, 갑상선질환의 가족력 그리고 goiter를 가지고 있는 여성들은 반드시 검사하도록 하고 있다.

갑상선기능저하증이 진단되었던 여성들은 임신이 확인되면 TSH검사를 해야 하며 갑상선 호르몬의 증량이 필요할 때는 levothyroxine 용량을 증가 시켜야 한다. 만약 TSH가 정상이라면 더 이상의 모니터링은 필요하지 않다. 하지만, hypothyroidism으로 나타나면 TSH와 FT4가 정상 수준으로 될 때까지 levothyroxine 치료가 필요하다.

표 3-1-1. 임신 중 갑상선저하증 호르몬치료와 태아에 미치는 효과

일반명(상품명)	용법 및 용량	참고
Levothyroxine sod. (신지로이드정 0.1mg/T)	하루 1T-2T 사용	Thyroxine의 보충치료는 기형발생의 위험을 증가 시키지 않으며, Thyroxine insufficiency는 태아와 신생아의 발달 장애와 관련된다. 갑상선기능저하증에서 적절한 보충요법은 임신결과를 정상화하기 위해 추천된다.

① 임신 중 갑상선기능저하증이 있는 여성의 치료는 어떻게 하여야 하는가?

일반적으로 임신한 여성에서의 갑상선기능저하증의 치료는 비임신한 여성과 같이 합성 levothyroxine을 보충해준다. 임신 중 자주 levothyroxine 필요량이 25-50% 정도까지 증가 한다는 것을 아는 것은 중요하다. 가끔은 levothyroxine 용량이 2배가 필요할 때도 있다. 이상적인 것은 임신 전에 levothyroxine 용량이 적당하게 조절되는 것이 바람직하다. 갑상선 기능저하증이 있는 것을 아는 여성은 임신이 확인되자마자 갑상선기능검사를 하여서 TSH 가 정상수준을 유지 할 수 있도록 하여야 한다. 그리고 임신동안 6-8주마다 갑상선기능검사가 되어야 한다. 만약 levothyroxine의 용량을 조정한 경우는 4주 후에 측정하여야 한다. 아이를 출산 후에는 바로 levothyroxine 용량은 임신 전 수준으로 조정될 수 있다. 철분제를 포함하는 산전 종합비타민은 위장관으로부터 갑상선호르몬 흡수를 방해할 수 있다. 따라서 levothyroxine과 산전종합비타민은 같은 시간에 복용하면 안되며 적어도 2-3시간의 간격은 있어야 한다.

(2) 갑상선기능항진증(Hyperthyroidism)

임신 중 갑상선기능항진증의 가장 흔한 원인은 Graves 질환으로 80-85%을 차지하며, 1/1500 임신부에서 발생한다. 또다른 원인으로는 심한 임신오조증(hyperemesis gravidarum)의 경우 높은 hCG로 인해 일시적 갑상선기능항진증이 나타날 수 있다.

갑상선기능항진증이 임신부와 태아에 미치는 영향은 무엇인가? 임신부에게 갑상선기능항진 증은 조기진통과 임신중독증을 동반할 수 있다. 그리고 매우 악화되어 thyroid storm 으로 임신부가 위험한 상태에 빠질 수 있다. 태아에게는 빈맥, 저체중증, 조산, 사산이 증가 할 수 있다. 또한 Graves disease는 자가면역질환으로 발생된 자가 항체(thyroid stimulating immunoglobulins)가 태반을 통과하여 태아의 갑상선에 영향을 미쳐 태아 또는 신생아의 갑상선기능항진증의 원인이 된다.

항갑상선약물인 Methimazole(Tapazole)이나 Propylthiouracil(PTU)은 갑상선기능항진증 치료를 위해 사용될 수 있다. 하지만, 이들 두 약 모두 태반을 통과할 수 있어서 태아에서 goiter를 발생할 수 있다. 이전에는 PTU는 태반통과가 Tapazole보다 적어서 임신부의 갑상선기능항진증 에 제1선택 제재였었다. 하지만, 최근 연구들은 두 제재 모두 임신 중에 안전하게 사용될 수 있는 것으로 알려져 있다. 아이나 신생아에서 갑상선기능저하증이 발생하는 것을 최소화하기 위해 임신부의 갑상선기능항진증을 치료하기 위해서는 가능한 최소용량의 항갑상선 약물이 추천되어진다. 두 약물 모두 기형발생의 일반적 위험률을 넘지 않는 것으로 알려져 있으며, 만약 치료가 잘 모니터될 수 있다면 임신 중 갑상선기능항진증을 치료하는 것은 아기에 대한 이익이 위험보다 더 높다.

치료방법으로는 경미한 증상과 갑상선 호르몬이 약간 증가되어 있는 경증의 갑상선기능항진 증의 경우는 임신부와 아이가 모두 잘 있다면 치료 없이 자주 감시하면 된다. 하지만 갑상선기능항진증이 치료가 필요할 만큼 심하다면, PTU가 우선적으로 추천되어 왔다. 치료의 목표는 임신부의 free T4와 free T3수준을 high normal range을 유지할 수 있도록 최소 용량이 주어져야 한다. free hormone 수준을 이렇게 목표로 삼는 것은 아이의 갑상선기능저하증이나 goiter의 발생 위험률을 최소화 하기 위한 것이다. 매달 갑상선기능검사로 TSH와 갑상선호르몬을 검사해야 한다.

표 3-1-2. 임신 중 갑상선항진증 치료제와 태아에 미치는 영향

일반명(상품명)	용법 및 용량	참고
Propylthiouracil (안티로이드 정 50mg)	초기량 1일 150–300mg을 3–4회 분할 투여한다. 갑상선기능항진증이 소실되면 1–4주간 점진적으로 감량해서 유지량으로서 1일 50–100mg을 1–2회 분할 투여한다.	기형발생을 증가시키지 않음. 하지만, 태아나 신생아의 갑상선이상을 초래 할 수 있다. 임신 중 메티마졸 보다 선호 됨.
Methimazole (메티마졸 정 5mg)	1일 초기량을 경증인 경우에는 15mg, 중 등도인 경우에는 30–40mg, 중증인 경우에는 60mg을 8시간 간격으로 1일 3회 분할 경구 투여한다. 기능항진이 소실함에 따라 유지용량으로는 1일 5–15mg을 1–2회 분할 투여한다.	태아의 갑상선을 억제시킬 수 있으며, 과거의 연구에서 Scalp defects (aplasia cutis), chonal atresia와 관련될 수 있음 시사. 하지만, 최근 연구들에서는 임신 중 사용시 안전한 것으로 알려져 있음.

2) 임신과 당뇨병

당뇨병은 우리몸이 충분한 인슐린을 생산하지 못하거나 적절하게 인슐린을 사용하지 못하는 상태이다. 인슐린은 우리의 세포가 기능을 할 수 있도록 에너지를 제공하기 위해 필요한 호르몬이다. 인슐린은 당이 혈류로부터 세포로 이동하도록 돕는다. 당이 세포로 이동할 수 없을 때 당은 체내에 축적되어 hyperglycemia상태가 된다. 이렇게 높은 당은 눈, 신장과 같은 기관에 손상을 주고, 혈관과 신경에 손상을 입힐 수 있다. 당뇨병의 대부분은 인슐린비의존형당뇨병(NIDDM, type 2)으로 우리 몸이 충분한 인슐린을 생산하지 못하거나 인슐린이 당을 세포로 이동시킬 수 없다. 이러한 당뇨병은 성인형 당뇨병이라 한다. 하지만, 인슐린의존형당뇨병 (type 1)은 연소형 당뇨병이라고도 불리며, 이는 우리 몸이 인슐린을 생산하지 못한다. 인슐린 의존형당뇨병은 인슐린 주입이 필요하고 혈중 당 수준을 잘 관찰하여야 한다.

가임여성이 임신을 원하고 계획하는 경우 우선 임신 전에 먼저 당뇨병이 있는 경우에 신경관 결손증을 포함한 기형발생위험을 줄이기 위해 적어도 임신 2-3개월 전부터 최소 임신 12주까 지 하루에 4-5 mg의 엽산제를 복용할 수 있도록 처방하여야 한다. 그리고, 당뇨병이 있는 임 신부에게 기형발생 위험이 어느 정도일 것 인지는 당뇨병의 원인이 무엇인가에 상관없이 임신 전과 임신 중에 그녀의 당이 얼마나 잘 조절되는 가에 달려 있기 때문에 임신 전에 혈당을 잘 조절하고 임신 중에 혈당을 낮은 상태에서 잘 유지 할 수 있도록 하여야 한다.

Hemoglobin A1c(당화 헤모글로빈)에 관한 검사는 2-3개월 전의 혈당 조절정도를 평가하 게 된다. 이상적으로는 이들의 수준이 임신 전에 정상 범위 내에 있어야 한다.

당뇨병이 있는 여성에서 태어난 대부분의 아이들은 기형을 동반하지 않는다. 하지만, 임신 중 고혈당인 경우 태어난 아이에서 기형 발생 위험률은 증가한다. 고혈당은 임신부가 임신을 알기 전인 임신 초기에 가장 영향을 많이 미친다. 당이 잘 조절되지 않는 경우에 기형 발생위험 률은 6-10%로 알려져 있다. 이는 당이 조절된 경우 보다 2배 높은 기형 발생 위험률이다. 한 편, 당이 전혀 조절되지 않은 경우는 기형 발생 위험률이 20%까지 올라간다. 발생되는 기형들 은 신경관결손증, 심장기형, 골격계기형, 요로계기형, 생식기계기형, 그리고 소화기계기형 등 이 포함된다. 이들 여성들에서 자연유산이나 사산율이 높다. 또한 태어난 아이들은 호흡곤란, 저혈당증, 황달 등이 잘 발생하며, 임신부의 경우는 임신중독증, 조산, 양수과다증, 거대아 출 산의 발생률이 높다.

① 당뇨병을 치료하기 위한 인슐린

동물, 사람 또는 합성 인슐린이 임신 중 당 조절을 위해 사용된다. 임신 중 사용되는 인슐 린은 기형발생의 증가와 관련되지 않는다. 인슐린을 사용할 때 당을 보다 잘 조절 하게 되어 서 기형발생률을 줄일 수 있기 때문에 임신 중 인슐린 사용에 따른 이익은 위험보다 높은 것 으로 밝혀져 있다.

② 경구용 혈당강하제를 복용하다 임신하는 경우에 인슐린 주사로 반드시 바꿔야 하는가?

인슐린이 대부분의 경구용혈당강하제 보다 혈당 수준을 잘 조절할 수 있다고 생각하기 때 문에 많은 의사들은 인슐린으로 바꾸기를 원한다. 하지만, 연구들에 의하면 경구용 혈당강하 제인 Metformin의 경우 인슐린을 사용했던 경우와 기형발생률을 비교해본 결과 기형발생위 험률이 증가하지 않았다. 따라서, 비록 더 많은 연구가 필요하지만 임신 중 당뇨병을 위한 약 물로 주사제인 인슐린 외에도 경구용 혈당 강하제를 제한된 범위내에서는 이용할 수 있다.

표 3-1-3. 경구용 혈당조절 약물의 종류와 임신 중 태아에 미치는 영향

일반명(상품명)	용법 및 용량	참고
Metformin (Biguanide계)	글루코파지, 그루코닐, 글루퍼민	동물실험에서 기형을 증가시키지 않았으며, 인간에서도 연구 참여 숫자나 방법론적인 한계가 있지만 기형발생을 증가시키지는 않았 다. 일반적으로, 임신 중에는 인슐린이 더 선호되고 있다.
Glyburide (Sulfonylurea계)	다오닐, 유글루콘, 그리슐린	동물실험에 근거하여 기형을 증가시킬 것 같지 않다. 이 약은 태반을 통과하지 않는다. 그리고 일부에서는 이 약으로 임신성 당뇨병을 치료 후 양호한 임신 결과를 보고하였다.
Glipizide (Sulfonylurea계)	다이아비네스 다이그린, 글리코, 그리피짓	동물실험과 제한된 인간에서의 경험에 근거하여 기형발생위험률 증가시키지 않을 것같 다. 하지만, 이 약은 신생아 저혈당증과 관련 되기 때문에 임신중에 피한다.
Gliclazide (Sulfonylurea계)	다아미크롱, 디아그린, 디베린	동물실험에서 rat의 체중을 감소 시키는 것외에 기형발생 등의 나쁜 영향은 나타나지 않음. 하지만 인간에서 연구는 보고된 바 없음.
Gliquidone (Sulfonylurea계)	글루레노룸	Rat와 Rabbit에서 기형발생 증가 없음. 하지만 인간에서의 연구는 보고된 바 없음

③ **임신성 당뇨병**(gestational diabestes)

임신성 당뇨병은 임신 중에 주로는 임신 24-28주 사이에 진단된 당뇨병으로, 임신 중 당뇨병의 90%는 임신성 당뇨병이다. 임신부들은 임신성 당뇨병을 스크린 하기 위해 임신 24주-28주사이에 50 g glucose solution을 마신 후 1시간이 지난 후 혈당 수준을 검사한다. 그리고 여기에서 이상이 있는 경우 확진을 위한 추가 검사를 하게 된다. 대부분의 임신성 당뇨병이 있는 여성들의 경우 증상이 없지만, 일부에서는 목마름, 배고픔과 피곤함을 느낀다. 대부분의 여성들은 출산 후 그들의 혈당이 정상화되지만, 약 40%는 언젠가 당뇨병으로 진행된다. 한편, 임신성 당뇨병이 있는 대부분의 여성은 다이어트요법으로 당이 잘 조절되지만, 약 10-15%는 인슐린 치료가 필요하다. 임신성 당뇨병은 아기의 신체가 이미 형성된 후인 임신 2기에 일어나기 때문에 기형아 발생위험률을 증가시키지는 않는다. 하지만, 거대아를 낳을 가능성이 높아진다. 드문 경우에 임신 1기에 임신성 당뇨병이 발생하는 경우가 있으며, 이때는 당뇨병처럼 기형발생위험률이 증가될 수 있다.

3) 임신 중 고혈압

임신 중에 동반되는 고혈압은 3가지 형태가 있다.

첫 번째는 만성고혈압(Chronic hypertension)으로 임신과 관련되지 않으며, 만약 잘 조절된다면 임신에 경미한 영향만을 미친다.

두 번째는 임신성고혈압(Pregnancy induced hypertension)이다.

세 번째는 중복임신중독증(Superimposed preeclampsia)이 된 경우이다.

① 임신 중 만성고혈압(Chronic hypertension)

만성고혈압은 임신 전 또는 임신 20주 전에 진단된 140/90mmHg 이상의 고혈압이다. 발생률은 임신 중 1-5%이며, 고혈압이 치료되지 않으면 임신부와 아이에게 나쁜 영향을 끼칠 수 있다. 고혈압은 산소와 영양물질이 모체로부터 아이에게 갈 수 있게 하는 태반혈관에 손상을 줄 수 있어서, 결과적으로 자궁 내 태아발육지연과 양소과소증, 조산, 조기태반박리, 사산을 발생할 수 있다. 한편, 항고혈압 약제인 ACE inhibitor는 양수과소증을 더욱 조장한다. 따라서, 미국산부인과 학회에서는 임신이 진단되자마자 ACE inhibitor 처방을 중단할 것을 권하고 있다. 하지만, 만약 임신부의 혈압이 잘 조절 된다면 다른 고혈압약들은 중단할 필요없는 것으로 밝히고 있다.

표 3-1-4. 고혈압치료제와 임신 중 사용 시 태아의 기형발생 평가

약물	제제 특성	기형 발생
Hydrochlorothiazides	이뇨제	동물실험과 인간에서 기형을 발생하지 않음. 하지만 태아의 전해질 장애나 태반혈류저하를 발생할 수 있음.
Furosemide	이뇨제	동물실험에서 전해질이상을 막을 수 있다면 기형을 발생하지는 않음. 하지만, 아미노글라 이코시드계 항생제와 같이 투여 시 아이의 sensorineural hearing loss와 관련 될 수 있음.
Spironolactone	이뇨제	동물실험에 근거하여 기형발생을 증가시킬 것 같지 않다. 하지만, rat에서 항안드로젠 효과는 남아의 성기발달에 부정적 영향을 미칠 수 있다. 하지만, 인간에서 보고된 바 없음.
Prazosin	알파 1 차단제	동물실험에 근거하여 기형아 발생률을 증가 시킬 것 같지 않음.
Methyldopa	알파 2 차단제	임신성고혈압에서 가장 자주 처방되는 약물임. 일부연구에서 head size감소와 관련. 하지만, 장기적 관찰에서 성장과 인지장애 일으키 지 않음, 하지만, 자궁내성장지연과 관련됨.
propranolol	베타차단제	동물실험과 사람에서의 경험에 근거하여 기형발생을 증가시킬 것 같지 않음, 하지만 자궁 내 성장지연과 관련될 수 있음.
Atenolol	베타차단제	기형발생위험률은 거의 없다. 하지만 no risk라고 하기에는 자료가 불충분하다. 자궁 내 성장지연과 관련될 수 있음.
Diltiazem	칼슘길항제	동물실험에서 limb, tail기형이 증가되었다. 하지만, 제한된 연구이기는 하지만, 인간에서 자연유산이 증가된 것 외에 기형발생이 증가되지는 않음.
Verapamil	칼슘길항제	동물실험에서 태반혈류를 감소시킴. 일부 human 연구에서 자연유산 증가와 관련되나 기형발생률을 증가시키지는 않았음.
Hydralazine	혈관확장제	동물실험에서 태반혈류 감소로 인한 digital defects를 유발할 수 있음. Sympathetic stimulant여서 협심증이나 심근 경색증을 유발할 수 있어서 임신 중 고혈압을 위한 1차 약은 아님. undesirable side effects를 막기 위해 propranolol이나 이뇨제와 같이 사용함.
Enalapril	ACE inhibitor	임신 2기 이후 사용 시 노출된 태아의 신장과 순환계에 영향을 미쳐 저혈압, 무뇨증, 사망을 유발할 수 있음. 임신 1기에 노출 시 아직은 기형발생에 관해 불확실하지만, 일부 연구에서 중추신경계와 순환계기형발생률이 약간 증가하는 것으로 보고됨.
Captopril	ACE inhibitor	임신 2기 이후 사용 시 빈뇨, skull defects, 사망과 관련됨. 임신 1기에 노출 시 아직은 기형 발생에 관해 불확실하지만, 일부연구에서 중 추신경계와 순환계기형발생률이 약간 증가하는 것으로 보고됨.

② 임신성고혈압(Pregnancy induced hypertension)

임신성고혈압은 임신 전에 혈압이 정상이었으나 임신 20주 이후에 혈압이 적어도 6시간 간격으로 2회 이상 혈압이 140/90 mmHg이상인 경우로 발생 빈도는 6-8%이다. 혈압이 160/ 110 mmHg이상 지속되는 경우는 중증 임신성고혈압으로 진단한다. 가장 심한 임신성고혈압은 HELLP syndrome으로 이는 혈액응고장애나 간기능에 영향을 미친다. 한편, 임신중독증은 고혈압에 추가해서 단백뇨(0.3 g/d)에 의해서 특징을 보인다. 심한 단백뇨의 경우 5 g/d이상이다. 임신 중독증의 원인은 알 수 없지만, 광범위한 병리적 변형은 폐부중, 핍뇨증, 경련, 혈소판감소증, 그리고 간기능 이상을 가져올 수 있다. 임신성고혈압은 조기 태반박리, 조산, 저체중증 발생을 증가시킬 수 있다. 따라서, 임신부와 태아를 적극적으로 감시하여야 한다.

③ 중복임신중독증(Superimposed preeclampsia)

중복임신중독증은 임신 중 가장 심하고 합병증이 많이 생길 수 있는 고혈압이다. 임신 중 만성 고혈압에 임신중독증이 중복되는 경우는 발생률이 4.7-52%로 보고되어 있다. 발생률은 임신 시기에 고혈압의 중증도에 따라 달라지는 것 같다. 임신 초기에 중증고혈압을 가지는 경우 임신중독증의 동반은 28-35%이며, 경증의 고혈압인 경우 4.7%이다.

4) 임신중 천식

임신 중 천식 증상은 약 30%는 악화되고 나머지는 호전되거나 그대로이다. 천식발작(asthma attack)이 가장 자주 일어나는 시기는 임신 24-36주 사이이며, 오히려 임신 마지막 달에는 심각한 천식이 더 자주 나타나거나 더 심해지지도 않는다. 조절되지 않는 천식은 임신부의 혈액 내 산소의 양을 감소시키며, 결과적으로 태아의 혈액 내 산소량을 감소시킨다. 감소된 혈액은 태아의 성장을 방해하고 생명을 위협할 수 있다. 하지만, 임신 중 천식은 잘 치료되지 않는 경향이 있다. 이유는 처방 받은 약물이 태아에 나쁜 영향을 미칠까 두려워하기 때문인 것 같다.

임신 중 비록 환자가 약물을 사용하는데 편하지 않게 느낀다 하더라도, 조절되지 않은 천식에서 나타나는 위험은 천식 약을 사용하는 것 보다 훨씬 크다.

임신 전에 여성들이 임신 중 약물의 사용에 관해 미리 상담하는 것은 매우 중요하다.

흡입용 코르티코스테로이드는 임신 중 천식을 치료하기 위해 선호된다. 추천되는 약물로는 Budesonide, Salbutamol(Albuterol)과 Salmeterol이 포함된다.

경구용 코르티코스테로이드는 임신 중 천식 치료를 위해 선호되지 않는다. 하지만, 이들 경구용 코르티코스테로이드는 임신 중 천식발작(asthma attack)을 치료하기 위해 사용될 수 있다. 이들 약물의 위험률은 조절되지 않아 심한 천식에 의한 위험보다는 여전히 낮다.

천식이 조절되지 않아 생길 수 있는 나쁜 주산기 예후로는 임신중독증, 조산, 저체중아, 사산이 포함된다.

표 3-1-5. 천식치료제와 임신 중 사용 시 태아의 기형발생 평가

성분면	상품명	약물의 종류	기형 발생
Budesonide	풀미코트에어로졸	Corticosteroid	인간에서의 경험은 기형발생과 관련되지 않으며, 임신 중 천식치료를 위해 추천됨.
Salbutamol (Albuterol)	벤토린 흡입제	β2-agonist	인간에서 기형발생률을 증가시키는 것 같지 않음.
Salmeterol	세레벤트 흡입제	β2-agonist	제한된 연구이지만 인간에서의 경험은 기형발생과 관련되지 않으며, 임신 중 천식치료를 위해 고려될 수 있다.
Fluticasone	후릭소타이드 흡입제	Corticosteroid	일부연구에서 언청이 발생과 성장장애와 관련 됨.
Triamcinolone	나자코트	Corticosteroid	일부연구에서 언청이 발생과 성장장애와 관련 됨.
Prednisolone	소론도정, 니로손정	Corticosteroid	일부연구에서 언청이 발생과 성장장애와 관련 됨.
Cromoglycate (Cromlolyn sod.)	네뷸라이저	Anti-inflamatory	인간의 연구에서 기형발생을 일으킬 가능성 거의 없음.
Nedocronmil	텔레이드에어로솔	Anti-inflamatory	동물실험에서 기형발생 증가되지 않음. 인간에서는 아직 적절한 평가가 없었음.
Fenoterol	베로텍에어로솔	β2-agonist	동물실험에서 기형발생 증가되지 않음.
Terbutaline	브르카닐터부헬러	β2-agonist	인간에서 기형발생을 증가시킬 것 같지 않음.
Theophylline	데오크레캅셀	Methylxanthine	인간에서 기형발생을 증가시킬 것 같지 않음. 하지만, 신생아에서 jitterness, 빈맥, 구토를 일으킬 수 있다.
Acepifylline	에토필정	Methylxanthine	보고된 생식발생독성 자료 찾을 수 없음. 하지만, 기형 발생위험률이 높지는 않은 것 같음.
Aminophylline	아미노필린주	Methylxanthine	동물실험에서 digit deformity와 관련됨. 하지만, 인간에서 나쁜 임신결과 나타내지 않음.
Epinephrine	에피네프린주	Sympathomi-metic	동물실험에서 limb defect와 관련됨. 하지만, 인간에서 기형발생률 증가시키지 않음.

5) 임신 중 결핵

결핵은 Mycobacterium tuberculosis라는 결핵균에 의해서 감염되어 발병하는 만성전염성 질환으로 주로 폐에 침입하여 병변을 만드나, 그 외 흉막, 림프선, 콩팥, 뼈, 관절 등 우리 몸의 거의 모든 부위에 병을 일으킬 수 있다. 결핵의 증상으로는 3주 이상 지속되는 기침, 체중감소, 기침 시 혈액 묻어남, 피로감, 열과 오한, 그리고 밤에 땀을 많이 흘리게 된다. 만약 치료되지 않으면 치명적이다. 우리나라의 결핵 감염률은 약 15%정도이며 균양성유병률은 0.22%이다. 임신 중 결핵이 치료되지 않으면 조산, 저체중증, 자궁내성장지연, 주산기 사망률이 증가한다. 임신 중 추천되는 1차 약물은 Isoniazid, Rifampin, Ethambutol 이들 3가지 약물을 9개월은 복용하여야 한다. 이들 약물들은 임신 중 안전하다. 그리고 필요하다면 Pyrazinamide를 추가 할 수 있다. 한편, WHO에 서는 이들 4가지 약제를 동시에 6개월 동안 사용하기를 권한다.

표 3-1-6. **결핵치료제와 임신 중 사용시 태아의 기형발생 평가**

성분면	상품명	기형 발생
1차약		
Isoniazid	유한짓정	선천성 기형 유발할 가능성은 매우 낮음. 하지만, 비타민 B6(Pyridoxine)결핍과 관련하여 경련 등의 신경독성을 유발할 수 있음. 예방적 목적으로 pyridoxine 50mg/d를 투여해야 함. 위의 위해 가능성에도 불구하고 임신 중 결핵의 치료는 justify됨.
Rifampin	리팜핀정	인간의 경험에서 기형을 일으킬 가능성은 매우 낮음.Isoniazid, Ethambutol과 함께 임신 중 추천되는 three- drug regimen.
Ethambutol	마이암부톨제피정	제한된 연구지만 기형발생률 증가시키지 않음.
Pyrazinamide	유한피라진아미드	Controlled 연구 보고는 없음. 증례 보고에서 기형발생 증가되지 않음.
Streptomycin	황산스트렙토마이신	임신 중 치료 시 태아의 deafness와 관련됨. 하지만, 가능성은 높지 않음.
2차약		
Capreomycin	카파신주	동물실험에서 태아의 rib abnormality와 관련됨. 임신 중에는 다른 약물이 더 선호됨.
Kanamycin	황산가나마이신주	임신 중 사용 시 태아의 내이 손상을 일으켜 deafness와 관련됨.
Ethionamide	에티오나미드	Rat에서 ompahlocele, exencephaly, cleft palate 발생함. controlled human data는 없지만, case series에서 CNS defects와 관련됨.
Para-aminosalicylic- acid	파스	동물실험(rat, rabbit)과 human study에 근거하여 기형발생률을 증가시키지는 않는 것 같다.
Cycloserine	크로세린캅셀	결핵과 다른 감염을 치료하기 위해서 사용될 수 있지만, 기형발생관련 연구 보고는 없음.

6) 임신 중 요로감염(Urinary tract infection)

(1) 요로감염

요로 감염증이란 요로에 병을 일으킬 정도로 균이 존재하는 상태를 말하며, 요로에 균이 침입하여 일어나며 무증상일 때도 있고 증상이 나타날 때도 있다.

(2) 임상증상

① 하부 요로 감염증(주로 방광염과 요도염)

대표적인 증상으로는 배뇨곤란, 하복부 불쾌감, 빈뇨, 긴급뇨 등이 있으며 소변이 혼탁하고 냄새가 나며, 전신 증세는 보통 없으나 38℃ 이상의 발열과 오한이 있을 때에는 상부요로감염을 의심한다.

② 상부요로 감염증(주로 신우신염)

횡복부 동통및 압통, 발열, 오한 이외에 하부요로 증상이 수반되며 두통, 권태감, 구역 구토가 올 수 있다.

표 3-1-7. 요로감염치료제와 임신 중 사용 시 태아의 기형발생 평가

약물	상품명	기형 발생
Ampicillin	앰씰린 캅셀	기형발생 증가와 관련될 것 같지 않음.
Amoxicillin	곰실린 주	기형발생 증가와 관련될 것 같지 않음.
Cefalexin	세팔렉신 캅셀	동물실험과 human studies에 근거하여 기형발생 증가와 관련되지 않음.
Erythromycin	에리스로 캅셀	기형발생위험률을 증가시킬 것 같지 않음.
Tetracycline	테트라싸이클린 캅셀	임신 25주 이후 사용 시 치아의 착색과 bone growth에 영향을 미칠 수 있음.
Doxycycline	바이브라마이신 정	임신 25주 이후 사용 시 치아의 착색과 bone growth에 영향을 미칠 수 있음. 다른 기형 발생은 증가시키지 않음.
Ciprofloxacin	씨프러스 주	동물실험에서 연골에 독성작용이 있기 때문에 임신 중 사용은 피해야 함. 하지만, 임신 중 나쁜 영향이 있었던 경우는 보고된 바 없음.
Ofloxacin	에펙신 정	동물실험에서 연골에 독성작용이 있기 때문에 임신 중 사용은 피해야 함. 하지만, 임신 중 나쁜 영향이 있었던 경우는 보고된 바 없음.
Gentamicin	겐타신 주	기형을 증가 시킬 가능성은 낮다. 태아의 ototoxicity와 nephrotoxicity에 관한 이론적 가능성이 있지만, 임상적으로 확인된 적 없음.
Kanamycin	황산카나마이신 주	임신 중 태아 내이의 손상과 관련됨.
Sulfamethoxazole & Trimethoprim	설파메톡사졸과 트리메토프림 주	Trimethoprim은 folic acid antagonist이며 신경관결손증, cleft palate를 유발할 수 있음. 임신 중에는 피해야 함, 하지만, human에서 이러한 기형발생 증가에 대한 보고는 없음.

7) 임신 중 질염(Vaginitis)

질염이란 질이 자극을 받거나 감염, 악성종양의 과정, 에스트로젠의 불균형 등에 의해 생기는 것을 말한다. 가임 여성의 질염의 주요원인으로는 Trichomonas vaginalis, Candida albicansm Gardnella vaginallis, anaerobic bacteria 등이 있다.

표 3-1-8. 질염치료제와 임신 중 사용시 태아의 기형발생 평가

적응증	약물	상품명	기형 발생
트리코모나스	Metronidazole	Flasinyl 정	임신 중에 기형발생률을 증가시킬 가능성은 낮음.
트리코모나스	Tinidazole	Fasigyn 정	동물실험에 근거하여, 기형발생위험률을 증가시킬 것 같지 않음.
칸디다	Nystatin	Nycostatin 질정	임신 중 topical use는 기형발생을 증가시킬 것 같지 않음. Case reports에서 고용량으로 만성적으로 사용시 AR질환에서 나타나는 Antley-Bixler 증후군 (brachycephaly, craniosynostosis, cleft palate 등)과 유사한 기형발생, 하지만, 칸디다증을 위한 low dose에서는 기형발생률이 증가되지 않았음.
칸디다	Ketoconazole	Spike 정	고용량의 동물실험에서 embryolethality증가와 관련되지만, human에서 기형발생 증가의 보고는 없음.
세균성	Metronidazole Spiramycin	Rodogyl 정	대부분의 연구는 Spiramycin으로 인한 기형발생률 증가되지 않음.

8) 임신 중 바이러스질환(감염성 질환)

① 단순포진(Herpes Simplex)

단순포진은 바이러스에 의한 작은 물집이 여러개 모여 생기는 피부질환이다. 입술과 외음부그리고 눈에서도 발생할 수 있다. 단순 포진의 원인은 Herpes simplex virus(HSV)의 I형과 II형 두 종류의 바이러스에 의한다. I형은 주로 구순포진의 원인이 되고, II형은 생식기 포진과 수지포진 의 원인이 된다. 신생아는 엄마의 외음부에 있는 II형 HSV감염에 의해서 초감염을 받아 위험에 빠지기도 한다.

표 3-1-9. **단순포진 치료제와 임신 중 사용 시 태아의 기형발생 평가**

일반명	상품명	기형 발생
Acyclovir	Acyclovir 정	동물실험과 human data에 의하면 치료용의 용량에 의해서 기형유발가능성 낮음.
	Menova 정	
	Vacrovir 정	
	Acyclovir크림	
Interferon, Human Ig	인터페론 연고 Betaferon 연고	고용량에 의한 동물실험에서 성장지연과 관련되기는 하지만, 제한된 human data에서 기형발생 증가시키지 않음.
Ribavirin	Viramid크림	동물실험에 limb, eye, brain defects와 관련되지만, 정상아 출산이 Case reports로 보고됨.
Tromantadine	Viru-Merz연고	기형발생 관련 보고 찾지 못함.
Idoxuridine	Eye-Cure안연고	DNA합성 억제제로 동물실험에서 head, limb, palate등의 복합기형증가 시킴. 하지만, human data의 보고는 없음.

② 대상포진(Herpes Zoster)

대상포진과 수두는 둘다 동일 herpes virus인 varicella-zoster virus가 원인으로, 수두는 이 바이러스의 초기감염으로 주로 어린시절에 발생하며, 대상포진은 어린시절 수두 감염 시에 중추신경의 ganglia에 잠복해 있던 바이러스가 성인이 된 후 임신과 같이 면역 약화 상태 시 바이러스가 재활성화 되어 발생한다. 대상포진은 신경의 분포에 따라 일측성으로 수포가 발생하며, 가려움증이 특징인 수두와 달리 심한 통증이 특징적이다. 피부 병변이 회복된 후에도 수개월 이상 신경통을 남길 수도 있고 신경의 손상으로 마비나 시력손상이 발생할 수도 있다.

표 3-1-10. **대상포진 치료제와 임신 중 사용 시 태아의 기형발생 평가**

일반명	상품명	기형 발생
Acyclovir	조비락스 정	동물실험과 human data에 의하면 치료용의 용량에 의해서 기형유발가능성 낮음.
	조비락스 주	
	아시클로버크림	
Fenoprofen	페노프렌 캅셀	NSAIDs로 기형발생가능성은 낮음. 임신말기에는 조기동맥 관폐쇄와 관련됨.
Amitriptyline	에트라빌 정	Tricyclic antidepressant로 동물실험에서 encephalocele같은 기형발생이 증가되지만, human에서는 확인되지 않음.

(계속)

표 3-1-10. 대상포진 치료제와 임신 중 사용 시 태아의 기형발생 평가

일반명	상품명	기형 발생
Triamcinolone acetonide	아세돌론 주	Glucocorticoid로 일부 연구에서 cleft palate와 성장장애와 관련됨.
Capsaicin	조스트릭스 HP 크림	동물과 human data에서 기형발생을 증가시킬 것 같지 않음.

9) 임신 중 혈전증(Thrombosis)

생체 내에서 혈액은 응고와 용해작용이 항상 평행을 이루고 정상적으로 순환하고 있는 동안에는 혈액 성분의 덩어리인 혈전이 생성되지 않는다. 그러나 여러 가지 원인으로 균형이 깨져 혈전이 생성되면 혈관을 막게 되므로 혈액의 순환이 방행되어 조직으로 영양 및 산소의 공급이 막히게 된다. 인체 내의 순환계인 심장, 동맥, 정맥, 모세혈관 내에서 혈전이 생성되어 혈액순환장애를 일으킬 때 혈전증이라 부른다.

(1) 혈전증의 종류 및 증상

① 심재성정맥혈전증(DVT: Deep Venous Thrombosis)

　　환자중 80%가 한쪽 발목에 부종이 나타나며 50%는 종아리에 압통이 일어나고 8%에서는 발등에 통증이 오는 증상인 Homan's sign이 나타난다. 종아리에 열이나고 부풀어 오르기도 하며, 심하면 피부가 푸른색으로 변한다.

② 폐동맥색전증(Pumonary thromboembolism)

　　발열, 흉막동통, 각혈, tachypnea, tachycardia 등이 나타난다.

③ 뇌혈전색전증(Cerebral thromboembolism)

　　반신마비, 반신감각상실이 나타나며, 뇌경색부위의 정도와 부위에 따라 두통, 의식의 변화, 국 소적경련, 시야결손 등의 증상이 나타난다.

④ 동맥혈전증과 색전증(Arterial thrombosis & thromboembolism)

　　전형적인 증상으로 "5P"인 pain, paralysis, paresthesia(지각이상), pulselessness(맥박소실), pallor(창백)가 나타난다. 초기에 동통이 발생된 후 막힌 부위가 창백해지고 체온이 낮아지며 지각이상이 나타나 피부감각이 수 시간 내에 소실된다.

표 3-1-11. 대상포진 치료제와 임신 중 사용 시 태아의 기형발생 평가

일반명	작용기전	상품명	기형 발생
Heparin sodium	항응고제	녹십자 헤파린나트륨 주	MW 5,000~30,000Da으로 태반통과하지 않아 태아에 나쁜 영향 미치지 않음.
Dalteparin	항응고제	프리그민 주	태반통과 잘되지 않으며, 기형 발생 증가시킬 가능성 낮음.
Warfarin sodium	항응고제	쿠마딘 정	warfarin증후군(nasal hypoplasia, stippled epiphysis onradiograph, 성장지연)을 일으킴. 임신 중 heparin으로 대체되어야 함.
Aspirin	항혈소판제	아스트릭스 캅셀	동물실험에서 고용량 노출 시 cranial defects, NTD, heart defects를 일으킴. 수정 전후에는 유산과 관련되며, 임신말기에는 동맥관조기폐쇄증과 출혈경향과 관련됨. 하지만, low dose(60~100 mg/d)에서는 이러한 문제 일어나지 않음.
Dipyridamole 75 mg Aspirin 30 mg	항혈소판제	아사산친 캅셀	제한된 human 연구에서 dipyridamole과 기형 발생과는 관련되지 않음.
Ticlopidine HCl	항혈소판제	티핀 정	동물실험에서 일반적용량에 의해 기형발생 증가되지 않음. 하지만, human data는 없음.
Urokinase	피브린 용해제	유로키나제 주	태반추출물이며, 동물실험에서 기형발생률 증가되지 않음.

+ LMW heparin (1000~10000Da): 태반통과 거의 되지 않음.

▶ 참고문헌

1. 권광일. Clinical drug therapy of disease. In: 성기영. 알레르기성비염(Allergic Rhinitis). 2nd ed. 도서출판 신 일상사 2003. p 163-175.

2. 권광일. Clinical drug therapy of disease. In: 채유미. 감기(Common cold). 2nd ed. 도서출판 신일상사 2003. p 602-609.

3. American Academy of Allergy Asthma and Immunology. Managing asthma during pregnancy http://www.aaaai.org/patients/topicofthemonth

4. American Thyroid Association. Thyroid disease and pregnancy. http://www.thyroid.org/patients/brochures/Thyroid_Dis_Pregnancy_broch.pdf

5. Diabetes and pregnancy. http://www.otispregnancy.org/pdf/diabetes.pdf

6. Gabbe SG, Niebyl JR, Simpson JL. Obstetrics; Normal and problem pregnancies. In: Gordon MC. Maternal physiology. 5th ed. Philadelphia, Churchill livingstone. 2007. p 74.

7. Han JY, Nava-Ocampo AA, Koren G.Unintended pregnancies and exposure to potential human teratogens. Birth Defects Res A Clin Mol Teratol. 2005 Apr;73(4):245-8.

8. Han JY, Yang JH, Chung JH, Choi JS, Ahn HK, Ryu HM, Kim MY, Cho SI, Nava-Ocampo AA. Teratogen risk counselling by internet: a prospective cohort study. J Obstet Gynae-

col. 2005 Jul;25(5):427-31.

9. Lacroix I, Damase-Michel C, Lapeyre-Mestre M, Montastruc JL. Prescription of drugs during pregnancy in France.Lancet. 2000 Nov 18;356(9243):1735-6.)

10. Omar Abboud, Hypertension and pregnancy http://www.hmc.org.qa/hmc/heartviews/issue8/intrc7.htm

11. Palahniuk RJ, Shmider SM, Eger EI. Pregnancy decreases the requirement for inhaled anesthetic agents. Anesthesiology 1974;41:82-83.

12. Piper JM, Baum C, Kennedy DL.Prescription drug use before and during pregnancy in a Medicaid population.Am J Obstet Gynecol. 1987 Jul;157(1):148-56.)

13. Reprorisk 2008

임신부에서 입덧

○ 나성훈

임상증례

임신 8주 된 초산모가 개인병원을 다니다 물도 못 마실 정도의 오심과 구토로 병원에 왔습니다. 개인병원에서 수액치료를 했으나 호전이 없었다고 합니다. 체중은 임신 전 54 kg보다 5 kg 감소되었다고 합니다.

1. 산모에게 뭐라고 설명할지?

2. 수액을 뭘로 줄지?

3. 항구토제를 뭘로 쓸지?

4. 통상의 항구토제가 안 들면 마지막으로 뭘 쓸지?

5. 임신초기에 먹는 입덧약이 있다고 하는데 써도 괜찮을지?

1 빈도 및 정의

임신 중 오심과 구토는 정도의 차이가 있기는 하지만 반수에서 많으면 90%까지 보고되고 있다.[1] 그 중 25%는 오심만 있으며, 35%의 임신부는 육체적, 정신적 합병증이 생길 수 있다고 알려져 있다. 우리가 영어로 'morning sickness'라고 알려져 있는 용어는 잘못 알려져 있는 용어로 통상 임신 중 오심과 구토는 하루 종일 지속되는 것이 대부분이다.

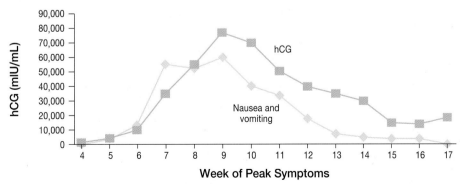

그림 3-2-1. 임신 중 오심과 구토와 사람 융모막성 성선자극호르몬(Human Chorionic Gonadotropin (hCG)) 농도와의 관계

임신부의 오심과 구토는 간헐적인 오심부터 지속적으로 심한 구토까지 임상적인 양상이 다양하다. 대개는 임신 4주에서 8주 사이에 시작되며 임신 8주에서 12주에 가장 심하다. 다행히, 이 시기가 지나면 입덧이 호전되어 16주까지 대부분 지속된다. 그러나 이들 중 약 20%는 더 오랫동안 지속되며 일부 임산부는 임신말까지 증상이 지속되기도 한다.[1, 2]

대부분 적절한 경구 수액보충과 유발시키는 음식을 피하는 것만으로도 충분하지만 지속적인 심한 오심과 구토는 항구토제를 필요로 할 수 있다. 심한 임신 중 오심과 구토는 1% 미만이라고 하며, "임신입덧(Hyperemesis gravidarum)"이라고 이야기 한다.[2]

또한, 다른 임상의들은 지속적인 구토 뿐만 아니라 체중감소(임신전 체중의 5% 이상), 탈수, 전해질 이상, 케톤증(ketosis)과 입원을 필요할 정도의 심한 경우로 정의하기도 한다. 심한 정도나 치료 여부와 관계없이 증상은 임신중기에는 대부분 호전이 저절로 된다.

2 감별진단

임신부에서 오심과 구토가 발생하면 임신 이외의 다른 원인이 있는지를 먼저 자세히 살펴보아야 한다. 간혹 산모에게 심각한 질병이 임신 전부터 있었지만 증상이 없어서 진단되지 않다가, 임신 후 증상이 발생하면서 악화되어 산모나 태아에게 위험한 경우가 생길 수 있기 때문이다.

감별해야 될 기관으로는 신경계(편두통, 중추신경계 질환인 뇌종양, 뇌압항진 등), 대사 및 내분비계(갑상샘항진증(thyrotoxicosis), 애디슨병(Addison's disease), 고칼슘혈증 등), 이비인후과계(Meniere's 증후군, 전정기관 이상(vestibular dysfunction) 등), 소화기계(위염, 담낭염, 간염, 충수염, 췌장염 등), 요로감염, 임신과 관련된 질환(자간전증, 기태임신(molar pregnancy) 등), 정신질환(식사 장애 등) 등이 임신 중 오심과 구토의 원인이 될 수 있다.

3 합병증

합병증으로 산모의 체중의 10-20% 감소와 탈수가 생길 수 있다. 또한 전해질 이상으로 흔하게 지속적인 구토로 인한 저나트륨혈증으로 오심, 구토, 두통, 기면(lethargy), 착란을 일으킬 수 있으며 심하면 발작도 생긴다. 또한, 너무 급격한 나트륨 보충을 하면 중심다리뇌말이집용해(central pontine myelinolysis)가 생겨서 오히려 생명을 위협할 수도 있다. 저칼륨혈증도 발생할 수 있는데 이로 인해 근육 약화와 부정맥이 생길 수도 있다. 비타민 부족으로 인해 합병증이 발생할 수 있는데 비타민 B1이 부족해서 생기는 Wernike's 증후군이 대표적이고, 이것은 수액 중 포도당(dextrose)가 들어가 있는 수액을 고농도로 단시간에 주게 되면 발생할 수 있어서 주의를 요한다. 비타민 B6나 B12의 부족은 빈혈이나 말초신경병을 일으킬 수 있다. 심하고 지속적인 구토로 식도의 말로리바이스에 손상을 일으켜서 각혈을 할 수도 있다. 출산 후에 음식 혐오감이나 담낭 기능 이상, 외상 후 스트레스 장애 등이 생길 수 있어서 다음 임신 시도에도 영향을 줄 수 있다. 또한, 태

아에게는 자궁 내 발육지연이나 조산과도 관련이 있다는 보고도 있다.[3]

4 위험요인

역학연구의 결과는 연구자마다 다양하지만, 한 개의 큰 전향적연구의 결과를 보면 초산모, 사회경제력이 낮은 경우, 어린 나이, 비흡연자들이 임신 중 오심과 구토가 잘 발생하는 것으로 보고되었다. 다태임신, 임신 전 당뇨환자, 갑상선기능항진증, 위장계 질병, 포상기태임신의 과거력, 6주 전에 종합비타민제를 복용하지 않은 경우, 정신과적인 질병을 가진 경우에도 높은 것으로 보고 되었다.[4, 5]

5 발생기전

임신 중 오심과 구토의 원인은 아직 잘 모르지만, 유전적, 소화기계, 내분비, 환경, 정신적인 요인들이 복합적으로 관여하는 것으로 생각되고 있다. 한편으로는 이것이 해로운 물질을 산모의 몸에 섭취하지 못하도록 하는 방어기전으로 유산이 덜 발생했다는 보고를 하였다.[6]

또한, 유전적인 역할의 중요성에 관한 최근 보고에 임신입덧을 경험한 엄마에게서 태어난 딸이 본인 임신 때 임신입덧이 생길 수 있는 확률이 3배 이상 많은 것으로 보고하였다.[7]

태반과 관련되어 있는 호르몬은 hCG, 프로게스테론(progesterone), estrogen, adrenocortico-trophic hormone, leptin 등이 보고되고 있다.[8, 9]

많은 심리적, 행동적 이론에 근거해서 여러 가지 가설을 세워 실험을 해서 발생기전을 밝히려고 노력하고 있지만 아직은 모든 연구 결과에서 발생기전이 명확하지 않아 지속적인 연구가 필요한 부분이다.

6 진단

임신 12주 이후에 시작되는 구토는 유심히 관찰해야 될 필요성이 있다. 왜냐하면, 매우 드물고 다른 질병의 원인들과 연관되어 있는 경우가 많다. 임신입덧이라고 진단하려면 다른 질병의 원인을 제일 먼저 찾아보고, 자세한 병력 청취를 통해서 필요한 검사(체중, 탈수의 정도, 중간뇨, 기본적인 혈액검사(CBC, electrolyte, liver function test, calcium, phosphate, glucose, thyroid function test, 골반초음파 등)를 시행해서 이상이 없을 때 진단을 내려야 한다.

7 치료

임신 중 오심과 구토가 있는 경우 치료가 필요한 경우는 대략 10% 정도이다. 치료방법으로는 심리적인 치료, 비약물 치료, 약물치료로 크게 3가지로 나눌 수 있다.

1) 심리적인 치료

임신 중에 오심은 정상임신에서 생길 수 있는 자연적인 과정이라는 것을 아는 것이 중요하다. 즉, 오심 자체는 태아에게 해를 주는 것이 아니라 도움을 줄 수 있다라는 생각을 갖게 하는 것이 중요하다.

2) 비약물 치료

(1) 식이와 보충제

임신 중 오심과 구토를 유발하는 특이한 냄새와 특별한 음식물을 피하는 것이 좋다. 조금씩 자주 크래커나 마른 토스트 같은 것을 먹으면 도움이 되며 적당한 수분섭취도 중요하다. 고지방 식이는 임신입덧을 증가시키고, 고탄수화물 음식에 비해 고단백 저칼로리 음식은 임신입덧을 감소시키는 것으로 나타났다.[10]

피리독신(Pyridoxine, 비타민 B6) 보충제는 증상을 감소시키며 여러 나라에서 항구토제인 독실라민(Doxylamine)과 같이 사용해서 제일 우선 추천하는 약물로 권장하고 있다. 그러나 피리독신의 약물 작용 시작 시간과 효과가 사람마다 매우 다른 것으로 알려져 있다.[11]

생강(Ginger)은 몇 개의 작은 무작위 비교 연구에서 단독군과 피리독신 복합군을 비교하였을 때, 두 그룹 간에 유의한 차이는 없었다. 그러나, 다른 연구 결과가 다른 경우를 분석해 보면 생강의 처리 방법과 효력의 차이가 있는 것으로 나타났다. 생강의 효과는 심한 임신입덧에서 확실한 효과는 없지만 초기 임신의 오심과 구토에서는 효과가 있는 것으로 보고되고 있어서 생강이 들어가 있는 차나 음식을 권유하기도 한다.[12]

(2) 부가적인 치료

침(acupuncture)는 연구자에 따라 효과가 다른 것으로 나타나 추가적인 연구가 필요하다.[13, 14] Neiguan P6 점을 지압해서 시행한 무작위 연구에서 Sea-Band나 BioBand 모두 결과가 일관성이 떨어지고, 맹검시험이 없다는 것이 제한점이다. 침만큼의 효과는 떨어지는 것으로 결과가 나왔다.[15] ReliefBand로 한 무작위 비교연구에서 P 6 침 부위를 자극했을 때 오심과 구토를 감소시키고 체중감소도 적은 것으로 나타났지만 맹검실험이 아니었다는 것이 제한점으로 나타났다.[16]

3) 약물치료

(1) 수액 치료

심한 탈수와 케톤증 상태인 산모는 정맥으로 적절한 수액과 전해질 보충이 필요하다. 치료에 제일 좋은 수액은 생리식염수(Normal saline, 0.9%; 150mmol/L sodium) 또는 하트만용액(Hartmann's solution)이다. 심한 탈수 상태인 산모에게 포도당(dextrose)가 포함되어 있는 수액(5% dextrose, 10% dextrose, dextrose saline)을 투여하게 되면 오히려 위험해질 수 있다. 제일 먼저 베르니케 뇌증(Wernike's encephalopathy)이 생길 수 있으며, 또한 저나트륨 혈증이 생길 수 있는데 이것을 또한 너무 빨리 교정하다가 오히려 중심다리뇌말이집용해(central pontine myelinolysis)가 생길 수도 있기 때문에 수액치료 때에는 자주 검사하고 임상적인 상태에 따라 적절한 수액치료를 해야 한다. 티아민(thiamine) 25-50 mg을 하루에 3번 경구로 투여하든지 정맥으로 100 mL 0.9% 생리식염수에 티아민 100 mg을 매주마다 투여하는 것도 도움이 된다. 피리독신 보충제도 고려할 만하다.

(2) 항구토제(Antiemetics)

항구토제의 종류로는 항콜린제(anticholinergics), 항히스타민제(antihistamine, H1 receptor antagonist), 도파민작용제(dopamine agonist), 선택적 세로토닌 수용체 길항제(selective 5-hydroxytryptamine receptor antagonist, 5-HT3)와 이들의 복합제가 있다. 소화불량이 있는 경우에 H2 차단제인 cimetidine 같은 약을 같이 안전하게 사용할 수 있다. Proton pump 차단제인 omeprazole이나 lasoprazole은 경험이 많지는 않지만 안전성은 아직까지는 문제가 없는 것으로 알려져 있지만 신장질환을 가지고 있는 산모에게서는 신장질환을 악화시킬 수 있으니 피하는 것이 좋다. 항구토제 중에 어느 하나의 약이 다른 약보다 월등하다는 증거는 없다.

28개의 무작위 비교연구의 메타분석에서 위약과 비교하였을 때 초기 임신의 오심을 감소시켰으며, 기형의 발생은 없는 것으로 나타났다.[17]

다양한 정도의 오심과 구토를 가진 20만명의 산모를 대상으로 한 24개 연구의 메타분석에서 독실라민-피리독신 복합제, 항히스타민제, 페노티아진(pheno-thiazine)은 안전하고 효과적이며 오히려 대사를 좋게 해줌으로써 태아기형을 막아 줄 수도 있다고 하였다.[18]

비타민 B6와 독실라민의 복합제(벤덱틴, Bendectin)은 1956년에 생산되기 시작한 이후 기형을 일으킬 수 있다는 소송이 발생하면서 미국 FDA도 이 약이 안정성에 문제가 없다고 하였으나 막대한 소송비용으로 1983년에 생산을 중단하였다. 그러나 기형에 관련된 부분은 근거가 없는 것으로 밝혀졌다.[15] 캐나다에서는 지금까지 디클렉틴(Diclectin) 이라는 상품명으로 쓰이고 있으며, 관찰연구에서 임신 중 오조와 구토를 감소시키는 것으로 나타났다.[19, 20] 이후에 발표된 연구를 무작위 비교연구에서도 효과가 있는 것으로 나타났다.[21] 또한, 한 연구에서는 디클렉틴을 먹은 산모에게서 태어난 아이들의 신경계 발달을 7년간 관찰한 결과 특별한 이상은 없기 때문에 적응증이 되는 경우에 사용할 수 있다라고 발표하였다.[22] 이후 2013년부터 다시 미국에서 다이클레지스(Diclegis)와 본제스타(Bonjesta)라는 상품명으로 출시되어 현재까지 사용되고 있다.

처음에 복합제제를 2알 자기전에 먹게 하고 이후 2일 정도 경과 관찰 후 증상이 지속되는 시간전에 아침에 한알, 저녁에 한알을 더 먹게 할 수 있으며 총 4알까지는 허용이 되고 있다. 이러한 처방방법은 산과적인 문제를 일으키지 않는 것으로 2015년 무작위 대조시험에서도 발표되었다.[23]

또 다른 약으로 비타민 B6에 독실라민(Unisome Sleep Tab)을 사용해서 6천명의 산모를 대상으로 무작위 비교연구한 결과 기형은 발생하지 않았으며, 오심과 구토는 70%까지 감소된 것으로 나왔다. 그래서 2004년도에 미국산부인과학회(ACOG)에서 제일 먼저 임신 중 오심과 구토 치료에 추천한다고 임상지침을 발표하였다.[24]

선택적 세로토닌 수용체 길항제인 ondansetron은 위에서 언급한 약물 치료에 반응하지 않는 산모에게 사용할 수 있지만 최근 일부 임신 10주 미만에서 사용하였을 때 구열(oral cleft)와 심실중격 결손이 보고되었기 때문에 임신 1분기에는 사용을 피하는 것이 좋을 것 같다고 보고되었다.[25] 아직까지 효과에 대한 대규모 무작위 비교연구 결과가 없는 것이 제한점이다. 대부분의 항구제토제는 졸음을 유발할 수 있는데, 제일 흔한 약이 페노티아진이다. 추체외로증상(extrapyramidal effect)나 안구운동발작(oculogyric crisis)은 metoclopramide나 phenothiazine에서 보고 되었다. 두통이나 떨림(tremor)와 근육통은 prednisolone, prothiazine, doxylamine, metoclopramide, prochloperazine, dimenhydrinate에서 보고 되었다.[26]

다른 약들에 반응을 안 할 정도로 매우 심한 경우에 스테로이드(Corticosteroid) 사용을 고려할 수 있지만, 제한적으로 사용해야 한다.[27, 28]

4) 임신 중 오심과 구토시에 치료 요약

(1) 제 1 단계

Doxylamine 10mg + Pyridoxine 10mg(Diclectin®, delayed release)

하루 4Tablets까지 복용가능(예, 잠자기전 2Tablets, 아침 1 Tablet, 그리고 오후 1 Tablet)

증상의 정도에 따라 용량과 복용스케줄 조정

(2) 제 2 단계

일차약에 추가하여 Dimenhydrinate(보나링에이) 50 mg 1T 또는 2T를 매 4시간마다 복용

(3) 제 3단계 – 탈수에 대한 평가에 따라

① 탈수가 없는 경우

- Metoclopramide(멕소롱) 5 mg 1T or 2T를 매 8시간마다 복용 또는 주사
- Chlorpromazine(네오마찐) 100 mg 1/4T 매 4시간마다 복용하거나 1T 매 8시간마다 직장 내 삽입
- Ondansetron(조프란) 8 mg 1/2T or 1T 매 6-8시간마다 복용(임신1분기 사용은 피하는 것이 좋음)

② 탈수가 있는 경우

- Fluid IV 심하면 총 비경구 영양법 고려(Total Parenteral nutrition, TPN)
- Multivitamin IV
- Metoclopramide 5 to 10 mg 매 8시간마다 IV
- Ondansetron 8 mg 매 8-12시간마다 IM 또는 천천히 IV

③ 제 4단계 – 다른 치료에 전혀 반응하지 않을 때 고려

- Methylprednisolone(데포메드롤) 100 mg 매 12시간 마다 IV

8 요약

1) 임신중의 오심과 구토를 유발하는 환경적인 요인이나 음식은 알고 피하도록 교육시킨다.

2) 임신 중의 오심과 구토는 흔하며, 임신 16-20주에는 대부분 호전된다고 산모에게 안심시킨다.

3) 임상의사는 임신입덧을 진단하기 위해 제일 먼저 다른 질병들을 감별해야 한다.

4) 적절한 치료 시작 시기를 알고 있어야 하며, 산모가 태아의 기형을 걱정해서 치료시기를 놓치지 않도록 해야 한다.

5) 외래에서 지속적이며 치료에 반응하지 않는 임신입덧은 합병증을 예방하기 위해 입원이 필요하며, 수액치료가 필요하다.

6) 조절이 되지 않는 임신 중의 오심과 구토는 태아에게 해를 주지 않기 위해 초기 약물치료가 필요할 수도 있다는 것을 초기 증상이 있는 산모에게 설명한다.

▶ 참고문헌

1. Matthews A, Haas DM, O'Mathúna DP et al. Interventions for nausea and vomiting in early pregnancy. Cochrane Database Syst Rev. 2015 Sep;9:CD007575.

2. Niebyl JR. Nausea and vomiting in pregnancy N Engl J Med 2010;363:1544-55.

3. Van Oppenraaij RH, Jauniaux E, Christiansen OB et al. ; ESHRE Special Interest Group for Early Pregnancy (SIGEP). Predicting adverse obstetric outcome after early pregnancy events and complications: a review. Hum Reprod Update 2009;15:409-21.

4. Klebanoff MA, Koslowe PA, Kaslow R et al. Epidemiology of vomiting in early pregnancy. Obstet Gynecol 1985;66:612-6.

5. Czeizel AE, Dudas I, Fritz G et al. The effect of periconceptional multivitamin-mineral supplementation on vertigo, nausea and vomiting in the first trimester of pregnancy. Arch Gynecol Obstet. 1992;251(4):181.

6. Flaxman SM, Sherman PW. Morning sickness: a mechanism for protecting mother and embryo. Q Rev Biol 2000;7:113-48.

7. Vikanes A, Skjærven R, Grjibovski AM et al. Recurrence of hyperemesis gravidarum across generations: population based cohort study. BMJ 2010;340:c2050.

8. Goodwin TM, Montoro M, Mestman JH, Pekary AE, Hershman JM. The role of chorionic gonadotropin in transient hyperthyroidism of hyperemesis gravidarum. J Clin Endocrinol Metab 1992;75:1333.

9. Yamazaki K, Sato K, Shizume K, Kanaji Y, Ito Y, Obara T, et al. Potent thyrotropic activity of human chorionic gonadotropin variants in terms of 125I incorporation and de novo synthesized thyroid hormone release in human thyroid follicles. J Clin Endocrinol Metab 1995;80:473-9.

10. Jednak MA, Shadigian EM, Kim MS, Woods ML, Hooper FG, Owyang C, et al. Protein meals reduce nausea and gastric slow wave dysrhythmic activity in first trimester pregnancy. Am J Physiol 1999;277(4 Pt 1):G855-61.

11. Gill SK, Garcia-Bournissen F, Koren G. Systemic bioavailability and pharmacokinetics of the doxylamine-pyridoxine delayed-release combination (Diclectin). Ther Drug Monit 2011;33:115-9.

12. Festin M. Nausea and vomiting in early pregnancy. Clin Evid (Online) 2007;pii:1405.

13. Carlsson CPO, Axemo P, Bodin A. Manual acupuncture reduces hyperemesis gravidarum: a placebo-controlled, randomized,single-blind, crossover study. J Pain Symptom Manage 2000;20:273-9.

14. Knight B, Mudge C, Openshaw S, White A, Hart A. Effect of acupuncture on nausea of pregnancy: a randomized, controlled trial. Obstet Gynecol 2001;97:184-8.

15. Rosen T, de Veciana M, Miller HS, Stewart L, Rebarber A, Slotnick RN. A randomized controlled trial of nerve stimulation for relief of nausea and vomiting in pregnancy. Obstet Gynecol 2003;102:129-35.

16. Rosen T, de Veciana M, Miller HS, Stewart L, Rebarber A, Slotnick RN. A randomized controlled trial of nerve stimulation for relief of nausea and vomiting in pregnancy. Obstet Gynecol 2003;102:129-35.

17. Mylonas I, Gingelmaier A, Kainer F. Nausea and vomiting in pregnancy.Dtsch Arztebl 2007;104:A1821-6.

18. McKeigue PM, Lamm SH, Linn S, Kutcher JS. Bendectin and birth defects. A meta-analysis of the epidemiologic studies. Teratology 1994;50:27-37.

19. Koren G, Pastuszak A, Ito S. Drugs in pregnancy. N Engl J Med 1998;338:1128-37.

20. Neutel CI, Johansen HL. Measuring drug effectiveness by default: the case of Bendectin. Can J Public Health 1995;86:66-70.

21. Cite this article as: Koren G, Clark S, Hankins GDV, et al. Effectiveness of delayed-release doxylamine and pyridoxine for nausea and vomiting of pregnancy: a randomized placebo controlled trial. Am J Obstet Gynecol 2010;203:571.e1-7.

22. Irena Nulman, MD, Joanne Rovet, PhD, Maru Barrera, PhD, Dafna Knittel-Keren, MA, Brian M. Feldman, MD, and Gideon Koren, MD Long-term Neurodevelopment of Children Exposed to Maternal Nausea and Vomiting of Pregnancy and Diclectin J Pediatr 2009;155:45-50

23. Koren G, Clark S, Hankins GD, Caritis SN, Umans JG, Miodovnik M, Mattison DR, Matok IBMC Pregnancy Childbirth. 2015;15:59.

24. ACOG (American College of Obstetrics and Gynecology) practice bulletin: nausea and vomiting of pregnancy. Obstet Gynecol 2004;103:803-14.

25. UK Teratology Information Service(UKTIS), in collaboration with the European Network of Teratology Information Services (ENTIS) http://www.uktis.org/docs/Ondansetron%20 UKTIS%20Response%20State-ment.pdf (Accessed on February 20, 2020).

26. Jueckstock JK, Kaestner R, Mylonas I. Managing hyperemesis gravidarum: a multimodal challenge. BMC Med 2010;8:46.

27. Bondok RS, El Sharnouby NM, Eid HE, Abd Elmaksoud AM. Pulsed steroid therapy is an effective treatment for intractable hyperemesis gravidarum. Crit Care Med 2006;34:2781-3.

28. Yost NP, McIntire DD, Wians FH Jr, Ramin SM, Balko JA, Leveno KJ. A randomized, placebo-controlled trial of corticosteroids for hyperemesis due to pregnancy. Obstet Gynecol 2003;102:1250-4.

임신부에서 치과치료

○ 신동렬

1 서론

임신부의 구강건강 관리와 구강질환의 치료는 임신부의 건강뿐만 아니라 차후 아이들에게 세균이 전파되는 것을 감소시킬 수 있습니다. 하지만 현재 임신과 관련하여 임신 시기에 치과검진을 권유하는 의사는 많지 않습니다. 특히 임신 중에 의사, 치과의사나 환자 모두 치과치료를 꺼려하고 있는 실정입니다. 실제로 한 보고에 의하면 의사들의 88%가 출산 후까지 치과 치료를 지연 시킬 것을 권유하고 있습니다.[1]

하지만 임신 중의 치주치료 등의 치과치료는 차후 출산 후 아이의 구강관리에 관한 동기를 부여할 수 있는 좋은 기회입니다.[2]

또한, 적지 않은 치과의사들도 치과 시술이 태아에 영향이 있지 않을까 하는 불안감에 불필요하게 치료를 연기하거나 중단하는 경우도 많습니다. 또한 치료 후 유산이나 기형발생 같은 경우가 일어나 소송에 휘말리지는 않을까 걱정도 있어 불필요하게 상급기관에 의뢰하는 경우도 많습니다.

의사, 치과의사, 간호사 등의 의료인과 현재 국민건강보험을 제공하고 있는 정부 모두, 임산부의 치과치료에 대한 올바른 지식을 갖고 임산부에게 치료 동기와 기회를 충분히 제공할 수 있도록 노력해야 할 것입니다.

2 임신 시 치과치료를 해야 하는 이유

최근의 연구들은 대부분 임신 시 치과치료의 위험성보다 치료 시 얻을 수 있는 효과가 비교될 수 없을 만큼 크다고 발표하고 있습니다. 마취, 방사선 촬영 등을 포함한 여러 가지 치과치료가 임신부와 태아에 미치는 영향은 미비하며 치료하지 않았을 때 미치는 영향이 치료 시에 미치는 영향보다 훨씬 크다는 것을 증거로 제시하고 있습니다. 실 예로 미국치주학회는 임신부가 염증상태에 있을 때 곧바로 치료해야 하고 예방적 치료 또한 치과의사들은 필수적으로 해야 한다고 주장하고 있습니다. 또한 임신부의 치과치료는 영유아에게 구강 내 세균이 전염되는 것을 줄일 수 있습니다. 따라서 의료인들은 계획임신이라면 구강검진을 필수적으로 권유해야 하고 임신 중이라 해도 구강 내의 이상소견이 관찰된다면 치과의사에게 의뢰하여 치과치료를 권유해야 합니다.

3 임신 시의 치과치료에 대한 확립된 내용들

- 임신 시 구강질환의 치료는 구강 내 세균이 엄마로부터 아이에게 전파되는 것을 줄일 수 있다.
- 임신 1기의 치과치료가 유산에 미치는 영향에 대한 증거는 없다.
- 임신중독증의 경우, 치과치료 시 더 유의해야 하지만 금기증은 아니다.
- 임신 시의 치주치료는 조기출산이나 저체중아 출산과 전혀 관계가 없다는 증거는 수없이 많다.
- 치주치료는 안전하고 치주질환 및 구강세균 등을 줄이는 데 효과적이기 때문에 임신부의 치주 관리는 필수적이다.

1) 산부인과의사 및 의료인들의 치과 치료 지침

산부인과의사 및 의료인들은 다음과 같은 내용으로 임신부에게 치과치료에 대한 동기를 부여할 필요가 있습니다.

- 임신부에게 구강 건강은 임신부 본인 뿐만 아니라 출산 후 아이의 구강건강에 영향을 미친다는 것을 교육해야 합니다.
- 만약 임신부가 치과치료 시, 태아 등에 미칠 영향을 걱정한다면 임신 중 치과치료는 안전하다는 것을 알려야 합니다.
- 치과치료는 임신부의 전신건강 뿐만 아니라 태아, 그리고 아이들의 건강 증진에 도움이 된다는 내용을 알려야 합니다.
- 계획임신 시에는 환자가 치과검진을 받았는지를 확인하고 그렇지 않다면 치과에 의뢰하여 치과검진을 받을 수 있도록 해야 합니다. 이를 위해 일정 양식을 만들어 사용하는 것이 좋습니다. 또한 임신부에게 치과치료를 적극적으로 하는 치과 병원을 소개하기 위한 의뢰서를 비치하는 것도 좋은 방법입니다.
- 임신 시에 불소 함유 치약의 사용을 권유하고 치실을 사용할 수 있도록 권유해야 합니다.
- 엽산을 포함한 멀티비타민의 복용을 권유하여 구순구개열 발생의 위험성을 낮추고 고단백, 칼슘, 인, 비타민 A, C, D 함유가 많은 음식을 권해야 합니다.
- 임신으로 인해 치과치료를 늦추지 않도록 권유해야 합니다.
- 당을 포함한 과자 등의 간식은 식사 시간에만 섭취하도록 권유해야 합니다. 식사 중간에 먹는 이러한 간식은 임신부의 충치를 발생시킬 확률이 큽니다.
- 식사 시간 외에 주스, 탄산음료, 스포츠 음료 등의 섭취를 제한해야 합니다. 이러한 음료는 당을 함유하고 있을 뿐만 아니라 치아의 법랑질을 부식시킬 수 있습니다.
- 입덧이 심해 구토를 자주하는 임신부가 있다면 치아의 부식을 방지하기 위해 다음과 같이

권유합니다.

- 적은 양의 고단백 음식과 간식을 자주 먹도록 권유합니다.
- 구토 후에는 산이 치아를 부식시켰기 때문에 바로 양치하기 보다는 30분 정도 후에 양치하도록 교육합니다. 구토 직후에 베이킹 소다를 한 스푼 정도 물 한잔에 풀어서 헹구게 하면 부식을 방지하는 데 도움이 됩니다.
- 불소 함유의 치약을 이용해서 너무 강하지 않게 양치하도록 교육합니다.
- 불소가 함유된 구강세정제를 자기 직전 사용하면 치아가 다시 재광화(remineralization)* 되는 데 도움을 줄 수 있습니다.

    *산 등에 의해 손상된 치아가 타액 내의 칼슘이나 인 등에 의해서 다시 회복하는 양상

• 아이의 충치발생을 줄이기 위해서는 다음과 같이 권유해야 합니다.

- 모유수유나 분유를 먹힌 후에는 영유아의 잇몸과 치아의 경계부를 따라서 연한 천이나 거즈 등을 이용하여 닦아주어야 합니다.
- 매우 적은 양의 치약을 칫솔에 묻혀서 초등학교에 들어가기 전에는 반드시 부모가 같이 닦아주어야 합니다. 자기 전에 양치질이 가장 중요합니다.
- 물을 제외하고는 어떠한 음료도 젖병에 넣어서 아이가 절대 물고 자서는 안됩니다. 우유병 우식이라고 해서 아이의 앞니에 충치가 다발적으로 발생하게 됩니다.
- 아이와 침을 공유하는 행동을 하지 않아야 합니다. 아이와 키스를 한다거나 이유식을 식히기 위해 어른의 입에 넣었다가 다시 아이의 입에 넣는 행위는 절대 해서는 안됩니다. 또한 아이들이 빨대를 같이 사용하거나 컵을 같이 사용하게 해서는 안됩니다. 아이들에게 발견되는 세균의 DNA printing이 부모의 것과 70% 일치한다고 합니다. 또한 보모의 구강상태에 영향을 많이 받게 됩니다.
- 젖을 떼기 시작하면 젖병의 사용도 줄여야 합니다.
- 주스보다는 신선한 과일이 아이들 치아건강에 유리합니다.
- 가끔 아이들이 입술을 들쳐서 혹시 흰색이나 갈색 반점 같은 것이 있는 지 확인하고 있다면 치과검진을 받는 것이 좋습니다.

• 임신시의 구강관리뿐만 아니라 출산 후의 구강관리도 중요하다는 것을 강조해야 합니다.

2) 치과의사의 임신부 치료 치침

많은 치과의사가 임신부의 치과치료를 꺼리고 있지만 *임신이 치과검진이나 치과치료를 미루거나 중단하는 이유가 되면 안됩니다.*

임신부의 치과치료는 임신부, 태아의 건강과도 직결되고 출산 후의 산모의 건강과 아이의 구강건강까지 이어질 수 있다는 것을 명심해야 합니다.

실제로 15년간 만오천명 치과의사 중 임산부 치과치료 후 유산 등에 의한 소송건은 단 한건

이였으면 이것 또한 관계없다고 결론내려졌습니다.

따라서 치과의사는 태아에 미치는 영향으로 인한 소송 등에 대한 두려움 때문에 임산부치과 치료를 멀리해서는 안될 것입니다.

(1) 치과의사는 임신부에게 다음과 같이 교육 및 치료를 해야 함

- 임신부가 치과치료에 대한 염려와 공포가 있다면 임신 중의 치과치료가 안전하다는 것을 알리고 확신을 주어야 합니다.
- 예방, 진단 등 방사선 사진을 포함한 마취를 동반한 치과치료가 태아와 임신부에게 영향이 없으며 치료를 받지 않은 것에 비하여 큰 이득이 있다는 것을 알려주어야 합니다.
- 명확한 치료계획을 세우고 구강 상태를 확인하여 응급이거나 급성인 경우, 임신 시기와 관계없이 치료를 진행하여야 합니다. 임신 2기가 치과치료의 적기라고 하나 임신 1기와 3기에도 치과치료가 가능합니다.
- 치주낭 검사를 포함하는 전반적인 치주 검사가 필수적입니다.
- 우식 제거를 위해 다음과 같이 진행합니다.
    - 불소가 함유된 치약을 이용해서 양치하고 치실을 매일 사용하도록 교육합니다.
    - 우식을 제거하고, 수복치료를 시행합니다.
    - 클로로헥시딘 양치용액을 추천하고 상황에 따라 불소도포 시행합니다.
- 임상적으로 다음과 같은 것을 주의합니다.
    - 갑상선 보호대와 복부를 보호할 수 있는 납복을 착용 후 방사선 촬영을 합니다.
    - 혈관수축제가 들어있는 리도케인 국소마취를 사용합니다.
    - 진통제를 투여할 일이 있다면 아세트아미노펜을 주로 투여하고 일일 투여한계량을 넘지 않습니다.
    - 항생제는 페니실린, 세팔로스포린 등을 투여합니다.
    - NASAIDs는 1기와 3기 때는 피해야 합니다. 진통제는 아세트아미노펜을 먼저 투여하는 것을 원칙으로 합니다.
    - 테트라사이클린의 투여는 금기입니다.
    - 치료 시 자세성 저혈압을 방지하기 위해서 환자의 엉덩이 부위에 작은 베개를 위치시키거나 치료 의자에 반 기댄 자세로 위치시켜야 합니다. 그리고 자주 자리를 바꿔주는 것이 좋습니다.
    - 충치치료나 근관치료 시 반드시 러버댐을 사용합니다.
    - 국소마취 외의 다른 마취방법을 사용할 예정이라면 산부인과의사에게 의뢰해야 합니다.

- 만약 모유수유를 계획하고 있는 환자가 있다면 수유 후에 아이의 잇몸과 치아를 닦아주어야 한다고 교육해야 합니다.
- 임신시의 치과치료가 출산 후의 정기적인 검진에 이어질 수 있도록 해야 하며 영유아의 구강관리 교육도 병행할 수 있도록 해야 합니다.
- 임신 전 검사 시 차후 급성상태를 유발할 수 있는 임상소견이 발견되면 바로 치료하여야 합니다.
- 임신부의 치료되지 않은 우식은 아이의 우식 발생률을 증가시키고 임신부의 염증상태는 임신 중 전신적인 문제를 일으킬 수 있다는 것을 인지시켜야 합니다.

3) 임신 시의 구강 내 변화

임신 중에는 구강 내 변화가 있음에도 대부분 치과검진과 치료를 미루기 때문에 치과적 감염에 임산부는 더 취약하게 됩니다. 임신 중 여성의 호르몬 변화는 임상적으로 구강건강에 많은 영향을 미치게 됩니다. 임신과 관련된 호르몬 변화에 의해(예를 들자면, 호중구 기능 억제) 치태에 기인한 치은염의 악화가 일어날 수 있습니다. 특히 호중구의 억제는 임신과 관련된 치주질환에 중요한 역할을 하고 있습니다. 입덧에 의한 오심과 구토는 임산부의 70-85%까지 나타나고 대부분 임신 1기가 지나게 되면 없어지게 됩니다. 대부분 임신초기에만 국한되서 나타나지만 1기가 지나도 지속되는 경우가 있습니다. 이를 임신오조라 하며 입덧의 심한 상태로 임신부의 0.3-2% 정도 나타나며 산부식에 의한 법랑질 손상을 야기할 수 있습니다.

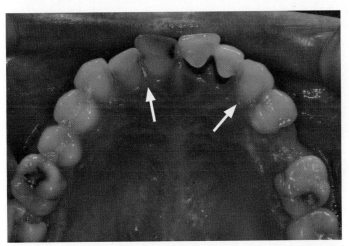

그림 3-3-1. **장기간의 심한 구토로 인해 치아의 설면이 부식되어 마모된 상태**

임신 말기와 수유기 때 타액의 성분이 변화하여 부식과 우식이 생기기 쉽다고 알려져 있으나 확실한 증거는 제시되지 않고 있습니다.

치은염은 임신부의 60-75%에서 나타나고 있으며 이는 임신 중 치주예방치료와 치주치료가 중요하다는 것을 반증하고 있습니다. 치은의 변화는 임신 3개월부터 나타나서 출산 후 서서히 사라지게 됩니다. 이러한 치은의 변화는 좋지 않은 구강위생, 치태와 같은 국소적 자극 등이 호르몬과 혈관의 변화와 결합하여 염증상태를 유발하게 됩니다. 가장 큰 변화는 치은의 혈류량입니다. 이러한 치은염을 임신성 치은염이라고 부르고 치은은 암적색이고 부종과 활택한 표면을 가지며 출혈 경향이 있습니다. 치은 연상과 치은 연하 치주치료가 필요하고 구강위생 교육도 철저히 해야 합니다.

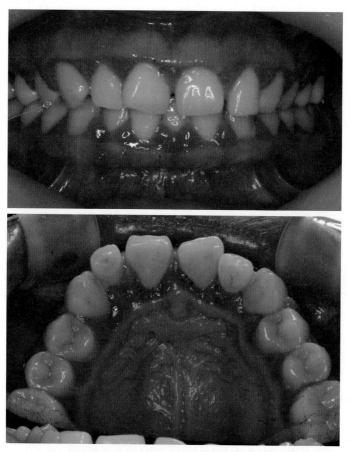

그림 3-3-2. 임신성 치은염의 임상증례, 균일하게 상하악 모든 치은에 치은염 발생

임신종이라고 알려져 있는 종괴와 유사한 형태의 치은 비대가 나타나기도 합니다. 위치는 대부분 염증이 있거나 국소인자가 있는 부위에서 발생하게 됩니다. 때때로 급격히 커져서 2 cm 이상 되는 경우도 드물게 있습니다. 구강위생이 불량한 경우가 대부분이고 치아 주변에 치

태와 치석이 침착되어 있습니다. 스케일링과 치근활택술 등의 치주치료와 구강 위생 교육으로 치료할 수 있습니다. 대부분 출산 후 사라지게 됩니다. 하지만 임신 중 발생하면 환자의 불편감이 증가하고 치아의 위치가 변하게 되고 저작 시 출혈이 발생하게 됩니다. 그리고 재발의 가능성도 내포하고 있습니다.

임신 시 치아 동요도가 증가되게 됩니다. 이는 임신 중 일시적이고 출산 후에는 사라지게 되나 중증도의 치주염을 가지고 있는 환자는 영구적으로 남게 됩니다.

생리학적 구강건조증 역시 임신 중에 나타나게 됩니다. 따라서 우식 활성도가 증가할 가능성이 있습니다. 특히 취침 시에 나타나게 되고, 타액의 중화능력이 감소되기 때문에 우식 위험도가 증가하게 됩니다. 취침 전 구강 위생에 대한 교육이 중요하다고 할 수 있습니다.

4) 임신 시 치주질환의 태아에 미치는 영향

흡연과 당뇨는 치주질환의 악화와 관련이 있습니다. *임신 또한 치주질환을 악화시키는 요인 중 하나입니다.* 이러한 파괴적 양상은 치태의 세균에 의해 직접적으로 일어나고 세균에 의한 염증 반응 및 면역 반응으로 인해 간접적으로 발생하게 됩니다.

임신부에게 미치는 치주염의 영향에 대한 초기 연구뿐만 아니라, 미국의 OCAP(Oral Conditions and Pregnancy) 코호트연구에서도 치주질환이 저체중아, 조산, 그리고 임신중독증에 영향을 미친다고 발표하였습니다. 하지만, *최근 무작위대조군연구에 의하면 그렇지 않은 것으로 결론 났습니다.*

치주염이 임신부에게 미치는 영향의 유무를 떠나서 *임신 중의 치주질환의 치료는 임신부의 구강 건강을 위해 필수적이라 할 수 있습니다.* 또한 치주치료는 태아에 어떠한 영향도 미치지 않는다는 많은 증거들이 제시되고 있습니다.

따라서 의료인들은 임신부에게 적극적으로 치주치료 및 치주관리를 권유해야 합니다.

(1) 우식 세균의 전염

우식을 일으키는 세균에 대한 연구는 많이 이루어졌으며, 이미 25년 전에 우식세균의 전염이 이루어진다는 증거가 제시되었습니다. 치아 우식증은 산을 생성하는 여러 가지 세균에 의해서 발생하는데, 이러한 세균은 당과 녹말전분과 같은 발효 가능한 탄수화물을 소비하게 되며 부산물로 산을 생성해서 치아를 녹이고 분해하게 됩니다. 이러한 세균은 크게 mutans streptococci와 *Lactobacilli* 가 주를 이루며 mutans streptococci에서는 *Streptococcus mutans*와 *Streptococcus sobrinus*가 중요한 종입니다. 유아에서 가장 먼저 군집을 이루는 세균은 *S. mutans*이며 영유아 우식 발생에 매우 중요한 역할을 하게 됩니다.

우식은 우식발생인자와 우식방어인자의 균형이 변하면서 생기게 됩니다. 만약 우식발생

인자가 우식방어인자에 비해 월등해지면 우식은 발생하게 됩니다. 반대의 상황이라면 우식이 멈추거나 정지 우식으로 남게 됩니다. 이러한 우식발생인자는 산을 생성하는 세균, 타액의 감소, 탄수화물의 잦은 섭취 등이 있습니다. 방어인자는 타액 내에 있는 항균 성분이나 중화작용 등의 내적 인자와 불소 제품, 구강 위생관리, 실란트 치료 등이 있습니다. 매일 매일 구강 내에서는 발효성 탄수화물에서 발생하는 산과 저항인자들과의 전쟁이 일어나고 있다고 해도 과언이 아닙니다.

임신부의 구강질환의 관리는 구강 내 세균이 아이에게 전염되는 것을 막을 수 있습니다. 우식이 있다면 제거 후 수복치료를 시행하여 아이에게 고농도의 우식 유발 세균이 전염되는 것을 막아야 합니다. 임신부에게 불소치료는 필수적이라고 할 수 있습니다.

엄마가 아이에게 세균의 공여자라는 것은 아이와 엄마의 세균의 DNA fingerprinting 시 유전형이 70% 이상 일치한다는 결과가 그 예입니다.[3] 특히 제왕절개로 태어난 아이는 엄마와 100% 동일한 S. mutans의 유전형을 보인다고 합니다.[4]

Mutans streptococci의 엄마로부터 아이 또는 보모로부터 아이에게 전염되는 수직감염과 유치원 등에서의 수평감염이 일어난다는 것은 잘 알려져 있는 사실입니다. 엄마나 보모로부터의 수직 감염은 수저를 같이 사용하거나, 아이의 이유식의 맛을 보거나, 천에 침을 묻혀 아이의 입을 닦아주는 경우에 발생하게 됩니다. 따라서 임신 시부터 치과치료를 적극적으로 받음으로써 구강 위생 관리의 동기를 부여할 수 있게 해야 합니다.

모유 자체는 우식 발생을 증가시키지 않습니다. 하지만 어린 아이에게 우식 세균이 전염되고 모유 이외의 분유나 다른 보조제품을 먹게 되면 우식이 발생할 수 있고 젖꼭지를 문 채 잠이 들면 우식이 발생할 수 있는 확률이 증가하게 됩니다. 분유가 들어있는 우유병을 물고 자게 되면 다발성 우식증이 생기기 때문에 반드시 우유병 없이 잠을 자게 해야 하고 모유 수유나 분유를 먹인 후에도 아이의 구강 내를 청결하게 해줘야 합니다.

5) 치료 시의 고려사항

통증이 있거나 감염이 임신부에게 발생한 경우에는 지체하지 말고 치료해야 합니다. *미국치주학회는 치주조직에 감염이 생긴 경우, 임신의 시기와 관계없이 반드시 치료해야 한다고* 발표하였습니다. 치아 우식증 또한 치료를 해야 하고 그렇지 않은 경우, 영아에게 전파할 수 있습니다.

(1) 방사선 촬영

방사선 촬영은 치과 치료 계획 수립에 매우 중요한 과정이며 임신 중 촬영 또한 안전한 것으로 알려져 있습니다. 치과용 방사선은 매우 적은 선량으로 태아에게 미치는 영향이 거의 없습니다. 따라서 치료 계획 수립이나 치료 시 필요하다면 방사선 촬영을 꺼릴 필요가 없습니다. 다만 갑상선 보호대와 태아를 보호하기 위해 납복을 착용하고 촬영하여야 합니다.

또한 최근의 방사선 촬영기는 디지털로 전환되고 있습니다. 이는 과거 아날로그에 비해 조사량이 엄청나게 줄어들었고 필름을 사용하지 않기 때문에 현상 시 사용하는 약품을 접하게 되지 않아 더욱더 안전하다고 할 수 있겠습니다.

(2) 임신부의 치료 시의 자세

임신 3기에 임신부가 등을 완전히 붙이고 똑바로 눕게 되면 자궁이 하대정맥을 누르게 되어 자세성 저혈압을 발생시킬 수 있습니다. 이는 임산부의 15-50% 정도에서 나타나며 치료의자에 반 기댄 자세로 치료하거나 자주 자세를 바꿔주고 엉덩이 밑에 작은 베개를 놓아주면 예방할 수 있습니다.

임신부는 위식도괄약근의 긴장이 감소하여 이물질의 기도 내 흡입이 발생할 가능성이 증가되게 됩니다. 특히 진정요법을 사용하는 경우는 그 위험성이 더 증가하기 때문에 기대어 있는 자세에서 치료하는 것이 이물질의 기도내 흡입을 방지 할 수 있습니다.

(3) 치아 수복 재료 선택

수복 재료의 안정성은 임신한 환자보다는 오히려 임신한 치과 종사자를 통해서 조사된 바가 많습니다. 수복재료의 안정성은 임신부가 예전에 치료 받았고 구강 내에 위치한 재료의 안정성, 제거 시의 안정성, 수복 시의 안정성을 평가해야 합니다.

아말감을 충전한 환자 중 이갈이나 이악물기를 하는 환자들에서 혈중 무기 수은의 농도 증가가 관찰될 수 있어서 임신부에게 아말감을 치료하는 것은 권장되지 않는다. 또한 임신부 중 아말감 충전이 되어 있는 환자에게는 미백치료를 권유해서는 안 되는데 미백제의 과산화수소 성분이 아말감의 수은을 유리시키기 때문입니다.

또한 수복 치료를 위해 아말감을 제거해야 한다면 치아를 덮을 수 있는 고무 천으로 된 러버댐을 사용하고 고압의 흡입기를 이용해서 치료해야 합니다. 만약 이렇지 못한 상황이라면 아말감의 제거를 출산 후로 미뤄야 합니다. 하지만 임신 시의 아말감 제거나 아말감 충전이 태아에게 영향을 미친다는 증거는 명확하지 않습니다.

수은과 관련된 직종에 있는 여성에 대한 연구에서는 습관성 유산이나 저체중아 출산이 증가한다는 증거가 있습니다. 특히 치과의사보다는 치과 위생사가 그 비중이 높다고 합니다. 영국에서는 아말감 충전이나 제거가 임신부에게 끼치는 영향은 없다고 발표하였습니다.

하지만 아말감 외에 대체할 수 있는 재료가 충분히 있고 환자의 재정적 상황이 나쁘지 않다면 아말감 외의 다른 재료를 선택하는 것이 좋습니다.

(4) 약물에 대한 고려사항

임신부는 약물의 대사나 흡수 등이 변하긴 하지만 일반적으로 치과에서 사용하는 약물은 용량을 변경할 필요는 없습니다.

기형을 유발하는 것으로 의심되거나 확인된 약물을 환자에게 처방하지 않는 것이 중요합니다.

표 3-3-1. 기형유발물질로 의심되거나 확인된 물질들

알코올(Alcohol)	메치마졸(Methimazole)
안지오텐신전환억제제(Angiotensin-converting enzymeinhibitors)	메틸수은(Methyl mercury)
안지오텐신수용제차단제(Angiotensin-receptor blockers)	메트트렉세이트(Methotrexate)
아미노프테린(Aminopterin)	미스프로스톨(Misoprostol)
안드로겐(Androgens)	마이코페놀레이트(Mycophenolate)
벡사로텐(Bexarotene)	파룩세틴(Paroxetine)
보센탄(Bosentan)	페니실라민(Penicillamine)
카르바마제핀 (Carbamazepine)	페노바피탈(Phenobarbital)
클로람페니클(Chloramphenicol)	페니토인(Phenytoin)
클로르바이페닐(Chlorbiphenyls)	방사성 아이오틴(Radioactive iodine)
코카인(Cocaine)	리바비린(Rivavirin)
코르티코스테로이드(Corticosteroids)	스트렙토마이신(Streptomycin)
시클로포스파마드(Cyclophosphamide)	타목시펜(Tamoxifen)
다나졸(Danazol)	테트라사이클린(Trtracycline)
디에릴스릴베스테롤(Diethylstilbesterol(DES))	탈리도마이드(Thalidomide)
에파비렌즈(Efavirenz)	담배(Tabaco)
에드레티네이드(Etretinate)	톨루엔(Toluene)
이스트레티노인(Isotretinoin)	트레티노인(Tretinoin)
레프루노미드(Leflunomide)	발프로산(Valproic acid)
리튬(Lithium)	와파린(Warfarin)

치과에서 일반적으로 사용하는 대부분의 약물은 안전성이 확보되어 있고 약의 사용량이 많지 않기 때문에 몇 가지 약물만 주의해서 투여하면 됩니다.

표 3-3-2. 임신과 수유 시의 약물의 안정성에 관한 FDA 지침

The rapeutic agents	FDA pregnancy category*	During lactation
Artxiolytic agents		
Diphenhydramine	C	Use with caution
Benzodiazepines	D	Avoid
Barbiturate	D	Avoid
Nitrous oxide	Avoid	Safe
Local anesthetic agents		
Lidocaine	B	Safe

(계속)

표 3-3-2. 임신과 수유 시의 약물의 안정성에 관한 FDA 지침

The rapeutic agents	FDA pregnancy category*	During lactation
Mepivacaine	C	Safe
Benzocaine	C	Safe
Analgesics		
APAP	B	Safe
Ibuprofen	B (D, in third trimester)	Safe
Oxycodone	B	Avoid
ASA	C (D, in third trimester)	Avoid
Codeine	C (D, in third trimester)	Use with caution
Tramadol	C	Use with caution
Antibacterial agent		
Penicillins	B	Safe
Cephalosporine	B	Safe
Clindamycin	B	Safe
Metronidazole	B	Safe

(FDA) Food and Drug Administration; (APAP) acetominophen
*See Table 1 for description of FAD categories

진통소염제는 아세트아미노펜을 먼저 투여하는 것을 원칙으로 하고 NSAIDs의 투여는 임신 3기에는 피하는 것이 좋습니다. 항생제는 페니실린이나 세팔로스포린을 투여하면 됩니다.

임신 3기 때는 과도한 혈관수축제의 사용을 주의해야 하는데 일반적인 국소마취에 사용하는 것은 전혀 문제될 것이 없으나 보스민 등을 과량 사용해야 할 때에는 주의하여야 합니다.

(5) 사례로 본 임산부 치과치료

Q 임신인 줄 모르고 치과치료를 받았습니다. 치과용 방사선 사진도 찍었습니다. 아이에게 미치는 영향은 없을까요? 그리고 현재 치과치료 진행 중인데 계속 받아야 할까요?

A 치과치료와 방사선 촬영이 태아에게 미치는 영향은 거의 없다고 생각하시면 됩니다. 마취 등을 포함하여 일반적으로 사용하는 대부분의 치과용 재료는 임신 1기 때 미치는 영향은 없습니다. 다만 임플란트나 발치 등의 치료를 해야한다면 임신 2기로 치료를 미루는 것이 바람직할 것입니다. 하지만 1기나 3기 때 치료하는 것이 위험하다는 이야기는 절대 아닙니다. 2기 때가 아무래도 태아가 안정기이기 때문에 치과치료의 적기라 할 수 있기 때문입니다.

Q 입덧이 너무 심합니다. 치아에 안 좋은 영향이 있지 않을까 걱정됩니다. 치아를 보호하려면 어떻게 해야 하나요?

A 입덧이 심한 경우, 산이 분비되고 혀로 치아를 밀어서 치아의 부식을 일으킬 수 있습니다. 대부분 1기 때 잠깐 하는 것은 부식되는 양이 미미하나, 지속적으로 구토를 한다면 문제를 야기할 수 있습니다. 구토를 한 직후에 바로 양치를 하지마시고 30분정도 시간을 두고 양치를 하는 것이 좋습니다. 구토 직후는 치아가 위산 등에 의해 약해져 있는 상태이기 때문에 바로 양치를 하면 치아가 마모될 수 있기 때문입니다. 침에는 치아를 단단하게 하는 성분이 있으므로 30분 정도 시간이 지나면 치아가 다시 단단해집니다. 만약 구토를 자주 하신다면 구토 후에 베이킹 소다 한 스푼 정도를 물에 풀어서 헹구어 주시면 치아의 부식을 막는 데 큰 도움이 됩니다.

Q 엄마의 충치가 아이에게 옮겨진다고 하는 데 사실인가요?

A 네, 맞습니다. 충치는 뮤탄스균이라는 세균에 의해 발생되게 됩니다. 이러한 균이 엄마와 아이가 70-90% 정도 DNA 종류가 일치한다고 합니다. 즉 엄마에게서 아이에게 균이 전파되는 것입니다. 특히 침으로 전파가 되기 때문에 이유식 등을 먹을 때 엄마의 입에 넣어서 식혔다가 다시 주는 행위 등은 충치균을 전파시킬 수 있습니다. 무엇보다도 엄마의 충치를 모두 치료해서 충치균이 엄마 입 속에 없도록 하는 것이 더 중요할 수도 있습니다. 매일 단 음식을 먹은 아이보다 엄마가 충치균이 많은 아이가 충치가 생길 확률이 더 높다는 것은 엄마의 역활이 굉장히 중요하다는 것을 알 수 있습니다.

Q 임신 후 양치 시에 출혈이 심합니다. 무슨 문제가 있는 지 궁금합니다.

A 임신 후에는 임신성 치은염이라고 해서 잇몸병이 발생하는 경우가 많습니다. 특히 임신과 더불어 구강 위생이 안 좋게 되어 더 심해지는 경우가 있습니다. 이러한 경우 치과에 방문해서 간단한 스케일링과 올바른 양치법 등을 배워서 치료해야 합니다. 심하게 되어 치주염으로 발전하게 되면 출산 후에도 염증이 없어지지 않기 때문입니다.

4 결론

임신부의 치과치료와 치주적 관리, 예방치료 등이 필요함에도 불구하고 오해와 무지 등으로 인해 임신부의 치과치료의 권유를 꺼리는 의료인과 치료를 꺼리는 치과의사와 임신부가 많습니다. *임신부의 치과치료는 임신부와 더불어 아이의 구강 위생을 바꿀 수 있는 좋은 계기입니다.* 임신부는 반드시 임신 중 치주 관리가 필요하고 의료인 및 치과의사들 또한 이러한 부분에 유념하여 적극적인 임신부의 구강관리 및 교육을 해야 합니다. 또한 국민건강보험을 제공하는 곳에서도 임신부의 스케일링 등을 급여화하거나 1회에 걸쳐 본인부담금을 면제해주는 형태로 제공하여 임신부의 구강 건강 증진에 관심을 가질 때 입니다.[5]

▶ 참고문헌

1. Al-Habashneh R, Aljundi SH, Alwaeli HA. Survey of medical doctors' attitudes and knowledge of the association between oral health and pregnancy outcomes. Int J Dent Hyg. 2008 Aug;6(3):214-20.

2. Boggess KA. Maternal oral health in pregnancy. Obstet Gynecol.. 2008;111:976-986.

3. Caufield PW, Wannemuehler YM, Hansen JB. Familial clustering of the Streptococcus mutans cryptic plasmid strain in a dental clinic population. Infect Immun. 1982;38(2):785-787.

4. Li Y, Caufield PW et al. Mode of delivery and other maternal factors influence the acquisition of Streptococcus mutans in infants. J Dent Res. 2005(Sept);84(9):806-811

5. Perinatal Oral Health Practice Guidelines. 2011 Feb.

피임약의 태아기형유발성 및 상담

○ 조연경

경구피임약(Pills, Oral contraceptive)은 현재 가장 흔히 사용되는 가역적 피임방법으로 에스트로겐과 프로게스틴이 함께 포함된 복합경구피임약과 프로게스틴만 포함된 경구피임약, 두 종류로 나뉜다. 하지만 이 중 복합경구피임약이 대부분이며 이는 내분비계에 작용, 배란을 억제하고 자궁경부의 점액을 두텁게 하여 정자의 진입을 방해하는 역할을 하여 피임을 유도하는 역할을 한다.

1 경구피임약의 역사

경구피임약은 1930년대 호르몬생물학 및 스테로이드 호르몬을 연구한 미국의 그레고리 핀커스(Gregory Pincus)에 의해 개발이 시작되었다. 여성의 인체 내에서 생리주기에 분비되는 에스트로겐(estrogen)과 프로게스테론(progesterone)을 연구하기 시작, 이들 성분을 경구용으로 투여할 경우 배란을 억제한다는 사실을 밝혀내고 1954년 Mestranol(estrogen)과 norethynodrel(progestin)을 주성분으로 하는 Enovid라는 경구피임약을 개발, 완료하고 1960년에 미국 FDA는 이를 경구피임약으로 승인하게 된다. 이 약은 1988년까지 미국에서 사용되다가 고함량 에스트로겐 함유제제로 부작용이 보고되어 사용이 중지되고 이후 많은 에스트로겐/프로게스틴(합성 프로게스테론) 조성의 복합경구피임약이 개발되었다. 현재 Ethinyl estradiol/Desogestrel, Ethinyl estradiol/Drospirenone, Estradiol valerate/Dienogest, Ethinyl estradiol/Drospirenone/Levomefolate, Ethinyl estradiol/Levonorgestrel, Ethinyl estradiol/Norethindrone 등의 조합으로 상품이 나오고 있다.

2 경구피임약과 기형발생과의 상관관계에 관한 연구

1세대 경구피임약의 판매 이후, 수정 전후 경구피임약을 복용과 기형발생과의 상관관계에 관한 연구가 지속적으로 이루어졌다.

1950년대에 들어 자궁 내 프로게스틴(progestin)에 노출 시 이후 태어난 여아에서 거짓남녀중간몸증(pseudohermaphroditism)이 발생했다는 연구보고가 있었고 1954년부터 1963년사이에 임신 중 여성호르몬에 노출된 2000명 이상의 영아 중에서 기형의 전체발생빈도뿐 아니라 남아에서 생식기계 기형도 대조군의 경우보다 증가했다(Hemminki E, et al.). 1980년 Kasan 등은 대조군에 비해 약 2.5배의 위험도 증가를 보이는 37예의 신경관 결손을 보고하였으며 Kricker 등과 Czeizel 등은 각각 155명, 537명을 포함한 환자-대조군 연구에서 사지변형(limb defect)의 발생 증가를 17배, 1.7배로 보고하였다. 또한 Li 등은 118명의 비뇨기계 기형을 가진 환아를 대상으로 한 환자-대조군 연구에서 경구피임약 복용의 경우 4.8배의 증가를 보고하였다.

그러나 이들 중 많은 경우는 40-50년 전의 경구피임약을 대상으로 한 경우로 이 당시의 경구피임약의 용량이 현재 사용되는 것보다 훨씬 높았고 현재 이들 성분은 현재 판매하지 않는다. 그러한 이유로 한참 이전의 연구들과 최근 20-30년의 연구에서 척추, 비뇨기계, 항문, 심장, 기도, 식도, 사지, 신장 등의 기형과 경구피임약 사이의 상관관계에 있어서 상반되는 결과의 논문들이 있다고 보인다.

위에서 언급한 거짓남녀중간몸증(pseudohermaphroditism)의 보고 이후 임신전후 시기에 경구피임약 복용 노출 시 이의 영향에 대한 관심이 커졌으나 Schardein 등의 연구에 따르면 실제 태내 노출 후 태어난 여아에서 남성화(masculinizing effect)는 약 1% 정도였다. 남성화가 발생한 경우는 임신 8~10주 사이의 노출된 경우가 대부분이었으며 남성화라고 해도 그 양상이 음핵(clitoris)의 비대(hypertrophy)에 국한되었다.

한편 남아의 생식기계 기형발생에 관한 보고도 많이 되었다. Carmichael 등은 수정 전후 시기의 프로게스틴 노출은 2, 3도 요도하열 발생을 증가시키고(OR=3.7 [95% CI=2.3-6.0]), Kallen 등은 임신초기 경구피임약의 사용이 요도하열을 약간 정도 상승시킨다고 보았다(OR=1.5 [95% CI=0.7-3.1]). 1970-1980년대의 연구들에서는 불임치료를 위해 또는 임신초기유산 방지를 위해 프로게스틴(progestin)을 사용하는 경우 생식기계 기형, 특히 요도하열의 증가가 나타난다고 보고하였다(Sweet RA et al, Calzolari et al.). 그러나 반면에 Polednak AP, Czeizel A, Kallen 등은 그러한 연관관계가 없다고 보고하였거나 그러한 관련은 프로게스틴을 사용하게 된 이유인 Infertility 또는 subfertility 때문이라고 보았다. Waller 등은 경구피임약의 노출의 유무에 따른 요도하열 발생에 별다른 차이가 없다고 보고하였고 또 다른 연구에서는 요도하열이 있는 2000명의 남아를 대상으로 하였는데 경구피임약의 모체 사용과 요도하열 사이엔 별다른 연관성이 없다는 연구결과가 나왔다.

또한 1091명에서 20,000명을 대상으로 한 여러 대규모 환자대조군 연구들에서는 전반적으로 경구피임약과 주요장기기형과 연관성이 없음을 보였다. 12개의 전향성 메타분석에서도 임신초기의 경구피임약과 사지기형, 선천성 심질환, 전체적인 기형과의 큰 연관성을 밝히지 못했다. 2010년 Waller 등은 9986명의 주요장기기형이 있는 경우와 기형이 없는 4,000명을 비교, 임신 일삼분기 모체의 경구피임약 복용의 영향을 알아보고자 하였다. 대부분의 주요장기기형에서는 별다른 영향을 미치지 않는 결과를 나타냈으나 복벽갈림증(Gastroschisis), 좌심형성부전증후군(Hypoplastic left heart syndrome)에서 odds ratio가 1.8, 2.3으로 증가하는 모습을 보였다. Werler 등과 Torfs등은 각각 76, 110 예를 포함하는 정도로 연구규모가 작고 odds ratio가 2.0 정도이긴 하지만 모두 임신일삼분기의 경구피임약이 복벽갈림증의 증가와는 큰 관련이 없다고 보고하였다.

Braken 등은 흡연자(20개피 이상/일)이면서 경구피임약을 복용한 경우와 비흡연자이면서 경구피임약을 복용하지 않은 경우로 나누어 기형발생을 비교해 보았을 때 흡연자이면서 경구피임약 복용 시 기형발생의 증가가 있다고 보고한 반면 Waller 등은 두 군간에 별다른 차이가 없다고 하였다.

한편, 일반피임약에 비해 호르몬 함량이 약 10배 이상 높은 프로게스틴 고용량제제인 사후피임약의 사용이 증가하고 있어 이에 대한 영향도 관심의 대상이 되고 있다. 안 등의 연구에 따르면 응급피입법으로 사용되는 고용량의 프로게스테론 노출 시 태어난 아이들 중 주요 장기기형은 없었으며 이 결과와 유사하게 Italian observational cohort study에서도 응급피임약 노출 후에도 주요 장기기형은 관찰되지 않았다(Ahn HK et al., 2008, De Santis D et al). 즉, 고용량의 프로게스테론조차 기형유발 물질은 아닐 것으로 추정된다.

경구피임약에 노출된 군과 대조군과의 임신, 태아에 대한 영향에 관한 정리로 안 등의 논문에 있는 표를 인용, 나타내었다(표 3-4-1).

위에서 언급했듯이 초기 경구피임약의 보급 후 이의 기형유발에 대한 문제제기가 있어왔으나 이후 여러 번에 걸쳐 경구피임약의 성분 및 함량의 변화가 있어 현재 사용되는 경구피임약과 초기 사용되던 피임약을 동일시해서는 안될 것으로 여겨지며 그에 따라 초기에 우려하였던 주요장기의 기형유발에 대한 가능성을 지나치게 두려워하여 경구피임약 복용 후 임신을 확인한 경우에 불필요한 임신 중절을 막고 정기적인 검진을 통해 태아 상태를 확인하는 것이 필요할 것으로 보인다.

표 3-4-1. **Pregnancy outcomes of women exposed to oral contraceptives and control women**

	Exposed group (n=120)	Control group (n=240)	P value	Statistical test
Pregnancy outcomes				
Deliveries, n(%)	99(82.5)	193(80.4)	0.63	X2
Spontaneous abortion, n(%)	8(6.7)	29(12.1)	0.11	X2
Spontaneous abortion, n(%)	13(10.8)	18(7.5)	0.28	X2
Fetal outcomes				
Birth weight, g(mean±SD)	3297±580	3301±449	0.95	MW-U
Gestational age at delivery, week	39.0±2.5	39.3±1.69	0.20	MW-U
Preter deliveries, n(%)	5(5.1)	9(4.7)	0.88	X2
Low birth weight, n(%)	7(7.1)	5(2.6)	0.068	X2
Large for gestational age, n(%)	10(10.1)	12(6.2)	0.23	X2
Major birth defects, n(%)	3(3.2)	7(3.6)	1.00	Fisher's exact

(Ahn HK, Choi JS, Han JY et al. Pregnancy outcome after exposure to oral contraceptives during the periconceptual period. Human & experimental toxicology. 2008;27:307-313.)

▶ 참고문헌

1. Ahn HK, Choi JS, Han JY et al. Pregnancy outcome after exposure to oral contraceptives during the periconceptual period. Human & experimental toxicology. 2008;27:307-313.

2. Braken MB. Oral contraception and congenital malformation in offspring: A review and meta-analysis of the prospective studies. Obstet Gynecol 1990;76:552-557.

3. Carmichael SL, Shaw CM, Laurent C, et al. Maternal progestin intake and risk of hypospadias. Arch Pediatr Adolesc Med 2005;159:957-962.

4. Czeizel A, Toth J, Erodi E. Aetiological studies of hypospadias in Hungary. Human heredity 1979;29:166-171.

5. Czeizel A, Toth J. Correlation between the birth prevalence of isolated hypospadias and parental subfertility. Teratology 1990;41:167-172.

6. De Santis D, Cavaliere AF, Straface G et al. Failure of the emergency contraceptive levonorgestrel and the risk of adverse effects in pregnancy and on fetal development: an observational cohort study. Fertil Steril 2005;84:296-299.

7. Grumbach MM, Ducharme JR, Moloshok RE. On the fetal masculinizing action of certain oral progestins. J Clin Endoclinol Metab 1959;19:1369-1380.

8. Hemminki E, Gissler M, Toukomaa H. Exposure to female hormone drug during pregnancy: effect on malformations and cancer. Br J Cancer 1999;80:1092-1097.)

9. Janerich DT, Elliot JW, Forrest JM, et al. Congenital limb reduction deformities and use of oral contraceptives. Am J Obstet Gynecol 1986;155:1072-1078.

10. Kallen B. Case-control study of hypospadias, based on registry information. Teratology 1988;38:45-50.

11. Kallen B, Castilla EE, Kringelbach M, et al. Parental fertility and infant hypospadias and parental subfertility. Teratology 1991;44:629-634.

12. Kallen B, Mastroiacovo P, Lancaster PA et al. Oral contraceptives in the etiology of isolated hypospadias. Contraception 1991;44:173-182.

13. Kasan PN, Andrew J. Oral contraception and congenital abnormalities. Br J Obstet Gynecol 1980;87:545-551.

14. Li DK, Daling JR, Mueller BA, et al. Oral contraceptive use after conception in relation to the risk of congenital urinary tract anomalies. Teratology 1995;51:30-36

15. Monteleone N, Castilla EE, Paz JE. Hypospadias: an epidemiological study in Latin America. Am J Med Genet 1981; 10:5-9.

16. Pardthaisong T, Gray RH. In utero exposure to steroid contraceptives and outcome of pregnancy. Am J Epidemiol 1991;134:795-803.

17. Polednak AP, Janerich DT. Maternal characteristics and hypospadias: A case-control study. Teratology. 1983;28:67-73.

18. Rothman KJ, Fyler DC, Goldblatt A. Exogenous hormons and other drug exposure of children with congenital heart disease. Am J Epidemiol 1979;109:433-439.

19. Schardein JL. Congenital abnormalities and hormones during pregnancy: A clinical review. Teratology. 1980;22:251-570.

20. Sweet RA, Schrott HG, Kurland R, et al. Study of the incidence of hypospadias in Rochester, Minnesota, 1940-1970, and a case-control comparison of possible etiologic factors. Mayo Clin Proc. 1974;49:52-58.

21. Torfs CP, Katz EA, Bateson TF, et al. Maternal medications and environmental exposures as risk factors for gastroschisis. Teratology 1996;54:84-92.

22. Waller DK, Gallaway MS, Taylor LG, et al. Use of oral contraceptives in pregnancy and major structural birth defects in offspring. Epidemiology 2010;21:232-9.

23. Werler MM, Mitchell AA, Shapiro S. First trimester maternal medication use in relation to gastroschisis. Teratology 1992;45:361-367.

24. Wilkins L, Jones HW, Holman GH et al. Masculinization of the female fetus associated with administration of oral and intramuscular progestines during gestation:non-adrenal female pseudohermaphroditism. J Clin Endoclinol Metab 1958;18:559-585.

임산부에서 우울증 선별 및 진단, 항우울제 사용

◦ 이수영

1 임신 중 우울증의 선별 및 진단

여성에서의 우울증 발병률은 연구에 따라 10–20% 내외로 보고되고 있으며, 이는 남성의 2배에 해당되는 수치이다.[1] 여성의 일생에서 임신은 특별한 경험이며 행복감 상승의 계기가 되기도 하지만, 현실적인 변화와 스트레스로 인해 어려움을 겪는 시기이기도 하다. 주산기에는 여성호르몬들의 변동, 신체상의 변화, 역할의 변화, 수면박탈 등 개개로도 우울증 발생에 위험인자로 여겨지는 요인들이 복합적으로 발생한다. 이를 반영하듯이 '산후우울증(Depressive disorder, postpartum onset)'이라는 진단명이 출산 후뿐 아니라 임신기간 전체를 포함하는 주산기우울증(Depressive disorder, peripartum onset)으로 2013년 개정되기도 하였다(DSM–5, 2013).[2] 조사에 따르면 임산부의 25–35%가 우울증상을 호소하고 7–13%가 주요우울장애의 진단기준에 충족된다고 한다.[3]

주요우울장애의 진단 기준은 2주 이상, 하루의 대부분의 시간 동안 지속되는 우울한 기분, 일상생활에서 흥미나 즐거움의 감소, 식욕의 감소 또는 증가, 수면시간의 감소 또는 증가, 정신운동성 초조 또는 지연, 에너지 상실이나 피로, 죄의식과 가치상실감, 집중력 저하, 자살사고 중 5가지 이상의 증상이 해당될 때이며, 이 증상이 임신기간이나 산후 1달 이내에 시작되었을 경우 주산기 우울증으로 진단하게 된다.[2] 이들 여성들은 영양섭취를 잘하지 못하고, 적절한 휴식을 취하지 못하며, 산전진찰을 잘 받지 않게 되고, 조산이나 유산, 전자간증, 저체중아 출산 등 주산기합병증의 위험도가 높아지는 것으로 보고되고 있다.[4] 임신중 우울증은 산후우울증의 발생위험도를 높이며, 심할 경우 습관적 음주로 이어져 태아알코올증후군을 일으키거나 자살을 시도하여 임신부와 태아의 생명을 위협할 수 있다.

우울증의 선별을 위한 여러 도구들이 개발되어 있지만, 임신 중이나 산후 시기에는 일반적인 설문 도구가 적절치 않을 수 있는데, 임신과 출산 자체가 우울증의 신체적인 증상(피로감, 식욕변화, 수면변화 등)들을 흔히 일으키기 때문이다. 이를 배제하고 임신 중/산후 우울에 보다 특화한 주산기우울증 선별 도구로 에딘버러 산후우울증 척도(Edinburgh Postnatal Depression Scale; EPDS)를 들 수 있다.[5] 한국판 EPDS가 표준화되어 있고, 10개 문항으로 검사의 실시와 채점이 간단하다는 것 또한 장점이다. 절단 점이 구미에서는 12/13점으로 나타난 것에 비해 한국판의 경우 9/10점으로 평가되었는데, 이는 일본(10/11점), 중국(9/10)등 다른 동양문화권에서도 나타난 결과였다.[6] EPDS는 임신 중 우울을 대상으로 하였을 때에도 산후우울과 마찬가지로 다른 일반 우울설문에 비해 좋은 선별력을 가지는 것으로 나타났다. EPDS를 통해 주산기우울증으로 선별 되었을 경우, 확진은 정신과 전문의에 의한 구조적 면담을 바탕으로 이루어 진다.

2 임신 중 우울증의 치료

우울증의 치료는 크게 비약물적 치료와 약물치료가 있다. 비약물적 치료는 우울증의 심각도가 비교적 경하거나(mild to moderate), 과거 면담치료 등의 비약물적 치료만으로 효과를 보인 적이 있을 때, 증상이 6개월 이상 관해 상태로 유지되고 있으며 현재 약물 치료 중이 아닐 때, 약물사용 위험도가 높은 시기에 있을 때(임신 4–12주), 산모 또는 보호자(남편)가 약물치료를 원치 않을 때 고려할 수 있는 치료법이다. 비약물적 치료로는 인지치료, 대인관계치료를 비롯한 면담기법, 바이오피드백과 같은 이완요법, 행동치료, 명상 등을 들 수 있다. 약물을 중단할 때에는 약물 금단증상으로 인한 신체적 부작용을 최소화 하고 재발 위험을 낮추기 위해 점진적 감량(25%씩의 감량)을 원칙으로 한다. 산전계획을 시행하는 경우 반감기가 짧은 약물로 효과 있는 최소량을 유지해 두고 임신이 확인된 직후 약물을 감량, 중단하면 약물 치료 기간을 확보하면서 임신초기 태아의 약물 노출을 최소화 하는 방법이 될 수 있다.[7]

약물치료의 경우 우울증상의 심각도가 중등도 이상일 때(modeate to severe), 특히 정신운동성 초조, 불면과 같은 자율신경계 신체증상(neurovegetative symptoms)이 심할 때 우선 고려하는 것이 좋다. 우울증의 가족력이나 과거력이 있을 때에는 증상이 경할 때에도 보다 적극적인 개입을 고려 하는 것이 좋다. 우울증 유병 기간이 5년 이상이고 과거 4회 이상 재발이 있었던 경우, 주산 기우울증의 병력이 있거나 과거 약물 중단을 시도했다가 실패한 경우 임신 중 우울증의 재발 가능성이 높은 것으로 알려져 있다.[8] 망상, 환청과 같은 정신병적 증상이 동반되거나 자해/자살 및 타해의 위험성이 있을 때에는 다른 증상의 중증도와 관계없이 입원의 해당사항이 되며 정신과적 응급 협진을 의뢰하도록 한다.

임신 중 정신과적 약물 사용은 몇 가지 약물을 제외하고 금기 시 되지는 않는다. 그러나 약물치료를 하였을 때의 위험성과 이익을 저울질하여 이익이 위험을 상회할 때, 그리고 환자 본인 및 배우자가 이익 및 위험성에 대한 충분한 설명을 듣고 동의하였을 때 약물치료를 시행하는 것을 원칙으로 한다. 위험성 평가에는 정신약물의 위험성에 대한 현재까지의 근거 및 약물 연구의 한계점을 포함하고, 이익 평가에는 정신질환으로 인한 위험성, 약물치료를 중단했을 경우 재발 등의 위험성, 비약물적 치료의 효과 및 제한점 등을 포함하도록 한다.

3 임신 중 항우울제 사용

항우울제에는 전통적인 삼환계 항우울제(Tricyclic antidepressants)와 현재 가장 다빈도로 처방되는 세로토닌재흡수억제제제(SSRI; Selective Serotonin Reuptake Inhibitors)계열 약물들, 이후 개발된 venlafaxine, mirtazapine, bupropion 등이 있다. 약물은 환자에게 부작용이 적으면서 과거에 효과가 있었던 약물을 선택하는 것이 좋으며, 임산부의 경우는 최신의 약물보다는 상대적으로 데이터가 확보된 약물을 선택하는 것이 좋다.

임신 중 항우울제 사용에 있어 임신 초기와 임신 후기에 각각 고려해야 할 위험성은 다음과 같다. 임신 초기의 경우 일반 임산부에서의 자연유산 유병률이 7–11%임을 고려할 때 항우울제를 복용한 임산부의 자연유산율이 약간 더 높게 보고된 바 있다(10.7–19%).[9–10] 조산의 위험성은 1.96–2.2배로 증가하였으나 모든 연구에서 위험성이 확인되지는 않았다.[11–12] 기형 유발의 위험성은 최근까지의 여러 메타분석연구 결과, 일반 인구에서 나타나는 기형발생률인 1–3%보다 유의미한 위험성의 증가가 나타나지 않았다.[13–15] Paroxetine의 경우 2007년 심장 기형의 위험성을 증가시킨다는 연구결과가 발표되었으나,[16] 후속 연구에서는 관련성이 불명확하거나, 여러 심장 기형을 합하였을 때에만 관련성이 나타나 현재는 paroxetine이 심장 기형의 위험성을 약간 증가 시킬 수도 있다는 선에서 제안되고 있다.[17] 임신 중 항우울제 사용의 기형발생 관련 위험도는 아래 표 3-5-1에 기술되어 있다.

임신 후기의 경우 임신 3분기에 SSRI 제제에 노출되는 경우의 약 10–30%에서 신생아행동증후군(SSRI neonatal behavioural syndrome; SNBS)이 발생할 수 있다. 증상은 몸 떨림, 안절부절, 근긴장, 소화장애, 자극과민성, 호흡곤란 등이 주증상이며 보통은 2일이내 자연 치유되는 경한 증후군이나 드물게(⟨0.3%) 경련, 이상고열을 동반하며 기관 삽관이 필요한 경우도 있다.[15,18] 임신초기에 비해 임신 후기에 SSRI에 노출되었을 경우 SNBS 발생 위험도(risk ratio)는 3.0(95% CI 2.0–4.4)이었으며 paroxetine이나 fluoxetine을 복용하였을 경우가 발생 가능성이 더 높다는 보고도 있었다.[19] SSRI와 관련된 드물지만 심각한 질환으로는 신생아 지속성 폐동맥 고혈압증(persistent pulmonary hypertension of the newborn; PPHN)이 있다. 이 질환은 과거의 연구에 의하면 임신 후반기에 노출된 임산부의 경우 odd ratio가 4.5(95% CI 1.6–14.9)라는 보고가 있었으나[20] 후속연구에서는 연관성이 나타나지 않았다.[21] 현재는 SSRI 사용과 관련된 1%정도 발생하는 드문 증후군으로 여겨지고 있다. 상기 결과들을 종합할 때 SSRI를 비롯한 항우울제를 임신 후기에 복용하고 있는 임산부의 경우 신생아 집중치료실이 있고 신생아 전문의사가 상주하는 병원에서의 출산을 권유할 필요가 있다.

표 3-5-1. Fetal risks of antidepressants

Drug	Human data	Animal data
Trycyclics		
Amitriptyline	Not found to increase risk of major congenital malformations	Small but significant increase in encephalocele[22]
Imipramine	Not found to increase risk of major congenital malformations	Some defects were reported but significance was unclear[23]
SSRI		
Citalipram Escitalopram	Not found to increase risk of major congenital malformations	Some defects were reported but significance was unclear[24]
Fluoxetine	Risk in 3rd trimester; SNBS, PPHN	
Fluvoxamine		
Sertraline		
Paroxetine	Small increased risk of cardiac malformations	Some defects were reported but significance was unclear[25]
Venlafaxine	Not found to increase risk of major congenital malformations	Recent study showed reduced neocortical thickness[26]
Mirtazapine	Limited data	No animal teratology study has been published
Bupropion	Limited data suggest low risk	Low risk[27]

▶ 참고문헌

1. A. Kessler RC. Epidemiology of women and depression. J Affect Disord 2003;74(1):5-13.

2. American Psychiatric Association. Diagnostic and Statistical Manual of Mental Disorders. 5th ed (DSM-5). Washington DC: American Psychiatric Publishing;186-187, 2013.

3. Bennett HA, Einarson A, Taddio A, et al. Prevalence of depression during pregnancy: systematic review. Obstet Gynecol 2004;103:698-709.

4. ACOG Committee on Practice Bulletins-Obstetrics. ACOG Practice Bulletin No. 92: Use of psychiatric medications during pregnancy and lactation. Obstet Gynecol 2008;111(4):1001-20.

5. Cox JL, Holden JM, Sagovsky R. Detection of postnatal depression. Development of the 10-item Edinburgh Postnatal Depression Scale.Br J Psychiatry 1987;150:782-786.

6. Kim YK, Hur JW, Kim KH, et al. Clinical Application of Korean Version of Edinburgh Postnatal Depression Scale. J Korean Neuropsychiatr Assoc 2008;47(1):36-44.

7. Choi HY, Lee SY, Seo HS, et al. Psychopharmacologic Strategies for Women to Plan Pregnancy. Korean J Psychopharmacol 2013;24:85-101.

8. Cohen LS, Altshuler LL, Harlow BL, et al. Relapse of major depression during pregnancy

in women who maintain or discontinue antidepressant treatment. JAMA 2006;295:499-507.

9. Yaris F, Kadioglu M, Kesim M, et al. Newer antidepressants in pregnancy: prospective outcome of a case series. Reprod Toxicol 2004;19:235-238.

10. Broy P, Bérard A. Gestational exposure to antidepressants and the risk of spontaneous abortion: a review. Curr Drug Deliv 2010;7:76-92.

11. Toh S, Mitchell AA, Louik C, et al. Antidepressant use during pregnancy and the risk of preterm delivery and fetal growth restriction. J Clin Psychopharmacol 2009;29:555-560.

12. Chambers CD, Johnson KA, Dick LM, et al. Birth outcomes in pregnant women taking fluoxetine. N Engl J Med 1996; 335:1010-1015.

13. Einarson TR, Einarson A. Newer antidepressants in pregnancy and rates of major malformations: A meta-analysis of prospective comparative studies. Pharmacoepidemiol Drug Saf 2005;14(12):823-7.

14. Ellfolk M, Malm H. Risks associated with in utero and lactation exposure to selective serotonin reuptake inhibitors (SSRIs). Reproductive Toxicol 2010;30(2): 249-60.

15. Udechuku A, Nguyen T, Hill R, et al. Antidepressants in pregnancy: A systematic review. Aust N Zealand J Psychiatry 2010;44(11):978-96.

16. Cole JA, Ephros SA, Cosmatos IS, Walker AM. Paroxetine in the first trimester and the prevalence of congenital malformations. Pharmacoepidemiol Drug Saf 2007;16(10):1075-85.

17. Wurst KE, Poole C, Ephross SA, et al. First trimester paroxetine use and the prevalence of congenital, specifically cardiac, defects: A meta-analysis of epidemiological studies. Birth Defects Research (Part A) 2010;88(3):159-70.

18. Costei AM, Kozer E, Ho T, et al. Perinatal outcome following third trimester exposure to paroxetine. Arch Pediatr Adolesc Med 2002;156:1129-1132.

19. Moses-Kolko EL, Bogen D, Perel J, et al. Neonatal signs after late in utero exposure to serotonin reuptake inhibitors: Literature review and implications for clinical applications. JAMA 2005;293(19):2372-83.

20. Chambers CD, Hernandez-Diaz S, Van Marter LJ, et al. Selective serotonin-reuptake inhibitors and risk of persistent pulmonary hypertension of the newborn. N Engl J Med 2006;354:579-587.

21. Andrade SE, McPhillips H, Loren D, et al. Antidepressant medication use and risk of persistent pulmonary hypertension of the newborn. Pharmacoepidemiol Drug Saf 2009;18(3):246-52.

22. Beyer, B.K, Guram, M.S, Geber, W.F. Incidence and potentiation of external and internal

fetal anomalies resulting from chlordiazepoxide and amitriptyline alone and in combination. Teratology 1984;30:39-45.

23. Swerts, C.A, Costa, A.M, Esteves, A, et al. Effects of fluoxetine and imipramine in rat fetuses treated during a critical gestational period: a macro and microscopic study. Rev. Bras. Psiquiatr 2010; 32(2):152-158.

24. Tabacova, S.A.; McCloskey, C.A. and Fisher Jr., J.E.: Adverse developmental events reported to FDA in association with maternal citalopram treatment in pregnancy. (abs) Birth Defects Res. A Clin. Mol. Teratol 2004;70:361.

25. Baldwin, J.A, Davidson, E.J, Pritchard, A.L, et al. The reproductive toxicology of paroxetine. Acta Psychiatr. Scand 1989;80:37-39.

26. Singh, M, Singh, K.P, Shukla, S, et al. Assessment of in-utero venlafaxine induced, ROS-mediated, apoptotic neurodegeneration in fetal neocortex and neurobehavioral sequelae in rat offspring. Int. J. Dev. Neurosci. 2015 Feb;40:60-69.

27. Tucker, W.E. Preclinical toxicology of bupropion: An overview. J. Clin. Psychiatry 1983;44:5(Sec. 2) 60-62.

임신부에서 비타민 A계 약물의 기형유발성

○ 최은정, 육지형

임상증례 1

현재 임신 6주인 당신의 임신부가 임신 중 종합비타민 복용을 권유받아 복용하던 중, 비타민A 가 태아기형과 관련이 있다는 의견을 듣고 걱정이 되어 당신에게 상담을 요청하였다. 당신은 그녀에게 어떻게 조언을 할 것인가?

비타민A(retinol; vitamin A1)는 지용성 필수 영양소로 다양한 식품에 존재한다. 비타민A는 레티날 형태로 옵신(망막의 붉은 색소)과 결합하여 로돕신(시색소)으로 전환되는데, 이는 시각이 어둠에 적응하는데 필요한 물질로서 망막의 정상 기능에 필수적인 성분이다. 비타민 A의 또 다른 형태인 레티놀, 레티노산 등은 생화학적 반응에서 보조 인자로 작용하며, 뼈 성장, 고환 및 난소 기능, 배아 발달과 상피 조직의 분화 및 성장 조절에 필수적인 요소이다.[1] 일반 성인이 균형 잡힌 식사를 하는 경우 하루 7000-8000IU의 비타민 A를 음식으로부터 섭취하게 된다.[2] 수유부나 영유아, 소모성 질환의 환자군 경우 비타민A의 요구량이 증가하기 때문에 음식만으로 섭취가 불충분한 경우가 있고, 비타민 A의 보충을 위해 시중에도 비타민A를 상당량 함유한 10,000IU 이상의 연질 캅셀이 판매되고 있다. 2020년 한국영양학회에서는 한국인의 경우 1일 비타민A 권장섭취량의 기준을 임신부는 720μg, 수유부의 경우 1140μg으로 정하였다. 1976년 미국식품의약국(FDA)에서도 임신부의 비타민A 최대 섭취량을 8000IU/day로 정하였다.[2]

비타민 A는 여러 연구들을 통해 결핍 및 과잉 섭취 모두 태아 기형과의 연관성이 보고되었다.[3-6] 비타민A의 결핍으로는 야맹증, 결막 건조증, 각막 연화증 및 각막건조증이 발생할 수 있으며, 여러 각화성 피부질환 발생과도 연관이 있다. 임신 중에는 비타민 A의 경도 부족상태가 흔히 발견되며, 한 연구에 의하면 임신 중 산모가 비타민 A 결핍이 있었을 경우 그 태아에서 조산 및 자궁내 성장지연이 보고되었다고 한다.[7, 8] 또한 비타민A는 면역계에 영향을 주는데, 최근 보고에 의하면 모체의 비타민A 결핍이 모체-태아 간의 인간면역결핍바이러스(HIV) 전달을 높이며 생후 1년간 성장 발달을 지연시켰다고 한다.[9-11]

1970년대에 동물 실험들을 통해 고용량 비타민과 태아 기형 연관에 관한 많은 연구들이 보고되면서[3-6] 1980년대에는 비타민A 섭취가 인간에게도 선천 기형 유발과 연관성이 있을 것이라는 연구보고들이 있었지만, 선천성기형과 비타민A 섭취와의 명확한 관련성은 밝혀지지 못했다.[12] 비타민A 계통의 약물을 레티노이드(retinoid)라고 하며, 그 종류로 이소트레티노인(isotretinoin) 에트레티네이트(etretinate), 고용량 비타민A가 포함된다. 태아기형 발생기전으로 레티노이드가 직접 세포 독성과 세포예정사의 변형을 발생시키며 배아의 신경능선세포가 가장 민감하게 영향을 받아 기형 발생 위험률이 38%에 해당된다는 보고가 있다.[13, 14] 이로 인해 태아의 자연 유산, 소뇌증, 수두증, 두개골, 귀, 안면, 심장, 사지, 그리고 간의 변형 등 외형적 복합 기형을 동반하는 레티노이드 배아병증과, 성장하면서 나타나는 장기적 영향으로 지능저하와 비정상적 행동 발달 등이 보고되고 있다.

1990년 스페인에서 11,293명의 기형아와 11,193명의 정상아를 대상으로 한 환자대조군연구에 의하면, 임신 첫 2개월간 하루 비타민A를 40,000 IU 이상 섭취한 군에서 선천성 태아기형발생이 높았다고 보고하였고, 이는 비타민A에 의한 태아기형발생은 노출 용량과 연관성이 있으며 하루 10,000IU 미만의 노출은 태아 기형과 연관성이 없음을 시사하였다.[15, 16]

1995년 한 연구에서는 임신 전 3개월부터 임신 12주까지 비타민A를 함유한 영양제를 복용한 22,748명의 여성을 대상으로 비타민 A와 태아 기형과의 연관성을 조사하였다. 본 연구에서 하루 15,000IU 이상을 복용한 여성의 태아에서 머리-신경능선세포의 결함에 의한 기형(구순구개열, 뿔줄기 심장기형)이 더 높음이 보고되었고, 결론적으로 하루 10,000IU이상 노출된 태아의 약 1.75%에서 비타민A 연관 기형을 보였다.[17]

여러 동물 실험에서 트레티노인이 선천성기형을 증가시킨다고 보고되었지만 이러한 선천 기형은 고용량의 비타민A에 노출되어야만 발생한다. 한 연구에서 4 kg의 원숭이의 경우 30,000 IU/day 이하의 용량까지는 신경관결손, 사지기형, 심혈관기형, 행동장애와 연관이 없다고 보고되었고 이는 인간의 용량으로 계산 시 하루 300,000 IU 이상이다.[18]

적정 용량의 비타민 A 복용, 즉 하루 10,000 IU 미만의 비타민 A의 복용은 선천성 기형과 관련이 없다는 연구 결과들이 나오면서,[19] 통상적으로 임신 중 비타민A의 복용을 하루 8000IU 정도로 권하고 있다. 비록 비타민 A의 최소 기형 유발 용량이 하루 25,000IU 또는 그 이상으로 예측되고는 있지만, 임신부가 1일 10,000IU 이상 섭취하였을 경우 선천 기형의 위험이 증가와 연관성이 있을 수 있으므로 주의하도록 한다.[2, 20] 그러나 과일이나 채소에 들어있는 베타카로틴은 태아에게 독성이 없으므로 안심하고 섭취 가능하다.

임상증례 2

여드름치료를 받아오던 한 여성이 치료 중 임신테스트기로 검사를 해보니 양성이 나와 산부인과를 갔다고 한다. 산부인과에서는 임신 6주로 진단되며, 본인이 현재 복용하는 이소트레티노인 성분의 약은 임신 기간 중 절대 복용하면 안 되는 기형유발물질이라고 임신중절을 권하였다고 한다. 추가적 의견을 듣고자 당신에게 상담 온 이 여성에게 당신은 어떻게 조언할 것인가?

이소트레티노인은 13-cis-retinoic acid로 레티노이드의 일종이다. 하루 0.5-1.0 mg/kg의 투여량으로 피지선의 작용과 각질화를 억제한다. 혈중 최고농도 도달시간은 3.2시간, 반감기는 20시간 이상(약 50시간)으로 알려져 있다.

이소트레티노인은 1982년에 미국식품의약국의 시판 승인을 받았으며 다른 치료법으로는 잘 치료되지 않는 중증 불응성의 수포성여드름 및 뭉친여드름의 치료에 쓰인다. 그러나 현재 국내에서는 여드름 치료뿐만 아니라 피지 조절용으로도 쓰이기도 한다.

현재 국내에서 이소트레티노인 성분을 가지고 시판되는 약명으로는 로아큐탄, 아큐탄, 이소트레 티노인, 이소티논, 이소티나, 아키놀, 아크날, 아큐네탄, 제로큐탄 등이 있다.

이소트레티노인은 임신과 관련하여 여러 종류의 동물 실험에서 중추신경계 뿐만 아니라 뇌, 사지, 심혈관계통의 선천성 기형발생을 증가시키는 것으로 보고되었다.[1, 2]

국내에서도 임신초기에 이소트레티노인으로 여드름을 치료한 후 귀기형(anotia, microtia)이 발생했던 증례보고가 있다(그림 3-6-1).[15]

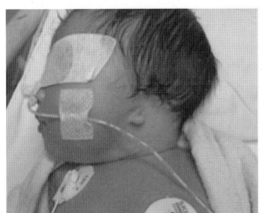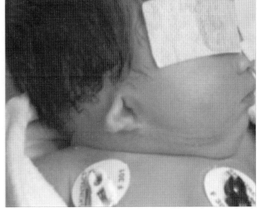

그림 3-6-1. **임신 중 이소트레티노인에 노출되어 선천성 귀기형 발생 사례. 오른쪽 소이증과 왼쪽 무이증**

이소트레티노인의 기형 발생 기전은 신경능선세포의 초기 분화 및 이동을 방해하는 것이라고 알려져 있다.[3, 4] 약물부작용은 매일 0.5-1.5 mg/kg를 복용한 경우에서 보고되었지만, 0.2 mg/kg 이하로 매우 소량에 노출된 경우에서도 기형유발과 연관성이 있었다는 보고들도 있다.[5]

1982년 9월부터 1984년 7월까지 이소트레티노인 제제 출시 후 미국의 제약회사, 미국식품의약국, 질병관리본부(CDC)에 의해서 총 154건의 이소트레티노인에 노출된 임신부가 확인되었다. 이들 중 95명은 선택적 임신중절을 하였고 12명은 자연유산을 경험하였다. 이소트레티노인에 노출된 154명의 임신부에서 태어난 출생아 중 26명의 신생아는 주요기형 없이 태어났으며 21명은 주요선천성기형을 가지고 태어났다. 이들 21명 중 3명은 사산되었고 9명은 출산 후 사망하였다. 이들이 가진 주요기형은 동물실험에서 보여진 기형과 거의 동일하였다.[4] 여러 역학연구에서도 임신 1삼분기에 노출 시 약 25~35%에서 수두증, 소두증, 소이증 또는 무이증, 소하악증, 구개열, 심혈관계기형, 흉선 및 눈의 기형, 사지의 단축기형 등이 동반될 수 있다고 보고되었고,[6] 추가적으로 약물 복용 중단 후 임신된 경우에서도 유사한 선천 기형이 보고된 바 있다.[7] 표 3-6-1은 이소트레티노인과 연관되어 보고된 기형의 종류에 대한 정리이다.[8]

이소트레티노인은 중추신경계기형과 연관성이 있기 때문에, 출생 당시 외형상으로 정상처럼 보인다 하더라도 출생 이후 성장기에 행동 발달 및 지능저하를 보일 수도 있다. 외국의 한 연구에서 수정 후 첫 60일 동안 이소트레티노인을 복용한 산모에서 출생한 31명의 아이들이 5세가 되었을 때 그 IQ를 측정한 연구가 있다. 대략 47%의 아이들에서 정상 지능보다 저하됨을 알 수 있었다. 12명의 아이에서 주요선천성기형이 발생하였고, 그 중 6명의 아이(4명은 주요중추신경계 기형을 가짐)는 IQ가 70 미만이었고, 4명 (1명은 주요 중추신경계기형을 가짐)은 IQ 70-85였다. 또한 2명에서는 IQ가 85이상이었다. 주요기형을 가지지 않은 19명의 아이들 중 6명에서 IQ는 70-85였고, 나머지는 IQ가 85이상이었다.[9-11] 여러 인종마다 이소트레티노인에 대한 기형발생률의 차이는 레티노이드의 독성동태와 연관이 있다. 비록 낮은 농도라 할지라도 산모에 축적된 이소트레티노인은 며칠 또는 몇 주간 배아발생에 영향을 미칠 수 있다. 그러나 임신부 88명을 대상으로 한 연구에서 수정되기 며칠 또는 몇 주 전에 이소트레티노인을 중단한 여성에서 유산 또는 선천성기형과 관련이 없다고 보고된 바 있다.[12] 국내의 한 연구에 의하면 임신인지 모르고 이소트레티노인을 복용했던 임신부의 26.6%가 심각한 기형을 우려하여 임신중절을 선택한 것으로 보고되었다.[13] 또한 국제적으로도 임신 중 이소트레티노인에 노출되는 경우 북미에서 80%이상이 임신중절을 선택하는 것으로 보고되고 있다.

표 3-6-1. **이소트레티노인 노출 연관 기형**

중추신경계
수두증
안면신경마비
후두부 구조물 결함
대뇌피질 실명
시신경 형성 부전

두개안면
망막 결함
소안구증
소이증 또는 무이증
낮은 귀
외이도의 무발생 혹은 현저한 협착
작은 입
소두증
삼각형 두개골
얼굴기형
편평한 코
구개열
안구격리증

심혈관계
뿔줄기 심장기형
대혈관전위
활로씨 사징
DORV
Truncus arteriosus communis
심실중격결손
심방중격결손
Branchial-arch mesenchymal-tissue defect
불연속 대동맥궁
대동맥궁 형성저하
우측 쇄골하정맥

흉선결함
흉선 딴곳증
흉선 형성부전
흉성 무형성

2021년 EJ Choi 외(Choi et al.)의 저자들은 이소트레티노인의 주요기형의 발생 비율에 대한 체계적문헌연구 및 메타분석을 시행하였다. 연구에 따르면 이소트레티노인의 주요기형 발생비율은 15%였다. 이소트레티노인에 노출된 임신의 인공임신중절의 비율은 1985년부터 2020년까지 비교했을 때 줄어들지 않았고, 평균 인공임신중절의 비율은 65%였다(그림 3-6-2). 또한 이 연구에서, 미국의 iPLEDGE가 시행된 2006년을 기점으로 가임기 여성의 이소트레티노인 노출에 대한 오즈비가 달라짐을 확인할 수 있었다. 2006년 이전에 오즈비가 3.76인 반면, 2006년 이후의 오즈비는 1.04로 현저히 낮아졌는데, 그 이유는 iPLEDGE의 시행으로 인해 복용한 이소트레티노인의 용량이 감소하고 임신 초기에 노출된 기간도 짧기 때문으로 설명할 수 있을 것이다(그림 3-6-3).[14]

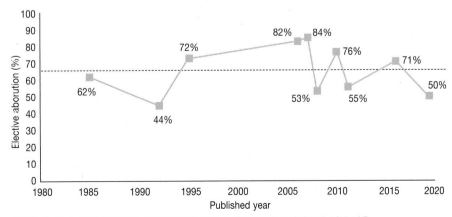

그림 3-6-2. 논문게재 연도별 이소트레티노인에 노출된 임신의 임신중절 선택 비율

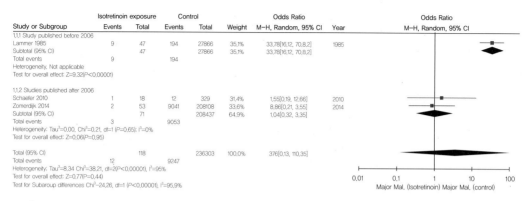

그림 3-6-3. 이소트레티노인에 노출된 임신의 주요선천성기형 발생률에 대한 메타분석. 2006년 전/후 비교

임상증례 3

중증건선을 진단받아 수 년 전부터 비타민A 합성유도체인 아시트레틴(acitretin)으로 치료를 받는 여성이 결혼계획이 있고 임신을 원한다고 한다. 당신은 어떻게 조언할 것인가?

아시트레틴은 다른 약물에 반응을 안 하는 중증건선, 선천성어린선, 모낭각화증에 사용되는 치료제로, 이전에 사용되었던 에트레티네이트(etretinate)를 대체하기 위해 사용되기 시작하였으며, 에트레티네이트의 활성대사체이다.[1]

아시트레틴은 핵의 레티노산수용체를 통해 유전자발현에 변화를 일으키며, DNA와 결합하여 전사와 transrepression과정에 변화를 일으켜 단백질 합성에 영향을 준다. 혈중 최고농도 도달시간은 1~4시간, 반감기는 49시간으로 보고되고 있다. 하지만 경구로 섭취한 경우 아시트레틴은 여러 대사과정을 거쳐 이성체인 13-cis-acitrein으로 전환되거나 알코올과 같이 섭취한 경우 평균 반감기가 120일, 최대 반감기가 168일까지도 보고되는 에트레티네이트로 전환되어 피하지방에 3년 이상 남아있기도 한다.[2]

에트레티네이트는 경구용으로 사용되는 합성 레티노이드로서 경구복용 시 오랜 기간 동안 피하지방에 축적되어 천천히 오랜 기간 동안 혈액 내로 방출된다. 만성적으로 약물 복용 한 경우 치료 중단 후 2.9년이 지날 때까지 혈청에서 검출된 보고도 있다. 다양한 배설 패턴으로 인해 현재까지 치료 마지막 시점부터 얼마의 기간 동안 피임을 해야 하는 지에 대해서는 정확히 결정된 바가 없다.

동물실험에서 에트레티네이트는 선천성기형을 증가시켰으며, 임상적으로 사용하는 혈중농도에서도 사람에게서 선천성기형을 증가시킨다고 추측된다. 에트레티네이트와 연관된 기형으로는 수막척수탈출증, 수막뇌탈출증, 다발성골유합증, 안면기형, 끝마디뼈의 무형성, 엉덩관절, 발목과 아래팔의 기형, 처진 귀, 높은 입천장, 두개강 부피의 감소, 두개골과 경부척추뼈의 변형 등이 있

다.[2]

1988년 한 연구에 의하면 에트레티네이트 복용 중단 후에 53건의 임신이 보고되었고, 이들 중 38명의 태아 및 신생아가 레티노이드 배아병증과 연관된 기형을 보였으며 모체의 혈청에서도 에트레티네이트가 검출되었다.[3]

따라서 에트레티네이트 복용 중단 후에도 상당기간의 피임하도록 권고하게 되었고 독일의 한 연구에서는 약 2년의 피임 기간이 필요하다고 제시되기도 하였다.[4] 그러나 1994년 37명의 아시트레틴으로 치료 중이거나 치료가 중단된 가임 여성을 대상으로 혈청과 피하지방 검체의 에트레티네이트, 아시트레틴, 13-cis-acitretin 농도를 측정한 연구에서 이미 치료가 중단된 17명의 혈청 및 피하지방에서 에트레티네이트가 각각 18%와 86%에서 검출되었다. 또한, 약물의 혈청농도와 피하지방에 축적된 농도가 서로 연관성이 없는 것으로 관찰되어 이들은 앞서 연구에서 제시한 2년의 피임 기간은 너무 짧다고 반박하였고,[5] 해당 제약회사의 입장에서는 3년의 피임 기간을 제시하고는 있지만 기형 발생의 임계농도는 아직 명확히 확립하지 못하였다.[1]

1983년 외국의 보고에 의하면, 임신 19주까지 아시트레틴을 하루에 50 mg씩 복용했던 임산부의 유산된 태아에서 레티노이드 배아병증의 소견을 보이는 두개의 안면, 귀, 심장 기형이 보고되었으며, 심한 사지 이상소견도 보였다.[6] 또한 2004년 보고에 의하면 임신 시작부터 임신 10주까지 아시트레틴을 하루에 10 mg씩 복용했던 임산부의 신생아에서 소두증, 내안각주름, 낮은 콧등, 높은 입천장, 컵모양의 귀, 심방중격결손 및 양측 감각신경 난청의 소견이 보였고, 이는 레티노이드 배아병증과 일치하는 양상이었다.[7, 8]

따라서 아시트레틴을 가임여성에서 사용 시에는 치료 시작 최소 1개월 전부터 철저한 피임이 권유되며, 약을 중단한 지 약 3년 경과 후 임신 시도하기를 권하고 있다. 아시트레틴의 혈청농도와 태아에 미치는 위해는 일치하지 않으므로 치료 중단 후 안전한 임신을 위한 혈청농도검사는 의미가 없다. 국내의 경우 아시트레틴이 포함된 혈액을 수혈받은 9명의 임신부에서 태아의 기형발생은 발견되지 않았다.[7]

임상증례 4

한 여성이 0.05%의 트레티노인 연고를 가지고 당신의 외래에 왔다. 이 여성은 여드름치료를 위해 트레티노인이 함유된 연고를 바르고 있었는데 오늘 산부인과에서 임신 8주로 진단받았다고 한다. 당신은 어떻게 상담을 할 것인가?

트레티노인(all-trans retinoic acid; retinoic acid; vitamin A acid)은 레티노이드와 비타민A의 대사물로서 여드름 및 여러 피부질환의 치료를 위한 국소제제뿐만 아니라 급성 전골수세포백혈병을 위한 치료제와 경구용 항암제로서도 사용되고 있다. 다른 레티노이드와 동일하게 트레티노인 역시 임신 초기에 과다노출 시 레티노이드 배아병증(retinoid embryopathy)의 모습을 띠게

된다.[1]

그러나 동물 실험 및 임상 실험에서 국소제제로 사용된 트레티노인에 의한 기형발생과의 연관성은 아직은 명확하게 밝혀지지 않았다.[2] 토끼를 대상으로 한 실험에서 임상적 용량의 10배-100배를 국소제제로 투여한 경우 레티노이드 배아병증에 해당되는 기형이 발생되어 모체독성과 용량연관성을 시사한 연구가 있다.[3] 그러나 또 다른 연구에서는 국소제제로 사용 시 트레티노인의 기형발생 위험도는 거의 0에 가깝다고 보고되기도 하였다. 이 연구에서는 0.1% 농도의 제제를 매일 1g 용량으로 도포하고 약 33%의 최대 흡수율을 보인 경우라 하더라도 위 용량은 일반적으로 먹는 종합비타민에 포함된 비타민A의 약 7분의 1에 해당하는 양과 동일하다고 하였다.[4] 현재까지 여러 역학적연구에서는 국소제제로 트레티노인을 일반적 용량을 사용한 경우에는 다른 레티노이드 성분이 보여주는 선천성기형 발생과는 거리가 멀다고 보고하고는 있으나, 가능한 임신 1삼분기에는 사용을 피하라고 권고한다.[5]

임신 중 급성 전골수성백혈병의 치료를 위해 전신적으로 쓴 경우에 대한 보고는 많지 않다. 한 케이스는 임신 6주에 치료를 시작하였고,[6] 임신 2삼분기 및 임신 3삼분기에 치료를 시작한 케이스 모두에서 절반 이상 조산이 보고되었으나 선천성기형이 보고되지는 않았다. 출생 후 성장 발달을 추적관찰한 아홉사례에서 추적관찰기간인 4년간 모두 정상적인 성장을 보였다.[7-11]

▶ 참고문헌

임상증례 1 참고문헌

1. American Hospital Formulary Service. Drug Information 1997. Bethesda, MD: American Society of Health –System Pharmacists, 1997:2806-9.

2. Public Affaris Committee, Teratology Society. Position paper: recommendations for vitamin A use during pregnancy. Teratology 1987;35:269-75

3. Gal I, Sharman IM, Pryse-Davies J. Vitamin A in relation to human congenital malformations. Adv teratol 1972;5:143-59.

4. Cohlan SQ. Excessive intake of vitamin A as a cause of congenital anomalies in the rat. Science 1953;117:535-6.

5. Geelen JAG. Hypervitaminosis A induced teratogenesis. CRC Crit Rev Toxicol 1979;6:351-75.

6. Kamm JJ. Toxicology, carcinogenicity, and teratogenicity of some orally administered retinoids. J Am Acad Dermatol 1982;6:652-9

7. Shah RS, Rajalakshmi R. Vitamin A status of the newborn in relation to gestational age,

body weight, and maternal nutritional status. Am J Clin Nutr 1984;40:794-800.

8. Baker H, Frank O, Kaminetzky HA, et al. Vitamin profile of 174 mothers and newborns at parturition. Am J Clin Nutr 1975;28:59-65.

9. Bridbord K, Willoughby A. Vitamin A and mother-to-child HIV-1 transmission. Lancet 1994;343:1585-6

10. Semba RD, Miotti PG, Hoover DR, et al. Maternal vitamin A deficiency and mother-to-child transmission of HIV-1. Lancet 1994;343:1593-7

11. Semba RD, Yang L-P, Hoover DR, et al. Maternal vitamin A deficiency and child growth failure during human immunodeficiency virus infection. J Acqir Immune Defic sydr Human Retrovirol 1997;14:219-22.

12. Voorhees JJ, Orfanos CE. Oralretinoids. Arch Dermatol 1981;117:418-21.

13. Kamm JJ. Toxicology, carcinogenicity, and teratogenicity of some orally administered retinoids. J Am Acad Dermatol 1982;6:652-9.

14. Lungarotti MS, Marinelli D, Calabro A, et al. Multiple congenital anomalies associated with apparently normal maternal intake of vitamin A: a phenocopy of the isotretinoin syndrome? Am J Med Genet 1987;27:245-8.

15. Martinez-Frias ML, Salvador J. Megadose vitamin A and teratogenicity. Lancet 1988;1:236

16. Martinez-Frias ML, Salvador J. Epidemiological aspects of prenatal exposure to high doses of vitamin A in Spain. Eur J Epidemiol 1990;6:118-23.

17. Rothman KJ, Moore LL, Milunsky A, et al. Teratogenecity of high vitamin a intake. N Engl J Med 1995;333:1369-73

18. Hendrickx AG, Hummler H, Oneda S. Vitamin A teratogenetcity and risk assessment in the cynomolgus monkey. Teratology 1997;55:68.

19. Mills JL, Simpson JL, Rhoads GG, et al. Vitamin A and birth defects. Am J Obstet Gynecol 1997;177:31-6.

20. Rosa FW, Wilk AL, Kelsey FO. Teratogen update: vitamin A congeners. Teratology1986;33:355-64.

21. Dai WS, Hsu MA, Itri LM. Safety of pregnancy after discontinuation of isotretinoin. Arch Dermatol. 1989 Mar;125(3):362-5.

임상증례 2 참고문헌

1. Voorhees JJ, Orfanos CE. Oralretinoids. Arch Dermatol 1981;117:418-21.

2. Kamm JJ. Toxicology, carcinogenicity, and teratogenicity of some orally administered reti-

noids. J Am Acad Dermatol 1982;6:652-9.

3. Kubow S. Inhibition of isotretinoin teratogenicity by acetylsalicylic acid pretreatment in mice. Teratology 1992;45:55-63.

4. Lammer EJ, Richard JM, Sun SC, et al. Retinoid acid embryopathy. N Engl J Med 1985;313:837-41.

5. Ayme S, Julian C, Maurin N, et al. Isotretinoin dose and teratogenicity. Lancet 1988;1:655.

6. Lammer EJ, Schunior A, Holmes LB, et al. Risk for major malformation among human fetuses exposed to isotretinoin (13-cis-retinoic acid). Teratology 1987;35:68A.

7. Dai WS, Hsu M-A, Itri LM. Safety of pregnancy after discontinuation of isotretinoin. Arch Dermatol 1989;125:363-5.

8. Lynberg MC, Khoury MJ, Erickson JD, et al. Sensitivity, specificity, and positive predictive value of multiple malformations in isotretinoin embryopathy surveillance. Teratology. 1990 Nov;42(5):513-9.

9. Adams J, Lammer EJ. Neurobehavioral teratology of isotretinoin. Reprod Toxicol. 1993;7(2):175-7.

10. Adams J. Similarities in genetic mental retardation and neuroteratogenic syndromes. Pharmacol Biochem Behav. 1996 Dec;55(4):683-90.

11. Adams J. The neurobehavioral teratology of retinoids: a 50-year history.Birth Defects Res A Clin Mol Teratol. 2010 Oct;88(10):895-905

12. Dai WS, Hsu MA, Itri LM. Safety of pregnancy after discontinuation of isotretinoin. Arch Dermatol. 1989 Mar;125(3):362-5.

13. Yook JH, Han JY, Nava-Ocampo AA, et al. Pregnancy outcomes and factors associated with voluntary pregnancy termination in women who had been treated for acne with isotretinoin. Clin Toxicol (Phila). 2012 Dec;50(10):896-901.

14. Choi EJ, Kim NR, Kwak HS, Han HJ, Chun KC, Kim YA et al. The rates of major malformations after gestational exposure to isotretinoin: a systematic review and meta-analysis. Obstet Gynecol Sci 2021;64(4):364-373.

15. Lee SM, Kim HM, Lee JS, Yoon CS, Park MS, Park KI, Namgung R, Lee C. Case of Suspected Isotretinoin-Induced Malformation in a Baby of a Mother Who Became Pregnant One Month after Discontinuation of the Drug. Yonsei Med J. 2009 Jun;50(3):445-447. Case Report.

임상증례 3 참고문헌

1. Product information. Soriatane. Roche Laboratories, 2000.

2. Roche Scientific Summary. The clinical Evaluation of Tegison. Roche Laboratories, Divisions of Hoffmann-La Roche, Inc,1986.

3. Lammer EJ. Embryopathy in infant conceived one year after treatment of maternal etretinate. Lancet 1988:1080-1.

4. Rinck G, Gollnick H, Orfanos CE. Duration of contraception after termination of maternal etertinate: a reappraisal. Lancet 1988;2:1254.

5. Sturkenboom MCJM, DeJong-Van Den Berg STW, Wesseling H, et al. Inability to detect plasma etretinate and acitretin is a poor predictor of the absence of these teratogens in tissue after stopping acitretin treatment. Br J Clin Pharmacol 1994;38:229-35

6. Geiger JM, Baudin M, Saurat JH. Teratogenic risk with etretinate and acitretin treatment. Dermatology 1994;189:109-16.

7. JY Han, JS Choi, CM Chun, HD Park, SY Lee, CH Kim, Q. Park et al. Pregnancy outcome of women transfused during pregnancy with blood products inadvertently obtained from donors treated with acitretin. Journal of Obstet and Gynecol 2009;29(8):694-697.

임상증례 4 참고문헌

1. Morriss-Kay G. Retinoic acid and development. Pathobiology 1992;60:264-70.

2. Rothman KF, Pochi PE. Use of oral and topical agnets for acne in pregnancy. J Am Acad Dermatol 1988;19:431-42.

3. Christian MS, Mitala JJ, Latrioano L, et al. A developmental toxicity study of tretinoin emollient cream(Renova) applied topically to New Zealand white rabbits. J Am Acad Dermatol 1997;36:S60-6.

4. Kligman AM. Question and answers: is topical tretinoin teratogenic? JAMA 1988;259:2918.

5. Jick SS, Terris BZ, Jick H. First trimester topical tretinoin and congenital disorders. Lancet 1993;341:1181-2.

6. Simone MD, Stasi R, Amadori S, et al. All-trans retinoic acid(ATRA) administration during pregnancy and relapsed acute promyelocytic leukemia. Leukemia 1995;9:1412-3.

7. Lin C-P, Huang M-J, TsaiC-H, et al. successful treatment of acute promyelocytic leukemia in a pregnanct Jehovah's Witness with all-trans retinoic acid, rhG-CSF, and erythropoietin. AmJ Hematol 1996;51:251-2.

8. Incerpi MH, Miller DA, Byrne JD, et al. All-trans retinoic acid for the treatment of acute

promyelocytic leukemia in pregnancy. Obstet Gynecol 1997;89:826-8.

9. Giagounidis AAN, Beckman MW, Aul C, et al. Acute promyelocytic leukemia and pregnancy. Eur J Haematol 2000;64:267-71.

10. Watanabe R, Okamoto S, Ikeda Y, et al. Treatment of acute promyelocytic leukemia with all-trans retinoic acid during third trimester of pregnancy. Am J Hematol 1995;71:263-4.

11. Consoli U, Figuera A, Giustolisi R, et al. Acute promyelocytic leukemia during pregnancy: report of 3 cases. Int J Hematol 2004;79:31-6.

이소트레티노인 위해성관리계획
(Risk Management Plan)

◦ 최은정 · 한정열

1 이소트레티노인 위해성관리계획의 역사

위해성관리계획(Risk management plan, RMP) 혹은 위해관리프로그램(Risk management program)이란 신약, 희귀의약품의 위해성을 줄이기 위한 예방 조치 계획, 실행, 평가 등을 포함하는 종합적인 의약품안전관리 계획을 말한다.[9] 2000년대 중반 이후부터 미국이나 유럽 등은 그 이전까지 행해지던 시판 후 부작용 모니터링의 단계를 너머 약물감시 계획을 통해 의약품을 사용할 때 위해성을 줄이기 위한 제도를 도입하였다. 대표적인 예로 미국의 iPLEDGE 프로그램을 들 수 있는데, 이 프로그램은 이소트레티노인(isotretinoin)을 처방하는 의사와 약을 처방받은 환자, 그리고 복약지도를 하는 약사에게 이소트레티노인에 대한 심각한 위험과 안전한 사용 조건에 대해 인지시켜 이소트레티노인의 태아 노출을 방지하는 것을 목표로 하고 있다.[3] 미국 식품의약국(FDA)은 2006년 3월 1일부터 심각한 기형유발물질인 이소트레티노인의 노출로 부터 임신을 방지하기 위해 환자, 의사, 약사가 웹사이트 http://www.ipledge- program.com에 반드시 환자등록을 하도록 하고 있다.[2]

iPLEDGE 프로그램은 2002년 4월 처음으로 시작된 이소트레티노인의 사용에 대한 자발적 등록 프로그램인 스마트(SMART) 프로그램에 대한 교체로 제정되었다. 스마트 프로그램에서 이미 이소트레티노인을 복용하기 전 두 번의 연속적인 임신 테스트 결과의 음성 확인, 모든 가임여성에게 이소트레티노인의 기형유발 위험성에 대한 상담 및 교육, 복용 중 반드시 두 가지 이상의 피임법 사용에 대한 서약을 의무화하였으나 모두 자발적 등록에 의존하였고 준수 여부는 확인하지 않았다. 오히려 이러한 프로그램에도 불구하고 이소트레티노인의 효과에 대한 명성이 높아지면서 처방에 대한 수요는 급격히 증가하였다. 그러나 많은 여성이 약물에 대한 위험성을 가볍게 생각하여 여전히 많은 수의 이소트레티노인에 의한 선천 기형이 보고되었다.[4] 따라서 미국 식품의약국은 자발적 참여와 강제적 의무기록화가 결여된 스마트(SMART)프로그램은 실패라 결론짓고,[5] 법적 강제성을 가진 의무보고 프로그램인 iPLEDGE를 제정하였다.[6] 본 프로그램은 이소트레티노인을 처방받은 여성은 임신반응검사를 매달 시행하여 등록하여야 하며, 2가지 이상의 피임법 역시 등록하도록 하고 있다. 또한 프로그램의 요구 사항을 이해하기 위하여 온라인시험에 응해야 한다. 이 두 항목이 완성되면 여성은 공인된 약국에서 약을 처방받을 수 있는 권한이 주어지며 두 번째 임신테스트에서 음성으로 진단된 날로부터 7일 이내에 처방전을 통해 약을 살 수 있다. 처방전은 30일치를 넘길 수 없으며 추가로 약 복용을 원하는 경우라면 매달 임신테스트를 시행하고 30일 분의 처방전을 같은 방법으로 받을 수 있다.[7] 또한 약을 복용하는 남성들도 여성과 나누어 복용해서는 안된다는 것을 이해시키기 위해서 신고 대상에 포함시켰다.[8]

iPLEDGE에서 제시하는 피임법은 표 3-7-1과 같다. 이소트레티노인 복용 전후 1개월은 두 가지 이상의 피임 방법을 사용해야 하며 이 중 한가지 피임법은 피임약 복용이 반드시 포함되어야 한다. 이소트레티노인 복용 시 에스트로겐(estrogen)을 함유하지 않은 프로게스테론(progesterone) 단독 성분의 피임약은 적절하지 않다. 비록 다른 호르몬 성분의 피임약이 매우 효과적이기는 하지만 주입 또는 피부삽입형피임법 뿐만 아니라 프로게스테론과 에스트로겐 복합성분의 피임약을 복용한 여성에서도 임신이 보고된 바 있다. 또한 한 가지 방법의 피임법만을 사용한 경우 임신의 가능성이 증가된다. 따라서 임신의 가능성이 있는 여성에서는 금욕을 하거나 자궁적출술 등의 완벽한 피임을 하지 못할 경우, 반드시 두가지 형태의 피임법을 사용하여 임신을 예방하여야 한다. 또한 이소트레티노인을 복용하기 전 임신반응검사상 음성임을 반드시 확인한 후 복용해야 하며 두번째 임신테스트는 생리 시작 후 첫 5일 이내에 시행해야 한다.

표 3-7-1. 이소트레티노인 복용 시 효과적 피임 방법

1차 피임	2차 피임
난관 결찰술	콘돔
배우자의 정관절제술	질 내 스폰지
루프(IUD)	자궁경부 캡
피임약	

2 국내에서 임신부의 이소트레티노인 노출 예방을 위한 위해성 관리계획도입

우리나라도 국제적 추세를 반영하여 2011년 7월에 "약물감시 체계의 선진화를 위한 의약품 리스크 완화 전략에 대한 중장기 계획"을 수립하여, 2015년 7월 이후부터 품목 허가 신청 시 의약품의 부작용 및 위해요인을 최소화하기 위한 위해성 관리 계획을 제출하고 이행을 의무화하였다.

한편, 한국마더세이프 전문상담센터에서는 콜센터를 통해 2010년 이후 1,000건 이상의 상담이 접수되었고 이들 중 임신 중 노출 시 50%이상이 임신중절을 선택함을 파악하여 발표하였다(그림 3-7-1).[11] 이와 관련하여 이소트레티노인을 안전하게 사용할 수 있는 가이드라인 및 가임여성을 위한 이소트레티노인 사용동의서를 제작하여 배포하기도 하였다(표 3-7-2, 표 3-7-3).

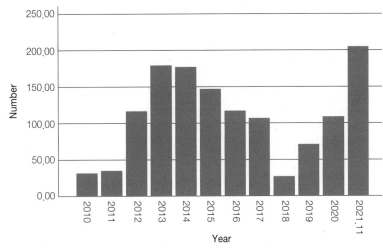

Year	Number
2010	32
2011	35
2012	117
2013	179
2014	177
2015	147
2016	117
2017	107
2018	27
2019	71
2020	109
2021.11	205
Total	1,323

그림 3-7-1. 임신 중 이소트레티노인의 노출에 대한 상담건수(2010년부터 2021년 11월까지, 마더세이프전문상담센터)

표 3-7-2. 가임 여성이 이소트레티노인을 안전하게 사용할 수 있는 가이드라인

1. 이소트레티노인 사용이 태아 기형, 유산 및 조산을 유발할 수 있음에 대해 반드시 숙지해야 하고, 임신 중 및 임신을 계획하는 경우 복용을 해서는 안 되며, 약 복용 중 임신을 해서도 안 됨에 대해 충분히 숙지해야 함

2. 이소트레티노인이 우울증, 정신병 및 자살 충동 등의 정신과적 문제를 일으킬 수 있음에 대해 충분히 이해해야 함

3. 이소트레티노인에 대한 안전 정보를 받아, 충분히 이해하고 관련 동의서에 서명해야 함

4. 이소트레티노인 사용 시 위험에 대한 경고를 의사로부터 충분히 들어야 함

5. 이소트레티노인 사용 최소 1개월 전 피임의 필요성에 관한 설명을 의사로부터 반드시 듣고, 권장하는 2 가지 종류의 피임법을 사용하도록 해야 함.

   ① 1차 피임법: 난관 불임 수술, 배우자의 정관 절제 수술, 자궁 내 피임 장치, 경구 피임약, 호르몬 함유, 질 내 삽입 링 등

   ② 2차적 피임법: 살정제가 포함된 자궁 경부 캡, 콘돔

6. 이소트레티노인을 복용하기 전 2회의 임신 반응 검사 상 음성 소견을 보여야 함(소변, 혈청)

   ① 1차 임신 반응 검사: 약 복용을 계획한 시기에 의사 상담 후 병원에서 시행할 것

   ② 2차 임신 반응 검사: 약 복용 시작 직전 병원에서 시행할 것

7. 치료 중 매달 처방전을 받을 당시 임신 반응 검사에서 음성임을 확인해야 하고, 마지막 약 복용 직후 및 1개월 후 임신 반등 검사에서도 음성임을 확인 해야 함

8. 치료 시작 1개월 전, 치료 중 및 마지막 약 복용으로부터 1개월 후까지 매번 2가지 다른 종류의 피임법을 이용하여야 함

9. 처방전은 최대 1개월 단위로 받을 수 있으며, 처방전을 받은 날로부터 7일 이내에 약을 조제 받아야 함

10. 치료 중 및 치료 1개월 후까지 수유 및 헌혈은 금기임

표 3-7-3. 가임 여성을 위한 이소트레티노인 사용 동의서

본 동의서는 가임 여성의 이소트레티노인 사용에 동의하는 서류로서 동의권자는 당의로부터 충분한 설명을 들은 후 투약에 대해 신중히 결정하여야 합니다. 이와 관련하여 다음의 각 항목에 대해 의사의 설명을 들은 후 본인이 충분히 이해를 하였다고 판단하는 때에 (   )란에 V표를 하십시오.

위 사항에 대한 동의는 자발적 의사에 의한 것임을 밝히는 바입니다.

1. 동의권자는 이소트레티노인은 매우 심각한 태아 기형과 연관성이 있으므로 복용 중 임신을 해서는 안됨에 동의합니다. _____ (   )

2. 동의권자는 이소트레티노인 복용 시작 최소 1개월 전, 복용 중 및 마지막 복용 1개월 후까지는 임신을 해서 는 안 됨에 동의하며, 위에 명시된 기간 동안에는 반드시 피임할 것을 동의합니다. _____ (   )

3. 동의권자는 담당의에게 설명 받은 다음의 피임법에 대해 숙지하였으며, 복용 시작 최소 1개월 전, 복용 중 및 마지막 복용 1개월 후까지 다음의 두가지 피임법을 반드시 준수할 것을 동의합니다. _____ (   )
   ① 1차 피임법: 난관 불임 수술, 배우자의 정관 절제 수술, 자궁 내 피임 장치, 경구피임약, 호르몬 함유 질 내 삽 입 링 등
   ② 2차적 피임법: 살정제가 포함된 자궁 경부 캡, 콘돔

4. 동의권자는 이소트레티노인 투약 전 및 투약 중 복용하는 약제(한약재 포함)에 대해 의사에게 반드시 고지 하고 동시 투약 여부에 관해 상담할 것을 동의합니다. _____ (   )

5. 동의권자는 이소트레티노인을 복용하기 전, 2회의 임신 반응 검사 상 음성 소견을 보여야 투약 가능함에 충 분한 설명을 들었으며 이에 동의합니다. (소변, 혈청) _____ (   )
   ① 1차 임신 반응 검사: 약 복용을 계획한 시기에 의사 상담 후 병원에서 시행할 것
   ② 2차 임신 반응 검사: 약 복용 시작 직전 병원에서 시행할 것

6. 동의권자는 치료 중 매달 처방전을 받을 당시 임신반응검사에서 음성임을 확인해야 하고, 마지막 약 복용 직후 및 1개월 후 임신 반응 검사에서 음성임을 확인해야 함에 충분한 설명을 들었으며 이에 동의합니다. ____ (   )

이후 식품의약품안전처는 임신예방 프로그램을 위해 2018년 7월 발프로산과 레티노이드계 약품인 이소트레티노인, 알리트레티노인, 아시트레틴 등 4개 성분을 시판 후 의약품 위해성 관리계획 제출대상으로 지정하였다. 레티노이드계 의약품은 일반적인 치료로 호전되지 않는 여드름의 치료에 쓰이는 이소트레티노인, 중증의 습진 치료제인 알리트레티노인, 중증의 건선 치료제인 아시트레틴을 함유하는 경구제이고, 레티노이드계 약품은 모두 태아에게 심각한 기형을 유발한다고 알려져 있다. 해당 업체는 레티노이드계 의약품의 임신 중 복용에 대한 태아기형유발 위험성과 주의사항을 포함한 안내서, 의사 및 약사용 체크리스트, 환자용 동의서 등을 관련 병의원과 약국에 배포하고 식약처에 이행상황을 보고해야 한다. 2019년 6월부터는 가임기여성이 레티노이드계 의약품을 사용할 때, 반드시 임신여부를 확인하고 임신부의 사용을 금지하며, 복용 중에는 절대로 임신하지 않도록 하는 임신 예방 프로그램을 실시하기로 하였다.[9]

임신예방 프로그램의 주요내용은 다음과 같다.

– 의사와 약사는 환자에게 임신 중 복용했을 때의 기형 유발 위험성, 피임기간(복용 1개월 전, 복용 중, 복용 최소 1개월. 단, 아시트레틴은 복용 후 3년까지) 및 피임방법에 대해 설명하고, 환자는 설명을 듣고 피임 등 임신예방 프로그램에 동의한 경우에만 처방을 받을 수 있으

며, 의사와 약사는 환자가 임신이 아님을 확인한 후 처방/조제하여야 한다. 또한, 주기적인 임신 여부 확인을 위해 해당 의약품은 30일 까지만 처방이 가능하다.

국내에 레티노이드계 의약품에 대한 임신예방 프로그램이 도입된 후, 임신예방 프로그램 시행 2개월 전부터 도입 후 1년 까지의 이소트레티노인의 처방패턴을 분석하여 RMP에 대한 순응도를 조사한 전향코호트연구를 시행하였다.[8] 그 결과, 이소트레티노인을 처방한 총 일수는 RMP 시행 전 68.8±100.9일, RMP 후 28.0±26.1일로 통계적으로 유의한 차이가 있었지만(P=0.031), 처방된 1일 용량은 프로그램 시행 전후 차이가 없었다. RMP 시행 후 이소트레티노인에 노출되어 한국마더세이프 상담센터에서 상담받은 환자의 비율 또한 1.43%로, 프로그램 시행 전의 평균 노출과 차이가 없었다(그림 3-7-2). 이소트레티노인 복용 중 임신예방 권고사항을 준수하는 경향에 대한 변화도 프로그램의 시행 전후에 큰 차이를 보이지 않았다. 이소트레티노인을 처방하는 의사가 제공하는 태아기형발생에 대한 정보, 기형발생의 지식에 대한 이해여부, 효과적인 피임방법, 해당약을 처방받기 전 임신테스트가 필요하다는 것에 대한 지식 등도 RMP 시행 전후로 달라지지 않았다(그림 3-7-3).

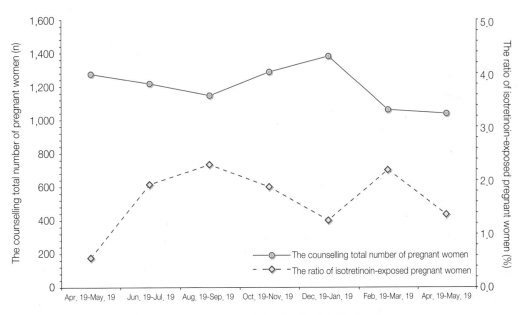

그림 3-7-2. 연구기간중 전체 상담건수에 대한 이소트레티노인 노출 상담건수의 비율

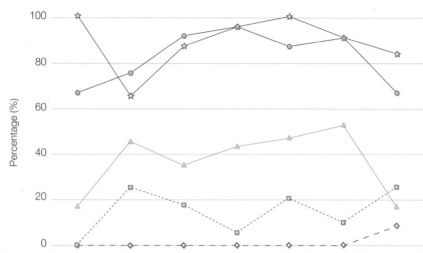

	Apr. 19–May. 19	Jun. 19–Jul. 19	Aug. 19–Sep. 19	Oct. 19–Nov. 19	Dec. 19–Jan. 19	Feb. 19–Mar. 19	Apr. 19–May. 19
—○— Information on teratogenicity of isotretinoin	67%	75%	91%	95%	87%	90%	67%
--□-- Written signature on knowledge as al treatogen	0%	25%	17%	5%	20%	10%	25%
—△— Information on effective contraception	17%	45%	35%	43%	47%	52%	17%
- ◇ - Pregnancy test before prescription	0%	0%	0%	0%	0%	0%	8%
—☆— Receipt of medicine within 7 days	100%	65%	87%	95%	100%	90%	83%

그림 3-7-3. 이소트레티노인의 태아기형발생에 대한 인지여부: 지식습득 후 확인서명의 여부, 복용 전 효과적인 피임 방법에 대한 정보제공여부, 처방일로부터 7일 이내에 약을 조제한 비율

3 결론

2019년 6월부터 국내에서 시행된 이소트레티노인에 대한 위해성 관리 계획은 순응도가 매우 낮고, 이소트레티노인의 처방패턴에 영향을 미치지 못하는 것으로 밝혀졌다. 2021년에는 오히려 한국마더세이프전문상담센터에 이소트레티노인 노출된 후 상담 전화가 200건이 넘을 정도로 더 많다. 이는 국내 기형유발 약물들에 대한 RMP가 최근에 도입되었고 도입 전 시행에 대한 예고 기간이 짧았기 때문일 수 있다.

한편, 미국의 경우 iPLEDGE의 엄격한 규정이 이소트레티노인의 기형발생 위험에 대한 두려움을 증가시키는 등의 부작용이 있기는 하지만 임신부의 노출을 최소화하는데 상당 부분 성과를 보이고 있다.[10]

따라서, 국내에서도 미국의 iPLEDGE처럼 보다 강화된 RMP적용이 요구된다. 이를 위해서는 주무부처인 식품의약품안전처의 보다 적극적인 개입과 관리가 필요하다. 국내에서도 이소트레티노인 노출 후 상당수의 임신부는 임신중절을 선택하고 있다. 또한, 임신중절을 선택하지 않았던 경우에도 임신초기 이소트레티노인 노출 후 안면기형 또는 뇌기형(Vermian hypoplasia)과 같은 기형이 더 이상 생기지 않도록, 어쩌면, 국내에서 임신부들의 노출을 최소화하기 위해서 이소트레티노인을 프로포폴처럼 관리를 하는 것이 필요할 수도 있을 것이다.

▶ **참고문헌**

1. http://www.ipledgeprogram.com

2. http://www.fda.gov/downloads/drugs/drugsafety/postmarketdrugsafetyinformationforpatientsandproviders/ucm234639.pdf

3. Robertson J, Polifka JE, Carey JC,et al. A survey of pregnant women using isotretinoin. Birth Defects Res A Clin Mol Teratol. 2005 Nov;73(11):881-7.

4. WebMD Medical News: "FDA Panel Urges Stricter Acne Drug Tracking; Women Still Having Risky Pregnancies While Taking Accutane", Feb 27, 2004

5. https://www.ipledgeprogram.com/Documents/Guide%20to%20Best%20Practices%20-%20iPLEDGE%20Program.pdf

6. https://www.ipledgeprogram.com/Documents/Patient%20Intro%20Broch.pdf

7. https://www.ipledgeprogram.com/Documents/LessonsLearnedLeftoverMedication.pdf

8. Choi EJ, Han JY. Non-compliance with pregnancy prevention recommendations for isotretinoin in Korea between 2019-2020. Obstet Gynecol Sci 2021;64(2)201:208.

9. 식품의약품안전처. 의약품의 위해성관리계획 가이드라인. 1-2.

10. Kovitwanichkanont T, Driscoll T. A comparative review of the isotretinoin pregnancy risk management programs across four continents. Int J Dermatol 2018;57:1035-46.

11. Yook JH, Han JY, Choi JS, Ahn HK, Lee SW, Kim MY, Ryu HM, Nava-Ocampo AA. Pregnancy outcomes and factors associated with voluntary pregnancy termination in women who had been treated for acne with isotretinoin Clin Toxicol (Phila). 2012 Dec;50(10):896-901.

임신부에서 항전간제 사용과 태아기형

○ 홍성연

항전간제는 가장 잘 알려진 태아 기형 유발 약제 중 하나이지만, 항전간제의 복용이나 간질 그 자체는 임신의 금기 사항이 아니다. 간질이 있는 임신부의 90% 이상에서 정상적인 아기를 출산할 수 있는 것으로 보고되고 있다.

1 항전간제와 선천성 기형

간질이 있는 임신부의 태아는 선천성 기형의 발생 위험도가 높다는 것은 잘 알려져 있다. 과거에는 간질 자체가 이러한 선천성 기형 발생의 위험인자로 여겨졌으며, 이 외에도 유전적 요소나 사회경제적인 요소 등의 다원적인 요소(multifactorial factors)가 관련되는 것으로 알려져 왔다. 최근에는 연구결과들이 축적됨에 따라 간질 자체보다는 항전간제의 복용이 가장 주된 원인인 것으로 밝혀졌다.[1, 2]

항전간제의 복용은 주기형과 소기형 모두의 발생을 증가시키며, 주기형의 발생 빈도는 대략 4-6%로 2-4배 정도 높은 것으로 보고되고 있다.[1, 3-5]

항전간제와 관련된 가장 흔한 기형은 심장기형, 신경관결손증, 요로계기형, 골격계기형과 구순/구개열이다. Carbamazepine, lamotrigine, barbiturate와 phenytoin은 주로 심장 기형과 관련이 많고, valproate는 주로 신경관결손증과 관련되는 것으로 보고된다.[6] 특정 항전간제와 관련된 이형성증(dysmorphism)에 따라 소위 '태아항전간제증후군(fetal anticonvulsant syndrome)'이라는 용어가 사용되어 왔지만, 이러한 항전간제와 이형성증의 관련성은 확실하지 않으며, 비특이적인 것으로 여겨진다.[7] 항전간제는 주기형이나 소기형 이외에도 태아발육이나 인지기능, 행동발달 등에도 영향을 미칠 수 있는 것으로 보고되었다.[8]

2 항전간제의 분류

지난 20년 동안 과거에 항전간제로 주로 사용되어 왔던 1세대 항전간제들은 내분비 또는 대사이상, 경구피임제와의 상호 작용 그리고 임신 중 태아 위험성과 관련된 문제점들이 야기되어 왔

다. 특히, valproate는 오랜 기간 간질의 1차 치료제로 사용되어 왔지만 1세대 항전간제 중에서 가
장 선천성 기형 발생 위험이 높은 것으로 밝혀짐에 따라[9] valproate의 사용을 피하려는 요구에 의
2세대 및 3세대 항전간제들의 출시를 가져오게 되었다. 일반적으로 1세대 항전간제에 비해 2세대
항전간제가 태아 위험성이 낮은 것으로 여겨지지만, 모든 2세대 항전간제가 그러하지는 않으며,
아직까지 연구 결과들은 부족하다. 항전간제의 세대별 분류는 다음과 같다(표 3-8-1).[10]

표 3-8-1. The generations of antiepileptic drugs(modified from Reimers A and Brodtkorb. Expert Rev Neurother 2012; 12: 707-717)[10]

Generation of AED	1st	2nd	3rd
AED	Bromide Phenobarbital Phenytoin Sulthiame Carbamazepine Valproate	Vigabatrin Oxcarbazepine Lamotrigine Gabapentin Felbamate Topiramate Tiagabine Levetiracetam Pregabaline Zonisamide Stiripentol Rufinamide	Eslicarbazepine Lacosamide Retigabine

AED: antiepileptic drug

3 항전간제에 따른 선천성 기형 발생 위험도

항전간제 의한 선천성 기형 발생의 위험도는 약제의 종류에 따라 다양하지만, valproate는 다른
항전간제에 비해 높은 선천성 기형 발생 위험도를 보이며, phenytoin, carbamazepine, pheno-
barbital, topiramate 등도 비교적 높은 기형 발생률과 관련된다. 대규모 Registry를 통한 다양한
항전간제들의 선천성 기형 위험도는 다음과 같다(표 3-8-2).[8]

표 3-8-2. Overall rates of major congenital malformations for antiepileptic monotherapies from different registries(modified from Tomson T et al. Seizure 2015; 28: 46-50)[8]

Registry	EURAP	NAAPR	UK	AUS	MBRN	SMBR	ILPR
	% (Malformed No. / Exposed No.)						
General population					2.9	2.1	
Untreated epilepsy		1.1 (5/442)		3.3 (5/153)	2.8		
Valproate	9.7 (98/1,010)	9.3 (30/323)	6.7 (82/1,220)	13.8 (35/253)	6.3 (21/333)	4.7 (29/619)	
Carbamazepine	5.6 (79/1,402)	3.0 (31/1,033)	2.6 (43/1,657)	5.5 (19/346)	2.9 (20/685)	2.7 (38/1,430)	
Lamotrigine	2.9 (37/1,280)	1.9 (31/1,562)	2.3 (49/2,098)	4.6 (14/307)	3.4 (28/833)	2.9 (32/1,100)	2.2 (35/1,558)
Phenobarbital	7.4 (16/217)	5.5 (11/199)		7.4 (2/27)			

(계속)

표 3-8-2. Overall rates of major congenital malformations for antiepileptic monotherapies from different registries(modified from Tomson T et al. Seizure 2015; 28: 46-50)[8]

Registry	EURAP	NAAPR	UK	AUS	MBRN	SMBR	ILPR
	% (Malformed No. / Exposed No.)						
Phenytoin	5.8 (6/103)	2.9 (12/416)	3.7 (3/82)	2.4 (1/41)		6.7 (8/119)	
Levetiracetam	1.6 (2/126)	2.4 (11/450)	0.7 (2/304)	2.4 (2/84)	1.7 (2/118)	(0/61)	
Oxcarbazepine	3.3 (6/184)	2.2 (4/182)		5.9 (1/17)	1.8 (1/57)	3.7 (1/27)	
Topiramate	6.8 (5/73)	4.2 (15/359)	4.3 (3/70)	2.4 (1/42)	4.2 (2/48)	7.7 (4/52)	

EURAP: EURAP Epilepsy and Pregnancy Registry, NAAPR: North American Antiepileptic Drugs Pregnancy Registry, UK: United Kingdom and Ireland Epilepsy and Pregnancy Registry, AUS: Australian Registry of Antiepileptic Drugs in Pregnancy, MBRN: Medical Birth Registry of Norway, SMBR: Scandinavian Medical Birth Registry, ILPR: International Lamotrigine Pregnancy Registry

1) Valproate

Valproate는 현재까지 출시된 모든 항전간제 중에서 가장 선천성 기형 발생 위험도가 높은 약물로 알려져 있으며, 주기형 발생률은 9.3-11% 정도로 보고되고 있다.

Valproate는 신경관결손증을 비롯하여 심장기형, 요로계기형, 구순/구개열 등의 주기형과 안면기형, 골격계기형, 생식기기형 등의 소기형의 발생 위험도가 높은 것으로 알려져 있다. 신경관결손증에 대해서는 임신 중 valproate에 노출된 태아의 1-2%에서 신경관결손증이 발생하였고, 일반 집단에 비해 10-20배 정도 높은 발생률을 보이는 것으로 보고되었다.[11]

North American AED Pregnancy Registry(NAAPR)에서는 주기형의 발생률이 9.3%로 다른 항전간제에 비해 높다고 보고하였다(OR 9.0; 95% CI 3.4-23.3).[12] EUROCAT Antiepileptic Study Group에서는 valproate가 다양한 선천성 기형의 발생률을 높이며, 각각의 기형에 대한 상대위험도는 척추이분증이 12.7, 심방중격결손 2.5, 구개열 5.2, 요도하열 4.8, 다지증 2.2 및 두개골융합증(craniosynostosis) 6.8이라고 보고하였다.[13]

Valproate의 용량과 선천성 기형 위험도가 관련된다는 것은 사실이지만, 안전한 가장 낮은 용량에 대해서는 밝혀지지 않았다. 1,500 mg/일 이상의 용량과 1,500 mg/일 이하의 용량에서의 상대위험도가 각각 10.9와 3.7로 보고되었다.[3] Australian Registry의 보고에서는 1,400 mg/일 이하의 용량에서는 상대적으로 기형 발생률이 낮아진다고 하였으며(OR=0.109; 95% CI 0.04-0.30), 척추이분증과 요도하열의 발생은 용량과 관계되지만, 구순/구개열, 심방중격결손 등의 다른 기형은 용량과 관계를 보이지 않는다고 하였다.[14]

2) Phenytoin

Phenytoin은 1975년에 태아히단토인증후군(fetal hydantoin syndrome)과 연관된다고 보고되었다. 태아히단토인증후군은 낮게 위치한 머리카락(low-set hair), 짧은 목, 물갈퀴목(pterygium colli), 작은 코, 내려 앉은 비교(depressed nasal bridge), 부안검(epicanthus), 두눈먼 거리증(hypertelorism), 큰 입, 귀의 기형, 수지말단골 형성저하(hypoplastic distal phalanges) 등의 특징적인 이형성증을 보이는 것으로 알려져 있지만, 인과 관계는 확실하지 않다.

Phenytoin의 주기형 발생률은 3-7% 정도로 다양하게 보고되고 있지만, valproate 보다는 낮은 것으로 알려져 있다.

3) Phenobarbital

Phenobarbital의 주기형 발생률은 보고마다 차이는 있지만 대조군에 비해 높은 것으로 알려져 있으며, 5.5-7.4% 정도로 보고되고 있다. 선천성 기형은 심장기형, 안면기형 또는 요로계 기형 등이 발생하는 것으로 보고된다.

Phenobarbital은 다른 항전간제와 복합 요법으로 시행하였을 때 선천성 기형 위험도가 증가하는 것으로 알려져 있으며, 최근에는 특히 carbamazepine과 함께 투여한 경우 인어체기형 (sirenomelia)이 유발되었다는 보고가 있었다.[15]

4) Carbamazepine

임신 제1삼분기에 carbamazepine단독 요법에 노출된 경우 선천성 기형 발생률은 3.3% 정도로 다른 항전간제에 비해 높지 않으며,[16] 보고에 따라 2.6-5.6% 정도로 알려져 있다.

Carbamazepine은 특히 척추이분증과 관련된 관련되는 것으로 알려져 있으며, 임신 중 carbamazepine에 노출된 태아는 대조군의 0.18%에 비해 7배 정도 높은 발생률인 0.9%에서 척추이분증이 발생하였다고 보고되었다.[17] 하지만, 이러한 발생률은 valproate에 비해서는 낮은 것으로 알려져 있다. United Kingdom and Ireland Epilepsy and Pregnancy Registry(UK Registry)에서는 주요 선천성기형의 발생률이 2.2%로 다른 항전간제에 비해 낮은 발생률을 보였으며, 신경관결손증의 발생률은 0.2% 정도로 보고하였다.[4] 또한, 전폐정맥환류이상(total anomalous pulmonary venous return, TAPVR), 구순/구개열, 선천성횡격막탈장 또는 요도하열은 carbamazepine과 대조군과 차이가 없는 것으로 보고되었다.[9, 12, 16]

5) Lamotrigine

Lamotrigine은 임신 중 비교적 안전하며, 선천성 기형 위험도가 높지 않고, 인지 기능에 별다른 영향이 없는 항전간제 중 하나로 여겨진다. 모든 연구 결과들이 공통된 결론을 보이지는 않지만, 대체적으로 Lamotrigine은 단독 요법일 경우 선천성 기형 발생률이 1.9-3.2% 정도로 다른 항전간제에 비해 위험도가 높지 않은 것으로 보고되고 있다.[4, 18]

Lamotrigine의 용량에 대해서 International Lamotrigine Pregnancy Registry의 보고에

서는 400 mg/일의 용량까지는 선천성 기형 발생에 차이를 보이지 않는다고 하였지만,[18] UK Registry의 보고에서는 200 mg/일 이상의 용량에서는 valproate처럼 용량에 따른 선천성 기형 발생률의 차이를 보인다고 하였고,[4] EURAP Epilepsy and Pregnancy Registry의 보고에서도 lamotrigine은 용량과 관계없이 선천성 기형 발생률이 낮지만, 300 mg/일 이상과 이하의 용량에서는 발생률이 각각 4.5%와 2.0%로 차이를 보였다고 하였다.[9]

Lamotrigine은 valproate를 제외하면 복합 요법을 시행한 경우에도 단독 요법과 유사한 선천성 기형 위험도를 보인다고 보고되었다.[18]

Lamotrigine이 구순/구개열의 발생을 증가시킨다는 보고도 있지만, 그렇지 않다는 보고도 있어 관련성은 확실하지 않다.

6) Topiramate

Topiramate에 노출된 임신에서 선천성 기형 발생률은 4.2-7.7%로 대조군에 비해 높은 것으로 보고되고 있다.[8,12]

2011년 FDA는 NAAPR과 UK Registry의 보고를 바탕으로 topiramate의 구개열 발생에 대한 안전성을 제기하였다. NAAR의 보고에서는 topiramate에 노출된 영아의 1.4%에서 구개열이 발생하였고(RR 21.3; 95% CI 7.9 -57.1), UK Registry에서는 3.2%로 일반집단에 비해 16배 정도 높은 발생률을 보였다고 하였다.[12] 지금까지 보고된 연구 결과들을 종합해보면 topiramate의 구개열에 대한 절대위험도(absolute risk)는 1,000 출생아당 5-29명 정도로 일반집단에서의 1-2명보다 높은 것으로 보고되었다.[12,19,20]

또한 topiramate는 부당경량아(small for gestational age)의 발생을 증가시키는 것으로 보고되었는데, NAAPR은 topiramate, zonisamide와 lamotrigine에 노출된 신생아에 대한 연구에서 topiramate에 노출된 신생아의 17.9%가 부당경량아였으며, zonisamide는 12.2%, lamotrigine은 6.8% 그리고 항전간제에 노출되지 않은 집단에서는 5%로 보고하였다.[21]

7) Levetiracetam

Levetiracetam은 선천성 기형 발생 위험도가 매우 낮으며, 항전간제를 복용하지 않는 임신부의 위험도와 유사한 것으로 보고되고 있지만, 결론을 내리기에는 아직까지 연구 결과들이 많지 않다. UK Registry의 보고에서는 levetiracetam 단독 요법인 경우에 선천성 기형 발생률이 0.7%로 보고하였고,[22] NAAR에서는 2.4%로 보고하였으며, 이는 간질이 없는 항전간제에 노출되지 않은 임신부의 발생률과 유사하다.

또한 UK Registry의 보고에서 levetiracetam은 복합 요법으로 시행하였을 경우 단독 요법의 0.7%에 비해 5.6% 정도로 높은 선천성 기형 발생률을 보였는데, valproate와의 복합 요법에서는 6.9%, carbamazepine과는 9.3%였지만, lamotrigine과는 1.7%로 낮은 발생률을 보였다.[22]

8) 기타 항전간제

그 밖의 gabapentin, felbamate, tiagabine, pregabalin 등의 항전간제들의 태아 기형 위험도에 대해서는 동물실험에서는 안전한 것으로 보고되었지만, 아직까지 인체 연구 결과들은 매우 제한적이며, 실제 위험도에 대해서는 잘 밝혀져 있지 않다.

4 항전간제에 의한 장기적 영향

최근까지 축적된 연구 결과들에 의하면 임신 중 항전간의 복용은 선천성 태아 기형 발생의 단기적 영향뿐만 아니라 인지 기능이나 신경학적 발달 등에도 영향을 미칠 수 있는 것으로 보고되었다.

비교적 과거에 연구된 결과와 최근의 연구 결과들은 공통적으로 valproate가 다른 항전간제에 비해 인지 기능 및 신경발달학적 기능에 가장 영향을 많이 주는 것으로 보고하고 있다. 309명을 대상으로 한 전향적 연구에서 임신 중에 valproate에 노출된 아이들은 3세 때 검사한 IQ가 lamotrigine, phenytoin 또는 carbamazepine에 노출된 아이들보다 평균 3–9점 정도 낮았으며, 이러한 영향은 6세 때까지 지속되었다고 하였다.[23] 또 다른 전향적 연구에서는 임신 중 valproate에 노출되었거나 항전간제 복합 요법에 노출되었던 아이들은 대조군에 비해 유의하게 낮은 언어 지능을 보였는데 반해, carbamazepine 단독 요법에 노출되었던 아이들은 차이를 보이지 않았다고 하였다[24]. Kerala Registry의 보고에서는 임신 중 valproate 단독 요법에 노출되었던 아이들은 carbamazepine 단독 요법에 노출된 아이들에 비해 낮은 정신 및 운동 발달 지수를 보였다고 하였다.[25]

임신 중 valproate에 노출된 아이들은 자폐증이나 자폐증 스펙트럼 장애(autism spectrum disorder)가 발생할 위험도도 증가하는 것으로 보고되고 있다. 덴마크에서 65만 명의 아이들을 대상으로 한 연구에서 임신 중 valproate에 노출된 아이들은 자폐증 스펙트럼 장애의 위험도가 높으며, 보다 좁은 진단 기준인 자폐증이 발생할 위험도도 5배 정도 높은 것으로 보고되었다. 이러한 위험도는 간질은 물론 간질 이외의 질환으로 valproate를 복용한 임신부에서 출생한 아이들에서도 증가되었지만, 수정 전 30일 이전에 valproate를 중단한 여성에서 출생한 아이들에게서는 위험도가 증가되지 않았던 것으로 보아 valproate와 자폐증 또는 자폐증 스펙트럼 장애와의 관련성은 신뢰도가 높다고 하였다.[26]

Valproate의 용량과 인지 기능에 대한 영향에 대해서는 최근의 체계적 문헌고찰을 통해 800–1,000 mg/일 이상의 용량이 아동기의 인지 기능 장애의 위험도를 증가시킨다고 하였다.[27]

Valproate 이외의 항전간제의 인지 기능과 정신발달학적 기능에 대한 영향은 아직까지 연구 결과가 부족하며 잘 밝혀져 있지 않다.

인지 기능이나 행동발달학적 장애는 유전학적, 사회적 또는 행동학적 요소 등의 다양한 요소가 관련되지만, 최근의 연구 결과들은 항전간제 자체에 의한 요소가 있음을 강조하고 있다.

5 가임기 여성과 임신부에서 항전간제의 선택

항전간의 복용은 선천성 기형의 발생을 증가시키지만, 임신 중 조절되지 않은 경련의 발생은 부상, 저산소증, 곤란한 사회적 상황 또는 원인불명의 급사 등을 일으킬 수 있고 임신부와 태아 모두를 위험하게 할 수 있으므로 임신 중에도 항전간제의 복용은 추천된다.

가임기 여성이나 임신부에서 가장 적절하고 태아에게 안전한 항전간제를 선택하는 것은 쉽지 않다. 가임기 여성이나 임신부의 항전간의 선택에 있어서 고려해야 할 점은 경련을 조절하는 효과와 태아 안전성이다.

Carbamazepine, phenytoin또는 valproate 같은 오래된 항전간제(older antiepileptic drug)가 lamotrigine, levetiracetam 또는 topiramate 같은 새로운 항전간제(newer antiepileptic drug)보다 경련 조절 효과는 다소 우수하며, 새로운 항전간제 중에는 levetiracetam이 다른 약제에 비해 우수하다는 보고가 있다. 하지만, 임신 중 경련 조절 효과에 대해서 어떤 항전간제가 가장 우수한지 또는 가장 선천성 기형 유발 위험성이 낮은지에 대해서는 확실한 결론이 없다. 그러므로 간질이 있는 여성은 자신에게 가장 효과적인 항전간제를 사용하는 것이 바람직하다.

Valproate는 다른 항전간제에 비해 선천성 기형 발생 위험성이 높으며, 태반 통과가 잘 되어 탯줄 혈중 농도가 높다고 보고된다. 그러므로 현재까지 밝혀진 높은 선천성 기형 위험도로 인해 가급적이면 가임기 여성이나 임신 중에는 valproate의 복용을 피하는 것이 좋다고 권고된다.[28] 하지만 전신발작이나 원인불명의 발작에서는 아직까지 valproate가 다른 항전간제보다 경련 조절에 효과적이기 때문에 다른 항전간제로 조절되지 않는 경우에는 권고안에 따라 무분별하게 valproate를 중단하거나 다른 약제로 변경하기 전에 충분한 검토와 상의를 하는 것이 바람직하다.[29]

항전간제로 인한 태아 기형 발생 빈도는 약제의 종류에 따라 다르며, 단독 요법인가 또는 복합 요법인가에 따라서도 차이가 있고, 복합 요법인 경우도 어떤 항전간제를 사용하였는지에 따라 차이가 있다. 선천성 기형의 발생 위험성은 항전간제의 용량과도 밀접한 관계가 있다. 그러므로, 가임기 여성이나 임신부에서 항전간제를 사용할 때는 가능하면 단독 요법으로, 경련을 조절할 수 있는 최소한의 용량을 사용하는 것이 바람직하다. 부득이하게 복합 요법을 해야 할 때는 가급적이면 valproate, carbamazepine, phenobarbital 같은 항전간제와의 복합 요법은 피하는 것이 좋다. 임신 전부터 사용해 오던 항전간제를 선천성 기형 발생에 대한 우려 때문에 다른 항전간제로 변경하는 것은 변경하는 동안에 경련을 더 유발시킬 수 있고, 새로운 항전간제에 의해 추가적으로 태아가 영향 받을 수 있으므로 추천되지 않는다.

임신 중에 항전간제의 사용 여부나 용량을 결정하는 것보다는 가능하면 임신 전에 이러한 부분에 대해 미리 결정하는 것이 좋다. 최소한 임신 전 6개월 동안 경련이 없었던 여성은 항전간제의 감량이나 중단을 고려할 수 있다.

6 항전간제와 엽산 복용

엽산 복용이 신경관결손증을 예방할 수 있다는 것은 잘 알려진 사실이지만, 이러한 엽산 복용이 항전간제를 복용하고 있는 임신부의 신경관결손증의 발생 위험도를 낮출 수 있는지는 아직까지 정확한 결론이 없다. 엽산의 투여량에 대해서도 저용량(0.4-0.8 mg)과 고용량(4-5 mg) 중 어느 것이 더 우수한지는 확실치 않다.[30, 31] 하지만, 다른 신경결손증 발생의 위험인자를 가진 여성으로부터 얻어진 결과들을 토대로 항전간제를 복용하고 있는 가임기 여성은 신경관결손증을 예방하기 위해 적어도 임신 1-3개월 전부터 임신 제1삼분기까지 엽산을 복용할 것이 추천된다. 미국신경과학회(American Academy of Neurology, AAN)와 미국간질학회(American Epilepsy Society, AES)는 0.4 mg보다 높은 용량의 엽산 복용이 신경관결손증 예방에 더 도움이 되는지는 충분한 증거가 없다고 하였다.[32] 반면, 미국산부인과학회에서는 4.0 mg의 고용량 엽산 복용을 추천하고 있다.[33]

7 산전관리와 분만

항전간제를 복용하고 있는 임신부에게는 신경관결손증의 발생 위험이 높으므로 임신 16-18주에 모체혈청 알파태아단백질(alpha-fetoprotein) 검사를 시행해야 한다. 알파태아단백질이 2.5 MoM 이상으로 증가되어 있을 때는 고해상도 초음파검사를 실시하고, 필요에 따라 추가적으로 양수천자술을 통한 양수 내 알파태아단백질 농도와 acetylcholine esterase 검사를 시행할 수 있다.

임신 18-24주에는 심장기형, 신경관결손증, 구개/구순열, 요로계기형 등을 포함한 태아의 해부학적 구조 이상을 발견하기 위해 정밀초음파검사를 시행한다.

간질이 있는 임신부는 임신부와 신생아의 즉각적인 처치가 가능한 의료기관에서 분만을 하는 것이 안전하며, 분만진통 중에도 항전간제는 계속해서 복용하여야 한다. 경련을 예방하기 위해 분만 진통 중 과호흡이나 탈진이 생기지 않도록 주의하여야 하며, 분만 진통 중에 경련이 발생하였을 때는 속효성의 lorazepam 또는 diazepam을 정맥 투여한다.

간질이 있는 임신부도 질식분만을 시도할 수 있지만, 제왕절개술의 빈도가 증가한다. 경련이 지속되거나 반복적으로 발생할 경우에는 제왕절개술을 시행하는 것이 바람직하다.

항전간제는 비타민 K-의존 응고인자 감소를 유발하여 신생아출혈을 일으킬 수 있으므로 임신 마지막 달에는 임신부에게 예방적 경구용 비타민 K 복용이 추천되어 왔다. 최근의 대규모 연구에서는 항전간제를 복용하고 있는 임신부에게 일률적으로 비타민 K를 투여하는 것은 충분한 근거가 없다고 하였고,[34] 2009년 미국신경과학회와 미국간질학회의 권고안에서는 임신부에게 예방적 비타민 K를 투여하는 것에 대해 찬성 또는 반대할 만한 충분한 근거는 없다고 하였다. 하지만, 조산이나 복합 요법을 받는 경우, phenobarbital, carbamazepine, phenytoin, topiramate, oxcar-bazepin을 복용하는 경우 또는 임신부가 알코올 중독인 경우와 같이 신생아출혈의 위험성이 높은 경우에 한해 임신부에게 경구 비타민 K 10-20 mg/일을 투여하는 것을 고려할 수 있다.[32] 항전간제를 복용하는 임신부에게서 출생한 신생아에게는 비타민 K 1 mg을 근육주사한다.

임상 증례 1

28세 간질이 있는 여성이 6년 동안 valproate로 치료 중 무월경 12주로 임신반응검사 양성이다. 여러 해 동안 임신을 시도해왔던 이 여성은 매우 행복해하고 있다. 당신은 그녀에게 어떻게 조언할 것인가?

조언

임신부에서 항전간제 노출에 따른 상담은 매우 신중하게 이루어져야 합니다.

Valproate는 항전간제 중에서 선천성 기형 위험도가 가장 높은 약물이며, 주기형 발생률은 9.3-11% 정도입니다. 가능하면 가임기 여성이나 임신 중에는 이 항전간제의 복용을 피하는 것이 좋지만, 임신 중 항전간제를 선택할 때는 선천성 기형 위험도 외에도 여러 가지 요소를 고려해야 합니다.

6년 동안 valproate로 치료해 왔다면 다른 항전간제로는 경련이 잘 조절되지 않을 가능성이 높으며, valproate는 다른 항전간제에 비해 경련 조절 효과가 높은 것으로 알려져 있습니다. 무분별하게 valproate를 중단한다면 조절되지 않은 경련으로 인한 위험성, 예를 들면 부상, 저산소증으로 인한 태아와 임신부의 위험, 사회적 활동의 문제점은 물론 원인불명의 급사도 증가할 수 있으므로 임신 중이라도 valproate를 복용하는 것이 바람직합니다.

선천성 기형 위험도와 더불어 장기적인 인지 기능이나 행동발달학적 장애의 위험성을 고려하여 가능하면 800-1,000 mg 이하의 용량으로 사용하는 것이 좋지만, 임신 중에 용량을 변경하는 것은 경련 조절에 영향을 줄 수 있어 바람직하지 않습니다.

Valproate를 복용하더라도 선천성 기형 발생은 임신부가 생각하는 것만큼 높지는 않으며, 90% 이상에서는 정상적인 아이를 분만할 수 있습니다.

신경관결손증 발생의 위험성이 높으므로 임신 중기에 알파태아단백질 검사와 표적 초음파 검사를 받아야 하며, 그 외에도 심장기형, 구순/구개열, 요로생식계기형 등의 발생 위험성도 높으므로 임신 18-24주에 정밀 초음파검사를 받아야 합니다.

임신 전부터 엽산을 복용하는 것이 바람직하지만, 그렇지 않았다면 지금부터라도 엽산 복용을 하는 것이 좋습니다. 대부분의 신경과 선생님들은 항전간제를 복용하고 있는 가임기 여성에게는 엽산을 처방하고 있습니다.

임상 증례 2

신경통이 있어서 카바마제핀으로 치료중인 임신부가 있다. 이 약물을 중단하면 심한 통증이 재발한다. 이 여성은 산전초음파에 의해서 카바마제핀 노출과 관련된 태아기형을 얼마나 진단할 수 있는지 궁금해한다. 당신은 어떻게 조언할 것인가?

조언

카바마제핀에 의한 선천성 기형 위험도는 대조군에 비해 높지 않은 것으로 알려져 있으며, 주로 신경관결손증과 관련된다고 보고되지만, 발생률은 1% 이내입니다. 기타 심장기형, 구순/구개열, 요도하열 등의 기형 발생률도 대조군에 비해 큰 차이가 없습니다.

다행히 신경관결손증은 임신 중기 모체혈청 알파태아단백질 검사와 정밀초음파검사를 통해 98-99% 정도로 진단이 가능합니다.

심장기형의 경우도 3차 의료기관에서 숙련된 검사자를 통해서 80-90% 이상 진단할 수 있으며, 심각하고 중요한 심장 기형은 거의 95% 이상 진단할 수 있습니다.

기타 기형의 경우는 종류에 따라 진단률에 차이가 있습니다. 항전간제를 복용하고 있는 경우는 구순/구개열에 대해 고위험군에 속하므로 숙련된 전문가에 의한 진단률은 구순열에 대해서는 거의 100%, 구순/구개열이 함께 있는 경우는 86-90%이지만, 구개열만 있는 경우는 0-89% 정도로 다양하게 보고됩니다.

▶ 참고문헌

1. Holmes LB, Harvey EA, Coull BA, et al. The teratogenicity of anticonvulsant drugs. N Engl J Med 2001; 344: 1132-8.

2. Harden CL, Meador KJ, Pennell PB, et al. Practice parameter update: management issues for women with epilepsy--focus on pregnancy (an evidence-based review): teratogenesis and perinatal outcomes: report of the Quality Standards Subcommittee and Therapeutics and Technology Assessment Subcommittee of the American Academy of Neurology and American Epilepsy Society. Neurology 2009; 73: 133-41.

3. Artama M, Auvinen A, Raudaskoski T, et al. Antiepileptic drug use of women with epilepsy and congenital malformations in offspring. Neurology 2005; 64: 1874-8.

4. Morrow J, Russell A, Guthrie E, et al. Malformation risks of antiepileptic drugs in preg-

nancy: a prospective study from the UK Epilepsy and Pregnancy Register. J Neurol Neurosurg Psychiatry 2006; 77: 193-8.

5. Sabers A, aRogvi-Hansen B, Dam M, et al. Pregnancy and epilepsy: a retrospective study of 151 pregnancies. Acta Neurol Scand 1998; 97: 164-70.

6. Tomson T, Battino D. Teratogenic effects of antiepileptic drugs. Lancet Neurol 2012; 11: 803-13.

7. Gaily E, Granstrom ML. Minor anomalies in children of mothers with epilepsy. Neurology 1992; 42: 128-31.

8. Tomson T, Xue H, Battino D. Major congenital malformations in children of women with epilepsy. Seizure 2015; 28: 46-50.

9. Tomson T, Battino D, Bonizzoni E, et al. Dose-dependent risk of malformations with antiepileptic drugs: an analysis of data from the EURAP epilepsy and pregnancy registry. Lancet Neurol 2011; 10: 609-17.

10. Reimers A, Brodtkorb E. Second-generation antiepileptic drugs and pregnancy: a guide for clinicians. Expert Rev Neurother 2012; 12: 707-17.

11. Lindhout D, Omtzigt JG, Cornel MC. Spectrum of neural-tube defects in 34 infants prenatally exposed to antiepileptic drugs. Neurology 1992; 42: 111-8.

12. Hernandez-Diaz S, Smith CR, Shen A, et al. Comparative safety of antiepileptic drugs during pregnancy. Neurology 2012; 78: 1692-9.

13. Jentink J, Loane MA, Dolk H, et al. Valproic acid monotherapy in pregnancy and major congenital malformations. N Engl J Med 2010; 362: 2185-93.

14. Vajda FJ, Eadie MJ. Maternal valproate dosage and foetal malformations. Acta Neurol Scand 2005; 112: 137-43.

15. Tica OS, Tica AA, Brailoiu CG, et al. Sirenomelia after phenobarbital and carbamazepine therapy in pregnancy. Birth Defects Res A Clin Mol Teratol 2013; 97: 425-8.

16. Jentink J, Dolk H, Loane MA, et al. Intrauterine exposure to carbamazepine and specific congenital malformations: systematic review and case-control study. BMJ 2010; 341: c6581.

17. Rosa FW. Spina bifida in infants of women treated with carbamazepine during pregnancy. N Engl J Med 1991; 324: 674-7.

18. Cunnington MC, Weil JG, Messenheimer JA, et al. Final results from 18 years of the International Lamotrigine Pregnancy Registry. Neurology 2011; 76: 1817-23.

19. Margulis AV, Mitchell AA, Gilboa SM, et al. Use of topiramate in pregnancy and risk of oral clefts. Am J Obstet Gynecol 2012; 207: 405 e1-7.

20. Molgaard-Nielsen D, Hviid A. Newer-generation antiepileptic drugs and the risk of major birth defects. JAMA 2011; 305: 1996-2002.

21. Hernandez-Diaz S, Mittendorf R, Smith CR, et al. Association between topiramate and zonisamide use during pregnancy and low birth weight. Obstet Gynecol 2014; 123: 21-8.

22. Mawhinney E, Craig J, Morrow J, et al. Levetiracetam in pregnancy: results from the UK and Ireland epilepsy and pregnancy registers. Neurology 2013; 80: 400-5.

23. Meador KJ, Baker GA, Browning N, et al. Fetal antiepileptic drug exposure and cognitive outcomes at age 6 years (NEAD study): a prospective observational study. Lancet Neurol 2013; 12: 244-52.

24. Gaily E, Kantola-Sorsa E, Hiilesmaa V, et al. Normal intelligence in children with prenatal exposure to carbamazepine. Neurology 2004; 62: 28-32.

25. Thomas SV, Ajaykumar B, Sindhu K, et al. Motor and mental development of infants exposed to antiepileptic drugs in utero. Epilepsy Behav 2008; 13: 229-36.

26. Christensen J, Gronborg TK, Sorensen MJ, et al. Prenatal valproate exposure and risk of autism spectrum disorders and childhood autism. JAMA 2013; 309: 1696-703.

27. Bromley R, Weston J, Adab N, et al. Treatment for epilepsy in pregnancy: neurodevelopmental outcomes in the child. Cochrane Database Syst Rev 2014; 10: CD010236.

28. Tomson T, Perucca E, Battino D. Navigating toward fetal and maternal health: the challenge of treating epilepsy in pregnancy. Epilepsia 2004; 45: 1171-5.

29. Mole TB, Appleton R, Marson A. Withholding the choice of sodium valproate to young women with generalised epilepsy: Are we causing more harm than good? Seizure 2015; 24: 127-30.

30. Ban L, Fleming KM, Doyle P, et al. Congenital Anomalies in Children of Mothers Taking Antiepileptic Drugs with and without Periconceptional High Dose Folic Acid Use: A Population-Based Cohort Study. PLoS One 2015; 10: e0131130.

31. Morrow JI, Hunt SJ, Russell AJ, et al. Folic acid use and major congenital malformations in offspring of women with epilepsy: a prospective study from the UK Epilepsy and Pregnancy Register. J Neurol Neurosurg Psychiatry 2009; 80: 506-11.

32. Harden CL, Pennell PB, Koppel BS, et al. Practice parameter update: management issues for women with epilepsy--focus on pregnancy (an evidence-based review): vitamin K, folic acid, blood levels, and breastfeeding: report of the Quality Standards Subcommittee and Therapeutics and Technology Assessment Subcommittee of the American Academy of Neurology and American Epilepsy Society. Neurology 2009; 73: 142-9.

33. ACOG educational bulletin. Seizure disorders in pregnancy. Number 231, December

1996. Committee on Educational Bulletins of the American College of Obstetricians and Gynecologists. Int J Gynaecol Obstet 1997; 56: 279-86.

34. Kaaja E, Kaaja R, Matila R, et al. Enzyme-inducing antiepileptic drugs in pregnancy and the risk of bleeding in the neonate. Neurology 2002; 58: 549-53.

임신부의 항응고 요법

○ 김대희

심부정맥 혈전증의 위험인자 보유자 및 심방세동 혹은 인공 금속판막 삽입 상태, 좌심실 기능 부전 등의 혈색전증의 고위험군은 임신 중 혹은 출산 후 적절한 항응고 요법을 필요로 하는데 가장 중요한 사실은 임신 자체가 정상인에 비해 혈색전증의 위험성을 3~5배 증가시킨다는 사실이다. 또한 임신 중의 항응고 요법은 기형아의 유발 및 임신 중의 여러 생리적 변화에 따른 용량의 변화, 분만 및 수유 시 항응고 요법의 사용 등에 있어 굉장히 복잡하며 산모와 태아에게 모두 영향을 끼칠 수 있다는 점에서 복잡한 여러 가지 문제를 내포하고 있다. 더군다나 임신 전에 항응고 요법으로 와파린을 복용하고 있던 환자는 와파린의 기형 유발과 관련된 부작용을 피하기 위해 임신 계획 단계부터 전문가와의 상담이 필요하다.

1 임신 중에 혈색전증의 위험성이 증가하는 이유

선진국에도 정맥혈전증은 산모 사망의 주요 원인 중 하나로 임신 중에는 혈전증의 위험성이 증가하는데 그 이유는 hypercoagulability의 증가, 정맥혈 정체, 혈관 손상 등의 여러 가지 원인이 있다. 산모의 혈액 응고 체계의 변화가 이러한 변화를 유발하는데 그 이유로는 (1) fibrinogen, Factor VII, VIII, IX, X의 증가 (2) protein S의 감소 및 활성화된 protein C에 대한 저항성 증가 (3) 태반에서 나오는 억제 물질에 의해 혈전용해 작용의 감소 등을 들 수 있으며 전자간증 상태에서도 antithrombin III의 부족현상이 초래되어 혈전경향을 증가시킨다(표 3-9-1).

표 3-9-1. **임신 중 혈전증의 가능성을 증가시키는 여러 가지 인자**

Factors that increase thrombotic risk in pregnancy

Increased maternal clotting factors
 Fibrinogen and factors VII, VIII, IX, and X

Reduction in maternal levels of protein S

Impaired fibrinolysis
 Placenta-derived fibrinolytic inhibitors

Venous stasis and blood pooling
 Progesterone-mediated venous dilation
 Compression of the inferior vena cava by the uterus in later pregnancy

(계속)

표 3-9-1. 임신 중 혈전증의 가능성을 증가시키는 여러 가지 인자

Endothelial disrupton of the pelvic vessels
   Cesarean section

Acquired antithrombin deficiency
   High-proteinuric states such sa nephrotic syndrome or preeclampsia

Excessive elevation of pregnancy hormones
   ovarian hyperstimulation syndrome, multiple geatation

Other maternal risk factors
   thrombophilia
   family history of venous thromboembolism
   Age 〉 35 years
   Parity 〉 3
   Obesity
   Immobilization
   Smoking
   Varicose veins with phlebitis

Other maternal medical conditions
   Hyperemesis gravidarum
   Infection
   Inflammatory bowel disease
   Any condition necessitating a chronic indwelling catheter

2 임신 중의 헤파린(heparin)의 사용

저분자량 헤파린 및 비분획 헤파린 모두 antithrombin과 결합하여 이들의 모양을 변화시켜 결국 procoagulant의 배설을 촉진함으로써 항응고 효과를 나타낸다. 비분획 헤파린은 factor Ⅹa와 Ⅱ에 균등하게 작용해서 aPTT를 연장시키므로 이를 측정해서 항응고 효과를 모니터링할 수 있다. 저분자량 헤파린의 경우에는 anti-Factor Ⅹa의 활성도를 측정하여야만 그 효과를 모니터링할 수 있으며 그 측정방법이 aPTT보다 까다로와 수시간이 걸려 오후에 검사하면 그 날 검사 결과를 못 볼 수도 있다는 사실을 인지해야 한다. 보통 비임신부에서는 체중에 따른 용량 투여가 치료 농도에 잘 도달한다는 것이 입증되어 있어 anti-Factor Ⅹa의 활성도 측정 없이 투여하는 것이 안전하지만 임산부에 있어서는 그렇지 않은 것이 문제이다. 비분획 헤파린의 경우에는 분자가 커서 와파린에 비해 태반을 통과하지 않으므로 태아 기형 유발의 우려가 없으나 임신 중에 투여가 불편하고 골다공증이나 헤파린 유발 혈소판 감소증 등의 부작용을 유발하기도 한다. 저분자량 헤파린은 10년 이상 사용되어 왔으며 심부정맥 혈전증이나 폐색전증 치료에 있어 효과와 안전성 면에서 비분획 헤파린에 비해 대등하거나 우월한 것으로 알려져 있다. 또한 골다공증의 위험성이 거의 없으며 혈소판 감소증의 가능성도 비분획 헤파린에 비해 적다. 그러나 대부분의 연구는 임신부를 대상으로 한 것이 아니며 저분자량 헤파린의 경우도 태반을 통과하지 않아 안전한 것으로 생각되지만 그 안정성과 효과에 대해서는 자료가 많지 않은 편이다. 임신 중의 생리학적인 변화가 저분자량 헤파린의 대사를 변화시켜 peak 농도가 낮아지고 약물의 배설이 증가되는 경향이 있다. 또

한 임신 주수가 지남에 체중이 증가하므로 anti-Factor Xa의 활성도가 변화하게 되어 잦은 측정과 용량 조절이 필요하다. 연구자들마다 조금 차이는 있으나 예방적 목적의 사용의 경우에는 하루에 한 번 용법을, 치료 목적의 경우에는 하루 두 번 용법이 추천된다. Anti-Factor Xa의 활성도는 보통 주사를 맞은 후 4시간 정도에 측정하며 치료 목적으로 쓸 때에는 0.5 to 1.0 U/mL로 유지한다(금속 인공 판막의 경우에는 0.5 to 1.2 U/mL). 우리나라 현실에서는 anti-Factor Xa의 활성도를 측정하는 경우가 임상적으로 거의 없으며, 측정 가능한 병원에서도 검사량이 많지 않으므로 측정 전날 검사실에 검사가 있음을 주지시키는 것이 매우 중요하다. 표 3-9-2에서는 미국 워싱턴 대학 병원에서 현재 사용하고 있는 저분자량 헤파린 조절 프로토콜을 예시로 들었는데, 실제로 3rd trimester에는 2주마다 anti-Factor Xa의 활성도를 측정하는 것을 추천하고 있다. 우리나라에서 이런 자체 프로토콜을 가지고 있는 병원은 거의 없으며 상기 프로토콜을 참조해서 각 병원의 프로토콜을 확립하는 것도 좋을 것이다. 임신 중 예방적 목적으로 쓸 때는 저분자량 헤파린 혹은 비분획 헤파린 모두 사용 가능한데 anti-Factor Xa의 활성도를 0.05 to 0.2 U/mL 정도로 유지하며 하루에 한 번 피하주사로 충분하다. 한 연구에 따르면 예방적 목적의 경우에는 임신 내내 체중에 따른 정해진 용량을 똑같이 투여하더라도 크게 문제가 없었다는 보고가 있다. 비분획 헤파린의 경우는 임신 1기의 중반부부터 혈색전증 가능성이 증가하므로 임신이 확인되면 바로 시작하고 임신 1기에는 하루에 5,000 U씩 두 번, 임신 2기에는 7500 U씩 두 번, 임신 3기에는 하루에 10,000 U씩 두 번 투여한다.

표 3-9-2. peak anti-Factor Xa 농도에 따른 저분자량 헤파린 용량조절 프로토콜 예시

Peak antiXa level (units/mL)	Hold next dose	Dosage change	Next antiXa level
⟨ 0.35	No	Increase 25%	4 hours after next dose
0.35 – 0.49	No	Increase 10%	4 hours after next dose
1.5 – 1	No	None	Next day, then within 1 week
1.1 – 1.5	No	Decrease 20%	Before next dose
1.6 – 2	For 3 hours	Decrease 30%	Before next dose and 4 hours after next dose
⟩ 2	Until antiXa level ⟨ 0.5	Decrease 40%	Before next dose and q12h until antiXa level ⟨ 0.5

3 와파린

와파린은 비임신부에 있어서 급성기가 지난 다음에 가장 많이 사용되는 항응고제이다. 그 기전은 비타민 K의 대사를 억제하여 비타민 K 의존 혈액응고인자의 생성을 방해해 혈액응고를 억제하는 것이다. 와파린 복용자의 4~6%에서 INR 수치를 2.0~3.0으로 잘 유지하더라도 주요 출혈(major bleeding)이 발생하며 물론 INR 수치가 높으면 발생빈도는 더 높다. 매일 섭취하는 음식

의 비타민 K 함량에 따라 수치가 틀려질 수 있으며 여러 약들과의 다양한 상호작용을 보이기 때문에 INR 수치를 주기적으로 모니터링 해야 한다. 헤파린과 다르게 와파린은 태반을 통과하여 임신 주수 12주전에 사용하면 와파린 embryopathy라고 부르는 nasal bone hypoplasia, chondrodysplasia punctate 등이 생길 수 있다. 이것은 마지막 생리일로부터 6주(gestational age 4주)전에 끊으면 예방할 수 있는 것으로 알려져 있다. 임신 2기부터는 사용해도 안전하나 임신 후반기에는 태아의 출혈 경향을 증가시켜 중추신경계 이상 및 태아 사망의 가능성을 증가시키는 것으로 알려져 있다. 또한 이 시기에는 산모의 출혈 경향도 증가하는 것으로 알려져 있다. 따라서 보통 임신 36주 이후에는 다시 헤파린으로 교체한다.

4 항혈소판 제제

아스피린 같은 항혈소판 제제는 항응고제 만큼 효과는 적지만 비임신부에게 심부정맥 혈전증이나 폐색전증을 어느 정도 줄이는 것으로 알려져 있다. 더군다나 허혈성 심장질환이나 뇌졸중 같은 경우의 동맥 혈전성 질환에는 아스피린의 효과가 이미 잘 알려져 있다. 100 mg 미만의 저용량 아스피린의 경우에는 임신부에서 많은 연구가 되어 왔는데 안전하며 임신부에서 preemclampsia의 가능성을 줄이고, 항 phospholipid 항체가 있거나 습관성 유산 환자에서 효과가 있는 것으로 알려져 있다. 디피리다몰의 경우에는 비교적 안전하지만 임신부에서의 효과에 대해서는 알려진 바가 없다. Ticlopidine이나 clopidogrel의 경우에는 매우 제한된 자료만 있으나 태아에게 주요 기형을 유발하는 것으로는 알려져 있지는 않다. 항혈소판 제제 역시 산모 및 태아의 출혈 경향을 증가시키므로 고위험군 환자에서 꼭 필요한 경우에만 복용시키게 해야 한다는 것을 잊어서는 안된다.

표 3-9-3. 임신부에서의 항응고제의 용량

MEDICATION	ACTION	INDICATIONS IN PREGNANCY	RECOMMENDED DOSAGE
Low-molecular-weight heparin (LMWH)	Potentiates antithrombin action, inactivates factor Xa much more than factor II (prothrombin)	To treat acute venous thromboembolism (VTE) Ongoing anticoagulation in women on long-term anticoagulation	Therapeutic use Enoxaparin (Lovenox) 1 mg/kg twice daily Dalteparin (Framin) 100 IU/kg twice daily Tinzaparin (Innohep) 175 IU/kg twice daily
		To prevent VTE To prevent recurrent miscarriage(with aspirin) in antiphospholipid antibody syndrome	Prophylactic use Enoxaparin 30 mg twice daily, or 40 mg once daily Dalteparin 5,000 IU once daily Tinzaparin 75 IU/kg once daily, or 4,500 IU/ once daily

(계속)

표 3-9-3. **임신부에서의 항응고제의 용량**

MEDICATION	ACTION	INDICATIONS IN PREGNANCY	RECOMMENDED DOSAGE
Unfractionated heparin (UH)	Potentiates antithrombin action, inactivates factor Xa and factor II	To treat acute VTE Ongoing anticoagulation in women on long-term anticoagulation	Therapeutic use Intravenous; 80 U/kg bolus, then 18 U/kg/hour, adjusted to an activated partial thromboplastin time (aPTT) of 60-80 sec Subcutaneous; initial dose of 216 U/kg every 12 hours, adjusted to a mid-interval (6-hour) aPTT of 60-80 sec
		To prevent VTE To prevent recurrent miscarriage(with aspirin) in antiphospholipid antibody syndrome	Prophylactic use 5,000 U twice daily in first trimester 7,500 U twice daily in second trimester 10,000 U twice daily in third trimester
Warfarin (Coumadin), other coumarins	Reduce hepatic synthesis of factors II, VII, IX, and X by inhibiting vitamin K	To prevent valve thrombosis and thromboembolism in women with a mechanical heart valve, gestational weeks 12 to 36 Postpartum anticoagulation for any indication	Initial dose 5-10 mg once daily, adjusted to an international normalized ratio of 2.0-3.0

5 임신부에 있어서의 항응고제의 사용

1) 심부정맥 혈전증과 폐색전증

심부정맥 혈전증과 폐색전증이 임신부에서 발생하면 발견 즉시 치료 용량의 항응고 치료를 시작하는 것이 원칙이다. 저분자량 헤파린의 경우 정맥주사가 필요 없으므로 편한 장점이 있다. 일단 체중을 기준으로 용량을 계산하며 수일 이내에 주사 4시간에 anti-Factor X a의 활성도를 측정하여 용량을 조절한다. 이후 적절한 anti-Factor X a의 활성도에 도달하면 남은 치료 기간 동안 1~3개월마다 모니터링한다. 비분획 헤파린을 사용했을 때는 처음 정맥주사로 주입하여 aPTT가 기저치의 1.5~2배 연장되도록 용량을 조절한다. 며칠 지난 후 저분자량 헤파린으로 바꾸는게 퇴원을 위해 필요하다. 만약 그럴 수 없는 경우에는 비분획 헤파린을 하루에 두, 세번 피하 주사로 맞는 방법이 있는데 치료 용량을 위한 하루의 총 헤파린 양을 계산하여 이를 두, 세번 나누어 준다. 많은 전문가들이 적어도 3개월 이상 6개월 정도는 항응고 치료를 지속할 것을 권유하고 있다. 이 기간이 지나면 예방적 목적으로 쓰는 용량으로 투여를 계속한다. 정맥 색혈전증의 기왕력이 있는 경우에도 논란의 여지는 있지만 임신 중 정맥혈전증의 가능성이 증가하므로 임신 기간 내 치료 농도의 항응고 치료를 지속하는 것이 좋다. 129명의 산모를 대상으로 한 연구에서는 4.8%에서 색혈전증의 재발이 있었으며 절반 이상의 사건은 분만 전에 일어났다. 더군다나 thrombophilia가 있는 환자의 경우에는 임신 중에 13~20%에서 혈색전증이 재발한다는 보고가 있어 이런 경우에는 항응고 치료가 꼭 필요하다.

2) 인공판막을 가진 산모에서의 항응고 치료

유감스럽게도 금속 인공판막을 가진 산모에서의 항응고 치료는 아직 제대로 정립된 바가 없다. 이런 환자군에서 성공적인 임신과 출산이 가능함은 1966년에 처음 보고되었다. 금속판막을 가진 임산부에 생기는 산모와 태아 모두에게 합병증이 증가하는 것은 잘 알려져 있으며 산과적인 합병증 및 판막에 혈전이 생기는 등의 내과적인 문제도 같이 고려해야만 한다. 임신부에서도 역시 와파린으로 항응고 치료를 수행하는 것이 가장 효과적이 잘 알려져 있으며, 오히려 헤파린을 사용했을 때 산모의 색혈전증의 가능성이 높아지는 것으로 보고되고 있다. 그러나 와파린은 임신초기에 사용 시 태아에 기형을 유발하는 것이 문제이다. 앞에서도 언급했듯이 임신 중에는 여러 가지 이유로 혈색전증의 가능성이 증가하는 것이 문제이고 또한 약역학적인 변화로 기존 용량을 사용했을 때 항응고제가 제대로 효과가 나타나지 않을 것을 고려해야 한다.

보통은 가임기의 여성들은 이런 점을 고려하여 조직판막을 넣고 항응고 치료를 중단하는 것이 최선이나 여러 이유 등으로 재수술이 어려울 경우에는 금속 판막을 고려할 수 밖에 없다. 그러나 조직 판막은 젊은 환자 및 임신 중에 퇴행성 변화가 더 빨리 일어나며 결국 재수술을 고려하는 순간을 앞당기게 된다. 따라서 금속 인공 판막을 가진 환자에서는 어느 정도 기간 와파린 사용을 고려할 수 밖에 없는데 임신 주수 6~9주 사이에 사용하면 괜찮다는 보고도 있기는 하지만 여러 가지 연구들을 종합해보면 결국 10%미만의 환자에서 중추 신경계 이상이나 Chondro-malacia punctata, 사산 등의 가능성을 증가시키며 이외에도 Dandy-Walker 기형, 소두증, 정신지체, 강직증 및 다른 신경계 이상과 와파린과의 관련성이 의심되고 있다. 물론 5mg 이하의 소량의 와파린을 사용했을 때 괜찮다는 보고가 있어 와파린의 태아에 대한 부작용은 용량 의존적으로 보이나 5mg 이하의 소량의 용량에서도 태아에게 문제가 생겼다는 보고가 있어 안심할 수는 없다. 유럽에서는 5mg 미만의 와파린은 3% 미만에서 embryopathy가 생기므로 사용해도 괜찮다고 추천하고 있다. 미국에서는 임신 1기에는 헤파린을 사용하다가 2기가 되어서 와파린으로 바꾸는 것을 추천한다. 앞에서도 언급했듯이 와파린이 판막 자체에는 가장 효과적이고 부작용이 적기 때문이다. 헤파린의 경우에는 비분획, 저분자량 헤파린 모두 태반을 통과하지 않아 태아에게 문제를 일으키지는 않는다. 비분획 헤파린은 주로 입원한 상태에서 쓸 수 있으므로 외래 통원 치료를 고려할 때는 저분자량 헤파린이 우선된다. 비분획 헤파린의 사용은 와파린에 비해 혈색전증의 위험을 증가시키는 것으로 알려져 있으며 헤파린 사용자의 12~24%에서 혈전증의 발생한다는 보고가 있으나 이런 연구들은 초창기의 혈전 유발 가능성이 높은 판막들을 포함하고 있어 요즘 제작된 판막을 사용한다면 결과가 어떻게 될지는 미지수이다(표 3-9-4). 저분자량 헤파린의 경우에는 비분획 헤파린보다 antithrombin III 억제 효과가 약하므로 같은 정도의 항응고 효과에도 출혈 유발 빈도가 적으며 임산부 및 비임산부 모두에게서 더 효과적이다. 더군다나 저분자량 헤파린의 경우에는 골다공증과 혈소판 감소증의 빈도가 적은 것이 특징이다. 임신 2기부터는 체액량이 늘고 GFR이 증가하므로 저분자량 헤파린의 최대 농도가 낮아져서 잦은 모니터링이 필요하다. 표 3-9-4에 의하면 비분획 헤파린 보다는 저분자량 헤파린이 pregnancy outcome이 좋으며, 기존 연구에 의하면 저분자량 헤파린을 사용했을 때 pregnancy outcome이 더 좋은데 만약 잦은 모니터링과 최근 개발된 판막을 사용한다면 성적이 더 좋을 것이라고 주장하는 연구자들이 있다.

표 3-9-4. 금속 인공 판막을 가진 산모에서 pregnancy outcome

Anticoagulant regimen	Maternal thromboembolic complication/ pregnancies (%)	Spontaneous abortions/ pregnancies (%)	Stillbirths/ pregnancies (%)
Oral anticoagulant throughtout pregnancy	38/959 (3.9)	252/969 (26.0)	8/110 (7.3)
Unfractionated heparin in the first trimester and oral anticoagulant thereafter	27/285 (9.5)	66/285 (23.2)	4/42 (9.5)
Low-molecular weight heparin in the first trimester and oral anticoagulant thereafter	1/55 (1.8)	5/55 (9.1)	0/55 (0)

표 3-9-5. 금속 판막을 가진 임신부에서의 항응고 치료 지침

Recommendation	ACC/AHA (American college of cardiology/ American Heart association)	ACCP (American college of chest physician)	ESC (European society of cardiology)
경구용 항응고제	임신 내내 유지할 수 있으나 임신 6~12주에 비분획/저분자량 헤파린을 사용하는 것은 환자의 선택에 맡긴다.	고위험군*에서는 분만 48시간 전까지는 사용 가능하다.	와파린 용량이 5 mg 이하면 embryopathy의 가능성이 3% 미만이므로 임신내내 사용 가능하다.
헤파린	비분획 혹은 저분자량 헤파린을 효과 모니터링하면서 임신 내내 사용하거나 6~12주에만 사용한다. Anti-FactorXa의 활성도를 0.7~1.2 U/mL로 유지한다.	비분획 혹은 저분자량 헤파린을 효과 모니터링하면서 6~12주에 사용해 볼 수 있다. 저분자량 헤파린은 하루에 두 번 주입하며 Anti-FactorXa의 활성도는 주사 후 네시간 째 측정한다.	고용량의 와파린 사용자에게 비분획 혹은 저분자량 헤파린을 효과 모니터링하면서 6~12주에 사용해 볼 것을 반드시 고려한다. 저분자량 헤파린은 하루에 두 번 주입하며 Anti-FactorXa의 활성도는 주사 후 네시간 째 측정하며 Anti-FactorXa의 활성도를 0.8~1.2 U/mL로 유지한다.
항응고 치료 목표	모든 환자에게서 INR을 3 이상 유지한다.	고위험군이 아닌 이엽성 인공 대동맥 판막 환자에서는 INR을 2~3사이로 유지한다.	INR recommendation에 대한 지침 없음.

*1세대 인공판막, 승모판막, 과거 혈색전증의 병력, 심방세동, 좌심실 기능부전

표 3-9-5에 의하면 각 지침마다 차이가 있으나 임신 6~12주 사이에는 가급적 헤파린을 사용하는 것이 좋은 것으로 생각된다. 유럽에서는 5 mg 이하의 저용량 와파린은 쓸 수 있다고 되어 있으나 태아기형의 가능성이 없는 것은 아니므로 환자와 상의해서 결정해야 한다.

6 분만 시의 항응고 치료 및 수유

만약 질식 분만이 예정되어 있다면 와파린을 임신 36주까지 사용하고 비분획 혹은 저분자량 헤파린으로 바꾼다. 저분자량 헤파린을 사용하고 있던 환자는 분만 예정 12~24시간에 비분획 헤파린 정주로 바꾼다. 비분획 헤파린 정주 상태에서는 계획된 분만 4~6시간전 끊으면 효과가 없어지므로 분만 후 4~6시간 후 출혈 등이 없으면 다시 비분획 헤파린 정주를 사용한다. 이러다가 다시 와파린으로 바꿀 수 있는데 헤파린은 INR 수치가 치료 농도에 도달할 때까지 같이 사용하는 것이 중요하다. 만약 임신 중에만 항응고 치료를 계획했던 환자라면 분만 후 6~12주 후까지는 사용하는 것이 좋다. 만약 와파린을 사용 도중 조기 진통에 의한 분만을 계획한다면 태아 출혈을 줄이기 위해 비타민 K를 주고 제왕절개를 하는 것이 선호된다. 만약 분만 시 neuraxial anesthesia를 사용한다면 마취 후 1시간 이후 헤파린을 다시 사용할 수 있고 카테터 제거 시는 헤파린 끊고 2~4시간 후에 하면 된다. 만약 피하 주사로 하루에 10,000U 이하의 헤파린을 사용하는 경우 neuraxial anesthesia에는 문제가 되지 않는다. 그러나 그 이상의 경우에는 헤파린을 최소 4시간 정도 끊고 하는 것이 좋다. 2012년 ACCP 지침에 따르면 와파린이나 헤파린은 수유할 때 사용해도 크게 문제가 되지 않는 것으로 알려져 있다.

▶ 참고문헌

1. Bates SM1, Greer IA, Middeldorp S, Veenstra DL, Prabulos AM, Vandvik PO; American College of Chest Physicians. VTE, thrombophilia, antithrombotic therapy, and pregnancy: Antithrombotic Therapy and Prevention of Thrombosis, 9th ed: American College of Chest Physicians Evidence-Based Clinical Practice Guidelines. Chest. 2012 Feb;141(2 Suppl):e691S-736S

2. Castellano JM, Narayan RL, Vaishnava P, Fuster V. Anticoagulation during pregnancy in patients with a prosthetic heart valve. Nat Rev Cardiol. 2012 May 15;9(7):415-24

3. European Society of Gynecology (ESG), Association for European Paediatric Cardiology (AEPC), German Society for Gender Medicine (DGesGM), et al. ESC Guidelines on the management of cardiovascular diseases during pregnancy: the Task Force on the Management of Cardiovascular Diseases during Pregnancy of the European Society of Cardiology (ESC). Eur Heart J 2011; 32:3147.

4. Gibson PS, Powrie R. Anticoagulants and pregnancy: when are they safe? Cleve Clin J Med. 2009 Feb;76(2):113-27

5. Ginsberg JS, Chan WS, Bates SM, Kaatz S. Anticoagulation of pregnant women with mechanical heart valves. Arch Intern Med 2003; 163:694.

6. Greer IA. Thrombosis in pregnancy: maternal and fetal issues. Lancet 1999; 353:1258–1265.

7. Iturbe-Alessio I, Fonseca MC, Mutchinik O, Santos MA, Zajarias A, Salazar E. Risks of anticoagulant therapy in pregnant women with artificial heart valves. N Engl J Med 1986; 315:1390–1393.

8. Kearon C, Hirsh J. Management of anticoagulation before and after elective surgery. N Engl J Med 1997; 336:1506–1511.

9. Nishimura RA, Otto CM, Bonow RO, Carabello BA, Erwin JP 3rd, Guyton RA, O'Gara PT, Ruiz CE, Skubas NJ, Sorajja P, Sundt TM 3rd, Thomas JD; American College of Cardiology/American Heart Association Task Force on Practice Guidelines. 2014 AHA/ACC guideline for the management of patients with valvular heart disease: a report of the American College of Cardiology/American Heart Association Task Force on Practice Guidelines. J Am Coll Cardiol. 2014 Jun 10;63(22):e57-185.

10. Nishimura RA, Warnes CA. Anticoagulation during pregnancy in women with prosthetic valves: evidence, guidelines and unanswered questions. Heart. 2015 Mar;101(6):430-5.

11. Robertson L, Wu O, Langhorne P, et al. Thrombophilia in pregnancy: a systematic review. Br J Haematol 2006; 132:171–196.

12. Rowan JA, McCowan LM, Raudkivi PJ, North RA. Enoxaparin treatment in women with mechanical heart valves during pregnancy. Am J Obstet Gynecol 2001; 185:633–637.

chapter 10 임신부에서 암진단과 항암제 사용

이유경

임상증례

32세 산모가 임신 후 검사에서 자궁경부세포검사에서 이상이 있어, 조직검사 시행 후 자궁경부암이 의심되었다. 이에 임신 15주에 귀원으로 내원하였다. 당신은 환자에게 어떻게 조언할 것인가?

1 서론

최근 임신 중 암의 진단은 지속적으로 증가하고 있으며, 유럽 통계에 따르면 임신 중 약 0.05-0.1%에서 암이 발견되고 있다. 임신 중 가장 많이 보고되고 있는 암종은 유방암, 자궁경부암, 갑상선암, 난소암, 대장암, 백혈병 및 흑색종 등이다. 암과 임신은 병기, 진단 시기, 치료방법, 분만 및 태아와 신생아에 대한 영향 등 여러 가지가 복합적으로 얽혀있어, 치료에 있어 많은 주의 및 전문적인 접근이 요구된다. 이에 본고에서는 대표적인 암종과 임신과의 관계를 살펴보고, 임신 중 암의 치료에 사용되는 약제들에 관해 알아보고자 한다.

2 임신부의 암에서 일반적 진료 및 관리

1) 정신심리적 지지: 임신 중 암의 진단은 산모 본인뿐 아니라 가족과 이를 진료하는 의사에게도 매우 복잡한 상황을 형성하므로, 정신심리학인 지지를 간과해서는 안된다.

2) 병기 설정 검사: 임신 중 병기 설정을 위한 검사를 위해 초음파와 MRI가 가장 많이 사용된다. 현재까지 발표된 자료들에 의하면 임신 어느 시기이든 MRI 노출은 태아에 크게 문제를 일으키지 않는 것으로 알려져 있다.

3) 치료: 치료는 다른 문제가 없다면 가능한 임신이 아닌 환자와 비슷하게 이루어져야 한다. 그리고, 무엇보다도 치료 외 보완요법 (supportive care)이 매우 중요하다.

　　(1) 방사선치료: 일반적으로 진단 및 치료 시 방사선 조사가 이루어질 수 있다. 태아에

0.05Gy 미만의 조사량은 기형확률을 높이지 않는 것으로 되어 있으나, 복부와 골반의 방사선치료는 태아에 심각한 부작용을 일으키므로, 임신 중 금기사항이다. 치료를 위한 복부 방사선 조사량은 태아의 소두증(microcephaly), 정신지체(mental retardation), 소안구증(microphthalmia), 백내장, 홍채 손상, 골격 기형을 비롯해 심하면 태아 사망을 유발할 수 있다. 단, 일부 유방암이나 림프종(lymphoma)에서는 방사선 차광장치를 하고 성공적인 방사선치료를 시행하기도 하였다.

(2) 수술적 치료: 임신 중 비산과적 원인으로 수술하는 경우는 암을 포함하여 약 0.5−2%에 달하는 것으로 보고되고 있다. 수술의 방법이나 결과는 임신 주수나 태아 발달 정도에 따라 결정되는 경우가 많다. 특히 분만이 다가와 있다면, 수술을 산후로 미루거나, 제왕절개와 더불어 시행하는 경우도 고려할 수 있다.

일반적으로 사용하는 마취제는 임신 중에도 비교적 안전한 것으로 되어 있다. 반면 위장관 형성이나 신경계 형성과 수술과의 상관관계에 대한 보고들이 일부 있어 임신 1삼분기 시 수술은 피할 것을 권고하고 있다. 대개 복부 수술은 유산의 위험 시기가 지났으면서도 자궁의 크기가 비교적 괜찮은 임신 2삼분기에 시행하게 된다. 만약 임신 20주가 지난다면, 혈류를 원활하게 하기 위해 좌측으로 기울어진 자세로 수술할 수 있다. 특히 임신 중 수술은 조산, 유산 및 태아 가사의 위험도가 있으며, 산모의 과탄산증, 혈류 감소, 흡인(aspiration) 등을 일으킬 수 있어 산모 및 태아에 대해 의학적 추적 관찰이 필요하다.

수술 후에는 태아심음측정기나 초음파를 통해 태아 상태를 평가해야 한다. 술후 산모의 안정을 위해 적절한 진통제(paracetamol, NSAIDs, tramadol, morphine 등)와 구토방지제(metoclopramide, meclizine, alizapride, ondansetron 등)를 사용할 수 있다. 단, 임신 3삼분기에서 NSAIDs의 사용은 동맥관(ductus arteriosus)의 조기 폐쇄를 유발할 수 있으므로 사용에 주의를 기울여야 한다.

(3) 항암화학요법: 임신 중에는 여러 가지 생리학적 변화가 일어나므로 약물 대사의 변화도 일어난다. 특히 이러한 변화는 혈장 내 약물농도를 감소시킬 것으로 여겨지지만, 현재까지 항암화학용법과 관련된 대단위 연구 결과들을 보았을 때, 임신이 아닌 경우와 비교하여 임신 중인 경우 동량의 항암제를 투여하였을 때 생존율의 차이는 없었다. 따라서, 임신 중인 여성에서도 항암화학요법을 시행하는 경우, 용법 및 용량을 동일하게 사용하는 것이 권고되고 있다.

3 임신과 암종에 따른 치료 및 항암제의 사용

1) 유방암

유방암은 여성암 중 가장 흔한 암으로, 암종들 중 임신과의 관련성에 대해 가장 많은 연구가 이루어진 분야 중 하나이다. 특히 젊은 여성에서의 유방암이 증가하고 있어, 임신 중 유방암의 발견도 늘어나고 있으며, 임신 중 약 1/3,000의 확률로 보고되고 있다. 유방암 진료 권고 중 가장 대표적인 지침인 St. Gallen consensus에 의하면, 임신 중 조기 유방암이 진단되었을 때 조기 유도분만을 권유하지 않고, 유방보존수술 (breast-conserving surgery)이 가능하며, 임파절 절제도 고려할 수 있다. 임신 중 항암화학요법은 시행할 수 있으나, 호르몬 치료나 표적치료는 피할 것을 권고하고 있다.

임신 중 유방암에서 항암화학요법과 관련하여, 연구들이 여러 건 보고되고 있으며, 현재까지 FAC (5-fluorouracil, doxorubicin, cyclophosphamide) 용법은 임신 2, 3삼분기에 투여될 시, 비교적 안전한 것으로 알려져 있다. 최근 많이 사용하는 taxane 병합 용법의 경우 아직 보고가 충분치 않아 주의를 기울이며 사용할 수 있으며, CMF (cyclophosphamide, methotrexate, 5-fluorouracil) 용법의 경우, methotrexate가 임신 1삼분기에서 유산이나 심각한 기형을 일으킬 수 있으므로 임신 중 피할 것을 권고하고 있다.

유방암에서 호르몬 수용체 양성 발현 시 폐경전 여성에서 tamoxifen을 사용할 수 있는데, 임신을 인지하지 못하고 사용한 여성에서 선천적 장애가 여러 건 보고되었다. 이에 임신 중 호르몬 치료는 금지하고 있으며, 젊은 여성에서 tamoxifen을 사용하는 경우, 피임을 권고하고 만약 임신이 된다면 즉각 투약을 중지하도록 하고 있다.

그 외, 최근 유방암에서 HER2 발현이 있으면 이에 대한 표적 치료가 표준치료로 인정되고 있는데, 산모에서 이에 대한 표적약물인 trastuzumab이나 lapatinib을 사용하였을 때 양수감소증이 심각하게 발생하는 것으로 보고되고 있다. 이는 태아 건강에 심각한 이상을 초래할 수 있으므로 유방암이 진단된 산모에서는 사용을 금하고 있으며, 표적 치료중인 여성에서는 피임을 권고하고 있다. 단, 임신 1삼분기에서 단기적으로 약물에 노출되었을 때, 심각한 이상이 보고되지는 않아서, 만약 HER2 표적 치료를 시행하던 환자에서 우연히 임신을 알게 된다면, 즉각적으로 약물 투여를 중지하고 이에 대한 상담 및 지속적 관찰을 권유하고 있다.

2) 난소암

난소암은 대개 장년층 이상에서 발생하지만, 젊은 여성에서도 드물게 발생한다. 임신 중 난소의 종양은 약 0.2-2%에서 발견되는데, 대부분은 양성 종양이며, 이 중 약 1-6%에서 악성 종양인 난소암으로 알려져있다. 초음파가 대중화되면서, 임신 중 난소 종양의 발견율이 높아지고 있으나, 모든 경우에서 치료가 필요하지는 않으므로, 수술이 필요한 경우를 적절히 선택하는 것이 무엇보다 중요하다. 따라서 난소암이 의심되는 경우에는, 초음파뿐 아니라 MRI를 시행해볼 수 있다.

난소암의 원칙적인 수술은 전자궁절제, 양측난소난관절제, 복망절제, 임파절절제술 등이 이루어져야 한다. 그러나, 경계성 종양 혹은 선택적 초기암(Ia 병기 등) 및 일부 비상피성 난소암에서는 임신 중 일측 난소절제 등의 가임력 보존 수술을 고려할 수 있다. 그리고 임신이 종료되면, 병기 설정 수술을 다시 시도할 수 있다. 그 외의 I, II기의 조기 난소암에서는 수술 이후 보조적 항암화학요법을 고려할 수 있다. 만약 진행성 난소암이 의심된다면, 진단을 위해 초음파뿐 아니라 비교적 안전하면서도 암종 평가에 유용한 MRI를 고려할 수 있다. 진행성 난소암의 수술적 치료는 임신 중 불가능하므로, 임신 일분기라면 치료 목적의 유산을 고려해야만 하며, 임신 유지를 원한다면 태아성숙이 이루어질 때까지 선행적 항암화학요법을 먼저 시도해보고, 분만 후 종양감축술 등의 수술적 치료를 고려할 수도 있다.

비상피성 난소암(생식세포종양, 성기삭 간질 혼합 종양 등)의 많은 경우, 임신 중 I기에서 발견되며, 대개 수술적 치료만 시행한다. 필요한 경우, 역시 항암화학요법을 임신 1삼분기가 지난 이후 시도할 수 있다. 비상피성 난소암의 표준 항암화학요법은 BEP (bleomycin, etoposide, cisplatin) 용법인데, 약제와 태아 부작용의 관련성이 커보이지 않으나, 사용했던 일부 산모에서, 뇌실확장증(ventriculomegaly), 산모고혈압, 경증의 양수감소증 등의 보고가 있다. 대안으로, paclitaxel-carboplatin 용법이나, PVB (cisplatin, vinblastine, bleomycin) 용법을 시도할 수도 있다.

상피성 난소암 역시 임신 아닌 여성과 마찬가지로 paclitaxel-carboplatin 용법이 표준 항암화학요법이다. 임신 2, 3삼분기에 투여된 경우 자궁 내 성장 장애나, 조기양막파열 외 태아에 심각한 이상을 초래한 경우는 없었다. 최근 상피성 난소암의 표적치료제로 bevacizumab이 사용되고 있는데, 이는 이론적으로 태반을 넘어갈 수 있어, 현재까지 특별한 보고는 없지만 임신 중 사용을 금하고 있다.

3) 자궁경부암

임신 중 자궁경부암의 진단은 약 10,000건 당 1-10건 정도로 보고되고 있다. 만약 침윤성 암종이 의심된다면, 원추절제술이나 자궁목절제술(trachelectomy)을 먼저 고려해 볼 수 있다. 침윤성 자궁경부암에서는 진단적으로 임파절 절제술을 시행할 수 있으며, 임신 13-22주에서는 비교적 안전하며, 복강경 수술도 가능하다. 임신 주수가 올라갈수록, 임파절 절제 개수가 한정적일 수 있다.

임신을 더 이상 원하지 않는다면, 진행성 자궁경부암인 경우 임신 초기에서 광범위자궁절제술이나 방사선치료를 바로 시행할 수 있다. 반면 임신을 유지하기 원한다면, 임신 주수 및 병기에 따라 여러 가지 고려를 해야 한다. 임신 22-25주 전에 암이 진단된 경우, IA1 병기에서는 임신 12-20주에서 원추절제술만 시행해도 충분하나, 그 이상이 의심되면 임파절 절제술을 시행하여 임파절 전이 여부를 확인하는 것이 권고된다. 임파절 전이가 없고 IA2 혹은 크기가 작은 IB1 병기인 경우, 광범위 원추절제술이나, 단순 자궁목절제술을 시도할 수 있다. 임파절 전이가 없고 크기가 큰 IB1 병기인 경우, 태아 성숙이 이루어질 때까지 선행적 항암화학요법을 시행할 수 있다. 만약 영상에서 임파절 전이가 없을 것으로 예측된다면, 임파절 절제술을 생략하고 분만 후 수술 시 같이 시행할 수도 있다. 반면 IB2 이상의 병기인 경우라면, 선행적 항암화학요법만이 임신 중 시행할 수 있는 치료방법이다.

임신 22-25주 이후에 암이 진단된 경우라면, 임파절 절제를 할 수도 있으나 임파절 절제가 제한적이므로 영상적으로 판단하기도 하며, 크기가 작은 IB1 병기 이하인 경우 태아성숙을 기다려, 분만 후 치료를 권고하고 있다. 그리고 진행된 병기라면, 조기 분만이나 선행적 항암화학요법을 고려할 수 있다.

현재 임신 중 권고되는 항암화학요법은 paclitaxel-platinum (cisplatin 등) 용법이다. 주별 용법(weekly regimen)이나 단독 항암제 용법(single regimen) 등도 연구되었으나, 현재까지는 상기 복합용법이 가장 우월하고 태아 독성도 크지 않은 것으로 알려져 있다. 그 외, gemcitabine, vinorelbine, topotecan과 같은 약제는 임신 중 금할 것을 권고하고 있다.

4) 백혈병

임신 중 백혈병은 매우 드물어 약 75,000건의 임신 중 1건에서 발생하는 것으로 알려져 있다. 이중 20-40대에 많이 발생하는 급성골수아구성백혈병(AML)과 급성림프구성백혈병(ALL)이 임신 시에도 주로 발견되며 만성백혈병은 드물게 나타난다. 일반적으로 고형암과 달리 혈액암인 백혈병인 암세포들은 전신적으로 퍼질 수 있으므로, 태반이나 태아에게 퍼질 위험성이 존재하므로 주의해야 한다.

백혈병의 치료는 집중적인 항암화학요법으로, 임신 중의 백혈병에서도 임신 아닌 경우와 동일한 치료법을 적용하고 있다. 특히 급성백혈병의 경우 치료를 늦추면 예후가 매우 나쁘므로, 분만 직전에 진단된 경우만 아니라면 분만하기 전이라도 지체하지 않고 정량의 항암화학요법을 시행한다. 단, 임신 1삼분기의 경우 보고에서 대개 자연유산이 흔하여, 치료적 유산을 고려한다. 임신 2, 3삼분기에서 진단된 경우 항암화학요법을 시행한다. 일반적으로 시행하는 급성백혈병 용법은 임신 2삼분기에서 투약 시 조산이나 발달지연을 일으킬 위험이 있긴 하나, 장기적으로 소아, 청소년기에서 후유증을 일으킨다는 증거는 없다. 반면 만성백혈병의 경우, 대개 치료를 분만 후에 미루어 시행하게 된다. 최근 도입된 imatinib과 같은 표적치료의 경우 임신 중에도 비교적 안전한 것으로 알려져 있어, 주의를 기울이며 사용하는 것도 고려되고 있다.

그러나 임신 중 백혈병에서 무엇보다도 중요한 것은 여러 과의 통합적인 진료이다. 전신적 증상이나 태아로의 병의 이환 등이 가능하고, 전신적 치료가 시행되므로, 산모나 태아에 대해 충분한 추적 관찰이 이루어져야 하며 필요시 적극적인 대증요법을 시행해야 한다.

5) 그 외 암종

갑상선암 중 유두모양샘암종(papillary adenocarcinoma)의 경우, 30-35세에서 가장 많이 발생하여, 종종 임신 중에도 발견된다. 필요시 방사성요오드(radioactive iodine) 치료를 해야 하나, 임신 중 금기이므로, 보통 임신 중 갑상선암이 진단되면, 수술적 절제만 시행하고 방사성 요오드 치료는 분만 후 시행하게 된다.

흑색종은 피부암으로 서양인에서 흔하지만, 한국인에서는 드문 암으로, 임신 중 발견 시 수술적 치료를 우선한다. 흑색종 치료에 interferon을 시도할 수 있는데, interferon-α의 경우 특별한 부작용이 보고되지 않아, 표적 치료제 중 임신 시 사용할 수 있는 약제이다.

그 외, 대장암, 폐암, 육종, 뇌종양, 두경부암 등에서 임신 중 항암화학요법을 사용한 보고들이 있다. 대체로 임신 2삼분기 혹은 20주 이후인 경우에는, 태아에게 심각한 손상이 드물어 주의를 기울여 항암화학요법을 시도할 수 있을 것으로 보인다.

4 결론

임신 중 암이 진단되는 경우는 드물지만, 진단과 치료가 산모 및 태아에 영향을 끼칠 수 있고 매우 복합적이므로, 각과 종양 전문의 및 산부인과, 소아과 전문의, 진단과 지지요법에 필요한 여러 의료진이 환자 및 보호자와 유기적으로 진단, 상담, 치료 및 추후 관리를 시행할 수 있도록 해야 한다. 특히 암이 진단되었을 때, 이에 대해 의료진이 적절히 환자와 가족에게 상담하여 치료가 늦어지지 않고, 적절히 이루어질 수 있도록 하는 것이 무엇보다 중요하다. 특히 우리나라의 사회문화적 특성상, 산모의 희생이나 약제 사용에 대해 꺼리는 경우가 아직 만연되어 있어 치료에 대한 충분한 상담이 필요하다. 여러 항암제와 달리, 방사선요법이나 방사성요오드요법은 가능한 임신 중 피하는 것이 바람직하다. 또한 최근 표적 치료제가 많이 개발되어 여러 암종에서 사용되고 있는데, 일반적인 항암화학요법과 달리 소수의 표적 치료제를 제외하고는 아직 임신 중에는 안전성이 확립되지 않아 사용을 금하고 있다. 반면, 임신 1삼분기가 지난 경우에서, 수술이나 항암화학요법은 적절히 적용할 경우, 비교적 산모와 태아에게 심각한 부작용을 초래하지 않으므로, 암에 대한 치료가 적극적으로 시행되어야 한다. 물론, 어떠한 부작용도 없는 것은 아니므로, 여러 과의 협진을 통해 산모와 태아, 나아가 신생아 진료 및 관리가 유기적으로 이루어지도록 해야 한다.

▶ 참고문헌

1. Amant F, Halaska MJ, Fumagalli M, et al. Gynecologic cancers in pregnancy: guidelines of a second international consensus meeting. International journal of gynecological cancer: official journal of the International Gynecological Cancer Society 2014;24:394-403.

2. Amant F, von Minckwitz G, Han SN, et al. Prognosis of women with primary breast cancer diagnosed during pregnancy: results from an international collaborative study. Journal of clinical oncology: official journal of the American Society of Clinical Oncology 2013;31:2532-9.

3. Ault P, Kantarjian H, O'Brien S, et al. Pregnancy among patients with chronic myeloid leukemia treated with imatinib. Journal of clinical oncology: official journal of the American Society of Clinical Oncology 2006;24:1204-8.

4. Azim HA, Jr., Peccatori FA, Pavlidis N. Treatment of the pregnant mother with cancer: a systematic review on the use of cytotoxic, endocrine, targeted agents and immunotherapy during pregnancy. Part I: Solid tumors. Cancer treatment reviews 2010;36:101-9.

5. Coates AS, Winer EP, Goldhirsch A, et al. -Tailoring therapies-improving the management of early breast cancer: St Gallen International Expert Consensus on the Primary Therapy of Early Breast Cancer 2015. Annals of oncology: official journal of the European Society for Medical Oncology / ESMO 2015;26:1533-46.

6. de Haan J, Verheecke M, Amant F. Management of ovarian cysts and cancer in pregnancy. Facts, views & vision in ObGyn 2015;7:25-31.

7. Fey MF, Greil R, Jost LM. ESMO Minimum Clinical Recommendations for the diagnosis, treatment and follow-up of acute myeloblastic leukemia (AML) in adult patients. Annals of oncology: official journal of the European Society for Medical Oncology / ESMO 2005;16 Suppl 1:i48-9.

8. Kanal E, Barkovich AJ, Bell C, et al. ACR guidance document for safe MR practices: 2007. AJR American journal of roentgenology 2007;188:1447-74.

9. Koren G, Florescu A, Costei AM, et al. Nonsteroidal antiinflammatory drugs during third trimester and the risk of premature closure of the ductus arteriosus: a meta-analysis. The Annals of pharmacotherapy 2006;40:824-9.

10. Lambertini M, Peccatori FA, Azim HA, Jr. Targeted agents for cancer treatment during pregnancy. Cancer treatment reviews 2015;41:301-9.

11. Loibl S, von Minckwitz G, Gwyn K, et al. Breast carcinoma during pregnancy. International recommendations from an expert meeting. Cancer 2006;106:237-46.

12. Mazze RI, Kallen B. Reproductive outcome after anesthesia and operation during pregnancy: a registry study of 5405 cases. American journal of obstetrics and gynecology 1989;161:1178-85.

13. Motegi M, Takakura S, Takano H, et al. Adjuvant chemotherapy in a pregnant woman with endodermal sinus tumor of the ovary. Obstetrics and gynecology 2007;109:537-40.

14. Pentheroudakis G, Pavlidis N. Cancer and pregnancy: poena magna, not anymore. Eur J Cancer 2006;42:126-40.

15. Salani R, Billingsley CC, Crafton SM. Cancer and pregnancy: an overview for obstetricians and gynecologists. American journal of obstetrics and gynecology 2014;211:7-14.

16. Samarasinghe A, Shafi MI. Cancer in pregnancy. Obstetrics, Gynaecology & Reproductive Medicine 2014;24:333-9.

17. Zagouri F, Sergentanis TN, Chrysikos D, et al. Taxanes for ovarian cancer during pregnancy: a systematic review. Oncology 2012;83:234-8.

임신부에서 면역억제제 사용

한정열

임상증례

베쳇질환으로 면역억제제제인 azathioprine을 복용 중인데 건강한 아이를 출산할 수 있나요?

1 서론

면역억제 약물은 염증성면역질환과 장기이식 환자의 대부분에서 사용되고 있다. 미국의 경우 연간 4백 5십만 명의 환자들이 염증성면역질환을 앓고 있다. 여기에는 류마티스관절염(rheumatoid arthritis), 전신성홍반성낭창(systemic lupus erythematosis), 건선성관절염(psoriatic arthritis), 염증성장질환(inflammatory disease)으로 크론병(Crohn's disease)과 궤양성대장염(ulcerative colitis) 등이 포함된다. 이들 중 상당수는 가임 여성들이다. 또한, 미국에서 2011년 한 해 동안 장기이식을 받았던 환자가 2만 5천 명을 넘고 있다. 장기이식을 받은 환자 중 3,500명 이상이 18~49세의 가임 여성이고, 추가로 700명 이상이 17세 미만의 여성으로 나중에 임신을 해야 하는 경우이다.

면역질환이 있는 임신부가 면역억제제제를 사용하는 경우 가장 문제가 되는 것은 임신부가 가지고 있는 질병 자체에 의한 임신부 및 태아에 미치는 영향과 사용하는 약물의 기형유발성 등이라 할 수 있다. 또한, 장기이식 환자의 경우에도 모체의 합병증으로 임신중독증, 당뇨병 등의 발생률이 증가하고, 임신 결과로서 자연유산, 조산, 저체중아 등의 발생률이 증가하는 것으로 보고되고 있어서 이에 대한 적절한 관리가 매우 중요하다.

표 3-11-1. National transplantation pregnancy registry maternal and neonatal outcome data according to transplanted organ type

	Kindney (%)	Liver (%)	Kindney/Pancreas (%)	Heart (%)	Lung (%)
Maternal Complications					
Hypertension	53–64	17–40	41–95	28–51	52
Preeclampsia	30–32	20–24	22–32	10–25	5
Diabetes	5–12	2–13	0–5	0–4	26

(계속)

표 3-11-1. National transplantation pregnancy registry maternal and neonatal outcome data according to transplanted organ type

	Kindney (%)	Liver (%)	Kindney/Pancreas (%)	Heart (%)	Lung (%)
Rejection	1–2	2–11	0–14	3–21	16
Graft loss within 2 y	6–9	2–8	10–17	0–4	14
Pregnancy Outcomes					
Spontaneous abortion	12–25	15–20	8–31	19–44	27
Live birth	71–77	72–82	64–79	48–70	58
Prematurity (《 37 wk)	52–53	30–48	65–84	8–54	63
Mean gestational age (wk)	35.3–35.9	36–37.3	33.7–34.8	36.1–37.8	33.9
Cesarean delivery	43–57	29–45	61–69	30–57	32

Range of incidance due to subset analysis for different immunosuppressants.
Data from Arrnenti VT et al.

따라서 면역억제제를 사용하는 동안 임신을 원하는 여성들의 경우 질병 자체에 의한 모체와 태아의 합병증을 줄이고 안전한 약물 사용에 의한 기형유발을 줄이기 위한 계획임신이 절대적으로 필요하며 적절한 시기에 임신할 수 있도록 효과적인 피임을 하는 것이 매우 중요하다.

2 본론

1) 면역억제제와 기형유발성

면역억제제는 염증성면역질환과 장기이식 환자에서 광범위하게 사용되고 있지만, 임신부 및 예비임신부에게 사용하면 태아 기형 및 부정적 영향을 일으킬 뿐만 아니라 신생아 면역을 억제시킴으로써 감염을 증가시킬 수 있다. 또한, 일부 약물은 정자에 영향을 줄 수 있다. 임신과 관련하여 면역억제제는 신중하게 선택하고 사용하여야 한다.

(1) 임신 중 사용 금지 면역억제제

태아 기형을 유발할 수 있어서 임신 중 사용이 금지되는 면역억제제로는 methotrexate, mycophenolate, leflunomide와 teriflunomide, cyclophosphamide, mitoxantrone, thalidomide가 포함된다. 이들 약물은 중추신경계기형뿐만 아니라 유산, 태아성장지연 등을 유발할 수 있다. 따라서 임신 중 사용이 금지되어 임신 전 대체 약물로 바꿀 필요가 있으며 임신 전 상당 시간 중단할 필요가 있다(표 3-11-2).

(2) 임신 중 사용 시 주의가 필요한 면역억제제

임신 중 사용 시 기형 발생에 대한 증거가 분명하지 않지만 안전하다는 증거가 불충분하여 사용 시 주의가 필요한 면역억제제로는 etanercept, infliximab, adalimumab, certoli-zumab, golimumab, sirolimus, everolimus, temsirolimus이다. 이들 중 TNF 억제제를 임신 말기에 사용하는 경우 출생한 아이들은 6개월까지 immunocompromised되어 생백신 사용을 6개월 이상 연기할 필요가 있다(표 3-11-3).

(3) 임신 중 사용 시 태아 위험이 낮은 면역억제제

임신 중 사용 시 태아 위험이 낮은 면역억제제로는 glucocorticoids, sulfasalazine, me-salazine, azathioprine, beta interferon, glatiramer acetate, chloroquine, cyclosporine, tacrolimus가 포함된다. 하지만 glucocorticoids의 경우 고용량 사용 시 oral cleft 발생, 저체중증, 조산, 임신중독증, 당뇨병 발생의 증가와 관련될 수 있다. 또한, azathioprine의 경우 기형 발생의 증거는 없지만, 정자형성에서 염색체 이상과 관련될 수 있어서 임신 3개월 전 중단이 요구되며 정자의 냉동 보관이 권장된다(표 3-11-4).

(4) 최근에 사용되어 안전성에 대한 연구가 거의 없는 면역억제제

최근에 시판되고 사용되어 태아에 미치는 영향이 잘 알려지지 않은 면역억제제로는 To-cilizumab, rituximab, abatacept, anakinra, natalizumab 등이 있다. 이들 약물에 노출된 후 임신 결과가 보고된 예가 거의 없고, 가임 여성과 남성에서 사용 시 장기적 부작용에 대하여 잘 알려져 있지 않아서 임신을 원하는 경우는 사용하지 않도록 해야 한다.

이들 약물을 사용한 환자들에서 임신을 원하는 경우 이들 약물의 반감기가 길어서 3개월 전에 중단해야 한다(표 3-11-5).

표 3-11-2. Contraindicated immunosuppressive drugs in pregnancy

Immunosup-pressants	MOA	PK	Teratogenesis	Pregnancy & neonatal outcomes	Management
Methotrexate	Antimetabolite & antifolate	반감기: 3~10 hours (lower doses), 8~15 hours (higher doses)	CNS, Skull, limbs etc. Teratogenic without dose effect, between 6 & 8 weeks	Miscarriage 40%	적어도 임신 3개월 전 중단
Mycophenolate	Purine synthe-sis inhibitor	반감기: 17.9 ±6.5 hours 상당량 태반 통과	Multiple craniofacial anomaly	Miscarriage 32~45%	임신 전 다른 약물로 교체
Leflunomide & Teriflunomide	Inhibitor of de novo synthesis of pyrimidine	반감기: 14~18days 약물의 total elimination: 8~25개월	Animal: head malfor-mations (microcephaly, hydrocephaly) Human: no studies	Congenital blindness: 1case	적어도 임신 3.5개월 전 중단 남성에서 치료 전 정자 냉동보관 권고

(계속)

표 3-11-2. Contraindicated immunosuppressive drugs in pregnancy

Immunosuppressants	MOA	PK	Teratogenesis	Pregnancy & neonatal outcomes	Management
Cyclophosphamide	Cytotoxic alkylating agent	반감기: 3~12 hours	Teratogenic without dose effect, early exposure: limbs, dysmorphia, craniostenosis, hydro-or microcephaly	IUGR	유방암 치료를 위해 꼭 사용한다면 임신 1기 이후 가능 임신 전 1개월 이상 중단
Mitoxantrone	anthracenedione antineoplastic agent	반감기: 75hours	Animal/Human: teatogenic		임신 6개월 전 중단 남성에서 치료 전 정자 냉동보관 권고 치료 중단 후 3~5개월 후 정자 회복
Thalidomide	Immunomodulatroy agent	반감기: 5~7.5 hours	Fetal malformations (20-50%): limb reduction defects, facial hemangiomata, esophageal and duodenal atresia, tetralogy of Fallot, renal agenesis, anomalies of the ear		

표 3-11-3. Immunosuppressive drugs to be used with caution in pregnancy if needed

Immunosuppressants	MOA	PK	Teratogenesis	Pregnancy & neonatal outcomes	Management
Etanercept	TNF inhibitors	반감기: 70~132 hours	Non-teratogenic in animals and in 50 pregnancies	감염 증가: 결핵 등	기형발생위험보고는 없지만, etanercept는 3주 동안 피임 권고 Anti-TNF antibodies: 3개월 동안 피임 권고 만약 치료 필요 시 임신 3기 이후 가능 출생 시 아기는 immunocompromised되며 6개월까지 지속됨. 생백신은 연기 필요
Infliximab Adalimumab Certolizumab Golimumab	Anti-TNF antibodies	10~20days 태반 통과			
Sirolimus Everolimus Temsirolimus	mTOR (mammalian target of rapamycin) inhibitors	반감기: 57~63 hours ~30 hours 17.3 hours	Animal: embryo-and fetotoxic	Sirolimus: 3 miscarried 3 babies without birth defects Everolimus: 3 cases reports: normal outcome Temsirolimus: none	임신 전 12주 피임 권고 임신 중 사용: 안전 성자료 불충분

표 3-11-4. Immunosuppressive drugs of a low risk of deleterious effects in pregnancy

Immunosuppressants	MOA	PK	Teratogenesis	Pregnancy & neonatal outcomes	Management
Glucocorticoids	Anti-inflammatory	Duration of action(t1/2) 8~54 hours	Animal & Human : Oral cleft	Low birth weight prematurity Preeclampsia, diabetes Fetal programming: Predispose to unfavorable adult metabolic profile	
Sulfasalazine Mesalazine	Anti-inflammatory	반감기: 5~10 hours	Non teratogenic	Prematurity	Folate 처방
Azathioprine (Prodrug of 6mercaptopurine	Anti-metabolite	반감기: 20~60 minutes	Animal: teratogenic Human: non teratogenic Male: mutagenic	Prematurity	남성: 임신 3개월 전 중단 정자 냉동 보관 권고
Beta Interferon	Help regulate the activity of the immune system	No cross placenta	Non teratogenic	Low birth weight Higher miscarriage	임신 시 중단 필요 하지 않음
Glatiramer acetate	Immunomodulator	No cross placenta	Non teratogenic		임신 시 중단 필요 하지 않음
Chloroquine	mildly suppresses the immune system, anti-malaria	반감기: 1~2months	Teratogenic risk: unlikely	No deleterious effects on pregnancy	임신 중 사용 가능
Ciclosporine Tacrolimus	Calcineurin inhibitor	반감기: 11~24 hours	Non teratogenic	Increase CMV infection risk Premature IUGR	임신 중 사용 가능 (cyclosporine 경험 더 많음)

표 3-11-5. Immunosuppressive drugs with limited experience

Immunosup-pressants	MOA	PK	Teratogenesis	Pregnancy & neonatal outcomes	Management
Tocilizumab	Anti-IL-6 monoclonal Ab	반감기: 8~14days	Animal: not expected to teratogenicity	10 healthy infants	Neonatal immu-nosuppression in 3rd trimes-ter exposure of pregnancy: 신생아 6개월까지 생백신 금지 3개월 피임 권고
Rituximab	Ant-CD20 monoclonal Ab, B lymphocyte inhibitor	300~400 hours Very limited transpla-cental crossing	Teratogenicity: Unlikely Pregnancy Exposure registry: not suggest an increase in adverse outcome	Prematurity	3개월 피임 권고
Abatacept	Anti-CD28 Ab, Anti-T lym-phocyte	13.1days	Animal: non teratogenic 8.1% of live births had congenital anoma-lies including cleft lip/cleft palate, heart or arterial malformations, meningocele, and skull malformations		3개월 피임 권고
Anakinra	Anti-IL-1 re-ceptor	4-6 hours Very lim-ited trans-placental crossing	Little teratogenicity		Neonatal immu-nosuppression in 3rd trimes-ter exposure of pregnancy: 신생아 6개월까지 생백신 금지 3개월 피임
Natalizumab	Humanized monoclonal antibody	About 11days	No teratogenic effects		남성의 경우 임신 2개월 전 중단
Daclizumab	Monoclonal antibody	20days	No published animal and human data		중단 후 12개월 내 피임

3 임신 계획(Preconception care)

면역억제제를 사용하는 여성에서 임신은 반드시 계획되어야 한다. 질병이 급성기일 때는 임신을 피하는 것이 좋다. 장기이식의 경우 임신을 하기 위해서는 적어도 1년은 기다려야 한다. 이식된 장기가 안정되어야 면역억제제 사용량을 줄일 수 있다.

AST (American Society of Transplantation)에 의하면 장기이식 받은 여성에서 임신이 가능한 상태를 다음과 같이 추천하고 있다.

- 1년 이내에 장기 거부 없음
- 안정된 이식 장기의 기능(신장, 크레아티닌 < 1.5 mg/dl, 단백뇨 < 500 mg/24h)
- 태아 성장과 태아 안녕에 영향을 미치는 감염이 없음.
- 안정된 용량에 의해 면역억제상태 유지

대부분의 면역억제제는 태반을 통과하여 태아 기형 발생 위험을 가질 수 있다. 하지만 일부 약물은 기형 발생 위험이 낮아 임신 중 사용이 가능한 것으로 알려져 있다. 이들에는 azathioprine, corticosteroids, anticalcineurins, beta interferon, glatiramer acetate, chloroquine이 포함된다. 최근에 나온 면역억제제는 안전성에 관한 자료가 부족하지만, 만약 필요하다면 임신 중 사용 가능한 약물에는 anti-TNF alpha, mTOR inhibitors가 있다. 한편, 일부 약물은 임신 중 금기이다. 여기에는 methotrexate, mycophenolate, le-and teri-flunomide, cyclophosphamide, mitoxantrone이 포함된다.

임신 전 면역억제제 사용을 중단해야 하는 시기는 약물마다 다양하며 이는 약물이 체내에서 제거되는 시간으로 5배의 반감기가 요구된다. mTOR inhibitors는 12주, le-and teri-flunomide는 4주~2년, methotrexate는 남성과 여성에서 12주, cyclophosphamide는 1개월(one ovulation cycle), mycophenolate는 6주이다.

장기이식 후 예상되는 장점의 하나는 수정능력의 회복이다. 결과적으로 계획되지 않은 임신의 위험이 있다. 장기 이식 후 1개월 정도에도 배란주기가 시작될 수 있다. 따라서 장기 이식 전에 산부인과 의사들은 계획되지 않은 임신이 발생하지 않도록 피임방법에 관한 정보를 제공해야 한다.

환자에게 맞는 피임을 위해 고려되어야 하는 것들로는 다음과 같다.

- 이식된 장기의 종류
- 피임 시 에스트로겐의 수준
- 면역억제제와 피임약과 상호작용
- 환자의 기저 질환

예를 들면 경구용 복합제(에스트로겐 + 프로게스틴)는 심장이식환자나 활성기의 간질환이 있는 여성에서는 금기이다. 또한, 경구용 복합제는 고혈압, 35세 이상 고령, 흡연자에게는 상대적 금기이다. 이들 경구용 복합제는 일부 면역억제제(corticosteroids, cyclosporine, tacrolimus, sirolimus)의 혈중 수준을 높인다.

장기이식 환자에서 가장 추천되는 피임방법은 IUD (intrauterine device)이다. IUD는 약물상호작용을 무시할만하고 피임 효율성이 높고 가역적이며 환자에게 미치는 위험이 낮다. 최근 연구에 의하면 Immunocompromised 환자에게 IUD 사용은 안전하다고 보고된 바 있다.

표 3-11-6. Management prior to starting immunosuppressive treatment

1. 면역억제제 치료가 향후 임신에 미칠 영향에 관해 환자에게 정보 제공하라.

2. 임신이 아닌 것을 확인하라.

3. 수정 보존 센터(fertility preservation center)에 보내라(만약 cyclophosphamide를 사용해야 하는 경우).

4. 만약 치료 약물이 기형유발성이 있거나 임신이 기저 질환 때문에 위험한 상태인 경우라면 이미 난소가 기능을 잘 할 수 없는 경우라도 효과적으로 피임하라. Glucocorticoids, calcineurins, mTOR inhibitors는 대사 효과들 때문에 에스트로겐-프로게스틴 복합 피임약보다는 프로게스틴만 있는 피임약이 필요하다.

5. 면역억제제에 의해서 악화될 수 있는 부인과적 암을 스크린하기 위한 cervical-vaginal smear나 mammography를 시행하라.

표 3-11-7. Pre-conception management of a parent treated with immunosuppressive agent

1. 임신 전에 면역억제제의 중단/바꿈을 위해 상담하라.

2. 부부의 임신 전 상담: 만약 임신 가능성이 있다면 모체-태아의 위험을 최소화하기 위해 가능한 전략을 가져야 한다. 여기에는 안정된 질환, 다학제적 관리, 치료 중단의 가능한 기간, 면역억제제의 스위치, 장기 거부의 위험, 기저 질환의 재발, 장기부전을 유발하는 유전질환의 전달 위험 Wilson's disease, polycystic kidney disease 등이 포함된다.

3. 임신은 계획될 필요가 있다. 만약 약물의 반감기에 맞게 임신 전 기간이 필요하다면 치료가 조정되어야 한다.

4. 만약 면역억제제를 사용하는 동안 갑자기 임신이 되는 경우, 환자를 안심시키고 알려진 태아기형발생을 검사하기 위해 태아초음파를 시행하라. 치료를 중단하거나 더 안전한 약물로 바꾸어라.

5. 사용 가능한 면역억제제로 치료하며 임신 계획 중 면역억제제의 용량 과다나 용량 부족을 피하기 위해 면밀히 모니터해야 한다. 부적절한 용량은 질환 관리 또는 이식 장기의 기능에 문제를 일으킬 수 있다. 임신 중에는 약물의 흡수와 대사에 변화가 생길 수 있다.

4 맺음말

면역억제 약물은 염증성면역질환과 장기이식 환자의 대부분에서 사용되고 있다. 이들 중 상당수는 가임 여성이다. 면역억제제를 사용할 때 임신을 원하는 경우 반드시 계획임신을 하여야 한다. 기저 질환이 임신부나 태아에 영향을 미칠 수 있고, 임신 중 적절한 용량의 치료를 위해 약물의 모니터가 필요하다. 용량이 적절하지 않다면 기저 질환이 재발하거나 장기이식 환자에서는 장기 거부가 일어날 수 있다. 일부 면역억제제인 methotrexate, cyclophosphamide, mycophenolate 등은 기형을 유발할 수 있으므로 피하고 보다 안전한 약물인 glucocorticoid, azathioprine 등으로 스위치 하여야 한다. 임신을 계획하고 있지 않다면 적절한 피임이 필요하다. 에스트로겐-프로게스틴 복합경구용 피임약보다는 프로게스틴만 있는 피임약이 추천된다.

임상증례 답

베쳇질환으로 면역억제제제인 azathioprine을 복용 중이어도 건강한 아이를 출산할 수 있습니다. Azathioprine은 태반을 통과하지만 태아의 간에는 이 약물의 대사효소가 결핍되어 있으므로 활성기 대사물질로 변환될 수 없어서 태아 기형을 유발하지 않습니다.

▶ **참고문헌**

1. Bahamondes MV, Hidalgo MM, Bahamondes L, et al. Ease of insertion and clinical performance of the levonorgestrel-releasing intrauterine system in nulligravidas. Contraception 2011;84(5):e11-6.

2. Deshpande NA, Coscia LA, Gomez-Lobo V, et al. Pregnancy after solid organ transplantation: a guide for obstetric management. Rev Obstet Gynecol 2013;6(3-4):116-25.

3. Deshpande NA, James NT, Kucirka LM, et al. Pregnancy outcomes in kidney transplant recipients: a systematic review and meta-analysis. Am J Transplant 2011;11(11):2388-404.

4. Deshpande NA, James NT, Kucirka LM, et al. Pregnancy outcomes of liver transplant recipients: a systematic review and meta-analysis. Liver Transpl 2012;18(6):621-9.

5. Farber M. Pregnancy and renal transplantation. Clin Obstet Gynecol 1978;21(3):931-5.

6. Kim SC, Hernandez-Diaz S. Editorial: Safety of immunosuppressive drugs in pregnant women with systemic inflammatory diseases. Arthritis Rheumatol 2014;66(2):246–9.

7. Leroy C, Rigot JM, Leroy M, et al. Immunosuppressive drugs and fertility. Orphanet J Rare Dis 2015;10:136.

8. McKay DB, Josephson MA, Armenti VT, et al. Reproduction and transplantation: report on the AST Consensus Conference on Reproductive Issues and Transplantation. Am J Transplant 2005;5(7):1592-9.

9. McKay DB, Josephson MA. Pregnancy in recipients of solid organ--effects on mother and child. N Engl J Med 2006;354(12):1281-93.

10. Organ Procurement and Transplantation Network (OPTN) and Scientific Registry of Transplant Recipients (SRTR). OPTN&SRTR 2011 Annual Data Report. Rockville, MD: U.S. Department of Health and Human Services. 2011. [Accessed January 2, 2014] Available from: http://srtr.transplant.hrsa. gov/annual_reports/2011/pdf/2011_SRTR_ADR.pdf.

11. Ortiz ME, Croxatto HB. Copper-T intrauterine device and levonorgestrel intrauterine system: biological bases of their mechanism of action. Contraception 2007;75(6 Suppl):S16-30.

임신부에서 조기진통억제제의 안정성

◦ 이승미 · 박찬욱

임상증례 1

　33세 초산부가 임신 27주에 규칙적인 자궁 수축을 주소로 병원을 내원하였다. 신체 검진에서 자궁 경부는 90% 숙화 및 2 cm 개대되어 있었고, 전자태아심음감시 결과 2분 간격의 규칙적인 자궁 수축이 확인되었다. 이 산모에게 스테로이드 및 자궁수축억제제로 리토드린을 투여하려고 하였는데, 환자가 리토드린이 태아에게 안전한지 물었다. 어떻게 조언할 것인가?

　조산은 임신 37주 이전의 분만으로 정의되는데, 다음과 같은 원인에 의해 발생한다.[1]

　40-45%: 조기진통

　30-35%: 조기양막파수

　30-35%: 모체-태아 적응증

　즉 약 70-80% 정도의 조산이 조기진통 및 조기양막파수로 인한 자연 조산인데, 이런 조기 진통이나 조기양막파수 등의 자연 조산의 과정이 시작된 후 진통의 진행을 늦추거나 조산아에서 예후를 향상시키는 방법에는 조기진통억제제의 사용, 산전 스테로이드 및 항생제의 사용 등이 있다.

　조기진통억제제는 조기진통에서 임신을 계속 연장시킬 수 있는지에 대해서는 의문이 있지만 일부 여성에서 48시간 이내 분만의 위험을 줄여주는 효과가 있는 것으로 여겨지고 있기 때문에 단기간의 임신의 연장이 도움이 될 것이라고 판단되는 산모에서 사용이 가능하다.[2] 이런 단기간의 임신의 연장은 상급병원으로의 산모 이송, 태아 폐 성숙을 위한 스테로이드의 투여, 태아 뇌 보호를 위한 황산마그네슘의 투여를 가능하게 해 준다.

　조기진통억제제에는 베타 아드레날린성 작용제, 황산마그네슘, 옥시토신 길항제, 칼슘통로차단제, 프로스타글란딘 억제제 등이 있다. 여러 근거들을 바탕으로 미국 산부인과 학회에서는 일차 조기진통억제제로 베타 아드레날린성 작용제, 칼슘통로차단제, 프로스타글란딘 억제제를 권고하고 있고,[2] 영국 NICE 가이드라인에서는 칼슘통로차단제인 니페디핀을 허가 외 사용이긴 하지만 일차 자궁수축억제제로 권고하고 이차 약제로 옥시토신 길항제를 권고하고 있어[36] 아직 조기진통 억제제의 적정 사용에 대해서는 일관된 결론이 나지 않은 상태이다.

본 18장에서는 조기진통억제제가 임산부와 태아에 미치는 영향에 대해 기술하였다.

1 베타 아드레날린성 작용제(β-adrenergic receptor agonist)

1) 작용 기전 및 효능

베타 아드레날린성 작용제는 베타 아드레날린성 수용체에 작용하여 세포 내 칼슘 농도를 낮추고 자궁근육의 활성화를 억제시키게 된다. 리토드린(ritodrine) 및 터부탈린(terbutaline)이 가장 널리 사용되는데, 현재 국내에서는 리토드린이 사용 가능한 약제이다.

리토드린은 정맥 내 또는 근육 주사제와 경구제제가 있는데 기존의 연구 및 메타분석에 의하면 자궁수축억제제로서의 효능은 다음과 같다.

(1) 베타 아드레날린성 작용제는 위약에 비해 조기진통 산모에서 48시간 및 일주일 이내의 조산을 유의하게 감소시켰다.[3]

(2) 경구 베타 아드레날린성 작용제는 급성 조기진통억제제 사용 이후 유지 용법으로 사용하는 경우(maintenance therapy) 위약에 비해 효과가 없었다.[4]

2) 임산부에 미치는 영향

베타 아드레날린성 작용제는 임산부에서 흉통, 호흡곤란, 두근거림(palpitation), 진전(tremor), 두통, 저칼륨혈증, 고혈당, 오심 및 구토, 코막힘(nasal stuffiness) 등의 부작용이 발생 가능하다.[3, 5] 고인슐린혈증으로 인해 분만 후 심한 저혈당 사례도 보고된 바 있으며,[6] 가장 심각한 부작용은 폐부종이며 이로 인한 모체의 사망도 가능하다.[7] 이런 부작용의 발생으로 인한 약품 사용의 중단이 위약에 비해 유의하게 높으며[3] 심한 부작용이 생겼을 때는 약제의 사용을 중단하거나 다른 자궁수축억제제로 변경해야 한다.

3) 태아에 미치는 영향

베타 아드레날린성 작용제는 태반을 통과하며, 태아 제대혈 내 농도는 임산부의 혈중 농도의 27-117% 정도로 보고되고 있다.[8, 9] 태아로 전달된 리토드린은 태아의 빈맥을 일으킬 수 있으며 분만 후 저혈당 및 고인슐린혈증의 원인이 된다. 분만 후 신생아의 부정맥 발생이 보고된 바 있으나 매우 드물게 발생하는 것으로 생각된다.[10] 출생 후 2-9년 후 아이의 성장, 이환율, 발달 등을 비교한 연구에 의하면 리토드린 사용 군에서 이런 성장 및 발달의 이상은 확인되지 않았다.[11, 12]

2013년 11월에 국내 식약처는 유럽의약품청(EMA)의 '속효성베타효능제'의 조기진통 억제 등 산과 적응증 사용제한 권고에 대한 발표를 기반으로 안전성 속보를 배부한 바 있다. 유럽의약품청에 의하면 조기진통 억제 등 산과 적응증에 사용 시 임산부 및 태아에 심각한 심혈관계 부작용 발생 평가결과에 따라 경구제의 경우 더 이상 산과 적응증에 사용되지 않아야 하며, 주사제의 경우 임신 22–37주 사이에 최대 48시간 동안 조기진통 억제에만 사용을 권고하고 있다. 이를 바탕으로 국내 식약처는 리토드린 주사제의 경우 임신 22주에서 37주 사이의 임부의 분만억제로 제한하여 허가사항을 변경조치 하였고,[13] 경구제 허가품목에 대해서는 판매 중지 및 회수 지시를 하였다.

미국에서는 리토드린이 조기진통억제제로서 FDA의 사용 허가를 받았음에도 불구하고 자궁 수축억제제로서의 효능이 명확하지 않고 임산부의 부작용에 대한 우려 때문에 2003년에 자발적으로 판매 중단되었다.[14] 터부탈린은 조기진통억제제로서 FDA의 사용 허가를 받지 못한데다가 2012년 미국 FDA에서는 임산부의 심혈관계 합병증에 대한 위험 때문에 허가외 적응증으로 조기진통억제제로서 터부탈린의 사용의 위험성에 대해 경고한 바 있다.[15]

2 황산마그네슘(Magnesium sulfate)

1) 작용 기전 및 효능

황산마그네슘은 산과 영역에서 다양한 적응증으로 사용되고 있다. 미국산부인과학회에서는 다음과 같이 황산마그네슘 사용의 적응증을 정리하고 있다.[16]

　　(1) 전자간증/자간증 산모에서 경련의 예방 및 치료

　　(2) 32주 이전의 이른 조산이 예견되는 경우 태아의 뇌 보호

　　(3) 24–34주의 조산이 예견 되는 경우 산전 스테로이드 투약을 위한 임신의 연장

황산마그네슘은 48시간 이내 분만의 위험도를 낮추지만, 칼슘통로 차단제 및 프로스타글란딘 억제제 등의 다른 자궁 수축억제제와 비교하였을 때 더 좋은 효과가 입증되진 못하였다.[17] 심지어 어떤 연구들에서는 위약에 비해서도 황산마그네슘이 더 우월한 효과를 보이지 못하였다.[18, 19] 게다가 임산부의 부작용도 더 높은 것으로 보고되고 있기 때문에 현재 자궁 수축억제제의 선택에서 1차 약제로 널리 사용되고 있지는 않으며, 미국의 Parkland 병원에서는 자궁수축억제제로 황산마그네슘을 사용하고 있지 않다.[20, 21]

황산마그네슘에 대해서는 다음 제19장에 자세히 기술될 예정이며, 간략히 임산부와 태아에 대한 영향을 기술하면 다음과 같다.

2) 임산부에 대한 영향

황산마그네슘의 사용은 임산부에게 화끈거림, 오심 및 구토, 근력 약화, 건반사 약화, 호흡 곤란, 구갈, 투통, 저혈압, 어지러움 등 부작용을 야기할 수 있고 이 때문에 황산마그네슘 투여를 중단해야 하는 경우가 종종 있으나, 굉장히 심각한 모체 부작용은 드문 편이다.[22, 23] 하지만, 자궁수축억제제제로서 효과를 가지려면 혈중 농도가 8-10 meq/L 가 되어야 하는데, 혈중 농도가 10 meq/L 가 되면 슬개반사(patella reflex)가 사라지고 혈중 농도가 12 meq/L 가 되면 호흡 마비가 올 수 있는 것을 감안하였을 때 항상 주의해서 사용해야 할 것이다.[24]

3) 태아에 대한 영향

황산마그네슘은 조산아에서 사용 시 뇌성마비의 발생률을 줄이는 뇌 보호 효과가 있는 것으로 보고되고 있다. 이에 대해서는 다음 제 19장에 자세히 기술될 예정이다.

최근, 황산마그네슘의 사용이 태아의 뼈 대사에 악영향을 미칠 수 있다는 우려가 대두되고 있다. 이는 황산마그네슘을 장기간 사용한 산모에서 태어난 신생아들이 높은 혈중 마그네슘, 낮은 칼슘, 높은 ALP (alkaline phosphatase) 수치를 보이며, 일부에서는 영상에서 뼈의 변화를 보였다는 보고들에 근거한 것이다.[25-27] 또한 일부 연구자들은 장기간 사용한 경우 골감소증 (osteopenia) 뿐 아니라 골절까지 발생하였다고 보고하였다.[28] 이에 최근 FDA에서는 황산마그네슘을 조기진통 억제를 위해 5-7일 이상 쓰는 것을 권하지 않는 권고안을 배포하였고,[29] 황산마그네슘의 FDA 분류는 A 등급에서 D 등급으로 변경되었다. 하지만 이 보고들이 대부분 소규모의 환자를 대상으로 하는 연구인데다가 이런 골감소를 보인 신생아들의 경우 산전 황산마그네슘의 투여가 평균 9.6 주로 매우 길었고 평균 투여 용량이 3,700g으로 상당한 고용량 이었다는 것은 고려할 만한 점이다.

실제 미국산부인과 학회에서는 이런 근거들을 기반으로, 황산마그네슘이 FDA 분류가 A 등급에서 D 등급으로 하향 조정되었지만, 그럼에도 전자간증에서 경련의 예방 및 치료, 이른 조산에서 태아 뇌 보호, 조기 진통의 억제 등의 사용에 단기간의 황산마그네슘의 사용(주로 48시간 이내)은 계속 사용되어야 한다고 권고하고 있다.[16]

3 옥시토신 길항제(Oxytocin antagonist)

1) 작용 기전 및 효능

옥시토신 길항제는 자궁근육의 옥시토신 수용체에 대해 옥시토신과 길항적으로 작용하여 세포 내 칼슘 농도 증가를 억제하면서 근육의 이완을 야기한다. 아토시반이 현재 사용되고 있는 약제이며 메타분석에 의하면 위약에 비해 48시간 이내 조산의 위험을 감소시키며,[30] 베타 아드레날린성 작용제 및 칼슘통로차단제와 유사한 효과를 보이고 있다.[31,54] 하지만 위약에 비해서도 더 우월하지 못한 결과도 보고되고 있어[31] 효능에 대해서 좀 더 연구가 필요할 것으로 사료된다.

2) 임산부에 대한 영향

아토시반의 가장 큰 장점은 모체에 대한 부작용이 매우 낮다는 것이다. 한 전향적 코호트 연구에 의하면 심각한 부작용이 한 건도 보고되지 않았다.[32] 베타 아드레날리성 작용제 및 칼슘통로차단제와 비교하여 임산부의 부작용으로 인한 약제 사용의 중단율이 유의하게 낮았으며,[31] 특히 베타 아드레날린성 작용제에 비해 적은 심혈관계 부작용 비율을 보이고 있다. 하지만, 최근 다태 임신에서 아토시반 사용 후 임산부의 폐부종 발생에 대해 증례 보고된 바가 있다.[33]

3) 태아에 대한 영향

아직 아토시반은 미국 FDA의 승인은 받지 못했는데, 이는 태아의 안정성에 대한 우려 때문이다. 대부분의 임상 시험 및 메타분석에서는 태아/신생아의 사망률 및 이환율에서 위약과 비교하여 큰 차이가 없었으나,[31] 한 임상시험 결과에 의하면 아토시반은 위약에 비해 임신 기간을 유의하게 늘렸으나 24주 미만의 태아-영아 사망이 더 증가하는 경향을 보였다.[34] 하지만 이 연구 결과를 보면, 아토시반을 위약과 비교하였을 때 아토시반의 치료 성공률(48시간 이내 분만하지 않거나 다른 약으로 변경하지 않는 비율)이 위약에 비해 유의하게 높았고 28주 이내 조산율도 유의하게 낮아 오히려 아토시반의 치료 효과가 더 좋은 것으로 보고된 것은 주목할 점이다. 또한 총 연구 대상자 중 24주 미만의 주수에 등록된 연구대상자가 옥시토신 길항제는 246명의 대상자 중 14명, 위약은 255명의 대상자 중 5명이었기 때문에 24주 이내의 미만의 사망률을 두 군간에 단순 비교하는 것은 결과 해석에 주의를 요하는 부분이다. 최근의 다른 임상시험에서도 아토시반과 칼슘통로 차단제인 니페디핀의 효능 및 부작용을 비교하였을 때 주산기 사망률이 니페디핀 그룹에서는 5% 이고 아토시반은 2% 였으나 모든 주산기 사망은 약제와 관련된 것은 아닌 것으로 결론지은 바 있다.[54] 실제로 유럽에서는 적은 부작용으로 인해 아토시반이 널리 사용되고 있다.[35, 36]

4 칼슘통로차단제(Calcium-channel blocker)

1) 작용 기전 및 효능

칼슘통로차단제는 세포 내로 칼슘의 유입을 억제함으로써 자궁 근육 수축을 억제한다. 니페디핀(nifedipine)과 니카디핀(nicardipine)이 사용되고 있는 약제인데, 대부분의 연구는 니페디핀을 대상으로 하였다. 다음은 칼슘통로차단제의 효능에 대한 메타분석 결과를 요약한 것이다.[37]

(1) 두 개의 소규모의 연구에 의하면 칼슘통로차단제는 위약에 비해 48시간 이내 조산의 위험을 유의하게 낮추었으나, 임산부의 부작용은 더 증가하였다. 향후 위약과의 효능을 비교한 대규모의 무작위 연구가 추가로 필요하다.[20]

(2) 칼슘통로차단제와 다른 종류의 자궁수축억제제와 비교하였을 때 48시간 이내의 분만을 유의하게 감소시키지는 못했다. 하지만 다음과 같은 이득은 확인되었다.

   ① 칼슘통로차단제는 베타 아드레날린성 작용제에 비해 투약 이후 분만까지의 시점을 더 연장시키고 조산 및 신생아 합병증(신생아 호흡곤란증후군, 괴사성 장염, 뇌실 내 출혈, 신생아 황달 등)을 유의하게 낮추었다. 또한 임산부의 합병증 및 합병증으로 인한 치료 중단률이 유의하게 낮았다.

   ② 한 연구에서 칼슘통로차단제와 옥시토신 길항제를 비교하였는데, 48시간 이내 치료 성공률은 옥시토신 길항제가 더 높았다. 하지만, 칼슘통로차단제가 분만 주수를 더 연장시키고 조산의 위험을 낮추는 상반된 효과를 보였다. 임산부의 부작용은 칼슘통로차단제에서 더 증가하였다.

   ③ 칼슘통로차단제는 황산마그네슘과 비교하였을 때 조산의 위험도는 차이가 없었으나 임산부 부작용은 더 적게 발생하였다.

(3) 칼슘통로차단제의 효능과 관련하여 아직까지 주산기 사망률에서 이득이 확인되지는 않았고, 장기적 추적관찰과 관련된 데이터가 추가로 필요하다.

2) 임산부에 대한 영향

칼슘통로차단제의 가장 잘 알려진 부작용은 임산부의 저혈압이며 이 외에도 두통, 홍조(flushing), 오심, 구토 및 빈맥 등이 발생할 수 있다.[38] 하지만 심한 저혈압으로 인한 치료의 중단이 필요한 경우는 0.5% 미만으로 보고된다.[32] 앞서 언급한 것처럼 베타 아드레날린성 작용제보다는 합병증의 발생확률이 낮았지만, 옥시토신 길항제보다는 더 높은 것으로 보고되고 있다.

칼슘통로차단제와 황산마그네슘과의 병용은 두 약제의 상승 작용에 대한 우려가 있고 생체 외 실험(in-vitro study) 및 증례 보고에 의하면 심폐기능을 심각하게 방해할 수 있음이 보고된 바 있어 가급적 같이 사용하지 않는다.[39, 40] 하지만 How 등의 연구에서 24명의 환자에서 니페디핀과 황산마그네슘을 같이 사용하고 그 결과를 위약과 비교하였는데 심각한 모체 합병증은 관찰되지 않았다.

또한 칼슘통로차단제는 저혈압 및 빈맥 등의 심혈관계 합병증이 있을 수 있고 베타 아드레날린성 작용제 또한 빈맥 및 흉통 등의 심혈관계 합병증의 발생이 가능하다. 실제로 베타 아드레날린성 작용제 사용 이후 수 시간 내에 칼슘통로차단제를 사용한 후 임산부에서 급성심근경색증의 발생이 보고된 바도 있으므로[41] 두 약제의 병용 또는 연속적인 사용은 주의를 요한다.

3) 태아에 대한 영향

칼슘통로차단제로 인해 생긴 임산부의 심한 저혈압으로 인한 태아 사망의 증례 보고가 된 바 있어 주의를 요하나,[42] 이후 542명에서 니페디핀을 사용한 대규모의 코호트 연구에서 태아 사망은 보고되지 않았다.[32] 아울러 임신 중 니페디핀 사용 후 출생 후 9-12세에 추적 관찰한 보고에 의하면 이 소아들에서 특별한 위해 효과는 관찰되지 않았다.[43]

5 프로스타글란딘 억제제(Prostaglandin inhibitor)

1) 작용 기전 및 효능

프로스타글란딘은 정상 자궁 수축 및 진통의 발생에 중요한 역할을 한다. 프로스타글란딘 합성제는 아라키돈산(arachidonic acid)에서 프로스타글란딘으로의 합성에 관여하는데 인도메타신등의 프로스타글란딘 억제제는 이 과정을 억제한다. 다음은 프로스타글란딘 억제제의 효능에 대한 메타분석 결과를 요약한 것이다.[44] 대부분의 연구에서는 프로스타글란딘 억제제로 인도메타신을 사용하였다.

(1) 프로스타글란딘 억제제는 위약과 비교하여 48시간 이내 분만의 위험을 낮추고 분만 주수를 늦추는 효과가 있었다.

(2) 프로스타글란딘 억제제는 베타 아드레날린성 작용제와 비교하였을 때 48시간 이내 분만 및 조산을 막는데 더 효과가 있었으며, 임산부의 부작용 및 이로 인한 약제 사용의 중단율은 더 적었다.

(3) 프로스타글란딘 억제제와 황산마그네슘/칼슘통로 차단제와 비교하였을 때 임신의 연장에는 크게 차이가 없었다. 단 황산마그네슘과 비교하였을 때 프로스타글란딘 억제제가 임산부 부작용의 발생이 더 적었다.

(4) 현재까지 프로스타글란딘 억제제와 옥시토신 길항제의 효능을 비교한 연구는 없다.

2) 임산부에 대한 영향

프로스타글란딘 억제제의 장점은 모체에 대한 부작용이 다른 자궁수축 억제제에 비해 낮다는 것이다. 베타 아드레날린성 작용제 및 황산마그네슘과 비교하였을 때 임산부 합병증의 발생이 유의하게 낮은 것으로 보고되고 있다.[44]

3) 태아에 대한 영향

프로스타글란딘 억제제는 태반을 통과하여 태아의 프로스타글란딘 농도에 영향을 끼칠 수 있고 이 약제의 사용 시 태아/신생아에 대한 부작용 발생은 주의를 요한다.

(1) 양수감소: 대부분의 연구에서 프로스타글란딘 억제제는 24-48시간만 사용하였는데, 이는 양수 감소에 대한 우려 때문이다. 약제의 사용으로 인한 양수 과소증은 초음파로 모니터링을 하면 일찍 발견할 수 있으며, 약제를 중단하면 가역적인 것으로 알려져 있다.[21, 45]

(2) 자궁 내 동맥관 폐쇄: 태아에서 인도메타신은 동맥관 폐쇄를 일으킬 수 있으며 특히 27-32주부터 그 가능성이 증가한다. 동맥관 폐쇄 또는 협착 시 우심실에서 폐로의 혈류 흐름이 더 많이 증가하기 때문에 폐동맥 고혈압이 생길 수 있다. Moise 등은 26-31주의 산모에서 인도메타신의 사용 후 50%의 태아에서 폐혈류 협착이 관찰되었으나 약제 중단 후에 모두 가역적으로 회복되었음을 보고하였다.[46]

(3) 신생아 괴사성 장염: 1993년도의 연구에 의하면 임신 30주 이전에 인도메타신을 사용하였을 때 괴사성 장염의 발생률이 대조군 8%에 비해 29%로 유의하게 증가함을 보고하였다.[47] 하지만 그 이후 다른 연구자들은 괴사성 장염과 유의한 연관성이 없었음을 보고하였다.[48]

(4) 뇌실 내 출혈과 동맥관 개존증 등의 신생아 합병증: 앞서 언급한 1993년도의 연구에 의하면 임신 30주 이전에 인도메타신을 사용하였을 때 대조군에 비해 뇌실 내 출혈 및 동맥관 개존증의 발생도 증가함이 보고되었다. 하지만 이후 다른 연구자들은 인도메타신 사용과 뇌실 내 출혈 및 동맥관 개존증의 발생 사이에 유의한 연관성을 찾지 못하였음을 보고하였다.[49, 50]

최근에 시행된 두 메타분석 결과는 서로 상충된 분석 결과를 보고하였다. Amin 등은 분석 결과 인도메타신 사용이 뇌실 내 출혈, 동맥관 개존증, 신생아 호흡곤란 증후군 등의 합병증은 증가시키지 않았지만, 뇌실 주위 백색연화증(periventricular leukomalacia) 및 괴사성 장염의 위험을 높이는 것으로 보고하였다.[51] 하지만 Loe 등의 분석에 의하면 인도메타신 사용은 이런 신생아 합병증의 발생을 높이지 않는 것으로 보고하였다.[52]

6 자궁수축억제제의 복합요법

현재까지 자궁수축억제제의 복합요법에 대한 근거는 많지 않다. 최근 한 메타분석에서 복합요법과 단일요법을 비교하였는데, 일부의 복합요법이 단일요법에 비해 조산이나 진통 재발의 위험 등이 더 낮은 것으로 분석되었으나, 다음과 같은 점에서 아직 복합 요법에 대한 근거가 더 필요함

을 언급하였다.[53]

(1) 복합요법과 단일요법 간에 주산기 사망이나 신생아 합병증의 빈도에는 차이가 없었다.

(2) 칼슘통로차단제나 아토시반을 포함한 복합요법에 대한 연구가 아직 없다.

(3) 복합요법과 위약간의 효과를 비교한 무작위 대조 연구가 없다.

(4) 복합요법이 단일요법에 비해 약제 부작용의 빈도가 훨씬 높은 것으로 분석되었다.

이런 문제로, 현재 RCOG에서는 복합요법을 하지 말도록 권고하고 있고,[36] 미국산부인과학회 (ACOG) 가이드라인이나 Williams Obstetrics 등에서는 복합요법에 대한 언급이 아예 없으므로 임상에서 사용하기에는 아직 근거가 부족한 것으로 사료된다.

7 결론

조기진통 환자에서 자궁 수축억제를 위한 약제는 다양하다. 가장 이상적인 약제는 자궁 수축을 가장 잘 억제하면서 임산부와 태아의 부작용이 가장 적은 약제이겠지만, 아직까지 어떤 약제가 이런 조건을 만족하는지는 논란이 많으며, 추후 더 많은 연구가 필요하다고 할 수 있겠다.

▶ 참고문헌

1. Goldenberg RL, Culhane JF, Iams JD, et al. Epidemiology and causes of preterm birth. Lancet 2008;371:75-84.

2. American College of Obstetricians and Gynecologists' Committee on Practice Bulletins— Obstetrics. Practice Bulletin No. 171: Management of Preterm Labor. Obstet Gynecol 2016;128:e155-64.

3. Neilson JP, West HM, Dowswell T. Betamimetics for inhibiting preterm labour. Cochrane Database Syst Rev 2014;2:CD004352.

4. Dodd JM, Crowther CA, Middleton P. Oral betamimetics for maintenance therapy after threatened preterm labour. Cochrane Database Syst Rev 2012;12:CD003927.

5. Benedetti TJ. Maternal complications of parenteral beta-sympathomimetic therapy for premature labor. Am J Obstet Gynecol 1983;145:1-6.

6. Caldwell G, Scougall I, Boddy K, et al. Fasting hyperinsulinemic hypoglycemia after ritodrine therapy for premature labor. Obstet Gynecol 1987;70:478-80.

7. Mabie WC, Pernoll ML, Witty JB, et al. Pulmonary edema induced by betamimetic drugs. South Med J 1983;76:1354-60.

8. Gross TL, Kuhnert BR, Kuhnert PM, et al. Maternal and fetal plasma concentrations of ritodrine. Obstet Gynecol 1985;65:793-7.

9. Fujimoto S, Akahane M, Sakai A. Concentrations of ritodrine hydrochloride in maternal and fetal serum and amniotic fluid following intravenous administration in late pregnancy. Eur J Obstet Gynecol Reprod Biol 1986;23:145-52.

10. Hermansen MC, Johnson GL. Neonatal supraventricular tachycardia following prolonged maternal ritodrine administration. Am J Obstet Gynecol 1984;149:798-9.

11. Freysz H, Willard D, Lehr A, et al. A long term evaluation of infants who received a beta-mimetic drug while in utero. J Perinat Med 1977;5:94-9.

12. Polowczyk D, Tejani N, Lauersen N, et al. Evaluation of seven- to nine-year-old children exposed to ritodrine in utero. Obstet Gynecol 1984;64:485-8.

13. https://nedrug.mfds.go.kr/pbp/CCBAC01/getItem?totalPages=10&limit=10&page=6&safeLetterNo=118, accessed on November 1st, 2021.

14. Lam F, Gill P. beta-Agonist tocolytic therapy. Obstet Gynecol Clin North Am 2005;32:457-84.

15. U.S. Food and Drug Administration. FDA drug safety communication: new warnings against use of terbutaline to treat preterm labor. Silver Spring (MD): FDA; 2011. Available at: https://www.fda.gov/drugs/drug-safety-and-availability/fda-drug-safety-communication-new-warnings-against-use-terbutaline-treat-preterm-labor. Retrieved on November 1st, 2021.

16. Committee Opinion No. 573: Magnesium sulfate use in obstetrics. Obstet Gynecol 2013;122:727-8.

17. Klauser CK, Briery CM, Martin RW, et al. A comparison of three tocolytics for preterm labor: a randomized clinical trial. J Matern Fetal Neonatal Med 2014;27:801-6.

18. Cotton DB, Strassner HT, Hill LM, et al. Comparison of magnesium sulfate, terbutaline and a placebo for inhibition of preterm labor. A randomized study. J Reprod Med 1984;29:92-7.

19. Cox SM, Sherman ML, Leveno KJ. Randomized investigation of magnesium sulfate for prevention of preterm birth. Am J Obstet Gynecol 1990;163:767-72.

20. van Vliet EO, Boormans EM, de Lange TS, et al. Preterm labor: current pharmacotherapy options for tocolysis. Expert Opin Pharmacother 2014;15:787-97.

21. Cunningham F, Leveno KJ, Bloom SL, et al. Preterm birth. In: Williams Obstetrics, 25th Ed. New York, NY: McGraw-Hill; 2018: 803-34.

22. Doyle LW, Crowther CA, Middleton P, et al. Magnesium sulphate for women at risk of preterm birth for neuroprotection of the fetus. Cochrane Database Syst Rev

2009:CD004661.

23. Doyle LW. Antenatal magnesium sulfate and neuroprotection. Curr Opin Pediatr 2012;24:154-9.

24. Cunningham F, Leveno KJ, Bloom SL, et al. Hypertensive Disorders. In: Williams Obstetrics, 25th Ed. New York, NY: McGraw-Hill; 2018: 710-54.

25. Yokoyama K, Takahashi N, Yada Y, et al. Prolonged maternal magnesium administration and bone metabolism in neonates. Early Hum Dev 2010;86:187-91.

26. McGuinness GA, Weinstein MM, Cruikshank DP, et al. Effects of magnesium sulfate treatment on perinatal calcium metabolism. II. Neonatal responses. Obstet Gynecol 1980;56:595-600.

27. Nassar AH, Sakhel K, Maarouf H, et al. Adverse maternal and neonatal outcome of prolonged course of magnesium sulfate tocolysis. Acta Obstet Gynecol Scand 2006;85:1099-103.

28. Kaplan W, Haymond MW, McKay S, et al. Osteopenic effects of MgSO4 in multiple pregnancies. J Pediatr Endocrinol Metab 2006;19:1225-30.

29. Food and Drug Administration. FDA recommends against prolonged use of magnesium sulfate to stop pre-term labor due to bone changes in exposed babies. FDA Drug Safety Communication. Silver Spring (MD): FDA; 2013. Available at:http://www.fda.gov/downloads/Drugs/DrugSafety/UCM353335.pdf. Retrieved January 24, 2014.

30. Haas DM, Caldwell DM, Kirkpatrick P, et al. Tocolytic therapy for preterm delivery: systematic review and network meta-analysis. BMJ 2012;345:e6226.

31. Flenady V, Reinebrant HE, Liley HG, et al. Oxytocin receptor antagonists for inhibiting preterm labour. Cochrane Database Syst Rev 2014;6:CD004452.

32. de Heus R, Mol BW, Erwich JJ, et al. Adverse drug reactions to tocolytic treatment for preterm labour: prospective cohort study. BMJ 2009;338:b744.

33. Seinen LH, Simons SO, van der Drift MA, et al. [Maternal pulmonary oedema due to the use of atosiban in cases of multiple gestation]. Ned Tijdschr Geneeskd 2013;157:A5316.

34. Romero R, Sibai BM, Sanchez-Ramos L, et al. An oxytocin receptor antagonist (atosiban) in the treatment of preterm labor: a randomized, double-blind, placebo-controlled trial with tocolytic rescue. Am J Obstet Gynecol 2000;182:1173-83.

35. Hubinont C, Debieve F. Prevention of preterm labour: 2011 update on tocolysis. J Pregnancy 2011;2011:941057.

36. National Institute for Health and Care Excellence guideline. Preterm labour and birth; 2015. Available at: https://www.nice.org.uk/guidance/ng25/resources/preterm-labour-and-birth-pdf-1837333576645. Retrieved on November 1st, 2021.

37. Flenady V, Wojcieszek AM, Papatsonis DN, et al. Calcium channel blockers for inhibiting preterm labour and birth. Cochrane Database Syst Rev 2014;6:CD002255.

38. Khan K, Zamora J, Lamont RF, et al. Safety concerns for the use of calcium channel blockers in pregnancy for the treatment of spontaneous preterm labour and hypertension: a systematic review and meta-regression analysis. J Matern Fetal Neonatal Med 2010;23:1030-8.

39. Ben-Ami M, Giladi Y, Shalev E. The combination of magnesium sulphate and nifedipine: a cause of neuromuscular blockade. Br J Obstet Gynaecol 1994;101:262-3.

40. Kurtzman JL, Thorp JM, Jr., Spielman FJ, et al. Do nifedipine and verapamil potentiate the cardiac toxicity of magnesium sulfate? Am J Perinatol 1993;10:450-2.

41. Oei SG, Oei SK, Brolmann HA. Myocardial infarction during nifedipine therapy for preterm labor. N Engl J Med 1999;340:154.

42. van Veen AJ, Pelinck MJ, van Pampus MG, et al. Severe hypotension and fetal death due to tocolysis with nifedipine. BJOG 2005;112:509-10.

43. Houtzager BA, Hogendoorn SM, Papatsonis DN, et al. Long-term follow up of children exposed in utero to nifedipine or ritodrine for the management of preterm labour. BJOG 2006;113:324-31.

44. Reinebrant HE, Pileggi-Castro C, Romero CL, et al. Cyclo-oxygenase (COX) inhibitors for treating preterm labour. Cochrane Database Syst Rev 2015;6:CD001992.

45. de Wit W, van Mourik I, Wiesenhaan PF. Prolonged maternal indomethacin therapy associated with oligohydramnios. Case reports. Br J Obstet Gynaecol 1988;95:303-5.

46. Moise KJ, Jr., Huhta JC, Sharif DS, et al. Indomethacin in the treatment of premature labor. Effects on the fetal ductus arteriosus. N Engl J Med 1988;319:327-31.

47. Norton ME, Merrill J, Cooper BA, et al. Neonatal complications after the administration of indomethacin for preterm labor. N Engl J Med 1993;329:1602-7.

48. Parilla BV, Grobman WA, Holtzman RB, et al. Indomethacin tocolysis and risk of necrotizing enterocolitis. Obstet Gynecol 2000;96:120-3.

49. Gardner MO, Owen J, Skelly S, et al. Preterm delivery after indomethacin. A risk factor for neonatal complications? J Reprod Med 1996;41:903-6.

50. Abbasi S, Gerdes JS, Sehdev HM, et al. Neonatal outcome after exposure to indomethacin in utero: a retrospective case cohort study. Am J Obstet Gynecol 2003;189:782-5.

51. Amin SB, Sinkin RA, Glantz JC. Metaanalysis of the effect of antenatal indomethacin on neonatal outcomes. Am J Obstet Gynecol 2007;197:486 e1-10.

52. Loe SM, Sanchez-Ramos L, Kaunitz AM. Assessing the neonatal safety of indomethacin tocolysis: a systematic review with meta-analysis. Obstet Gynecol 2005;106:173-9.

53. Vogel JP, Nardin JM, Dowswell T, et al. Combination of tocolytic agents for inhibiting preterm labour. Cochrane Database Syst Rev 2014;7:CD006169.

54. van Vliet EOG, Nijman TAJ, Schuit E, et al. Nifedipine versus atosiban for threatened preterm birth (APOSTEL III): a multicentre, randomised controlled trial Lancet. 2016 May 21;387(10033):2117-2124.

임신부에서 황산마그네슘의 안정성

○ 오경준

임상 증례 1

32세 초산모가 중증자간전증으로 입원하여 자간전증 예방을 위한 황산마그네슘 치료를 받고 있다. 산모가 황산마그네슘이 태아에 미치는 영향을 걱정하고 있다. 당신은 어떤 조언을 할 것인가?

임상 증례 2

27세 초산모가 조기진통으로 입원하여 2일간 자궁수축억제를 위해 황산마그네슘을 투약 받았다. 황산마그네슘 중단을 위한 상담 중 산모가 황산마그네슘을 장기간 사용하면 어떤 문제가 있는지 문의하였다. 당신은 어떤 조언을 할 것인가?

1 효능 및 적응증

임신부에게 황산마그네슘을 투약하는 적응증은 크게 세 가지로 자간증의 예방 및 치료, 조기진통 산모에서 자궁수축억제제, 이른 조산이 예상되는 태아의 뇌 보호이다. 황산마그네슘이 다른 항경련제에 비하여 자간증의 치료 및 예방에 효과적이라는 것은 잘 알려져 있으며,[1] 최근에는 매우 이른 조산이 예상되는 산모에게 분만전 황산마그네슘을 투여할 경우 신생아의 뇌성마비 발생을 감소시킬 수 있는 것으로 보고되고 있다.[2] 조기진통산모에서 자궁수축억제제제로의 효능에 대하여는 여전히 불확실한 면이 있으나,[3] 산과영역에서 가장 흔한 적응증의 하나이다.

2 임신부에 대한 영향

황산마그네슘의 부작용은 매우 잘 알려져 있으며, 일반적으로 열감이나 안면홍조, 주사부위 불편감 등이 나타나고, 혈장 농도가 높아지는 경우 근력저하를 비롯하여 호흡저하 등의 심각한 증상이 나타날 수 있다. 자간증의 치료 혹은 예방을 위한 치료적 혈장 농도는 약 4–7 mEq/L이며, 자궁수축억제제로서의 효과는 약 8–10 mEq/L에서 나타난다.[1] 혈장 농도가 10 mEq에 이르면 무릎반사가 소실되며, 12 mEq 이상에서는 호흡 마비 및 중지가 나타날 수 있으므로 주의가 필요하다.[1] 투여된 마그네슘은 대부분 신장을 통해 배설되므로, 신기능의 평가가 필요하며, 혈장 크레아티닌 농도가 상승한 경우 유지용량의 조절이 필요하다.

황산마그네슘을 다른 약제와 함께 투약하는 경우 주의 필요하다. Gabapentin과 같은 뇌신경계 억제제(CNS depressant)의 경우 뇌신경계 억제 효과가 커지며, 경구용 levothryoxine의 경우 흡수가 저하될 수 있다. Nifedipine과 같은 calcium–channel blocker를 함께 사용하는 경우 급격한 혈압저하나, 심한 신경근계(neuromuscular) 합병증이 흔히 발생할 수 있으며,[4] 급격한 혈압저하에 따른 태아사망도 보고되었다.[5] 태아 뇌 보호를 위한 황산마그네슘 사용과 다른 목적의 nifedipine을 함께 투여한 경우 심각한 부작용의 발생과 관련이 없었다는 보고도 있으나, 주의를 필요로 한다.

3 태아에 대한 영향

마그네슘은 태반을 쉽게 통과하며, 태아의 혈중 농도는 산모의 혈중 농도의 70–100% 정도이다.[7-9] 신생아 혈청 내 반감기는 약 43.2시간으로 조산아 및 신생아 모두 비슷하다. 과거 연구들을 보면 혈중 마그네슘 농도와 신생아의 상태는 연관이 없는 것으로 알려져 있다. 분만 전 산모가 임신성고혈압과 관련하여 황산마그네슘을 투여 받은 7,000여명의 신생아를 대상으로 한 연구에서도 황산마그네슘의 투여에 따른 신생아 예후의 차이는 없었다.[10] 이론적으로 신생아에서 근긴장저하나 호흡저하 등이 발생할 수 있으나, 약 자체에 의한 것인지 자궁 내 저산소증과 같은 다른 요인에 의한 것인지 구분하기는 쉽지 않으며,[11, 12] 황산마그네슘 투약에 따른 아프가점수는 차이가 없었다고 보고되었다.[8] 비록, 신생아 이상과의 관련성이 뚜렷하지는 않으나, 분만 전 산모에게 황산마그네슘을 투여한 경우 분만 후 첫 24–48시간 동안 신생아에서 부작용의 증세가 보이지 않는지 주의 깊은 관찰이 필요하다.

산모가 황산마그네슘을 투여 받은 경우 태아의 혈청 칼슘 농도가 감소하는 것으로 알려져 있다.[13, 14] 혈청 칼슘 농도의 감소와 관련하여 신생아의 증상 등이 보고된 바는 없으나, 5–14주간 황산마그네슘을 투여 받은 산모에게서 태어난 신생아의 영상의학적인 뼈 이상이 보고되었다.[11] 이후 조기진통억제제로 장기간 황산마그네슘을 사용할 경우 신생아의 뼈 대사 이상과 연관이 있다는 연구들이 보고되고 있다.[15-17] 신생아의 저칼슘혈증 및 뼈 대사 이상의 기전은 지속적으로 소변을 통한 칼슘 배출,[16, 17] 부갑상선호르몬 상승[17] 등이 원인으로 생각되고 있다.

2013년 FDA는 조기진통억제를 위해 황산마그네슘을 5–7일 이상 장기간 사용하지 말 것을 권고하였으며,[18] 임산부의약품 카테고리를 A에서 D로 조정하였다. 통상적인 단기간의 사용과 관련한 뼈 대사 이상의 보고는 없으므로 적응증이 있을 때 단기간 사용하는 것을 제한할 필요는 없으나, 장기간 사용의 경우 이러한 부작용과 연관이 있음을 항상 고려하여야 한다.

▶ **참고문헌**

1. Cunningham F, Leveno KJ, Bloom SL, et al. Hypertensive Disorders. In Williams Obstetrics, 24th Ed. New York, NY: McGraw-Hill; 2013:728-99.

2. Rouse DJ, Hirtz DG, Thom E, et al. A randomized, controlled trial of magnesium sulfate for the prevention of cerebral palsy. N Engl J Med. 2008;359:895-905.

3. McNamara HC, Crowther CA, Brown J. Different treatment regimens of magnesium sulphate for tocolysis in women in preterm labour. Cochrane Database Syst Rev. 2015 Dec 14;12:CD011200. [Epub ahead of print]

4. Snyder SW, Cardwell MS. Neuromuscular blockade with magnesium sulfate and nifedipine. Am J Obstet Gynecol. 1989;161:35-6.

5. Waisman GD, Mayorga LM, Cámera MI, et al. Magnesium plus nifedipine: potentiation of hypotensive effect in preeclampsia? Am J Obstet Gynecol. 1988;159:308-9.

6. Magee LA, Miremadi S, Li J, et al. Therapy with both magnesium sulfate and nifedipine does not increase the risk of serious magnesium-related maternal side effects in women with preeclampsia. Am J Obstet Gynecol. 2005;193:153-63.

7. Chesley LC, Tepperl. Plasma levels of magnesium attained in magnesium sulfate therapy for preeclampsia and eclampsia. Surg Clin North Am. 1957;37:353-67.

8. Pruett KM, Kirshon B, Cotton DB, et al. The effects of magnesium sulfate therapy on Apgar scores. Am J Obstet Gynecol. 1988;159:1047-8.

9. Idama TO and Lindow SW, "Magnesium Sulphate: A Review of Clinical Pharmacology Applied to Obstetrics," Br J Obstet Gynaecol, 1998;105:260-8.

10. Stone SR, Pritchard JA. Effect of maternally administered magnesium sulfate on the neonate. Obstet Gynecol. 1970;35:574-7.

11. Lamm CI, Norton KI, Murphy RJ, et al. Congenital rickets associated with magnesium sulfate infusion for tocolysis. J Pediatr. 1988;113:1078-82.

12. Wilkins IA, Goldberg JD, Phillips RN, et al. Long-term use of magnesium sulfate as a tocolytic agent. Obstet Gynecol. 1986;67(3 Suppl):38S-40S.

13. Savory J, Monif GR. Serum calcium levels in cord sera of the progeny of mothers treated with magnesium sulfate for toxemia of pregnancy. Am J Obstet Gynecol. 1971;110:556-559.

14. Green KW, Key TC, Coen R, et al. The effects of maternally administered magnesium sul-

fate on the neonate. Am J Obstet Gynecol. 1983;146:29-33.

15. Holcomb WL Jr, Shackelford GD, Petrie RH. Magnesium tocolysis and neonatal bone abnormalities: a controlled study. Obstet Gynecol. 1991 ;78:611-614.

16. Smith LG Jr, Burns PA, Schanler RJ. Calcium homeostasis in pregnant women receiving long-term magnesium sulfate therapy for preterm labor. Am J Obstet Gynecol. 1992;167:45-51.

17. Cruikshank DP, Chan GM, Doerrfeld D. Alterations in vitamin D and calcium metabolism with magnesium sulfate treatment of preeclampsia. Am J Obstet Gynecol. 1993;168:1170-1176.

18. Food and Drug Administration. FDA recommends against prolonged use of magnesium sulfate to stop pre-term labor due to bone changes in exposed babies. FDA Drug Safety Communication. Silver Spring (MD):FDA; 2013. available at:http://www.fda.gov/downloads/Drugs/DrugSafety/UCM353335 .pdf. Retrived January 24, 2014.

임신부에서 유산방지제의 효과 및 안정성

○ 오경준

임상 증례 1

　이전 임신에서 28주에 조기진통에 의한 조산력이 있는 산모에게 임신 중기부터 프로게스테론 사용이 필요함을 설명하였다. 산모는 수개월간 사용할 경우 태아에게 해가 되는 것은 없는지 문의하였다. 당신은 어떻게 대답할 것인가?

임상 증례 2

　이전 임신에서 유산력이 있는 산모가 임신 확인 후 프로게스테론 주사를 투약받고 있었다. 산모는 임신기간 내내 사용하면 안 되는지, 임신 후반부까지 지속적으로 사용할 경우 태아에게 해가 되는 것인지 문의하였다. 당신은 어떻게 조언할 것인가?

1 효능 및 적응증

　프로게스테론은 흔히 반복적 유산의 방지, 불임시술 후 황체기 보조요법, 조산위험 산모군에서 조산의 예방에 사용되고 있다. 프로게스테론은 크게 경구, 근주와 질제제로 구분되어지며, 성분에 따라서는 자연 프로게스테론과 합성 프로게스테론으로 구분된다. 반복적 유산이 발생했던 산모에게 임신 초기 프로게스테론을 투여하는 것이 유산의 감소와 연관이 있다는 메타분석 결과도 보고되었으나,[1] 최근 800여명의 환자를 대상으로 한 임상연구에서는 프로게스테론의 사용군과 위약군 사이에 임신 24주까지의 유지 빈도는 각각 66%와 63%로 유의한 차이가 없었다.[2] 불임시술 후 황체기 보조요법으로 프로게스테론이 흔히 사용되며,[3, 4] 근주 및 다양한 질제 모두 효과는 비슷한 것으로 알려져 있다.[5-7] 최근에는, 과거 조산력이 있거나 임신 중기에 짧은 자궁경부길이 소견을 보이는 단태 임신 산모에게 조산 방지를 위해 프로게스테론 제제가 사용되고 있다.[8-12]

2 임신부에 대한 영향

프로게스테론제제의 부작용은 일반적 약물에 있을 수 있는 과민반응 관련 증상 외에 잘 알려진 바는 없다. 하지만 FDA에서 보고한 바에 따르면 근주제제인 합성프로게스테론의 사용 시 혈전질환이나 수분저류, 우울감, 황달, 혈압상승, 알러지반응 등을 주의해야 한다고 명시되어 있다.[13] 또한 프로게스테론은 간에서 주로 분해되므로 간대사 관련 약물과 함께 사용 시 프로게스테론의 대사가 촉진되어 그 효과가 감소할 수 있어 주의를 요한다.

3 태아에 대한 영향

대규모 연구에서는 임신 초 프로게스테론에 노출된 태아에서 심장이나 신장, 신경계 등에서의 선천성 기형 발생이 증가하지 않는 것으로 보고되고 있다. 경구 medroxyprogesterone acetate나 17-hydroxprogesterone acetate(17-HP)에 노출된 1,600여 명의 신생아에서 전체 기형의 빈도 및 주요 기형의 발생빈도의 유의한 차이가 없었다.[14] 또한, 다양한 프로게스테론에 노출된 988명의 신생아를 대상으로 한 연구에서도 기형 발생의 빈도는 차이가 없었다.[1] 한 연구에서는 임신 초기 프로게스테론의 사용이 목뒷덜미두께를 유의하게 증가시킨다는 보고가 있었으나,[15] 추가적으로 같은 결과가 보고된 바는 없다. 임신 초기 프로게스테론의 사용이 여아의 남성화(masculinization) 및 남아의 여성화(feminization)와 연관이 있다는 주장도 있으며, 임신 7-16주는 성기의 발달이 이루어지는 시기로 이 때 프로게스테론에 노출되면 위험도가 약간 증가할 수 있다.[16]

최근 조산예방을 위한 프로게스테론의 사용이 임신 16주 이후 장기간 사용되고 있다. 이 시기의 프로게스테론의 사용은 발달단계를 고려하면, 성기 이상 등과는 이론적으로 연관이 없을 것으로 생각되어진다. 다수의 연구에서 이 시기의 프로게스테론 사용은 신생아에게 안전한 것으로 보고되었다.[8-12] 이러한 사항들을 고려하여 FDA는 프로게스테론제제를 임산부의약품 카테고리 B로 분류되어 산모들에게 제한적으로 사용을 허가하고 있다.[13, 17] 자궁내에서 장기간 노출된 신생아의 행동발달에 영향을 미친다는 보고도 있으나,[18] 추가적인 연구가 필요하다.

▶ 참고문헌

1. Resseguie LJ, Hick JF, Bruen JA, et al. Congenital malformations among offspring exposed in utero to progestins, Olmsted County, Minnesota, 1936-1974. Fertil Steril. 1985;43:514-519.

2. Coomarasamy A, Williams H, Truchanowicz E, et al. A Randomized Trial of Progesterone in Women with Recurrent Miscarriages. N Engl J Med. 2015 ;373:2141-2148.

3. Pados G, Devroey P. Luteal phase support. Assist Reprod Rev. 1992;2:148-153.

4. Practice Committee of American Society for Reproductive Medicine in collaboration with Society for Reproductive Endocrinology and Infertility. Progesterone supplementation during the luteal phase and in early pregnancy in the treatment of infertility: an educational bulletin. Fertil Steril. 90(5 Suppl):S150-S153.

5. Zarutskie PW, Phillips JA. A meta-analysis of the route of administration of luteal phase support in assisted reproductive technology: vaginal versus intramuscular progesterone. Fertil Steril. 2009;92:163-169.

6. Polyzos NP, Messini CI, Papanikolaou EG, et al. Vaginal progesterone gel for luteal phase support in IVF/ICSI cycles: a meta-analysis. Fertil Steril. 2010;94:2083-2087.

7. Bergh C, Lindenberg S. A prospective randomized multicentre study comparing vaginal progesterone gel and vaginal micronized progesterone tablets for luteal support after in vitro fertilization/intracytoplasmic sperm injection. Hum Reprod. 2012;27(12):3467-3473.

8. DeFranco EA, O'Brien JM, Adair CD, et al. Vaginal progesterone is associated with a decrease in risk for early preterm birth and improved neonatal outcome in women with a short cervix: a secondary analysis from a randomized, double-blind, placebo-controlled trial. Ultrasound Obstet Gynecol. 2007;30:697-705.

9. Fonseca EB, Celik E, Parra M, et al.Progesterone and the risk of preterm birth among women with a short cervix. N Engl J Med. 2007;357:462-469.

10. Caritis SN, Venkataramanan R, Thom E, et al. Relationship between 17-alpha hydroxyprogesterone caproate concentration and spontaneous preterm birth. Am J Obstet Gynecol. 2014;210:128.e1-6..

11. O'Brien JM, Adair CD, Lewis DF, et al. Progesterone vaginal gel for the reduction of recurrent preterm birth: primary results from a randomized, double-blind, placebo-controlled trial. Ultrasound Obstet Gynecol. 2007 ;30:687-696.

12. Romero R, Nicolaides K, Conde-Agudelo A, et al. Vaginal progesterone in women with an asymptomatic sonographic short cervix in the midtrimester decreases preterm delivery and neonatal morbidity: a systematic review and metaanalysis of individual patient data. Am J Obstet Gynecol. 2012 ;206:124.e1-19.

13. Hines M, Lyseng-Williamson KA, Deeks ED. 17 α-hydroxyprogesterone caproate (Makena®): a guide to its use in the prevention of preterm birth. Clin Drug Investig. 2013;33:223-227.

14. Katz Z, Lancet M, Skornik J, et al. Teratogenicity of progestogens given during the first trimester of pregnancy. Obstet Gynecol. 1985 ;65:775-780.

15. Giorlandino C, Cignini P, Padula F, et al. Effects of exogenous progesterone on fetal nuchal translucency: an observational prospective study. Am J Obstet Gynecol.

2015;212:335.e1-7.

16. Briggs GG, Freeman RK. Drugs in pregnancy and lactation, 10th Ed. Philadelphia, PA: Wolters Klewer Health; 2015:671-672.

17. Rebarber A, Fox N, Klauser CK, et al. A national survey examining obstetrician perspectives on use of 17-alpha hydroxyprogesterone caproate post-US FDA approval.Clin Drug Investig. 2013 Aug;33(8):571-7.

18. Yalom ID, Green R, Fisk N. Prenatal exposure to female hormones. Effect on psychosexual development in boys. Arch Gen Psychiatry. 1973 ;28:554-561.

기형유발성으로 인한 헌혈금지약물과 임상경험

한정열

임상증례

기형유발성으로 인해 헌혈이 금지된 아시트레틴을 복용한 혈액 공여자의 혈액을 수혈받은 여성은 언제 임신이 가능하고 기형이 없는 건강한 아이를 출산할 수 있을까요?

1 서론

1) 국내에서 헌혈에 의한 기형유발약물 노출

2006년 국내에서 기형유발약물인 아시트레틴을 복용한 헌혈 공여자들의 혈액이 3,980명에게 수혈되었고 이들 중 360명이 가임 여성이었다.

이로 인해 가임 여성들의 경우 임신 시 기형아 출산이 우려되어 공황상태에 빠졌다. 이는 당시 국정감사에서 밝혀졌고 수혈이 기존에 알려졌던 B형 간염, HIV 등의 감염 외에도 기형유발가능성이 제기되어 혈액의 안전한 관리가 도마 위에 올랐다. 당시 재발 방지를 위해 보건복지부와 적십자사에서 많은 대책을 내놓았다. 하지만 여전히 최근 3년간 헌혈금지약물인 아시트레틴, 이소트레티노인, 두타스테라이드, 피나스테라이드에 노출된 혈액이 437명에게 헌혈된 것으로 대한적십자사 국정감사에서 밝혀졌다.

2 보류(Deferred) 약물

수혈되어야 하는 혈액에서 약물과 그들의 대사물질은 수혈자에게 의도되지 않는 약학적 영향(pharmacological effects)을 미칠 수 있다. 또한, 임상에서 사용되는 약물 중 상당수는 기형유발성을 가지고 있다. 따라서 각 나라에서는 약물 노출에 따른 헌혈을 연기하거나 금지해야 하는 기준을 가지고 있다.

유럽에서는 처방된 약물로 치료받는 헌혈자들은 약물의 약동학적 성질에 따라 헌혈을 연기한다. 미국의 경우 기형유발약물(피나스테라이드, 두타스테라이드, 이소트레티노인, 에트레티네이트, 아시트레틴)과 아스피린의 사용뿐만 아니라 프리온(prion) 전이의 위험을 가지는 소 인슐린

(bovine insulin), 사람 뇌하수체 유래 성장호르몬(human pituitary-derived growth hormone), 바이러스 감염을 마스크할 수 있는 B형 간염 면역글로블린(hepatitis B immunoglobulin)같은 생물제제(biologics)의 사용에 관한 내용이 포함된다. 이들에 노출된 헌혈자들은 받아들이지 않는다. 우리나라에서도 혈액관리법에 따라 헌혈 자격조건을 제안하고 있다. 기형유발약물로는 피나스테라이드, 두타스테라이드, 이소트레티노인, 에트레티네이트, 아시트레틴 등이 포함되어 있다.

표 3-15-1. 태아 기형을 일으킬 위험성이 있는 약물

종류	헌혈금지기간	상품명/성분명
건선치료제	영구	티가손 타가손 테지손 / 에트레티네이트
건선치료제	3년	네오티가손 소리 아탄 / 아시트레틴
전립선비대증 치료제	6개월	아보다트 등 / 두타스테라이드
전립선비대증 치료제	4주	프로스카 등 / 피나스테라이드
탈모증 치료제	4주	프로페시아 등 / 피나스테라이드
여드름 치료제	4주	로아큐탄 아크날 뉴티온 아큐네탄 이소트렌 · 이소티나 트레 틴 핀플 등 / 이소트레티노인
손 습진 치료제	1개월	알리톡 / 알리트레티노인
항악성종양/나성결절홍반 치료제	1개월	세엘진탈리도마이드 알보젠탈리도마이드 틸로마·탈리그로 브 등 / 탈리도마이드
항악성종양 치료제	24개월	에리벳지/비스모데깁

표 3-15-2. 기타 약물 및 주사제

종류	헌혈금지기간
사람뇌하수체 유래 성장호르몬, 소에서 추출한 인슐린, 면역억제제, 변종 크로이츠펠트 – 야콥병의 위험지역에서 채혈된 혈액의 혈청으로 제조된 진단시약	영구
태반주사제, 혈액응고인자	1년
티클로피딘	2주
항생제 (주사 포함), 스테로이드제(주사 포함), 보톡스(주사), 클로피도그렐 등	1주
아스피린	3일

*감기 치료 목적으로 경구 약복용인 경우 3일

표 3-15-3. 예방접종

종류	헌혈금지기간
B형간염 면역글로블린, 동물에게 물린 후 광견병의 예방접종, 국내에서 허가받지 않은 예방접종	1년
수두, 상처 후 파상풍, 인플루엔자 생백신(비강흡입), BCG접종, MMR(홍역, 유행성이하선염, 풍진의 혼합 백 신), 대상포진, 일본뇌염 (생백신)	4주
B형간염, 황열, 경구용 소아마비, 경구용 장티프스	2주
콜레라, 디프테리아, 인플루엔자, A형간염, 주사용 장티프스, 주사용 소아마비, 파상풍, 백일해, 일본뇌염(사백 신), 유행성 출혈열, 탄저병, 공수병, 폐렴구균, 자궁경부암 백신(가다실, 서바릭스), 뇌수막염 (수막구균 포함)	24시간

3 헌혈자에게서 약물 복용력 평가

헌혈자들은 헌혈하기 전 처방받은 약물의 사용에 관해 질문을 받는다. 이 질문은 2가지 목적을 가지고 있다. 한가지는 헌혈자가 헌혈을 연기해야 할 이유로 헌혈에 의해 빈혈, 관상동맥순환부전(coronary artery insufficiency)의 위험이 있을 수 있기 때문이며, 또한 혈액이 수혈자에게 박테리아 감염과 같은 위험을 가지고 올 수 있기 때문이다. 다른 목적으로는 혈액 성분(blood components)의 질(quality)에 영향을 미치는 약물인 아스피린 같은 약물을 복용하거나 수혈자에게 문제를 일으킬 수 있는 기형유발약물(teratogens) 같은 약물을 복용하는 공혈자를 찾기 위함이다.

하지만 헌혈자의 약물 복용 여부를 점검하기 위한 질문들의 정확도는 한계가 있다. 실제로 미국에서 헌혈자에서 약물 복용력을 파악한 108명의 전혈에서 HPLC를 이용하여 독성학 분석을 한 결과 89%의 헌혈자는 일치하였지만 11%에서는 보고되지 않은 약물이 검출되었다. 이들은 주로 정신과에서 사용하는 약물로 fluoxetine, bupropion, paroxetine, doxylamine, trazodone, diazepam 등이었다. 독일에서 시행된 연구에서도 186명의 헌혈자에서 머리카락과 소변 분석 결과 10명의 헌혈자에서 마약류(cannabinoids, cocaine, opiates, dihydrocodeine)가 검출되었다.

4 기형유발약물의 보류(deferred) 기간

헌혈 시 보류가 필요한 기형유발약물(teratogen)과 보류 기간은 표 3-15-4와 같다. 보류 기간은 비기형유발약물(non-teratogenic drug)의 경우는 혈중에 치료용량의 3%가 남는 반감기 5배수를 기다리면 된다. 하지만 기형유발약물(teratogenic drug)의 경우는 반감기 28배수가 지나 혈중 내 0.000001% 미만을 안전 용량으로 간주하고 있다.

표 3-15-4. Waiting periods for blood donation of teratogenic drugs

Drug	Waiting period	Comments
Acitretin	10years	Metabolized to Etretinate
Danazol	7days	
D-penicillamine	4months	
Etretinate	10years	
Finasteride	10days	
Gold salts	2years	
Isotretinoin	1month	
Misoprostol	5h	
Phenobarbital	6nonths	
Phenprocoumon	6months	

(계속)

Drug	Waiting period	Comments
Phenytoin	2months	
Primidone	6months	
Tamoxifen	1.5years	
Valproic acid	20days	
Warfarin	2months	

5 아시트레틴(Acitretin)과 에트레티네이트(Etretinate)의 비교

아시트레틴은 건선(psoriasis) 치료 약물 중 다빈도 처방 약물이다. 이는 1980년대 후반에 임상에 도입된 에트레티네이트의 활성 대사물이다.

아시트레틴과 에트레티네이트는 비타민 A계 약물로 기형발생은 고용량 비타민 A의 노출에 따른 기형발생의 특징을 가지고 있다. 이들에는 craniofacial dysmorphias로 high palate, anopthalmia, 부가적 기형으로 syndactly, absence of terminal phalanges, hip malformation, meningomyelocele, multiple synostosis가 포함된다.

현재까지 이 아시트레틴의 최기형 역치 용량은 확립되어있지 않아서 임신 중 사용에 대한 안전한 최소 용량은 없다. 가임 여성은 약물 사용 1개월 전, 치료 동안, 치료 후 3년간 피임이 권장된다. 또한, 여성들은 아시트레틴 치료 후 2개월 동안 금주하도록 권장하고 있다. 이는 아시트레틴이 오랫동안 체내에 잔류하는 에트레티네이트로 전환되는 것을 막기 위함이다.

표 3-15-5는 아시트레틴과 에트레티네이트의 비교를 보여준다. 아시트레틴은 에트레티네이트보다 50배 친지질성(lipophilic)이 덜하고, 에트레티네이트의 반감기가 120일인 것에 비하면 반감기가 2~4일로 훨씬 짧으며 혈중에서 완전히 제거되는 데 2개월밖에 걸리지 않는다. 따라서 미국시장에서 에트레티네이트가 1998년 퇴출된 후 건선치료의 주 약물로 아세트레틴이 사용되고 있다.

표 3-15-5. Properties of acitretin vs etretinate

Acitretin	Etretinate
Known teratogen	Known teratogen
Less lipophilic	Highly lipophilic
Elimination half-life 2 to 4days	Elimination half-life 120+ days
> 98% eliminated 2 months after treatement	> 98% eliminated 2 or more years after treatment
Small amounts may be converted to etretinate, a reaction that is accelerated in the presence of ethanol	Metabolized to acitretin
Available since since late 1980s	Not available in US market since 1998

6 헌혈금지약물 아시트레틴에 노출된 헌혈자의 혈액을 통해 전달된 수혈자의 아시트레틴 노출량

국내에서 헌혈금지약물인 아시트레틴 노출 환자들의 혈액을 수혈받은 환자들이 약 4,000명 정도 발생하고 일부는 가임 여성들이어서 기형발생에 대한 우려가 현실화되었다. 실제로 당시 임신을 준비하고 있던 여성들이 다수이고 임신 중인 여성들도 있었다.

따라서 수혈자들의 혈중 내 아시트레틴과 대사물인 에트레티네이트가 얼마나 존재하는지의 평가와 수혈을 위한 혈액제제에는 이들 약물이 얼마나 존재하는지를 평가할 필요가 있다.

HPLC를 이용하여 5개의 수혈제제와 환자들에서 약물의 농도를 측정하였다. 아시트레틴을 복용한 60명의 환자에서 혈중 내 약물 농도를 측정하기 위해 등록되었다. 41명의 여성이 기형유발성과 관련하여 아시트레틴과 에트레티네이트의 혈중 내 잔류량을 측정하기 위하여 모집되었다. 연구결과는 아시트레틴을 정기적으로 복용한 31명 환자의 혈중 내 아시트레틴 〈2.0~206.8 ng/mL(중간값 65.2 ng/mL), 에트레티네이트 〈2.0~9.1 ng/mL로 다양한 농도를 나타내었다. 음주력이 있는 환자 17명 중 7명에서 에트레티네이트가 측정 가능한 농도로 검출됐지만 음주력이 없는 환자에서는 에트레티네이트가 검출되지 않았다.

아시트레틴을 중단했던 모든 환자에서 아시트레틴 농도는 ~5.5 ng/mL, 에트레티네이트 농도는 ~4.0 ng/mL이었고, 에트레티네이트 농도가 2~4 ng/mL인 경우는 12명의 환자에서 측정되었다.

한편, 헌혈 받은 여성 모두에서 아시트레틴과 에트레티네이트는 검출한계용량 2 ng/mL 미만으로 검출되었다. 5개의 혈액제제에서도 측정결과는 검출한계용량 미만이었다. 혈액제제인 알부민을 제조하는 과정에서 아시트레틴은 98.84%, 에트레티네이트 99.93%가 제거되었다. 면역글로블린과 혈액응고인자를 만드는 과정에서는 아시트레틴과 에트레티네이트가 99.99% 제거되었다.

아시트레틴과 에트레티네이트 등의 비타민 A계 약물들이 빛 노출에 의해서 불안정상태가 된다. 특히 에트레티네이트는 더 취약한 것으로 알려져 있다. 실제로 이수연 등의 연구에 의하면 실험적으로 실온에서 빛에 노출시킨 후의 약물농도 안정성을 평가한 결과, 아시트레틴은 24시간 후에 초기 농도의 28%가, 에트레티네이트는 67%가 감소하였고, 반감기가 길어서 특히 문제가 되는 에트레티네이트는 30분만 빛에 노출되어도 50% 이상 감소하여 매우 불안정하였기 때문에 농축적혈구나 농축혈소판의 보관 중에도 아시트레틴/에트레티네이트의 잔존량이 줄어들 것으로 생각할 수 있다. 더불어 적혈구 제제나 혈소판 제제와 같은 혈액 제제가 환자에게 수혈되면 환자의 체액에 의해 희석되는 효과가 있으므로 최종적인 실제 혈중 약물 농도는 매우 적은 양이 될 것으로 생각할 수 있다. 따라서 이 연구자들은 이 연구를 통해서 다양한 혈액제제의 효과적 제조과정을 확인할 수 있었고, 아시트레틴을 복용한 헌혈자들의 혈액을 수혈받은 여성들이 기형발생의 큰 위험은 가지지 않을 것이라고 결론지었다.

7 아시트레틴을 복용한 헌혈자의 혈액을 수혈 받은 여성들에서 임신결과

국내에서 아시트레틴을 복용한 헌혈자의 혈액을 수혈받은 409명의 가임 여성들이 적십자사를 통해서 한국마더세이프전문상담센터(http://www.mothersafe.or.kr/)를 소개받아 수혈을 통해 노출된 아시트레틴의 기형발생 위험에 관해 상담받았다. 이들 중 당시 9명이 임신을 하게 되었는데 그중 8명은 단태아 임신부였고 1명은 쌍태아 임신부였다. 이들의 임신결과를 대조군으로서 아시트레틴에 노출되지 않은 헌혈자의 혈액을 수혈받았고 나이, 임신력, 단태아/쌍태아를 1:2로 짝지은 임신부와 비교하였다.

아시트레틴노출 임신부의 혈중 내 아시트레틴과 에트레티네이트의 농도는 HPLC에 의해서 측정되었다. 측정한계농도는 2 ng/mL이었다. 임신결과로는 자연유산, 조산(〈37주), 저체중증(〈2,500 g), 구조적 기형이 평가되었다.

결과는 9명의 임신부 중 7명은 단태아 임신, 1명은 쌍태아를 가졌다. 임신부 1명은 임신 6주에 초음파상 불규칙한 태낭이 보이며 심장박동이 없어서 치료적 임신중절을 시행하였다. 이 임신부는 아시트레틴 노출에 의한 기형발생에 대한 두려움도 가지고 있었다.

수혈에 의해 아시트레틴에 노출된 여성들의 평균나이는 33세이고 평균 임신력은 2.7회였다. 그들 중 6명은 농축 적혈구(packed red blood cells), 나머지 3명은 혈소판(platelets)을 수혈받았다. 헌혈자로부터 채혈과 수혈 사이의 기간은 697 ± 270 days이었다. 7명의 혈액에서 음주력이 있는 1명의 여성에서만 에트레티네이트 2.2 ng/mL가 나타났다.

아시트레틴 노출군과 노출되지 않은 대조군 사이에 임신결과는 의미 있는 통계학적 차이를 나타내지 않았다. 노출군과 비노출군 사이에 분만주수 38.3 ± 1.6주 vs 37.8 ± 2.2주(p=0.59), 출산체중 $3,146 \pm 874$ g vs $3,106 \pm 568$ g(p=0.89), 조산 22.2% vs 11.1%(p=0.58), 저체중증 33.3% vs 16.7%(p=0.37)였다. 또한, 구조적 기형발생률도 차이가 없었다.

이 연구결과에 의하면 아시트레틴을 복용한 헌혈자의 혈액에 노출된 후 임신결과는 비노출군과 차이가 없는 것으로 나타났다. 이는 아마도 혈액제제의 제조과정에서 아시트레틴과 에트레티네이트의 제거에 기인한 것으로 추정된다.

임상증례 답

기형유발약물로 헌혈금지약물인 경우 28배의 반감기 기간이 필요하다는 의견이 있고 아시트레틴의 기형발생을 일으키지 않는 안전 용량(safe level)에 대한 근거가 없지만, 국내에서 제조된 혈액제제에서 아시트레틴과 에트레티네이트의 제거율이 99% 이상이고 수혈 받은 수혈자에서의 희석효과와 증례가 많지는 않지만 노출된 임신부의 정상 임신결과에 근거하여 헌혈에 의해 아시트레틴에 노출된 경우라도 임신하는데 다른 문제가 없다면 임신을 원할 때 임신하여 건강한 아이를 출산이 가능성이 높으며 이 약물과 관련하여 기형아를 출산할 가능성은 매우 낮은 것으로 보입니다.

▶ **참고문헌**

1. 이수연. 용역연구사업연구결과보고서: 혈액제제 중 위해물질 acitretin 검출법 개발, 검증 및 제거능 평가. 식품의약품안전처. 2007.

2. AABB. [Cited October 8, 2015] Available from: http://www.aabb.org/tm/questionnaires/Pages/dhqaabb.aspx

3. Council of Europe. Guide to the preparation, use and quality assurance of blood components. 6th Edition. Strasbourg: Council of Europe Pub. p. 32, Part B: Blood collection, 2000.

4. Daum News. [Cited October 8, 2015] Available from: http://media.daum.net/society/welfare/newsview?newsid=20060906185907586

5. Jakobsen P, Larsen FG, Larsen CG. Simultaneous determination of the aromatic retinoids etretin and etretinate and their main metabolites by reversed-phase liquid chromatography. J Chromatogr 1987;415(2):413-8.

6. Katz HI, Waalen J, Leach EE. Acitretin in psoriasis: an overview of adverse effects. J Am Acad Dermatol 1999;41(3 Pt 2):S7-S12.

7. Korean Redcross Blood Services. [Cited October 9, 2015] Available from: http://www.bloodinfo.net/emi_bldqualify.do

8. Little BB, Gilstrap LC. Drugs and pregnancy. 2nd Edition. Chapman and Hall, New York: CRC Press. p. 7-24, Human teratology principles, 1998.

9. Mahl MA, Hirsch M, Sugg U. Verification of the drug history given by potential blood donors: results of drug screening that combines hair and urine analysis. Transfusion 2000;40(6):637-41.

10. Melanson SE, Stowell CP, Flood JG, et al. Does blood donor history accurately reflect the use of prescription medications? A comparison of donor history and serum toxicologic analysis. Transfusion 2006;46(8):1402-7.

11. Naver Blog. [Cited October 8, 2015] Available from: http://ksj2514327.blog.me/220482809944

12. Park HD, Kim HK, Kim JW, et al. Evaluation of the transfusion safety of blood products and determination of plasma concentrations of acitretin and etretinate in patients receiving transfusions. Transfusion 2008;48(11):2395-400.

13. Stichtenoth DO, Deicher HR, Frölich JC. Blood donors on medication. Are deferral periods necessary? Eur J Clin Pharmacol 2001;57(6-7):433-40.

16 유행성바이러스질환과 임신

한정열

임상증례

임신부에서 인플루엔자 백신이 안전한가요? 이 백신은 임신 어느 시기에 접종해야 하나요? 만약 심한 인플루엔자에 감염되는 경우 치료 약이 있나요?

1 인플루엔자(Influenza)

인플루엔자(Influenza)는 오소믹소바이러스(orthomyxoviridae)과의 인플루엔자 바이러스가 유발하는 감염성 질환을 뜻한다. 보통 독감(毒感, flu)이라고 부른다. 증상으로는 고열, 기침, 코막힘, 콧물, 두통, 인후통 등을 동반한다. 어린이에서는 구토를 동반하기도 하며, 합병증으로 바이러스성 폐렴, 이차적 박테리아성 폐렴 등을 유발하며 이전의 천식과 심부전을 악화시킬 수 있다.

표 3-16-1. 인플루엔자 진단을 위한 가장 민감한 증상들

증상	민감도(Sensitivity)	특이도(Specificity)
열	68–86%	25–73%
기침	84–98%	7–29%
코막힘	68–91%	19–41%

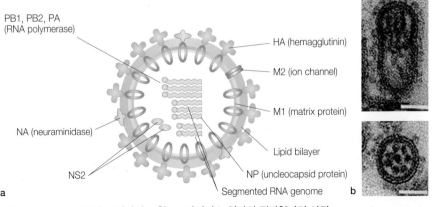

그림 3-16-1. a. 바이러스 입자의 모형, b. 바이러스 입자의 전자현미경 사진

표 3-16-2. 인플루엔자 바이러스의 단백질

분절게놈	단백질	아미노산 수	분자 수/입자	기능
1	PB2	759	30-60	RNA폴리메라제 서브유닛, cap-결합
2	PB1	757	30-60	RNA폴리메라제 서브유닛, 엔도뉴클레아제
3	PA	716	30-60	RNA폴리메라제 서브유닛
4	HA	566	500	혈구응집소(hemagglutinin)
5	NP	498	1,000	뉴클레오캡시드 단백질, RNA결합
6	NA	454	100	뉴라미데이즈
7	M1	252	3,000	매트릭스 단백질, vRNP의 핵 탈출
	M2	97	1-2	이온 채널, 인테그랄 막 단백질
8	NS1	230	0	숙주 mRNA과정의 억제 인터페론 작용 억제
	NS2	121	130-200	vRNP의 핵 탈출

인플루엔자 바이러스는 바이러스 내부구조의 항원성에 따라 세 가지 유형으로 나뉜다. 인플루엔자 B형과 C형은 대개는 사람에 국한되지만, 인플루엔자 A형은 사람뿐만 아니라 돼지, 말, 조류 등 다수의 동물을 감염시킨다. 특히 오리, 거위, 갈매기와 같은 물새를 주로 감염시켜 숙주로 삼고 있다. 하지만 물새들은 이러한 감염으로 병에 걸리지 않는다.

인플루엔자 A 바이러스는 바이러스 표면에 있는 2개의 표면단백질로 표적세포에 바이러스의 침투를 매개하는 혈구응집소(hemagglutinin, HA)와 감염된 세포로부터 새끼 바이러스(virus progeny)를 배출하는 역할을 하는 뉴라미니다제(neuraminidase, NA)의 종류에 따라 세분된다. 16개의 HA아형과 9개의 NA아형이 존재하기 때문에 이들 두 단백질의 조합에 따라 144(16×9)개의 아형으로 구분될 수 있다.

현재까지 105개의 인플루엔자 A 바이러스의 아형이 발견되었고, 이들 모두 물새를 숙주로 한다.

표 3-16-3. 인플루엔자 바이러스의 분류와 주요 아형과 주요 감염숙주

인플루엔자 바이러스형 (Type)	아형 (Subtype)	감염숙주 (Host)
A	1140아형(16Hx9N) 예, H1N1, H3N2, H5N1 등	사람, 조류, 포유동물(돼지, 말, 기타)
B	단일아형	사람
C	단일아형	사람

1) 인플루엔자 바이러스의 명명법

인플루엔자 바이러스의 명명은 아형(subtype)이 같더라도 H 및 N 유전자의 특성이 다르거나 바이러스를 구성하는 또 다른 6개의 유전자의 종류가 다를 수도 있기 때문에 이를 구분하기 위하여 바이러스를 최초로 분리한 지역과 연도 등에 대한 정보를 추가하여 명명한다.

만약 올해 한국에서 사람에게 H1N1형의 인플루엔자가 유행하여 최초로 바이러스가 분리되었다면 이 바이러스의 명명은 '바이러스형/지역명/바이러스 고유번호/분리연도(바이러스 아형)'을 고려하여 'A/Korea/01/2009(H1N1)'이라고 명명하는 것이 국제표준명명법에 맞게 표기한 것이다. 만약 이 바이러스가 사람이 아닌 돼지에서 처음으로 감염이 확인되고 분리되었다면, 'A/Swine/Korea/01/2009(H1N1)'와 같이 바이러스형 다음에 해당 동물의 종(swine=돼지)을 넣어 사람이 아닌 동물 유래 바이러스임을 밝힌다.

이러한 명명법을 기본으로 2009년 신종플루를 명명한다면 'A/Mexico/2009(H1N1)' 또는 'A/North America/2009(H1N1)'로 명명하는 것이 옳다. 일반적으로 사람의 인플루엔자가 대유행하였을 경우에는 학술적인 명명을 사용하기보다는 최초 발생(또는 바이러스가 분리)된 지역명을 따서 스페인독감, 아시아독감 등으로 부르는 것이 일반적이다. 따라서 2009년 신종플루의 경우도 당연히 발생의 진원지를 인용하여 멕시코독감(Mexican flu) 또는 북미독감(North American flu)으로 명명하는 것이 타당하다. 전에 홍콩독감, 아시아독감, 스페인독감 등의 명칭이 붙은 것과 같은 이치이다. 하지만 이러한 지역명을 붙이는 것이 적절하지 않다는 판단과 바이러스의 종류가 밝혀진 상황이어서 2009년에는 WHO에서 '신종인플루엔자 A(H1N1)'라고 명명되어서 따르고 있다.

2) 역사적 인플루엔자 대유행

인플루엔자 대유행은 바이러스가 전 세계로 확산되어 인구의 상당수가 감염되는 경우를 말한다. 인플루엔자 대유행은 새로운 종의 인플루엔자가 다른 동물들로부터 사람에게 전달될 때 발생한다. 새로운 종의 인플루엔자 출현과 관련되는 중요 동물들은 돼지, 닭, 오리이다.

WHO는 향후 몇 년 내에 인플루엔자 대유행을 경고하고 있었다. 가장 강력한 후보는 인플루엔자 A 바이러스의 조류독감 H5N1의 고병원성 아형뿐만 아니라 H7N3, H7N7, H9N2를 포함한다.

인플루엔자 바이러스에 의해 유발되는 대유행의 영향력을 예측하기는 어렵다. 이러한 영향력은 바이러스의 독성(virulence), 면역 여부, 계절독감으로부터 획득한 항체에 의한 교차 보호(cross protection), 숙주의 건강 상태에 의해서 결정된다.

사람에서 인플루엔자 A 바이러스의 3개의 아형(H1N1, H2N2, H3N2)이 높은 유병률과 높은 사망률을 가진 대유행을 일으켰다(표 3-16-4). 1918-1919년에 발생한 스페인독감(H1N1)의 대유행은 전 세계 인구의 25%를 감염시켰고 적어도 2천만 명이 사망했다. 하지만 이후 독감의 대유행은 스페인독감보다 독성이 상대적으로 덜하였지만, 1957-1963년에 발생한 아시아독감(H2N2)에 의해서 1백만 명 이상 사망하였고, 1968-1970년에 발생한 홍콩독감(H3N2)에 의해 약 1백만 명이 사망하였다. 러시아독감의 경우 정확히 알려져 있지 않다. 가장 최근 발생한 2009년 신종플루의 대유행으로 10만-40만 명이 사망한 것으로 알려져 있다. 이러한 인플루엔자 A에 의한 독감 대유행은 30-50년 마다 발생하는 것 같다.

표 3-16-4. 20세기에 발생한 인플루엔자 대유행

연도	바이러스 아형	사망 (추정)	케이스당 치명률
1918-1919 스페인독감	H1N1	2천만-1억	2%
1957-1963 아시아독감	H2N2	1백만-1백5십만	0.13%
1968-1970 홍콩독감	H3N2	75만-1백만	〈 0.1%
1977-1979 러시아독감	H1N1	-	-
2009-2010 신종플루	H1N1	10만-40만	0.03%

2 임신부에서 인플루엔자의 위험성

임신한 여성은 비임신 여성에 비교해서 이환율과 사망률이 더 높은 것으로 알려져 있다.

임신 중의 생리적 면역학적 변화로 tidal volume 감소, 폐활량 감소, 산소 소비량 및 심박출량의 증가, 감염에 대한 모체의 반응성을 손상시키는 T-helper-type 1 cell-mediated immunity의 선택적 억제가 있으며, 이런 변화들이 임신부를 인플루엔자에 의한 합병증에 더 높은 민감성을 가지게 하고 있다.

1918년 H1N1 인플루엔자 대유행 시 임신한 환자의 50%가 폐렴을 동반했고 27%가 치명적이었다. 1957-1958년의 H2N2 인플루엔자 대유행기에는 인플루엔자에 의해서 사망한 가임기 여성의 50%는 임신부였다.

또한, 2009년 신종플루에 의한 대유행기에는 임신부가 전체 인구의 약 1% 정도였지만 29개 나라 3,110명의 임신부를 대상으로 한 연구에서 중환자실 입원과 사망한 경우가 전체 인구의 6% 정도로 높았다. 캐나다에서도 2009년 신종플루 대유행 시기에 신종플루 확진 환자 1,479례 중 78례의 임신부가 있었다. 당시 이들 임신부의 중환자실 입원율은 비임신 가임여성에 비교해서 각각 2.59/10만 명과 0.33/10만 명이었고 사망률은 각각 0.8/10만 명과 0.05/10만 명으로 높게 나타났다.

인플루엔자에 감염 후 태아에 대한 위험은 임신 말기에 더 높은 것으로 나타났다. 임신 3기에 인플루엔자에 감염되는 경우 중환자실 입원, 폐렴, 조산의 위험이 더 높았다. 또한, 각자 다른 지역으로부터 7개의 연구를 종합한 결과 신종플루의 9.1%는 임신 1기, 29.8%는 임신 2기, 47.0%는 임신 3기에 발생하는 것으로 나타났다.

3 인플루엔자가 태아에 미치는 위험성

인플루엔자에 의한 바이러스혈증(viremia)이 드물어서 인플루엔자 바이러스의 태반통과는 드물다.

하지만 최근 한 연구에 의하면 심한 증상을 보여 입원한 인플루엔자감염 임신부의 신생아 6명 중 3명에서 인플루엔자 A(H1N1)가 비인두의 샘플에서 양성으로 진단되어 인플루엔자의 태반통과 가능성을 내비쳤다.

인플루엔자는 임신결과에 부정적 영향을 미치는 것으로 알려져 있다. 미국에서 조산아 출산은 평균 12.6%이며 저체중아는 8.2%이지만, 2009년 신종플루의 대유행기에 입원치료가 필요했던 임신부의 63.6%가 조산을 했고, 43.8%가 저체중아를 출산하였다.

2009년 대유행기에 노르웨이의 코호트에서는 H1N1인플루엔자에 감염되는 경우 태아사망이 더 높은 것으로 보고되었다. 영국에서도 인플루엔자가 없었던 시기에 비해 조산이 4배 증가한 것으로 보고하였다. 캐나다인 코호트에서는 13년 동안 인플루엔자 시즌 동안 호흡기질환으로 입원했던 여성들에서 태어난 영아에서 저체중아가 1.66배 더 높았고 평균 체중도 적게 나타났다.

1918년 H1N1 대유행기에는 임신부에서 합병증 없이 인플루엔자에 감염된 경우에는 25%, 합병증이 있는 상태로 인플루엔자에 감염된 경우에는 50%가 태아를 잃는 경험을 하였다. 1919년 봄에 출산율이 감소한 것은 대유행기의 정점기에 10명의 여성 중 1명에서 임신 1기 유산과 관련되는 것으로 추정되었다.

4 임신부에서 인플루엔자 백신의 효과 및 안전성

WHO에 의하면 임신부는 비활성 인플루엔자 백신 접종의 우선순위 대상자이다. 미국의 경우 2004년부터, 캐나다는 2007년부터 모든 임신부는 임신 시기에 상관없이 인플루엔자 백신 접종이 권장되고 있다. WHO에 의해서 3가 백신이 추천되고 있다. 3가 백신에는 2종의 인플루엔자 A(H1N1과 H3N2), 그리고 2종의 인플루엔자 B(Yamagata 또는 Victoria) 중 1개의 항원을 포함하고 있다.

임신부에서 인플루엔자 백신에 의한 면역반응은 비임신부와 비슷하며 항체가 태반을 통과해서 태아와 영아를 보호한다. 340명의 임신 3기의 임신부에게 인플루엔자 백신을 주었을 때 태어난 영아들 사이에서 인플루엔자 감염률이 63% 감소하였고, 열을 동반한 호흡기질병이 36% 감소하였다.

신종플루(H1N1) 백신을 접종한 120명의 임신부에서 출산 시 제대혈에서 8-9%가 예방 가능한 혈중 항체량을 나타냈으며 태반 통과 여부를 관찰할 수 있었다. 또한, 인플루엔자 유행 시기에 임신부의 인플루엔자 백신 접종은 임신부와 영아에서 통계학적으로 매우 의미있게 감소하였을 뿐만 아니라 평균 출산 체중이 더 높았으며, 저체중아 출산 비중도 더 적었다.

캐나다에서는 9,781명의 대규모 코호트에 따르면, 10퍼센타일 미만의 작은 아이는 adjusted odds ratio=0.80(95% CI, 0.65-0.95)이고 저체중아는 adjusted odds ratio=0.74(95% CI, 0.58-0.95)였다.

임신부에서 인플루엔자 백신 사용은 수십 년 동안 사용되었음에도 임신부와 영아에서 해로운 결과를 낸 연구는 아직 없었다. 1960년대 2천 명 이상의 임신부에게 3가의 불활성 백신을 접종했을 때 모체와 영아에 부정적인 영향은 없었다. 3,719명의 인플루엔자 백신 접종 임신부와 45,886명의 비접종 임신부 비교 시에 임신부에서 부정적 임신결과와 제왕절개율, 조산율에 차이가 없었다. 한편, 신종플루 대유행기 백신의 경우도 임신부와 태아에서 부정적인 양상은 없었다.

5 임신부에서 인플루엔자 백신 보조제(Adjuvants)의 효과 및 안전성

캐나다와 여러 유럽 국가에서 대유행기의 백신에 보조제(adjuvants)가 추가되었다. 이 보조제는 면역반응을 북돋우기 위해, 보다 광범위한 예방을 위해 사용된다. 또한, 항원의 양을 줄여 대유행기에 백신이 많이 필요한 경우 보다 많은 dose 접종이 가능하게 한다. 알루미늄(Aluminium) 기반의 보조제가 A형 간염, B형 간염, 디프테리아, 테타누스, 백일해 같은 백신에 사용되고, 이는 많은 임신부에서 사용되었고 부정적인 결과의 증가는 없었다.

신종플루 H1N1 백신은 ASO3와 MF59와 같은 새로운 보조제를 사용하였다. 임신부에서 이 보조제를 사용했던 경우에 보조제 없는 백신을 받았던 임신부와 비교 시 부정적 임신결과의 증가는 없었던 것으로 밝혀졌다.

6 임신부에서 인플루엔자 예방

임신부에서 인플루엔자 백신이 효과가 있고 안전성이 있어서 모든 임신부가 임신 시기에 상관없이 접종을 권장하고 있지만, 임신부의 인플루엔자 접종률은 높지 않다. 2000년에 미국 산부인과 의사들을 대상으로 조사한 결과 단지 39%만이 임신부에게 처방하는 것으로 나타났다. 2004년 조사에서는 백신을 권장할 가능성이 임신 주수에 따라 달라짐을 알 수 있었다. 임신 1기에는 52%만 권장하였고 임신 2, 3기에는 95%가 권장하는 것으로 나타났다.

한편, 우리나라에서는 임신부 및 임신계획 여성에서의 인플루엔자 백신 접종률이 38.6%로 낮은 것으로 보고되고 있다.

7 임신부에서 인플루엔자 치료를 위한 항바이러스제제

임신 중 인플루엔자 치료를 위한 항바이러스 제제는 뉴라미니다제(neuraminidase) 억제제인 오셀타미비르(oseltamivir)와 자나미비르(zanamivir)가 있다. 이들은 인플루엔자 A와 B 둘 다에 효과적이다. 자나미비르는 전신흡수가 안 되는 흡입제이고 오셀타미비르는 전신 흡수가 되는 경구용제제이다.

임신부에서 오셀타미비르와 자나미비르의 치료 및 예방적 용량은 표 3-16-5와 같다.

표 3-16-5. **임신부에서 오셀타미비르와 자나미비르의 치료와 예방**

약물	치료 (5일)	화학적 예방 (10일)
오셀타미비르(Oseltamivir)	하루 75 mg 2회 복용	하루 75 mg 1회 복용
자나미비르(Zanamivir)	하루 10 mg (5 mg 2회) 2회 흡입	하루 10 mg (5 mg 2회) 1회 흡입

이들 항바이러스 약물이 인플루엔자를 예방하기 위한 1st line으로서 백신을 대신하지는 못한다. 하지만 면역에 중요한 보조적 역할을 한다. 이들은 병기 초기로 12시간 이내에 가장 효과가 좋다. 이상적으로는 증상 시작의 24-48시간 이내에 시작되어야 한다. 이들 약물은 계절성 인플루엔자에서 저위험군에게는 사용이 권장되지 않는다. 중정도, 중증 그리고 고위험군과 임신부에게는 권장된다.

8 임신부에서 항바이러스제제의 효율성과 안전성

메타분석에 의하면 임신부에서 인플루엔자를 위한 항바이러스제제가 이 질환의 기간, 중증도, 합병증을 감소시키는 것으로 나타났다. 북미에서는 오셀타미비르와 자나미비르 모두 임신부에게 추천하고 있지만, 일부 전문가들은 오셀타미비르가 전신흡수가 되기 때문에 임신부에서 더 낫다고 추천하고 있다. 오셀타미비르의 약동학은 임신 시기에 따라서 크게 변하지 않고, 일부 연구에서 비임신부에 비교해서 임신부에서 활성기 대사물이 더 낮은 것으로 보고하였다. 임신부에서의 용량은 비임신부와 같이 사용하도록 하고 있다.

미국 FDA에 의하면 이들 항바이러스제제는 임신부 사용에서 위험도 평가가 필요한 등급인 C 등급으로 분류되어 있다. 제한된 연구이지만 이들 항바이러스제제가 기형유발물질은 아닌 것으로 밝히고 있다. 일본 기형유발물질 데이터베이스에 의하면 임신 1기에 오셀타미비르를 처방 받았던 90명의 임신부에서 1명(1.1%)만 심실중격결손증이 발생한 것으로 밝히고 있고, 유산률은 3.3%로 일반 임신부에서보다 낮았다. 스웨덴, 미국, 캐나다에서 이러한 항바이러스제제에 노출되었던 임신부에서 선천성기형과 불량한 임신결과인 조산, 조기양수파막, 저체중, 사산, 신생아 사망의 증가는 없었다.

9 맺음말

인플루엔자 대유행은 30-50년 주기로 발생하며 수많은 생명을 앗아가는 치명적 바이러스감염질환이다. 특히 임신부는 비임신부에 비교해서 인플루엔자에 의한 합병증과 치명률이 더 높은 고위험군에 속한다. 임신 시기에 따라 미치는 영향이 달라 임신 1기보다 임신 2기, 3기로 진행될수록 합병증 발생률이 더 높아진다. 임신부가 인플루엔자에 감염되지 않기 위한 최선의 노력은 인플루엔자 백신을 접종받는 것이다. 인플루엔자 백신은 임신 시기에 상관없이 맞아야 한다. 임신부가 인플루엔자 백신을 맞음으로써 모체에서 발병률을 줄이고 항체가 태반을 통과함으로써 태아를 보호할 수 있다. 인플루엔자에 감염된 경우 가능한 한 빠른 시기에 항바이러스제로 치료함으로써 합병증을 줄일 수 있다. 현재까지의 증거들은 인플루엔자 백신과 오셀타미비르와 자나미비르는 임신부 및 태아에서 안전하며 위험보다는 이점이 훨씬 많다.

임상증례 답

임신부에서 인플루엔자 백신은 안전할 뿐만 아니라 임신부의 건강과 태아의 건강에 이점이 큰 것으로 많은 연구에 의해서 밝혀져 있으며, 이 백신은 임신 시기에 상관없이 접종해야 합니다. 만약 중증도 이상의 인플루엔자에 감염되는 경우 합병증을 줄이기 위해 가능한 한 빨리 오셀타미비르나 자나미비르를 처방받아 복용하여야 합니다. 이 항바이러스제는 기형 유발성은 없는 것으로 밝혀지고 있습니다.

▶ 참고문헌

1. 류왕식. 바이러스학. 제1판. 라이프사이언스. 제9장 음성가닥 RNA 바이러스II: 오소믹소바이러스, 2007.

2. Aoki FY, Allen UD, Stiver HG, et al. The use of antiviral drugs for influenza: Guidance for practitioners 2012/2013. Can J Infect Dis Med Microbiol 2012;23(4):e79–92.

3. Beigi RH, Han K, Venkataramanan R, et al. Pharmacokinetics of oseltamivir among pregnant and nonpregnant women. Am J Obstet Gynecol 2011;204(6 Suppl 1):S84–8.

4. Black SB, Shinefield HR, France EK, et al. Effectiveness of influenza vaccine during pregnancy in preventing hospitalizations and outpatient visits for respiratory illness in pregnant women and their infants. Am J Perinatol 2004;21(6):333–9.

5. Bloom-Feshbach K, Simonsen L, Viboud C, et al. Natality decline and miscarriages associated with the 1918 influenza pandemic: the Scandinavian and United States experiences. J Infect Dis 2011;204(8):1157–64.

6. Call SA, Vollenweider MA, Hornung CA, et al. Does this patient have influenza?. JAMA 2005;293(8): 987–97.

7. Campbell A, Rodin R, Kropp R, et al. Risk of severe outcomes among patients admitted to hospital with pandemic (H1N1) influenza. CMAJ 2010;182(4):349–55.

8. Centers for Disease Control and Prevention (CDC). Influenza vaccination in pregnancy: practices among obstetrician-gynecologists – United States, 2003–04 influenza season. MMWR Morb Mortal Wkly Rep 2005;54(41):1050–2.

9. Centers for Disease Control and Prevention (CDC). Maternal and infant outcomes among severely ill pregnant and postpartum women with 2009 pandemic influenza A (H1N1)--United States, April 2009–August 2010. MMWR Morb Mortal Wkly Rep 2011;60(35):1193–6.

10. Dan L. Longo, Anthony S. Fauci, Dennis L. Kasper, et al. Harrison's principles of internal medicine. 18th Edition. New York: McGraw-Hill. 187: Influenza, 2012.

11. Dodds L, MacDonald N, Scott J, et al. The association between influenza vaccine in pregnancy and adverse neonatal outcomes. J Obstet Gynaecol Can 2012;34(8):714–20.

12. Falagas ME, Koletsi PK, Voulourmanon EK, et al. Effectiveness and safety of neuraminidase inhibitors in reducing influenza complications: a meta-analysis of randomized controlled trials. J Antimicrob Chemother 2010;65(7):1330–46.

13. Freeman DW, Barno A. Deaths from Asian influenza associated with pregnancy. Am J Obstet Gynecol 1959;78:1172–5.

14. Gaunt G, Ramin K. Immunological tolerance of the human fetus. Am J Perinatol 2001;18(6):299–312.

15. Gonik B, Jones T, Contreras D, et al. The obstetrician-gynecologist's role in vaccine-preventable diseases and immunization. Obstet Gynecol 2000;96(1):81–4.

16. Greer LG, Sheffield JS, Rogers VL, et al. Maternal and neonatal outcomes after antepartum treatment of influenza with antiviral medications. Obstet Gynecol 2010;115(4):711–6.

17. Haberg SE, Trogstad L, Gunnes N, et al. Risk of fetal death after pandemic influenza virus infection or vaccination. N Engl J Med 2013;368(4):333–40.

18. Harris JW. Influenza occurring in pregnant women: a statistical study of thirteen hundred and fifty cases. JAMA 1919;72(14):978–80.

19. Heikkinen T, Young J, van Beek E, et al. Safety of MF59-adjuvanted A/H1N1 influenza vaccine in pregnancy: a comparative cohort study. Am J Obstet Gynecol 2012;207(3):177.e1–8.

20. Heinonen OP, Shapiro S, Monson RR, et al. Immunization during pregnancy against poliomyelitis and influenza in relation to childhood malignancy. Int J Epidemiol 1973;2(3):229–35.

21. Herberts C, Melgert B, Van Der Laan JW, et al. New adjuvanted vaccines in pregnancy: what is known about their safety?. Expert Rev Vaccines 2010;9(12):1411–22.

22. Irving WL, James DK, Stephenson T, et al. Influenza virus infection in the second and third trimesters of pregnancy: a clinical and seroepidemiological study. BJOG 2000;107(10):1282–9.

23. Jackson LA, Patel SM, Swamy GK, et al. Immunogenicity of an inactivated monovalent

2009 H1N1 influenza vaccine in pregnant women. J Infect Dis 2011;204(6):854–63.

24. Jamieson DJ, Theiler RN, Rasmussen SA. Emerging infections and pregnancy. Emerg Infect Dis 2006;12(11):1638–43.

25. Ko HS, Jo YS, Kim YH, et al. Knowledge, attitudes, and acceptability about influenza vaccination in Korean women of childbearing age. Obstet Gynecol Sci 2015;58(2):81-9.

26. Laibl VR, Sheffield JS. Influenza and pneumonia in pregnancy. Clin Perinatol 2005;32(3):727–38.

27. Liu SL, Wang J, Yang XH, et al. Pandemic influenza A(H1N1) 2009 virus in pregnancy. Rev Med Virol 2013;23(1):3–14.

28. McNeil SA, Dodds LA, Fell DB, et al. Effect of respiratory hospitalization during pregnancy on infant outcomes. Am J Obstet Gynecol 2011;204(6 Suppl 1):S54–7.

29. Mosby LG, Rasmussen SA, Jamieson DJ. 2009 pandemic influenza A (H1N1) in pregnancy: a systematic review of the literature. Am J Obstet Gynecol 2011;205(1):10–8.

30. Neuzil KM, Reed GW, Mitchel EF, et al. Impact of influenza on acute cardiopulmonary hospitalizations in pregnant women. Am J Epidemiol 1998;148(11):1094–102.

31. Ortiz JR, Neuzil KM, Ahonkhai VI, et al. Translating vaccine policy into action: a report from the Bill & Melinda Gates Foundation Consultation on the prevention of maternal and early infant influenza in resource-limited settings. Vaccine 2012;30(50):7134–40.

32. Perdigão AC, de Carvalho Araújo FM, de Melo ME, et al. Post-pandemic influenza a (H1N1) 2009 virus infection in pregnant women in Ceará, Brazil. Influenza Other Respir Viruses 2015;9(6):293-7.

33. Pierce M, Kurinczuk JJ, Spark P, et al. Perinatal outcomes after maternal 2009/H1N1 infection: national cohort study. BMJ 2011;342:d3214.

34. Rogers VL, Sheffield JS, Roberts SW, et al. Presentation of seasonal influenza A in pregnancy: 2003-2004 influenza season. Obstet Gynecol 2010;115(5):924–9.

35. Steinhoff MC, Omer SB, Roy E, et al. Neonatal outcomes after influenza immunization during pregnancy: a randomized controlled trial. CMAJ 2012;184(6):645–53.

36. Svensson T, Granath F, Stephansson O, et al. Birth outcomes among women exposed to neuraminidase inhibitors during pregnancy. Pharmacoepidemiol Drug Saf 2011;20(10):1030–4.

37. Tanaka T, Nakajima K, Murashima A, et al. Safety of neuraminidase inhibitors against novel influenza A (H1N1) in pregnant and breastfeeding women. CMAJ 2009;181(1–2):55–8.

38. Tavares F, Nazareth I, Monegal JS, et al. Pregnancy and safety outcomes in women vaccinated with an AS03-adjuvanted split virion H1N1 (2009) pandemic influenza vaccine

during pregnancy: a prospective cohort study. Vaccine 2011;29(37): 6358–65.

39. The Weekly Epidemiological Record. World Health Organization(WHO) 2012;87(47):461–76.

40. Wikipedia. [Cited November 5, 2015] Available from: https://en.wikipedia.org/wiki/Influenza

41. Xie HY, Yasseen AS 3rd, Xie RH, et al. Infant outcomes among pregnant women who used oseltamivir for treatment of influenza during the H1N1 epidemic. Am J Obstet Gynecol 2013;208(4):293.e1–7.

42. Yudin MH. Risk management of seasonal influenza during pregnancy: current perspectives. Int J Womens Health. 2014;6:681-9.

43. Zaman K, Roy E, Arifeen SE, et al. Effectiveness of maternal influenza immunization in mothers and infants. N Engl J Med 2008;359(15):1555–64.

44. Zou S. Potential impact of pandemic influenza on blood safety and availability. Transfus Med Rev 2006;20(3):181–9.

COVID-19와 임신

◦ 조금준

1 서론

2019년 중국에서 시작된 coronavirus disease 2019 (COVID-19)의 확산은 지구촌 거의 모든 곳의 생활과 경제를 포함한 모든 분야에 영향을 미쳤으며, 변종바이러스의 출현으로 2022년 1월 현재대유행이 지속되고 있다. 이로 인해 세계보건기구(World Health Organization)는 2020년 1월 30일에 COVID-19 비상사태를 선포하였고, 2020년 3월 11일에는 1968년 홍콩 독감, 2009년 신종플루에 이어 역대 세 번째 팬데믹(세계적 대유행)을 선포하였다. 미국 존스홉킨스대에서 실시한 집계에 따르면 2021년 12월 현재까지 전세계적으로 약 2억 7500만명이 감염되었으며 이 중 537만 명 가량이 사망하였다. 이로 인한 전세계 치명률은 지역, 인구집단연령 구조, 감염 상태 및 기타 요인에 의해 0.1~25%로 다양하다. 우리나라도 COVID-19 유행으로부터 자유롭지 못한 상황으로, 중앙재난안전대책본부 국내 발생 현황 기준 2021년 12월 20일 0시까지 누적 확진 환자 수는 약 570,414명이며 이 중 약 4,776명이 COVID-19 감염으로 인해 사망한 것으로 나타났다.

과거 중증급성호흡증후군(severe acute respiratory syndrome, SARS), 중동호흡기증후군(Middle East respiratory syndrome, MERS), 인플루엔자 등의 호흡기계 바이러스 감염이 비임신 여성들에 비하여 임신부들에서 높은 중증도와 치사율을 보인 것과 유사하게, COVID-19에 감염된 유증상의 임신부들 역시 비임신부들에 비하여 높은 중등도를 보이고 있다. 이에 현재까지 알려진 COVID-19 감염이 임신에 미치는 영향 및 예방, 치료에 대해서 살펴보고자 한다.

2 코로나바이러스 분류 및 특성

코로나바이러스는 사람과 다양한 동물에 감염될 수 있는 바이러스로, 유전자 크기 27~32kb의 RNA 바이러스이다. 코로나 바이러스과에는 알파, 베타, 감마, 델타 등 4개의 속이 있으며, 알파, 베타는 사람과 동물에게 감염되며, 감마, 델타는 동물에게 감염된다. 형태는 코로나 바이러스의 명명과 같이 전자현미경 관찰 시 외부 spike 단백질이 특징적인 크라운 형태를 보인다.

사람감염 코로나 바이러스는 현재까지 감기를 일으키는 유형(229E, OC43, NL63, HKU1) 4종류와 중증폐렴을 일으키는 유형 (SARS-Cov, MERS-Cov) 2종류로, 총 6종류가 알려져 있다.

3 COVID-19의 특징

현재 유행하고 있는 COVID-19는 Severe Acute Respiratory Syndrome-Coronavirus-2 (SARS-CoV-2)로 Coronaviridae family, Betacoronavirus genus Sarbecovirus subgenus에 속한다. 주된 전파 경로는 감염자의 호흡기 침방울(비말)로 사람 간에 전파되며, 대부분의 감염은 감염자가 기침, 재채기, 말하기, 노래 등을 할 때 발생한 호흡기 침방울(비말)을 다른 사람이 밀접 접촉(주로 2m 이내)하여 발생하게 된다. 현재까지의 연구결과에 의하면, 비말 이외에도 표면접촉, 공기 등을 통해서도 전파가 가능하나, 공기 전파는 의료기관의 에어로졸 생성 시술, 밀폐된공간에서 장시간 호흡기 비말을 만드는 환경 등 특정 환경에서 제한적으로 전파되는 것으로 알려져 있다.

COVID-19의 잠복기는 1~14일(평균 5~7일)이며 감염 시 임상 증상은 무증상, 경증, 중등증, 중증까지 다양하다. 주요 증상으로는 발열(37.5℃ 이상), 기침, 호흡곤란, 오한, 근육통, 두통, 인후통, 후각·미각소실이며 그 외에 피로, 식욕감소, 가래, 소화기증상(오심, 구토, 설사 등), 혼돈, 어지러움, 콧물이나 코막힘, 객혈, 흉통, 결막염, 피부 증상 등이 다양하게 나타나게 된다.

현재 공식적으로 사용되고있는 특이치료제는 없으며 증상에 따른 해열제, 수액공급, 진해제 등 대증치료를 하게 되며, 호흡 곤란 시 산소를 공급하고 필요한 경우에는 기계호흡이나 체외막 산소공급(ECMO)등의 처치를 시행하게 된다. 산소 치료가 필요한 환자에서 렘데시비르의 효과가 일부 확인되어 우리나라를 포함한 여러 나라에서 긴급 승인이 되었다.

4 임신부에서 COVID-19 감염의 위험성

COVID-19에 감염된 임신부는 대체적으로 임신 결과가 양호하였다. 하지만 임신부는 CO-VID-19 고위험군으로 임신하지 않은 여성과 비교하여 COVID-19 감염 시 중증 진행 위험이 높다. 연령, 인종, 기저질환을 보정하여도 COVID-19에 감염된 유증상 임신부는 코로나19 감염 일반 가임기 여성(유증상)에 비해 중환자실에 입원(RR 3.0, 95% CI 2.6-3.4) 하거나, 인공호흡기(adjusted RR 2.9, 95% CI 2.2-3.8) 또는 ECMO 치료받을 가능성 (adjusted RR 2.4, 95% CI 1.5-4.0), 사망률(adjusted RR 1.7, 95% CI 1.2-2.4)이 유의미하게 높았다.[1] 또한 임신 결과에도 부정적인 영향을 미치게 되는데[2,3] 임신성 고혈압, 임신성 당뇨 외 조산, 저체중아 분만 등 위험이 증가하는 것으로 보고되었다. 한 메타분석에 따르면 경증감염에서는 전자간증(OR 1.33,

95% CI 1.03−1.73), 조산(OR 1.82, 95% CI 1.38−2.39), 사산(OR 2.11, 95% CI 1.14−3.90)의 위험이 증가하는 걸로 나타났다. 중증에서도 역시 COVID-19 감염 시 전자간증(OR 4.16, 95% CI 1.55−11.15), 조산(OR 4.29, 95% CI 2.41−7.63), 임신성 당뇨병(OR 1.99, 95% CI 1.09−3.64), 저체중아(OR 1.89, 95% CI 1.14−3.12)의 위험이 증가하는 것으로 나타났다.[4] COVID-19와 관련되어 가장 많이 보고된 임신합병증인 조산의 경우 그 위험성이 약 3배 증가하였으나 대부분의 경우가 의인성 조산이다.[5] 대부분의 조산은 임신 32주 이후에 발생하였고 모체나 태아 상태에 미치는 COVID-19 감염의 부작용에 대한 우려로 인해 제왕절개의 비율이 증가하였다.[6] 특히 고령 (만35세 이상), 기저질환이 있는 임신부(BMI 30 이상, 당뇨, 심장질환 등)는 코로나19 감염 시 중증 진행 및 사망에 대한 위험이 특히 높은 것으로 알려져 있다.[7,8]

국내 임신부의 COVID-19 발생현황을 보면 21년 8월 31일까지 약 731명의 임신부가 COVID-19에 감염되었으며 사망은 없었으나 위중증이 15명(위중증률 2.05%)으로, 가임기의 비임신 여성에 비해 6배 높은 위중증률을 보였다.

5 COVID-19 감염이 태아에 미치는 위험성

COVID-19의 수직감염 위험성에 대해서는 연구가 필요하며 현재 전세계적으로 300만 건 이상의 임신부 COVID-19 감염 사례에도 불구하고 태아 전파에 대한 결정적인 증거는 없다.[9] 현재까지 수집된 데이터에 의하면 일반적으로 이환된 모체의 양수, 제대혈, 신생아 비인두에서 바이러스가 검출되지는 않았다. 메타분석연구에 의하면 수직 감염의 위험은 대략 2.5% 정도로 추정되며 주로 임신 3분기 감염 사례로 제한되는 것으로 나타났다.[10] 또한 출생 24시간 이후 시행한 신생아 비인두 PCR과 같은 검사는 수평 전파의 가능성을 배제할 수 없으며 신생아 혈청학적 상태를 해석하는 것은 높은 위양성률을 갖는 검사 방법을 사용하기 때문에 신뢰할 수 있는 분석법이 나올 때까지는 검사 결과를 주의하여 해석해야 한다.[11] 뿐만 아니라 COVID-19에 감염된 산모의 모유수유가 신생아 전염 위험을 증가시킨다는 증거 역시 없다.[12]

6 COVID-19 백신

COVID-19의 유행을 저지하기 위해 2020년 12월 11일 미국 식품의약처는 Pfizer-BioNtech messenger RNA (mRNA) 백신에 대해 최초로 긴급 사용 승인을 하였으며 이후 Moderna mRNA 백신과 바이러스 벡터를 이용한 얀센 백신(Janssen Biotech Inc. COVID-19 백신) 역시 긴급 사용 승인하였다. 미국은 2021년 8월 24일에 Pfizer-BioNtech mRNA 백신을 정식 승인하였다. 긴급 사용 승인이란 적절하고 승인된 다른 대안이 없을 때 심각하거나 생명을 위협하는 상태를 진단, 치료 또는 예방하기 위해 공중 보건 응급 상황에서 입증되지 않은 의료 제품을 사용할 수 있도록 FDA에 제공되는 권한으로 백신의 이점이 적어도 하나의 잘 설계된 3상 데이터에서 나타난 위험성을 능가해야 한다는 조건을 만족해야 한다. Pfizer-BioNtech 백신의 경우 12세 이상의 개인에게 3주(21일) 간격으로 2회 접종하며 Moderna 백신은 18세 이상의 개인에게 1개월 (28일) 간격으로 2회 투여 요법으로 허가되었다. 얀센 백신은 18세 이상의 개인에게 1회 투여 요법으로 접종이 시행된다. 또 백신 도입 초기에 우리나라에 주요하게 들여왔던 옥스퍼드사의 아스트라제네카 백신 역시 FDA에 의한 긴급 사용 승인은 받지 못하였으나 2020년 12월 30일 영국의 보건 사회부에 의해 승인되었다.[12] 주요 백신들을 간략히 살펴보자면 표 3-17-1과 같다.[13]

표 3-17-1. Characteristics of coronavirus disease 2019 (COVID-19) vaccines

COVID-19 vaccine	Type of vaccine	Efficacy	Storage	Reactogenicity	Clinical trial on pregnant participants
Pfizer/BioNTech	mRNA	95.0%	-70℃, can be refrigerated for up to 5 days after thawing	Fatigue, muscle ache, chills, fever, local reactions	On phase 2 of 3 trials (study start date: February 16, 2021)
Moderna (mRNA-1273)	mRNA	94.1%	-20℃, can be refrigerated for up to 30 days after thawing	Local pain, fatigue, headache, myalgia, arthralgia, chills, fever	Observational cohort study (study start date: July 22, 2021)
AstraZeneca (AZD 1222)	Viral vector	70.4%	Refrigerator temperature (2℃-8℃)	Local pain, fatigue, headache, fever, myalgia	NA
Johnson & Johnson-Janssen Pharmaceuticals	Viral vector	66.9%	Refrigerator temperature (2℃-8℃)	Local pain, fatigue, headache, myalgia	On phase 2 trial (study start date: August 9, 2021)
Novavax	Recombinant protein	N/A	Refrigerator temperature (2℃-8℃)	Local pain, fatigue, headache, myalgia	NA
GSK-Sanofi	Recombinant protein	N/A	Refrigerator temperature (2℃-8℃)	NA	NA

NA, not available.
*Efficacy against symptomatic disease.

7　임신부에서의 COVID-19 백신 효능

대다수의 백신에서 임신 중 접종은 임신 중에 가능한 잠재적 위험보다 이점이 분명하게 클 경우에 허가된다.[14] mRNA 백신은 최근에 등장한 백신의 형태이기 때문에 임신부에서의 사용 경험이 부족한 실정이다. 하지만 살아있는 바이러스를 사용하지 않기 때문에 질병을 일으킬 수 없으며, 개인의 DNA와 상호작용하지 않아 유전적 돌연변이를 일으키지 않는다.[13,15] 또한 CDC에 의하면 이전에 동물에서 시행된 연구에서는 이 형태의 백신이 여성 생식, 태아 발달에 대한 안정성 문제가 밝혀지지 않았다.

임신 중 코로나19 백신의 효능에 대한 데이터는 제한적이지만 임신부 84명과 수유부 31명을 포함한 코호트 연구에 따르면 mRNA 백신 접종 후 백신으로 유도된 항체 역가는 임신하지 않은 여성과 비슷하였으며 임신 중 바이러스감염에 의해 유발된 항체 역가보다는 높아, 백신을 접종한 임신부에서도 비임신부와 동일하게 코로나19 바이러스에 대한 항체를 생성하는 것이 확인되었다.[16] 또한 백신 형성 항체는 모든 제대혈 및 모유 샘플에서 검출되어 모체 백신 접종을 통한 태아 및 신생아의 COVID-19 면역 전이의 가능성을 보여주었다. 특히 제대혈로 전달되는 비율은 임신부가 감염된 백신 접종 시점으로부터 출산까지의 기간이 길 경우 양의 연관성을 보였다.[17] 따라서 임신 중 백신 접종은 태반과 모유수유를 통해 아기에게 항체를 전달할 수 있을 것으로 생각되나[18], 이러한 항체가 감염으로부터 보호 능력을 갖는지에 대해서는 추가 연구가 필요하다.

현재 허가된 백신은 각각의 임상 시험 결과 높은 효능을 보이기까지 백신 접종 완료 후 7~14일이 경과되어야 하며, COVID-19를 예방하는 데에 mRNA 백신은 94~95% 가량의 효능이 있는 것으로 알려져 있다. 이스라엘에서 진행된 화이자 접종 완료한 임신부의 코로나19 감염 발생 연관성 연구결과 실제 예방접종 임신부에서 코로나19 감염이 유의미하게 감소하는 것이 확인되었다.[19]

8 임신부에서의 COVID-19 백신 안전성

미국, 이스라엘 등에서 백신을 접종한 임신부를 대상으로 이상반응 및 임신 결과를 조사한 결과, 이상반응은 비임신부와 유사하게 나타났다. 이스라엘의 경우, 2021년 1~2월 화이자를 접종한 390명 산모에게 주사부위 통증 및 발열은 대조군과 차이가 없었으며, 두통, 근육통은 오히려 대조군보다 적었다. 분만을 한 57명 중 조산은 발생하지 않았으며 신생아 예후 역시 일반 산모와 차이를 보이지 않았다.[20] 미국의 경우도 2020년 12월부터 2021년 2월까지 V-safe 감시시스템에 등록된 백신을 접종한 임신부 35,691명을 대상으로 조사하였는데, 주사 부위 통증, 전신 부작용 등이 비임신부와 유사했으며, 분만 시 조산, 유산, 기형아 발생 비율은 비접종자와 차이가 없었다. 무엇보다도 임신 20주 전에 mRNA 백신을 접종한 2,500명 중 연령 표준화된 자연유산 누적위험은 12.8%(10.8~14.8%)로 기존에 발표된 자연유산 기준통계 추정치(11-12%)와 유사한 수준으로, mRNA 백신접종이 자연유산과 관련이 없었다.[21]

9 임신부 COVID-19 백신 접종에 대한 각국의 가이드라인

주요 선진국에서는 임신부가 COVID-19 감염 시 중증으로 진행할 위험성이 높고 지금까지 특별히 보고된 태아 안정성 문제가 없음에 근거하여 임신부에 대한 접종을 권장하고 있다(표 3-17-2).[22] 국내에서도 2021년 10월부터 임신부에게 백신 접종을 시작하였다. 하지만 CO-VID-19 백신 허가 임상연구들의 대상에서 임신부들은 제외되었기 때문에 임신 관련 임상 데이터가 제한적이며 백신접종으로 인한 이상반응의 두려움으로 인해 임신부들에서의 백신 접종률은 저조한 상태이다.

표 3-17-2 guidelines or information about COVID-19 and vaccination for pregnant or breastfeeding women

Item	Korea	WHO	United States	Europe	United Kingdom	Japan
Pregnant women are at increased risk for severe illness from COVID-19	Yes	Yes	Yes	Yes	Yes	Yes
Pregnant women should not be excluded from vaccination.	Yes	Yes	Yes	Yes	Yes	Yes
COVID-19 vaccine should be recommended to high-risk pregnant women.	Yes	Yes	Yes	Yes	Yes	Yes
Pregnant women can receive a COVID-19 vaccine, based on the counseling with healthcare professionals.	Yes	Yes	Yes	Yes	Yes	Yes
Pregnant women can receive a COVID-19 vaccine, even if they haven't had a discussion with a healthcare professional.	Yes	NA	Yes	No	Yes	No
Informed consent should be obtained before vaccination, in pregnant women.	Not mandatory	NA	Not mandatory	Not mandatory	Not mandatory	Yes
Pregnant women should receive information about benefits and risks of a COVID-19 vaccine.	Yes	Yes	Yes	Yes	Yes	Yes
Pfizer-BioNTech or Moderna vaccines are preferred in pregnant women, at this time, due to more safety monitoring data.	Yes	Yes	Yes	Yes	Yes	Yes
Women who are trying to get pregnant can receive a COVID-19 vaccine.	Yes	Yes	Yes	Yes	Yes	Yes
Women who are doing breastfeeding can receive a COVID-19 vaccine.	Yes	Yes	Yes	Yes	Yes	Yes
Pregnancy testing is not needed before receiving a COVID-19 vaccine.	No	No	No	No	No	No

COVID-19, coronavirus disease 2019; WHO, World Health Organization; NA, not available.
a) High-risk women include pregnant women with underlying medical conditions such as obesity, diabetes, hypertension, respiratory disease, or advanced maternal age, or healthcare workers, and so on.

10 COVID-19 치료제

COVID-19 치료제로 사용되고 있는 렘데시비르는 2013년부터 미국 길리어드사이언스사에 의해 아프리카에서 유행한 에볼라 바이러스 치료제로 개발되었던 핵산 합성 억제형 항바이러스제 이다. 렘데시비르는 동물실험결과에서 사스와 메르스 등 코로나바이러스 질환에도 치료 효과가 있는 것으로 보고되었고, 2019년 코로나바이러스감염증-19 (COVID-19)가 발생하면서 임상시 험을 거쳐 2020년 10월 22일 미국 식품의약국에 의해 코로나바이러스감염증-19 (COVID-19) 표준 치료제로 승인받았다.[23] 현재 렘데시비르는 입원한 성인 및 소아(12세 이상, 체중 40kg 이상) 환자뿐만 아니라 체중 3.5kg에서 40kg 미만 또는 12세 미만이고 체중이 3.5kg 이상인 입원 소아 환자의 치료를 위해서 사용되고 있다.[23] 이와 같이 미국 정부의 지원으로 시행된 임상 시험에서 렘데시비르는 코로나바이러스감염증-19 (COVID-19) 감염 환자의 회복 기간을 평균 약 31% (약 4일) 단축하는 것으로 보고하였다.[24]

한국에서 렘데시비르는 코로나바이러스감염증-19 (COVID-19) 확진 환자로 폐렴이 있으면서 산소포화도 94% 이하로 ECMO 등 산소 치료를 시행하는 중이며, 증상 발생 후 10일이 지나지 않은 환자에게 사용할 수 있으며 투약은 5일 투여가 원칙으로 필요할 때 5일 연장할 수 있어 최대 투여 기간은 10일로 제한되어있다.[25]

11 임산부에서 렘데시비르의 효능과 안전성

COVID-19 치료를 위한 렘데시비르의 효능과 안전성을 평가한 임상시험에서 임산부는 제외되었지만, 임산부에게 렘데시비르를 동정적 사용했다는 보고가 존재하며, 이 보고에서 렘데시비르의 동정적 사용이 임신 및 산후 입원한 중증 코로나바이러스감염증-19 (COVID-19) 환자 86명에서 회복율이 높게 나타났고 심각한 부작용의 비율이 낮았다.[26]

현재 미국질병관리청에서는 달리 명시된 경우가 아니라면 임산부에게 투여를 보류해서는 안된다고 밝히고 있으며 의사가 약물이 도움이 될 수 있다고 생각하는 경우 임산부에게 처방될 수 있다고 권고하고 있다. 이와 마찬가지로 한국 질병관리청에서도 임산부 및 수유부에게서 위와 같은 경우 약의 투여를 권고하고 있으며 태아에게 미칠 수 있는 위해성은 아직 검토되어야 하는 단계이다.[23] 현재 미국에서는 산모와 가임기 여성을 대상으로 하는 렘데시비르 임상 4상 연구가 진행중에 있다.

▶ 참고문헌

1. Characteristics of symptomatic women of reproductive age with laboratory-confirmed SARS-CoV-2 Infection by pregnancy status-United States, January 22-October 3, 2020, MMWR 2020

2. Villar J, et al. Maternal and Neonatal Morbidity and Mortality Among Pregnant Women With and Without COVID-19 Infection: The INTERCOVID Multinational Cohort Study. JAMA Pediatr (2021). PMID 33885740

3. Dumitriu D, et al. Outcomes of Neonates Born to Mothers With Severe Acute Respiratory Syndrome Coronavirus 2 Infection at a Large Medical Center in New York City. JAMA Pediatr (2021). PMID 33044493

4. Wei SQ, Bilodeau-Bertrand M, Liu S, Auger N. The impact of COVID-19 on pregnancy outcomes: a systematic review and meta-analysis. CMAJ 2021;193:E540-8.

5. Breslin N, Baptiste C, Miller R, Fuchs K, Goffman D, GyamfiBannerman C, et al. Coronavirus disease 2019 in pregnancy: early lessons. Am J Obstet Gynecol MFM 2020;2:100111.

6. Mullins E, Hudak ML, Banerjee J, Getzlaff T, Townson J, Barnette K, et al. Pregnancy and neonatal outcomes of COVID-19: coreporting of common outcomes from PAN-COVID and AAP-SONPM registries. Ultrasound Obstet Gynecol 2021;57:573-81.

7. Galang RR, Newton SM, Woodworth KR, Griffin I, Oduyebo T, et al. Risk Factors for Illness Severity Among Pregnant Women With Confirmed Severe Acute Respiratory Syndrome Coronavirus 2 Infection-Surveillance for Emerging Threats to Mothers and Babies Network, 22 State, Local, and Territorial Health Departments, 29 March 2020-5 March 2021. Clin Infect Dis. 2021 Jul 15;73(Suppl 1):S17-S23. doi: 10.1093/cid/ciab432

8. Knight M, et al. Characteristics and outcomes of pregnant women admitted to hospital with confirmed SARS-CoV-2 infection in UK: national population based cohort study. BMJ (2020). PMID 32513659

9. Halscott T, Vaught J; the SMFM COVID-19 Task Force. Management considerations for pregnant patients with COVID-19. Washington, DC; Society for Maternal-Fetal Medicine: 2021.

10. Goh XL, Low YF, Ng CH, Amin Z, Ng YPM. Incidence of SARS- CoV-2 vertical transmission: a meta-analysis. Arch Dis Child Fetal Neonatal Ed 2021;106:112-3.

11. Elwood C, Raeside A, Watson H, Boucoiran I, Money D, Yudin M, et al. Committee Opinion No. 400: COVID-19 and Pregnancy, 2020 [cited 2021 Jul 31]. Available from: https://www.sogc.org/common/Uploaded%20files/Latest%20News/Committee%20Opinion%20No.%20400%20COVID19%20and%20Pregnancy.pdf

12. Stafford IA, Parchem JG, Sibai BM. The coronavirus disease 2019 vaccine in pregnancy: risks, benefits, and recommendations. Am J Obstet Gynecol 2021;224:484-95.

13. Seong Hyeon Lee, Ki Hoon Ahn. Coronavirus Disease 2019 Vaccination during Pregnancy. J Korean Soc Matern Child Health 2021;25(4):231-238

14. Rasmussen SA, Kelley CF, Horton JP, Jamieson DJ. Coronavirus disease 2019 (COVID-19) vaccines and pregnancy: what obstetricians need to know. Obstet Gynecol 2021;137:408

15. Martins I, Louwen F, Ayres-de-Campos D, Mahmood T. EBCOG position statement on COVID-19 vaccination for pregnant and breastfeeding women. Eur J Obstet Gynecol Reprod Biol 2021;262:256-8

16. Gray KJ, Bordt EA, Atyeo C, Deriso E, Akinwunmi B, Young N, et al. Coronavirus disease 2019 vaccine response in pregnant and lactating women: a cohort study. Am J Obstet Gynecol 2021;225:303.e1-303.e17.

17. Coronavirus disease 2019 vaccine response in pregnant and lactating women: a cohort

study. Am J Obstet Gynecol. Published online March 25, 2021.

18. Shimabukuro TT, Kim SY, Myers TR, Moro PL, Oduyebo T, Panagiotakopoulos L, et al. Preliminary findings of mRNA COVID-19 vaccine safety in pregnant persons. N Engl J Med 2021;384:2273-82

19. Goldshtein, I., Nevo, D.,Steinberg, DM., Rotem, RS., Gorfine, M et al. Association between BNT162b2 vaccination and incidence of SARS-CoV-2 infection in pregnant women, JAMA. 2021;326(8):728-735. doi:10.1001/jama.2021.11035

20. Association Between BNT162b2 Vaccination and Incidence of SARS-CoV-2 Infection in Pregnant Women, JAMA(21.7.12)

21. Receipt of mRNA COVID-19 vaccines during pregnancy and preconception and risk of self-reported spontaneous abortions, CDC v-safe COVID-19 Vaccine Pregnancy. Research Square. (21.8.9)

22. Jaeyoung Pae, Hyun Sun Ko. Coronavirus Disease 2019 Vaccines and Pregnancy: Present and Future. Perinatology 2021;3:111-116.

23. Center for Drug Evaluation and Research. Combined cross-discipline team leader, division director, and ODE director summary review for NDA 214787. October 21, 2020.

24. Beigel JH, Tomashek KM, Dodd LE, et al. Remdesivir for the Treatment of Covid-19 – Final Report. N Engl J Med. 2020;383(19):1813-1826.

25. 코로나19 치료제 '베클루리주(렘데시비르)' 국내허가, 식품의약품안전처 의약품통합정보시스템, (21.7.24)

26. Burwick RM, Yawetz S, Stephenson KE, Collier AY, Sen P, Blackburn BG, Kojic EM et al., Compassionate Use of Remdesivir in Pregnant Women With Severe Coronavirus Disease 2019. Clin Infect Dis. 2021 Dec 6;73(11):e3996-e4004

임신부에서 케미칼과 물리적 인자들

태아알코올스펙트럼장애

정고운 · 한정열

1 서론

태아알코올스펙트럼장애(Fetal Alcohol Spectrum Disorder: FASD)는 산모가 섭취한 알코올의 영향으로 태아에게 초래될 수 있는 모든 질환을 통틀어 말하는 포괄적인 용어이다. 이중 가장 심한 임상 형태가 태아알코올증후군(Fetal Alcohol Syndrome)이다. 태아알코올증후군(FAS)은 임신부가 마신 알코올(ethanol)로 인해서 배 발생 단계(embryo period)나 태아기(fetal period)에 분화 및 성장에 손상을 받아 선천적으로 특징적인 얼굴 기형을 보이고 성장장애, 정신 지체 등의 발달 장애를 모두 보이는 질환이다. 기형이나 발달장애를 일으키는 원인은 무수히 많지만 그 중에서 알코올은 임신 중 산모가 마시지만 않는다면 장애를 100% 막을 수 있으므로 중재를 통해서 예방이 가능하다는 점에서 매우 중요하다. 섭취한 알코올의 양에 비례해서 태아의 기형이나 발달장애의 정도가 심할 수 있으나, 비슷한 양의 알코올을 먹었다 하더라도 FASD를 가진 환아의 임상 양상은 매우 다양하게 나타나고 있다. 이러한 다양한 임상양상에 영향을 미치는 요인들로는 노출된 시기, 유전적 요인, 알코올을 분해 하는 간효소(alcohol dehydrogenase)의 활성도 차이, 산모의 나이, 산모의 영양 상태, 흡연이나 다른 약물의 복용, 사회경제적 상황 등이 있다. 즉, 경제적으로 빈곤하여 산모의 영양 상태가 좋지 못한 경우이거나 30세가 넘는 경우 알코올로 인해 태아에게 나쁜 영향을 주게 될 위험성이 2–5배 정도 높아진다. 알코올은 임신의 모든 단계에서 해로운 영향을 일으킬 가능성이 있는데 노출되는 시기에 따라서 임상 양상이 다를 수 있다. 임신 초기에 태아의 뇌는 뇌세포가 증식(proliferation), 이동(migration)을 하여 기관이 형성되는 시기이므로 임신 중반보다 알코올에 더 많은 영향을 받는다. 이 시기에 태아가 알코올에 노출이 되면 주로 얼굴 모양의 이상이나 뇌기형(brain anomalies)을 초래할 수 있다. 임신 중기 이후로는 태아의 몸집이 커지는 성장과 인지가 발달하는 시기이므로 알코올에 노출이 되면 태아의 성장에 장애를 가져와 태반 내 성장지연(intrauterine growth retardation)을 초래할 수 있고, 출생 후 읽기 능력, 언어능력, 수리능력 등 학습장애와 행동장애에 손상을 줄 수 있다.

본 필자는 식품의약품안전처와 함께 2009년부터 2012년까지 선천성알코올노출에 의한 후세대 영향 및 기전연구를 진행하였다. 그 결과는 많은 임신부들이 평소 음주 중 임신이 되어 알코올에 노출되고 또한 적지 않은 임신부는 임신을 인지하고도 음주를 하고 있음을 파악하였다. 또한, 습관적 임신부 음주를 파악하기 위해 TWEAK스크린을 적용하였다(한정열 등. 2009). 그리고 태아의 자궁내 알코올 노출을 평가하기 위해 태아의 태변에서 FAEEs를 측정하였다(Kwak 등. 2010).

그리고 임신부의 알코올노출을 객관적으로 평가하기 위해서 생물표지자인 Phosphatidlyl ethanol를 적용하였다.(Kwak 등. 2012) 또한, 임신 중 음주와 비음주군의 임신결과로서 선천성기형, 자연유산, 조산, 저체중아에 대한 비교논문을 발표하였다(Han 등 2012). 그리고 출산한 아이들에서 태아알코올증후군의 발생률을 평가하기 위해서 신경학적검사를 진행하였었다. 마지막으로 자궁내 태아의 알코올노출에 의한 태아 프로그래밍 관련하여 ADHD 관련 MeCP2 등의 유전자의 메틸레이션 양상의 변화를 파악하였다. 여기에는 모체뿐만 아니라 부체의 알코올노출에 의한 영향도 포함되었다(Lee 등. 2015).

이러한 연구들을 통해서 여러 연구논문을 발표한 성과가 있었다. 하지만, 본 연구들에 의해서 국내에서 태아알코올증후군 또는 태아알코올스펙트럼장애에 대한 실체로서 발생률을 파악하는데는 한계가 있었다. 다행히, 이해국 등이 미국 국립알코올연구소에서 조직화한 CIFASD (Collaborative Initiative on FASD)의 역학조사 전문가팀과 함께 지적장애아들 대상으로 진행했던 태아알코올증후군 유병률 조사는 매우 의미가 크다. 그리고 2016년 질병관리본부에 의한 "임산부 음주 폐해 예방 중재 연구"(이소희 등)와 "임산부와 태아의 알코올폐해조사 및 선별도구개발"(이해국 등)가 국내에서 계속 진행되고 있다. 이 연구를 통해서 국가건강관리 차원에서 임신부 음주의 보다 구체적 예방과 중재 그리고 태아알코올스펙트럼장애아들의 실효적 관리의 새로운 계기가 될 수 있기를 바란다. 본 장에서는 알코올노출에 의한 영향으로서 태아알코올스펙트럼장애에 의한 임상양상, 진단, 음주력 평가방법 등에 관해 기술 하고자 한다.

2 역사적 배경

임신 시 알코올에 관한 가장 오래된 역사적 기록은 기원전 12세기 경으로 성경의 사사기(Holy Bible, Judges 13:7)에서 찾을 수 있는데 '네가 잉태하여 아들을 낳으리니 포도주와 독주를 마시지 말며 무릇 부정한 것을 먹지 말라.'고 기록되어 있다. 이후 William Sullivan(1899)이 수감된 알코올 중독 여성들이 낳은 아이들을 조사한 결과 절반가량이 사산되거나 2세 전에 사망하였다는 보고를 하였고, Lemoine et al.(1968)는 태아에게 미치는 알코올의 효과에 관한 의학문헌을 처음 발표하였다. 그러나 실제적으로 FAS에 관한 본격적인 연구는 1970년대 들어와서야 시작되었고, Jones and Smith(1973)가 fetal alcohol syndrome이라는 용어를 처음 소개하게 되면서 활발한 연구 및 발표가 이루어지게 되었다. Clare and Smith(1978)는 태아알코올효과(fetal alcohol effects)라는 용어를 사용하였으나 이 용어는 현재 알코올관련선천성기형(alcohol related birth defect)과 알코올관련신경발달장애(alcohol related neuro developmental disorder)라는 용어로 대치되었다. 1996년 Institute of Medicine (IOM)이라는 미국내과학회에서 처음으로 FASD에 관한 진단 기준을 제시한 이후로 FASD를 보다 정확하게 정의하기 위한 노력과 수정 보완된 진단 기준의 발표가 계속되고 있다.

3 알코올의 약리작용

알코올은 물과 기름에 잘 섞이고 쉽게 세포막(cell membrane)을 통과하는 작은 분자로 화학식은 C_2H_5OH이다. 알코올이 인체에 들어오면 특히 혈관이 많이 분포한 장기에 빠르게 도달하게 되는데 풍부한 혈관을 가진 뇌는 다른 어떤 장기보다도 알코올의 농도가 빠르게 올라간다. 알코올의 대사는 거의 대부분 간에서 이루어지며 alcohol dehydrogenase (ADH)에 의해서 일차적으로 acetaldehyde로 변하고 aldehyde dehydrogenase (ALDH)에 의해서 이차적으로 acetate로 바뀐 뒤 최종적으로 물(H_2O)과 이산화탄소(CO_2)로 대사된다. 같은 량의 알코올을 마셔도 남성보다 여성의 경우가 더 높은 혈중 농도를 보이는 것은 여성은 몸집이 작으면서 지방성분은 더 많기 때문에 알코올이 분포할 면적이 줄어들고 ADH 활성도 또한 남성에 비해 낮기 때문에 일차적 대사 정도가 떨어지기 때문이다.

임신을 하게 되면 태아, 태반, 자궁과 양수 등으로 인해서 수분용적(water-volume expansion)이 증가하므로 임산부가 알코올을 마시게 되면 알코올이 분포할 용적은 많아지게 되나 실제 섭취한 알코올 량에 비해 혈중 알코올 농도는 낮아지게 된다. 마신 알코올은 수분 내에 태반을 통과하여 모체의 혈중 농도와 동일한 농도에 도달하게 된다. 출산 후 모유수유 중에 마시는 경우에도 모유를 통해 같은 농도의 알코올 성분이 나오게 된다. 임신 시에는 모체와 태아 모두에서 ADH 활성도가 떨어지게 되어 모체뿐만이 아니라 태아에서도 알코올의 제거 능력이 떨어진다. 또한 양수로 배출된 대부분의 알코올은 태아가 양수를 삼키거나 막속 흡수(intramembranous absorption)을 통해 다시 태아에게 돌아가게 된다.

4 알코올이 기형발생에 관여하는 기전

알코올은 임신 초기부터 말기까지 어떤 시기에도 중추신경계에 비가역적인 손상을 초래할 수 있는 기형유발물질(teratogen)이다. 또한 태아에게 안전한 알코올의 수치(threshold)나 음주 행태는 알려져 있지 않기 때문에 임신 중에는 알코올은 한 방울도 먹지 말도록 권고하고 있다.

임신 중 알코올의 노출은 임신 각 시기마다 복잡하고 다양한 기전에 의해서 태아의 중추신경계 발달에 손상을 주어 FAS에서 볼 수 있는 안면 기형과 성장장애, 발달장애를 초래하게 된다.

알코올은 태반과 뇌혈관장벽(blood-brain barrier)을 쉽게 통과하여 직접적으로 태아의 뇌세포를 죽여 뇌발달에 손상을 주기도 하고 간접적으로 umbilical vessel을 수축(constriction)시켜 충분한 산소공급을 못하게 하기도 한다.

알코올은 DNA methylation과 protein synthesis를 감소시켜 태아의 성장과 발달에 장애를 초래하는 기형물질(teratogen)로 작용하며, 알코올뿐만 아니라 중간 산물인 acetaldehyde 또한 태아의 장기손상(organic damage)를 일으킬 수 있다.

쥐 태아의 간세포를 이용한 한 실험에 의하면 알코올이 mitochondrial function을 방해하여 간세포에서 oxidative stress를 일으키고 ATP level을 떨어뜨린다. 산소 대사 과정에서 생성되는 대사산물인 활성산소(free radicals)는 정상적으로 체내에서 antioxidative enzymes에 의해서 제거가 되는데 만일 알코올에 의해서 oxidative stress를 증가시키는 상황이 되면 제대로 제거되지 못하여 과량으로 존재하게 되고, 활성산소는 단백질, 지질, 염색체 등에 영향을 미쳐 조직을 파괴하고 염증으로 일으키며 암을 발생시키는데 관여한다. 또한 증가된 활성산소는 DNA 복제과정에도 영향을 미쳐 돌연변이를 증가시킨다.

초기 배(embryo)발생 과정 중 나타나는 신경능선세포(neural crest cells)는 다양한 종류의 세포로 분화할 수 있는 다분화성 줄기세포(stem cells)로서 신경판(neural plate)과 표피성외배엽(epidermal ectoderm)의 경계에서 발생하여 신경판이 신경관(neural tube)을 형성하는 시점에 몸 내부로 이동하게 된다. 이 neural crest cells은 안면부위의 뼈와 결합조직을 이루는 세포를 포함하며 안구, 내이, 치아 등을 형성하는데 관여하게 되고 임신 초기에 알코올을 마시게 되면 알코올은 배 발생 단계에서 neural crest cells의 수를 감소시켜 FAS과 같은 얼굴 모습이 나타날 수 있다.

5 FASD와 연관된 유전인자

FASD의 여러 위험 요인 중 특히 유전적 요인은 환경적 요인과 함께 기형발생에 중요한 역할을 하는 것으로 알려져 있다. FASD는 직접적으로 유전되는 질환은 아니지만 인종과 민족에 따라 유병률의 차이를 보이며, 같은 양의 알코올에 노출된다고 하더라도 출생아의 임상 양상이 다르게 나타날 수 있어, 유전적 요인이 발병에 관여하는 것으로 보인다. 알코올에 의존적이거나 알코올 중독에 걸릴 위험성을 가진 유전적 경향이 민족마다 다르다는 것이 밝혀지고 있다. 또한 흑인(blacks)이나 African Americans, Native Americans에서 높은 유병률을 보인다. FAS를 가진 형제가 있으면 다음 자녀가 FAS를 가질 확률이 높은 것으로 보고되고 있다.

한 동물실험에서 모체와 태아의 유전인자가 알코올 기형발생(alcohol teratogenesis)에 민감한 감수성을 가지며 특히 모체의 유전자형(maternal genotype)이 ethanol teratogenesis에 큰 영향을 미친다고 하였다.

알코올의 대사에 관여하는 alcohol dehydrogenase (ADH)와 aldehyde dehydrogenase (ALDH)의 유전적 다형성(genetic polymorphism)이 FAS의 발생에 관여하며 특히 alcohol dehydrogenase 1B genotype의 발현과 연관성이 크다고 알려져 있다. ADH 유전자인 ADH1A, ADH1B, ADH1C, ADH4는 chromosome 4q22에 위치하며, 이 중 ADH1B*1 대립유전자

(allele)는 non-Hispanic whites와 blacks, African Americans에 흔하고 ADH1B*2 allele은 Asians에 흔하며 ADH1B*3 allele은 blacks, African Americans, Native Americans에서 흔하게 발견된다. 모체 및 태아의 ADH1B*2는 FAS의 발생 위험성을 낮추며 ADH1B*3는 FASD의 발생에 protective factor로 작용한다고 한다. 즉, ADH1B*2와 ADH1B*3 allele의 활성도가 클 경우 alcoholism의 발생위험성이 낮아진다는 것이다. 알코올 대사에 있어서 유전자의 다형성 중에서 ADH1B이 FASD의 발생 위험성에 관여한다는 연구가 아직까지 시작 단계로 지속적인 연구가 필요하다.

6 역학 및 사회적 영향

FASD의 유병률은 진단 기준을 어떻게 적용하는지 또는 조사 방법에 따라 다르게 나타날 수 있다. 미국의 경우 FAS는 생존 출생 1000명당 0.5-2.0명의 유병률을 보이고 있으며 전체 인구의 0.2%로 추정된다. 남아프리카공화국 같은 경우는 1000명 당 약 39.2-46.4명으로 매우 높은 유병률을 보이고 있는데 이는 아마도 유명한 와인생산국이기 때문에 여성들이 와인을 마실 기회가 많은 것과 관련이 있다고 본다. FASD의 경우는 1,000명 당 9.1명으로 대략 1%의 유병률을 나타내고, 첫째 아이가 FAS을 가진 산모가 FAS을 가진 둘째 아기를 낳을 확률이 약 70%라고 보고되고 있다.

나라마다 유병률의 차이가 크고 심지어 한 나라에서도 유병률이 다양하게 나타나는 이유로 다음과 같은 요인들이 작용한다고 알려져 있다. 첫째, 빈부의 격차, 둘째, 알코올을 분해하는 효소인 alchohol dehydrogenase(ADH)의 유전자인 ADH1B*1, ADH1B*2, ADH1B*3의 발현 차이로 인해서 알코올분해효소의 활성도가 인종마다 다른 점, 셋째, 아직까지 전 세계적으로 통일된 진단 기준이 부족한 상태인 것, 넷째, 환자들을 처음으로 접하게 되는 1차 의료진들이 FAS에 관한 지식이 부족하여 간과하고 지나쳐 버리는 경우 등이 유병률의 차이를 보이는 원인이 될 수 있다.

FASD는 여성들이 임신 중에 술을 마시는 행위가 늘어남에 따라 중요한 사회적 건강문제로 부각되고 있으며 해가 갈수록 환자 수는 증가하는 추세이다. 미국의 한 연구에 의하면 가임기의 여성 중 임신 중 알코올을 마시는 경우가 12.2%에 달하고 이 중 2%는 폭음(binge drinking: 한 자리에서 5잔 이상)을 한다고 한다. 임신의 절반가량이 계획하지 않았던 임신이고 대부분의 여성들이 임신 4-6주가 될 때까지 임신 사실을 모른다는 점을 고려할 때 임신 초기의 알코올 노출은 상당히 흔하다고 볼 수 있다. 대부분의 산모는 임신 사실을 알고 음주를 중단한다. 하지만 일부 여성은 임신 중에도 음주를 지속하고 때로는 과음을 하는 경우가 있다.

우리나라의 경우 2001년도 국민건강 영양조사에 의하면 여성의 음주율이 1992년 33.0%에서 2001년 59.5%로 현격히 높아졌고 2002년 전국 성인 6,000여명을 대상으로 조사한 바에 따르면 남성 알코올 중독자는 84년 42.8%에서 24.8%로 줄어든 반면 여성 중독자는 2.2%에서 6.6%로 3

배 증가했다. 이는 여성들의 사회 진출이 확대됨에 따라 술을 접할 기회가 많아졌음을 의미한다. 임신 중 마신 알코올은 비가역적인 장애를 초래하므로 임신 중에 마신 알코올에 태아에게 어떤 영향을 미치는지에 대한 홍보가 절실한 상태이다. FASD는 일생에 걸쳐서 다양한 질환 및 장애를 보일 수 있으므로 FASD환자들의 재활 및 교육, 건강관리 문제 역시 중요한 사회적 문제가 될 것이다. 미국 통계(1998)에 의하면 한 명의 FAS환자가 일생 동안 살면서 주거, 교육, 의료, 재활 등으로 소비하는 비용을 계산해 보면 약 2백만 달러에 달하고, 모든 FAS환자를 돌보는 데에 드는 비용은 무려 매 해 40억 달러가 넘었다고 한다.

7 임상 양상

FASD의 특징적인 세 가지 임상 양상은 (1) 특징적인 얼굴 모양, (2) 중추신경계의 이상, 그리고 (3) 성장지연이다. 양상은 연령에 따라 차이를 보일 수 있다. 얼굴의 기형은 출생 시부터 뚜렷할 수 있다. 성장지연은 출생 전부터 나타날 수 있고 출생 후에도 지속된다. 신경계 이상은 영아기에는 모르다가 학동기가 되어서야 뚜렷하기 나타날 수 있다. FASD는 대부분 소아기에 진단된다. FASD 환자들을 대상으로 한 대규모 사례 연구에 따르면 90%가 16세 이전에 진단되었다. 미국 CDC Fetal Alcohol Syndrome Surveillance project에 따르면 FAS로 진단되는 평균 연령은 48.3개월이었다.

1) 특징적인 얼굴모양 및 미세 동반 기형

임신 1기(1st trimester)는 뇌세포가 분화, 이동하는 시기로 이 때 산모가 알코올을 섭취

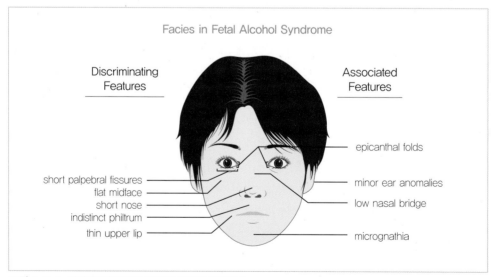

그림 4-1-1. 태아알코올증후군 환아의 특징적 얼굴모습

하게 되면 알코올에 의해서 anterior neural plate 부위의 세포사(cell death)가 일어나게 되고 결국 얼굴 모양의 이상이나 뇌기형이 초래되게 된다. Jones and Smith(1973)가 처음으로 정의한 FAS의 고전적인 삼징후(triad)는 첫째, 특징적인 얼굴기형으로 짧은 안검열(short palpebral fissures)과 길고 편평한 인중(smooth or flattened philtrum), 그리고 얇은 윗입술(thin vermilion of the upper lip)이며, 둘째, 출생 전후의 성장지연(키나 몸무게가 10백분위수 이하), 셋째, 중추신경계 이상으로 구조적 또는 기능적 뇌손상(structural or functional brain damage)을 말한다. 위와 같은 FAS진단에 꼭 필요한 삼징후 외에도 다양한 얼굴의 기형을 동반할 수 있는데 내안각주름(epicanthal folds), 양안격리증(hypertelorism), 안검하수(ptosis), 짧은 들창코(short upturned nose), 소두증(microcephaly), 소하악증(micrognathia), 귀의 윗부분의 미발달(railroad track ears) 등이 있다. 또한 손금이상('hockey stick' configuration of upper palmar crease) 등이 있다(그림 4-1-1, 4-1-2, 4-1-3).

2) 구조적 선천적 기형

심장, 신장, 골격계에도 이상을 초래할 수 있어서 심장중격결손(septal defects), 폐동맥저형성(hypoplastic pulmonary arteries), 신우신염(pyelonephritis), 수신증(hydronephrosis), 무통성 혈뇨(painless hematuria), 척추측만증(scoliosis), 단지증(brachydactyly), 굴지증(camptodactyly of the fingers), 측만지증 (clinodactyly of the fifth finger) 등이 올 수 있고 눈의 이상, 청력장애 등 다양한 선천적 결손 (birth defects)을 동반할 수 있다(표 4-1-1). 실제로 삼징후

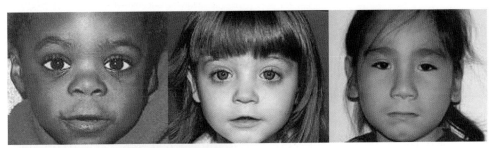

그림 4-1-2. **태아알코올증후군 환아의 특징적 얼굴모습**

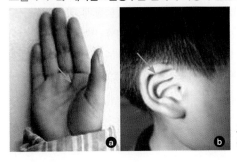

그림 4-1-3. **a. 손금이상 ('hockey stick' crease) b. 귀의 특징적 모양 ('railroad track'appearance)**

를 다 보이는 경우는 heavy drinker 산모의 5% 정도 밖에 안 되고 대부분이 표 4-1-1에서 볼 수 있는 여러 가지 기형들이 1개 이상 섞여서 나타나고 있다. 반드시 노출된 알코올의 양에 비례해서 기형 및 발달장애의 심한 정도가 결정되는것은 아니나 heavy drinker산모에게서 태어난 아기들이 적당히 마신 산모에 비해서 선천성 기형 및 발달장애를 보일 확률이 두 배 가량 높다는 보고가 있다.

표 4-1-1. 태아알코올장애와 연관된 선천성기형

Rare birth defects	
Skeletal	Midface hypoplasia, Hypertelorism
	High arched palate, Micrognathia
	Joint contractures, Scoliosis, Hemivertebrae
	Radioular synostosis, Brachydactyly
	Clinodactyly, Camptodactyly
Cardiac	Septal defects, Hypoplastic pulmonary arteries
	Tetralogy of Fallot
	Pectus excavatum or carinatum.
Renal	Pyelonephritis, Hydronephrosis
	Dysplastic kidneys, Ureteral duplications
	Uni- or bilateral hypoplasia
Ocular	Strabismus, Retinal vascular anomalies
Auditory	Conductive hearing loss, Neurosensory hearing loss

3) 중추신경계에 미치는 영향

산전에 과량의 알코올에 (일주일에 5회 이상 또는 전체 임신 기간 중 15잔 이상) 노출된 경우의 70%는 FAS의 진단기준에는 부합되지 않더라도 신경행동발달에 이상을 보인다고 보고가 있다. FASD에서 보이는 중추신경계 이상은 개인에 따라 다양하게 발현될 수 있으며, 신경발달의 지연이나 행동 문제는 학교에 입학하기 전까지는 뚜렷하지 않을 수 있다.

중추신경계와 관련된 임상 양상은 연령에 따라 차이를 보인다. 영아기에는 유난히 보채거나, 신생아 떨림(jitteriness), 자율신경불안증(autonomic instability), 수면 장애 등을 보일 수 있다. 소아기에는 과다행동, 주의력 결핍, 인지기능 장애, 감정 조절 장애, 학습장애, 근 긴장도 저하, 청력과 시력의 문제, 경련, 기억과 추론 기능 저하 등으로 나타날 수 있다. 청소년과 청년기에는 사회적 기술의 습득에 어려움을 겪거나 적응 장애를 보일 수 있고, 다양한 수행 능력의 저하로 학교나 직장을 잘 다니지 못하거나, 부적절한 성적 행동을 보일 수 있다.

중추신경계 이상은 구조적 이상, 신경계 장애, 기능적 이상으로 나눌 수 있다.

(1) 신경계의 구조적 이상(Structural abnormalities)

신체 검진에서 두위의 감소(연령과 성별에 비해 10 백분위수 이하이거나, 키와 체중이 10 백분위수 이하인 경우에는 3 백분위수 이하)를 확인하거나, 뇌영상에서 구조적 이상을 발견할 수 있다.

뇌영상(brain imaging) 촬영을 통해서 출생 전 알코올에 노출된 환아자들에게서 두개골(cranial vault) 크기의 감소뿐만 아니라 뇌 크기(brain size)도 작아져 있다는 것을 확인할 수 있게 되었다. 같은 나이의 정상인의 뇌 용적(brain volume)에 비해 대략 12%의 감소를 보이고 있고 특히 두정엽(parietal lobe)이 불균형적으로 심한 감소를 보이며, 회백질(gray matter)보다는 백질(white matter)의 저형성증(hypoplasia)을 나타내고 있다(그림 4-1-4). 또한 왼쪽 뇌의 감소가 오른쪽 뇌에 비해서 심하게 나타나는 경향이 있는데, 왼쪽뇌반구(left hemisphere)는 사물을 인지하거나 언어 처리과정 등과 밀접한 관계가 있기 때문에 왼쪽 뇌의 크기 감소는 이런 기능들의 장애를 초래할 수 있고 전두엽(frontal lobe)의 크기 감소는 인지 및 행동 조절 능력의 장애를 초래할 수 있다. 일정한 자세를 취하거나 균형 상태를 유지하는 운동기능과 관련이 깊은 소뇌(cerebellum)에 있어서는 특히 anterior vermis 부위의 크기 감소를 보이는데 이로 인해 운동 조정(motor coordination)이나 평형 기능(balance)의 장애를 가져올 수 있다. 기저핵(basal ganglia)은 미상핵(caudate nucleus), 피각

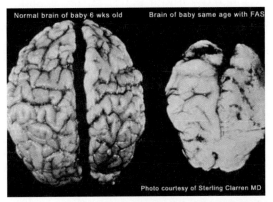

그림 4-1-4. **생후 6주된 정상아기와 FAS 환아의 뇌의 크기 비교**

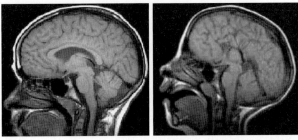

그림 4-1-5. **정상인의 뇌량과 FAS환아에서 뇌량무발생증**(Riley et al, 1995)

(putamen), 담창구(globus pallidus), 전장(claustrum), 편도체(amygdaloid body)로 구성 되어 있고 운동, 반복적 업무수행이나 강박행동(perseverative behavior) 등과 관련된 부위 이다. 부정확한 운동을 억제함으로써 자발적인 운동 기능 전반에 광범위하게 작용을 하며, 뇌의 운동 피질(cortex)과 피질하(subcortical) 여러 운동 부위와 복잡하게 연결되어 있어 인 체의 운동을 부드럽고 조화 있게, 또한 정확하게 수행할 수 있도록 해주는 부위로 생각되어 진다. 만약 금주하고 싶은 소망에도 불구하고 강박적인 음주를 지속하게 된다면 이 신경경 로에 문제가 있을 수 있다. 기저핵의 경우는 여러 개의 구조물 중에서 특히 caudate의 크기 감소를 보인다.

뇌량(corpus callosum)은 오른쪽뇌와 왼쪽뇌를 연결시키는 신경섬유다발로 이뤄져 있고 좌우 뇌의 다양한 기능들을 조화(coordination)시키고 전달(communication)하는 역할을 한다. 뇌량은 양쪽 뇌의 정보 전달원으로 중요한 역할을 수행하고 있으며, 뇌량이 절단되면 조화로운 행동을 하기 힘들어 지게 된다. Riley et al.(1995)는 뇌량무발생증(corpus callosal agenesis)은 선천성 뇌기형으로서 발달장애를 보이는 아이들의 2.3%에서 관찰할 수 있 는데 반해 FAS을 환아의 경우 6.8%로 3배 가량 더 높다고 보고 하였다(그림 4-1-5).

(2) 신경계 장애(Neurologic abnormalities)

경성 신경학적 이상으로 비정상적인 신경 반사와 근 긴장도 이상, 뇌신경 장애(cranial nerve deficit) 등을 보일 수 있다. 연성 신경학적 이상으로 조화운동불능이나 시각-운동 통 합기능의 장애, 안구진탕, 빠르고 연속적인 운동을 하기 힘들거나, 좌우의 혼동이 나타날 수 있다. 또한 분만과정의 뇌손상이나 감염과 상관 없는 경련(seizure)를 보일 수 있다.

(3) 신경심리학적인 변화와 행동변화(Neuropsychological and behavioral changes)

임신 중 섭취한 알코올은 지능(IQ), 기억력(memory), 언어(language), 주의집중(attention), 인지(cognition) 등에 영향을 미쳐 학습능력 결여(learning difficulties), 부적절하거 나 미숙한 행동(inappropriate or immature behavior)을 초래하고 체계화(organization)기 능, 추상적 사고(abstract thinking), 적응(adaptability), 실행 능력(executive function), 충 동 조절(impulse control), 판단 능력(judgement) 및 구술 및 대화(speech, communication) 등에 있어서 많은 장애를 보이고 있다. 또한 소근육 및 대근육 운동(fine and gross motor) 장애를 보이는데 이는 소뇌의 부피 감소로 인해서 균형을 유지하는 능력에 문제가 생긴 것으로 생각된다.

FAS 환자의 IQ는 최하 20에서 최고 120 정도로 다양하게 나타날 수 있고 IQ 70 이하 의 정신 지체를 보이는 경우는 약 25%로 높은 것을 볼 수 있고 특히 얼굴 기형이 심할수록 IQ는 더 낮게 나타난다. 학습 및 기억력 면에서도 어떤 정보를 단순히 기억하여 암기하는 기능에는 문제가 없을 수 있으나 새롭게 습득한 정보를 필요한 상황에서 기억해 내서 적절하게 사용하는데 문제를 보이고 있다. FAS 환자들이 종종 사회적으로 활달하고 적극적이며 실제 나이보다 어려 보이기도 하여 언어를 구사하는 데에 문제가 없는 것처럼 보일 수 있으나 실제로는 단어 이해력이 떨어지고 사물의 이름 대기 능력이 상당히 떨어진다. 또한 외부의 자극에 대해 민감하게 반응하기도 하여 밝은 빛이나 큰 소음에 화를 내기도 하고 옷에 묻은 얼룩 때문에 심한 불평을 늘어놓기도 한다. 공간시각능력(visuospatial abilities)도 현저히 떨어지는데 이것은 소뇌 충부(cerebellar vermis)의 감소와 연관이 있을 것으로 생각되며 행동이 파괴적이고 충동적이며, 때론 게으르고 태만하여 집이나 학교 등 사회집단에서 적응하기가 힘들기도 하다.

4) 이차적 장애(Secondary disabilities)

FASD는 단지 소아 때만 문제가 되는 소아과 질환이 아니라 평생 관리와 치료를 필요로 하는 만성 질환이라고 할 수 있다. 극도로 음식이 입에 닿는 것을 싫어하거나 음식의 질감에 매우 예민하게 반응하거나, 씹고 삼키기를 싫어하거나, 이식증, 식욕 부진 등의 식사 장애를 보일 수 있고 이는 출생 후 성장 지연의 한 원인이 된다. 환자의 상태를 잘 모르는 보호자나 교육자들은 환자를 게으르거나, 반항한다고 낙인을 찍기도 한다. 어릴 때는 가족의 울타리 안에서 보호를 받으면서 개인적 문제만을 해결하면 되었지만 점차 성장하면서 학교나 사회에서 다른 사람들과 공동생활을 함으로써 많은 어려움에 부딪히게 되고 이차적인 문제점들이 파생된다.

독립적으로 살기가 힘든 경우 성인이 되어서도 부모나 재활단체에 의존하여 살며, 직장에 취직하기도 힘들 수 있다. 정신 건강의 문제로 FASD 환자들은 ADHD, 정신분열증(schizophrenia), 우울증을 앓을 수가 있어 사회적으로 고립되기도 한다. 충동 조절을 잘 하지 못하고 판단 능력 미숙으로 도덕적, 법적 문제를 일으켜 수감되기도 하고 성범죄, 약물 남용의 문제에 연루되기도 한다. 따라서 FASD의 2차적 장애는 오히려 성인기에 문제가 더 심각하게 될 수 있다는 점에서 학령기에 들어가기 전에 진단이 되는 것이 중요하다. 빨리 진단될수록 나타나는 장애를 보다 최소화 할 수 있고 정상인과 같이 건강하게 생활할 수 있게 된다. 하지만, FASD는 관련 전문가가 아니면 진단하기 어렵다는 점에서 FASD 전문 클리닉이 필요하고 의심되는 아이는 반드시 관련 전문가에게 검사를 받는 것이 중요하다.

5) 성장 지연(Growth retardation)

성장 지연은 FASD의 특징적인 임상 증상이며 FAS 진단에 필수 요건이다. 성장 지연은 자궁 내에서부터 시작될 수 있으며 영아기와 소아기에 걸쳐서 지속된다. 저신장은 청소년기와 성인기에도 지속될 수 있다.

8 진단

임신 중 마신 알코올이 태아에게 미치는 영향은 임상적으로 출생 시에는 나타나지 않는 경우가 많고, 상당 기간 확인되지 않는 경우가 많기 때문에 실제적으로 진단하기가 매우 어렵다. 분명한 얼굴 기형을 가진 경우 FAS을 진단하는 것은 쉬운 일일 수 있으나 신체적 특징이 없는 FASD를 진단하는 것은 결코 쉬운 일이 아니며 대부분 학교생활을 할 나이쯤 되어서 이차적 장애가 문제시 될 때 진단되는 경우가 많다. FAS에서 볼 수 있는 특징적인 얼굴 모양이 확실하지 않은 경우는 임신 기간 동안 알코올 노출력을 알아내는 것이 중요하므로 산모의 알코올복용 여부에 관한 설문지 방식을 이용해 진단을 하고 있다. 그러나 설문지는 산모가 주관적으로 작성하기 때문에 정확도가 떨어진다는 단점이 있어 현재는 설문지와 병행해서 생물표지자(biomarker)를 진단도구로 사용함으로써 진단율을 높이고 있다.

또한 FAS와 유사한 신체 모습을 보이는 유전적 증후군(e.g. Williams syndrome, Cornelia de Lange syndrome, velocardiofacial syndrome, Dubowitz syndrome, fetal anticonvulsant syndrome, maternal PLU fetal effects, Noonan syndrome) 등을 먼저 배제해야 한다.

1) 진단 기준

Jones and Smith(1973)에 의해서 처음 소개된 이후, FASD를 분류하여 체계화하기 위한 다양한 노력이 계속되어 왔다. 아직 세계적으로 통일된 진단 기준은 없지만 다음 4가지 진단 기준이 널리 사용되고 있다.

(1) Revised Institute of Medicine (IOM) criteria

(2) The University of Washington Four-Digit Diagnostic Code

(3) The National Task Force on Fetal Alcohol Syndrome/Fetal Alcohol Effect (FAS/FAE)

(4) Fetal Alcohol Spectrum Disorders: Canadian Guidelines for Diagnosis(updated in 2015)

Institute of Medicine(1996)은 FASD를 아래와 같이 분류하여 진단 기준을 제시하였으나 기준이 모호하고 세분화 되어 있지 않아서 임상에 사용하기에는 부족하였다.

① 산전 알코올에 노출이 확인된 FAS(FAS with confirmed maternal alcohol exposure)

② 산전 알코올에 노출이 확인되지 않은 FAS(FAS without confirmed maternal alcohol exposure)

③ 산전 알코올에 노출이 확인된 부분적 FAS(Partial FAS with confirmed maternal alcohol exposure)

④ 알코올 관련 신경발달장애(Alcohol related neurodevelopmental disorder)

⑤ 알코올 관련 선천성기형(Alcohol related birth defects)

Astley et al.(2004)가 '4-Digit Diagnostic Coding System'을 발표하였는데 아래와 같이 분류하여 각각의 항목에 대해서 정상, 경미, 중간, 중증으로 다시 세분화하여 병의 심한 정도를 등급으로 나타내었다.

① 성장부족(Growth deficiency)

② 안검열과 인중, 윗입술 모양 이상(Palpebral fissure length percentile and the shape of the phitrum and upper lip)

③ 중추신경계 손상(CNS damage/ dysfunction)

④ 임신 중 알코올 노출(Gestational alcohol exposure)

캐나다의 Chudley et al.(2005)가 IOM에서 제시한 진단 분류와 4-Digit Diagnostic Code를 절충하여 새롭게 'Canadian Diagnostic Guidelines'을 발표하면서 여러 전문 분야의 협력의 중요성을 강조하였으며 2015년에 개정되었다(표 4-1-2).

또한 2005년에 Hoyme et al.이 국제적 코호트 조사(multiracial international cohort study)를 통해 보다 자세하게 분류한 'Revised IOM Diagnostic Classification System'을 제시하였다(표 4-1-3).

표 4-1-2. 2015년 Canadian Diagnostic Guidelines

A diagnosis of FASD may be made if an individual meets either of the two sets of criteria below:

1. FASD with sentinel facial features
   - Simultaneous presentation of the three sentinel facial features*; AND
   - Prenatal alcohol exposure confirmed or unknown; AND
   - Evidence of impairment in three or more of the identified neurodevelopmental domains§ or, in infants and young children, evidence of microcephaly

OR

2. FASD without sentinel facial features
   - Evidence of impairment in three or more of the identified neurodevelopmental domains; AND
   - Confirmation of prenatal exposure, with the estimated dose at a level known to be associated with neurodevelopmental effects.

*Sentinel facial features
The following three sentinel facial features must be present because of their specificity to prenatal alcohol exposure:
- Palpebral fissure length ≥ 2 SDs below the mean (< third percentile).
- Philtrum rated 4 or 5 on 5-point scale of the University of Washington Lip-Philtrum Guide.
- Upper lip rated 4 or 5 on 5-point scale of the University of Washington Lip-Philtrum Guide.

†Neurodevelopmental assessment
1. A diagnosis of FASD is made only when there is evidence of pervasive brain dysfunction, which is defined by severe impairment in three of more of the following neurodevelopmental domains: motor skills; neuroanatomy/neurophysiology; cognition; language; academic achievement; memory; attention; executive function, including impulse control and hyperactivity; affect regulation; and adaptive behaviour, social skills or social communication.
2. Severe impairment is defined as a global score or a major subdomain score on a standardized neurodevelopmental measure that is ≥ 2 SDs below the mean, with appropriate allowance for test error. In some domains, large discrepancies among subdomain scores may be considered when a difference of this size occurs with a very low base rate in the population (≤ 3% of the population).

표 4-1-3. 개정된 IOM의 FASD 진단기준

I. FAS With Confirmed Maternal Alcohol Exposure(requires all features of A–D)
  (A) Confirmed maternal alcohol exposure
  (B) Evidence of a characteristic pattern of minor facial anomalies, including 2 or more of the following:
    (1) Short palpebral fissures(≤10%)
    (2) Thin vermilion border of the upper lip(score 4 or 5 with the lip/philtrum guide)
    (3) Smooth philtrum(score 4 or 5 with the lip/philtrum guide)
  (C) Evidence of prenatal and/or postnatal growth retardation
    (1) Height and/or weight ≤10%, corrected for racial norms, if possible
  (D) Evidence of deficient brain growth and/or abnormal morphogenesis, including 1 or more of the following:
    (1) Structural brain abnormalities
    (2) Head circumference ≤10%

II. FAS Without Confirmed Maternal Alcohol Exposure
  IB, IC, and ID as above

III. Partial FAS With Confirmed Maternal Alcohol Exposure(requires all features, A–C)
  (A) Confirmed maternal alcohol exposure
  (B) Evidence of a characteristic pattern of minor facial anomalies, including 2 or more of the following:
    (1) Short palpebral fissures(≤10%)
    (2) Thin vermilion border of the upper lip(score 4 or 5 with the lip/philtrum guide)
    (3) Smooth philtrum(score 4 or 5 with the lip/philtrum guide)
  (C) One of the following other characteristics:
    (1) Evidence of prenatal and/or postnatal growth retardation
      (a) Height and/or weight ≤10% corrected for racial norms, if possible Evidence of deficient brain growth or abnormal mor-
        phogenesis, including 1 or more of the following:
    (2) (a) Structural brain abnormalities
      (b) Head circumference ≤10%
    (3) Evidence of a complex pattern of behavioral or cognitive abnormalities inconsistent with developmental level that cannot be
      explained by genetic predisposition, family background, or environment alone
      (a) This pattern includes marked impairment in the performance of complex tasks(complex problem solving, planning, judg-
        ment, abstraction, metacognition, and arithmetic tasks); higher-level receptive and expressive language deficits; and
        disordered behavior(difficulties in personal manner, emotional lability, motor dysfunction, poor academic performance, and
        deficient social interaction)

IV. Partial FAS Without confirmed Maternal Alcohol Exposure
  IIIB and IIIC, as above

V. ARBD(requires all features, A–C)
  (A) Confirmed maternal alcohol exposure
  (B) Evidence of a characteristic pattern of minor facial anomalies, including 2 or more of the following:
    (1) Short palpebral fissures(≤ 10%)
    (2) Thin vermilion border of the upper lip(score 4 or 5 with the lip/philtrum guide)
    (3) Smooth philtrum(score 4 or 5 with the lip/ philtrum guide)
  (C) Congenital structural defects in 1 or more of the following categories, including malformation and dysplasias(if the patient displays
    minor anomalies only, ≥ 2 must be present): cardiac: atrial septal defects, aberrant great vessels, ventricular septal defects,
    conotruncal heart defects; skeletal: radioulnar synostosis, vertebral segmentation defects, large joint contractures, scoliosis;
    renal: aplastic/hypoplastic/dysplastic kidneys, "horseshoe"kidneys/ureteral duplications; eyes: strabismus, ptosis, retinal vascu-
    lar anomalies, optic nerve hypoplasia; ears: conductive hearing loss, neurosensory hearing loss; minor anomalies: hypoplastic
    nails, short fifth digits, clinodactyly of fifth fingers, pectus carinatum/excavatum, camptodactyly, "hockey stick"palmar creases,
    refractive errors, "railroad track"ears

VI. ARND(requires both A and B)
  (A) Confirmed maternal alcohol exposure
  (B) At least 1 of the following:
    (1) Evidence of deficient brain growth or abnormal morphogenesis, including 1 or more of the following:
      (a) Structural brain abnormalities
      (b) Head circumference ≤10%
    (2) Evidence of a complex pattern of behavioral or cognitive abnormalities inconsistent with developmental level that cannot be
      explained by genetic predisposition, family background, or environment alone
      (a) This pattern includes marked impairment in the performance of complex tasks(complex problem solving, planning, judg-
        ment, abstraction, metacognition, and arithmetic tasks); higher-level receptive and expressive language deficits; and disor-
        dered behavior(difficulties in personal manner, emotional lability, motor dysfunction, poor academic performance, and deficient
        social interaction)

(Hoyme et al., 2005)

2) 신체 검진 및 기타 검사

FAS환자들은 태아기 때 아무리 많은 량의 알코올에 노출이 되었다 하더라도 출생 시에는 정상인 경우가 대부분이기 때문에 시간을 갖고 추적 관찰하는 것이 중요하다. 첫 몇 년 동안은 간과해 버리기 쉬운 경미한 신경발달장애, 언어장애, 행동장애 등으로 확인되는 경우가 있으며 FAS환자에서 볼 수 있는 특징적인 얼굴 모습은 적어도 8개월-1세 이후에 확인될 수 있다.

우선 웃지 않는 편안한 얼굴 모습을 유지하게 한 후 꼼꼼히 얼굴 모습을 살펴보고 안검열의 길이(palpebral fissure length)를 측정하도록 한다. 안검열의 길이란 눈의 endocanthion에서 exocanthion까지의 거리를 말하는 것으로 측정은 작은 투명플라스틱자를 이용하거나 photographic analysis software를 사용한다. 자를 이용할 경우는 환자로 하여금 약간 위를 쳐다 보게 한 후 정확한 측정을 위해 아랫눈썹을 자를 이용해 살짝 누른 상태에서 측정을 하도록 하며 이 때 절대로 눈동자를 건드려서는 안 된다. software를 이용할 경우는 환자로 하여금 앞을 직시하게 해서 사진을 찍어 모니터 상에서 거리를 자동적으로 측정하는 방법이다(그림 4-1-6, 그림 4-1-7). 이렇게 측정된 값을 그림 4-1-8의 도표에 표시하여 백분위수를 결정한다. 현재 photographic analysis software는 아직 우리나라에서는 개발되지 않은 상태이고 나이별 안검열크기 도표 또한 동양인에게 표준화된 것이 없는 실정이다.

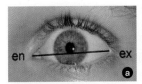

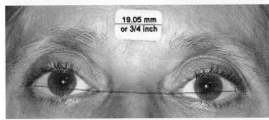

그림 4-1-6. a. 안검열 길이, endocanion으로부터 exocanthion까지의 거리 b. 안검열 길이는 환자가 위를 쳐다 보고 있는 동안 작은 자를 이용하여 측정
(Hoyme et al., 2005)

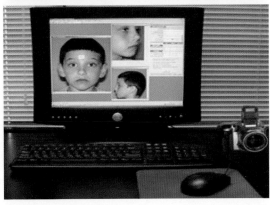

그림 4-1-7. Photographic software를 이용한 안검열 길이의 측정

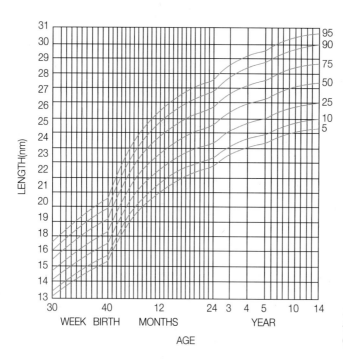

그림 4-1-8. **나이별 안검열 크기를 나타내는 도표 백분위수** (Chudley et al., 2005)

인중 및 윗입술 모양을 관찰할 때는 그림 4-1-9의 Lip-Philtrum Guide(Astley, 2004)를 사용하고 있으며 score 1인 경우 정상, score가 높아질수록 정도가 심한 경우이다. FAS 진단기준에 부합하기 위해서는 10백분위수 이하의 짧은 안검열과 Lip-Philtrum Guide에서 score 4 또는 5에 해당하는 편평한 인중과 윗입술을 가져야만 한다.

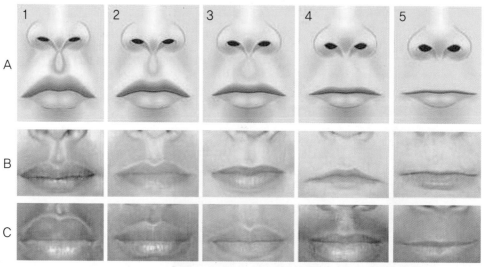

그림 4-1-9. **입술-인중 지표(Lip-Philtrum Guide) A.** 인중의 편평한 정도와 윗입술의 얇은 정도를 등급으로 표시 (1=unaffected, 5=most severe) **B.** 백인을 위한 지표 **C.** 흑인을 위한 지표

성장 지연 여부를 확인하기 위하여 체중, 신장, 두위를 확인하여야 한다. 일반적으로 성장 지연은 연령, 성별, 인종, 재태연령 등을 고려하여 10 백분위수 이하인 경우로 정의한다. 신경계 장애를 확인하기 위해 신경학적 검진 및 뇌 영상을 촬영할 수 있다. 인지기능검사 및 행동문제에 대한 평가가 또한 필요하다.

3) 음주력을 평가하는 선별검사

임신 중 알코올 노출력을 평가하기 위한 여러 가지 방법이 이용되고 있으나 아직까지 세계적으로 공용화되어 쓰일 만한 검사 방법이 부족한 실정이다. 지금까지 태아의 알코올 노출에 관한 평가가 음주나 담배, 약물남용에 관한 산모의 대답에 의존할 수 밖에 없어서 임신 중 알코올 노출량이 저평가되고 통계의 신뢰성이 떨어지는 문제가 있었다. 임신 중 술을 마셨습니까라는 막연한 질문 형태로서는 태아의 알코올 노출력을 정확히 파악하는데 많은 어려움이 있기 때문에 설문지를 이용한 알코올선별도구(alcohol screening tools)로 Alcohol Use Disorders Identification Test (AUDIT), Michigan Alcoholism Screening Test (MAST), TWEAK, T-ACE가 현재 사용되고 있고 이 중 TWEAK, T-ACE가 많이 쓰이고 있다. 이 도구들은 heavy drinker를 가려 내는 데에 초점을 맞춘 좀 더 객관적인 방법이라고 볼 수 있다(표 4-1-3, 표 4-1-4). 한국마더세이프전문상담센터에서 사용하고 있는 설문 도구도 외국의 TWEAK과 마찬가지로 점수 3점 이상인 경우 heavy drinker로 간주하였다(표 4-1-5). 이 설문지의 최대 단점은 산모가 주관적으로 설문지를 작성하는 방식이라 임신 중에 알코올을 먹은 것에 대한 창피함과 태아에게 미칠 나쁜 영향에 대한 두려움과 죄의식 때문에 거짓으로 작성할 경우에 저평가될 우려가 있고 정확한 노출력을 평가하기가 어렵다는 것이다. 또한 TWEAK, T-ACE는 알코올의존성이 높은 산모를 가려내는데는 용이할 수 있으나 알코올을 많이 마시지 않는 산모의 경우 알코올 노출력을 평가하는데는 적절하지 않다는 문제점이 있다.

표 4-1-3. **TWEAK(3점 이상이면 heavy 또는 problem drinker)**

T(tolerance)	How many drinks does it take before you begin to feel the first effects of alcohol? (3 or more drinks = 2 points)
W(worried)	Have close friends or relatives worried or complained about your drinking in the past year? (Yes = 2 points)
E(eye-opener)	Do you sometimes take a drink in the morning when you first get up? (Yes = 1 point)
A(amnesia)	Has a friend or family member ever told you about things you said or did while you were drinking that you could not remember? (Yes = 1 point)
K(cut down)	Do you sometimes feel the need to cut down on your drinking? (Yes = 1 point)

표 4-1-4. T-ACE(2점 이상이면 heavy 또는 problem drinker)

T(tolerance)	How many drinks does it take to make you feel high? (3 or more drinks = 2 points)
A(annoyed)	Have people annoyed you by criticizing your drinking? (Yes = 1 point)
C(cut down)	Have you ever felt you ought to cut down on your drinking? (Yes = 1 point)
E(eye-opener)	Have you ever had a drink in the morning to steady your nerves or to get rid of a hangover? (Yes = 1 point)

표 4-1-5. 한국마더세이프전문상담센터에서 사용하는 TWEAK 알코올 스크리닝

이름:　　　　　　　　　등록번호:

TWEAK	Questions		Points
T	평소 주량이 어느 정도 되십니까? (주종: 소주, 맥주, 와인, 동동주, 기타:)	☐ 3잔 미만 ☐ 3잔 이상	
W	친구나 가족들이 당신에게 금주나 절주하도록 권하신 적이 있으십니까?	☐ 아니오 ☐ 예	
E	술 마신 다음날 가끔 아침에 해장술을 마십니까?	☐ 아니오 ☐ 예	
A	음주 후 전날 밤에 일어 났던 일을 기억하지 못하신 적이 있으십니까?	☐ 아니오 ☐ 예	
K	가끔 금주의 필요성을 느끼십니까?	☐ 아니오 ☐ 예	
Total score			

표 4-1-6. 음주달력(Timeline Followback Calendar)

SUN	MON	TUE	WED	THU	FRI	SAT
	1 맥주 1병	2	3	4	5 소주 2잔	6
7	8	9	10	11	12	13
14	15	16	17	18	19	20
21	22	23	24 와인 반잔	25	26	27
28	29	30	31			

또 다른 선별 검사 도구로 산모가 날짜별 음주달력(Timeline Followback Calendar: TLFB)을 작성하는 방법이다. 달력에 매일매일 마신 알코올의 량(소주컵으로 소주 2잔, 와 인잔으로 와인 1잔 등)을 기록함으로써 마신 빈도, 시간, 정도를 측정하는 것이다. 보통 주 량을 측정할 때 맥주 1잔은 360 mL, 와인 1잔은 150 mL, 위스키 1잔은 45 mL에 해당하 는데, 이 모든 1잔에 15 g의 알코올이 포함되어 있다. 일명 binge drinking이란 한번 마실 때 5잔 이상(여성은 4잔 이상)을 마시는 경우를 말한다(표 4-1-6).

선별검사 방법들은 알코올에 노출 위험이 있는 산모와 태아를 가려내어 FASD의 진단하 는 데에 도움을 줄 수 있다는 점에서 FASD를 진단하기 위한 필수 사항이며, 이를 잘 활용 하면 궁극적으로 FASD를 진단하는데 많은 도움이 될 수 있을 것이다.

4) 임신부 음주 정도 평가를 위한 생물표지자(Biomarker)

임신부의 음주 여부나 음주량을 설문을 통해서 하는 경우는 임신부가 느끼는 음주에 대 한 죄의식으로 정확하지 않을 수 있다. 그리고 임신부의 음주 양상이 임신을 알게 되면서 음주를 줄이는 경향이 있어서 실제 태아가 얼마나 알코올에 노출되었는지를 평가하는 데 는 한계가 있다. 따라서 생물표지자를 통해서 임신부 및 태아의 알코올 노출을 평가하는 것 은 매우 중요하다. 알려진 생물표지자로는 Gamma-glutamyl transferase (GGT), Mean

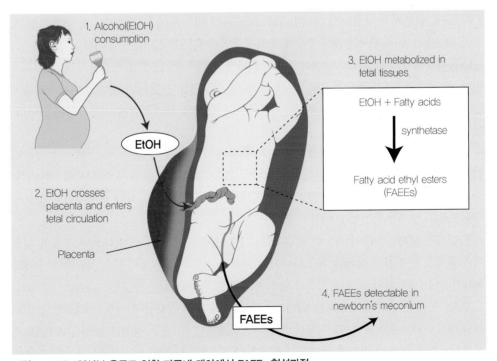

그림 4-1-10. **임신부 음주로 인한 자궁내 태아에서 FAEEs 형성과정**

corpuscular volume (MCV), Hemoglobin-associated acetaldehyde (HAA) 등이 있으나 요즘 잘 사용되지 않고 있다. 본 집필진들이 식품의약품안전처와 함께 태아 및 임신부의 알코올 노출 관련하여 연구하고 적용했던 생물표지자는 태변내 FAEEs와 임신부의 혈중내 PEth (phosphatidylethanol)이다. 태변내 FAEEs 측정은 임신 2기 이후 태아의 태변에 축적된 알코올 대사물질을 평가함으로써 실제로 태아의 알코올노출정도를 평가 할 수 있다는 점에서 임상적으로 매우 의미 있는 생물표지자라 할 수 있다(그림 4-1-10). 하지만, 임신부의 대부분의 음주가 임신인지 모른 상태에서 임신 초기에 노출된다는 점에서 FAEEs는 임신 1기의 알코올 노출을 평가할 수 없다는 한계가 있다. 한편 PEth는 임신 1기 뿐만 아니라 임신 전시기에 임신부의 알코올 노출 정도를 평가할 수 있는 장점이 있다. 이러한 생물표지자들이 중요한 점은 보다 객관적으로 임신부 및 태아의 알코올 노출 정도를 평가함으로써 임신 중 조기에 중재가 가능하고 출산한 아이들에게서 조기에 태아알코올증후군을 진단함으로써 조기에 관리가 가능함으로써 예후를 좋게 할 수 있다는 점에서 매우 중요하다.

9 한국마더세이프전문상담센터를 통한 FASD 상담 및 앞으로의 과제

한국마더세이프전문상담센터에서는 임산부 및 예비임산부를 대상으로 약물, 술, 담배 사용 여부등에 관한 자료를 수집하여 태아기형 상담을 실시하고 있으며 특히 임신 초기의 임산부들에게 TWEAK 설문지를 작성하게 해서 heavy drinker를 파악하여 FASD의 위험성에 관한 상담을 하고 있다. 출산 후 신생아는 생후 2주에 소아청소년과 FASD clinic에서 이학적 검진을 받게 되고, FASD환자에서의 특징적인 안면이상이 확연해지는 생후 9-12개월에 전반적인 발달 검사를 받게 된다. 현재 TWEAK 점수가 3점 이상인 산모를 대상으로 신생아의 태변과 머리카락을 이용하여 GC/MS기기를 통해 FAEE의 농도를 측정하여 FASD의 조기진단에 이용하려는 연구가 한창 진행 중에 있다(그림 4-1-11).

좀 더 어린 나이에 진단을 해줄수록 이차적 장애의 빈도를 줄일 수 있기 때문에 성장과 발달이 한창인 소아기 시기에 조기 진단하여 적절한 치료와 재활을 제공해 줌으로써 최소한의 장애를 가지고 정상적인 사회생활을 영위해 나갈 수 있도록 하는 일은 개인적인 측면에서도 중요하지만 국가적으로도 경제적 측면에서 이득이 된다.

FASD는 100% 예방이 가능한 질환이므로 FASD를 예방하기 위한 대국민 홍보가 시급한 실정이며 환자들의 이차적 장애를 최소화하기 위해서는 산부인과와 소아청소년과 뿐만이 아니라 재활치료를 위한 재활의학과, 신경정신과 등의 협력진료가 필요하다.

또한, 이러한 협력진료가 되기 위해서는 임신부의 음주 정도를 평가하는 의료인들에게 일정 보상이 필요하다. 예를 들면, 다른 혈액 검사들처럼 임신부의 음주 평가를 위해 TWEAK 설문이나 생물표지자를 이용한 평가에 급여화가 필요하다. 그리고 이러한 임신부 및 태아의 알코올 노출을 바탕으로 임신부의 중재뿐만 아니라 출산 후 신생아에서 태아알코올스펙트럼장애의 조기진단이 가능하게 하고 이들을 재활할 수 있도록 하는 국가 및 지역사회에서의 프로그램이 필요하다. 이렇게 되도록 하기 위해서는 임신부의 음주로 인한 태아에 미치는 영향이 정확하게 파악되고 이로 인한 사회적 비용이 제시되어야 할 것이다. 다행히 최근 질병관리본부에서 임신부의 음주에 대한 관심이 높아지고 관련 연구를 진행하고 있어서 기대가 크다.

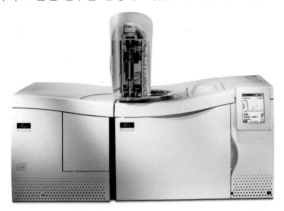

그림 4-1-11. Gas Chromatography—Mass Spectrometry (Clarus 600 GC/MS: PerkinElmer)

10 부모와 의료진을 위한 FAS 웹 사이트

1) 국내 웹 사이트

- 알코올중독정보센터(Korean Information Site for Alcoholism)
- 태아알코올증후군환우회
- 한국마더세이프전문상담센터

2) 국외 웹 사이트

- Canadian Center for Subsrance Abuse
- FAS World
- FASSTAR ENTERPRISES
- Department of Health and Human Services: Centers for Disease Control and Prevention
- Fetal Alcohol Disorders Society
- National Institute on Alcohol Abuse and Alcoholism
- Fetal Alcohol and Drug Unit

- National Organization on Fetal Alcohol Syndrome(NOFAS)
- Organization of Teratology Information Services(OTIS)
- Motherisk
- Substance Abuse and Mental Health Services Administration

▶ 참고문헌

1. 보건복지부, 한국보건사회연구원, 「1998년도 국민건강·영양조사-보건의식행태조사(20세이상 성인) 부문」1999.

2. 한정열 등. 후세대영향평가를 위한 임상연구 시스템구축. 식품의약품안전평가원 2009.

3. American Academy of Pediatrics Fetal Alcohol Spectrum Disorders Toolkit. Algorithm for Evaluation of Fetal Alcohol Syndrome (FAS) and Fetal Alcohol Spectrum Disorders (FASDs) Within the Medical Home. Available at: www.aap.org/en-us/advocacy-and-policy/aap-health-initiatives/fetal-alcohol-spectrum-disorders-toolkit/Pages/Algorithm-for-Evaluation. aspx (Accessed on February 24, 2014).

4. Astley SJ. Profile of the first 1,400 patients receiving diagnostic evaluations for fetal alcohol spectrum disorder at the Washington State Fetal Alcohol Syndrome Diagnostic & Prevention Network. Can J Clin Pharmacol 2010; 17:e132.

5. Bearer CF, Santiago LM, O'riordan MA, et al. Fatty Acid ethyl esters: quantitative biomarkers for maternal alcohol consumption. J Pediatr 2005;146:824-830.

6. British Medical Association. Alcohol and pregnancy: Preventing and managing fetal alcohol spectrum disorders. February 2016. http://www.bma.org.uk/working-for-change/improving-and-protecting-health/alcohol/alcohol-and-pregnancy (Accessed on February 11, 2016).

7. Burd L, Roberts D, Olson M, Odendaal H. Ethanol and the placenta. J Matern Fetal Neonatal Med 2007;20(5):361-375.

8. Caetano R, Ramisetty-Mikler S, Floyd LR, McGrath C. The epidemiology of drinking among women of child-bearing age. Alcohol Clin Exp Res 2006;30(6):1023-1030.

9. Calhoun F, Warren K. Fetal alcohol syndrome: historical perspectives. Neurosci Biobehav Rev 2007;31:168-171.

10. Caprara DL, Klein J, Koren G. Diagnosis of fetal alcohol spectrum disorder(FASD): fatty acid ethyl esters and neonatal hair analysis. Ann Ist Super Sanita 2006;42(1):39-45.

11. Caprara DL, Nash K, Greenbaum R, Rovet J, Koren G. Novel approaches to the diagnosis of fetal alcohol spectrum disorder. Neurosci Biobehav Rev 2007;31:254-260.

12. Cartwright MM, Smith SM. Increased cell death and reduced neural crest cell numbers in ethanol exposed embryos: partial basis for the fetal alcohol syndrome phenotype. Alcohol Clin Exp Res 1995;19(2):378-86.

13. Chang G. Alcohol-screening instruments for pregnant women. Alcohol Res Health 2001;25(3):204-209.

14. Chudley AE, Kilgour AR, Cranston M, Edwards M. Challenges of diagnosis in fetal alcohol syndrome and fetal alcohol spectrum disorder in the adult. Am J Med Genet C Semin Med Genet. 2007;145C(3):261-72.

15. Cook JL, Green CR, Lilley CM, et al. Fetal alcohol spectrum disorder: a guideline for diagnosis across the lifespan. CMAJ 2016; 188:191.

16. Del Boca FK, Darkes J. The validity of self-reports of alcohol consumption: state of the science and challenges for research. Addiction. 2003;98(S2):1-12.

17. Devi BG, Henderson GI, Frosto TA, Schenker S. Effect of acute ethanol exposure on cultured fetal rat hepatocytes: relation to mitochondrial function. Alcohol Clin Exp Res 1994;18(6):1436-42.

18. Fatal alcohol syndrome: a parents guide to caring for a child diagnose with FAS. 2004.

19. Floyd RL, O'Connor MJ, Sokol RJ, Bertrand J, Cordero JF. Recognition and prevention of fetal alcohol syndrome. Obstet Gynecol 2005;106(5):1059-64.

20. Floyd RL, Sidhu JS. Monitoring prenatal alcohol exposure. Am J Med Genet C Semin Med Genet 2004;127C(1):3-9.

21. Gareri J, Klein J, Koren G. Drugs of abuse testing in meconium. Clin Chim Acta 2006;366: 101-111.

22. Gilliam DM, Mantle MA, Barkhausen DA, Tweden DR. Effects of acute prenatal ethanol administration in a reciprocal cross of C57BL/6J and short-sleep mice: maternal effects and nonmaternal factors. Alcohol Clin Exp Res 1997 ;21(1):28-34.

23. Goh YI, Chudley AE, Clarren SK, et al. Development of Canadian screening tools for fetal alcohol spectrum disorder. Can J Clin Pharmacol 2008;15(2):e344-66.

24. Green RF, Stoler JM. Alcohol dehydrogenase 1B genotype and fetal alcohol syndrome: a HuGE minireview. Am J Obstet Gynecol. 2007;197(1):12-25.

25. Han JY, Choi JS, Ahn HK, Kim MH, Chung JH, Ryu HM, Kim MY, et al. Foetal and neonatal outcomes in women reporting ingestion of low or very low alcohol intake during pregnancy. J Matern Fetal Neonatal Med. 2012 Nov;25(11):2186-9

26. Koren G. Maternal-Fetal Toxicology, A Clinician's Guide. 3rd ed. Marcel Dekker, NY 2001.

27. Koren G, Nulman I, Chudley AE, Loocke C. Fetal alcohol spectrum disorder. CMAJ

2003;169(11);1181-1185.

28. Kwak HS, Han JY, Ahn HK, Kim MH, Ryu HM, Kim MY, et al. Blood levels of phosphatidylethanol in pregnant women reporting positive alcohol ingestion, measured by an improved LC-MS/MS analytical method. Clin Toxicol (Phila). 2012 Dec;50(10):886-91.

29. Kwak HS, Kang YS, Han KO, Moon JT, Chung YC, Choi JS, Han JY, et al. Quantitation of fatty acid ethyl esters in human meconium by an improved liquid chromatography/tandem mass spectrometry. J Chromatogr B Analyt Technol Biomed Life Sci. 2010 Jul 1;878(21):1871-4.

30. Laura EB. Child development. 8th ed. Boston: Ally & Bacon, 2009.

31. Lebel C, Rasmussen C, Wyper K, et al. Brain diffusion abnormalities in children with fetal alcohol spectrum disorder. Alcohol Clin Exp Res 2008;32(10):1732-40.

32. Lee BY, Park SY, Ryu HM, Shin CY, Ko KN, Han JY, Koren G, Cho YH Changes in the methylation status of DAT, SERT, and MeCP2 gene promoters in the blood cell in families exposed to alcohol during the periconceptional period. Alcohol Clin Exp Res. 2015 Feb;39(2):239-50

33. Little BB. Snell LM, Rosenfeld CR, Gilstrap LC, Cant NF. Failure to recognize fetal alcohol syndrome in newborn infants. Am J Dis Child 1990;144(10):1142-1146.

34. Lupton C, Burd L, Harwood R. Cost of fetal alcohol spectrum disorders. Am J Med Genet C Semin Med Genet 2004;127C(1):42-50.

35. Manning MA, Hoyme HE. Fetal alcohol spectrum disorders: a practical clinical approach to diagnosis. Neurosci Biobehav Rev 2007;31(2):230-238.

36. Mattson SN, Roesch SC, Fagerlund A, et al. Toward a neurobehavioral profile of fetal alcohol spectrum disorders. Alcohol Clin Exp Res 2010; 34:1640.

37. Mattson SN, Roesch SC, Glass L, et al. Further development of a neurobehavioral profile of fetal alcohol spectrum disorders. Alcohol Clin Exp Res 2013; 37:517.

38. May PA, Gossage JP. Estimating the prevalence of fetal alcohol syndrome. A summary. Alcohol Res Health 2001;25(3):159-67.

39. Moberg DP, Bowser J, Burd L, et al. Fetal alcohol syndrome surveillance: age of syndrome manifestation in case ascertainment. Birth Defects Res A Clin Mol Teratol 2014; 100:663.

40. Neumann T, Spies C. Use of biomarkers for alcohol use disorders in clinical practice. Addiction 2003;98(S2):81-91.

41. O'Leary CM. Fetal alcohol syndrome: diagnosis, epidemiology, and developmental outcomes J. Paediatr. Child Health 2004;2-7.

42. Paintner A, Williams AD, Burd L. Fetal alcohol spectrum disorders-- implications for child

neurology, part 1: prenatal exposure and dosimetry. J Child Neurol 2012; 27:258.

43. Russel M, Martier SS, Sokol RJ, et al. Sceening for pregnancy risk-drinking. Alcohol Clin Exp Res 2006:1156-1161.

44. Sampson PD, Streissguth AP, Bookstein FL, et al. Incidence of fetal alcohol syndrome and prevalence of alcohol-related neurodevelopmental disorder. Teratology 1997;56(5):317-326.

45. Sokol RJ, Delaney-Black V, Nordstrom B. Fetal alcohol spectrum disorder. JAMA 2003; 290:2996.

46. Spadoni AD, McGee CL, Fryer SL, Riley EP. Neuroimaging and fetal alcohol spectrum disorders. Neurosci Biobehav Rev 2007;31:239-245.

47. Stade B, Ungar WJ, Stevens B, Beyen J, Koren G. Cost of fetal alcohol spectrum disorder in Canada. Can Fam Physician 2007;53(8):1303-1304.

48. Streissguth AP, Bookstein FL, Barr HM, Sampson PD, O'Malley K, Young JK. Risk factors for adverse life outcomes in fetal alcohol syndrome and fetal alcohol effects. J Dev Behav Pediatr 2004;25(4):228-238.

49. Warren KR, Li TK. Genetic polymorphisms: impact on the risk of fetal alcohol spectrum disorders. Birth Defects Res A Clin Mol Teratol 2005;73(4):195-203.

50. Wattendorf DJ, Muenke M. Fetal alcohol spectrum disorders. Am Fam Physician 2005;72(2):279-82.

51. Welch-Carre E. The neurodevelopmental consequences of prenatal alcohol exposure. Adv Neonatal Care 2005;5(4):217-29.

52. Williams RJ, Odaibo FS, McGee JM. Incidence of fetal alcohol syndrome in northeastern Manitoba. Can J Public Health 1999;90(3):192-194.

우리나라의
태아알코올스펙트럼장애 현황

◦ 이해국

1 서론

　알코올은 뇌를 비롯하여 인체 각종 장기에 영향을 주는 유해물질로, 섭취하는 양과 패턴, 그리고 섭취하는 기간 등에 따라 사람에게 다양한 형태의 위험을 증가시키며, 개인뿐만 아니라 간접적·이차적인 영향을 사회 전반에 미쳐 위험을 증가시키는 중요한 보건학적 문제이다. 우리나라의 경우 음주에 대한 관대한 문화가 굳어져있고 과음, 폭음 등 무절제한 음주습관으로 인하여 이미 알코올사용장애의 유병률과 음주로 인한 기타 의학적 문제, 사회경제적 비용 등이 여타 선진국에 비하여 높은 수준을 나타내고 있다.

　음주는 알코올사용장애와 같은 일차적인 정신행동질환을 유발할 뿐만 아니라, 고위험음주와 같이 건강위험행동으로도 정의할 수 있다. 고위험음주란 알코올사용장애는 아니지만, 다양한 수준의 신체적, 심리적, 행동적 문제를 경험하게 만드는 수준의 음주를 말하며, 대개 남자의 경우 일회 음주량이 순수알코올기준 60 mg, 여자의 경우 40 mg 이상 마시는 것을 의미한다.

　고위험음주는 만성적으로 지방간, 간경변을 일으키고 간암, 구강암, 식도암 등 각종 암의 발생률을 증가시킬 뿐 아니라 우발적인 상해나 상호 간의 폭행 등을 발생시켜 수많은 건강문제와 사회문제를 유발한다. 나아가 임산부의 음주는 태아에서 중추신경 발달의 이상으로 인한 다양한 인지기능의 감퇴 및 이후 성장 시 이차적으로도 다양한 정신건강상의 문제를 유발할 수 있다는 측면에서 매우 중요하다.

　본 장에서는 태아알코올스텍트럼장애(fetal alcohol spectrum disorder, FASD)의 국내 연구소개와 현황을 기술하고자 한다.

2 임산부의 음주현황

　우리나라가 포함된 아시아지역은 서양보다 사회문화적으로 여성의 음주가 터부시되어온 역사적 배경을 갖고 있다. 실제, 알코올사용장애유병률의 대륙별 비교에서도 아시아 지역여성의 알코올사용장애 유병률은 여타 지역에 비하여 낮은 편이다. 그러나, 최근의 역학 자료를 보면 우리나라 여성의 알코올사용장애와 고위험 음주의 유병률을 급격히 상승하고 있다. 특히 가임기라 할 수 있는 20대, 30대 여성의 알코올사용장애 유병률은 각각 4.8%, 1.4%에서 5.7%, 2.0%로 남성 및 여타 연령대에 비해 상대적으로 빠르게 상승하고 있다. 고위험음주 유병률의 경우에도, 20대, 30대가 각각 7.1%, 4.0%에서 10.5%, 9.6%로 급격히 상승하고 있다. 따라서, 이러한 가임기 여성 음주의 증가가 임산부의 음주 위험을 높일 수 있음을 예측할 수 있다.

실제, 김성곤, 염계정 등은 연구에서 임신 중 한 번이라도 음주한 사람의 비율을 각각 40%, 50%에 이른다고 보고했다. 2010년에 이소희 등은 대학병원에서 시행된 실태조사연구에서는 연구대상자 중 16.4%가 음주를 1.7%가 폭음의 경험이 있다고 보고한 바 있다. 이러한 음주 경험과 폭음경험의 비율은 상대적으로 여성의 음주에 비해 관대한 미국에서 질병관리본부가 보고한 임신 중 지난 한 달의 음주경험 12.2%, 고위험 음주 경험 1.9%와 비슷한 수준으로 우리나라가 임산부 음주에서 결코 자유로운 나라가 아님을 말해주고 있다.

실제 2009년에는 행동문제를 주소로 정신건강의학과 외래를 방문한 환자에서 엄마의 임신 중 음주력과 특징적 안면이상, 중추신경발달지연 등 태아알코올증후군의 특징적 증상을 나타내는 사례가 보고된 바 있기도 하다.

표 4-2-1. **고위험음주 유병율의 변화 현황**

구 분	2005년			2013년		
	남자	여자	전체	남자	여자	전체
고위험음주율*	23.2	4.6	14.9	22.5	7.2	15.6
연령군별						
19–29	14.0	7.1	10.7	20.3	10.5	16.0
30–39	20.7	4.0	13.3	26.3	9.6	18.5
40–49	31.8	4.6	19.5	29.5	6.3	19.0
50–59	27.8	4.1	17.8	24.0	6.7	16.5
60–69	24.2	2.3	15.1	11.6	1.8	7.6
70+	22.6	2.5	12.4	7.0	0.0	4.2

3 음주가 태아발달에 미치는 영향

임신 중 음주가 산모와 태아 모두의 건강에 부정적 영향을 준다는 것은 일반적으로 받아들여지는 사실이지만, 구체적으로 어느 정도의 음주가 태아발달에 명확히 부정적 영향을 주는지는 여전히 연구가 진행 중이다.

임산부의 일정 수준 이상의 고위험음주에 태아가 노출되었을 때 중추신경발달에 이상이 발생하는 사실의 근거는 명확하다. Jacobsen 등은 하루에 순수 알코올 14 g~28 g 이상을 섭취한 고위험 음주 임산부에서 태어난 아이의 음주량에 비례해서 지능 등 인지기능의 감퇴가 관찰된다고 보고

표 4-2-2. Outcomes after low-level alcohol consumption

Outcome	Number of studies	Number of women	Findings (odds if possible)
Spontaneous abortion	8	115 958	Varied Odds = 0.8 to 3.79 2 of 8 studies found significant increases
Stillbirth	5	56 110	3 of 5 studies had higher rates in abstainers
Impaired growth	7	129 439	1 of 7 studies found a positive association with IUGR
Birth weight	19	175 882	1 of 19 studies found significant increases in low birth weight
Preterm labour	16	178 639	15 of 16 studies found no effect or a reduced rate of prematurity
Malformations	6	57 798	1 of 6 studies found a significant association with malformations

하였다. 음주량과 음주패턴이 어떻게 태아에서의 알코올의 영향을 결정하는지는 임산부의 알코올 대사 유전자 등이 관계될 수 있다고 알려졌으나 아직 이를 사전에 예측하는 것은 어렵다.

하루 14 g 이하의 음주 즉, 적정음주 정도의 임산부의 음주에 노출된 태아에서 중추신경발달에 어떠한 영향이 있을 것이냐에 대해선 그 결과가 일관되지 않다. Handerson 등은 체계적 문헌고찰을 통해 아래 표 4-2-2에서와 같이 적정음주 수준이하의 임산부의 음주가 태아출산에 미치는 부정적 영향이 일부 있거나 관찰되지 않는다고 보고하였다.

또한, 최근 스웨덴에서 시행된 체계적 문헌고찰에서는 저위험 음주로 인한 태아의 위험은 음주뿐만 아니라 교육수준, 임신 중 흡연, 다른 약물사용 등 요인이 복합적으로 작용할 수 있으며 저위험 수준의 음주를 했더라고 비록 적은 수준이기는 하나 완전히 단주한 사람에 비해 아이에서 장기적으로 인지, 정신, 사회경제적 기능의 저하가 있다고 보고하였다. 따라서, 결론적으로 어느 정도의 음주가 임산부에서 태아에게 위험을 미치지 않는지에 대한 명확한 근거가 부족하므로 임신기간 동안 금주를 하는 것이 낫다고 제안하고 있다.

4 태아알코올스펙트럼장애 진단의 역사

알코올이 발달 중인 태아에 나쁜 영향을 미치는 것은 지난 수 백 년간 이미 알려진 사실이라고 보고된다. 술에 취한 상태로 잉태하면 결함이 있는 아이를 낳게 된다는 고대 그리스와 로마인들의 믿음이 몇몇 문헌에서 언급된 바 있으며 아래와 같은 아리스토텔레스의 꾸지람을 인용하기도 하였습니다. "어리석고, 술에 취하고, 모자란 여인들이 자신과 닮은 음울하고 힘이 없는 아이들을 낳게 된다." 그러나 이러한 근거들이 고대부터 술의 기형 유발작용(teratogenicity)이 알려졌었다고 결론을 내리기에는 부족한 것으로 보인다.

1700년대에는 영국의 의사 단체에서 알코올 중독인 여인의 아이들을 "국가에 힘이 되기보다는 짐이 되는 약하고 병든 아이들이라고 기술하였다." 영국 Parkhurst지역 교정국의 보건책임자였던 Sullivan은 교도소에 수용된 알코올중독자 여인들의 자손에 대해 묘사한 바 있다. 보고서는 알코올중독 여인들에게 태어난 600명의 아이들 중에 55.8%가 태중에서 혹은, 2살 이전에 사망하였다고 보고했다. 또한 이전 자식의 사망을 경험한 어머니에게 태어난 299명의 생존한 아이들의 경우도 나이가 들어서 사회에서 기능을 제대로 하지 못하였다고 보고하고 있다. 이 보고에서, Sullivan(1899)는 알코올이 배아에 직접적인 독성이 있다고 결론을 내렸다. 그러나 놀랍게도 Sullivan의 보고 이후에 1980년대까지 산모의 알코올 중독과 기형유발의 연관성에 대한 유사한 역학적 연구 결과는 알려진 바 없다.

이후 임상영역 FAS의 존재가 언급된 것은 Lemoine이 프랑스어 잡지에 임신 중 음주를 지속한 산모에서 태어난 100명의 유아에서 다양한 신체적, 행동적 문제들이 나타난다는 보고를 한 것이 처음이다. 그러나 이 보고는 명확한 진단기준이나 특징적 소견을 제시하지 못하였고, 프랑스어로 쓰여 이후 학계에 별다른 영향을 주지 못하였다.

이후 워싱턴 주립대학의 젊은 소아과 의사인 Jones는 그의 지도교수였던 Smith와 함께 Lancet지에 그가 이 지역의 고위험음주군 임산부에서 출생한 11명의 아이들을 관찰한 결과를 보고하면서 처음으로 태아알코올증후군(fetal alcohol syndrome, FAS)란 용어를 사용하였다. 이 논문은 영어로 작성된 최초의 학술지 논문으로써 태아알코올증후군의 존재를 학계에 공식적으로 처음으로 소개했다는 역사적 의미가 있다.

5 태아알코올노출의 영향 관련 용어의 변화

1) DSM(Diagnostic Statistical Manual of Mental Disorder)-5(APA, 2013)이전의 진단체계

Jones와 Smith에 처음 사용된 FAS는 태아알코올노출의 가장 심각한 결과로 전형적인 신체발육지연, 중추신경발달지연과 지적기능발달 지연, 특징적인 안면이상등을 나타내는 사례의 관찰결과에 근거하여 제안되었다. 이후 이 진단기준의 개념, 용어에 다양한 변화가 있었고 최근 까지는 4-digit code, CDC national task force version, Canadian Guideline, Revised IOM 등 4개의 진단체계가 제안되고 있다.

서로 다른 4개의 진단체계는 모두 특징적인 안면이상을 FAS를 진단하는데 있어 필수적인 항목으로 포함하고 있으며 가장 특징적인 안면이상의 양상은 짧은 안검열(short palpebral fissure), 길고 편평한 인중(smooth phitrum), 얇은 윗입술(thin upper vermillion border)등 3가지를 들 수 있다. 신체발육이상 또한 4가지 진단체계에 포함된 항목이며, 대개 10% 이하로 정의된다. 중추신경 발달이상은 두위가 10% 이하에 해당하거나 뇌신경학적 구조의 이상, 명확한 다른 신경학적 이상 증상 등이 해당할 수 있다.

FAS가 알려진 이후 여러 연구에서 태아알코올노출이 된 대상자에서 모두가 다 위의 진단기준과 개념을 충족하는 것은 아니라는 사실이 제안되었다. 노출된 알코올이 양, 노출된 시기 등 다양한 요인이 태아알코올노출의 결과에 영향을 주며 안면 이상과 같은 신체 이상이 모든 경우에 나타나지는 않는다는 사실이 알려진 것이다. 이에 태아알코올노출이 되었으나 그 증상과 이상의 발견 정도가 증후군으로 발현될 정도가 아니면 태아알코올영향(fetal alcohol effect)이라는 용어를 사용할 것을 제안하였으나 정의가 불명확하고 남용하여 사용될 위험이 있어 곧 이 용어는 폐기되었다.

미국의 의학연구소(Institute of Medicine, IOM)은 태아알코올노출의 심각도에 따른 스펙트럼을 반영할 수 있는 새로운 진단용어체계를 제안하였다. 첫 진단은 FAS로 임산부음주 기왕력 확인과 관계없이 안면이상, 신체기형 및 중추신경발달이상 등의 증상이 명확한 상황에 해당된다. 두 번째는 partial FAS로 이는 임산부의 음주력은 확인이 되었고 FAS로 진단 기준 모두에 충분히 부합하지 않을 때에 적용한다. 한편 신체발육지연, 특징적 안면이상 등의 임상 양상은 시간에 따라 변할 수 있으므로 이러한 신체검진 상의 이상을 나타내지 않으면서 태아알코올노출이 영향을 표현할 수 있는 진단체계와 용어가 필요하였다. 알코올기인 태아결손(Alcohol related birth defect, ARBD), 알코올기인 신경발달손상(Alcohol related neurodevelopmentl disorder, ARND) 등은 이러한 상태를 나타내는 진단 용어이며 이는 Hoym, Caudly 등이 제안한 revisd IOM 기준과 Canadian Guideline 에서 자세하게 제시되었다.

이 두 가지 진단체계는 태아알코올노출 이외의 원인으로 설명할 수 없는 다양한 중증도와 종류의 행동발달, 인지발달 이상을 기술하고 진단하는데 유용한 기준을 제시하였다. 태아알코올노출에 의한 위해한 결과가 다양한 스펙트럼을 가진다는 사실에 근거하여 태아알코올스텍트럼장애(Fetal Alcohol Sperctrum Disorder)라는 용어가 제안되었다. FASD는 진단적 용어라기보다는 태아알코올노출의 영향 즉, FAS, pFAS, ARBD, ARND 모두를 포괄하는 우산으로서의 개념을 지칭하는 용어이다. 또한 FASD는 음주로 인한 유산, 태아사망증후군 등 태아알코올노출과 연관되어 발생하는 다양한 병적 상태를 포괄할 수 있다.

6 Revised IOM 기준에 따른 FASD의 진단

Canadian guideline은 4-digit code 진단체계와 IOM 진단체계를 통합하여 진단적 정확성과 임상적 유용성을 높인 진단체계이다. 이후 Hoyme 등은 대단위 다민족 아동 코호트 연구 세팅에서의 검증을 거쳐 revised IOM 진단체계를 개발하였는데 이 진단 체계는 정확하고 통합적인 결과 도출을 위한 다학제적 진단접근과 유전적, 기형학적 원인 등을 포함하는 다양한 범위의 감별진단이 용이한 장점을 가지고 있다.

표 4-2-3에서 1과 2 진단 범주는 전형적인 FAS 표현형으로 모친의 임신 중 음주력의 확인 여부에 따라 1과 2로 나뉜다. 이 범주는 특징적 안면이상(짧은 안검열, 편형한 인중, 얇은 윗입술 3가지 중 2개 이상), 신체발달지연(체중과 신장이 10퍼센타일 이하), 중추신경발달지연(구조적 뇌이상이 발견되거나 두위가 10% 이하) 등 3가지 진단기준을 모두 충족시켜야 한다.

3과 4범주는 pFAS로 마찬가지 모친에 음주력 확인여부에 따라 나뉘며 진단기준은 다음과 같다. 주요 안면이상 특징 중 2개 이상에 해당되며 신체발달지연, 중추신경발달지연, 여타 유전학적, 가족적, 환경적 요인으로 설명되지 않는 발달 평균에 미치지 못하는 행동과 인지기능의 결손 등 3가지 중 한 개에 해당될 때 진단을 내린다. 5번은 ARBD로 모친의 임신 중 음주력은 확인이 되어야 하며 안면이상 외 신체발달은 정상적이지만 동물 및 인간대상 연구에서 알코올의 기형유발효과와 관련이 있는 것으로 알려진 부가적인 구조적 이상(hypoplastic nails, clinodactyly, altered palmar crease) 또는 주요 이상(심장, 신장 이상 등)을 보이는 경우이다. 6번은 ARND로 5와 마찬가지로 모친의 임신 중 음주력은 확인이 되어야 한다. ARND는 안면이상이나 신체적 발달이상은 나타내지는 않지만 중추신경발달이상(뇌 구조 이상 또는 두위가 10% 이하)이나 다른 유전질환이나 환경적 요인으로 설명되지 않는 신경인지기능의 결손이 관찰되는 경우에 진단한다.

표 4-2-3. 개정된 IOM의 FASD 진단기준

Ⅰ. FAS With Confirmed Maternal Alcohol Exposure(requires all features of A-D)
  (A) Confirmed maternal alcohol exposure
  (B) Evidence of a characteristic pattern of minor facial anomalies, including 2 or more of the following:
    (1) Short palpebral fissures(≤10%)
    (2) Thin vermilion border of the upper lip(score 4 or 5 with the lip/philtrum guide)
    (3) Smooth philtrum(score 4 or 5 with the lip/philtrum guide)
  (C) Evidence of prenatal and/or postnatal growth retardation
    (1) Height and/or weight ≤10%, corrected for racial norms, if possible
  (D) Evidence of deficient brain growth and/or abnormal morphogenesis, including 1 or more of the following:
    (1) Structural brain abnormalities
    (2) Head circumference ≤10%

Ⅱ. FAS Without Confirmed Maternal Alcohol Exposure
  IB, IC, and ID as above

Ⅲ. Partial FAS With Confirmed Maternal Alcohol Exposure(requires all features, A-C)
  (A) Confirmed maternal alcohol exposure
  (B) Evidence of a characteristic pattern of minor facial anomalies, including 2 or more of the following:
    (1) Short palpebral fissures(≤10%)
    (2) Thin vermilion border of the upper lip(score 4 or 5 with the lip/philtrum guide)
    (3) Smooth philtrum(score 4 or 5 with the lip/philtrum guide)
  (C) One of the following other characteristics:
    (1) Evidence of prenatal and/or postnatal growth retardation
      (a) Height and/or weight ≤10% corrected for racial norms, if possible Evidence of deficient brain growth or abnormal morphogenesis, including 1 or more of the following:
    (2) (a) Structural brain abnormalities
      (b) Head circumference ≤10%
    (3) Evidence of a complex pattern of behavioral or cognitive abnormalities inconsistent with developmental level that cannot be explained by genetic predisposition, family background, or environment alone
      (a) This pattern includes marked impairment in the performance of complex tasks(complex problem solving, planning, judgment, abstraction, metacognition, and arithmetic tasks); higher-level receptive and expressive language deficits; and disordered behavior(difficulties in personal manner, emotional lability, motor dysfunction, poor academic performance, and deficient social interaction)

Ⅳ. Partial FAS Without confirmed Maternal Alcohol Exposure
  ⅢB and ⅢC, as above

(계속)

표 4-2-3. 개정된 IOM의 FASD 진단기준

V. ARBD(requires all features, A–C)

(A) Confirmed maternal alcohol exposure

(B) Evidence of a characteristic pattern of minor facial anomalies, including 2 or more of the following:

    (1) Short palpebral fissures(≤ 10%)

    (2) Thin vermilion border of the upper lip(score 4 or 5 with the lip/philtrum guide)

    (3) Smooth philtrum(score 4 or 5 with the lip/ philtrum guide)

(C) Congenital structural defects in 1 or more of the following categories, including malformation and dysplasias(if the patient displays minor anomalies only, ≥ 2 must be present): cardiac: atrial septal defects, aberrant great vessels, ventricular septal defects, conotruncal heart defects; skeletal: radioulnar synostosis, vertebral segmentation defects, large joint contractures, scoliosis; renal: aplastic/hypoplastic/dysplastic kidneys, "horseshoe"kidneys/ureteral duplications; eyes: strabismus, ptosis, retinal vascular anomalies, optic nerve hypoplasia; ears: conductive hearing loss, neurosensory hearing loss; minor anomalies: hypoplastic nails, short fifth digits, clinodactyly of fifth fingers, pectus carinatum/excavatum, camptodactyly, "hockey stick"palmar creases, refractive errors, "railroad track"ears

VI. ARND(requires both A and B)

(A) Confirmed maternal alcohol exposure

(B) At least 1 of the following:

    (1) Evidence of deficient brain growth or abnormal morphogenesis, including 1 or more of the following:

        (a) Structural brain abnormalities

        (b) Head circumference ≤10%

    (2) Evidence of a complex pattern of behavioral or cognitive abnormalities inconsistent with developmental level that cannot be explained by genetic predisposition, family background, or environment alone

        (a) This pattern includes marked impairment in the performance of complex tasks(complex problem solving, planning, judgment, abstraction, metacognition, and arithmetic tasks); higher-level receptive and expressive language deficits; and disordered behavior(difficulties in personal manner, emotional lability, motor dysfunction, poor academic performance, and deficient social interaction)

(Hoyme et al., 2005)

7 DSM-5에서의 태아알코올노출관련 신경행동발달장애(ND-PAE)(APA, 2013)

세계보건기구에서 관장하는 국제질병 표준분류기구 10판에는 "기타 다른 곳에 분류되지 않은 외부적 요인에 의한 선천성이상(Congenital Malformation Syndrome due to Konwn Exogenous CAuses, NOt Elswhere Classified)" 영역에 태아알코올증후군에 포함되어 있다.

하지만 이렇듯 태아알코올노출에 의한 중추신경발달이상 상태에 대한 임상적 정의가 규정되고 시도됐음에도 불구하고, 국제적으로 정신행동장애의 표준적 진단체계로 사용되는 미국정신의학회의 진단통계편람인 DSM에서는 FAS나 FASD 등 태아알코올노출의 영향으로 인한 상태에 대하여 정의하지 않고 있었다.

1995년 미국국립알코올연구소(National Institute on Alcohol Abuse and Alcoholims, NIAAA)에서는 태아알코올증후군의 발견, 예방, 치료 등을 촉진하기 위한 다학제적협력위원회(Inteagency Coordinating Committee on Fetal Alcohol Syndrome, ICCFAS)를 만들었고 이를 통해 FAS가 DSM-5의 개정작업에 포함될 새로운 진단으로 정의되도록 노력하였다. 이러한 적극적 노력에 힘입어 2013년 개정된 DSM-5에 FASD는 "신경행동발달장애-태아알코올노출(Neuro Behavioral Disorder associated with Prenatal Alcohol Exposure, ND-PAE)"라는 이름으로 추후 추가적 연구를 통해 정식으로 등재될 물질 및 중독관련 장애영역 진단챕터의 섹션 3(추가적 연구를 통해 정식 진단으로 등재될 진단)에 포함되게 되었다.

새로 제안된 진단기준은 이전 IOM, Canadian 진단체계의 4가지 주요진단기준 즉, 신체발달 이상, 안면이상, 중추신경발달이상, 임신 중 음주력 확인 중 뒤의 2가지만을 포함하고 있다. 이는 DSM 진단체계가 신체이상 증상에 대한 기술을 포함하지 않는 행동정신장애만을 다루고 있기 때문으로 판단된다.

제안된 진단 기준은 첫 번째 임신 시 모친의 저위험음주 이상 음주상태에의 노출의 기왕력, 두 번째, 지능, 고위인지기능, 학습 또는 시공간추론과 같은 신경인지기능의 손상, 셋째, 정서 및 행동조절기능, 주의력, 충동조절과 같은 자기조절능력의 손상, 넷째, 의사소통, 상호작용, 일상생활 기술, 운동기능과 같은 적응기능의 손상 등 4가지 영역의 기능손상으로 구성되어 있다.

DSM-5에서는 진단기준 외에도 몇 가지 사실을 추가적으로 기술하고 있다. 임신 중 음주량이 태아알코올노출의 영향에 미치는 최소기준이 정확히 확립되어 있지는 않으나 소량이상(여기서 소량 즉, 가벼운 음주란, 임신 기간 중 1개월에 표준 잔 기준 1~13잔 사이, 1회의 음주 상황에서 표준잔 2잔 이하로 마시는 것)의 알코올에의 노출이 관련된다고 제시하였으며, 그 외에 태아발달단계, 임신 중 흡연, 산모와 태아의 유전, 산모의 신체적 상태(연령, 건강과 영양상태, 특정 산과적 문제) 등도 영향을 줄 수 있다고 제시하였다.

또한, 진단을 위한 신경인지기능에 대한 평가가 아주 어린 유아에서는 어려우므로 3세 이하의 유아에게는 진단을 유보하는 것을 제안하고 있다. 태아알코올노출의 영향으로 인한 중추신경계 발달 이상의 증거는 대개 절반 정도의 경우에 생후 초기 3년 이내 나타나지만, 다른 아동은 학령기 이후에 이러한 중추신경발달 지연을 나타내는 경우도 있다. 따라서, 신경 인지기능과 적응기능 등의 적절한 평가를 학년 단위로 그 진단의 기준을 달리할 필요가 있다고 언급하고 있다.

표 4-2-4. Neurobehavioral Disorder Associated with Prenatal Alcohol Exposure (ND-PAE)

Proposed DSM-5 Diagnosis

A. More than minimal exposure to alcohol during gestation, including prior to pregnancy recognition. Confirmation of gestational exposure to alcohol may be obtained from maternal self-report of alcohol use in pregnancy, medical or other records, or clinical observation.

B. Impaired neurocognitive functioning as manifested by one or more of the following:

1. Impairment in global intellectual performance (i.e., IQ of 70 or below, or a standard score of 70 or below on a comprehensive developmental assessment).

2. Impairment in executive functioning (e.g., poor planning and organization; inflexibility; difficulty with behavioral inhibition).

3. Impairment in learning (e.g., lower academic achievement than expected for intellectual level; specific learning disability).

4. Memory impairment (e.g., problems remembering information learned recently; repeatedly making the same mistakes; difficulty remembering lengthy verbal instructions).

5. Impairment in visual-spatial reasoning (e.g., disorganized or poorly planned drawings or constructions; problems differentiating left from right).

(계속)

표 4-2-4. Neurobehavioral Disorder Associated with Prenatal Alcohol Exposure (ND-PAE)

C. Impaired self-regulation as manifested by one or more of the following:

1. Impairment in mood or behavioral regulation (e.g., mood lability; negative affect or irritability; frequent behavioral outbursts).

2. Attention deficit (e.g., difficulty shifting attention; difficulty sustaining mental effort).

3. Impairment in impulse control (e.g., difficulty waiting turn; difficulty complying with rules).

D. Impairment in adaptive functioning as manifested by two or more of the following, one of which must be (1) or (2):

1. Communication deficit (e.g., delayed acquisition of language; difficulty understanding spoken language).

2. Impairment in social communication and interaction (e.g., overly friendly with strangers; difficulty reading social cues; difficulty understanding social consequences).

3. Impairment in daily living skills (e.g., delayed toileting, feeding, or bathing; difficulty managing daily schedule).

4. Impairment in motor skills (e.g., poor fine motor development; delayed attainment of gross motor milestones or ongoing deficits in gross motor function; deficits in coordination and balance).

E. Onset of the disorder (symptoms in Criteria B, C, and D) occurs in childhood.

F. The disturbance causes clinically significant distress or impairment in social, academic, occupational, or other important areas of functioning.

G. The disorder is not better explained by the direct physiological effects associated with postnatal use of a substance (e.g., a medication, alcohol or other drugs), a general medical condition

8 임산부의 음주에 대한 선별과 평가

FASD의 유병율은 연구마다 상당한 차이를 보여왔지만 미국 질병관리본부에서 시행된 초기부터의 여러 연구를 종합하면 대략 출생아 1,000명당 0.2~1.5명 정도의 비율을 나타내고 있다. 또한 May와 Gossage등은 FAS의 유병률에 대한 체계적 문헌고찰논문을 통해 유병률을 1,000명당 2~5명으로 제시한 바 있다. 한편 임산부의 음주노출의 빈도를 감안할 때 FASD의 유병률은 대략 100명당 1명 정도로 추산할 수 있다고 제기되기도 한다. 최근 2009년 May는 적극적 사례확인(Active Case Ascertainment) 방식으로 미국 전역의 다양한 인종, 사회경제적 배경 집단을 대상으로 한 연구에서 FAS의 유병율이 1,000명당 2~7명으로 보고한 바 있다. 나아가 FASD에 대해선 미국과 서유럽지역을 기준으로 했을 때 학령기 아동에서 약 2~5% 정도로 그 유병률을 추산하였다. 역학조사 보고 중 가장 FAS와 pFAS의 높은 비율이 보고된 것은 남아프리카의 와인산지와 같은 전형적으로 고위험음주율이 높은 지역에서 시행된 연구로 1,000명당 68명에서 89.2명이 보고된 바 있다. 다른 나라에서 시행된 역학조사에서도 상당히 높은 비율이 보고된 것들이 있다.

크로아티아에서 시행된 연구에서는 1,000명당 6.44명의 FAS, 34.3명의 pFAS로 그 유병률을 보고하였고 이태리 라지오 지역에서 시행된 연구에서는 1,000명당 3.7~7.4명의 FAS, 20.3~40.5명의 pFAS의 유병률을 보고한 바 있다.

우리나라에서도 2010년 미국 국립알코올연구소에서 조직화한 CIFASD(Collaborative Initiative on FASD)의 역학조사 전문가팀에서 한국을 방문하여 지적 장애시설 등을 직접 방문하여 적극적 사례확인 방식으로 태아알코올증후군에 대한 최초의 역학조사가 수행되었다. 1973년 Lancet 지에 처음으로 FAS 사례를 보고했던 UCSD의 존스 박사와 CIFASD의 총연구책임자인 Riley 교수, 미국국립알코올연구소의 소장인 Kenneth Warren 박사 등으로 구성된 전문가 팀은 일차적으로 한국에서 안면기형에 대한 진찰기술 교육 워크숍을 개최하여 실제 역학조사에 함께 참여할 한국의 연구자들을 교육하였다. 또한, 8개의 지적 장애아동시설과 아동복지시설을 한국의 연구자들과 함께 직접 방문하여 직접 안면 이상에 대한 검진을 수행하였다.

표 4-2-5. Characteristics of 87 Children and Adolescents who screened Positive on Growth Deficiency and Received the Dysmorphology Examination, Korea, 2010

	FAS	Deferred	No FAS	P-value
N	13	44	30	
Age in years at the time of examination – mean±standard deviation [range]	12.5±3.0	10.7±3.6	11.2±2.9	0.252[h]
	[7.2–17.9]	[4.0–17.8]	[4.3–15.3]	
Male – n [%]	11 [84.6]	27 [28.8]	19 [63.3]	0.339[a]
Height in cm – mean±standard deviation	1300±17.8	129.3±18.9	137.4±15.1	0.141[b]
Weight in kg – mean±standard deviation	26.3±9.9	27.0±9.4	31.8±8.8	0.063[b]
Occipital frontal circumference in cm – mean±standard deviation	50.2±1.8	51.4±2.3	53.9±3.5	〈0.001[b]
Microcephaly OFC ≤10th centile – n [%]	13[100]	20[45.5]	3[10]	〈0.001[a]
Intellectual Disability IQ 〈 70 – n [%]	11[84.6]	31[70.5]	13[43.3]	0.015[a]

[a] Fisher's exact test
[b] ANOVA

표 4-2-6. Prevalence ofAdditional Features by FAS Diagnostic Category in 87 Children and Adolescents, Korea, 2010

Feature	N [%]	P-value*
Railroad track ears		
FAS	5 [38.5]	0.140
Deferred	13 [29.5]	
No FAS	4 [13.3]	
Ptosis		
FAS	0 [0.0]	1.000
Deferred	1 [2.3]	
No FAS	0 [0.0]	
Heart murmur		
FAS	0 [0.0]	0.395

(계속)

표 4-2-6. Prevalence ofAdditional Features by FAS Diagnostic Category in 87 Children and Adolescents, Korea, 2010

Feature	N [%]	P-value*
Deferred	3 [6.8]	
No FAS	0 [0.0]	
Decreased elbow pronation/supination		
FAS	2 [15.4]	0.058
Deferred	1 [2.3]	
No FAS	[0.0]	
Incomplete extension of one or more digits		
FAS	3 [23.1]	0.741
Deferred	8 [18.2]	
No FAS	4 [13.3]	
Other joint contractures		
FAS	0 [0.0]	—
Deferred	0 [0.0]	
No FAS	0 [0.0]	
Hockey stick crease		
FAS	2 [15.4]	0.589
Deferred	6 [13.6]	
No FAS	2 [6.7]	
Other palmar crease abnormalities		
FAS	7 [53.8]	0.003
Deferred	11 [25.0]	
No FAS	2 [6.7]	
Strabismus		
FAS	2 [15.4]	0.362
Deferred	4 [9.1]	
No FAS	1 [3.4]	
Midfacial hypoplasia		
FAS	12 [92.3]	0.100
Deferred	27 [61.4]	
No FAS	18 [62.1]	
Epicanthal fold		
FAS	10 [76.9]	0.142
Deferred	42 [95.5]	
No FAS	27 [93.1]	

*Fisher's exact test

본 연구에서 연구자들은 안면 이상 검진 및 신체검진을 바탕으로 한 진단작업을 통해 85명의 지적장애 아동에서 13명 즉, 14%의 아동이 FAS의 진단이 가능하다고 보고하였다.

또한, 이전의 연구결과와 유사하게 안면 이상 뿐만 아니라 부진단에 활용되는 기타 신체 이상 개수가 진단에 따라 증가함을 보고하였다. 특징적인 안면 이상 이외에도 다양한 형태의 부가적 신체이상과 기형이 존재할 수 있으며 이에 대한 확인이 필요하다. FAS의 아동에서 흔히 발견되는 11가지의 이상이 있는지의 여부를 조사한다. 이러한 부가적 신체 이상과 기형은 태아알코올노출의 심각도에 따라 그 이환 여부가 증가한다는 보고가 있으며 따라서, FASD이라는 큰 범주 아래 대상자가 어느 정도의 심각도를 나타내는지를 판단할 수 있는 정보를 제공해준다. 11가지의 부가적 신체 이상은 안내각상의 주름(epicanthal folds), 양안격리증(hypertelorism), 안검하수(ptosis), 소두증(microcephaly), 소하악증(micrognathia), 짧은 들창코(short upturned nose), 귀의 윗부분의 미발달(일명 'railroad tract'), 손금이상(hockey stick'crease) 등이 있으며 한국에서 보고된 FAS에서의 그 발현빈도는 표 4-2-6와 같다. 기차길 모양 귓바퀴(railroad track ear)은 귓바퀴의 위쪽이 제대로 분화되지 않고 합쳐져 보이는 상태를 말하며 하키스틱모양손금(Hockey stick palmar crease)은 중간 손금이 굵고 끝부분이 두 번째, 세 번째 손가락 사이고 기억자로 꺾어지는 특징적 손금을 말한다.

이 연구에서 적용된 안면 이상 검진은 아시아 인종에서 최초로 안면 이상 검진의 프로토콜의 유용성을 검증한 것이며 또한 한국에서 처음으로 태아알코올증후군의 존재를 역학적 접근을 통해 보고했다는 의미가 있다. 국제 태아알코올증후군 연구프로젝트 책임자인 Riley 교수 등 관련 전문가들과 이후 국제적으로 협력연구를 지속할 수 있는 계기를 마련했다는 의미가 있다.

이후 위의 작업에 고무되어 2011년 한국질병관리본부는 일반 학교 학생을 대상으로 하는 태아알코올증후군에 대한 역학조사연구를 기획하였다. 이 연구의 수행을 위해 연구진은 2011년 1월 세계보건기구에서 개최한 태아알코올스텍트럼장애 역학조사를 위한 국제전문가워크숍에 참가하여, 적극적 사례확인방식의 프로토콜을 숙지하고 이에 근거하여 역학조사 프로토콜을 개발하였

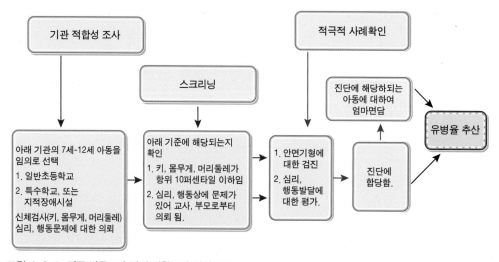

그림 4-2-1. **적극 방문조사 방식 역학조사 설계도준**

다. 2011년 6개월여의 기간에 걸쳐 전국 8개 도시에서 학교를 방문하여 적극적 사례확인방식 프로토콜에 기반하여 시행된 연구에서 연구자들은 231명을 진단 면접하여 40명의 태아알코올증후군 의심군을 확정하여 보고하였다. 즉, 전체 모집단 7,785명을 기준으로 했을 때 유병률은 0.51%로 추산되었다. 이 수치는 미국과 서유럽에서 시행된 역학조사 연구와 매우 유사한 수준으로 우리나라가 태아알코올노출의 위험에서 자유롭지 못하다는 것을 시사하는 결과이다.

국내 연구와 유사하게 일반 학교를 대상으로 한 적극적 사례확인 연구를 보면 이탈리아의 한 연구에서 이탈리아의 경우 1,000당 3.7~9.2명으로 본 연구의 4.5명과 유사한 결과를 나타내었다. 그러나 와인산지 노동여성이라는 극단적인 위험집단을 대상으로 한 남아프리카공화국의 한 연구에서는 1,000명당 40~60명으로 국내 연구결과와는 차이를 보인다.

우리나라 일반학교 대상 적극적 사례확인방식으로 조사한 태아알코올증후군이 유병률은 0.51%로 상당히 높은 수준이라고 할 수 있다. 이러한 결과는 앞서 여성음주실태에 대한 현황분석에서 언급했듯이 최근 여성 특이 가임기 여성의 알코올사용장애, 고위험음주 유병률이 급격히 증가하는 것으로 설명할 수 있다. 즉, 급속도로 변화하는 사회적 환경은 여성의 음주를 증가시키는 역할을 하고 있으며 실제, 늘어난 가임기 여성의 음주는 임산부의 음주와 이로 인한 태아알코올영향의 결과로 나타나고 있다고 볼 수 있다. 따라서 보다 체계적으로 임산부의 음주와 태아알코올영향 즉, FASD를 조기에 선별하고 진단할 수 있는 체계의 구축과 관련 문제를 예방하고 치료할 수 있는 전략을 개발하기 위한 국가적 수준의 사업과 연구가 시급하다. 다행히 질병관리본부에서 2015년 12월 음주폐해예방관리 연구개발사업을 시작하였고 여기에 임산부고위험음주개입과 임산부음주폐해실태조사에 대한 연구개발계획이 포함된 부분은 늦은감이 있으나 고무적인 일이다.

표 4-2-7. 한국에서 적극적 사례확인방식으로 진행한 역학조사 결과 개요

지 역	총원	FAS	FAS
	(모집단)	(CIFASD*)	(Canadian**)
	n	n(%)	n(%)
전체모집단	7,785	40(0.51)	14(0.18)
대도시	2,833	13(90.46)	6(0.21)
－ A	1,230	10(0.81)	6(0.49)
－ B	603	0(0.00)	0(0.00)
－ C	1,000	3(0.30)	0(0.00)
중소도시	4,952	27(0.55)	8(0.16)
－ D	1,801	13(0.72)	0(0.00)
－ E	2,619	5(0.19)	2(0.08)
－ F	532	9(1.69)	6(1.13)

*CIFASD: FASD 국제연구네트워크에서 제안한 진단기준으로 안면이상, 신체발달지연, 중추신경발달지연 3가지에 모두 해당되는 경우에 진단함.(Lee 등, 2015)
**Canadaian guideline: 안면이상, 신체발달지연 및 3개이상의 중추신경발달 이상 소견이 있을 경우에 진단함.
(Chudley, 2005)

▶ 참고문헌

1. 이해국, 이정태, 권용실, 효율적인 적정음주기준의 개발. 중독정신의학 2006; 10(2):73-85.

2. 조중범, 이정태, 권용실, 이경욱, 이해국, 조선진, 김한오. 일 도시지역 위험음주의 유병률과 관련요인에 관한 연구. 한국중독정신의학회지 2011;15(2):65-74.

3. 2010. Fetal alcohol spectrum disorders: Extendingthe range of structural defects. Am J Med Genet Part A 152A:2731–2735.

4. American Association of Psychiatry. Diagnostic and statistical manual of mental disorder, DSM-5. 5th ed. Arlington:American Psychiatric Publishing, Inc;2013

5. Astley SJ, Clarren SK. Diagnosing the full spectrum of fetal alcohol-exposed individuals: Introducing the 4-digit diagnostic code. Alcohol and Alcoholism. 2000; 35(4):400–410

6. Available at: http://www.fhi.se/en/Publications/All-publications-in-english/

7. Batey RG, Burns T, Benson RJ, Byth K. Alcohol consumption and the risk of cirrhosis. Med J Aust 1992;156:413-416.

8. Bertrand, J.; Floyd, RL.; Weber, MK.; O'Connor, M.; Riley, EP.; Johnson, KA., et al. Fetal alcohol syndrome: guidelines for referral and diagnosis. Centers for Disease Control and Prevention; Atlanta, GA: 2004

9. Calhoun F and Warren K. Fetal alcohol syndrome;Historical perspectives. Neuroscience and Behavioral Rev. 2007;31;168-171

10. Chudley AE, Conry J, Cook JL, Loock C, Rosales T, LeBlanc N. Fetal alcohol spectrum disorder: Canadian guidelines for diagnosis. Canadian Medical Association Journal. 2005; 172(5 Suppl):S1– S21.

11. Clarren SK, Smith D. The fetal alcohol syndrome. New England Journal of Medicine. 1978; 298;1063-1067

12. Henderson J, Gray R, Brockleburst P. Systematic review of effects of low-moderate prenatal alcohol exposure on pregnancy outcome. BJOG 2007;114(3):243–52.

13. Hoyme HE, May PA, Kalberg WO, Kodituwakku P, Gossage JP, Trujillo PM, et al. A practical clinical approach to diagnosis of fetal alcohol spectrum disorders: clarification of the 1996 Institute of Medicine criteria. Pediatrics. 2005; 115(1):39–47

14. Jacobson JL, Jacobson SW. Drinking moderately and pregnancy. Effects on child development. Alcohol Res Health 1999;23:25–3.

15. Jacobson JL, Jacobson SW. Prenatal alcohol exposure and neurobehavioral development: where is the threshold? Alcohol Health Res World 1994;18:30–6.

16. Jones KL, Hoyme HE, Robinson LK, Del Campo M, Manning MA, Prewitt LM, Chambers CD.

17. Jones KL, Smith DW. Recognition of the fetal alcohol syndrome in early infancy. Lancet. 1973 Nov 3; 2(7836):999–1001

18. Korus HF. Fetal alcohol syndrome; a dilemma of maternal alcoholsim. Pathology Annual. 1981;16(pt1);295-311

19. Lee HK, Choua P, Cho MJ, Park JI, Dawson DA, Grant BF. The prevalence and correlates of alcohol use disorders in the United States and Koreada cross-national comparative study. Alcohol 2010;44:297-306.

20. Lee HK. Epidemiology of Fetal Alcohol Syndrome in Korea. ISBRA 2012 Annual Symposium.

21 Lee HS, Jone KL, Lee HK, et. al., Fetal alcohol spectrum disorders:clinical phenotype among a high-risk group of children and adolescents in Korea.Am J Mde Genet Part A. 2015;9999(1):1-5

22. Lemoine P, Harousseau H, Borteyru JP, et. al., Les enfants de parents alcoholiques; anomalies observees a propes de 127cas. Quest Medical 1968;25;476-482

23. May PA, Fiorentino D, Gossage JP, Kalberg WO, Hoyme HE, Robinson LK, et al. Epidemiology of FASD in a province in Italy: Prevalence and characteristics of children in a random sample of schools. Alcoholism, Clinical and Experimental Research. 2006; 30(9):1562–1575.

24. May PA, Gossage JP. Estimating the prevalence of fetal alcohol syndrome: a summary. Alcohol Research and Health. 2001; 25(3):159–167

25. May PA, Gossage JP, Kalberg WO, Robinson LK, Buckley D, Manning M, et al. Prevalence and epidemiologic characteristics of FASD from various research methods with an emphasis on recent in-school studies. Developmental Disabilities Research Reviews. 2009; 15(3):176–192

26. May PA, Gossage JP, Marais A, Adnams CM, Hoyme HE, Jones KL, et al. The epidemiology of fetal alcohol syndrome and partial FAS in a South African community. Drug and Alcohol Dependence. 2007; 88(2–3):259–271.

27. Petkovic G, Barisić I. FAS prevalence in a sample of urban schoolchildren in Croatia. Reproductive Toxicology. 2010; 29(2):237–241

28. Riley EP, Infante MA, Warren KR. Fetal alcohol spectrum disorders:on overview. Neuropsychol Rev. 2011;(2):73-80

29. Riley EP, McGee CL, Fetal alcohol spectrum disorders:An overview with emphasis on changes in brain and behavior. Experimental Biology and Medicine, 2005;230(6);357-365.

30. Sampson PD, Streissguth AP, Bookstein FL, Little RE, Clarren SK, Dehaene P, et al. Inci-

dence of fetal alcohol syndrome and prevalence of alcohol-related neurodevelopmental disorder. Teratology. 1997; 56(5):317–326.

31. Saunders J. "A window of opportunity":The proposde inclusion of Fetal Alcohol Sperctrum Disorders in DSM-5. Journal of Developmental Disabilities. 2013(19);7-14.

32. Savolainen VT, Liesto K, Mannikko A, Pentilla A, Karhunen PJ. Alcohol consumption and alcoholic liver disease: evidence of a threshold level of effects of ethanol. Alcohol Clin Exp Res 1993;17:1112-1117.

33. Stratton, K.; Howe, C.; Battaglia, F. Fetal alcohol syndrome: Diagnosis, epidemiology, prevention, and treatment. National Academy; Washington, DC: 1996.

34. Sullivan WC. A note on the influence of maternal inebriety on the offspring. Journal of Mental Science. Int. J. Epidemiol. (2011) 40 (2): 278-282.

35. Testa M, Quigley BM, Eiden RD. The effects of prenatal alcohol exposure on infant mental development: a meta-analytical review. Alcohol Alcohol. 2003 Jul-Aug;38(4):295-304.

36. The Swedish National Institute of Public Health. Low dose alcohol exposure during pregnancy—does it harm? A systematic literature review. Stockholm: Stromberg; 2009.

37. World Health Organization(WHO). International classification of disease(10th rev. 2nd ed.). 2004. Geneva, Switzerland:Worlde Health Organization.

임신부 및 태아의 알코올 노출 바이오마커

○ 곽호석

1 알코올 노출 평가를 위한 바이오마커

1) 간접적 바이오마커(Indirect biomarker)

(1) 간효소

① Alanine aminotransferease(ALT) and aspartate aminotransferase(AST)

간 기능을 평가하는 바이오마커로 장기간 알코올 섭취로 간 손상이 발생한 사람에서 높게 나타난다. 알코올성 간 질환이 있는 경우 ALT, AST가 증가하지만 500 IU/L 이상 증가하지 않는다. 알코올성 간 질환인 경우 AST가 특이적으로 증가하므로, AST/ALT 비가 2보다 높게 나타난다. 임신부에서 ALT, AST의 값은 감소하는 것이 일반적이다. 이런 이유로 알코올 노출 평가 방법으로는 낮은 민감도(sensitivity)를 갖는다. AST/ALT는 촉매 활동도에 의해서 측정되며, 조보인자(pyridoxal 5-phosphate)를 사용하여 최대 활동도를 얻을 수 있다.[1]

② Gamma-glutamyl transferase(GGT)

세포막에 존재하는 효소로 세포 사멸이 진행되면 혈중 GGT가 증가한다. 일반적으로 간 손상과 관련된 바이오마커로 알려져 있으며, 알코올에 의한 심한 간 손상을 감지하는 마커로 사용된다. 대부분의 알코올 중독자에서 GGT가 증가하지 않는 단점을 갖고 있어 GGT는 알코올성 간 질환에 대한 스크리닝 도구(screening tool)로는 사용이 어렵다. GGT는 glutamyl 작용기를 전이시키는 효소로서 glutamyl 작용기 유도체를 기질로 사용하여 만들어진 생성물의 양으로 활동도를 측정한다.[1]

(2) Mean Corpuscular Volume(MCV)

MCV는 만성적 알코올을 섭취하는 사람에서 증가하는 바이오마커이다. MCV의 증가 원인은 알코올 섭취 후 생성된 독소의 이차적 영향에 의해서 발생하는 것으로 추정되고 있다. MCV는 특이적으로 만성적 알코올 섭취에서 증가되며, 일시적 과음과 불규칙적 음주

패턴에서는 증가하지 않는다. MCV 증가는 알코올 섭취량과 일치하지 않는 단점을 갖고 있어, 알코올의 오남용에 대한 스크리닝 도구로는 적합하지 않다. MCV는 전혈을 사용하여 측정한다. 자동 혈구 분석기에서 측정되며, 자동 혈구 분석기가 기존의 매뉴얼 검사법보다 정확하다.[1]

(3) Carbohydrate-deficient transferrin(CDT)

CDT는 간에서 생성되는 transferrin 단백질의 sialic acid-carbohydrate 개수가 부족한 다른 형태(isoform)로 0-2개의 sialic acid-carbohydrate를 갖는 transferrin 단백질이다. 알코올 섭취 후 알코올 대사물이 glycosylation/sialylation의 과정을 억제하여 CDT를 형성하기 때문에 알코올성 간질환에 특이적으로 반응하는 것이 장점이다. CDT의 측정 표기는 전체 transferrin 단백질의 CDT의 분율을 %로 나타낸다. CDT의 혈중 반감기는 만성적 알코올 중독자에서 약 1.5-2주 정도로 혈중에서 일정기간 존재하므로 만성적 알코올 중독자에서 %CDT는 정상인보다 높게 측정된다.[1] CDT는 몇 가지 제한적인 이유로 알코올 남용에 대한 스크리닝 도구로 사용하기 어렵다. 일반적으로 여성의 경우 %CDT는 남성보다 높게 나타나며, 알코올 섭취 여성에서 %CDT의 증가하는 정도가 낮게 나타난다.[2] 그 밖에 약물, 선천적 유전적 변이에 의한 효소 활성의 변화, 나이, BMI, 흡연, 임신에 영향을 받을 수 있다. CDT는 전체 transferrin의 %로 결과가 보고되며, 면역 측정법을 사용하여 측정할 수 있다.[3]

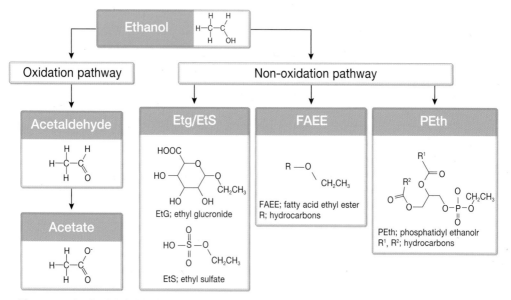

그림 4-3-1. **알코올 대사과정과 대사물질**

2) 직접적 바이오마커(Direct biomarker)

(1) Fatty acid ethyl ester(FAEE)

FAEE는 알코올 섭취 후 체내 지방산(fatty acid)과 알코올이 세포 내 효소에 의해서 생성되는 대사물이다. 혈중 FAEE는 농도는 알코올과 비슷한 반감기를 가지고 있어 빠르게 제거되지만, 최종반감기(terminal half-life)가 길기 때문에 혈중에서 소량의 FAEE가 2-3일까지 검출된다. FAEE 분해과정은 가수분해 과정으로 지방산과 알코올로 분해되는데 이때 분해 효소의 활동성 차이 때문에 활동성이 낮은 지방세포에 상대적으로 많은 양의 FAEE가 존재한다. 피지에 1주일 정도까지 존재하며, 피지에 존재하는 FAEE 일부가 머리카락과 손톱으로 전이되어 생성된다.[4] 장기간 만성적 알코올 노출 평가에 사용되는 FAEE는 머리카락, 손톱, 태변에서 측정한다. 알코올의 직접적 대사물인 FAEE 농도는 알코올 섭취량과 상관성을 나타내지만, FAEE 생산과 분해 효소의 활성에 따라 개인 간의 농도 차이가 발생한다. 알코올을 섭취하지 않는 경우에도 생활패턴(음식, 화장품, 구강세척제)에 따라서 체내 알코올 농도가 증가할 수 있다. 그래서 FAEE 측정에서 비음주자의 위양성을 고려해야 한다.[5]

측정방법은 질량분석기를 이용한 측정이 주로 사용된다. 다양한 종류의 FAEE를 측정하는 질량분석기는 GC-MS/MS와 LC-MS/MS가 사용되었다. 질량분석기로 측정하기 이전에 FAEE 분리를 위해서 사용되는 분리법은 기체 크로마토그래피(GC)와 액체 크로마토그래피(LC)를 사용한다. 분리법에 따라 검체 전처리 과정이 다르며, 검체 종류에 따라 측정한계치(LOD, limit of detection)는 1-10 ng/g로 보고되었다.

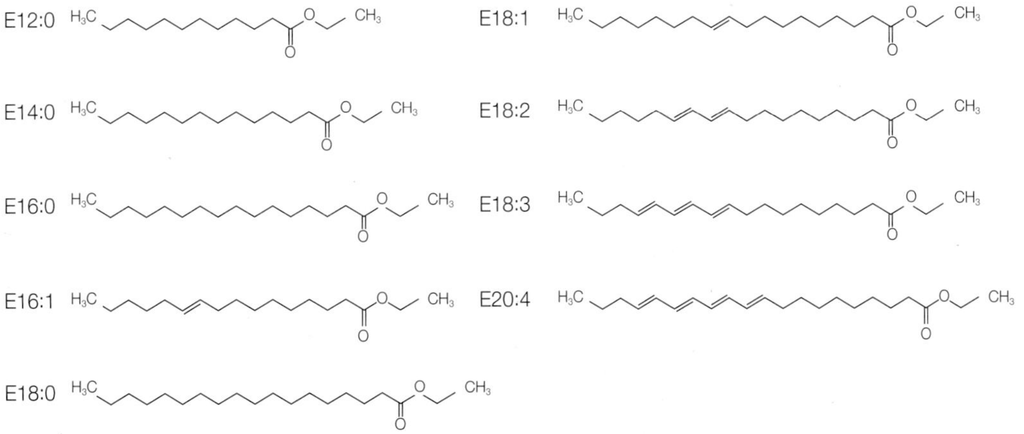

그림 4-3-2. 생체시료에서 검출되는 FAEE(fatty acid ethyl ester)의 종류와 화학적 구조

(2) Ethyl glucuronide(EtG)/ ethyl sulfate(EtS)

알코올의 대사물로 체내 배출 과정 효소에 의해서 생성되는 수용성 물질로 섭취한 알코올의 0.1%보다 적은 양이 생성된다. 알코올과 수용성 물질 glucuronide와 sulfate의 결합으로 생성된 EtG/EtS는 혈액에서 빠른 반감기(2-3시간)를 갖고 있어 24시간 이후에는 측정이 어렵지만, 소변에서는 최대 5-7일까지 측정된다.[1] 수용성 물질인 EtG/EtS는 체내에 빠르게 퍼지기 때문에 머리카락, 손톱, 태변에서도 측정된다. 소변에서 측정되는 EtG/EtS는 최근 음주를 평가하기 위해서 사용되며, 음주 시기와 검출 시기의 차이가 길어질수록 위음성이 증가한다. 장기간 알코올 노출은 머리카락, 손톱, 태변에 축적된 EtG/EtS를 측정하여 평가할 수 있다. 축적된 EtG/EtS 농도는 알코올이 첨가된 개인 용품 사용에 따라 위양성이 발생할 수 있다.[6]

측정 방법은 질량분석기(GC-MS/MS, LC-MS/MS)를 이용하여 소변, 혈액, 머리카락, 태변에서 측정 가능한 방법이 알려져 있다. 이 방법으로 측정된 EtG/EtS의 측정한계치(LOD)는 1-5 ng/g로 보고되었다. 게다가 측정 방법이 간단한 ELISA 방법도 있으며, 이 방법으로 혈청과 소변에서 0.1 mg/L 이하는 측정이 불가능하다.

(3) Phosphatidylethanol(PEth)

PEth는 체내 인지질의 한 종류인 phosphatidylcholine과 알코올이 결합하여 생성된 대사물로 적혈구에서 주로 생성된다. 적혈구에서 많이 존재하는 PEth의 혈중 반감기는 3-5일이며, 음주량과 음주패턴에 따라서 금주 후 2-4주까지 혈액에서 검출된다. 알코올 대사물인 PEth가 긴 시간동안 적혈구에서 검출되는 이유는 PEth 생성과 분해의 효소 활성도 차이 때문에 발생하는 것으로 추정된다.[7]

전혈(whole blood)에서 분석하는 PEth 농도는 음주량과 상관성이 높으며, 최근 몇 주 동안의 음주 여부 식별과 음주 모니터링에 유용하다. 하지만, 장기간 음주 노출 여부 판별에는 어려움이 있다. PEth는 단기간에 발생하는 음주 여부를 판별하는데 높은 민감도(sensitivity)와 특이도(specificity)를 나타내며, 성별, 나이, BMI와 같은 변수에도 영향을 받지 않는다.[8]

PEth는 비교적 큰 분자량에 휘발성이 낮아 액체-크로마토그래피(LC) 분석법이 주로 사용된다. 검출기 종류로는 ELSD(evaporative light scattering detector), UV, 질량분석기를 사용하여 측정이 가능하다. 혈액에는 다양한 지질이 분포하고 있어 PEth를 분리하는 측정 방법은 간섭의 영향이 많을 수 있기 때문에 정확도와 측정 감도가 높은 질량분석기가 주로 사용된다. 전혈에서 LC-MS/MS로 측정한 PEth의 측정 한계치(LOD)는 0.4-1 nmol/L로 보고되었다.

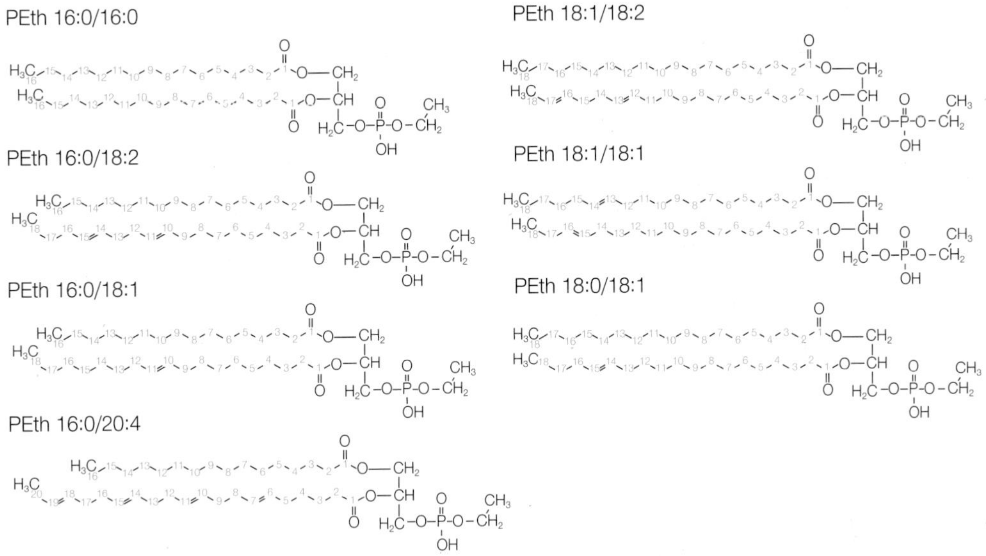

그림 4-3-2. 생체시료에서 검출되는 PEth(phosphatidylethanol)의 종류와 화학적 구조

2 바이오마커를 이용한 임신부와 태아의 알코올 노출 평가

1) 바이오마커 구분과 종류

알코올 노출 평가를 위한 임신부에서 사용되는 바이오마커는 크게 두 개로 구분된다. 음주 여부와 생물학적 변화로 나뉜다. 음주 여부는 체내 알코올 노출 여부를 판별하는 것으로 음주 패턴 및 음주량을 확인하는데 목적이 있다. 이러한 노출 여부 확인은 직접적인 바이오마커를 통해서 확인한다. 단기간의 노출은 소변, 혈액으로 확인되며, 장기간의 노출은 머리카락과 손톱으로 확인한다. 알코올 노출에 따른 생물학적 변화는 간접적인 바이오마커를 통해서 확인하며, 체내 손상과 변화를 관찰하는데 목적을 두고 있다.

지속적인 알코올 노출은 태아에게 태아 알코올 신드롬 및 그 밖에 다른 신경학적 변화에도 악영향을 미치게 된다. 알코올 노출 평가를 위한 바이오마커는 태아의 질병을 평가하기 위한 방법과 예방하기 위한 방법으로 구분할 수 있다. 임신부의 알코올 노출을 예방하는 방법은 임신 중 직접적인 바이오마커와 간적적인 바이오마커를 사용하여 최근 알코올 섭취를 확인하고, 태아에게 노출 되는 알코올 섭취를 중지시키는 것이다. 가능한 태아의 알코올 노출을 차단하는 것이 중요하다. 태아의 알코올 노출 평가 방법은 신생아의 샘플(태변, 머리카락, 혈액)에서 직접적인 바이오마커를 검출하여 확인할 수 있다. 신생아 검체에서 바이오마커를 측정하는 방법은 최근 임신부의 알코올 노출을 확인할 수 있지만, 임신 초기의 알코올 노출 확인이 어렵다.

2) 시기별 알코올 노출 평가 방법

(1) 임신 1기의 알코올 노출 평가

임신 초기 태아의 알코올 노출 평가 방법으로는 임신부의 알코올 노출 평가를 통해서 이루어진다. 계획 임신이 아닌 경우 임신부의 음주 패턴은 본인이 임신 사실을 확인할 때까지는 평소 음주 패턴과 동일하고, 임신 확인 이후부터 금주 또는 음주량이 감소하는 하는 것으로 보고되었다. 평소 음주 여성은 임신 기간이 길어질수록 스트레스와 불안감으로 인해서 음주를 다시 시작하기도 한다. 임신 초기 알코올 노출 평가는 임신 중 태아 알코올 노출을 예측하는 중요한 지표가 될 수 있다.

측정 방법으로는 임신부의 혈중 PEth를 측정하여 임신 초기 최근 1달 이내의 음주량에 따른 음주 여부를 판별할 수 있다. 임신 12주 이전의 임신부를 대상으로한 연구 결과에서 일정 음주량이상(moderate drinker: 3-7잔/주) 임신부에서 PEth가 증가되었고, 참고치 4.2 nM 이상에서 100% 민감도와 96.4% 특이도를 보여주었다. 음주량이 높은 heavy drinker(7잔 이상/주)에서는 모두 PEth가 검출되었고, 참고치 이상의 높은 값을 보여주었다. 혈중 PEth 농도는 음주량과 상관성이 높게 나타났으며, 금주 기간과 음주량 감소에 따라 위음성 또는 농도 감소 현상을 보여주었다.[9]

(2) 임신 2-3기 알코올 노출 평가

임신 초기 이후의 알코올 노출은 임신부와 태아를 통해서 확인할 수 있다. 임신부에서는 머리카락과 손톱을 이용하여 축적된 바이오마커를 측정하여 알코올 노출을 평가할 수 있다. 태아의 알코올 노출은 임신 중기 이후부터 생성된 태변에서 축적된 바이오마커를 측정하여 확인한다.

임신 중 간접적 바이오마커(AST/ALT, GGT, CDT, MCV) 측정은 만성적 알코올 노출에 의한 생물학적 변화를 평가할 수 있으며, 장기간 알코올 노출을 간접적으로 확인할 수 있다. 직접적 바이오마커는 최근 임신 중 음주 여부 및 음주량을 평가할 수 있다. 이것은 임신 중 음주 모니터링과 함께 태아 알코올 노출 정도를 파악할 수 있다.

① 태변

태변에서 측정하는 바이오마커는 태아의 알코올 노출 평가에 주로 사용하는 방법이다. 이 방법은 태아 알코올 스펙트럼 질환의 연구에 태아 알코올 노출 평가 방법으로 사용되었다. 태변은 임신 2기(12~20주)부터 생성되므로 이 시기 이후부터 알코올 노출로 생성된 FAEE는 태변에 축적된다. 태변은 일회성 검체이기 때문에 검사 시기의 제한이 따른다. FAEE의 농도 측정은 각각의 FAEE 농도의 합이며, 알코올 노출 평가를 위한 참고치는 2 nmol/g(500 ng/g)이다.[10] FAEE에 의한 알코올 노출 평가는 설문지 평가 결과와 높은 상관성을 나타내며, heavy drinker에서 높은 민감도(78-92%)와 다소 낮은 특이도(54-65%)를 보여주었다. 음주 패턴과 음주량 감소에 따라 위음성이 증가되었고, 비음주자에서 비특이적인 위양성이 높게 나타났다.[11] 이는 생활환경에서 노출된 알코올이 누적되어 나타나는 것으로 보고 있다.

EtG/EtS도 태변에서 측정되며, EtG와 EtS의 농도는 높은 상관성을 보여주었다. EtG의 알코올 노출 평가의 위한 참고치는 30 ng/g에서 82% 민감도와 75% 특이도를 보여주었다. FAEE와 비교한 결과에서 EtG가 더 높은 정확도를 보여주었다. EtG와 FAEE의 농도 상관성은 높게 나타나지만, 알코올 노출 판정의 일치도는 서로 일부 불일치하는 결과를 보여주었다.[11, 12] 이는 생성 과정과 대사 과정의 차이에서 발생되는 것으로 추정된다. FAEE와 EtG의 바이오마커를 동시에 사용하여 알코올 노출을 평가한 경우 단일 사용에 비해 위양성과 위음성이 감소하였다.[13]

② 머리카락

머리카락에 축적된 바이오마커(FAEE, EtG)는 안정한 상태로 존재하며, 모근으로부터 0-3 cm의 머리카락에서 최근 3개월 동안의 알코올 노출을 평가할 수 있다. 체내에서 대사되는 FAEE와 EtG 농도는 반감기가 1일 이내로 알코올 노출 평가 기간이 제한적이지만 머리카락의 경우 이러한 시간적 제한을 극복할 수 있다. 여성의 경우 긴 머리카락을 이용하면 측정 시점부터 3개월 이상의 알코올 노출 평가도 가능하다. 하지만 장기간 노출된 머리카락은 변화(세척, 탈색, 파마)에 따른 분석물의 변화가 발생하므로 알코올 노출에 대한 정확도가 감소한다. 머리카락에서 측정은 태변처럼 장기간의 알코올 노출 평가가 가능하며, 검체 채취에 제한이 없다. 머리카락에 FAEE, EtG는 장기간 안정적으로 존재하므로 검체 채취 후 실온에서 보관이 가능하다.

머리카락에서 측정된 FAEE는 ethyl stearate(E18:0), ethyl oleate(E18:1), ethyl palmitate(E16:0), ethyl myristat(E14:0)이며, E18:1, E16:0이 전체 농도에 80%를 차지한다. Heavy drinker를 구분하는 FAEE의 농도 참고치는 0-3 cm에서 0.5 ng/mg이고, 0-6 cm에서 1.0 ng/mg으로 보고되었다. Heavy drinker를 구분하는 높은 정확성(정밀도:90%, 정확도:90%)을 보여주었다. 하지만 moderate drinker의 경우 참고치 부근의 값들을 나타내고 있어 정확한 알코올 노출 여부의 판단이 어렵다. 머리카락의 노출 환경에 따라 FAEE 농도가 발생하므로, 알코올 노출 평가에 이러한 영향을 고려해야 한다. 여성의 경우 미용을 위해 사용하는 알코올이 함유된 헤어로션은 머리카락에 FAEE 농도를 증가시키고, 미용 용품 사용(샴푸, 탈색, 파마)에서 FAEE 농도가 감소하는 것으로 보고되었다.[14]

EtG의 참고치는 0–3 cm에서 30 pg/mg이며, heavy drinker를 구분하는데 유용하다고 보고되었다. 소량의 음주(한잔 이하/하루)는 EtG의 농도가 비음주자 참고치(7 pg/mg)보다 높지 않게 측정되었고, moderate drinker에서는 7–30 pg/mg의 값을 나타내었다. 머리카락이 길어질 경우 EtG 농도 변화가 발생하기 때문에 0–3 cm에서 주로 측정되었다.[15] 장기간 머리카락에 보존되어 있는 EtG는 FAEE 보다 수용성 성질을 나타내므로, 샴푸와 같은 머리카락을 씻는 과정에 손실될 수 있다. 그리고 표백과 파마에 의해서도 EtG가 분해되므로 농도가 감소될 수 있다. EtG에 의한 알코올 노출 평가 결과는 FAEE 결과와 대략 75% 일치도를 나타냈다.[16] 불일치 결과는 음주 패턴과 개인 간 차이로 인해서 발생되는 것으로 추정된다. 두 개의 바이오마커를 동시에 사용하면 알코올 노출 평가에 정확도를 향상시킬 수 있다고 보고되었다. 하지만 머리카락의 관리와 음주 패턴에 따라 각각의 바이오마커의 농도 편차가 발생할 수 있음을 고려해야 한다.

▶ 참고문헌

1. Tavakoli HR, Hull M, Michael Okasinski L. Review of Current Clinical Biomarkers for the Detection of Alcohol Dependence. Innovations in Clinical Neuroscience. 2011;8:26-33.

2. Reif A, Keller H, Schneider M, et al. Carbohydrate-deficient transferrin is elevated in catabolic female patients. Alcohol Alcohol. 2001;36:603-7.

3. Golka K, Wiese A. Carbohydrate-deficient transferrin(CDT) - a biomarker for long-term alcohol consumption. J Toxicol Environ Health B Crit Rev. 2004;7:319-37.

4. Best CA, Laposata M. Fatty acid ethyl esters: toxic non-oxidative metabolites of ethanol and markers of ethanol intake. Front Biosci. 2003;8:e202-17.

5. Politi L, Leone F, Morini L, Polettini A. Bioanalytical procedures for determination of conjugates or fatty acid esters of ethanol as markers of ethanol consumption: a review. Anal Biochem. 2007;368:1-16.

6. Morini L, Marchei E, Tarani L, et al. Testing ethylglucuronide in maternal hair and nails for the assessment of fetal exposure to alcohol: comparison with meconium testing. Ther Drug Monit. 2013;35:402-7.

7. Kwak HS, Han JY, Choi JS, et al. Characterization of phosphatidylethanol blood concentrations for screening alcohol consumption in early pregnancy. Clin Toxicol (Phila). 2014;52:25-31.

8. Viel G, Boscolo-Berto R, Cecchetto G, et al. Phosphatidylethanol in blood as a marker of chronic alcohol use: a systematic review and meta-analysis. Int J Mol Sci. 2012;13:14788-812.

9. Yang JY, Kwak HS, Han JY, et al. Could a first-trimester blood phosphatidylethanol concentration >4nM be useful to identify women with moderate-to-heavy prenatal alcohol exposure who are at high risk of adverse pregnancy outcomes? Med Hypotheses. 2015;85:965-8.

10. Burd L, Hofer R. Biomarkers for detection of prenatal alcohol exposure: a critical review of fatty acid ethyl esters in meconium. Birth Defects Res A Clin Mol Teratol. 2008 ;82:487-93.

11. Cabarcos P, Tabernero MJ, Otero JL, et al. Quantification of fatty acid ethyl esters (FAEE) and ethyl glucuronide (EtG) in meconium for detection of alcohol abuse during pregnancy: Correlation study between both biomarkers. J Pharm Biomed Anal. 2014;100:74-8.

12. Bakdash A, Burger P, Goecke TW, et al. Quantification of fatty acid ethyl esters (FAEE) and ethyl glucuronide (EtG) in meconium from newborns for detection of alcohol abuse in a maternal health evaluation study. Anal Bioanal Chem. 2010;396:2469-77.

13. Himes SK, Dukes KA, Tripp T, et al. Clinical sensitivity and specificity of meconium fatty acid ethyl ester, ethyl glucuronide, and ethyl sulfate for detecting maternal drinking during pregnancy. Clin Chem. 2015;61:523-32.

14. Nanau RM, Neuman MG. Biomolecules and Biomarkers Used in Diagnosis of Alcohol Drinking and in Monitoring Therapeutic Interventions. Biomolecules. 2015;5:1339-85.

15. Joya X, Mazarico E, Ramis J, et al. Segmental hair analysis to assess effectiveness of single-session motivational intervention to stop ethanol use during pregnancy. Drug Alcohol Depend. 2016;158:45-51.

16. Joya X, Marchei E, Salat-Batlle J, et al. Fetal exposure to ethanol: relationship between ethyl glucuronide in maternal hair during pregnancy and ethyl glucuronide in neonatal meconium. Clin Chem Lab Med. 2015.

04

후성유전학과 태아프로그래밍

김진우 · 이봄이

1 서론

2000년부터 시작된 인간게놈 프로젝트가 거의 마무리 되고 그 뒤를 이어 프로테오놈 프로젝트가 시행되는 이른바 포스트 게놈 시대가 도래되었다. 과학자들은 이러한 연구에서 얻은 다량의 정보를 의학에 적용하거나 신약개발에 활용하는 일에 최선을 다하고 있다. 그러나 이를 위해서는 단백질을 만드는 유전자의 기능과 조절 기전이 우선 밝혀져야 한다. 현재까지는 DNA 염기서열의 변화와 재조합에 의해 형질의 변화가 일어나는 것으로 알려져 왔다. 하지만 DNA 염기서열이 변하지 않더라도 형질의 변화가 일어나며, 이를 후성학(epigenetics; 後成學)이라 한다. 후성학은 DNA의 메틸화(DNA methylation), 히스톤 변형(Histone modification), 마이크로 RNA (MicroRNA)를 통하여 유전자를 조절하기 때문에 가능하다.

2 DNA 메틸화(DNA Methylation)

일반적인 유전학 관점에서 중요한 현상은 염기의 변화로 인해 일어나는 유전자 변이가 있지만 후성학 관점에서 중요한 현상은 염기의 메틸기가 붙고 떨어지는 메틸화와 탈메틸화 과정이다. 이런 과정을 통해 형질발현 정도를 조절할 수 있기 때문에 중요하다. 게놈의 염기서열에 C와 G의 두 염기가 연속해서 존재하는 것을 CpG배열이라 하며, CpG배열에서 시토신(cytosine)이 메틸화된다. 인간게놈의 경우 전체 시토신 중 3~5%는 메틸화되어 있다. CpG배열은 진화과정에서 점차 감소되어 왔다. 게놈에 존재하는 CpG의 메틸화 정도와 패턴은 포유동물의 종에 따라 다르고 조직에 따라서도 다른 매우 특이적인 양상을 보이고 있다. CpG배열이 중요한 것은 유전자의 전사과정을 조절하는 프로모터 부근에 위치하기 때문이다.

1) DNA 메틸화 구조

DNA 메틸화는 가장 잘 알려진 염색질(chromatin)의 화학적 변형 중 하나이며, 인간 및 포유류에서는 DNA 내의 시토신에서 일어난다. 시토신의 5번째 탄소에서 수소대신에 메틸기가 붙어 5-methylcytosine이 되는 현상을 메틸화라 한다(그림 4-4-1).

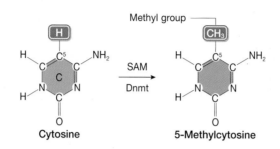

그림 4-4-1. 메틸화된 시토신

1948년 Hotchkiss에 의해 DNA에서 변형된 염기인 메틸화된 시토신이 처음 발견되었다. 두 연구그룹인 Riggs(1975)와 Holliday와 Pugh(1975)는 단백질 형성을 조절하는 프로모터 부분 내에 있는 특정 DNA 배열에서 메틸화된 부분과 메틸화되지 않은 부분이 존재함을 확인하였다. 또한, 모든 척추동물과 식물, 곰팡이, 세균류 등에서 DNA 배열에 직접적으로 메틸기가 붙을 경우 해당 부위의 DNA 활성을 떨어뜨린다는 것을 알아내었다. 즉, 메틸화에 의해 유전자의 전사를 조절할 수 있음을 확인한 것이다. 이와 같은 DNA의 메틸화는 동물의 세포 기억 속에 저장되며 그 패턴은 유전되는 것으로 이 두 연구그룹은 생각하였다.

정상세포의 경우 세포 성장에 관련된 유전자의 프로모터 부분은 메틸화 되어있지 않기 때문에 전사 인자나 RNA 중합효소 등이 결합하여 유전자를 발현하며, 반복적인 DNA로 구성된 이질염색질(heterochromatin) 부분은 메틸화가 심하게 되어있어 유전자 발현이 일어나지 않는 것으로 알려져 있다. 이렇게 유전자의 발현 여부가 세포를 성장시키거나 DNA 수선에 관련하거나 세포의 사멸 등에 관여한다.

2) CpG섬(CpG islands)

CpG배열은 시토신과 구아닌 두 염기가 연속적으로 존재할 때이다(그림 4-4-2). 이런 CpG배열이 유전자내에 높은 빈도로 존재하여 유전체 위에 섬 모양의 형태를 이루는 영역을 CpG섬이라고 한다. CpG섬은 적어도 200 염기 이상의 지역으로 시토신과 구아닌의 함유량이 50 % 이상인 경우이며, 연속적인 시토신과 구아닌의 배열이 60% 이상일 때 CpG섬이라 정의할 수 있다. 포유류에 있어 CpG섬은 전형적으로 300-3,000 정도의 염기 크기를 형성하고, 유전체의 다른 영역에 비하여 CpG배열이 10배 이상 존재한다. 인간을 포함하는 포유류에서는 유전체 상에 약 30,000개 정도의 CpG섬이 존재하며, 이는 전체 유전자의 50-60%에 해당되는 것으로 예상할 수 있다. 이들 CpG섬은 대부분 비메틸화 상태로 존재한다. CpG섬이 중요한 이유는 유전자의 전사를 조절하는 영역인 프로모터 부근에 포유류의 경우 40%, 인간의 프로모터 지역의 70%가 존재하여 유전자의 발현에 매우 중요한 역할을 하기 때문이다.

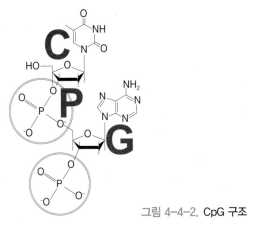

그림 4-4-2. CpG 구조

CpG배열의 시토신은 메틸기를 받아 5-메틸시토신이 되고, 이어 아미노기가 제거되면 티민으로 변하기 때문에 진화의 과정 속에 CpG배열은 천천히 TpG 배열로 오래 전부터 교체되어 왔다. 진화 과정을 거치면서 진핵생물 유전체에서는 CpG섬은 점진적으로 감소되는 경향이 있다. 하지만 포유동물 유전체에는 CpG섬이 여전히 남아있고, CpG의 메틸화 정도나 양상은 포유동물의 종에 따라 다를 뿐만 아니라 조직마다 특이적인 것으로 알려져 있다.

난자나 정자와 같은 생식세포의 경우에서 불필요한 조직의 프로모터는 불활성 되기 때문에 메틸화되고 그 결과로 CpG배열의 상실을 가져오는 것으로 추정된다. 반면에 세포의 생존에 불가결한 단백질을 코드하고 있는 유전자, 즉 하우스키핑 유전자(housekeeping gene) 대부분은 활성화되어 있기 때문에 메틸화를 받지 않고 CpG배열은 대부분이 보존되어있다.

3) DNA 메틸화 대사경로

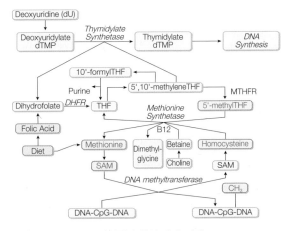

그림 4-4-3. DNA 메틸화와 합성 대사 과정

DNA의 메틸화에 관여하는 인자로는 메티오닌, 호모시스테인, MTHFR, 엽산, 비타민 B12 등이 있다. 메티오닌은 음식물로부터 얻어지는 필수 아미노산이며, 특이하게도 황을 구성 성분으로 한다. 먼저 메티오닌은 간에서 ATP(adenosine triphosphate)와 결합하여 SAM(S-adenosylmethionine)이 된다. SAM은 세포 대사에 있어서 가장 중요한 메틸기 공여자이다. SAM은 활성화된 메틸기를 DNA에 전달하며 SAH(S-adenosyl homocysteine)가 되며 가수 분해를 거쳐 호모시스테인(homocysteine)이 된다(그림 4-4-3).

호모시스테인은 비필수 아미노산의 일종으로 2가지 경로를 통하여 대사되는데 거의 50% 씩 일어난다. 첫째는 재메틸화(remethylation) 대사로 우선적으로 일어나며, 메티오닌의 공급 이 빠르게 필요할 경우이다. 이 과정의 효소는 메티오닌 합성효소(MS; methionine synthase) 이며, 메틸기 공여자는 콜린(choline)의 산화성 대사체인 베타인(betaine) 또는 엽산(folic acid; folate)의 존재하에 methylenetetrahydrofolate reductase(MTHFR)의 작용으로 생성된 5-methylene tetrahydrofolate이고, 보조인자로는 비타민 B12가 각각 참여하여 메티오닌이 되는 경로이다. 둘째는 비타민 B6를 보조인자로 사용하는 cystathionine β synthase라는 효소 의 촉매작용으로 세린(serine)과 결합하여 시스테인(cysteine)을 형성하는 황전환작용(transsul-furation)을 밟는 반응이다. 재메틸화과정이나 황전환작용이 잘 이루어지지 않아 호모시스테인 으로 잔존하는 경우, 강력한 산화제인 호모시스테인이 혈장 내로 들어가서 동맥 내벽이 손상되 어 동맥경화를 유발하거나 신경섬유 보호막인 수초를 파괴시킨다.

MTHFR은 5, 10-methylenetetrahydrofolate(5, 10-methyleneTHF)를 5-methyltetra-hydrofolate (5-methylTHF)로 환원에 촉매 작용을 하며 여기서 만들어진 5-methylTHF는 호모시스테인이 메티오닌으로 재메틸화되는데 필요한 탄소원자의 공여자로 작용한다. MTH-FR 유전자는 염색체 1p36.4에 위치하고 있으며 2가지의 대표적인 유전자 다양성이 있는데 염 기서열 677 위치의 C가 T(C → T; alanine→valine)로 치환되는 형태와 1298의 A가 C(A → C: glutamate → alanine)로 치환되는 형태가 있다. 변이 유전자의 단백 발현체는 열에 약하 고 효소로서의 특이성이 감소되므로 점차 5,10-methyleneTHF이 축적되는데 677C → T 다 양성이 MTHFR 활동에 영향을 주는 주된 역할을 한다고 생각된다. 그러나 아직 MTHFR 1298A → C 변이의 임상적인 의의는 명확히 밝혀져 있지 않다.

엽산은 비타민 B9이라고 불리는 비타민 B 복합체의 하나이며, 안정화된 형태를 갖고 보충 제 또는 식품에서 얻을 수 있다. 엽산은 DNA와 RNA 합성과 메틸화 작용에 중요한 역할을 하 므로, 엽산의 섭취는 DNA 복구와 유전자 발현 모두에 영향을 미칠 수 있다. 엽산의 결핍은 과 다흡연이나 음주, 커피 등 식생활 습관과도 연관되며, 신생아에서 미성숙 혈관 질환이나 신경 관 결손 등의 중추 신경계 질환 등을 일으킬 수 있고, 과호모시스테인혈증과 연관되어 여러 폐 색성혈관질환 등을 유발하며, 발암위험인자의 하나로 알려져 있다.

비타민 B12(cobalamin)는 비타민 중에서 가장 크고 가장 복잡하며 금속 이온인 코발트를 포함하고 있다. 혈중 호모시스테인 양의 조절에 관여하므로 심혈관질환의 예방효과가 있고, 임신 중 적절한 엽산과 비타민 B12 섭취로 신경관 결손을 예방할 수 있음을 보고하였다. 알츠하이머 병이나 치매에서 혈장 호모시스테인의 농도가 높은 경우가 많아 비타민 B12의 제공으로 이들 질환을 예방할 수 있다.

4) DNA 메틸화 효소

DNA 메틸화 현상은 DNA 메틸화 효소에 의해서 일어나며, 포유류에는 5 종류(DNMT1 와 DNMT2, DNMT3A, DNMT3B, DNMT3L)가 존재한다. DNA 메틸화 효소는 배아 발생 동안에 전체 계놈 상의 DNA 메틸화 패턴을 생성하고, 체세포에서 DNA 메틸화를 유지 하는 기능을 한다.

DNMT1은 포유동물에서 가장 풍부한 DNA 메틸화 효소이며, 가장 먼저 발견되었다. 이 효소는 보존성 메틸화를 담당하는 효소로써, 기존가닥의 CpG배열에 메틸화가 있다면 세포분 열과정에서 이에 상응하는 신생가닥의 CpG배열에 메틸화를 일으키는 것을 의미한다. 대부 분의 성장하는 세포에서 가장 많이 존재하며 정상적인 패턴의 메틸화에 관여한다. DNMT1 는 1,620개의 아미노산으로 구성되어 있다. 처음부터 1,100개의 아미노산은 효소의 조절 부위 이고 그 나머지는 촉매 부위이다. 이들은 글리신과 리신의 반복배열에 의해 연결되어 있으며, DNMT1가 기능을 하기 위해 두 개의 부위는 꼭 필요하다. 인간 종양 세포에서 DNMT1는 종양 억제 유전자의 메틸화를 유지하거나 새롭게 생성시킴으로 인해 유전자의 발현을 억제하는 것으로 알려져 있다. DNMT1 유전자에서 유전자 변이가 일어날 경우에는 수정란에선 치명적 이며, X 염색체의 양적발현, 유전자 각인의 역할이상 등과 같은 문제를 야기한다.

DNMT2는 Goll 등(2006년)의 연구에서 원핵생물과 진핵생물에서 존재하는 5-methylcy-tosine methyltransferases와 유사한 염기배열을 가지고 있음에도 불구하고, DNA의 메틸화에 는 역할을 하지 않고, tRNA의 메틸화를 이끄는 것을 보고하였고, 2010년 메틸화 효소의 이름 을 TRDMT1(tRNA aspartic acid methyltransferase 1)으로 변경하였다. TRDMT1는 인간 에게서 발견된 첫번째 RNA 메틸화 효소이다.

DNMT3군은 같은 비율로 오직 한쪽에만 메틸화된 헤미메틸화(hemimetylate)와 메틸화 되지 않은 DNA에서 메틸화를 시키는 메틸화 효소이다. DNMT3 효소는 DNMT1의 구 조와 유사하며 조절부위와 촉매 부위를 가진다. DNMT3군은 DNMT3A와 DNMT3B, DNMT3L의 3가지를 포함한다. DNMT3A와 DNMT3B는 메틸화와는 독자적으로 유 전자 억제를 조절할 수 있다. DNMT3A는 이질염색질 단백질(HP1)과 메틸화된 CpG 결 합단백질(MBP; methyl-CpG binding protein)과 함께 모여 있을 수 있다. 이 효소-단 백질은 DNMT1과 상호작용을 통해 DNA 메틸화를 함께 시행한다. DNMT3A는 CpA, CpT, CpC의 메틸화 보다 CpG 메틸화를 더 선호한다. CpG 메틸화에 대한 DNMT3A

는 DNMT1보다 느리게 일어나지만 DNMT3B에 비해 3~4배 더 높은 것으로 알려져 있다. DNMT3A와 DNMT3B의 경우는 배아줄기세포와 초기의 배아, 발달하는 생식세포에서 높은 농도가 발현되지만, 분화된 체세포에서는 낮게 발현한다. 이는 새롭게 생성되는(de novo) 신생 합성 메틸화에 관여하는 효소임을 의미한다. DNMT3A 유전자를 결여되게 한 생쥐는 모성 각인 부분에서 약간의 DNA 메틸화 결함을 보이는 반면, DNMT3B를 결여되게 한 생쥐는 중심립 근처의 반복배열에서 탈메틸화가 보고되었다. DNMT3L는 촉매 부위를 갖고 있지 않기 때문에 기능을 하는 효소는 아니지만, DNMT3L 유전자를 결여되게 한 생쥐에서는 모성 DNA 각인이 정상적으로 일어나지 않으며, 수컷 생쥐에서는 불임이 되는 결과를 유발했다. DNMT3L은 유전자 각인이 일어나는 배우자 형성(gametogenesis)에 표현된다. DNMT3L는 DNMT3A와 DNMT3B 간에 상호작용을 하고 세포핵 내에서 함께 존재한다. DNMT3L가 직접적으로 메틸화에 관여하지는 않지만, 이 효소는 전사 억제에 관여하고 있다고 알려져 있다.

5) DNA 메틸화 조절 기전

DNA 메틸화는 주로 특정한 유전자의 프로모터에서 일어나며 유전자 발현 억제와 관련이 있다는 사실은 오래 전부터 알려져 있었으나, 그 기전은 최근에야 밝혀지기 시작했다. 첫째는 직접적으로 전사인자들이 메틸화된 시토신과의 결합이 억제되는 경우이다. 둘째는 간접적으로 메틸화된 DNA는 CpG 결합단백질의 결합 또는 히스톤 변형을 통해서 염색질 구조의 변화를 가져오고 전사인자들과의 결합을 억제하는 것이다. 즉 DNA 메틸화는 유전자의 불활성과 연관이 있으며, 메틸화가 불활성화 상태에서 잠김 역할을 하여 유전자를 침묵시킨다(그림 4-4-4).

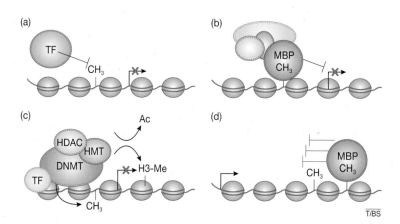

그림 4-4-4. DNA 메틸화가 전사과정을 방해하는 기전. (a) 직접적으로 전사인자들과의 결합을 막아 전사를 억제함. (b,c,d) 간접적으로 전사를 억제하는 다양한 방법.

(1) 전사인자 결합 억제

대부분의 전사인자는 프로모터 지역의 CpG를 포함하는 서열에 부착하게 되어 있는데 이러한 CpG배열의 메틸화로 인해 전사인자가 직접적으로 부착하지 못하게 된다. 이는 세포 증식 단백질인 c-Myc와 insulin-like growth factor 2(LGF2) 유전자를 억제하는 CTCF(11-zinc finger protein 또는 CCCTC-binding factor)에 의해 확인되었다. Prendergast 등(1991)은 DNA 메틸화가 되었을 경우, 세포의 성장과 분화의 조절에 관련된 전사인자인 c-Myc가 DNA에 부착하지 못하는 것을 확인하였다. Bell과 Felsenfeld(2000)는 H19 유전자 자리에서 결합하며 유전자 각인과 관련이 있는 CTCF 전사인자 연구에서, 부계 유전자의 경우 CTCF 부착 부위의 DNA 메틸화가 CTCF의 부착을 방해하여 LGF2 활성화가 일어남을 확인하였다.

(2) 메틸화된 CpG 결합단백질의 결합

DNA 메틸화로 인해 메틸화된 CpG에 특정적으로 부착하는 메틸화된 CpG 결합단백질을 이끈다. 메틸화된 CpG 결합단백질은 MeCP2와 MBD1, MBD2, MBD3, MBD4, Kaiso 등 6가지가 알려져 있는데, MeCP2가 가장 먼저 분리 및 클로닝 되었다. Kaiso를 제외한 5가지의 메틸화된 CpG 결합단백질은 methyl-CpG-binding domain(MBD)을 공통으로 가지는 것을 특징으로 한다. Kaiso는 MBD를 갖고 있지 않지만, 징크 핑거 부위에서 메틸화된 DNA와 결합 할 수 있고 또한 유전자 발현 억제에도 관여한다. MeCP2와 MBD1는 전사를 억제하는 부위(TRD; transcriptional repression domain)를 가지고 있는데, 이 부위는 수백 염기배열에 걸쳐 작동하는 것으로 알려져 있다. 공통적인 MBD 부분 외에는 서로 다른 아미노산 배열을 갖기 때문에 기능에 있어서 차이가 있다. MeCP2와 MBD1, MBD2는 거의 70% 정도의 아미노산 배열이 공통적이라 비슷한 기능을 가지는 것으로 알려져 있다. McCP2는 전사 억제 복합체인 mSin3a와 함께 결합하며, mSin3a는 히스톤 탈아세틸 효소(HDAC; histone Deacetylase)인 HDAC1과 HDAC2와 부착한다. McCP2는 DNA 메틸화를 인지하고 염색질의 구조를 변화시킬 신호를 제공한다. MBD1와 MBD2, MBD3, MBD4는 각각 다른 전사 억제 복합체들과 결합한다. 특히 MBD1은 DNA 복제가 되는 기간에 히스톤 메틸화 효소인 SETDB1과 결합하고, 목적 유전자에서 히스톤의 메틸화(H3K9)와 관련 유전자의 안정적 침묵에 관여한다. 즉, 메틸화된 CpG 결합단백질들은 메틸화된 시토신에 부착하고 또는 히스톤 탈아세틸화 효소 및 히스톤 메틸화 효소와의 상호작용을 통해 염색질 구조를 닫힌 구조로 전환시키게 되며, 결국 해당 유전자의 전사억제를 유도하게 된다.

(3) 뉴클레오좀 점유

인헨서(enhancer) 내에 존재하는 CpG 메틸화가 유전자의 프로모터 부위의 뉴클레오좀에 영향을 주어 유전자의 전사 활성화에 관여할 수 있다. 뉴클레오좀 점유는 전사인자와 RNA 합성효소II가 DNA에 부착하지 못하게 함으로 전사를 조절한다.

6) 후성학적 리프로그래밍(Epigenetic reprogramming)

포유류의 발달과정 중에는 새로운 DNA 메틸화가 일어나 후성학적 변화가 일어날 수 있다 (Reik 등 2001, Morgan 등 2005). 이 기전을 후성학적 리프로그래밍이라 하며, 생식세포발달 과정과 착상전의 어린 수정란 발달 과정에서 2번 일어난다(그림 4-4-5).

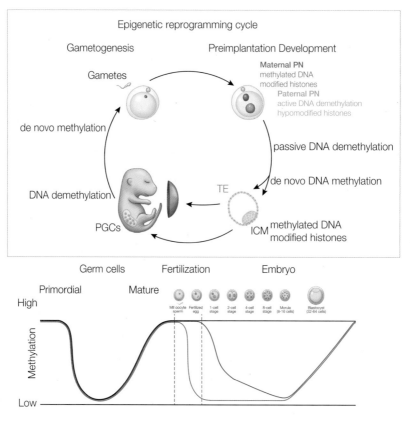

그림 4-4-5. 후성학적 리프로그래밍 주기. 생식세포와 수정란의 발달과정에서 다양한 메틸화의 차이를 보임(검은 선은 각인 유전자, 빨간 선은 모계 유전자, 파란 선은 부계 유전자).

첫 번째 리프로그래밍은 정자와 난자를 포함한 생식세포에서 일어난다. 생식세포는 분화와 증식과정을 통해 성장하며 메틸화는 빠르게 일어난다. 각인된 유전자를 포함한 모든 유전자에게서 메틸화가 지워지고, 새로운 메틸화가 일어나며 각인 유전자도 특성을 갖게 된다. 여성에게 있어서는 난자가 배란되기까지 새로운 메틸화가 유지된다.

두 번째 리프로그래밍은 정자와 난자의 수정이 신호가 되어 일어난다. 수정된 정상적인 이배수체 접합체의 부계유전자는 빠르게 메틸화를 지워 첫 번째 DNA 복제 이전에 탈메틸화가 일어난다. 이때 히스톤의 변형은 보이지 않는다. 수정란 속의 모계유전자는 동일한 세포질에 노출됨에도 불구하고 부계유전자와는 다르게 능동적인 탈메칠화가 일어나지 않아 완만한 탈메틸화가 진행된다.

포유류 배아의 발생 과정에서 부계유전자와 모계유전자의 탈메칠화는 시기와 기전이 다르게 일어나는 것은 생쥐의 실험을 통하여 확인하였다. 다정자 접합체에서는 여러 개의 부계 전핵에서 탈메틸화 현상이 일어나는 것을 보아 부계 유전자는 능동적 탈메틸화가 일어나며, 또한 처녀생식으로 생성된 모계 접합체에서는 모계 유전자가 탈메틸화 일어나지 않는 것을 확인하였다. 일반적으로 모체 유전자의 메틸화는 2세포기 난할까지 유지되는데 이는 정자의 침입으로 전핵의 막이 와해되고 체세포분열이 일어나더라도 부모의 염색체는 섞이지 않기 때문이다. 첫번째 세포분열에는 모계 염색체의 양쪽 자매 염색질은 모두 메틸화되어 있으나 두 번째 세포분열에는 두 개의 자매 염색질 중 하나는 탈메틸화된다. 이러한 자매 염색질의 분화는 모계 유전자의 탈메틸화가 DNA 복제에 의해 일어남을 보여준다. DNA 복제시 핵으로부터 DNA 메틸화효소인 DNMT1을 멀어지게 함으로써 탈메틸화된 DNA에 부착하지 못하게 하며 모계 유전자의 완만한 탈메틸화를 유도한다. 소량의 DNMT1만이 핵 내에 들어와서 각인 유전자의 메틸화를 유지시킨다. 매회 DNA 복제 주기마다 탈메틸기가 늘어남으로써 8 세포기 난할 정도가 되면 부계와 모계의 염색체는 거의 비슷하게 낮은 메틸화 수준을 보인다.

연속적인 유사분열에 의해 접합자의 할구가 12-16개가 되는 상실배(morula) 시기까지 수정란 유전자는 수동적인 DNA 탈메틸화 반응이 일어난다. 탈메틸기화가 일어남에도 불구하고 예외적으로 각인유전자는 탈메틸화가 일어나지 않는다. 결과적으로 각인 유전자는 DNA 메틸화 리프로그래밍이 생식세포분열 과정에서 1번 일어남을 알 수 있다. 낭배기(blastocyst) 시기의 배아는 분화와 함께 전체 유전자의 2 번째 새로운 메틸화가 이루어진다. 내부세포괴(inner cell mass)에서 시작되어 과메틸화 반응이 일어나며, 배아세포의 메틸화와는 다른 체세포 분열시의 메틸화 패턴을 이룬다. 영양배엽세포(trophectoderm)는 불완전한 메틸화를 보여준다. 히스톤 변형도 DNA 메틸화의 비대칭을 반영하여 일어난다.

인간을 비롯한 포유류 배아의 발생과정에서 DNA 메틸화의 후성학적 기전이 매우 중요한 역할을 담당한다는 것이 유전자 복제 실험 등과 같은 여러 실험을 통해 밝혀졌고, 배아 발생 분야에 있어서 다양한 문제를 해결하는데 메틸화의 역할은 높을 것으로 생각된다.

7) DNA 메틸화 현상

(1) 유전자 각인(Genomic imprinting)

일반적으로 1,000개 이상의 인간 특성들이 우성 또는 열성의 유전적 원리를 따른다. 그러나, 유전학자들은 일부 예외가 되는 경우를 있음을 발견하였다. 이 경우가 유전자 각인이다. 이는 포유류에서 부모 양쪽에서 하나씩 물려받는 염색체의 대립유전자가 우열에 따라 발현되는 것과는 달리 부모 한쪽의 유전자만이 발현되도록 조절하는 현상을 말한다. 정자에서 발현이 억제되는 유전자를 부계 각인 유전자(paternally imprinted gene)라고 하고, 난자에서 발현이 억제되는 유전자를 모계 각인 유전자(maternally imprinted gene)라 한다. 즉, 유전자의 발현 양상이 그 유전자가 유래하는 부모의 성에 따라 다르다는 것을 의미한다. 이러한 유전자 각인은 가계도에서 추정할 수 있다.

각인현상이 일어나는 원인은 생식세포 발생단계 초기에 해당 유전자의 CpG섬이 선택적으로 메틸화되어 각인 유전자의 발현을 막아 유전자의 기능을 못하게 만드는 것이다. 즉 과메틸화 되었다는 것은 유전자 각인이 많이 진행되었음을 의미한다. 각인의 형성 과정은 DNA에 존재하는 메틸화 양상이 접합자 형성과정에서 수정 후에도 지워지지 않고 남아 계속 유지되며, 새로 발생한 개체의 유전자 발현에 영향을 준다. 하지만, 생식세포 형성 과정에서는 새로운 프로그램을 위해 각인이 소실됨으로 개체의 성에 따라 새로운 각인이 확립하게 된다.

유전자 각인은 인간 게놈의 다른 많은 부분에서 일어날 수 있으며, 2007년 Luedi 등이 주도하는 연구진은 인간에게 있어 196개의 각인 유전자를 찾아 이들 유전자 지도가 완성됐음을 보고하였다. 또한 새로 발견된 각인 유전자들 중 대부분이 이미 세포분화나 개체발생에 중요한 역할을 하며, 주요 질병의 발현과 연관된 것으로 알려지고 있다. 새로운 각인 유전자의 발견은 특정 질병에 대한 유전적 요인을 갖고 있는 사람이 실제로 병에 걸리게 되는 이유를 알아내는데 상당한 도움이 될 것으로 보인다. 연구자들은 인간 전체 유전자들 중 1%가 각인 유전자일 것으로 추정하고 있다. 생쥐의 경우 20개 정도가 유전자 각인이 일어나며, IGF-II의 경우 부계에서 받은 유전자가 발현되나, 모계에서 받은 것은 발현되지 않는다. 모계에서 받은 유전자가 발현되는 예는 IFG-IIR이다.

이러한 각인의 결과 특정 염색체 질환에 대한 표현형이 결실염색체의 근원이 부인지 또는 모인지에 따라 달라진다. 인간에서 각인의 전형적인 예는 엔젤만과 프라더 윌리 증후군으로 설명할 수 있다. 모계 15번 염색체의 장완(15q11-q13)의 UBE3A(or the E-6 associated protein ubiquitin-protein ligase gene) 유전자 부위가 결손 되면 정신지체가 있는 엔젤만 증후군(Angelman syndrome)이 발생하고, 부계 15번 염색체의 SNRPN 유전자 부위가 결손 되면, 좀 다른 증상을 갖는 프라더윌리 증후군(Prader-Willi syndrome)이 생긴

다. 즉, 부모 중 어느 쪽에서 온 염색체의 이상이 있는가에 따라 전혀 다른 증상을 보인다
(그림 4-4-6).

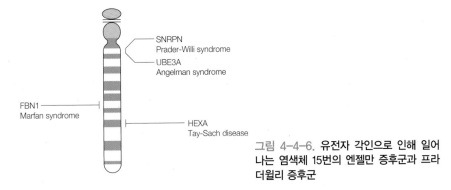

그림 4-4-6. 유전자 각인으로 인해 일어
나는 염색체 15번의 엔젤만 증후군과 프라
더윌리 증후군

(2) X 염색체 불활성화(X chromosome inactivation)

발생초기에 여성 포유류에 존재하는 X 염색체 2개 중 1개가 불활성의 이질염색질 상태
로 응축되어 유전적인 기능을 상실한 경우를 X 염색체 불활성화라고 한다. 한쪽 X 염색체
에 존재하는 모든 CpG섬이 메틸화됨으로써 불활성화된다. 여러 개의 X 염색체가 한 핵 내
에 있을 때에는 하나를 제외한 모든 X 염색체가 불활성화된다. 불활성화는 수정후 12일째
의 영양아층(trophoblast)과 16일째의 배아 세포 간기에 응축된 X 염색체인 바소체(Barr
body)가 관찰되는 것으로 이 시기에 일어나는 것으로 알려져 있다(그림 4-4-7). 한번 불활
성화된 X는 그 자손 세포에서도 동일한 X가 불활성화되어 유지된다. 이러한 불활성화의 결
과 여자와 남자의 X 염색체 유전자는 동일한 수준으로 발현된다.

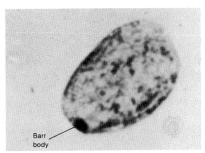

그림 4-4-7. 불활성화 X 염색체인 바소체
(Barr body)를 보이는 인간 여성세포

X 염색체에 존재하는 유전자에 유전자 변이를 가지고 있는 남성들은 태어나기 전 또는
태어난 직후에 곧바로 사망한다. 남성의 경우는 X 염색체가 하나뿐이므로 결함을 가지고
있는 X 염색체를 받은 경우에는 모두 환자가 된다. 이는 남성들은 X 염색체의 유전자를 보
충할 수 있는 여분의 X 염색체를 가지고 있지 않기 때문이다. 남성과는 반대로 여성은 2개
의 X 염색체를 가지고 있으나 유전자의 양적인 보상으로 하나의 X 염색체는 불활성화 되기
때문에 여성의 세포 절반 이상이 유전자 변이 유전자를 발현하지 않는 한 여성에게는 질병

이 나타나지 않는다.

쥐와 사람과 같은 태반성 포유류의 경우에는 두 개의 X 염색체중 하나가 무작위적(random)으로 불활성이 일어나며, 캥거루와 같이 주머니를 갖는 포유류의 경우에는 부에게서 받은 X 염색체가 독점적으로 불활성화 된다. 하지만, 유전적으로 비정상적인 X가 우선적으로 불활성화되며, 반대로 X 염색체와 상염색체 간에 전좌가 일어난 경우에는 정상적인 X염색체가 우선적으로 불활성화 된다. 그렇지 않다면, X 염색체 장완(Xq13)에서부터 불활성화가 일어나 전좌된 상염색체로 불활성화 되어 유전적 역할을 하지 못한다.

불활성화는 X 염색체의 거의 모든 유전자를 불활성화 시키지만, X와 Y 염색체 모두에 존재하는 유전자인 스테로이드 설파타제(steroid sulphatase), 아멜로제닌(amelogenin), ZFX 유전자 등은 불활성화 되지 않는다. 하지만, X 염색체 장완에 위치하는 XIST 유전자는 불활성화된 X 염색체에서만 발현되며, 불활성화를 유지하는 기능을 갖고 있는 것으로 알려져 있다.

(3) 저메틸화 & 과메틸화(Hypomethylation & hypermethylation)

암 발생은 유전자 유전자 변이뿐만 아니라 후성학적 변화가 관여할 수 있는데, 그 가운데에서 DNA 메틸화가 가장 중요한 역할을 담당한다. DNA의 저메틸화와 과메틸화가 동시에 또는 각각 작용하여 정상세포를 종양세포로 변형시킨다. 중심 기전은 DNA 저메틸화가 종양유전자(oncogene)를 활성화 시키거나, DNA 과메틸화가 종양억제유전자(tumor suppressor gene)를 불활성 시켜 종양세포의 발생에 기여하게 된다.

Feinberg와 Vogelstein(1983)은 종양과 연관 있는 첫 번째 후성학적 변이로 DNA의 저메틸화를 언급하였다. DNA의 저메틸화는 다양한 형태로 종양세포에서 역할을 할 수 있다. DNA의 저메틸화는 종양 유전자를 활성화시켜 종양세포로 만들거나, 염색체의 불안정성을 이끌 수 있으며, 각인 유전자의 탈메틸화를 유도한다. 특히 유전자 저메틸화 과정이 각인 유전자의 과메틸화를 탈메틸화시키게 된다면, 각인된 유전자가 부모 양쪽 대립유전자에서 발현됨으로 종양유전자의 세포 성장이 빨라질 것이다.

암과 연관된 저메틸화는 프로모터의 CpG섬에 관계 없이 다양한 유전자 부위에서 광범위하게 일어나며, 정상세포에서 유전체 내의 광범위한 유전적 변형을 일으켜 암세포로의 전환을 시킴을 의심할 여지가 없다. 정상적으로 메틸화되어 전사되지 않는 반복배열이 풀려 유전자의 재배열과 정상적인 전사 조절에 문제를 유발한다는 하나의 가설이 설득력을 갖는다. 이러한 비정상적인 유전체 메틸화는 암 발생의 매우 초기 단계 또는 전암 병변에서 많이 관찰되는 것으로 알려져 있으며 이 기전을 밝히는 것은 암의 조기 진단과 예후에 매우 중요할 것으로 여겨진다. 최근 위암에서 CCND2와 MUC2, MAGE-A1, MAGE-A2, 대장암에서 S100A4, CYP2W1, CDH3, 유방암에서 SNCG, CAV1 등 여러 가지 암과 관련된 유전자의 저메틸화가 밝혀 지고 있다.

대부분의 CpG섬은 일반적으로 메틸화가 일어나지 않지만, 암세포에서는 유전자의 프로모터 지역의 CpG섬의 과메틸화가 집중적으로 일어난다. 이는 비정상적이며 새롭게 생성된 메틸화에 의해 일어나는 것이다. 뿐만 아니라, 프로모터 지역에 국한되지 않고, 엑손이나 인드론, 인헨서 등에서도 일어날 수 있다. 하지만 저메틸화 보다는 일어나는 유전자 범위가 국소적이다. DNA의 과메틸화는 Rb 유전자의 CpG 지역의 과메틸화가 종양억제유전자에서는 처음으로 발견된 경우이다. 또한, 신장암에서 VHL(von Hippel Lindau), 방광암에서 CDKN2 A/p16, 결장암에서 hMLH1 등의 유전자의 과메틸화와 유전자 침묵이 발견되었다.

최근 연구에서 종양억제유전자의 침묵에 관여하는 후성학적 기전이 DNA의 메틸화와 염색질의 변형도 함께 고려되어야 함을 보고하였다. 예를 들어 종양억제유전자인 p16과 hMLH1은 DNA의 메틸화와 히스톤 리신 메틸화의 억제가 침묵을 유발하는 것으로 알려져 있다.

3 히스톤 변형(Histone modifications)

히스톤은 1884년 알브레히트 코셀에 의해 발견되었다. '히스톤'이라는 단어는 19세기 후반부터 사용되었으며, 어원은 명확치 않으나 아마도 그리스어 histanai 나, histos에서 유래되어 독일어 'Histon'의 형태로 최초로 사용되었다. 사람의 경우 세포 핵 내에 존재하는 가장 중요한 구성요소인 46개 염색체의 총 길이가 2 m에 달한다. 2 m라는 길이의 DNA가 핵 내에 존재하기 위해서는 특별한 구조가 필요하다. 핵 내의 DNA는 간단히 실처럼 존재하는 것이 아니라 굉장히 응축된 형태로 존재하게 된다. 이와 같이 응축된 형태의 DNA를 유지하기 위해서는 히스톤이라는 단백질이 필요하다. 히스톤은 원래 염기성 단백질로서 산성이 강한 DNA와 잘 결합하는 특징을 갖고 있다. 히스톤은 DNA 가닥이 감기는 역할을 하며, 이는 진핵생물의 거대한 유전자가 세포 핵으로 들어가기 위해 필수적인 응축을 할 수 있도록 한다. 응축이 종결된 분자는 5만 배나 짧아진다. 1990년대 초반까지 히스톤은 핵 DNA를 응축하는 물질일 것이라고만 생각되었으나, 그 이후부터 히스톤이 DNA의 발현을 조절한다는 것이 발견되었다(그림 4-4-8).

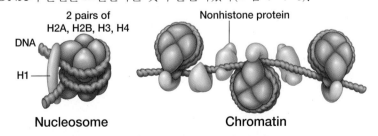

그림 4-4-8. 뉴클레오좀과 염색질의 기본구조. 146 염기쌍 길이의 DNA가 중심 히스톤을 왼손방향으로 1.65회 정도 감싸며 이를 뉴클레오좀(nucleosome)이라 하고, 이러한 뉴클레오좀이 반복되어 DNA 구조물질인 염색질을 형성함.

인체의 거의 모든 세포는 동일한 DNA 염기서열을 갖고 있지만 특정유전자의 활성이 각 세포의 유형별로 특이하게 전사 조절됨으로써 각기 다른 구조와 기능을 표출하는 특유의 특성을 나타낸다. 이와 같이 후성학에서 가장 핵심이 되는 것은 염색질 구조 변화에 관한 전자 조절 기전에 관한 것이다. DNA의 유전정보가 번역되어 단백질을 생성되기 위한 첫 번째 스위치 역할을 하는 것이 바로 염색질의 응축 정도라 할 수 있다. 염색질을 구성하고 있는 핵심 단백질인 히스톤의 변형이 염색질의 구조 변화를 가져오는 직접적이며 핵심적인 것이다. 놀랍게도 DNA의 메틸화와 히스톤의 변형에 따라 염색질은 열린 구조 또는 닫힌 구조로 전환 되어지고 유전자 발현과 용량이 조절될 수 있다. 히스톤의 꼬리 또는 중심에 존재하는 아미노산 잔기들은 세포의 신호에 따라 히스톤 변형 효소들의 기질도 쓰이는 매우 중요한 역할을 할 수 있다.

오래전에 히스톤은 번역후에 다양한 화학적 변형을 하는 것으로 확인되었다. 하지만, 번역후 화학적 변형의 생물학적 의의는 최근에야 밝혀지고 있다. DNA 메틸화보다 히스톤 변형이 더욱 역동적인 것으로 알려져 있으며 그 대표적 변형으로는 아세틸화(acetylation)과 메틸화(methylation), 인산화(phosphorylation), 유비쿼린화(ubiquitylation), 수모화(sumoylation), ADP ribosylation, deimination, proline isomerization 등을 포함한다(그림 4-4-9). 히스톤 변형은 DNA-히스톤의 결합에 영향을 미치기 때문에 염색질 구조와 밀접한 연관성을 나타내며 유전자 발현 및 세포 사멸 조절, DNA 복제 및 수선, 염색질 응축 및 분열 등에 중요한 역할을 한다. 히스톤 변형에 문제가 생길 경우 암과 같은 종양 형성뿐만 아니라 세포의 발달과정에서 유전자의 기능에 높은 상관관계가 있음을 보고하였다.

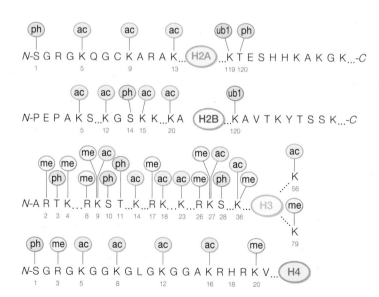

그림 4-4-9. 히스톤의 대표적인 변형인 아세틸화(ac)와 메틸화(me), 인산화(ph), 유비쿼린화(ub)

4 마이크로RNA (MicroRNA, miRNA)

또 하나의 유전자 발현 조절 인자로서 작은 RNA들이 새롭게 떠오르고 있다. 현대 생명과학 연구에서 RNA는 유전정보를 단백질로 변환시키는 과정에서 단순히 전달자로서 인식되었다. 그러나 2001년부터 새로 발견된 작은 RNA가 유전자 발현과정에 직접적으로 관여하고 세포의 기능을 총괄 조정하는 것이 밝혀지면서, 작은 RNA는 새로운 유전자 발현 조절 인자로 주목을 받기 시작했다. 작은 RNA는 단백질을 생성하지 않고 그 RNA 자체가 RNAi(RNA 간섭, RNA interference) 기전에 의해 특이적으로 유전자의 발현을 억제한다. RNAi란 작은 RNA가 mRNA를 방해하거나 안정성을 저하시키며, 경우에 따라서는 파괴하여 단백질 합성 정보가 중간에서 전달되지 못함으로써 유전정보의 발현을 제어하는 새로운 조절 기전을 의미한다.

포유동물에서 RNAi의 핵심인자로는 마이크로RNA(microRNA)와 siRNA(short interfering RNA)이다. 21-25개의 염기로 이루어진 작은 RNA들인 마이크로RNA나 siRNA에 대한 연구는 현재 시작 단계이다. 작은 RNA의 생성 기전은 효소에 의해 이중나선의 RNA 전구물질을 잘라내는 과정에서 생성되며, 마이크로RNA는 부분적으로 이중나선을 이루는 RNA(hairpin RNA)로부터 생성되고, siRNA는 긴 이중나선 RNA(dsRNA)로부터 유래하는 것으로 알려져 있다(그림 4-4-10).

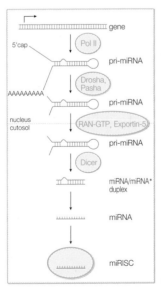

그림 4-4-10. **마이크로RNA의 생성과정**

마이크로RNA의 기능에 관하여는 마이크로RNA의 한 종류인 let-7과 lin-4의 연구를 통해 유전자 발현을 조절한다는 것이 밝혀졌다. 역배열의 짧은 염기 가닥인 let-7과 lin-4는 mRNA 상보적으로 결합하여 유전자 번역을 저해한다. mRNA상에 결합하는 위치는 꼬리 부분으로 단백질 번역이 되지 않는 부위(3'-untranslated region, 3'-UTR)인데 이들은 완벽한 상보적 결합을 하지 않고 1-2 개의 염기가 부적당한 결합을 한다. 이와 같이 동물의 마이크로RNA는 mRNA의 3'-UTR과 상보적 결합을 하고, 식물은 mRNA의 단백질 생성을 관여하는 coding 지역에 결합하여 유전자 번역을 저해한다(Wang et al. 2004). 동물에서의 마이크로RNA는 mRNA와 1-2개의 염기가 부분적으로 불완전한 결합을 하기 때문에, 동물에서 마이크로RNA의 기능을 확인하는 것은 완전한 결합을 하는 식물에서보다 더 어렵다. 동물에서의 마이크로RNA는 식물에서와 동일하게 발생과정의 전사에 관련된 인자들을 조절하는데, 포유동물에서는 그 비율이 낮아 아주 소수의 마이크로RNA만이 발생과정에 관여하는 것으로 알려지고 있다. 식물의 마이크로RNA와 달리 대부분의 포유동물 마이크로RNA는 다양한 단계에서 다양한 유전자의 발현 조절에 관여하고 있음이 밝혀지고 있다. 식물에서는 마이크로RNA가 mRNA에 거의 완벽하게 상보적으로 결합하는 경향이 있어, 동물과 비교하여 그 표적유전자를 찾는데 쉽다. 현재까지 알려진 식물의 마이크로RNA는 발달과 세포 분화에 관여하는 전사인자를 목표로 하는 경우가 많은데, 이는 마이크로RNA의 대사와 기능에 관련된 유전자에 변화가 생길 경우 발생과정에 문제가 생기는 것으로 확인하였다.

마이크로RNA와 표적 유전자 사이의 상보성 정도에 기초하여 번역 억제와 표적 mRNA 절단이 선택적으로 일어난다. 완벽한 상보성은 절단을 야기시키며 후에 일반적인 표적 mRNA의 분해가 뒤따른다. 반면, 부분적인 상보성은 번역 억제를 야기시킨다. 즉, 동물에서 마이크로RNA의 mRNA 절단은 번역 억제보다 훨씬 드문 경우이다. 번역 억제에 대한 기전은 히스톤 변형과 프로모터 지역의 DNA 메틸화를 통해 일어난다(Hawkins and Morris 2008) (그림 4-4-11).

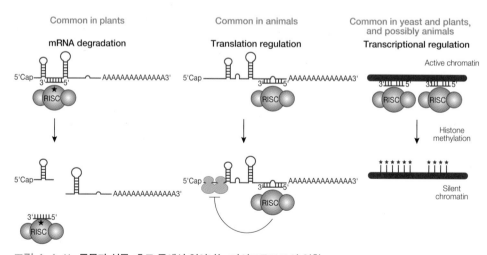

그림 4-4-11. 동물과 식물, 효모 등에서 일어나는 마이크로RNA의 역할

마이크로RNA는 세포 내에서 자연적으로 생성되며, 특정 mRNA에 특이적으로 결합하여 mRNA로부터 단백질이 합성되는 과정인 전사를 억제한다. 반면, siRNA는 인위적으로 세포 내

로 도입시키는 작은 RNA로서 상보적인 서열을 가지고 있는 특정 mRNA에 결합하여 그 mRNA 를 분해하는 역할을 하며, 좁은 의미에서의 siRNA는 인위적 유전자 억제 실험을 뜻하기도 한다. 바이러스나 트렌스포존(transposon)의 경우, 숙주세포에서 활성화될 때 dsRNA나 역반복서열 등 의 특이한 형태로 존재한다. 그러므로 특정 표적 RNA를 분해하는 RNAi 현상을 이용하면 바이 러스나 트렌스포존의 증식을 효과적으로 막을 수 있다. mRNA 분해를 유발하는지 혹은 번역 억 제를 유도하는지 여부는 해당하는 마이크로RNA와 mRNA간의 상보성 상태에 따라 결정된다. 즉, 100% 상보적인 경우는 mRNA 분해를, 약 90% 상보적인 경우는 mRNA의 분해 없이 번역 억제를 유도한다고 알려져 있다. siRNA에 의한 mRNA 분해와 마이크로RNA에 의한 번역 억제 는 사실상 동일한 조절 경로에 속한다고 볼 수 있다.

siRNA가 역할 중에 다른 한가지는 DNA의 메틸화를 유발하거나 히스톤 변형을 유도함 으로써 단백질 생성을 제어하는 것이다. 마이크로RNA 또한 DNA 메틸화에 관여할 것으 로 보고하였다. 2008년 식물 애기장대(Arabidopsis)에 존재하는 PHB(PHABULOSA)와 PHV(PHAVOLUTA) 유전자의 마이크로RNA 결합 부위가 유전자 변이가 일어났을 때 메틸화 가 크게 감소하는 것을 보고한 연구 결과가 있었다. 이로부터 DNA 메틸화는 마이크로RNA에 의존한다는 것을 알 수 있고, mRNA에 마이크로RNA가 결합하는 것은 메틸화가 일어나는데 필 수적이라 여겨진다.

5 후성유전학과 유전체(Genome)의 변화

임신 기간 또는 출생 후에 생긴 유해 인자들은 태아나 신생아 시기의 신체적 발달뿐만 아니라 자폐증, 주의력 결핍 과잉행동 장애(Attention Deficit/Hyperactivity Disorder, ADHD), 불안, 우울증 등과 같은 신경정신과적 질환을 일으키는 요인이 될 수 있다는 가설이 제기되고 있다. 이 같이 관찰된 환경 위험 요인은 주로 임신 중 또는 출생 후 초기 동안 주요 영향을 미치는데 이 시 기의 유해환경 노출이 발달중인 뇌의 질환 감수성에 중요하다고 시사한다. 그러나 현재까지 기저 의 분자적 기전은 잘 알려져 있지 않고 임신 기간 중에 엄마가 겪는 부정적 환경이 자녀의 선천적 불안증, 스트레스 반응 증가, 언어 소통 문제 등 자녀에게서 행동으로 나타나는 표현형을 일으키 는데 후성유전학적으로 특징적인 DNA 메틸화 양상의 영향이 있는지에 대하여 많은 연구들이 이 루어 지고 있다.

유전성 뇌발달 질환은 배아 발달 시기 중 초기에 뉴런이 형성된다는 점에서 후성유전학적 연구 대상이 되고 있다. 후성유전학의 특징적 기전 중 DNA 메틸화는 잠재적으로 유전적·환경적 영 향을 조절하는 기전으로 대두되고 있다. 생물학적 기전에 환경적 위험 요인이 연관된다는 기전이 후성유전학적 접근으로 증명된다면 이러한 질환의 병인론적 기전을 설명할 수 있을지 모른다.

최근의 연구들은 정신분열증, 우울증, 자살 행동에서 DNA 메틸화의 가능한 역할을 보여주었다.

그중에서도 ADHD는 뇌의 성숙이 지연되는 특징을 가진 아동에게서 비교적 흔한 유전성 뇌 발달 질환이다. 유전적 요인과 환경의 복합적 요인으로 발달 중인 뇌가 변화되어 기능 이상을 초래하는 것으로 추정되나 정확한 기전은 아직 밝혀지지 않았다. 성장 발달 초기의 환경 요인들은 ADHD 발병에 영향을 주는데 이러한 작용은 후성유전학적 기전에 의해 이루어 지는 것으로 생각되는데 후성유전학적 패러다임에 따라 유전자에 의해 결정되는 조건조차도 환경적 역경 또는 영향에 의해 조절, 억제, 발현되는 것으로 생각 된다. 환경적 요인에 의한 직접적인 유전체의 프로그래밍은 생리학적 현상 중 하나로 자궁 내 환경 같은 배아 발달 초기부터 적응 반응의 한 형태이다(Latham et al.). 사회적 역경을 경험하거나 특정 환경이 뇌 구조적 변화를 유도할 수 있음을 이해하는 것은 뇌의 가변성이 더 크고 적응 학습에 의한 조절이 좀더 쉬운 시기인 초기 신경발달 단계에서 취약성을 발견하고 필요한 개인별 환경 조건상 중재를 만들어내는데 필수적일 것이다.

후성유전학의 어원에서 알 수 있듯이 유전학을 넘어서 또는 그 이상이라는 그대로의 해석에 비추어 DNA 서열의 직접적인 변화 없이 유전자의 발현까지도 변화시켜 잠재적으로는 유전성 변화까지도 포용하는 것이다. 이는 모든 형태의 세포에서 표현형 일치에 상응하는 안정적인 기전뿐 아니라 세포의 일시적이고 변화를 일으킬 수 있는 변화를 포함한다. 분자적 수준에서 후성유전학적 기전은 DNA와 크로마틴의 주요 구성 성분인 히스톤 단백질의 생화학적 변화, 마이크로RNA(miRNA)와 prions, DNA의 CpG 부위 메틸화, 히스톤 변형, 아세틸화, 메틸화, 인산화, 유비퀴틴화(ubiquitination), 수모화(sumoylation) 등 무한하고도 복잡하다. 이 중에서도 DNA의 메틸화 연구가 가장 활발하고 이는 전장 유전체 연관 연구(Genome-wide association studies, GWAS)의 발달로 가속화 되고 있는데 수 많은 유전적 변이가 집적적으로 정신질환의 위험성에 기여한다는 것을 보여주고 있다.

최근 이러한 진전에도 불구하고, 정확한 원인 유전자와 세대를 통해 전달되는 후성유전학적 위험 인자들 같은 관련된 분자적 기전은 잘 알려져 있지 않다. 이는 ADHD가 여러 유전자가 관여하는 다인성 질환이고 이전 GWAS 연구에서 일관된 연구 성과를 얻지 못했다는 점은 여러 가지 가능성을 유추해 볼 수 있다. 한 부모 유래 영향(parent-of-origin effects, POE)의 존재뿐 아니라 표현형 이질성(phenotypic heterogeneity), 미확인 변이, 유전자의 상위성(epistasis), 유전자-환경 상호작용 등 다수의 다른 요인들 때문이다. 한 부모 유래 영향은 엄마와 아빠가 자녀의 표현형 발달에 동등하게 기여하지 않는다는 상황을 언급하는 집약적 용어이다(Curley and Mashoodh). 이 같이 부모의 유전형질 발현에 다른 영향을 설명할 수 있는 몇 가지 알려진 유전학적 기전으로 유전자 각인(genomic imprinting) (Faraone et al.), 자궁 내 환경과 태아에 모체 유전체의 영향과(Polanczyk et al.), 미토콘드리아 유전체와 성염색체를 들 수 있다. 이러한 영향의 다수는 후성유전학적인 환경적 상호작용과 상위성 요소가 작용하는 것으로 생각된다(Guilmatre et al.) (그림 4-4-12).

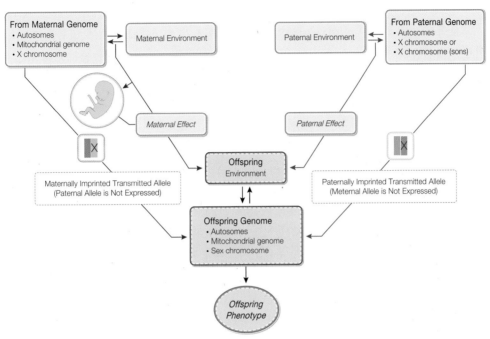

그림 4-4-12. 한 부모 유래 영향(parent-of-origin effects, POE)의 전형적 주요 특징. POE 영향의 주요 기전이 자손에게서 표현형 발달에 영향을 미치고 있는 유전적, 환경적 요인을 형성한다(Zayats el al.)

1) 유전자 각인(Genomic imprinting)

유전자 각인(Genomic imprinting)은 두 대립 형질 중 하나의 대립형질 만이 부모 유래에 따라 발현이 발생하는 것이다(Reik et al.). 부계 또는 모계 대립형질에 따른 각인 유전자 발현은 DNA의 메틸화 같은 후성유전학적 기전에 의해 이루어진다(de la Casa-Esperon et al.). 각인은 정신분열증, 자폐증, 조울증에서 증거가 문헌으로 보고되면서 이미 정신 건강 분야에서 각인이 관련 있음을 시사하고 있다(Lichter et al.). 그러나 ADHD에서 각인에 대한 정보는 소규모 연구와 논란의 여지를 둔 연구 결과가 대부분으로 여전히 기본적인 단계에 머물러 있다. 일부 ADHD의 관련 유전자들의 발현은 뇌 조직에서 부모의 전달이 강하게 편향된 양상을 보여주고 있다. ADHD 환아 자녀에게 불균형 부모 전이에 대한 초기 보고들은 SNAP25(Brophy et al., Mill et al.), HTR1B(Quist et al., Smoller et al.), SLC6A4(Hawi et al., 2002, Banerjee et al.), BDNF(Kent et al.), DDC(Hawi et al., 2001), GNAL(Laurin et al.), TPH2, DRD4, DRD5(Hawi et al., 2002, 2005), SLC6A3(Hawi et al., 2010)과 같은 유전자들을 제시하고 있다.

2) 모계 영향

부모의 유전적 영향은 엄마나 아빠의 한쪽 대립인자가 자녀의 표현형에 영향을 미치는 원인으로 발현될 때 일어난다. 이러한 영향은 환경적 상호작용을 가지거나 상위성 요소가 된다(Guilmatre et al). POE 효과는 각인의 증거로 대개 해석되지만 또 다른 기전이 있어 자녀에 대한 부모(특히 엄마)의 영향을 다르게 유도한다(Rampersaud et al.). 출생 시, 신생아의 표현형은 이미 자궁 내 환경에 영향을 받는 것으로 보인다. 자궁 내 환경은 부분적으로 엄마의 유전체에 의해 형성된다는 점에서 어느 대립인자가 자녀에게 직접적으로 전달되었는지에 상관없이 엄마 유전체가 자녀 표현형에 특이적으로 영향을 미칠 수 있다. 태아 발달에 강력한 영향력을 가진 엄마의 유전적 변이들이 임상유전학에서 연구되고 있는데 이런 변이들을 '기형발생적 대립형질(teratogenic alleles)'이라고 한다. 엄마의 영향에 초점을 맞추고 있으나 상대적으로 연구가 미비한 아빠의 영향 또한 충분히 가능하다. 그러나 자궁 내 환경에서 발달 중인 태아에게 영향을 미친 대립형질이 모계인지 부계 유래인지를 구분하는 것은 상위성과 유전자와 환경간의 상호작용 등 복합적인 요인 때문에 사실상 쉽지 않다. 자녀의 정신질환의 위험성 또한 엄마 유래의 유전자에 의해 영향을 받을 수 있다는 보고나(Haavik et al.) 면역체계에 관련한 유전자는 면역체계 자체에 대한 위험 유전자뿐만 아니라 POE 매개체로도 생각 될 수 있다는 연구가 있다(Hager et al.).

엄마 유래의 호르몬 요인들은 산전 성장과 발달에 영향을 준다고 알려져 있다. 예를 들어, 동물 연구에서 모계 유래된 세로토닌은 배아 발달에 영향을 주는데 ADHD에서 모계의 TPH1 유전자 변이는 모계의 세로토닌 생산을 불완전하게 만들어 장기적으로는 자녀의 뇌발달과 ADHD 관련 증후군의 위험성을 증가시킬 수 있다(Halmoy et al). 임상의 처방전 등록 데이터를 분석해보면 산전시기에 세로토닌 재흡수 억제제에 노출되는 것은 자녀 행동상에 미치는 영향이 오래 지속된다는 결과를 보여 준다(Moses-Kolko et al.). 유사한 모계의 영향으로 볼 수 있는 예로는 불안증에 대한 모계의 이형접합체(heterozygote) 세로토닌 A1 수용체의 유전자 변이 마우스 모델에서 자손에서는 유전자 변이의 유전 없이 불안증 유사 표현형을 보였다(Gleason G, et al.).

전통적인 역학 연구들은 흡연(Langley et al.), 독소(Braun et al.), 엄마의 스트레스(O'Connor et al.)와 영양 결핍 같은 유해 환경 인자의 산전 시기 노출과 ADHD 위험과의 연관이 있다고 한다. 자궁 내 노출로 인한 후성유전학적 변화는 신경발달에 중대한 역할을 할 것으로 생각되며 엄마의 흡연은 심각한 위험 인자로 자녀에게 다양한 건강상의 문제에 영향을 미칠 수 있다. Joubert 연구진들은 임신 중 엄마의 흡연과 관련된 신생아 1,062명의 제대혈액으로부터 전장 유전체의 메틸화와 특정 유전자군의 메틸화 양상의 변화를 조사하였는데, 방향족 탄화수소 수용체의 신호 경로를 통하여 담배 흡연 성분의 해독에 참여하는 것으로 알려진 AHRR과 CYP1A1 유전자와 담배 흡연 노출에 연관 반응이 없는 것으로 이전에 보고는 되었지만 기초 발달 과정에 참여한다고 알려진 GHI1 유전자에서 메틸화 양상의 변화를 확인했다(Joubert et al.).

DNA 메틸화 양상은 출생 후 첫 해의 엄마의 보살핌 정도와 유년기의 영양 결핍 노출 등의 요인이 남은 생애의 후성유전학적 표지가 된다는 결과가 있었다(McGowan et al.). 자궁 내 성장 제한으로 인한 저체중은 열악한 산전환경의 지표로 볼 수 있으며 저체중은 부정적 행동 표현형의 위험을 증가시키고 ADHD의 위험 요인으로 알려져 있다(Heinonen et al.). 그러나 DNA 메틸화와 ADHD 증상과의 연관 연구는 출생 시 체중과는 무관하다는 주장도 있는데, 많은 환경 요인을 보정하였다 할지라도 출생 시 체중 변화에는 직접적 영향을 미치지 않은 다른 산전의 영향이 이 행동 증상에 기저에 있을 수 있다. 한편, 마우스에서는 산전 시기의 어미에게 고지방의 단백질 공급 제한이 자궁 내 성장 제한을 이끌고 이는 자손의 뇌조직에서 도파민과 Opioid 관련한 유전자의 메틸화 감소와 함께 발현을 유의하게 증가시켰다고 보고했다(Vucetic et al.).

DNA 메틸화 양상은 이전에 제시된 후보 유전자를 위주로 ADHD에서도 연구되었다. ADHD와 같은 행동 표현형과 관련된 환경 요인의 영향은 특정 뉴런 부위에서 후성유전학적 변화를 조절하는 것으로 보인다. 도파민 수송체 유전자(DAT1/SLC6A3)가 각인되었다고 주장한 최근 연구는 이 유전자에서 위성체 반복(satellite repeats)이 90 회 이상인 것과 시토신/구아닌 밀도가 높은 유전자 프로모터 지역을 포함하여 일부 메틸화되기 쉬운 염기서열의 특징이 있다고 보고했다(Shumay et al.). ADHD와 관련하여 이전에 보고된 유전자들 사이에서 메틸화 차이는 일란성 쌍둥이라 할지라도 어린 시절에 이미 뚜렷하고 이러한 메틸화의 개인간 변화는 시간이 지나면 안정적이지 않다는 주장이 있다(Wong et al.). 이들은 세 가지 유전자, DRD4, 세로토닌 수송체 유전자 (SLC6A4/SERT)와 MAO-A 유전자의 프로모터 지역의 DNA 메틸화 양상을 조사하였다. 5-10세 사이의 일란성 쌍둥이 46쌍과 이란성 쌍둥이 45쌍(총 n=182)을 분석하였는데 DNA 메틸화 양상의 차이가 유전적으로 동일한 초기 아동들에게서 뚜렷했지만 영구적으로 지속되지는 않았다. 이는 일련의 연구에서 환경적 영향은 유전체의 DNA 메틸화에 개인적 차이를 만들어내는 관련성 요인으로 작용한다고 지적한 것으로 해석해 볼 수 있다(Wong et al., Archer et al.).

다양한 사람과 동물 모델에서 엄마의 생리학적 이상이나 비정상적 행동, 유전적 또는 자연적 환경이 정상 뇌 발달에 영향을 미치는지 그리고 이것이 청소년기 성인기의 행동상의 문제를 일으키는지에 대한 연구가 있었다(Meaney et al., Charil et al., Phillips et al.). 뇌의 해마에 초기 인생 부정성의 후속결과를 행동, 형태학적 수준에서 비교한 보고가 있다(Millstein et al., McEwen et al). 해마의 발달은 파괴적 환경에 특히 민감한데 이는 아마도 해마 뉴런의 놀라운 구조적, 기능적 가변성 때문일 것이다(McEwen et al.). 해마 회로는 인지 업무, 스트레스 반응의 평가와 결정, 다양한 행동, 감정적 행동과 같은 다양한 행동에 연관되어 있다

(Bannerman et al). 이 연구에서 엄마의 영향은 프로그램화된 저메틸화나 과메틸화를 억제함으로써 자연적인 메틸화 발달 궤도를 변형시켰거나 출생 후 발달시기 동안 정상적으로 변화 없이 유지되는 곳의 비정상 저메틸화 또는 과메틸화를 유도하였다. 이러한 영향들은 특정 세포에서 대조군 엄마의 환경과 비교하여 상대적인 저메틸화와 과메틸화를 만들었다. 동물 모델 연구에서 5-HT1A (R)수용체 결손을 가진 엄마 환경과 정상적인 엄마 환경에서 DGCs (dentate granule cells)의 유전체 전반의 CpG 메틸화의 역동성 발달을 연구하였다(Oh et al.). 유전체 DNA 메틸화 분석으로 불안증 표현형과 관계 있는 소포소립자(ventral-hippocampal granule) 세포에서 CpG 의 2.3%가 다르게 메틸화 되어 있는 부위(differentially methylated sites, DMSs)를 확인했다. DMSs는 전형적으로 클러스터 형태로 밀집되어 있고 이 밀집 부위는 유전자 본체에 주로 위치해 있다. CpGs는 보통 과메틸화 되어 있거나 저메틸화 되어 있는데, 이 결과에서 DMSs는 20-80% 수준으로 환경적 역경의 민감성(sensitivity)에 영향을 준다. 엄마의 환경 역경은 DMSs에서 과메틸화 또는 저메틸화 결과를 낳는다. DMSs의 클러스터는 세포부착(adhesion) 분자와 신경전달물질 수용체를 암호화하고 있는 유전자에 풍부하다. 일부 이런 것들은 조절이 저하되는데 환경의 부정적 자극이 생길 때 시냅스에서 다중 기능 결핍이 된다는 것을 의미한다. DMSs는 프로모터에서 비교적 드물고 전형적으로 유전자 본체와 유전자 말단 부위에서 발견된다. 이는 엄마의 영향은 프로모터 기저부위를 통한 전사를 조절하는 것이 아니라 alternative splicing 조율과 프로모터를 통한 조절, 그리고/또는 miRNAs 발현에 의한 간접 영향이라고 볼 수 있다. 이 카테고리로 분류된 유전자의 34%가 다르게 메틸화되어 있는데 이는 이들 유전자와 기능에 엄마 영향의 강력한 전환임을 시사하는 것이다.

불안증, 우울증, 자폐, ADHD 같은 정신질환 발달 유의한 요인은 출산 전 시기와 생후 초기 시기의 환경에 의한 영향으로 엄마의 스트레스, 산모의 질환(면역계 활성)과 같은 초기 역경이나 생후 초기에 엄마와의 격리, 그리고 자녀에게 그 행동의 인관 관계들이 영장류나 설치류에서도 재현되었다(Chen et al.). 모체의 5-HT1A 수용체(R)가 결여되어 있는 부정적 조건의 마우스 모델에서 자손에서 선천적 불안증, 스트레스 반응 증가와 음성 소통 결여를 일으켰다(Gleason et al.,2010, van Velzen et al.). 5-HT1AR의 결합 감소는 출산 전 후, 산후 우울증을 포함하여 자녀의 출생 초기의 역경을 일으켜 우울증에서 확인된 결과이다(Gleason et al., 2011). 반면, 5-HT1AR 결손 엄마의 자손의 불안증이 산전에 이미 결정되는 것은 엄마의 보살핌과 관련이 없다는 연구도 있다(van Velzen et al). CDH9과 NRNX1 유전자의 유전자 변이는 마우스에서 엄마가 부정적인 환경에 노출되었을 때 메틸화 양상이 다르게 나타났는데 사람에게서는 자폐증과 정신분열증에 관련되어 있음이 나타났다(Szatmari et al., Kim et al., 2008).

한국에서는 본 연구진들이 임신 중 부모의 알코올 노출과 관련하여 태아에게 미치는 후성유전학적 영향을 평가하기 위하여 임신 중인 164 가족 trios(부, 모, 신생아)를 대상으로 임신 중 부모의 음주가 ADHD와 관련한 유전자 프로모터 지역의 메틸화 양상에 미치는 변화를 측정하였다(Lee et al.). 대상으로 한 유전자는 도파민 수송체 유전자(DAT1), 세로토닌 수송체 유전자(SERT), MeCP2 유전자였다. 부모의 음주력 구분 및 임신 환경 측정 등의 정보는 설문지로 획득 하였으며 검체는 부모의 말초혈액, 신생아의 출생 시 제대혈액의 DNA를 확보하였다. 결과로, 부모가 임신 중 폭음형태로 음주한 실험군에서 부모의 DAT 유전자 프로모터 지역의 메틸화가 감소하였고 신생아에서는 아빠가 폭음과 과음했던 신생아군에서 DAT 유전자 프로모터 지역의 메틸화 감소가 그대로 이어져 나타났고 엄마가 폭음했던 신생아군에서는 메틸화 증가를 보였다. SERT 유전자 프로모터 지역은 엄마가 임신 전 음주했거나 임신 중 음주한 신생아 실험군과 부모 모두 음주한 신생아 실험군에서 메틸화 감소를 나타냈다. 또한 아빠가 폭음한 신생아 실험군에서 메틸화 양상의 증가가 있었다. MeCP2 유전자 프로모터 지역은 엄마가 임신 중 상당량 음주한 신생아 실험군에서 메틸화 증가 양상을 나타냈다. 이 연구는 임상에서 획득하기 어려운 가족 trios 검체로 임신 중 부모의 음주가 신생아의 유전체에 후성유전학적 영향을 미치는지에 대한 평가를 시도하여 유의한 결과를 얻었다. MeCP2는 뉴런의 성숙과 시냅스의 가변성에 관여하는 유전자의 전사과정을 조절하는 것으로 알려져(Singh et al.). MeCP2의 발현 감소가 일부 자폐증, 앤젤만 증후군, 다운증후군, 프라더-윌리 증후군, ADHD, 레트 증후군에서 발견된다는 보고가 있다(Nagarajan et al.).

또 다른 국내 연구진들은 동물을 대상으로 임신 중 고농도의 에탄올에 노출시킨 어미와 그 산자들의 DNA의 후성유전학적 변화를 관찰하였다(Kim et al., 2013). 연구진들은 Rat에서 생리학적으로 산전시기의 심각한 농도의 에탄올 노출은 과잉 행동, 주의력 결핍, 충동성 같은 행동 표현형을 보였고 그 자손들은 DAT 단백질 발현 증가와 MeCP2 발현 감소가 전전두엽 피질(prefrontal cortex)과 선조체(striatum)에서 관계가 있는 것으로 나타났다고 보고했다. 이는 임신 중 알코올 노출의 영향이 카테콜아민 수송계의 발현을 변화시켜 ADHD 위험성을 병인적으로 증가시킬 수 있다는 점을 시사하고 있다.

이러한 연구 결과는 ADHD가 신경전달물질의 불균형으로 인한 것인지도 모른다(Russell et al.). 도파민계에 특히 초점을 맞춘 연구에서 효과적인 약물은 도파민 수송체 분자에 의해 도파민의 재흡수가 차단된다고 보고 했다(Krause et al.). ADHD 동물 모델의 연구에서 DRD4 발현이 증가하였다는 보고가 있었다(Zhang et al., 2002, Zhang et al., 2001). 세로토닌 수송체의 말초혈액 DNA 메틸화는 중추 세로토닌 수송체 기능의 마커가 될 것 같다고 보고한 것도 있다(Wang et al., 2012).

Van Mil과 동료(Van Mill et al.)들은 출생 시에 제대혈액 DNA에서 관찰되는 뉴런 유전자들의 메틸화 양상이 6세 ADHD 증상 발생과 관련이 있는지 전향적으로 조사하였다. 네덜란드 지역의 426명의 6세 아동의 ADHD 행동 데이터를 근거로 출생 시 제대혈액 DNA의 7개의 유전자에서 11 부위를 메틸화 수준을 각각 또는 조합하여 측정하였다. 선택된 유전자 변이들은 신경계 발달과 대사와 태아 성장에 영향을 미치는 glucocorticoid receptor(NR3C1), methylenetetrahydrofolate-reductase(MTHFR), Dopamine Receptor D4(DRD4), Serotonin transporter protein(5-HTT), insulin-like growth factor 2(IGF2 DMR), H19, potassium channel protein(KCNQ1OT1)) 인 것으로 알려져 있다. 출생 시 평가된 11개 부위 분석에서 낮은 DNA 메틸화 수준이 아동의 높은 ADHD 증상 점수와 관련이 있었고 이는 DRD4-48 bp VNTR 부위와 5-HTTLPR 다형성 부위와 근접한 부위의 낮은 DNA 메틸화와의 연관으로 이 효과가 대체로 설명되었다. 이전 보고에서 DRD4-48 bp VNTR의 존재는 mRNA 체외 발현에 영향을 미치며 5-HTTLPR 다형성 부위는 ADHD와 강한 연관을 보이는 대립형질로 알려져 있다(Schoots and Van Tol). 조울증, 정신분열증, 거식증 등과 같은 정신 질환 환자의 DNA 메틸화 연구에서 환자군의 뉴런과 관련한 유전자들에서 저메틸화 되는 경향이 있었다(Frieling et al., Abdolmaleky et al.). 이는 DNA 메틸화와 ADHD 증상간에 음의 상관관계가 있다고 한 위 연구와 같은 선상에 있다. 이 연구는 다른 환경적 요인이 영향을 미치기 전 출생 시에 측정된 DNA 메틸화를 기본 수준에서 전향적으로 ADHD와의 상관관계를 조사할 수 있는 기회이었으나 이 부위 부근의 다른 유전적 변이가 DNA 메틸화 변화에 직접적으로 영향을 미쳤는지 또는 개인별 부위 분석에서 복합적인 환경적 요인을 다각적으로 충분한 보정 분석이 이루어졌는지에 따라 결과 해석에 주의를 요한다.

3) 부계 영향

자손에게 부모의 후성유전학적 영향을 평가하는 연구의 대부분은 모체의 영향을 중심으로 이루어져 부계의 POE영향을 평가한 연구량은 상대적으로 떨어진다. 부계의 영향이 자손에게 전달 될 수 있는 경로는 성염색체 특이적으로 전달 될 수 있다. Y 염색체의 비가성 상염색체 부위(non-pseudoautosomal region)는 오로지 부계에서 아들로 전달된다(Guilmatre et al). Y 염색체 유전자는 성관련 이상증을 보이는 자폐증, ADHD, 강박장애와 주요 우울증과 같은 신경발달 질환을 이해하는데 도움을 줄 것으로 생각된다. 예를 들어, Y에 위치한 유전자 SRY (sex determining region Y, Y 염색체의 성결정 부위)의 전사 인자는 남성의 신경아세포종(neuroblastoma) 세포에서 MAOA (monoamine oxidase A) 활성을 조절하는 것으로 알려져 있다(Wu et al.). MAOA는 X 염색체에 위치하고 신경전달 대사와 그에 대한 이상 기능에서 핵심 역할을 하는데 ADHD를 포함한 일부 신경정신질환에 연관되어 있다(Gizer et al.). 따라서, Y 염색체에 위치한 유전자들은 신경정신질환에서 성관련 이상증에 대한 분자적 기전 또는 후성유전학 기전으로 X 염색체에 위치한 유전자들을 조절에 관여할 가능성이 있을 것으로 보인다.

설치류 연구에서 부계의 에탄올 노출이 산자의 출생 시 체중 감소, 소두증(microcephalus), 소안구증(microphthalmia)과 같은 기형 형태 증가, 혈청 내 테스토스테론 감소, 과잉 행동의 증가 등 신체적, 내분비적, 행동 표현형 상의 증상으로 나타났다(Anderson et al., Cicero et al.). 고농도의 에탄올에 노출 되었던 마우스의 부계와 자손의 각인 유전자 H19, Peg3, Ndn, Snrpn 에서 메틸화 양상을 측정한 결과 H19와 Peg3 유전자에서 메틸화 양상의 변화가 관찰되었으며 Peg3 유전자는 mRNA의 발현 감소와 인지 능력 저하, 우울, 불안증 등과 같은 이상 행동 증상도 나타났다(Liang et al.). 사람에서는 부계의 만성적인 알코올 노출이 정자 DNA에서 일반적으로 과메틸화 되어 있는 각인 유전자 H19와 IG-DMR의 탈메틸화에 영향을 미치는 것으로 나타났다(Ouko et al.).

6 후성유전학 연구의 특성

후성유전학은 유전체(genome), 후성유전체(epigenome) 그리고 환경 요인 사이에 복합적으로 상호 작용한다고 생각되는 가능한 모델을 제안하고 있다. 위에서 기술 한 것처럼 DNA 메틸화는 조울증, 자폐증 등과 같은 병인론에 유의한 역할을 한다는 많은 연구와 일부 특정 연쇄 반복 서열 부위(tandem repeats)는 후성유전학적 양상의 변화와 관련이 있다는 연구 등, 다수의 연구를 예로 들 수 있겠다. 그러나 이러한 후성유전학의 긍정적 의의에도 불구하고 모든 정신적 유전자들은 여러 발달 질환에 공통적으로 관여되고 관련된 유전자를 찾기 위한 연구와 일부 GWAS 연구 결과가 거시적으로 일치하지 않고 있다. 이는 다양한 연구에서 관찰된 연관관계가 ADHD에 특별한 것이 아니거나 환경 노출과 DNA 메틸화 둘 다 크게는 독립적 효과를 가진다고 볼 수 있다. 이는 복합적인 표현형, 다유전자성 유전형 또는 유전자-환경 간 상호작용들이 행동과 분자유전학적 연구 사이의 불일치성을 설명할 수 있을지도 모른다.

신경정신 질환 대부분이 다중 유전자성이라는 점은 신경생물학적 기초 연구에서 드러났으나 관련 유전자 연구는 전반적으로 재현성이 낮은 결과와 더불어 특정 가설 없이 GWAS 연구들이 지난 수십 년간 정신 유전학 분야에서 수행되어 왔다. 그러나 전장 유전체 분석을 가능하게 한 GWAS 연구는 실험군-대조군 형태의 연구설계상의 장점을 갖는데, 이는 유전적 연관이 부모의 유전형 대조가 필요 없는 무관한 개인들에게서 유래하기 때문이다. 이러한 접근은 특히 부모 검체를 얻을 수 없는 늦은 시기에 발병하는 신경정신질환 연구에서 나타나고 있다. GWAS 연구 개념은 유전적 연관과 실험군-대조군 형태의 연구 외에 가족 trio 검체 데이터에서 POE 영향 분석에도 적용할 수 있다. 그러나 신경정신질환 분야의 대다수 GWAS 연구에 비하여 특정 유전체의 GWAS 방식의 POE 연구는 ADHD에서 FAS 와 PDLIM1 유전자의 POE를 제시한 각인의 단일 유전체 보고 등에서 보듯 극히 드물다(Wang et al., 2012). 이러한 이유에는 대규모 trios 검체 확보의 어려움과 다양한 시나리오에 따라 POE를 분석할 수 있는 통계 모델의 정확한 사용에 대한 지침이 부족한 점 등을 들 수 있다.

연구 검체 규모 또한 후성유전학적 연구 결과의 신뢰도에 결정적 요인이다. 많은 임상 연구에서 적절한 규모의 trio 데이터를 수집하는 것은 그 자체로도 도전적 과제일 뿐만 아니라 한 쪽 부모 유전형이 빠진 불완전한 trio 형태의 검체는 직접적으로 연구 결과에 영향을 미친다. 주요 우울증과 같이 늦은 시기에 발병하는 신경정신질환은 부모의 유전형을 확보하기가 더욱 어려울 수 있다. 최근, 국제 정신 유전학 컨소시엄의 형성(The formation of the international psychiatric genetics consortium, PGC)은 충분한 대규모 검체를 모으는데 필요한 플랫폼을 제공했는데, 이는 신경정신질환에 대한 전장 유전체의 수 많은 유효한 연관 유전자 좌위의 확인하는데 기여했다 (Schizophrenia Working Group of the Psychiatric Genomics C, Cross-Disorder Group of the Psychiatric Genomics, C). 그럼에도 불구하고, 연관이 없는 개인들에게서 trios의 수집은 여전히 비효율적인데 대조군은 94,000 여건임에 비하여 실험군 검체는 17,000 여건이며 ADHD 의 trios 검체는 2,064군 정도이다. 부적절한 소규모 검체수를 방지하기 위한 한 가지 방법은 불완전한 trios(모/자 또는 부/자 duos)를 이용하기 위한 다양한 통계 분석법의 적용이다. 이로써 동시에 다중 변이를 분석(haplotype 분석)과 빠진 유전형을 측정하는데 가능한 알고리즘에 의존해 볼 수 있을 것이다. 단순한 연관을 넘어선 중요하고도 수 많은 의문이 남아 있는 정신질환 관련 유전자의 수와 영향, 유전자의 기능을 규명하기 위한 대체선택적 연구법으로 현대 통계 접근의 발달과 적용은 다양한 질환에 대한 새로운 통찰을 가능하게 할 것이다.

신경정신질환 분야의 후성유전학적 연구의 대상이 되는 검체 DNA는 대부분 뇌 조직이 아닌 말초 혈액의 leukocytes에서 분리된다. 특히, 임신 중 다양한 환경 노출에 대한 평가를 위해 신생아의 제대혈액 DNA 메틸화 양상의 변화가 다른 조직의 메틸화 양상을 어떻게 반영할 수 있는지에 대한 의문이 제기 될 수 있다. 한 사후 연구에서 뇌의 서로 다른 부위와 다른 기관으로부터 12개의 서로 다른 조직에서 평균 1,500 부위를 분석했는데 뇌조직과 뇌가 아닌 조직에서 서로 다른 메틸화 양상을 보인 CpGs는 단지 34 부위뿐이었다(Ghosh et al.).

다른 연구에서는 DNA 메틸화 변화를 뇌와 혈액에서 분석했는데 조직간의 변화가 개인간의 변화를 초과하기는 했지만 한 개인에서의 변화는 뇌와 혈액에 모두 영향을 주었다. Talens 등은 혈액과 구강세포, 다른 생식선으로부터 얻은 조직들 간에 조사된 8개 부위 중 4개의 부위에서 강력한 연관이 있다고 보고하였다(Talens et al.). 이는 말초 혈액이 다양한 질환의 역학조사 연구에 이용될 수 있다는 것이다(Davies et al.). 그러나 아직 태아의 뇌와 말초 혈액 검체를 비교한 연구는 없었던 만큼 검체 간의 후성유전학적 차이는 서로 다른 세포 형태로부터 일어날 수 있다. 따라서 세포에 따른 이질성이 제한 요인으로 고려는 되어야 할 것이다. 또한, 후성유전학적 연구에서 특정 유전자의 메틸화 양상의 변화 후성유전학적 변화가 나타나는 결과를 얻었다 할지라도 조직 특이적인 mRNA 발현으로 이어졌는지에 대한 연구는 이루어 지지 않은 한계점은 고려해야 할 것이다.

7 결론

지금까지 밝혀진 사항은 미미하지만 유전성과 더불어 후성유전학적 요인은 후성유전체를 통하여 다음 세대에 전달 되는 유전 인자임에 틀림이 없다. 일차적 영향과 조절 과정을 포함한 초기 생애 경험은 후성유전학적 변형을 통해 발달중인 뇌의 신경회로에 내장되어 신경생물학적 그리고 행동상의 장기적인 변화를 유도할 수 있다. 그러나 후성유전학적 연구에서 발견된 것을 해석할 때 우리는 충분한 주의를 기울여야 하고 정신질환에서 유전적 그리고 후성유전학적 구조 사이에 존재하는 평행성에 대해서도 고려해야 할 것이다.

적정 DNA 메틸화는 수정란의 발달과 세포 분화에 결정적 역할을, 유전자 발현에도 조절 역할을 한다. 비록 이를 단순한 관계로 규정하기 어렵지만 유전자 발현 감소와 DNA 메틸화가 연관이 있는 것으로 많은 연구에서 나타나고 있다. 이는 다른 가능성들이 DNA 메틸화를 변화시키는 환경적 요인이 유전적 변이에 의한 감수성을 증가시킬 수 있으며 또는 그 반대로, 변화된 DNA 메틸화 양상이 유전자–환경 상호작용에 대한 감수성을 증가시키는 가능성을 시사하기도 한다. 이런 맥락에서 DNA 메틸화 변화는 직접적인 유전적 영향이 아닌 상호작용 영향의 결과일 것이다. 후성유전학과 ADHD 관련성 연구는 여전히 초기 단계이며 행동 표현형을 결정하는데 후성유전학적 기전에 어떻게 관여하는지 이해하기 위해서는 다각적 방향에서 새로운 연구가 필요하다.

급속히 발전하고 있는 고해상도 전장 유전체 메틸화 분석법은 신경생리학적 진단에 새로운 인식을 열었고 임상적 표현형 변이 기저에 있는 메틸화 양상 확인을 가능하게 하였다. 또한 후성유전체와 전반에 걸친 메틸화 프로파일 변화의 연관성 규명은 자기 조절 결핍과 ADHD 같은 행동성 증상을 보이는 환자들 연구에 적용되고 있다. 이는 후성유전학적 기전이 다양한 감정적 임상 표현형 감수성에 작용하고 적절한 치료를 바탕으로 ADHD를 가진 개인을 대상으로 행동상 표현형에 긍정적 간섭을 형성하는데 도움을 줄 수 있을 것이다.

▶ **참고문헌**

1. Abdolmaleky HM, Cheng KH, Faraone SV, et al. Hypomethylation of MB-COMT promoter is a major risk factor for schizophrenia and bipolar disorder. Hum Mol Genet 2006;15(21):3132e45.

2. Anderson RA Jr, Furby JE, Oswald C, et al. Tetratological evaluation of mouse fetuses after paternal alcohol ingestion. Neurobehav Toxicol Teratol 1981;3:117–20.

3. Archer T, Oscar-Berman M, Blum K. Epigenetics in developmental disorder: ADHD and endophenotypes. J Genet Syndr Gene Ther 2011;2:104.

4. Bannerman DM, Rawlins JN, McHugh SB, et al. Regional dissociations within the hippo-

campus–memory and anxiety. Neurosci Biobehav Rev 2004;28:273–83.

5. Banerjee E, et al. A family-based study of Indian subjects from Kolkata reveals allelic association of the serotonin transporter intron-2 (STin2) polymorphism and attention-deficit-hyperactivity disorder (ADHD). Am J Med Genet B Neuropsychiatr Genet. 2006;141B(4):361–6.

6. Bell AC, Felsenfeld G. Methylation of a CTCF-dependent boundary controls imprinted expression of the Igf2 gene. Nature 2000;405:482-485.

7. Braun JM, Kalkbrenner AE, Calafat AM, et al. Impact of early-life bisphenol A exposure on behavior and executive function in children. Pediatrics 2011;128(5):873e82

8. Brophy K, et al. Synaptosomal-associated protein 25 (SNAP-25) and attention deficit hyperactivity disorder (ADHD): evidence of linkage and association in the Irish population. Mol Psych. 2002;7(8):913–7.

9. Charil A, Laplante DP, Vaillancourt C, et al. Prenatal stress and brain development. Brain Res Rev 2010;65:56–79.

10. Chen GH, Wang H, Yang QG, et al. Acceleration of age-related learning and memory decline in middle-aged CD-1 mice due to maternal exposure to lipopolysaccharide during late pregnancy. Behav Brain Res 2011;218:267–79.

11. Cicero TJ, Adams ML, O'Connor L, et al. Influence of chronic alcohol administration on representative indices of puberty and sexual maturation in male rats and the development of their progeny. J Pharmacol Exp Ther 1990;255:707–15.

12. Curley JP, Mashoodh R. Parent-of-origin and trans-generational germline influences on behavioral development: the interacting roles of mothers, fathers, and grandparents. Dev Psychobiol. 2010;52(4):312–30.

13. Davies MN, Volta M, Pidsley R, et al. Functional annotation of the human brain methylome identifies tissue-specific epigenetic variation across brain and blood. Genome Biol 2012;13(6):R43

14. de la Casa-Esperon E, Sapienza C. Natural selection and the evolution of genome imprinting. Annu Rev Genet. 2003;37:349–70.

15. Faraone SV, et al. Molecular genetics of attention-deficit/hyperactivity disorder. Biol Psych. 2005;57(11):1313–23.

16. Feinberg AP and Vogelstein B. Hypomethylation distinguishes genes of some human cancers from their normal counterparts. Nature 1983;301:89-92.

17. Frieling H, Gozner A, Romer KD, Lenz B, Bonsch D, Wilhelm J, et al. Global DNA hypomethylation and DNA hypermethylation of the alpha synuclein promoter in females with anorexia nervosa. Mol Psychiatry 2007;12(3):229e30.

18. Gizer IR, Ficks C, Waldman ID. Candidate gene studies of ADHD: a metaanalytic review. Hum Genet. 2009;126(1):51–90.

19. Gleason G, Liu B, Bruening S, et al. The serotonin1A receptor gene as a genetic and prenatal maternal environmental factor in anxiety. Proc Natl Acad Sci USA 2010;107:7592–97.

20. Gleason G, Zupan B, Toth M. Maternal genetic mutations as gestational and early life influences in producing psychiatric disease-like phenotypes in mice. Front Psychiatry/Front Res Foundation 2011;2:25.

21. Ghosh S, Yates AJ, Fruhwald MC, et al. Tissue specific DNA methylation of CpG islands in normal human adult somatic tissues distinguishes neural from non-neural tissues. Epigenet Off J DNA Methylation Soc 2010;5(6):527e38.

22. Goll MG, Kirpekar F, Maggert KA, Yoder JA, Hsieh CL, Zhang X, Golic KG, Jacobsen SE, Bestor TH. Methylation of tRNAAsp by the DNA methyltransferase homolog Dnmt2. Science. 2006;311:395-398.

23. Guilmatre A, Sharp AJ. Parent of origin effects. Clin Genet 2012;81(3):201–9.

24. Haavik J, et al. Maternal genotypes as predictors of offspring mental health: the next frontier of genomic medicine? Futur Neurol. 2011;6(6):731.

25. Hager R, Cheverud JM, Wolf JB. Change in maternal environment induced by crossfostering alters genetic and epigenetic effects on complex traits in mice. Proc Biol Sci. 2009;276(1669):2949–54.

26. Halmoy A, et al. Attention-deficit/hyperactivity disorder symptoms in offspring of mothers with impaired serotonin production. Arch Gen Psych. 2010;67(10):1033–43.

27. Hawi Z, et al. Preferential transmission of paternal alleles at risk genes in attention-deficit/hyperactivity disorder. Am J Hum Genet. 2005;77(6):958–65.

28. Hawi Z, et al. Dopa decarboxylase gene polymorphisms and attention deficit hyperactivity disorder (ADHD): no evidence for association in the Irish population. Mol Psych. 2001;6(4):420–4.

29. Hawi Z, et al. ADHD and DAT1: further evidence of paternal over-transmission of risk alleles and haplotype. Am J Med Genet B Neuropsychiatr Genet. 2010;153B(1):97–102.

30. Hawi Z, et al. Serotonergic system and attention deficit hyperactivity disorder (ADHD): a potential susceptibility locus at the 5-HT(1B) receptor gene in 273 nuclear families from a multi-centre sample. Mol Psych. 2002;7(7):718–25.

31. Hawkins PG and Morris KV. RNA and transcriptional modulation of gene expression. Cell Cycle 2008;7:602–607.

32. He F, Todd PK. Epigenetics in nucleotide repeat expansion disorders. Semin Neurol

2011;31(5):470–83.

33. Heinonen K, Raikkonen K, Pesonen AK, et al. Behavioural symptoms of attention deficit/hyperactivity disorder in preterm and term children born small and appropriate for gestational age: a longitudinal study. BMC Pediatr 2010;10:91.

34. Holliday R and Pugh JE. DNA modification mechanisms and gene activity during development. Science 1975;187:226-232.

35. Hotchkiss RD. The quantitative separation of purines, pyrimidines, and nucleosides by paper chromatography. J Biol Chem 1948;175:315-332.

36. Joubert BR, Håberg SE, Nilsen RM, et al. 450K epigenome-wide scan identifies differential DNA methylation in newborns related to maternal smoking during pregnancy. Environ Health Perspect 2012;120(10):1425–31.

37. Kent L, et al. Association of the paternally transmitted copy of common Valine allele of the Val66Met polymorphism of the brain-derived neurotrophic factor (BDNF) gene with susceptibility to ADHD. Mol Psych. 2005;10(10):939–43.

38. Kim HG, Kishikawa S, Higgins AW, et al. Disruption of neurexin 1 associated with autism spectrum disorder. Am J Hum Genet 2008;82:199–207.

39. Kim P, Park JH, Choi CS, et al. Effects of ethanol exposure during early pregnancy in hyperactive, inattentive and impulsive behaviors and MeCP2 expression in rodent offspring. Neurochem Res 2013;38(3):620–31.

40. Krause KH, Dresel SH, Krause J, et al. Increased striatal dopamine transporter in adult patients with attention deficit hyperactivity disorder: effects of methylphenidate as measured by single photon emission computed tomography. Neurosci Lett 2000;285(2):107e10.

41. Langley K, Rice F, van den Bree MB, et al. Maternal smoking during pregnancy as an environmental risk factor for attention deficit hyperactivity disorder behaviour. A review. Minerva Pediatr 2005;57(6):359e71.

42. Latham KE, Sapienza C, Engel N. The epigenetic lorax: gene-environment interactions in human health. Epigenomics 2012;4:383–402.

43. Laurin N, et al. Investigation of the G protein subunit Galphaolf gene (GNAL) in attention deficit/hyperactivity disorder. J Psychiatr Res. 2008;42(2):117–24.

44. Lee BY, Park SY, Ryu HM et al. Changes in the Methylation Status of DAT, SERT, and MeCP2 Gene Promoters in the Blood Cell in Families Exposed to Alcohol During the Periconceptional Period Alcohol Clin Exp Res 2015;39(2):239-50.

45. Liang F, Diao L, Liu J, et al. Paternal ethanol exposure and behavioral abnormities in offspring: associated alterations in imprinted gene methylation. Neuropharmacology

2014;81:126–33.

46. Lichter DG, Jackson LA, Schachter M. Clinical evidence of genomic imprinting in Tourette's syndrome. Neurology. 1995;45(5):924–8.

47. Luedi PP, Dietrich FS, Weidman JR, Bosko JM, Jirtle RL, Hartemink AJ. Computational and experimental identification of novel human imprinted genes Genome Research 2007;17: 1723–30.

48. McEwen BS. Stress and hippocampal plasticity. Annu Rev Neurosci 1999;22:105–22.

49. McGowan PO, Szyf M. The epigenetics of social adversity in early life: implications for mental health outcomes. Neurobiol Dis 2010;39(1):66–72.

50. Meaney MJ. Maternal care, gene expression, and the transmission of individual differences in stress reactivity across generations. Annu Rev Neurosci 2001;24:1161–92.

51. Mill J, et al. Haplotype analysis of SNAP-25 suggests a role in the aetiology of ADHD. Mol Psych. 2004;9(8):801–10.

52. Millstein RA, Holmes A. Effects of repeated maternal separation on anxiety- and depression-related phenotypes in different mouse strains. Neurosci Biobehav Rev 2007;31:3–17.

53. Morgan HD, Santos F, Green K, Dean W, Reik W. Epigenetic reprogramming in mammals. Hum Mol Gen 2005;14:47-58.

54. Moses-Kolko EL, et al. Neonatal signs after late in utero exposure to serotonin reuptake inhibitors: literature review and implications for clinical applications. JAMA. 2005;293(19):2372–83.

55. Nagarajan RP, Hogart AR, Gwye Y, et al. ReducedMeCP2 expression is frequent in autism frontal cortex and correlates with aberrantMeCP2 promoter methylation. Epigenetics 2006;1:e1–e11.

56. O'Connor TG, Heron J, Golding J, et al. Maternal antenatal anxiety and children's behavioural/emotional problems at 4 years. Report from the avon longitudinal study of parents and children. Br J Psychiatry J Ment Sci 2002;180:502e8.

57. Oh J, Chambwe N, Klein S, et al. Differential gene body methylation and reduced expression of cell adhesion and neurotransmitter receptor genes in adverse maternal environment. Transl Psychiatry 2013;3, e218; doi:10.1038/tp.2012.130.

58. Ouko LA, Shantikumar K, Knezovich J, et al. Effect of alcohol consumption on CpG methylation in the differentially methylated regions of H19 and IG-DMR in male gametes: implications for fetal alcohol spectrum disorders. Alcohol Clin Exp Res 2009;33:1615–27.

59. Phillips NK, Hammen CL, Brennan PA, et al. Early adversity and the prospective prediction of depressive and anxiety disorders in adolescents. J Abnorm Child Psychol 2005;33:13–24.

60. Polanczyk G, et al. The worldwide prevalence of ADHD: a systematic review and metaregression analysis. Am J Psych. 2007;164(6):942–8.

61. Prendergast GC, LaweD, Ziff EB. Association of Myn, the murine homolog of max, with c-Myc stimulates methylation-sensitive DNA binding and ras cotransformation. Cell 1991;65:395-407.

62. Quist JF, et al. The serotonin 5-HT1B receptor gene and attention deficit hyperactivity disorder. Mol Psych. 2003;8(1):98–102.

63. Rampersaud E, et al. Investigating parent of origin effects in studies of type 2 diabetes and obesity. Curr Diabet Rev. 2008;4(4):329–39.

64. Reik W, Dean W, Walter J. Epigenetic reprogramming in mammalian development. Science 2001;293:1089-93.

65. Reik W, Walter J. Genomic imprinting: parental influence on the genome. Nat Rev Genet. 2001;2(1):21–32.

66. Riggs AD. X inactivation, differentiation, and DNA methylation. Cytogenet Cell Genet 1975;14:9-25.

67. Russell V, Allie S, Wiggins T. Increased noradrenergic activity in prefrontal cortex slices of an animal model for attention-deficit hyperactivity disorderethe spontaneously hypertensive rat. Behav Brain Res. 2000;117(1e2):69e74.

68. Schoots O, Van Tol HH. The human dopamine D4 receptor repeat sequences modulate expression. Pharmacogenomics J 2003;3(6):343e8.

69. Singh J, Saxena A, Christodoulou J, et al. MECP2 genomic structure and function: insights from ENCODE. Nucleic Acids Res 2008;36:6035–47.

70. Shumay E, Fowler JS, Volkow ND. Genomic features of the human dopamine transporter gene and its potential epigenetic states: implications for phenotypic diversity. PLoS One. 2010;5(6):e11067.

71. Smoller JW, et al. Association between the 5HT1B receptor gene (HTR1B) and the inattentive subtype of ADHD. Biol Psych. 2006;59(5):460–7.

72. Szatmari P, Paterson AD, Zwaigenbaum L, et al. Mapping autism risk loci using genetic linkage and chromosomal rearrangements. Nat Genet 2007;39:319–28.

73. Talens RP, Boomsma DI, Tobi EW, et al. Variation, patterns, and temporal stability of DNA methylation: considerations for epigenetic epidemiology. FASEB J Off Publ Fed Am Soc Exp Biol 2010;24(9):3135e44.

74. Van Mil NH, Steegers-Theunissen RP, Bouwland-Both MI, et al. DNA methylation profiles at birth and child ADHD symptoms. J Psychiatr Res 2014;49:51–9.

75. van Velzen A, Toth M. Role of maternal 5-HT(1A) receptor in programming offspring

emotional and physical development. Genes Brain Behav 2010;9:877–85.

76. Vucetic Z, Totoki K, Schoch H, et al. Early life protein restriction alters dopamine circuitry. Neurosci 2010;168(2):359e70.

77. Wang KS, et al. Parent-of-origin effects of FAS and PDLIM1 in attention deficit/hyperactivity disorder. J Psych Neurosci. 2012;37(1):46–52.

78. Wang XJ, Reyes JL, Chua NH, Gaasterland T. Prediction and identification of Arabidopsis thaliana microRNAs and their mRNA targets. Genome Biol 2004;5:R65.

79. Wong CC, Caspi A, Williams B, et al. A longitudinal study of epigenetic variation in twins. Epigenetics (2010) 5(6):516–26.

80. Wu JB, et al. Regulation of monoamine oxidase A by the SRY gene on the Y chromosome. FASEB J. 2009;23:4029–38.

81. Zayats T, Johansson S, Haavik J. Expanding the toolbox of ADHD genetics. How can we make sense of parent of origin effects in ADHD and related behavioral phenotypes? Behav Brain Funct 2015;11:33-9.

82. Zhang K, Tarazi FI, Baldessarini RJ. Role of dopamineD(4) receptors inmotorhyperactivity induced by neonatal 6-hydroxydopamine lesions in rats. Neuropsychopharmacol 2001;25(5):624e32.

83. Zhang K, Tarazi FI, Davids E, et al. Plasticity of dopamine D4 receptors in rat forebrain: temporal association with motor hyperactivity following neonatal 6-hydroxydopamine lesioning. Neuropsychopharmacol 2002;26(5):625e33.

05 흡연과 임신

⚬ 조금준

1 가임기여성 및 임산부의 흡연

흡연은 임산부와 태아에게 악영향을 끼치는 여러 요인들 중 예방이 가능한 대표적인 것 중 하나이다. 가임기 흡연은 결국 임신 중 흡연으로 이어지게 되는 경우가 많은데, 이러한 가임기 흡연은 여성의 수태 능력을 감소시키고 다양한 임신 합병증의 발생을 증가시킬 뿐만 아니라 태아에게도 다양한 악영향을 끼치는 것으로 알려져있다.

흡연율 및 흡연 강도는 측정 시기 및 대상에 따라 많은 차이를 보이게 되는데, 특정 국가나 집단에서는 아직도 가임기 여성 및 임산부에서의 높은 흡연율을 보이고 있다. 1990년대에 독일에서 진행된 연구에서는 분만한 여성의 약 25%이상이 임신 중 흡연을 한 것으로 나타났고,[1] 미국에서 진행된 또 다른 연구에서는 임신 중 흡연율이 1990년대 18%에서 2006년도 13%로 감소하였으나, 교육 수준이 낮은 인구집단에서는 감소폭이 확연히 낮은 것으로 집계된 바 있다.[2]

2 국내 가임기여성 및 임산부의 흡연 현황

2005년 한국금연운동협의회에서 전국의 만 20세 이상 성인 남녀 1,059명을 대상으로 실시한 설문 조사 결과, 여성에서의 흡연율은 2.8%였으며 20대와 30대 여성의 연령대별 흡연율은 각각 2.2%, 2.1%으로 나타났다.[3] 2013년 국민건강통계에 따르면 2013년 우리나라 여성의 전체 흡연율은 6.2%였으며, 20대와 30대 여성의 연령대별 흡연율은 각각 9.1%, 6.9%로 집계되었으나 10대 흡연율 및 거짓응답을 한 경우를 포함하면 실질적인 흡연율은 더 높을 것으로 예상된다(흡연율에 포함된 인구: 만19세 이상의, 평생 담배 5갑 이상 피웠고, 현재 피우고 있는 경우).[4] 2004년 전국 산부인과 병원의 총 1057명의 임산부를 대상으로 흡연 유무에 대한 설문조사 및 소변 내 코티닌 농도 검사를 실시한 결과, 설문에서는 0.55%(6/1,057명)가 임신 당시 흡연 중인 것으로 응답하였으나(현재 흡연자: 지난 1주일간 동안 단 한 모금이라도 담배를 피웠거나 현재 흡연을 하고 있는 사람), 코티닌 농도를 기준으로 하였을 때는 흡연율이 3.03%(32/1057명, 소변 코티닌 농도 100 ng/mL이상)로 나타났다. 또한 임신 중 흡연 노출 빈도는 7.71%(84/1090명, 소변 코티닌 농도 40~100 ng/mL), 가임기 여성(20~30대)의 흡연율은 17.25%(188/1,090명)으로 조사되었다. 이 연구결과, 임신 중기보다는 임신 초기와 말기에, 교육정도가 낮을수록, 남편이 흡연자일수록, 가정 내 간접흡연에 노출되는 빈도수가 높을수록, 임신 중 흡연율이 증가하였다. 특히 설문조사의 결과와 흡연의 의학적 진단 기준으로 사용되는 소변 코티닌 측정 결과가 상이함을 보여, 설문만으로 흡연율을 조사하는 것에 한계가 있음을 보고하였다.[3]

3 담배의 유해성

담배에 들어 있는 니코틴, 노르니코틴, 단백질 등의 질소함유물은 그 자체의 독성보다 연소시에 생성되는 질소화합물과 탄화수소물에 의한 독성이 더 크다. 이 중에는 발암물질로 여겨지는 성분들이 포함되어 있을 뿐만 아니라 담배 연기 속에는 소량의 일산화탄소와 사이아나이드(CN)도 포함되어 있어 유독하다. 특히 일산화탄소는 헤모글로빈에 흡착할 수 있는 친화력이 일반 산소보다 230배나 높다. 따라서 헤모글로빈과 한 번 결합하게 되면 쉽게 해리되지 않아 각 조직으로부터 산소를 운반시키는 헤모글로빈의 기능을 둔화시키는 작용을 하게 된다. 담배 연기 속 기체 성분은 필터에서 거의 걸러지지 않아 전량을 흡입하게 되므로, 입자 성분에 비해서 훨씬 더 치명적이다. 하지만 필터에 의해서 상당량이 걸러지는 입자 성분에도 벤조피렌(Benzopyrene: 초강력발암물질), 비소, 니코틴과 같은 발암물질들이 다량 함유되어있다. 따라서 임산부가 흡연을 할 경우 이러한 수많은 유해성분들에 노출되게 되며 결국 태아에게도 영향을 주게 된다. 예를 들면, 담배연기 속의 일산화탄소에 의하여 산소운반 능력이 감소하게 되고 임산부 및 태아의 일산화탄소헤모글로빈(carboxyhemoglobulin)의 농도가 정상인에 비하여 현저히 높아져서 치명적일 수 있다. 또한 담배 성분 중 가장 많이 알려진 니코틴의 경우에도 여러 동물실험을 통해서 자궁 내 혈류를 감소시키고, 자궁 혈관의 저항성을 증가시키는 것으로 알려져 있다.[5, 6, 7, 8] 결국 임신 중 니코틴에 노출되면 자궁과 태반으로 가는 혈류량이 감소하게 되고 이로 인해 태아에게 전달되는 산소 및 영양 역시 감소하게 되어 다양한 문제를 야기하게 된다.

임신 중 흡연이나 니코틴 대체요법에 의해 흡수된 니코틴성분은 태반을 통해 태아의 혈액과 양수에 농축되며, 수유 시에 모유 내에서도 발견된다. 여러 동물실험들에 의하면 임신 혹은 수유 중 니코틴에 노출되었을 경우 태아에게서 비만, 2형 당뇨와 같은 대사성 질환,[8] 고혈압, 심장기능저하, 부정맥과 같은 심혈관장애,[9] 호흡기기능의 저하, 생식기능의 저하[10]등 여러 부작용의 발생이 증가하는 것으로 보고되었다. 게다가 이러한 영향은 태아에게만 국한되는 것이 아니라 장기적으로 그 다음 세대에 걸쳐 나타나게 된다.[11]

4 흡연이 산모에 미치는 영향

1) 수태능력의 감소와 산과적 합병증

가임기 여성이 흡연을 하거나 간접흡연에 노출되었을 경우 수태능력이 감소하게 되며, 임신을 하여도 유산의 확률이 33%나 증가하게 된다.[12, 13] 일본에서 2001년부터 2005년까지 180,855명의 임산부를 대상으로 시행한 한 증례별 코호트 분석(case cohort analysis) 결과, 임신 중 흡연을 한 여성에서 그렇지 않은 여성에 비하여 조기양막파수, 융모양막염, 자궁경부무력증, 조기분만, 태반조기박리, 임신성고혈압, 사산과 같은 다양한 산과적 합병증의 발생이 현저히 증가하였다.[14, 15] 또한 34개의 연구들을 대상으로 한 메타분석에서도 임신 중 흡연을 한 여성에서 사산의 위험이 47% 증가 하였는데, 특히 하루 10개비 이상의 흡연자인 경우에는 52%로, 하루 10개비 미만의 흡연자의 경우인 9% 보다 위험이 현저하게 증가하였다.[16] 아울러 20개의 전형적 연구를 대상으로 한 메타분석에서도, 임신 중 흡연을 한 경우 조산 발생의 위험이 1.27배 높아짐을 보고한 바 있다.[17]

(1) 조기양막파수

조기양막파수는 정상적인 진통이 시작되기 이전에 양막이 파수되는 것을 뜻하며 임신 36주 이전의 파수로 인하여 조산, 세균 감염 등의 문제를 야기하게 된다. 흡연군에서는 비흡연군에 비하여 조기양막파수의 위험이 2~5배 증가하게 된다.[3] 이는 흡연에 의해 혈관이 수축하게 됨으로써 양막에 손상을 주기 때문으로 보인다. 한 연구에 의하며 양막에 담배 추출물을 노출시켰을 때 산화적 스트레스(Oxidative stress)가 증가하는 반면에 세포의 자살을 방지하는(anti-apoptic) 단백질 성분들이 감소하는 것을 확인 할 수 있었다. 또한 조직검사상 양막(amnion)과 장막(chorion)에서 분해된 핵들이 관찰되었으며, 세포외기질에서 산발적으로 세포들이 분포되어 있음을 확인되었다. 이러한 소견들은 흡연이 양막에 세포자살을 유도하며, 단백질 가수분해를 일으켜 결국 양막파수에 이르게 하는 것을 의미한다.[18]

(2) 조산

조산은 37주 이전의 분만을 뜻하는데, 영아 사망의 중요한 원인이며 또한 신경계 발달장애, 호흡기 합병증 등과 연관이 있다. 1989년부터 2005년까지 미국에서 1,219,159 명의 임산부들을 대상으로 한 연구에서는 흡연군에서 조기분만의 위험이 23~28% 증가하는 것으로 나타났다. 이는 니코틴과 일산화탄소가 태반의 혈관을 수축시켜 태아로의 혈류 공급을 악화시키고, 일산화탄소가 헤모글로빈과 결합함으로써 태아에게 산소 공급을 방해하며, 니코틴이 모체의 혈압을 상승시키고 심박수를 증가를 증가시켜, 결국 태아로의 혈류공급을 방해하기 때문인 것으로 생각된다.[3]

(3) 자궁외 임신

자궁외 임신은 수정란이 자궁 외의 곳에 착상되는 현상을 말한다. 복부수술 과거력, 골반 내 감염증 병력, 성병 등 여러 요인에 의해서 발생하게 되는데, 흡연은 이러한 위험 요인들을 보정하고도 그 발생 위험을 1.5~2.5배 증가시키게 된다.[3]

(4) 태반조기박리

태반조기박리는 분만 전에 태반이 착상부위에서 분리되는 것을 말한다. 사산, 조산, 태아 조기사망의 원인이 되며 관련된 위험 인자로는 외상, 다산, 자궁종양, 고령, 고혈압 및 이전의 자궁의 상처, 태반조기박리의 과거력이 있다.[13] 여러 연구들에서는 흡연 역시 태반조기박리의 위험을 증가시키는 것으로 알려져 있다.[23] 흡연의 양과도 관련성이 있으며 흡연양이 증가함에 따라 발생 위험도 증가하게 된다.[13]

(5) 임신성고혈압 및 자간전증

자간전증은 임신 중 단백뇨, 사지 부종이 동반되는 고혈압성 질환이며, 임산부 사망, 자궁내 태아 발육지연 및 조산과 연관된 심각한 질환이다. 또한 자간증으로 진행시 경련, 혼수 및 뇌출혈 등을 동반하게 된다. 흡연은 특이하게도 임신성고혈압 관련 질환과는 역의 상관관계를 보이는 것으로 나타나는데, 여러 연구들에서는 흡연자에서 비흡연자에 비해 자간전증의 발생이 적음을 보고하였다.[19, 20, 21, 22, 23]

(6) 자연유산

20주 이내에 태아가 사망하는 것을 말하며, 임신의 10~15%가 자연유산으로 진행된다. 원인으로는 염색체 이상, 고령임신, 임신 중 노출된 기타 여러 요인들이 있으며 이 중 흡연이 자연유산을 일으킨다는 많은 연구들이 보고되고 있다. 비흡연군에 비하여 흡연군에서 자연유산 발생위험이 1.2~3.4배까지 높게 나타났다.[26, 27, 28, 29]

2) 생화학적 변화

태반은 여러 중요한 호르몬, 산화촉진물질, 및 항산화효소들을 생성하는 기능을 하며 또한 지질의 과산화반응을 조절하는 역할을 한다. 임신 중 흡연은 생체 산화균형을 무너뜨려 산화적 스트레스 및 지질의 과산화반응을 증가시키며 이로 인해 증가된 활성 산소로 인하여 임산부와 태아의 손상을 일으키게 된다.[30]

3) 유전자와 세포에 미치는 영향

여러 연구들을 통해 흡연이 임산부 및 태아의 유전자와 세포에 심각한 손상을 일으키게 된다는 사실이 밝혀졌다. 또한 이미 변형되었거나 손상을 받은 세포의 경우 임신 중 흡연에 의해서 더욱 악화될 수 있다는 사실 또한 밝혀졌다. 2012년 발표된 한 연구에 따르면 임신 중 흡연은 세포유전학적으로 손상을 유발하고 이를 통하여 여러 기형과 같은 치명적 결과를 초래하는 것으로 보고되었다. 흡연한 임산부에서 태어난 자녀들에게서 특정 유전자(Cytochrome P450 1A1(CYP1A1), AHRR, GF11)의 메틸화 변형이 발견되었는데, 이 유전자들은 흡연으로 인하여 발생한 독성물질들을 해독하거나 제거하는 반응(aryl hydrocarbon signaling pathway)에 중요한 역할을 하는 것으로 생각된다.[31] 또 다른 연구에서는 임신 제 1삼분기의 탈락막조직(decidual tissue)과 말초혈액을 채취하여 흡연이 모체의 면역체계에 미치는 영향을 조사하였는데, 결국 임신 중 흡연을 한 모체에서 국소 및 전신적인 면역체계의 변화가 발생하는 것을 확인하였다. 즉, 흡연을 한 임산부에서는 비흡연군에 비해 자연살생세포(Natural killer cell)와 염증성대식세포(inflammatory macrophage)가 많이 관찰된 반면, T-세포의 분포비율은 현격하게 낮았다.[32]

5 흡연이 태아에 미치는 영향

흡연은 모체의 건강뿐만 아니라 태아의 건강까지 위협할 수 있으며 흡연으로 발생한 손상은 다양한 시기에 걸쳐 발현 될 수 있다. 이렇게 발생한 질환들은 영구적일 수 있으며 근본적인 치료에도 제한이 있다.

1) 자궁 내 태아 발육지연

자궁 내 발육지연은 흡연으로 인하여 태아에게 미칠 수 있는 가장 중요하면서도 대표적인 부작용이다. 1999년부터 2006년에 시행된 연구들에 따르면 흡연하는 임산부에서 자궁 내 발육지연, 저체중아, 조산의 위험이 높게 나타났으며 이러한 위험은 흡연양이 증가함에 따라 그 위험이 증가하였다.[33, 34] 결국 임신 중 흡연을 할수록 출생시 태아의 체중이 현격히 감소하는 것을 관찰할 수 있었는데, 2011년 한 연구에 따르면 임신 중 흡연을 한 경우 출산한 영아에서 평균 223.4 g의 체중감소(95% CI 156.7-290.0), 0.69 cm의 태아머리둘레 감소(95% CI0.42-0.95), 0.94 cm의 신장감소(05% CI 0.60-1.28)를 보였다.[35] 이렇게 태아의 발육 지연이 일어나는 이유는, 담배 연기 속의 니코틴이 태반 혈관을 수축시켜서 태아의 발육에 필요한 산소의 공급을 감소시키며 담배 연기 속의 일산화탄소가 적혈구내 헤모글로빈과 결합함으로써 결국 빈혈을 일으키기 때문으로 생각된다.

2) 사산, 신생아 사망, 주산기 사망, 영아돌연사증후군

사산은 태아가 20주 이후 사망한 채로 태어나는 것, 신생아 사망은 출생후 28일 이내의 사망, 주산기 사망은 임신 20주부터 생후 28일까지의 사망, 영아 급사 증후군은 12개월의 영아가 잠든 이후 사망한 상태로 발견이 되어 사망의 원인을 찾을 수 없는 경우로 정의한다. 스웨덴에서 28만명을 대상으로 진행된 연구에서는 흡연군에서 사산의 위험이 비흡연자 군에 비하여 1.4배 높았으며, 30만명을 대상으로 시행한 또 다른 연구에서도 신생아 사망의 위험이 흡연군에서 비흡연군에 비해 1.2배 높았다.[3] 주산기 사망은 흡연으로 인한 태반 조기박리, 전치태반, 양막조기파수로 인하여 증가하게 되며 이러한 위험은 흡연양이 증가할수록 높아지게 된다. 영아 급사 증후군 역시 모체의 흡연 여부와 관련 있음이 보고되어 있으나[36, 37] 아직 그 기전은 명백히 밝혀지진 않았다. 영아 급사 증후군 시 영아에서 극심한 서맥(bradycardia), 무호흡증이 발생하는데, 아마도 흡연에 의한 저산소증에 기인한 심장, 호흡기계의 반응과 연관이 있을 것이라 추정된다.[38]

3) 심장질환 및 심혈관계 질환들

흡연과 태아의 선천성 심장질환과의 연관성은 이미 여러 연구들을 통해 입증되었다. 2012년 미국에서 시행된 연구에서도 역시 임산부의 흡연과 태아의 심혈관계 및 심장질환의 높은 연관성을 보였다.[39] 이 연구에서는 17가지의 태아 선천성 심장기형 중 12가지 유형(subtype)에서 임산부의 흡연과 밀접한 연관성을 보였는데, 이 12가지 유형이 전체 태아의 선천성 심장기형의 71%를 차지하였다.[40] 태아의 심장중격결손은 흡연과 관련된 위험도가 가장 높은 심장기형이다.[41]

4) 신장질환 및 고혈압

모체의 흡연은 태아의 신장발달에도 영향을 주게 된다. 2012년 네덜란드에서는 1072명의 아이들을 대상으로 임산부의 흡연양과 태아의 신장 질량과의 연관성을 조사하였는데, 하루에 10개비 이상 흡연한 군에서 5개 이하로 흡연한 군에 비하여 태아의 신장 질량이 감소되어 있는 것을 확인하였다.[42] 이로 인하여 태아는 성인이 되어서 신장질환 및 고혈압에 취약하게 될 수 있다.[42]

5) 호흡기 질환

임신 중 흡연은 태아의 출생 후 폐 기능 감소와도 밀접한 관련이 있다. 1988년~2004년에 걸쳐 Washington State에서 시행한 후향적 환자대조군 연구(retrospective case-control analyses)에 따르면 태아기 때 모체를 통해 흡연에 노출되었을 경우 유년기에 호흡기 감염으로 이어지기 쉬우며, 이로 인한 입원이나 치명율이 증가함이 밝혀졌다.[43] 또한 임신 중 흡연은 유

년기에 천명(wheezing)이나 천식 발생율의 증가와도 연관된다.[42]

6) 소화기계 질환

덴마크에서 진행된 연구에 의하면 임신 중 흡연에 노출된 태아는 이후 영아 산통(infantile colic)의 발생빈도가 증가하게 되는데, 특히 15개비 이상의 흡연에 노출된 경우 그 위험이 2배 가량 증가하는 것으로 보고되었다.[45] 영국에서 시행된 연구에서는 임신 중 흡연으로 인하여 위장관기형, 복벽개열증(gastroschisis), 항문폐쇄증(anal atresia)의 위험이 증가하는 것으로 보고되었다.[44]

7) 비만

임신 중 흡연은 태아의 성장(linear growth)에 장애를 일으킴으로써 체질량 지수를 증가시키고 유아기 및 성인기에 비만의 위험을 증가시키게 된다. 임신 중 흡연에 노출된 신생아에서는 평균 체질량 지수, 맥박수, 허리둘레, 허리 엉덩이비율(waist-hip ratio)이 증가하였으며 비록 임신기간 중이 아닌 출생 이후 흡연에 노출된 경우에도 역시 이러한 비만 연관 지표들이 증가하는 것으로 알려져 있다.[30] 또한 임신 중 흡연을 한 기간과 체질량 지수 증가는 양의 상관관계를 보이는데, 체질량 지수의 증가는 신장 저하 및 체내지방의 증가로부터 기인한다.[46]

8) 신경학적 및 심리적 태도에 미치는 영향

유년기 때의 신경발달은 다음 세대까지 지능 및 건강을 보존하는 데에 있어서 매우 중요한 역할을 하다. 최근 여러 연구들에서는 태아가 자궁 내에서 임산부의 흡연 또는 간접흡연에 노출되었을 경우 신경학적 발달에 영향이 있음을 보고하였다. 임신 중 흡연과 태아의 성장지체 및 태아의 뇌질량의 감소는 이미 여러 연구들에 의해서 보고된 바 있으며, 특히 소뇌와 뇌들보(corpus callosum)와 같은 뇌의 중요한 부분의 밀도가 감소하는 것으로 알려져 있다.[47] 핀란드에서 1019명의 유아들을 대상으로 한 연구에서는 일반적인 추론능력, 시간 운동 통합검사, 언어기능, 언어이해력을 평가하였는데, 모체가 임신 중 뿐만 아니라 임신 전 과량의 흡연을 하였을 경우에도 이후 자녀들에게 있어서 인지능력의 저하, 수행, 숙달능력이 떨어진다는 사실을 관찰 할 수 있었다. 흥미로운 점은, 흡연을 하던 여성들이 임신 전에 금연을 한 경우에도 여전히 자녀들의 수행능력이 감소되었다는 점이다.[48] 또한 엄마의 교육수준과 무관하게 흡연을 한 엄마한테서 태어난 자녀의 경우 수학이나 독해능력이 비흡연군에 비해 현저히 떨어지는 것으로 나타났다.[49]

9) 생식건강에 미치는 영향

임신 중 흡연은 자궁 내 호르몬 환경에 변화를 주고, 이로 인하여 태아의 생식능력에 해로운 영향을 끼칠 수 있다. 모체의 흡연과 잠복고환(cryptorchidism)과의 연관성에 관한 연구들을 살펴보면, 대부분의 연구들은 상관관계가 없는 것으로 나왔으나 그중 규모가 가장 큰 2개의 사례조절연구와 코호트 연구에서는 흡연으로 인하여 잠복고환의 위험이 증가하는 것을 확인할 수 있었고, 이에 대한 메타분석 결과, 잠복고환의 위험이 다소 증가함을 확인 할 수 있었다.[50, 51, 52] 모체의 흡연과 아이들의 사춘기 발달과의 연관성에 관한 연구들을 살펴보면, 한 연구에 의하면 여자 아이들의 경우 10개비 미만, 10개 이상 노출된 경우 각각 비흡연군에 비해서 초경 시점이 4.5개월, 6개월 빠른 것으로 밝혀졌다.[49, 53] 남자 아이를 대상으로 시행한 연구들에서도 일치된 결과를 보였는데 흡연군의 아이들에서 몽정, 여드름, 변성기가 일찍 오는 것을 확인할 수 있었다.[54]

6 간접흡연과 임신

직접흡연에 비해 간접흡연이 임신에 미치는 영향에 관한 연구는 미흡한 현실이다. 하지만 전 세계적으로 약 35%의 비흡연 여성들이 간접흡연에 노출되고 있으며[55] 임신 중 간접흡연에 노출되었을 경우 조기분만 및 신생아 저체중의 위험이 증가하는 것으로 보고되고 있다.[30] 2010년 캐나다에서 총 76개의 논문, 48,439명을 대상으로 한 메타 분석에 따르면 모체가 간접흡연에 노출되었을 경우에 선천성 기형(OR 1.17; 95% CI 1.03-1.34)과 두위 감소, 저체중의 위험이 증가하는 것을 확인 할 수 있었다.[57] 또한 간접흡연군에서 흡연에 노출되지 않은 군에 비해 출생시 평균체중이 약 60g 가량 감소하였다. 또한 간접흡연에 노출된 군에서 영아의 몸길이가 1.75 cm 길었고 머리 둘레는 감소하는 소견을 보였다.[57]

7 임신과 금연

일반인을 대상으로 한 금연교육과 금연 관련 공중보건 캠페인의 증가로 임산부를 포함한 가임기 여성들의 흡연율은 감소하였다. 또한 임신 자체가 여성들로 하여금 금연을 하게 되는 직접적인 동기로 작용하는 것으로 알려져 있다. 하지만 교육수준이 낮은 군이나 청소년들에서는 아직 흡연 감소율이 미미한 실정이다. 임신 중 흡연은 여러 치명적인 결과들을 초래하기 때문에 공중보건학적 차원에서 중요한 문제로 다루어져야 한다. 앞서 기술한 바와 같이 임신 중 흡연은 자궁내 발육지연, 전치태반, 태반조기박리, 조기양막파수, 저체중아, 주산기 사망률의 위험을 증가시키며 또한 그 밖에 모체의 갑상선 기능 저하, 자궁외 임신 등 여러 합병증들의 위험 역시 증가시키게 된다. 조기분만의 5~8%, 저체중아의 13~19%, 영아급사 증후군의 23~34%, 조산과 관련된 유아의 사망의 5~7%가 주산기 모체의 흡연과 관련되어 있는 것으로 알려져 있다.[58] 출산 후 유년기 때 천식, 영아산통, 비만 또한 모체의 흡연과 관련되어 있으며 주산기때 간접적으로 흡연에 노출된 것만으로도 저체중아 출생의 위험이 20% 증가하게 된다.[59]

임산부의 약 45%가 출산 전에 자발적으로 금연을 하는 것으로 알려져 있으나 이들 중 약 2/3에서는 출산 1년 후에 다시 흡연을 하는 것으로 조사되었다.[60] 결국 금연, 간접흡연의 예방, 재흡연의 방지가 행동 및 약물치료와 같은 금연 치료의 주목표로 삼아야 한다. 효과적인 금연 방법을 위한 여러 연구들에 대한 메타분석 결과를 살펴보면 상담, 최면, 약물치료가 효과가 있는 것을 알 수 있었으며, 니코틴 대체요법(Nicotine Replacement therapy) 역시 인지, 행동치료와 비슷한 금연 효과를 보인다.[61] 또한 국내에서 임산부의 금연을 위한 약물치료의 안정성 및 효과에 대한 메타 분석 연구에서는 임신 중 흡연 여성들이 약물치료를 받았을 경우 금연 성공률이 대조군에 비하여 약 1.8배 높은 것으로 나타났다.[64] 하지만 몇몇 연구에서는 피부자극반응, 두통, 어지러움, 오심과 같은 부작용들이 보고하였으며 조기분만, 신생아중환자실 입원, 저체중아, 태아사망과 같은 심각한 부작용들 또한 보고되었으나, 약물치료가 직접적으로 이러한 부작용들과 관련이 있다고 말하기 어렵다. 또한 전체적 태아체중, 출생주수, 조기분만 발생율 등에서는 약물 치료군과 대조군 사이에 특별한 차이를 보이지 않았다.[62]

1) 임산부에서 금연을 위한 행동 및 약물 치료의 효과 및 안정성

(1) 약물치료

임신과 관련하여 니코틴대체요법(니코틴 패치 등)의 효과를 측정한 연구가 많지는 않지만 몇몇 연구들에서는 니코틴대체요법을 사용한 군에서 조기분만의 발생이 적고 출생 시 체중이 더 큰 것을 보고하였다.[62] 또한 니코틴 대체요법을 사용한 군에서 별다른 문제없는 생존아를 출산하는 경우가 더 많게 관찰되었다 (73% vs 65%).[60] 그러므로 니코틴에 의한 신생아의 예후에 관한 자료가 빈약하긴 하지만, 대체로 부정적 영향을 끼치지는 않고 오히려 어느 정도의 이득도 있는 것으로 판단된다.

(2) 행동치료

여러 연구들에서는 행동 치료가 유아의 건강 증진에 미치는 영향을 보고하였다. 한 연구에서는 행동치료를 받은 군에서 평균 출생 몸무게가 높았으며, 저체중 및 조기분만의 발생빈도는 낮음을 보고하였다.[64] 반면 사산, 초저체중아, 신생아 중환자실 입원율, 신생아 사망에 미치는 영향에 대한 연구는 아직 미미한 실정이다. 하지만 약물치료 비해 행동치료의 효과에 관한 연구는 더 많이 이루어져 있는데, 20,000명의 여성을 대상으로 한 연구에서도 행동치료가 임신말기의 금연에 효과적임을 보고하였다.[65] 여성들 중 금연에 대한 준비가 되어 있지 않은 경우, American Congress of Obstericans and Gynecologists(ACOG)에서 발행한 "Motivational Interview"의 개요에 따라 상담을 통해 지속적으로 동기부여를 하는 것이 효과가 있다고 알려져 있다.[66] 금연에 대한 의지가 있는 환자의 경우 5A;s intervention(표 4-5-1, Ask, Advise, Assess, Assist, Arrange)에 따른 상담이 효과적일 수 있다. 중재군(intervention)의 28%이상에서 금연에 성공한 반면에 대조군의 9.8%에서만이 금연에 성공을 하였다. 또한 대조군에 비하여 중재군에서 평균 태아 체중이 270 g 더 컸으며 신생아 중환자실 입원율이 50% 적게 나타났다.[67] 하지만 상담과 같은 행동치료가 임산부들이 금연을 할 수 있도록 도움을 줌에도 불구하고 일부 여성들은 지속적으로 흡연을 한다. 이들은 대부분 니코틴 중독이 심각한 상태인 경우가 많아 병원 방문 시 지속적으로 금연을 할 수 있도록 도움을 주어야 하며 또한 다른 약물과 병용하는 경우가 많기 때문에 알코올 및 다른 약물의 사용여부에 관해서도 면밀히 검토하면서 심리 치료를 병용하여야 한다. 비록 15주 이전에 금연을 하는 것이 산모와 태아에게 이득이 가장 클 것으로 알려져 있지만, 임신 어느 시점에서든 금연을 하는 것은 도움이 된다. 가령, 임신 3분기에라도 금연하는 것이 저체중의 위험을 줄일 수 있는 것으로 알려져 있다.[68] 흡연양을 줄이며 노력하는 모습자체에 대한 지지도 중요하지만 단순히 줄이는 데에 그칠 것이 아니라 완전히 금연을 하는 것이 궁극적으로 임산부 자신의 건강, 더 나아가서 태아의 건강을 위해서 바람직하다는 사실을 지속적으로 주지시켜야 할 것이다. 또한 가족이나 직장동료들에 의해 간접흡연에 노출되어 있는 임산부들의 경우 이들을 어떻게 대처해야 할지에 관하여 조언을 해주어야 할 것이다.

지금까지 임신말기 니코틴대체요법의 금연성공에 관한 연구는 충분히 이루어지지 않은 상태이다. 이는 니코틴대체요법에 대한 순응도가 떨어져서 연구 진행에 어려움이 있기 때문이다. 하지만 현재 니코틴대체요법, bupropion SR과 임신중 금연에 대한 효과에 관한 연구가 진행중이며 임신중 Vareniclin과 bupropin SR에 노출되었을 경우 태아에 미치는 영향에 관한 연구 또한 진행중이다. 니코틴대체요법의 경우 대체로 큰 위험이 없을 것이라 생각하지만 몇몇 드문 부작용들을 배제하기에는 아직 연구가 부족하다. 니코틴대체요법에 관한 가장 큰 규모의 연구에 따르면 니코틴대체요법군에서 위약군에 비하여 제왕절개율이 높았으나(20% vs 15%), 유산, 사산, 신생아 사망에 있어서는 두군간에 통계적으로 유의한 차이를 보이지 않았다.[69] 최근 니코틴대체요법에 관한 연구에 따르면 임신중 혈압상승(0.02 mm Hg per day)이 위약군에 비해서 높게 관찰되었다(12% vs 8%).[70] 그 밖에 여러 동물 실험들을 통해서 니코틴이 태아신경 및 행동발달장애, 호흡기계질환 증가, 생식능력감소, 대사성 질환들의 증가와 관련이 있기 때문에 니코틴이 안전하다고 확신 짓을 수 없는 상황이므로 임신 중 니코틴 대체요법이 전적으로 안전하다고만은 확신할 수 없는 실정이다.

표 4-5-1. "5A's" of Tobacco Intervention

ASK(질문, 1분)

– 환자에게 흡현 현황에 관하여 질문하기

ADVISE(조언, 1분)

– 명백하게 강하게 금연을 하도록 조언을 함과 동시에 흡연과 금연이 태아 및 엄마에 미칠수 있는 영향에 관해서 각 개인에 맞게 메시지를 전달한다.

ASSESS(평가, 1분)

– 향후 30일 이내 산모가 금연을 할 의지가 있는지에 관하여 평가를 한다.

ASSIST(도와주기, 3분 이상)

– 임신에 특화된 스스로 금연을 할 수 있는 방법을 제공해준다.

– 금연을 위해서 문제해결방법들을 제시하고 금연을 할 수 있는 능력을 사용할 수 있도록 독려한다.

– 흡연자들이 사회적 지지를 받을 수 있도록 도와준다.

– 사회적 지지를 치료과정에 포함시킨다.

ARRANGE(조정과정, 1분 이상)

– 주기적으로 흡연현황을 파악하고, 지속적으로 흡연 시 금연을 독려한다.

▶ 참고문헌

1. Rauchen Wahrend Der Schwangerschaft Oder NiedrigerSozialstatus. Available oneline: http://www.thieme-connect.com/ejournals/abstract/10.1055/s-2001-18366 (accessed on 5 October 2013).

2. Martin JA, Hamilton BE, Sutton PD, et al. Births: final data for 2004. Natl Vital Stat Rep. 2006;55:1-101

3. 61. 신희철, 전종관, 서홍관 외. 산모흡연율조사. 서울대학교의과대학. 건강증진사업지원단. 2007

4. 국민건강통계;보건복지부, 질병관리부. 2013

5. Albuquerque CA, Smith KR, Johnson C, et al. Influence of maternal tobacco smoking during pregnancy on uterine, umbilical and fetal cerebral artery blood flows. Early Hum Dev. 2004;1:31-42

6. Bruner JP, Forouzan I. Smoking and buccally administered nicotine. Acute effect on uterine and umbilical artery Doppler flow velocity waveforms. J Reprod Med. 1991;6:435-40

7. Clark KE GL. Fetal hemodynamic response to maternal intravenous nicotine administration. Am J Obstet Gynecol. 1992;6:1624-31

8. Suzuki K, Minei LJ, Johnson EE. Effect of nicotine upon uterine blood flow in the pregnant

rhesus monkey. Am J Obstet Gyecol. 1980;8:1009-13

9. Gao YJ, Holloway AC, Su LY, et al. Effects of fetal and neonatal exposure to nicotine on blood pressure and preivascular adipose tissue function in adult life. Eur J Pharmacol. 2008;590:264-8

10. Holloway AC, Kelenberger LD, Petrik JJ. Fetal and neonatal exposure disrupts ovarinan function and fertility in adult female rats. Endocrine. 2006;2:213-6

11. Holloway AC, Cuu DQ, Morrison KM, et al. Transgenerational effect of fetal and neonatal exposure to nicotine. Endocrine. 2007;31:254-9

12. Ahluwalia IB, Grummer-Strawn L, Scanlon KS. Exposure to environmental tobacco smoke and birth outcome: increased effects on prenant women aged 30years or older. Am J Epidemiol. 1997;146(1):42-7

13. Ananth CV, Svitz DA, Luther ER. Maternal cigarette smoking as a risk factor for placental abruption, placenta previa, and uterine bleeding in pregnancy. Am J Epidemiol. 1996;144(9):881-9

14. Hayashi K, Matsuda Y. Kawamichi Y. et al. Smoking during prenancy increases risks of various obstetric compliocations; A case-cohort study of the Japan Perinatal Registry Network database. J Epidemiol. 2011;21:61-66

15. Leonrdi-Bee J, Britton J. Venn A. Secondhand smoke and adverse fetal outcomes in non-smoking prenant women. Pediatrics. 2011;127:734-741

16. Marufu TC, Ahankari A, Coleman T, et al. Maternal smoking and the risk of stillbirth. BMC Public Health. 2015;13:15:239. doi: 10.1186/s12889-015-1552-5

17. Shah NR, Bracken MB. A systemic review and meta-analysis of prospective studies on the association between maternal cigarette smoking and preterm delivery. Am J Obstet Gynecol. 2000;182(2):465-72

18. Menon R, Fortunato SJ, Yu J, et al. Cigarette smoke induces oxidative stress and apoptosis in normal fetal membranes. Placenta. 2011;32(4):317-22

19. Salafia C, Shiverick K. Cigarette smoking and pregnancy II: vascular effects. Placenta. 1999;20(4):273-9

20. Marcoux S, Brisson J, Fabia J. The effect of cigarette smoking on the risk of preeclampsia and gestational hypertension. Am J Epidemiol. 1989;130(5):950-7

21. Eskenazi B, Fenster L, Sidney S. A multivariate analysis of risk factors for preeclampsia. JAMA. 1991;266(2):237-41

22. Klonoff-Cohen H, Edelstein S, Savitz D. Cigarette smoking and preeclampsia. Obstet Gynecol. 1993;81(4);541-4

23. Spinillo A, Capuzzo E, Egbe TO. Cigarette smoking in prenancy and risk of preeclapmp-

sia. J Hum Hypertens. 1994;10:771-5

24. Sibai BM, Gordon T, Thom E, Risk factors for preeclampsia in healthy nulluparous women: a prospective multicenter study. The National Institute of Child Health and Human Development Network of Maternal-Fetal Medicine Units. Am J Obstet Gynecol. 1995;172(2Pt1):642-8

25. Cnattingius S. Mills JL, Yeun J, et al. The paradoxical effect of smoking in preeclamptic pregnancies: smoking reduces the incidences but increases the rates of perinatal mortalitiy, abruptio placentae, and intrauterine growth restriction. Am J Obstet Gynecol. 1997;177(1):156-61

26. Kline J, Stein Z, Strobino B, et al. Surveillance of spontaneous abortions. Power in environmental monitoring. Am J Epdemiol. 1977;106(5):345-50

27. Stein Z. Early fetal loss. Birth defects orig arctic. 1981;17(1):95-111

28. Armstrong BG, McDonald AD, Sloan M. Cigarette, alcohol, and coffee consumption and spontaneous abortion. Am J Public Health. 1992;82(1):85-7

29. Dominquez-Rojas V, de Juanes-Pardo JR, Astasio-Arbiza P, et al. Spontaneous abortion in a hospital population: are tobacco and coffee intake risk factors?. Eur J Epidemiol. 1994;10(6):665-8

30. Mathias Mund, Frank Louwen, Doris Klingelhoefer, et al. Smoking and Pregnancy: A Review on the First Major Environmental Risk Factor of the Unborn. Int. J. Environ. Res. Public Health. 2013;10:6485-6499

31. Joubert BR, Haberg SE, Nilsen RM, et al. 450K epigenome-wide scan identifies differential DNA methylation in newborns related to maternal smoking during pregnancy. Environ Health Perspect. 2012;120(10):1425-31

32. Prins JR, Hylkema MN, Erwich JJ, et al. Smoking during prenancy influences the maternal immune response in mice and humans. Am J Obstet Gynecol. 2012;207(1):76.e1-14

33. IARC Working Group on the Evaluation of Carcinogenic Risks to Humans. Tobacco smoke and involuntary smoking. IARC Monogr Eval Carcinog Risks Hum. 2004;83:1-1438

34. Kim SS, Chen W, Kolodziej M, et al. A systematic review of smoking cessation intervention studies in China. Nicotine Tob Res. 2012;14(8):891-9

35. Zhang L, Gonzalez Chica, Cesar JA. Maternal smoking during pregnancy and anthropometric measurements of newborns: a population-based study in southern Brazil. Cad Saude Publica. 2011;27(9):1768-76

36. Alm B, Milerad J, Wennergren G, et al. A case-control study of smoking and sudden infant death syndrome in the Scandinavian contries, 1992 to 1995. The Nordic Epidemio-

logical SIDS study. Arch Dis Child. 1998;78(4):329-34

37. DiFranza JR, Lew RA. Effect of maternal cigarette smoking on pregnancy complications and sudden infant death syndrome. J Fam Pract 1995;40(4):385-94

38. Poets CF, Meny RG, Chobanian MR, et al. Gasping and other cardiorespiratory patterns during sudden infant deaths. Pediastr Res. 1999;45(3):350-4

39. Alverson CJ, Strickland MJ, Gilboa SM, et al. Maternal smoking and congenital heart defects in the Baltimore-Washington Infant Study. Pediatrics. 2011;127(3): e647-53

40. Hackshaw A, Rodeck C, Boniface S. Maternal smoking in pregnancy and birth defects: a systematic review based on 173,687 malformed cases and 11.7 million controls. Hum Reprod Update. 2011;17(5):589-604

41. Lee LJ, Lupo PJ. Maternal smoking during pregnancy and the risk of congenital heart defects in offspring:a systematic review and metanalysis. Pediatr Cardiol. 2013;34(2):398-407

42. Taal HR, Geelhoed JJ, Steegers EA, et al. Maternal smoking during pregnancy and kidney volume in the offspring: the Generation R Study. Pediatr Nephrol. 2011;8:1275-83

43. Sahinli AS, Marakoqlu K, Kiyici A. Evaluation of the levels of oxidative stress factors and ischemia modified albumin in the cord blood of smoker and non-smoker pregnant women. J Matern Fetal Neonatal Med. 2012;7:1064-8

44. Chehab G, El-Rassi I, Adhami A, et al. Parental smoking during early pregnancy and congenital heart defects. J Med Liban. 2012;60(1):14-8

45. Sondergaard C, Henriksen TB, Obel C, et al. Smoking during pregnancy and infantile colic. Pediatrics. 2001;108(2):342-6

46. Drumus B, Kruithof CJ, Gillman MH, et al. Parental smoking during pregnancy, early growth, and the risk of obesity in preschool children. The Generation R Study. AmJClin-Nutr. 2011;94:164-171

47. Bublitz MH, Stroud LR. Maternal smoking during pregnancy and offspring braing structure and function. Review and agenda for future research. Nicotine Tob Res. 2012;14:388-397

48. Heinonen K, Raikkononen K, Pesonen AK, et al. Longitudinal study of smoking cessation before pregnancy and children's cognitive abilities at 56 months of age. Early Hum Dev. 2011;87:339-353

49. Piper BJ, Corbett SM. Executive function profile in the offspring of women that smoked during pregnancy. Nicotine Tob Res. 2012;14:191-199

50. Akre O, Lipworth L, Cnattingius S, et al. Risk factor patterns for cyptorchidism and hypospadias. Epidemiology. 1999;10:364-9

51. Jensen MSm Toft G, Thulstrup AM, et al. Cryptorchidism according to maternal gestational smoking. Epidemiology 2007;18:220-5

52. Hackshaw A, Rodeck C, Boniface S. Maternal smoking in pregnancy and birth defects:a systematic review based on 173,687 malformed cases and 11.7 million controls. Hum Reprod Update. 2011;17:589-604

53. Shrestha A, Nohr EA, Bech BH, et al. Smoking and alcohol use during pregnancy and age of menarche in daughters. Hum Reprod. 2011;26:259-65

54. Ernst A, Kristensen SL, Toft G, et al. Maternal smoking during pregnancy and reproductive health of daughters: a follow up study spanning two decades. Hum Reprod. 2012;27:3593-600

55. Hakonsen LB, Olsen J, Stovring H, et al. Maternal cigarette smoking during pregnancy and pubertal development in sons. A follow up study of a birth cohort. Andrology. 2013;1:348-55

56. WHO report on the global tobacco epidemic. 2009

57. Hakonsen LB, Ernst A, Raml머-Hansen. Maternal cigarette smoking during pregnancy and reproductive health in children: a review of epidemiological studies. Asian Journal of Andrology. 2014;16:36-49

58. Salmasi G, Grady, R, Jones J, et al. Environmental tobacco smoke exposure and perinatal outcomes: a systematic review and meta-analyses. Acta Obstet Gynecol Scand. 2010;89(4):423-41

59. Dietz PM, England LJ, Shapiro-Mendoza CK, et al. Infant morbidity and mortality attributable to prenatal smoking in the US. Am J Prev Med. 2010;39(1):45-52

60. Hegaard HK, Kjaergaard H, Moller LF, et al. The effect of environmental tobacco smoke during prenancy on birth weigh. Acta Obstet Gyecol Scand. 2006;85(6): 675-81

61. Centers for Disease Control Prevenetion. Morb Mortal Wkly Rep. 2002;51:1-16

62. Lumley J, Chamberlain C, Dowswell T, et al. Interventions for promoting smoking cessation during pregnancy. Cochrane Database Syst Rev. 2009;3:CD001055

63. Myung SK, Ju W, Jung HS, et al. Efficacy and safety of pharmacotherapy for smoking cessation among pregnant smokers: a meta analysus. BJOG. 2012; 119(9):1029-39

64. Cooper S, Taggar J, Lewis S, et al. Effect of nicotine patches in pregnancy on infant and maternal outcomes at 2years: follow-up from the randomised, double-blind, placebo-controlled SNAP trial. Lancet Respir Med. 2014;9:728-37

65. R Menon, SJ Fortunato, J Yu, et al. Cigarette smoke induces oxidative stress and apoptosis in normal term fetal membranes. Placenta. 2011;32:317-322

66. Coleman T, Chamberlain C, Davey MA, et al. Pharmocological interventions for

promoting smoking cessation during pregnancy. Cochrane Database Syst Rev. 2012;9:CD010078

67. ACOG Committe Opinion No.423: motivational interviewing: a tool for behavioral change. Obstet Gynecol. 2009;113:243-6

68. Bailey BA. Effectiveness of a Pregnancy Smoking Intervention: The Tennessee Intervention for Pregnant Smokers Program. Human Educ Behav. 2015l42:824-31

69. England LJ, Kendrik JS, Wilson HG, et al. Effects of smoking reduction during pregnancy on the birth weight of term infants. Am J Epidemiol. 2-15;42:824-31

70. Coleman T, Cooper S, Thornton JG, et al. A randomized trial of nicotine-replacement therapy patches in pregnancy. N Engl J Med. 2012;366:808-1864. England LJ, Kendrick JS, Wilson HG, et al. Effects of smoking reduction during pregnancy on the birth weight of term infants. Am J Epidemiol. 2001;154:694-701

71. Berlin I, Grange G, Jacob N, et al. Nicotine patches in pregnant smokers: randomised, placebo controlled, multicentre trial of efficacy. BMJ. 2014;348:g1622

72. Liying Zhang, Jason Hsia, Xiaming Tu, et al. Exopsure to Secondhand Tobacco Smoke and Interventions Among Pregnant Women in China: A Systematic Review. Prev Chronic Dis. 2015;12:140377

임신부에서 담배노출의 바이오마커

◦ 곽호석

1 담배 노출 평가를 위한 바이오마커

1) 바이오마커의 특징

(1) 일산화탄소(CO; Monoxide)

연소과정에서 생기는 물질로 담배 연기에 포함되어 있는 성분이다. 일산화탄소는 헤모글로빈과 결합력이 산소의 비해 대략 200배 높기 때문에 흡연 후 폐를 통해서 혈중 헤모글로빈과 결합하여 체내로 쉽게 흡수된다. 일산화탄소의 체내 반감기는 5시간으로 매우 짧기 때문에 금연 후 24-48시간이 지나면 비흡연자 수치로 감소한다. 체내 일산화탄소 측정은 혈중 및 호흡 공기에서 측정된다. 혈중 일산화탄소 측정은 헤모글로빈과 결합된 일산화탄소(COHb)를 측정하며, 전체 헤모글로빈의 COHb 페센트(%)로 표기한다. 일반적으로 하루에 한 갑을 피우는 흡연자는 경우 3-6%로 측정되며, 두 갑인 경우는 6-10%로 나타난다. 비흡연자의 경우는 1% 미만의 값을 갖는다. 측정방법은 혈중 가스분석기를 이용하면 쉽게 분석이 가능하다. 호흡 공기의 일산화탄소는 휴대용 장비를 이용하여 쉽게 측정되며, ppm(parts per million) 단위로 표기된다. 혈중 일산화탄소는 호흡 공기의 일산화탄소 양과 비례한다. 성인의 경우 10 ppm 이상을 직접흡연, 7-10 ppm을 간접흡연 또는 간헐적 흡연자, 6 ppm 이하를 비흡연자로 분류하고 있다.[1, 2] 호흡 공기에서 일산화탄소 측정은 저렴한 비용과 빠른 검사 결과로 현재 흡연 여부를 쉽게 판별할 수 있다.

표 4-6-1. 담배연기의 주요 독성 물질

성분 그룹	물질	평균 생성량 (ug/개피)	성분 그룹	물질	평균 생성량 (ug/개피)
Aromatic Amines	1-Aminonaphtha-lene	0.015	Inorganics	Ammonia	11.0
				Hydrogen Cya-nide	109.2
	2-Aminonaphtha-lene	0.01		Nitric Oxide	223.4
				Carbon Monox-ide	12000

(계속)

표 4-6-1. 담배연기의 주요 독성 물질

성분 그룹	물질	평균 생성량 (ug/개피)	성분 그룹	물질	평균 생성량 (ug/개피)
Aromatic Amines	3-Aminobiphenyl	0.003	Organics	Acrylonitrile	8.3
	4-Aminobipheny	0.002	Volatile Hydrocarbons	1,3-Butadiene	29.9
Carbonyls	Methyl ethyl ketone	62.7		Benzene	43.4
				Isoprene	297.7
				Toluene	64.9
				Styrene	5.1
	Acetaldehyde	560.5	Nitrogen Heterocyclics	Pyridine	7.0
	Acetone	264.8		Quinoline	0.2
	Acrolein	58.8		Nicotine	750
	Butyraldehyde	29.6	Metals & Metalloids	Arsenic	0.01
	Crotonaldehyde	16.2		Cadmium	0.048
	Formaldehyde	21.6		Chromium	0.073
	Propionaldehyde	43.9		Lead	0.033
Phenols	Catechol	37.9		Mercury	0.004
	Hydroquinone	32.4		Nickel	0.005
	m+p-Cresol	5.8		Selenium	0.035
	o-Cresol	1.9	Tobacco Specific Nitrosamines (TSNAs)	NAB	0.016
	Phenol	7.3		NAT	0.119
	Resorcinol	0.9		NNK	0.116
Polycyclic Aromatic Hydrocarbon (PAH)	Benzo[a]pyrene	0.007		NNN	0.133
			Tar	Nicotine-free-dry-particulate-matter	8.91

(2) 코티닌(Cotinine)

코티닌은 담배에 함유된 니코틴의 주된 대사물이다. 니코틴은 담배 한 개비에 대략 1-2 mg 정도 함유되어 있으며, 담배 브랜드에 따라 성분량이 서로 다르거나 니코틴이 없는 제품도 있다. 그리고 담배 이외에 니코틴이 함유되어 있는 제품(씹는담배, 껌, 패치, 코 분무 스프레이, 전자담배)도 있다. 니코틴은 담배잎에 많은 양이 함유되어 있지만, 그 밖에 감자, 토마토, 가지, 후추에도 함유되어 있다. 니코틴의 체내 흡수는 담배 연기를 통해서 흡수되며, 담배 연기의 90%가 폐를 통해서 혈액으로 빠르게 흡수된다. 체내에 흡수된 니코틴의 80% 정도가 코티닌으로 생성된다. 니코틴의 체내 반감기는 약 2시간으로 매우 짧지만, 코티닌은 반감기가 17시간으로 장시간 체내에 존재하기 때문에 바이오마커로 사용된다.[3] 코티닌은 혈청, 소변, 침, 머리카락에서 측정되며, 주로 소변에서 측정한 결과는 직접 흡연과 간접흡연 평가에 사용된다. 소변 코티닌 참고치는 100n g/mL 이상인 경우 직접흡연, 20-100 ng/mL 경우 간접흡연, 20 ng/mL 이하인 경우는 비흡연자로 평가된다. 하지만 코티닌은 금연 후 소변에서 1-2주까지 측정되므로 일시적 금연과 흡연량이 감소되는 경우 위음성 결과를 나타낼 수 있다.[4]

코티닌의 측정 방법은 효소 면역 측정 방법(enzyme immunoassay, immunoassay test strips), RIA 방법, 질량분석방법(GC/MS, LC/MS), HPLC(high performance liquid chromatography) 방법이 사용된다. 효소를 이용한 측정방법(immunoassay, RIA)은 코티닌과 비슷한 구조의 화합물(3-hydroxycotinone)이 있는 경우 측정에 간섭이 발생하므로 농도 측정에 오차가 발생할 수 있다. 그래서 정확한 측정을 필요한 경우 분리분석법(HPLC, GC)을 사용하여 측정한다.[5]

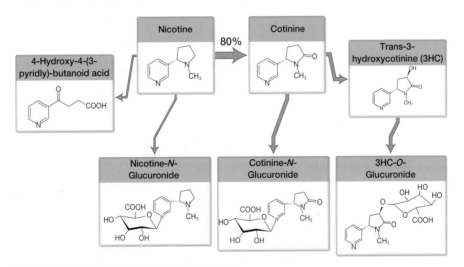

그림 4-6-1. 니코틴(nicotine)의 체내 주요 대사과정

(3) 다환식 방향족 탄화수소(PAHs, polycyclic aromatic hydrocarbons)

담배 연기에 대략 500개 정도의 PAHs가 존재하는 것으로 알려져 있다. PAHs는 유기물(석탄, 나무, 고기, 담배)들의 불완전 연소에 의해서 발생한다. 대부분의 PAHs는 독성 및 발암물질로 알려져 있고, 담배 연기에 이러한 위험 물질이 대략 100개 이상 존재한다. 담배 연기에 존재하는 PAHs는 폐를 통해서 체내로 흡수된다. 흡수된 PAHs의 주요 대사과정은 hydroxylation으로 산화되고, glucuronides와 sulfates 과정으로 소변과 대변으로 배출된다. 이들 대사물 중 담배연기에 특이적인 몇 개의 hydroxylated PAHs가 바이오마커로 사용되었다. 흡연 노출에 사용된 바이오마커는 1-hydroxypyrene, 2-naphthol, 1-hydroxyfluorene, 2-hydroxyfluorene, 3-hydroxyfluorene, 1-hydroxyphenanthrene, 2-hydroxyphenanthrene이 있으며, 흡연과 비흡연을 구분하는데 사용되었다. 바이오마커로 사용되는

PAHs의 농도는 흡연량과 비례하는 것으로 나타난다. 이들의 체내 반감기는 대략 10시간 이하이고, 개인 간과 인종 간의 편차가 크게 나타난다. 이로 인해서 다양한 PAHs의 참고치 설정이 국가 간, 인종 간 차이가 나타난다.[6]

PAHs의 측정 방법은 GC와 LC 방법으로 분리하여 검출기(질량분석기, 형광검출기)로 측정하는 방법이 사용된다. 흡연 노출에 선택적인 PAHs는 1-hydroxypyrene과 2-naphthol 이며, 1-hydroxypyrene가 니코틴과 상관성이 높아 흡연 연구에 주로 사용된다. 하지만 1-hydroxypyrene는 발암물질이 아니며, 다른 PAHs보다 수용성인 성질을 갖고 있다. 그래서 담배의 발암물질 노출 평가에는 1-hydroxypyrene 보다 다른 PAHs 사용이 유용하다.[7]

(4) TSNAs(Tobacco-Specific N-nitrosamines)

TSNAs는 니코틴으로부터 생성된 물질들로 담배 잎의 건조 및 발효과정에서 생성된다. 담배 제조 및 재료에 따라 담배에 포함된 TSNAs의 양이 달라지며, 제조과정에서 니코틴이 없는 담배인 경우에도 TSNAs는 존재한다. 담배 잎의 건조 및 발효과정에서 니코틴과 아질산염(nitrite)이 nitrosation 과정을 통해서 TSNAs가 생성되며, 흡연 과정에서는 생성되지 않는다. 질산염(nitrate)이 미생물에 의해서 환원되어 아질산염이 생성되므로 담배 잎과 공정 과정에 질산염이 많이 함유되어 있으면 많은 TSNAs가 생성된다. 담배 이외의 제품(씹는담배, 전자담배)에도 TSNAs가 존재한다고 보고되었다.[8] TSNAs는 담배에서 발생하는 특징적인 물질이므로 다른 환경적 요인에 의한 간섭이 적은 것이 특징이다. 그래서 NNAL 은 간접흡연(second-hand smoke)에 노출 평가와 독성 평가에도 유용하다.

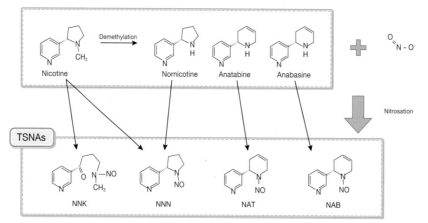

NNK: 4-(methylnitrosamino)-1-(3-pyridyl)-1-butanone
NNN: N'-Nitrosonornicotine
NAT: N'-Nitrosoanatabine
NAB: N'-Nitrosoananasine

그림 4-6-2. TSNAs의 생성과정과 종류

니코틴으로부터 생성된 주요 TSNAs는 NNK, NNN, NAT, NAB가 있으며, 이 중 NNK가 체내에서 환원되어 NNAL[4-(methylnitrosamino)-1-(3-pyridyl)-1-butanol]을 생성한다. NNK의 약 95%가 NNAL로 환원되어 체내에 오랜 기간 잔류하기 때문에 흡연 노출 바이오마커로 사용되었다. NNAL 소변에서 반감기가 10-18일로 다른 바이오마커에 비해 체내 잔류 기간이 길고, 금연 이후 6-12주(1-3달)까지 측정이 가능하다.[9] NNAL은 NNAL-glucuronide로 대사되어 소변으로 배출되는데, 사람에 따라서 대사 정도의 차이가 있어 NNAL-glucuronide/NNAL 비율이 다르게 나타난다. 대사 정도에 따라서 NNAL의 배출 속도가 달라지므로 측정 기간 및 농도에서 개인 간 차이가 발생한다. 남성과 여성을 비교한 결과에서 여성에서 다소 높은 값을 나타내고, 인종간의 비교에서 백인이 흑인보다 다소 높은 값을 나타낸다. 다른 인종간의 NNAL의 농도 차이를 보여주지 않았다.[8]

흡연자의 혈장, 소변, 머리카락, 양수에서 NNAL이 측정되었다. 흡연 노출 평가에 사용되는 검체는 장기간 검출이 가능하고, 검체 체취가 간편한 소변을 주로 사용한다. 소변에서 NNAL 측정은 NNAL-glucuronide과 NNAL을 모두 측정하는 방법이 사용된다. 소변에는 NNAL-glucuronide 형태가 NNAL 2-5배 많이 존재하기 때문에 전체 NNAL(NNLA+NNAL-glucuronide)을 측정한다.[10] 시료 전처리 방법은 소변에 β-glucuronidase를 처리하여 NNAL-glucuronide을 NNAL로 변형시켜 측정하는 방법과 두 개를 동시에 측정하는 방법이 사용된다.[11] 측정 방법은 질량분석기 GC/MS와 LC/MS를 사용하여 측정되며, 정량 한계치는 0.25-1 pg/mL로 보고되었다. 흡연과 비흡연자를 구분하는 NNAL 참고치는 34 pg/mL로 보고되었고, 높은 민감도(95.2%)와 특이도(93.4%)를 보여주었다.[12]

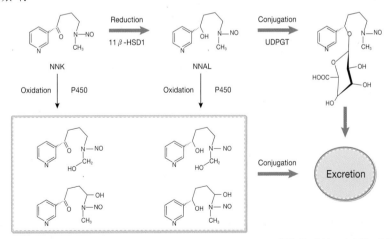

NNAL: 4-(methylnitrosamino)-1-(3-pyridyl)-1-butanol
11β-HSD1: 11β-hydroxysteroid dehydrogenase
UDPGT: uridine diphosphate glucurosyl transferase

그림 4-6-3. NNK와 NNAL의 대사과정

2 | 바이오마커를 이용한 임신부의 담배 노출 평가

1) 임신부의 흡연 패턴과 노출 평가

　　임신부의 흡연은 평소 흡연과 연관되어 있다. 계획임신이 아닌 경우 평소 흡연하는 여성의 경우 임신 사실을 확인하기 전까지는 평소처럼 흡연을 한다. 아시아 여성의 흡연율은 10%이하를 나타내며, 개발 국가인 미국, 영국의 여성 흡연율이 대략 20%를 보이고 있다. 평소 흡연 여성의 55.8%가 임신 중 금연을 한다. 임신 사실을 확인한 뒤에도 흡연을 하는 임신부는 18.3%로 나타나고, 흡연 양을 줄이는 임신부는 16.3%로 나타났다. 평소 비흡연자는 임신 중에도 흡연하지는 않는다. 출산 이후에도 임신 중 금연한 임신부의 44%가 흡연을 실시하는 것으로 나타났다.[13]

　　임신부의 담배 노출 평가에서 바이오마커를 사용하는 중요 목적은 설문지의 부정확성을 극복하기 위함이다. 임신 시기에 따라 흡연 패턴이 달라지므로 적절한 바이오마커를 사용하면 효율적인 노출 평가를 시행할 수 있다. 임신 초기 담배 노출 여부는 임신 확인 후 약 50%가 금연하기 때문에 시료 체취 시점과 금연 시점의 시간 차이가 길어지면 반감기가 긴 NNAL을 사용하여 노출 확인하는 것이 유용하다. 임신 초기 노출 평가는 임신 중 노출 가능성을 파악하는 중요한 지표가 된다. 임신 중 지속적인 담배 노출 평가는 일산화탄소 검사를 통해서 확인되며, 간헐적 또는 흡연량이 감소하는 경우에는 코티닌과 NNAL 같은 검사 방법으로 노출평가가 가능하다. 임신 중 담배 노출과 독성 평가가 필요한 경우 PAHs와 NNAL 측정이 유용하다.

2) 임신부의 담배 노출 바이오마커 평가

(1) 일산화탄소(CO)

　　호흡기 일산화탄소를 이용한 임신부의 담배 노출 평가는 일반 참고치 보다 낮은 값을 사용한다. 임신부의 경우 6 ppm 이상을 직접흡연, 4-6 ppm을 간접흡연 또는 간헐적 흡연자, 3 ppm 이하를 비흡연자로 분류하였다.[14] 임신부의 흡연과 비흡연을 구분하는 연구에서 높은 민감도(87%)와 특이도(93%)를 보여주었다.[15] 하지만 간접흡연 노출 연구에서 낮은 민감도(32.5%)와 특이도(69.2%)를 보여주고 있어, 간접흡연 평가에는 유용하지 않았다.[16]

(2) 코티닌(cotinine)

　　코티닌은 흡연 임신부의 태반 조직, 양수, 태아 혈액에서도 검출된다. 임신부의 담배 노출 설문지와 소변 코티닌 비교 연구에서 흡연과 비흡연을 구분하는 적정 참고치는 85-100 ng/mL을 사용하고 있어 다소 감소하는 경향을 보여주었다. 이것은 임신으로 인해 혈중 코티닌 제거 속도가 증가하기 현상이 반영된 것으로 사료된다. 소변 코티닌으로 흡연과 비흡연을 구분하는데 높은 민감도(95.2%)와 특이도(96.6%)를 보여주었다. 하지만 간헐적 흡연과 간접흡연의 경우에는 코티닌의 농도가 넓게 분포되어 있어 참고치로는 판별하기 어려웠다.[17, 18]

(3) NNAL

TSNAs는 태반을 통과하여 태아에게 전달되는 물질로 임신부 및 태아에서도 검출된다.[19] 임신 중 호르몬(estradiol, progesterone)의 증가는 11β-HSD1 효소 활성이 억제된다고 알려져 있다. 임신 중 흡연은 11β-HSD1 효소 활성이 억제되어 NNK가 증가하고, NNK의 산화과정으로 생긴 대사물이 DNA와 반응하여 DNA를 손상시키는 것으로 알려져 있다.[20] 코티닌과 NNAL의 비교 연구에서 코티닌과 NNAL은 양의 상관관계를 보여주었다. 흡연자의 NNAL 농도(128 pg/mL)는 간접흡연과 비흡연자의 NNAL 농도(20.9 pg/mL, 16.6 pg/mL)와 큰 차이를 보여주었다. 임신부의 흡연과 비흡연의 구분은 소변 NNAL 측정으로 가능하였다. 간접흡연의 NNAL 농도는 비흡연자와 구분이 어렵지만, 간접흡연의 노출량과 비례하는 NNAL 농도 증가는 담배 노출의 객관적 평가에 도움을 줄 수 있다.[21]

▶ **참고문헌**

1. Hampson NB, Piantadosi CA, Thom SR, et al. Practice recommendations in the diagnosis, management, and prevention of carbon monoxide poisoning. Am J Respir Crit Care Med. 2012;186:1095-101.

2. Lopez AS, Waddington A, Hopman WM, et al. The Collection and Analysis of Carbon Monoxide Levels as an Indirect Measure of Smoke Exposure in Pregnant Adolescents at a Multidisciplinary Teen Obstetrics Clinic. J Pediatr Adolesc Gynecol. 2015;28:538-42.

3. Benowitz NL, Hukkanen J, Jacob P 3rd. Nicotine chemistry, metabolism, kinetics and biomarkers. Handb Exp Pharmacol. 2009;192:29-60.

4. Jung S, Lee IS, Kim SB, et al. Urine cotinine for assessing tobacco smoke exposure in Korean: Analysis of the Korea National Health and Nutrition Examination Survey (KNHANES). Tuberc Respir Dis. 2012;73:210-218.

5. Schepers G1, Walk RA. Cotinine determination by immunoassays may be influenced by other nicotine metabolites. Arch Toxicol. 1988;62:395-7.

6. Helen SG, Goniewicz ML, Dempsey D, et al. Exposure and kinetics of polycyclic aromatic hydrocarbons (PAHs) in cigarette smokers. Chem Res Toxicol. 2012;25: 952-964.

7. Gregg EO, Minet E, McEwan M. Urinary biomarkers of smokers' exposure to tobacco

smoke constituents in tobacco products assessment: a fit for purpose approach. Biomarkers, 2013;18:467-486.

8. Xia Y1, Bernert JT, Jain RB, et al. Tobacco-specific nitrosamine 4-(methylnitrosamino)-1-(3-pyridyl)-1-butanol (NNAL) in smokers in the United States: NHANES 2007-2008. Biomarkers. 2011;16:112-9.

9. Goniewicz ML, Havel CM, Peng MW, et al. Elimination kinetics of the tobacco-specific biomarker and lung carcinogen 4-(methylnitrosamino)-1-(3-pyridyl)-1-butanol. Cancer Epidemiol Biomarkers Prev. 2009;29:3421-5.

10. Bhat SH, Gelhaus SL, Mesaros C, et al. A new liquid chromatography/mass spectrometry method for 4-(methylnitrosamino)-1-(3-pyridyl)-1-butanol (NNAL) in urine. Rapid Commun Mass Spectrom. 2011;25:115-121.

11. Yao L, Zheng S, Guan Y, et al. Development of a rapid method for the simultaneous separation and determination of 4-(methylnitrosamino)-1-(3-pyridyl)-1-butanol and its N-and O-glucuronides in human urine by liquid chromatography–tandem mass spectrometry. Anal Chim Acta. 2013;788:61-67.

12. Agaku IT, Vardavas CI, Connolly G. Proposed cutoff for identifying adult smokeless tobacco users with urinary total 4-(methylnitrosamino)-1-(3-pyridyl)-1-butanonol: an aggregated analysis of NHANES 2007–2010 data. Nicotine Tob Res. 2013;15:1956-1961.

13. Agenta A, Goran E. Smoking patterns during pregnancy: Differences in socioeconomic and health-related variables. Eur J Public Health 2000;10(3):208-213.

14. Lopez AS, Waddington A, Hopman WM, et al. The Collection and Analysis of Carbon Monoxide Levels as an Indirect Measure of Smoke Exposure in Pregnant Adolescents at a Multidisciplinary Teen Obstetrics Clinic. J Pediatr Adolesc Gynecol. 2015;28:538-542.

15. Campbell E1, Sanson-Fisher R, Walsh R. Smoking status in pregnant women assessment of self-report against carbon monoxide (CO). Addict Behav. 2001;26:1-9.

16. Alzeidan RA, Mandil AA, Fayed AA, et al. The effectiveness of breath carbon monoxide analyzer in screening for environmental tobacco smoke exposure in Saudi pregnant women. Ann Thorac Med. 2013;8:214-217.

17. Aurrekoetxea JJ, Murcia M, Rebagliato M, et al. Determinants of self-reported smoking and misclassification during pregnancy, and analysis of optimal cut-off points for urinary cotinine: a cross-sectional study. BMJ Open. 2013;3:e002034.

18. Jung S1, Lee IS, Kim SB, et al. Urine Cotinine for Assessing Tobacco Smoke Exposure in Korean: Analysis of the Korea National Health and Nutrition Examination Survey (KNHANES). Tuberc Respir Dis (Seoul). 2012;73:210-8.

19. Lackman GM, Salzberger U, Tollner U, et al. Metabolites of a tobacco-specific carcinogen in urine from newborns. J Natl Cancer Inst 1999;91(5):459-65.

20. Maser E. Stress, hormonal changes, alcohol, food constituents and drugs: factors that advance the incidence of tobacco smoke-related cancer? Trends Pharmacol Sci. 1997;18(8):270-5.

21. Vardavas CI, Fthenou E, Patelarou E, et al. Exposure to different sources of second-hand smoke during pregnancy and its effect on urinary cotinine and tobacco-specific nitrosamine (NNAL) concentrations. Tobacco control. 2012; tobaccocontrol-2011.

임신과 한약

◦ 최준식

증례

임신인지를 인지하지 못하고 임신 6주까지 한약재로 비만치료를 한 임신부가 약재의 임신 중 노출을 걱정하여서 외래를 방문하였다. 처방에 포함된 약재는 8종류의 한약재이다. 이 임신부에게 어떠한 조언을 할 수 있을 것인가?

1 서론

일반적으로 임신을 하게 되면 주위에서 태아와 임신부의 건강을 위한다는 생각으로 한약을 복용하게 한다. 정보의 발달로 약재에 대한 정보 검색이 간편해진 시점에서 본인이 복용하는 약재에 대하여 관심을 가지는 것은 당연한 일이라 할 수 있다. 임신부들의 관심에 비하여 아직까지 의료계에서 한약재에 대한 접근이 어려울 뿐 아니라, 무조건적인 터부시 하는 경향으로 한방과 양방 간의 연구가 부족한 현실이다. 우리나라의 정서상 임신 시에도 한약에 대한 노출이 많을 수밖에 없으나, 아직 한약에서 어떠한 성분이 태반을 통과하는지 혹은 태반을 통과하지 않는지에 대한 연구는 전무하다고 할 수 있다.

한약은 동식물 또는 광물에서 채취된 것으로 주로 원형대로 건조, 절단 또는 정제된 생약을 말한다. 그런데 흔히 양약이라는 의약품은 단일 성분 혹은 2-3가지의 단순한 복합체이나, 한약은 다양한 성분으로 이루어져있으며, 이중에는 구조 및 성분에 대한 연구가 되어 있는 재제도 있으나 전혀 구조 및 성분에 대한 자료가 없는 것이 대부분이다.

또한 한약재는 대부분이 경구투여가 되므로, 주 약리작용은 약재에 함유된 주성분이 약효를 발효하는 것이 아니라, 1차적으로 장내 대사를 거친 후에 흡수되어 나타나므로 정맥투여와는 약효발현이 다를 수 있다. 반면에 외국에서 연구된 한약재(예, St.John's Wort, Echinacea 등)는 국내에서 주로 사용되는 한약재와는 다르며, 단일제제에 대한 연구만이 되어있다.따라서 병용 투여되는 한약재의 태아독성에 대한 접근은 어렵다고 할 수 있다.

계획임신율이 약 50% 정도임을 감안할 때, 약재의 노출이 비교적 용이한 현실에서 가임기 여성들이 비만, 감기, 두통등 여러 질병에서 한약재에 노출이 되고 현재 시중에 유통되는 알약 형태의 약재에도 한약재가 포함되어 판매되고 있다. 외국의 현실도 국내와 크게 다르지 않아서 불안장애, 불면증, 피로 등에 임신 중 한약재를 의료진과 상의 없이 복용하고 있다. 정맥류가 있는 경우도 그렇지 않은 경우보다 임신 중 한약재 복용이 약 2.5배 증가한다고 보고하고 있다.

따라서 임신인지를 모르고 임신중 한약재를 복용하는 임신부는 태아의 안전에 대한 걱정을 하게 되며, 종국에는 임신중절을 택하게 되는 경우가 많은 실정이다.

임신을 인지하고도 임신 중 한약제에 노출된 다국가에 대한 연구에서는 18개국을 대상으로 약 9000명의 임신부를 대상으로 진행하였다. 약 29%의 임신부가 임신 중 한약재를 복용하였다. 국가 간의 노출 비율은 1–60%로 다양하게 나타났다. 북미 국가는 6–9%로 노출 빈도가 낮은데 비하여 유럽은 영국이 58%, 이탈리아는 48%, 노르웨이는 40%로 높은 빈도로 임신 중 한약재에 노출된 것을 보고하였다. 20%의 임신부가 임신 중 금기 된 약재에 노출되었다. 주부이며, 대학교육을 받은 경우, 엽산 복용을 안 하는 경우, 임신 중 음주를 하는 경우, 특히 의료진이 권고하는 경우에 금기 된 약재의 노출 비율이 1.5–3.0배 증가하였다.

2 다빈도 노출 약재

외국의 보고에서는 임신 중 주로 노출되는 약재가 박하(peppermint), 생강(ginger), 사향초(thyme), 카모마일(chamomile), 세이지(sage), 아니스(aniseed), 호로파(fenugreek), 및 녹차(green tea) 등이 있다. 주 적응증은 오심, 구토 및 위 동통 등의 소화기계 질환과 감기와 독감 감염에 복용하였다. 생강은 주로 임신 제1삼분기의 오심, 구토 치료 및 감기 치료에 사용되었다. 생강이 오심 및 구토의 증상 감소를 일으키는 기전은 위수축의 증가, 위 배출 시간 감소로 음식이 소화기관 내에 체류하는 시간을 줄임으로서 나타나는 것으로 예측된다.

녹차는 주로 설사약으로, 박하, 사향초 및 계피 등은 위 동통으로 임신부들이 복용하였다. 카모마일은 이완제제(relaxing agent)로 임신 제1, 제3삼분기에 사용되었다. 세이지, 아니스 및 호로파는 위 내공기참(flatulence) 증상완화 및 급속분만효과(oxytocic effect) 때문에 임신 제3삼분기에 임신부에게 투여되었다.

아프리카에서 임신 중 사용된 한약제는 생강, 마늘(garlic), 호박(pumpkin), Bitter leaf, 피마자유(caster oil), 가르시니아 콜라(bitter kola) 및 님(neem) 등이 있다.

마늘(garlic)은 고혈압 및 고콜레스테롤 치료에 사용된다. 작용기전은 확실하게 밝혀지지 않았으나, 앤지오텐신전환효소(angiotensin converting enzyme)를 억제하여 항고혈압 효과가 나타나는 것으로 추측하고 있다. 항 지혈 효과(anti-hemostatic effect)가 있으므로 수술 전에는 사용하지 않는 것이 권고된다. 피마자유는 진통유발 물질로 사용되는데 24시간이내에 비노출군에 비하여 3.5배 (RR 3.46; 95%CI 1.58–7.55)의 출산 효과를 나타낸다. 이는 주 성분인 ricinoleic acid에 의하여 자궁 수축이 유발되는 것으로 연구되었다. 자궁 파열의 보고가 있으므로 임신 중 사용에 주의를 요하는 것으로 보고하고 있다. 님은 고열, 염증, 궤양, 동통 및 말라리아 치료에 주로 사용된다. 일부 실험동물 연구에서 융모성 성선자극호르몬(chorionic gonadotrophin) 및 황체호르몬(progesterone)의 감소로 임신 중절(pregnancy termination) 효과를 나타내므로 주의가 필요하다.

3 임신과 관련된 부작용

카모마일과 감초는 절박유산 및 조기진통과 연관을 보고하며, 임신 오조의 치료를 위한 한약재에 대한 연구에서 6%의 연구에서 카모마일과 박하가 임신 중 안전하지 않은 것으로 보고하고 있으며, 12%의 연구에서는 생강이 안전하지 않다고 보고하고 있다.

임신 초기에 과량의 박하 복용은 월경촉진작용이 있으므로 권고되지 않는다. 호로파도 저혈당 효과(hypoglycemic effect) 및 옥시토신(oxytocin) 분비를 증가시켜서 자궁 수축을 일으킬 수 있으므로 임신 중 사용이 권고되지 않는다.

4 자궁수축을 일으키는 약재

모든 한약재에 대하여 자료가 없으므로 몇가지 동물실험이라도 되어있는 약재에서 자궁수축을 일으키는 약재에 대하여 알아보도록 한다(표 4-7-1).

표 4-7-1. **자궁수축을 일으키는 한약재**

약제명	일반명	라틴명	학명
지골피	지골피	Lycii RadicisCortex	LyciumchinenseMill. (Solanaceae)
구맥	패랭이꽃	DianthiHerba	Dianthus chinensisL. (Caryophyllaceae)
지각	광귤	AurantiiFructus Immaturus	Citrusaurantiumvar,daidaiMakino (Rutaceae)
산사	산사	CrataegiFructus	CrataeguspinnatifidaBunge (Rosaceae)
포황	애기부들꽃가루	TyphaePollen	TyphaangustifoliaL. (Typhaceae)
천궁	천궁	CnidiiRhizoma	Cnidium officinale Makino (Umbelliferae)
현호색	들현호색	CorydalisTuber	CorydalisternataNakai (Papaveraceae)
익모초	익모초	LeonuriHerba	LeonurussibiricusL. (Labiatae)
홍화	잇꽃	CarthamiFlos	CarthamustinctoriusL. (Compositae)
천패모		FritillariaeCirrhosae	BulbusFritillaria roylei Hooker. (Liliaceae)
상백피	뽕나무 뿌리껍질	MoriCortex	MorusalbaL. (Moraceae)
원지	두메애기풀	PolygalaeRadix	PolygalasibiricaL. (Polygalaceae)
결명자	결명자	CassiaeSemen	CassiatoraL. (Leguminosae)
사향	사향	Moschus	MoschusmoschiferusL. (Moschidae)
속단		DipsaciRadix	Dipsacus asper Wall. (Dipsacaceae)
당귀	참당귀	AngelicaeGigantis Radix	Angelica gigasNakai (Umbelliferae)
빈랑	빈랑	ArecaeSemen	Areca catechu L. (Palmae)

1) 천궁(Cnidii Rhizoma)

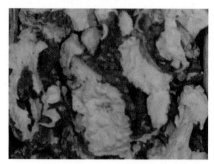 

(건조 상태의 약재)

약 3종류의 천궁이 있으나, 국내에서는 Cnidium officinale Makino(Umbelliferae)라는 학명을 가진 제제가 사용된다. 산형과에 속한 다년생 초본인 천궁(Cnidium officinale Makino)의 뿌리줄기를 건조한 것이다. 주 약리작용은 동물실험에서 좌심방수축을 억제하며, 혈관을 확장시킨다. 인간에서 혈장 프로트롬빈시간(prothrombin time)을 연장시켜 혈액의 응고를 억제한다. 천궁성분 중 phthalide계열 화합물(ligustilide, cnidilide, senkyunolide)가 신전 반사 작용을 억제한다. 또한 진정, 수면, 진통작용, 항염증작용 및 자궁평활근에 대한 흥분작용이 있다.

임신 중 천궁에 노출된 111예의 연구에 의하면 주 적응증은 감기 치료로 복용하였으며, 성별을 보정하였음에도 신생아의 키가 2SD 미만의 빈도가 대조군에 비하여 10배가 증가하는 것을 보고하였다(OR 10.1; 95% CI 1.2–87.6; p = 0.019).

2) 현호색(CorydalisTuber)

(건조 상태의 약재)

약 4종류의 현호색이 있으며, 주로 사용되는 현호색의 학명은 Corydalis ternata Nakai (Papaveraceae)이다. 양귀비과에 속한 다년생 초본인 들현호색(Corydalis ternata Nakai) 및 동속근연식물의 덩이줄기를 건조한 것이다. 주 약리작용은 진통작용이 있는데 이는 dl- tetrahydropalmatine, d-corydaline에 의하여 일어나며, 특히 dl-tetrahydropalmatine는 진정, 최면 등 중추억제작용이 있다. 또한 관상동맥의 혈류량 증가 및 말초혈관의 확장을 일으키며, 위궤양 억제작용이 있다. 또한 Tetrahydropalmatine은 시상하부에 작용하여, ACTH의 분비를 촉진시킨다. 소량의 경우, 적출자궁의 흥분작용이 있으나, 대량일 경우에는 억제한다.

3) 홍화(Carthami Flos)

© 서울아산병원 임경수

(건조 상태의 약재)

일반명은 잇꽃으로 불리며, 학명은 Carthamus tinctorius L.(Compositae)이다. 국화과에 속한 1년생 초본인 잇꽃(Carthamus tinctorius L.)의 꽃을 건조한 것이다. 주 약리작용은 혈관 확장작용이있는데 이는 성분 중 safflor yellow와 관련이 있는 것으로 알려져 있다. 또한 홍화는 전혈응고시간(whole blood coagulation time)과 프로트롬빈시간(prothrombin time)을 연장시킨다. 또한 동물실험에서 자궁수축을 일으키며, 이는 임신된 자궁에서 현저하게 일어난다. 혈중 cholesterol 하강작용도 있다. 75%의 linoleic acid를 포함하고 있으며, 몇몇 동물실험에서 태자의 폐, 간, 뇌의 fattyacid 구성에 영향을 주는 것으로 보고 되었으나 최기형성은 발견되지 않았다.

4) 당귀(Angelicae Gigantis Radix)

© 서울아산병원 임경수

(건조 상태의 약재)

약 3종류의 당귀가 있으며, 주로 사용되는 제제의 학명은 Angelica gigas Nakai (Umbellif-erae)이다. 산형과에 속한 다년생 초본인 참당귀 Angelica gigas Naki의 뿌리를 건조한 것이다. 주 약리작용은 동물 실험에서 혈색소(hemoglobin)와 적혈구의 생성을 현저하게 촉진시킨다. 이는 당귀에 포함된 Vitamin B12, folic acid 등이 주요작용을 할 것으로 알려져 왔다. 또한 자궁에 대해서는 수축(물추출물)과 이완작용(정유추출물)을 동시에 가지고 있다. 그 외에 관상동맥의 혈류량 증가, 항부정맥작용, 혈소판응집억제 및 항혈전작용, 혈청지질강하 및 동맥경화억제작용이 있다. 또한 진통 및 소염작용, 항균작용(이질간균, 장티푸스균, 파라티푸스균, 콜레라균, Bacillusproteus, 대장간균, 용혈성연구균) 및 간기능 보호작용이 있다. 동물실험에서 최기형성은 발견되지 않았다.

5) 결명자(Cassiae Semen)

© 서울아산병원 임경수

(건조 상태의 약재)

콩과에 속한 1년생 초본인 결명CassiaobtusifoliaL.과 긴강남차CassiatoraL.의 씨를 건조한 것이다. 가을철에 열매가 성숙할 때 채취하여 햇볕에 말린다. 주 약리작용은 혈압강하작용, 혈청 지질강하작용, 면역계에 대한작용(세포면역은 일정한 억제작용이 있으나, 대식세포의 기능을 높이는 작용으로 혈청 내에 lysozyme의 함량을 높인다.), 항균작용(포도상구균, 디프테리아균, 장티푸스균, 파라티프스균), 사하작용, 이뇨작용 및 자궁수축작용이 있다.

6) 지각(Aurantii Fructus Immaturus)

© 서울아산병원 임경수

(건조 상태의 약재)

운향과에 속한 상록성의 작은 교목인 Citrusaurantium L.과 우리나라에서는 탱자나무 (Poncirustrifoliata R.)의 미성숙 과실을 건조한 것이다. 7-8월에 채취하여 가운데 부분을 횡으로 자른 후 햇볕에 말리거나 저온에서 건조한다. 주 약리작용은 장관의 환상근육 수축력을 증가시키며, X선 관찰에서는 소장의 연동이 강해지고 연동파가 뚜렷하게 깊어진다. 또한 동물실험에서 자궁수축과 장력을 증가시킨다. 혈압상승효과는 norepinepnrine보다 더 빠르고 지속적인 효과를 나타냈으나, norepinephrine과 같은 혈압상승 후 혈압강하효과는 나타내지 않았다. 또한 정맥투여시 신장과 뇌혈관 저항성을 증가시키고 대퇴동맥의 혈류량을 증가시킨다. 이는 synephrine과 N-methyltyramine에 의한 것으로 밝혀졌다. 이들은 심장수축수와 크기 및 심혈류량을 증가시킨다.

N-methyltyramine은 이뇨효과를 나타내며, 혈압을 증가시키고 신혈관 저항성을 증가시켰다. 이뇨효과는 신장의 재흡수를 억제하여 나타난다. 이 약의 주성분인 synephrine은 구조적으로 ephedrine, amphetamine과 구조적으로 매우 유사하여, 교감신경흥분으로 인한 강심작용을 나타내며, 복용시 식욕감퇴로 음식섭취량과 체중증가량이 감소한다. 특히 ß-3 수용체에 작용하여 글리코겐분해, 체열발생 및 기초대사량 증가와 지방분해작용으로 체지방율이 감소하는 것으로 보고되고 있다. Ephedrine에 비하여 지용성이 덜하므로 쉽게 혈액뇌장벽(blood brain barrier)을 통과하지 않는 장점이 있으나, 고용량에서 심전도의 변화, 심계항진, 진전, 혈압상승, 불면증등 교감신경항진으로 인한 부작용과 강심작용으로 인한 심혈관 독성을 나타낼 수도 있다. 비교적 독성이 적으나 임산부는 복용을 삼가는 것이 좋다.

7) 산사(CrataegiFructus)

© 서울아산병원 임경수

(건조 상태의 약재)

장미과에 속한 낙엽교목인 Crataegus pinnatifida Bunge (Rosaceae) 및 동속근연 식물의 열매를 건조한 것이다. 주 약리작용은 지방 및 단백질의 소화를 촉진시키며, 소화효소의 분비를 증가시켜 소화작용을 돕는다. 또한 관상동맥의 혈류량을 증가시키고, 심근의 산소소모량을 감소시킨다. 강심작용, 혈압강하작용, 혈청지질강하 및 죽상동맥 경화억제작용, 항균작용(Shigellaflexneri, Shigellasonnei, 황색포도상구균, 연쇄상구균, 장내세균, Bacillusproteus, 탄저균, 디프테리아균, 장티푸스균)이있다. 산사는 자궁을 수축시키는 작용을 하여 원상태로의 회복을 촉진시킨다.

5 유산을 일으키는 한약재

모든 한약재에 대하여 자료가 없으므로 몇가지 동물실험이라도 되어 있는 약재에서 유산작용을 일으키는 약재에 대하여 알아보도록 한다(표 4-7-2).

표 4-7-2. 유산을 일으키는 한약재

약제명	일반명	라틴명	학명
박하	박하	MenthaeHerba	Menthaarvensisvar.piperascens Malinv. (Labiatae)
천화분	하늘타리	TrichosanthisRadix	Trichosanthes kirilowii Maxim. (Cucurbitaceae)
목단피	모란의 뿌리껍질	MoutanRadicis Cortex	PaeoniasuffruticosaAndr. (Paeoniaceae)
금은화	인동꽃	LoniceraeFlos	Lonicera japonicaThunb. (Caprifoliaceae)
아출		CurcumaeRhizoma	Curcuma phaeocaulisVal. (Zingiberaceae)
우슬		AchyranthisRadix	Achyranthes bidentataBl. (Amaranthaceae)
반하	반하	PinelliaeRhizoma	Pinellia ternata (Thunb.) Breit (Araceae)
마두령	쥐방울덩굴	AristolochiaeFructus	AristolochiacontortaBunge (Aristolochiaceae)
합환피	자귀나무껍질	AlbizziaeCortex	AlbiziajulibrissinDurazz. (Leguminosae)
사향	사향	Moschus	MoschusmoschiferusL. (Moschidae)
빙편	용뇌향	BorneolSyntheticum	

1) 박하(MenthaeHerba)

(건조 상태의 약재)

꿀풀과에 속한 다년생 초본인 박하 Mentha arvensis var. piperascens Malinv.(Labiatae) 또는 그 종간 잡종의 지상부를 건조한 것이다. 주 약리작용은 피부자극작용, 소염작용(naphthaloum), 해열작용, 항균작용(황색포도상구균, 백색포도상구균, α용혈성연구균, Shigella-flexneri, 탄저간균, 디프테리아균, 장티푸스균, 녹농균, 대장균, Bacillus proteus, Candida albicans), 항바이러스작용(Herpessimplex, Papilomavirus) 및 거담작용, 이담작용, 평활근 이완작용이 있다. 임신 중에 박하정유를 투여하면 태반조직의 괴사가 일어난다. 이는 자궁수축, 태반에 대한 직접적인 손상, 융모막에서 분비되는 호르몬량의 감소와 관계가 있다. 따라서 이로 인한 유산작용이있다.

2) 목단피(Moutan Radicis Cortex)

(건조 상태의 약재)

미나리아재비과에 속한 낙엽소관목인 모란 Paeonia suffruticosa Andr. (Paeoniaceae)의 뿌리줄기를 건조한 것이다. 주 약리작용은 소염작용, 항혈전, 죽상동맥경화증억제작용, 항심근허혈작용, 항부정맥작용, 혈압강하작용, 진정, 최면, 항경련작용 및 진통작용, 체온강하작용이 있으며, 항균작용(황색포도상구균, 백색포도상구균, 용혈성연구균, 폐렴구균, 고초간균, 대장간균, 티푸스균, 파라티푸스균, 이질간균, Bacillusproteus, 녹농균, 디프테리아균, 콜레라균)도 있다. 이뇨작용도 있어 수분Na,Cl의 배설을 농도의 축적으로 증가시킨다. K의 배설량은 저농도에서는 영향을 받지 않으나, 고농도에서는 감소한다. 동물실험에서 목단피 성분 중 paeonol 투여시 유산율증가(89%)를 보고하기도 한다. 임신부나 월경이 과다한 사람은 복용을 삼가는 것이좋다.

3) 금은화(Lonicerae Flos)

(건조 상태의 약재)

인동과에 속한 다년생 덩굴성 관목인 인동 Lonicera japonica Thunb.(Caprifoliaceae) 또는 그 변종의 꽃봉오리를 건조한 것이다. 여름철 꽃이 피기 전에 채취하여 건조한다. 주약리작용은 항균작용[Gram positive(황색포도상구균, 용혈성연구균, 결핵구균, 백일해균), Gram negative(이질균, 장티푸스균, 대장균, 녹농균, 결핵균, 수막염균, 임균)]이 있으며, 이는 금은화의 성분 중 caffeic acid, chlorogenic acid, isochlorogenic acid, luteolin등에 의한 것으로 보인다. 또한 influenza 바이러스, herpes zoster 바이러스에 대한 억제작용도 있다. 소염해열작용, 면역증강작용, 및 혈중 지질강하작용이 있다. 동물실험에서 금은화는 임신초기에 유산을 시키는 부작용이있다.

4) 반하(Pinelliae Rhizoma)

(건조 상태의 약재)

천남성과에 속한 다년생 초본인 반하 Pinellia ternata(Thunb.) Breit(Araceae)의 코르크 층을 제거한 덩이줄기를 건조한 것이다. 7-8월에 채취하여 외피를 벗기고 햇볕에 말린다. 주약리작용은 진해작용, 최토, 구토억제작용, 항암작용, 심실조동 및 빈맥억제작용이 있다. 동물실험에서 수정란의 착상을 억제한다. 이는 단백이 자궁 혹은 수정란막의 비슷한 구조와 결합하여 세포의 기능을 변화시키므로 유산작용을 일으키는 것으로 생각된다. 잘못 복용하는 경우에는 종창, 동통, 경련, 호흡곤란을 일으키며 심하면 질식 사망에 이르기도 한다. 생반하의 독성이 가장 강하고, 백제반하의 독성이 가장 약하다.

5) 위령선(Clematidis Radix)

미나리아재비과에 속한 다년생 낙엽성 식물인 으아리 Clematis mandshurica Rupr.(Ranunculaceae) 및 동속근연 식물의 뿌리를 건조한 것이다. 주 약리작용은 진통작용, 항말라리아작용 및 황색포도상구균, Shigella shigei에 대한 억제작용이 있으며, 유산작용 및 담즙분비 촉진작용, 평활근 이완작용, 항이뇨작용 및 혈압강하작용이 있다. 분만유도에 사용되며, 과민성 피부염을 일으킬 수 있으며, 과량 복용 시 위출혈을 일으킨다.

(건조 상태의 약재)

6) 강황(CurcumaeLongaeTuber)

(건조 상태의 약재)

생강과에 속한 다년생 관목초본인 강황 Curcuma longa L.(Zingiberaceae)의 뿌리줄기를 건조한 것이다. 주 약리작용은 소염작용 및 임파세포의 증식을 억제하며, 자연살해세포(natural killer cell)의 활성을 억제하여 면역증강억제작용을 나타낸다. 위점막 손상을 억제하며, 위벽손상의 보호작용이 있다. 또한 동물실험에서 강황 성분 중 curcumin은 단기간 지속되는 혈압강하작용을 나타내며, 혈소판응집을 억제한다. 혈중 지질강화작용도 있다. 강황의 여러 가지 추출물은 다양한 동물실험에서 유산효과를 나타낸다.

마더리스크 프로그램 자료

임신 중 한약의 노출에 관한 임신부에 대한 마더리스크프로그램의 자료에 있는 임신예후를 알 수 있는 321명의 임신부에 관한 자료를 살펴본다. 임신 중 노출된 약재의 가지수는 적게는 1종류부터 40종류까지 1명의 임신부에게 투약되었다. 노출 시기도 임신 직전부터 임신 25주까지 약재에 노출되었다. 자연유산 14예를 제외한 307명의 태아는 이중 294예(95.8%)는 출생 시 외형상 정상이었으며, 선천성 기형이 7예(2.3%) 및 자궁내 태아사망이 6예(2.0%) 있었다.

선천성 기형이 있었던 예를 구체적으로 살펴보면 표 4-7-3과 같다. 한 질병에 관하여 복합적인 한약재의 노출로 각각의 한약재에 관한 자료는 아직 부족한 실정이나 임신초기에 한약재에 노출된 태아의 예후에 관한 기초적인 자료가 될 것이다. 향후 지속적인 자료 추적과 연구를 통하여 한약재 각각에 대한 태아기형위험발생율 및 신생아의 예후를 알 수 있으리라 기대한다.

표 4-7-3. 임신 중 노출된 한약재와 선천성 기형 발생 증례들

Case	적응증	노출 임신 주수	한약재 종류	기형
1	감기	3.4	감초, 길경	Dysplastic change of leftkidney, left ectopic ureteral insertion and hydroureter, and mild pyelectasisof right kidney
2	감기	.6	작약, 황기 당귀, 천궁, 감초, 생숙지황, 백출, 갈근, 육계, 마황, 생강, 반하, 오미자	Mega-cysterna magna
3	질염	2.4	복령, 택사, 아교, 활석	Small pulmonary artery
4	소화장애	6.0	현호색, 백출, 정향, 육계, 육누구, 해아나, 건강, 장뇌	Polydactyly on left 5thtoe, cleft palate, and patent ductus arteriosus
5	비만치료	5.5	녹차분	Small echogenic foci of anterior papillary muscle of left ventricle of heart
6	소화장애	5.7	황련, 개자, 나복자, 치자, 삼릉, 천궁, 아출, 도인, 향부자, 산사육, 오수유, 익지인, 청피, 우담	Left borderline ventriculomegaly of cerebrum
7	Other	5.6	계지, 지모, 갈근, 오미자, 생숙지황, 우방자, 대조, 감초, 복분자, 건강, 구기자, 자초, 금은화, 영지	Patent ductus arteriosus

표 4-7-4. 중국 한약재에서 검출된 양약

Acetaminophen	Dicolfenac
Aminopyrine	Ethoxybenzamide
Betametasone	Fluocinoloneacetonide
Caffeine	Fluocortolone
Chlordiazepoxide	Glibenclamide
Chlorzoxazone	Hydrochlorothiazide
Clobetasolpropionate	Hydrocortisone
Corticosteroids	Indometacin
Dexamethasone	Mefenamicacid
Dexamethasoneacetate	Methylsalicylate
Diazepam	Phenytoin

토의

위에서 언급한 일부 자료가 있는 약재들도 현재까지는 대규모의 역학적인 연구가 없는 실정이다. 서론에서도 언급한 것과 같이 외국의 사례는 국내와 약재가 다르므로 정확하게 적용시

키기는 어려운 실정이나, 일부 중국의 한약재를 지속적으로 복용한 경우, 간독성 및 신경학적 증상을 일으키는 증례를 보고하며, 한약재의 중금속 오염도 보고되고 있다. 대부분의 증례 보고이기는 하나, 납, 수은 및 비소 등의 오염을 보고하고 있다. 또한 중국 한약재에 추가적으로 포함된 양약의 보고도 있다(표 4-7-4). 이중에는 여러 종류의 스테로이드 제제를 비롯하여 이뇨제 및 항전간제도 포함되어있다. 캐나다의 한 연구에서도 캐나다 인구의 71%가 한약재를 사용하고 있으며 약 29%가 한약재는 천연성분이므로 안전하다라고 여기고 있다. 그러나 각각의 약재에 관한 임신중의 안전성에 대한 연구는 미비하다. 따라서 한약재에 대한 체계적인 모니터링 시스템의 구축이 필요하며, 이를 통하여 임신 중 한약재에 노출된 임신부 및 태아의 건강에 관한 자료의 확립이 우선되어야 한다. 또한 한약재의 처방을 객관화하여, 자궁 수축을 일으키거나 유산을 일으킬 수 있는 약제의 경우에는 임신부나 임신을 계획하는 여성에서 사용을 자제하는 것이 필요하다. 이러한 약재가 포함되어 있는 기존 약재의 처방에 경고 문구의 삽입도 고려되어야 한다. 우리나라에서 사용되는 약재의 종류가 중국이나 미주의 나라와는 차이가 있으므로 우리나라 나름대로의 분류체계의 확립도 이루어져야한다.

▶ **참고문헌**

1. 김호철,한방약리학,집문당,2004.

2. 한방약리학교재편찬위원회,한방약리학,신일상사,2005.

3. Al Disi, S. S., Anwar, M. A., and Eid, A. H. Anti-hypertensive Herbs and their Mechanisms of Action: Part I. Front. Pharmacol. 6, 323, 2016.

4. Chrubasik, S., Pittler, M. H., and Roufogalis, B. D. Zingiberis rhizoma: a comprehensive review on the ginger effect and efficacy profiles. Phytomedicine 12 (9), 684–701, 2005.

5. D. A. Kennedy, A. Lupattelli, G. Koren and H. Nordeng, Safety classification of herbal medicines used in pregnancy in a multinational study, BMC Complement Altern Med. 15;16:102, 2016

6. E.Ernst, Risk of herbal medical products. Pharmacoepidemiology and drug safety 2004;13:767-71.

7. Fruscalzo, A., Salmeri, M. G., Cendron, A., Londero, A. P., and Zanni, G. Introducing routine trial of labour after caesarean section in a second level hospital setting. J. Mater. Fetal Neonatal Med. 25 (8), 1442–1446, 2012.

8. G.Koren et al, Mother Nature:Establishing a Canadian Research Network for Natural Health Products(NHPs) During Pregnancy and Lactation. The journal of alternative and complementary medicine. 2008;14:369-72.

9. J. Frawely, MClinSc, J. Adams, A. Steel, A. Broom, C. Gallois, D. Sibbritt. Women's use

and self-prescription of herbal medicine during pregnancy: an examination of 1,855 pregnant women. Women's Health Isssues, 25;396-402, 2015.

10. J. M. Wilkinson, What do we know about herbal morning sickess treatments? A literature survay. Midwifery 16;224-8, 2000.

11. June-Seek Choi, Jung-Yeol Han, Gideon Koren, Yeon-Kyung Cho, Evaluation of fetal and neonatal outcomes after ingestion of Cnidium root (Cnidium officinale Makino) during pregnancy. Early Hum Dev. 161:105456, 2021.

12. Korean MotheriskProgram

13. L. Cuzzolin, F. Francini-Pesenti, G. Verlato, M. Joppi, P. Baldelli, G. Benoni, Use of herbal products among 392 Italian pregnant women: focus on pregnancy outcome. Pharmaco¬epidemiol Drug Saf 19;1151-8, 2010.

14. L. J. John, N. Shatakuma, Herbal medicines use during pregnancy: a review from the middle east. Oman medical journal, 30;229-36, 2015.

15. Magalie El Hajj, Herbal Medicine Use During Pregnancy: A Review of the Literature With a Special Focus on Sub-Saharan Africa, Front Pharmacol. 9;11:866, 2020.

16. Sicuranza, G. B., and Figueroa, R. Uterine rupture associated with castor oil ingestion. J. Mater. Fetal NeonatalMed. 13 (2), 133–134, 2003.

17. T. Felming, PDR for herbal medicine. 4th ed. Thomson health care Inc. USA pp; 121, 414, 522, 649, 2009.

18. Talwar, G. P., Shah, S., Mukherjee, S., and Chabra, R. Induced termination of pregnancy by purified extracts of Azadirachta Indica (Neem): mechanisms involved. Am. J. Reprod. Immunol. 37 (6), 485–491, 1997.

19. Tunaru, S., Althoff, T. F., Nüsing, R. M., Diener, M., and Offermanns, S. Castor oil induces laxation and uterus contraction via ricinoleic acid activating prostaglandin EP3 receptors. Proc. Natl. Acad. Sci. U. States America 109 (23), 9179–9184, 2012.

20. Wang, H. P., Yang, J., Qin, L. Q., and Yang, X. J. Effect of garlic on blood pressure: a meta-analysis. J. Clin. Hypertens. (Greenwich) 17 (3), 223–231, 2015.

21. www.tradimed.co.kr

22. Y.I. Orief, N.F. Farghaly, MIA Ibrahim, Use of herbal medicines among pregnant women attending family health centers in Alexandria. Middle East Fertil Soc J; 2012. Available at http://dx.doi.org/10.1016/j.mefs.2012.02.007. Accessed February 3, 2013.

23. Zamawe, C., King, C., Jennings, H. M., Mandiwa, C., and Fottrell, E. Effectiveness and safety of herbal medicines for induction of labour: a systematic review and meta-analysis. BMJ Open 8 (10), e022499–e022499, 2018.

환경호르몬과 임신

◦ 안범수

1 서론

1) 환경호르몬의 정의

환경호르몬의 공식적인 명칭은 '내분비교란물질'이고 미국의 백악관 과학 위원회가 1997년에 주최한 연구 발표회에서는 이 내분비교란물질을 생체 내 호르몬의 합성, 분비, 체내 수송, 결합, 작용 또는 분해에 개입함으로써 생체의 항상성(homeostasis) 유지, 생식, 발달 또는 행동에 영향을 주는 '외래 물질'이라고 정의하였다.

즉, 우리들의 내분비계를 어지럽히고, 자손에게까지 나쁜 영향을 미치는 외부에서 전해진 유해 물질을 가리킨다. 내분비계를 한마디로 정의하면 우리들의 생식, 발달, 성장, 행동 등의 중심적인 역할을 하는 호르몬이 활동하는 곳이다.

환경호르몬이란 신체 외부에서 들어와 인간이나 동물, 그 중에서도 특히 태아의 신체 기관의 기능이나 생장을 방해하여 심각한 건강상의 문제를 일으키는 화학물질이나 화학물질 혼합물을 말한다.

2) 환경호르몬의 특징

(1) 벤젠고리의 화학적 구조

대표적인 환경호르몬(다이옥신류, 트리부틸 주석, 비스페놀A, 파라벤류 등)의 화학구조는 공통적으로 트리부틸 주석을 제외하고는 모두 벤젠 고리를 가지고 있다. 벤젠 고리는 소위 '거북의 등딱지'처럼 6개의 탄소(C)가 사슬 모양으로 연결된 곳에 수소(H)가 붙은 단순한 구조이다. 우리 주변에서 흔히 볼 수 있는 의약품, 합성 섬유, 목재 등의 중요한 기본 구조이다.

(2) 작은 분자량의 구조

생체를 구성하는 분자는 단백질이나 다당류와 같은 복잡한 고분자 화합물로서 분자 크기가 크다. 고분자 화합물이란, 분자량이 약 1만 이상인 화합물의 총칭이다. 유전자도 핵산 (DNA와 RNA)이라는 고분자가 그 기본 요소이다. 이러한 것들과 비교하면 환경호르몬의 분자 크기는 매우 작고 분자량도 기껏해야 300 정도이다. 따라서 분자의 구조도 단백질 등에 비해 상당히 단순하다.

(3) 지용성 화학구조

단백질, 다당류, 핵산 등은 물에 잘 녹는다. 그들의 구성 단위인 아미노산이나 글루코오스도 물에 잘 녹는다. 그러나 환경호르몬은 물에 잘 녹지 않고 기름과 같은 소수성의 용매에 잘 용해되는 지용성이다.

환경호르몬이 지용성인 것은 지용성의 벤젠고리를 분자 속에 가지고 있기 때문이다. 단, 지용성 물질은 체내에도 지방 조직, 세포막을 구성하고 있는 지질, 스테로이드 호르몬 등과 같이 상당히 많이 존재하기 때문에 결코 희귀한 물질은 아니다. 이들은 환경호르몬과 화학구조가 약간 다를 뿐이다. 그러나 이 작은 구조의 차이가 환경호르몬과 무해물질의 구분 방법이 된다.

(4) 낮은 생분해성

생물은 동물이든 식물이든 삶이 끝나면, 그 구성체는 분해되어 자연으로 되돌아간다. 이와 같이 물질이 효소에 의하여 분해되고 소멸되어 가는 성질을 생분해성이라고 한다. 환경호르몬 분자는 효소에 의해 끊어지기 쉬운 에스테르 결합이나 아미드 결합을 가지지 않기 때문에 생체 내에서 잘 분해되지 않고, 원래의 형태를 계속 유지하여 체내 축적이 가능하다.

3) 환경호르몬의 분류

현재 사회에서 사용되고 있는 수만에서 10만 종류의 화학물질 가운데 약 70 종류가 환경호르몬으로 분류되었다. 그 대부분은 농약이나 살충제로써 지금은 잘 사용되고 있지 않지만 땅속에는 여전히 사용한 대부분이 잔류되어 있을 것으로 추정된다.

대표적인 환경호르몬에는 극히 미량으로도 독성을 나타내는 것으로 알려진 페놀성 화합물(비스페놀A, 노닐페놀, 펜타클로로페놀)과 잔류성 유기 염소계 물질(다이옥신류, PCB, PBB), 우리가 실생활에 많이 사용하는 플라스틱 제품 가소제로 많이 사용되는 프탈레이트류(DEHP, DBP, BBP, DnOP), 및 DDT를 포함한 농약류 및 방부제로 사용되는 파라벤류(메틸 파라벤, 에틸 파라벤, 프로필 파라벤, 부틸 파라벤) 등 다양한 종류가 있다.

표 4-8-1. **환경호르몬의 분류**

	화학물질
페놀성 화합물	비스페놀A, 노닐페놀, 펜타클로로페놀
유기 염소계 물질	다이옥신류, PCB, PBB
프탈레이트류	DEHP, DBP, BBP, DnOP
농약류	DDT
파라벤류	메틸 파라벤, 에틸 파라벤, 프로필 파라벤, 부틸 파라벤

4) 환경호르몬이 모체 및 태아에 미치는 영향

호르몬은 생물의 성장, 생식, 그리고 행동을 비롯한 다양한 생리작용에 영향을 미친다. 사람의 경우, 현재까지 알려진 호르몬 종류는 1백여 종에 이르고 호르몬이 분비되는 주요 장기에는 뇌(송과선, 시상하부, 뇌하수체), 갑상선, 부갑상선, 흉선, 부신, 췌장, 생식소(정소와 난소) 등이 있다.

분비된 호르몬 분자는 혈액을 타고 타겟 장기에 이르러 세포를 자극한다. 이때 호르몬이 결합하는 부위는 세포 표면 또는 세포 내에 존재하는 수용체다. 호르몬과 수용체의 관계는 열쇠와 자물쇠의 결합 관계와 마찬가지로 특이성을 지닌다. 호르몬의 특정 부위가 수용체에 성공적으로 결합하면 이 신호가 세포 내 신호전달을 통하여 조절 유전자를 활성화 또는 발현시킨다. 그 결과 몸에 필요한 단백질이 합성되어 생체의 생리작용을 일으킨다. 일반적으로 한 세포에서 알려진 수용체의 종류는 수백여 종에 이르고 한 종류의 수용체 수는 1만 개 이상으로 알려져 있다.

환경호르몬은 생식호르몬의 활성에 영향을 미치게 되는데 이러한 생식호르몬의 내분비 기능은 종족보존에 기여하며 선대의 유전적 정보를 전달하고, 세포의 분화와 기관형성을 조절하는 역할을 한다. 페놀계, 유기염소계 등 많은 환경호르몬들이 여성호르몬인 에스트로겐과 유사한 기전을 통하여 작용함으로써 그 영향을 나타내는 것으로 알려져 있다. 그렇기 때문에 환경호르몬은 포유류와 어류 및 조류에서 수태율을 감소시키고, 수컷 성징 소실 및 여성화와 관련이 있다.

일반적으로, 비중금속 물질에 의한 내분비장애의 기전은 호르몬 특이적 수용체에 대한 상경적 작용이나 스테로이드 생성의 억제에 기인한다. 이러한 생리적 부작용 때문에 환경호르몬은 임산부뿐 아니라 모체의 뱃속에 있는 태아에게도 영향을 미친다. 임신 유지를 위해서는 여성호르몬인 에스트로겐, 프로게스테론, GnRH, hCG 등의 호르몬들이 균형을 이루어야 하며, 그 균형이 와해될 경우 심각한 증상이 야기될 수 있다. 따라서 모체가 환경호르몬에 과잉노출 되었을 경우 조산, 사산, 유산 등의 질환들이 야기될 수 있다. 모체와 태아는 태반을 통하여 물질을 교환하게 되는데, 태반이 오염 물질을 완벽하게 막아주지 못하기 때문에 모체에 노출된 환경호르몬이 태아에게로 들어갈 수 있다. 태반을 통과하여 태아로 들어온 오염 물질들은 제거되어야 하지만 독성물질을 제거할 수 있는 태아의 간이나 신장이 완전히 성숙하지 않았기 때문에 태아의 몸 안에서 그대로 축적될 수 있다. 태아기에 노출된 이러한 환경호르몬은 조기 성기능 장애에 의해 평생 동안 영향을 끼치게 된다. 태아의 유전자 중에는 발생 초기에 호르몬에 의하여 활성화 되는 유전자도 있고 좀 더 성숙한 후에 활성화 되어야 하는 유전자가 있지만 체내 축적된 환경호르몬들에 의해 내분비계에 교란이 일어나게 되면 여자 아이의 경우 10대에 해야 할 초경을 다섯 살에 하거나, 사춘기 이후 월경불순, 불임, 유방암, 난소암 등의 질환의 원인이 될 수 있고 남자아이의 경우 고환이 난소처럼 복강 내에 위치하는 잠복고환, 정자수가 충분하지 않은 무정자증, 성인의 경우 유방증, 성욕감퇴 등의 생식기계 장애를 유발할 수 있다. 또한 주의력이나 지능에 문제를 일으켜 ADHD(주의력결핍과잉행동장애)를 야기하거나 만성 스트레스, 면역기능 억제를 유발할 수도 있다.

사회의 산업화로 인해 많은 화학물질들이 개발되어 사용된다. 이러한 화학물질들은 우리 삶에 편안함을 주지만 더불어 피해도 주고 있다. 그 중 우리의 일상생활에서 편하게 사용되는 플라스틱을 통해 다수의 환경호르몬들이 우리의 삶에 가까이 다가와 있다. 이러한 환경호르몬들은 번식계에 다양한 부작용을 유발할 수 있기 때문에, 건강한 자손을 낳기 위해서는 이들에 의한 독성영향을 예방하고, 이들의 특성을 이해하는 것이 필요하다. 본 장에서는 산모와 태아에게 영향을 끼치는 환경호르몬의 종류와 이들의 영향 및 작용기전에 대해 기술하였다.

2 본론

1) Phenol 류

(1) Bisphenol A
① 물질정보
   i) 분자식: $C_{15}H_{16}O_2$(분자량: 228.29 g · mol−1)

② 발생원
   i) 플라스틱 용기
   ii) 음료 캔의 내부코팅제

　　iii) 병마개

　　iv) 수도관의 내장 코팅제

　　v) 곰팡이 제거제

　　vi) 치과치료 시 이용되는 아말감

③ 임상적 적응증(Clinical indications)

　　i) 신경계 증세: 기억력저하, 집중력저하, 과잉행동

　　ii) 갑상선호르몬 분비 교란

　　iii) 신경세포암, 유방암, 전립선암

　　iv) 생식기계 교란, 성욕감소

④ 작용기전(Mechanism of action)

　　i) Bisphenol A는 diethylstilbestrol과 구조적 유사성을 가지며 에스트로겐 수용체를 조절한다는 연구결과가 있다. 이는 에스트로겐 보다 더 강하게 작용하여 결과적으로 발암성 변이를 유발할 수 있다.

⑤ 체내 동태

　　i) 흡수: 치과용 밀봉제에서 유출된 bisphenol A가 인체에 흡수되는 정도를 측정하기 위하여 대상자들을 저노출 그룹(8 mg)과 고노출 그룹(32 mg)로 나누었고, 노출 후 여러 시점에서 실험 대상자의 타액과 혈액 속의 bisphenol A를 HPLC를 통해 분석한 보고가 있다. 실험에 쓰인 bisphenol A 농도는 검출한계(5 ppb) 미만이었으나, 1시간과 3시간 후 시험자들의 타액에서 검출된 bisphenol A농도는 5.8~105.6 ppb 범위였다. 혈청에서는 24시간 이후까지 bisphenol A가 검출되지 않았다.

　　ii) 분포: 인체에서 bisphenol A는 탯줄의 혈액과 양수에서도 발견된다는 점을 미루어 볼 때 배아와 태아에게로 전달되는 것을 알 수 있다. F344 랫드를 대상으로 한 실험에서 임신 후 bisphenol A를 경구투여 했을 때 모체의 혈액, 태자의 혈액과 각 기관 내에 빠르게 분포되었으며 특히 태자의 혈중 bisphenol A 농도와 평균 잔류시간, 최종 반감기 등이 모체에 비해 높았다.

　　iii) 대사: D16-bisphenol A에 노출된 인체의 소변 중 bisphenol A와 대사체의 농도를 측정하였을 때 1~3시간 사이에 최고농도에 이르렀으며 제거 반감기는 4시간으로 나타났다. 임신한 마우스를 대상으로 한 실험에서 0.025 mg/kg bw의 bisphenol A를 주사하였을 때 소변 샘플에서 주된 대사체는 bisphenol A glucuronide와 hydroxylated bisphenol A glucuronide였으며 대변 샘플에서 측정된 주 물질은 대사되지 않고 그대로 배출된 bisphenol A였다.

iv) 배설: D16-bisphenol A 0.00028~0.09 mg/kg bw를 체내에 투여했을 때 투여량의 80~100%가 소변을 통해서 배출되었으며 반감기는 4~5.4시간이었다. SD 랫드를 대상으로 한 실험에서 위관삽입방법으로 bisphenol A를 투여하였을 때 투여량의 65~78% 정도가 대변을 통해 배출되었고, 소변을 통해 14~22% 정도 배출되었다. 임신한 랫드의 경우 임신하지 않은 랫드와 별다른 차이가 없었다.

⑥ 기형발생정보

i) 동물실험: Bisphenol A가 자궁 내에 노출된 랫드를 이용하여 실험을 진행하였을 때 이 랫드에서 태어난 새끼들은 발정기 동안 자궁의 내막이 충분히 두터워지지 못하였다. 이는 에스트로겐 수용체의 발현과 분포가 영향을 받아 나타난 것으로 보인다.

ii) 역학연구 정보: 습관성 유산 경력이 있는 45명의 여성환자를 대상으로 한 연구에서, 혈청 bisphenol A의 농도가 대조군(0.77+/-0.38 ng/mL)에 비해 2.59+/-5.23 ng/mL로 현저히 높았다.

(2) Nonyl phenol

① 물질정보

i) 분자식: $C_{16}H_{24}O$(분자량: 220.35 g · mol-1)

② 발생원

i) 페인트

ii) 농약

iii) 유화 중합체

iv) 금속마감재

③ 임상적 적응증(Clinical indications)

    i) 눈의 점막을 통해 흡수되어 안구손상, 각막혼탁

    ii) 위장 자극 및 호흡기에 영향을 줌

    iii) 피부노출에 의한 피부변색, 홍반, 염증 및 괴사를 유발

④ 작용기전(Mechanism of action)

i) 에스트로겐 수용체와 친화성이 있는 것으로 알려져 있다. Nonyl phenol의 경구투여 시 암컷 랫드의 자궁에서 에스트로겐 유사효과를 나타내었다. 지질 친화성이 높아 세포에 잘 흡수되어 단백질을 변성시킨다. 또한 조직 및 혈장단백질과 공유결합을 하여 응고괴사가 발생할 수 있으며 고용량의 페놀 농도에 노출되면 중추신경계에 영향을 미쳐 치명적이다.

⑤ 체내 동태

    i) 흡수: 경구투여 양의 약 1% 만이 순환계로 유입되었으며 인간에게 경구투여로 인한 생물학적 이용률은 약 20%였다.

    ii) 분포: 인간에게 경구투여하여 두 시간 이내에 지질층으로 분포되었다.

    iii) 대사: 랫드에게 식이를 통해 섭취시켜 혈청 및 내분비 조직에서 대사물을 정량한 결과, 혈중 glucuronic acid 포합반응이 많음에도 불구하고 nonyl phenol aglycone의 조직축적이 나타났다.

    iv) 배설: 인간에게서 nonyl phenol을 경구 및 정맥 투여한 경우 모두 혈중제거 반감기는 2~3시간이었다.

⑥ 기형발생정보

    i) 동물실험: Nonyl phenol에 오염된 쌀을 먹인 마우스에서 첫 출산이 지연되었으며 정자수가 감소하였다. Nonyl phenol은 에스트로겐 민감성 유방암 세포에서 프로게스테론 수용체를 증식시키고, 에스트로겐 활성을 증가시켰다. 또한 마우스에 28일간 경구투여하였을 때 50 mg/kg 용량에서 갑상선 무게가 증가하였고 250 mg/kg에서는 전립선 및 생식소포의 상대적 무게가 감소하였다. 암컷에서는 월경주기의 불순이 관찰되었다.

    ii) 역학연구 정보: 출산 10일 이내의 산모 325명을 대상으로 모유 중의 nonyl phenol을 분석한 결과 갑상선 질환이 있는 산모인 경우 건강한 산모보다 유의적으로 높은 수치를 보였다.

(3) Pentachlorophenol

① 물질정보

i) 분자식: C_6HCl_5O(분자량: 266.34 g · mol−1)

② 발생원

i) 1984년 전까지 pentachlorophenol은 살생물제로 사용되었으나 현재는 판매 및 사용이 제한됨

ii) 전봇대, 가로대, 울타리 등에 사용되는 목재의 방부제

iii) 목재, 페인트, 셀룰로오스 제품, 섬유 및 산업폐기물에 곰팡이 및 조류, 이끼류의 성장 방지용 재료

③ 임상적 적응증(Clinical indications)

i) 식욕부진 및 구토, 오심

ii) 점막의 염증, 기관지염

iii) 각막 혼탁 및 각막 무감각

iv) 혈관 내 용혈, 고혈당증, 대사성 산증, 사지통

④ 작용기전(Mechanism of action)

i) 미토콘드리아의 산화적 인산화 과정에서 uncoupling을 유도하여 기초 대사율을 높이고 체온을 상승시킨다. Pentachlorophenol은 10^{-6}M의 낮은 농도에서도 uncoupling을 유도할 수 있으며 미토콘드리아 및 미오신의 아데노신 삼인산화효소의 억제, 해당과정의 인산화 억제, 호흡효소의 불활성화를 유도하고, 미토콘드리아에 손상을 줄 수 있다.

⑤ 체내 동태

i) 흡수: Pentachlorophenol 및 그의 나트륨염은 흡입, 경구, 피부를 통해 흡수되며 피부흡수는 경구흡수에 비해 느리고 덜 완전하게 흡수되지만 물에 용해되었을

때보다 디젤유에 용해되었을 때 흡수가 더 증가한다.

ii) 분포: 토끼를 대상으로 한 실험에서 주로 소변에서 검출되었으며 4~7%는 위 장관에서 발견되었고 나머지는 조직에 골고루 분포하였다. 가장 농도가 높은 조직은 신장과 간이었으며 21마리의 사후 조직에서 pentachlorophenol 농도는 간, 신장, 뇌, 비장, 지방 순으로 높게 나타났다.

iii) 대사: Pentachlorophenol은 주로 미변화체로 배설된다. Pentachlorophenol은 광범위하게 대사되지는 않지만 일부는 간에서 포합과정을 통해 glucuronide를 형성하고 산화적 탈염소화 과정에 의해 tetrachloro-p-hydrozuinone으로 대사된다.

iv) 배설: 토끼를 대상으로 한 실험에서 80%정도가 소변으로 배설되었으며 형태는 pentachlorophenol 및 glucuronide였다. 반감기는 만성적으로 노출된 인간의 경우 20시간 정도이며, 원숭이를 대상으로 한 연구에서 72~83시간으로 나타났다.

⑥ 기형발생정보

i) 동물실험: 랫드와 햄스터를 대상으로 한 실험에서 pentachlorophenol은 배자독성 및 태자독성을 나타냈다. 임신한 랫드에 pentachlorophenol을 5~50 mg/kg의 용량으로 경구투여한 결과 흡수, 피하 부종, 요관확장, 늑골 및 두개골, 척추의 이상이 나타났다. 랫드에서 pentachlorophenol은 모체에게 명백한 독성을 나타내었고 고용량에서 기형을 유발하였다.

ii) 역학연구 정보: Pentachlorophenol에 노출된 남성의 자녀들에서 선천적인 안과적 이상, 특히 선천성 백내장의 발생률이 증가하였다. 또한 생식기 이상뿐 아니라 무뇌증 및 이분척추증이 증가되었다. 또한 유산경력이 있는 여성의 혈액에서 pentachlorophenol 수치가 증가되었다.

2) 잔류성 유기 염소계 물질

(1) Polychlorinated dibenzodioxins(Dioxin)

① 물질정보

i) 분자식: $C_{12}H_8-nCln$

② 발생원

   i) 환경 내의 다이옥신 발생은 광범위하나, 주로 염소를 포함하고 있는 화합물의 연소에 의해 생성되고, 제초제 등을 제조하는 과정에서 불순물로 존재함.

   ii) 염화페놀 관련물질의 제조공정: 제조, 곰팡이 방지, 살충제

   iii) 폐기물 소각: 산업폐기물, 도시폐기물, 의료폐기물의 소각에 따른 굴뚝 먼지, 바닥재

   iv) 펄프 및 종이제조: 염소화합물에 의한 표백처리 공정

   v) 담배연기

③ 임상적 적응증(Clinical indications)

   i) 태아에 미치는 영향으로 주로 성호르몬과 갑상선 기능 장애, 면역계의 이상을 유발

   ii) 특히 남성호르몬의 작용을 억제하는 성질이 있기 때문에 고환의 위축과 정자생산력의 감소가 유발되며 비뇨계의 이상이 있을 수 있음

   iii) 산모는 갑상선 기능 장애로 인해 구개열인 기형아를 출산할 수 있음

   iv) 자궁내막증식증 유발

   v) 호르몬 및 다른 생물학적 신호 물질에 영향을 주어 세포의 성장과 활력을 변화시킴으로써 수정란의 발달이 더디게 되고 태아 발달의 초기단계에 영향을 줌

   vi) 호흡기계 암 및 연조직의 육종암 유발

④ 작용기전(Mechanism of action)

   i) 다이옥신 중 가장 독성이 강한 것으로 알려진 TCDD(2,3,7,8-Tetrachlorodibenzo-P-dioxin)와 호르몬 및 호르몬 수용체와의 상호작용은 TCDD의 독성과 밀접한 관련이 있다. TCDD가 글루코코르티코이드, 프로락틴, 티록신, 저밀도 지단백, 내인성 표피성장인자 및 에스트로겐의 수용체를 조절한다는 연구결과가 있다. 에스트로겐 수용체 조절 및 이 조절에 대한 동물의 생리학적 반응이 특히 중요한 영향인 것으로 추정되며 TCDD를 투여한 동물에서 관찰되는 독성의 원인의 상당 부분을 이를 통해 설명할 수 있다. TCDD에 대한 여러 동물 종의 감수성은 스테로이드의 gluconic acid 결합 능력과 상관이 있다. 호르몬계가 서로 긴밀한 상호작용을 하고 상호의존적으로 조절을 한다는 점으로 미루어 볼 때, 스테로이드 외의 다른 호르몬도 TCDD의 독성과 관계가 있을 것으로 추정된다. TCDD는 사이토크롬 P450의 매우 강력한 유발인자이다. P450은 TCDD의 독성을 제거하지도 않으며 TCDD를 활성화시켜 유전독성이나 세포독성을 띠는 대사산물을 생성하지도 않기 때문에 유발된 P450이 TCDD의 독성에 영향을 미치는 지에 대한 여부는 밝혀지지 않았다. 2,3,7,8-TCDD는 선천성 면역반응 및 적응 면역반응 다수를 억제한다. 면역

반응 억제를 매개하는 것은 리간드 활성화 전사인자인 AhR이다. AhR은 유전자 발현을 촉진시키거나 또는 다른 전사인자와 물리적 상호작용을 함으로써 전사활동을 변화시키고 이를 통해 TCDD의 독성을 매개하는 것으로 보인다.

⑤ 체내 동태

   i) 흡수: TCDD의 위장 내 흡수에 대해서는 각 이성체의 지방친화성에 따라 차이가 나기는 하지만, 설치류에서 60%의 흡수율을 나타내는 것으로 보고되었다. 모유에 포함된 다이옥신류(2,3,7,8-TCDD; 1,2,3,7,8-PeCDD; 1,2,3,4,6,7,8-HpCDD; OCDD)는 높은 비율로 영·유아에게서 흡수되는 것으로 보고되었고, 대부분의 다이옥신류들이 90-95%의 정도의 높은 흡수율을 영·유아에게서 보였다. 피부흡수에 대한 연구로는 사람의 피부조직을 이용하였을 때 아세톤에 녹아있는 2,3,7,8-TCDD가 6-70 pg/hour·cm^{2}의 속도로 흡수되었으며 심할 경우에는 800 pg/hour·cm^{2}의 속도로 흡수되었다.

   ii) 분포: 흡수된 다이옥신류는 지방단백 중 밀도가 낮은 성분인 유미미립(chylomicron)에 포함되어 빠르게 혈액을 통하여 이동한다. 랫드의 경우 반감기 30분에 걸쳐 혈액에서 지방, 간, 피부, 근육 등으로 빠르게 이동하며 분포에 걸리는 시간은 제거에 필요한 시간에 비하여 상대적으로 짧다. 5H-2,3,7,8-TCDD를 1.14 ng/kg의 농도로 경구 섭취한 후 노출 된지 18일과 69일 후에 지방조직의 TCDD농도는 각각 3.09 ppt와 2.86 ppt로 나타났다. 이 값으로부터 섭취한 TCDD의 약 90%가 지방조직에 분포함을 알 수 있다.

   iii) 대사: 이전의 연구에서 TCDD는 대사가 되지 않는 것으로 보고되었으나 최근 연구에서는 TCDD가 극성 대사산물로 천천히 변한다는 보고가 있었다. 현재까지 보고된 연구결과들을 종합한 포유류의 다이옥신 대사경로는 그림과 같다(그림 4-8-1).

   iv) 배설: 생체 내 반감기는 랫드의 경우 20일, 마우스는 12일, 기니피그는 90일, 인간의 경우는 6-11년이다. 지방의 함량이 이러한 반감기에 영향을 주는 인자로 알려져 있으며 그 예로 체지방이 20%인 경우와 30%인 경우 다이옥신의 반감기가 각각 6.1년, 8.9년이라는 보고가 있었다. 모유수유 시 산모의 생체 내 다이옥신류 함량은 감소한다.

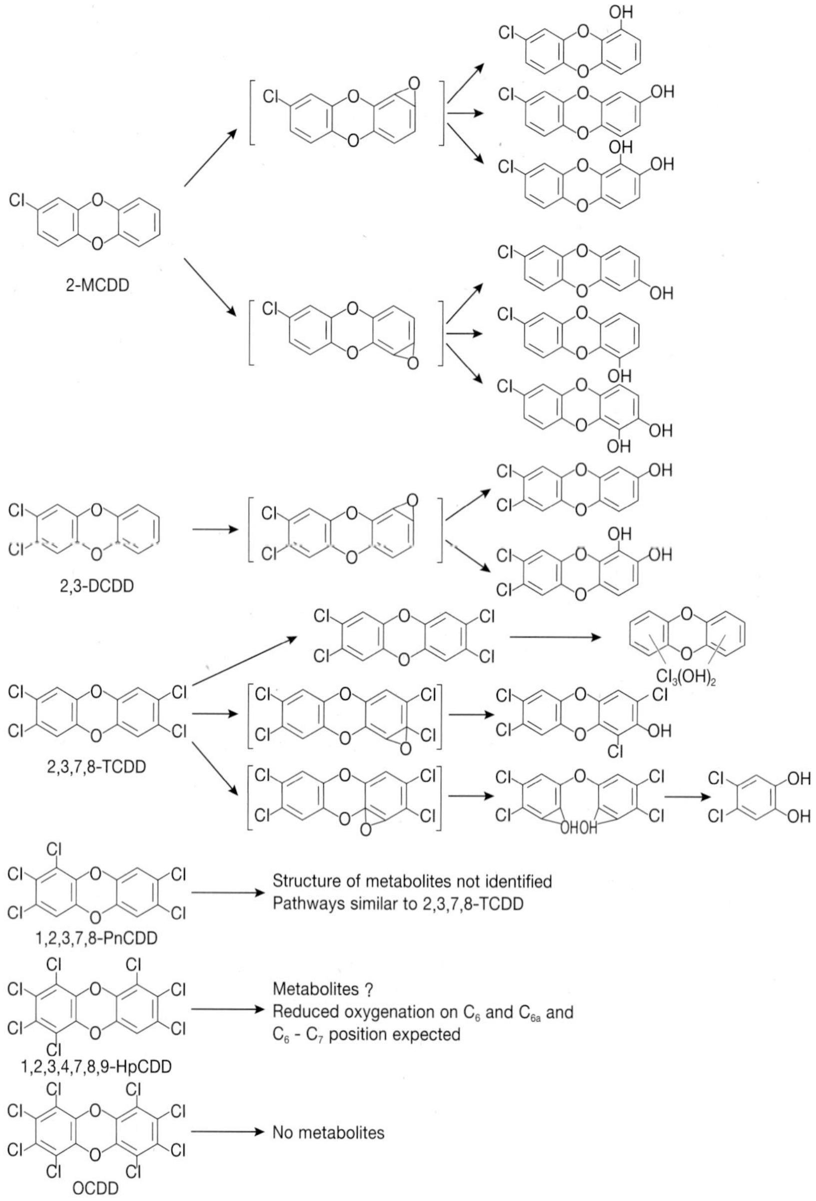

그림 4-8-1. TCDD의 대사경로

⑥ 기형발생정보

　　ⅰ) 동물실험: 2,3,7,8-TCDD에 4년간 노출된 붉은 털 원숭이 무리의 자궁내막증 발
　　　　생률을 분석한 결과 다이옥신 투여가 종료된 지 10년 후에 외과적 복강경
　　　　기법을 통해 자궁내막증을 확인하였고 여성의 생식계에 두드러진 이상을
　　　　유발했다. 또한 행동 관찰시험을 통해서 TCDD에 노출된 원숭이는 학

습성취도가 떨어진 것을 확인하였다.

(2) Polychlorinated biphenyl(PCBs)

① 물질정보

i) 분자식: $C_{12}H_{10}-nCln$

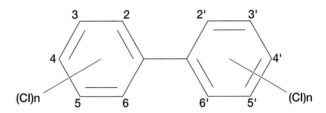

② 발생원

i) 축전지, 변압기의 절연유

ii) 윤활유, 가소제, 도료

iii) 공업용 도시 폐기물 처리기계에서 유출

iv) 방화재료

③ 임상적 적응증(Clinical indications)

i) 여성의 생리주기 이상과 남성의 생식능 저하

ii) 수정율 및 착상율 저하, 생리기간 증가

iii) 흉선 및 비장 위축, 항체생성 감소

iv) 내분비계에서 고티록신혈증이 보고됨

④ 작용기전(Mechanism of action)

i) PCBs의 정확한 독성기전은 명확하게 밝혀지지 않았으나 강력한 효소유도제이며 치아민 이용 효율에 영향을 주는 것으로 알려져 있다.

⑤ 체내 동태

i) 흡수: PCBs는 경구 섭취 후 위 장관에 의해 빠르게 흡수되며 피부 흡수나 호흡을 통해 쉽게 체내로 전달되기도 한다. 하지만 주요 인체노출경로는 토양 중 PCBs가 식물이나 동물 체내로 흡수되어 오염된 식품을 통한 섭취가 주 경로이다. 즉, PCBs가 각 발생원에서 환경으로 배출되면서 먹이사슬에 의해 인체에 영향을 주게 된다.

ii) 분포: 간과 지방 조직에 축적되며 빠르게 제거되고, 태반수송, 태아축적, 모유로도 분포된다. 인체 연구에서 피부에 PCBs가 고농도로 함유되어 있으며 뇌를 제외하고는 지질용량에 의존하여 분포한다.

iii) 대사: 생물체는 일, 이, 삼염화비페닐을 상대적으로 빠르게 분해하고 사염화비페닐은 일, 이, 삼염화비페닐에 비해 분해되는 속도가 느리다. 파라 위치에 염소를 갖고 있는 PCBs는 우선적으로 분해되며 일반적으로 염화기가 많을수록 더 빠르게 체내에 축적된다.

iv) 배설: 염소기가 적은 PCBs는 소변 및 담즙으로 배설되고 염소기가 많은 폴리염화페닐은 배설 속도가 느리며 랫드에서 과량으로 노출 시 6.6%가 대변으로 42일에 걸쳐 매우 서서히 배설되었다.

⑥ 기형발생정보

i) 동물실험: 수태율 감소, 유산, 사산, 출생 후 피부 병변, 여성 생식기계의 형태학적 및 기능적 발달의 이상, 중독, 사망이 보고되었다. 경구용 PCBs에 노출된 붉은털 원숭이와 노출되지 않은 원숭이를 교배하였을 때 노출된 원숭이에서 임신 30~60일 사이에 유산이 나타났다. 또한 PBCs에 노출된 실험동물에서 발정주기의 연장, 착상부위의 감소, 자궁위축, 난소 변화, 혈청 프로게스테론 수치의 감소가 나타났으며 한 연구에서 자궁내막증의 발달과 연관성이 있을 것이라는 보고가 있었다.

ii) 역학연구 정보: PBCs는 실험적으로 기형유발물질이지만 인간 또는 가축에 노출 시 출생 기형이 보고된 바는 없다. 일반인을 대상으로 한 PBCs관련 질환연구에서 병리학적 임신소견(임신중독증, 유산, 사산, 체중 미달아 출산 등)과 혈청 속 PBCs의 수치 증가와 연관성이 자주 나타났다. 임신 중 PBCs는 태반을 통과할 수 있으며 인간의 제대혈에서 발견되었다.

(3) Polybrominated biphenyl(PBBs)

① 물질정보

i) 분자식: $C_{12}H(10-y-x)Br(x+y)$

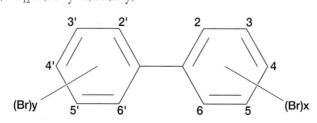

② 발생원

　i) 아크릴로니트릴-부타디엔-스테렌 플라스틱에 결합한 형태로 소형기구 및 차량용 기구

　ii) 락카 및 폴리우레탄 폼

　iii) 고체상 혹은 액상 중합물질이 혼합된 필터타입의 난연제

　iv) 각종 코팅제

③ 임상적 적응증(Clinical indications)

　i) 피부에 일차적인 자극을 일으키고 후속적으로 피부병유발

　ii) 간독성, 쇠약, 피로감, 두통, 집중력 저하 유발

　iii) 관절통

　iv) 내분비 장애 및 면역 억제

④ 작용기전(Mechanism of action)

　i) PBB로 인한 독성 소모 증후군 및 TCDD 이소 입체이성질체의 공통된 독성 효과들은 세포질 아릴 탄화수소 수용체 단백질 또는 TCDD 수용체 단백질과의 상호작용과 관련이 있다. 아릴 탄화수소 수용체는 스테로이드/레티노이드/갑상선 호르몬 수용체의 하나로 생각되지만 지금까지 아릴 탄화수소 수용체에 대한 내인성 리간드는 검출되지 않았다. 아릴 탄화수소 수용체의 활성화, 핵으로의 전좌 및 DNA 상의 상호결합 기전은 명확하게 밝혀지지 않았지만 아릴 탄화수소 수용체의 활성화를 통해 핵 내 에스트로겐 수용체를 하향 조절하여 항 에스트로겐 효과를 발휘함으로써 표피성장인자(EGF) 수용체 결합에 영향을 미친다는 보고가 있다.

⑤ 체내 동태

　i) 흡수: PBB의 위장관 흡수는 브롬화 반응 수준에 따라 달라지며 브롬화가 낮은 복합물은 더 쉽게 흡수된다.

　ii) 분포: PBB는 동물과 인간의 체내 지방조직에서 최고 평형 농도를 나타난다. 간에서는 상대적으로 고농도로, 특히 독성이 높은 동족체의 농도가 높게 나타나며 간에서 축적되는 것으로 보인다. PBB 동족체들의 분포 비율은 조직마다 다르다. 포유류의 경우 PBB는 경태반 및 모유경로를 통해 태자에게 전달된다. 2,2,4,4,5,5-헥사브롬비페닐은 모유에서 모체 혈청농도 보다 100배 이상 높은 농도를 나타내는 것으로 밝혀졌다.

　iii) 대사: 생체 외 대사실험에서 PBB는 구조-활성 관계가 존재한다는 것을 보여주었

다. PBB는 적어도 하나의 고리 비브롬화 탄소, 메타 및 파라 비페닐 가교가 있는 경우에만 페노바르비탈에 의해 유도된 미세소체에 의해 대사될 수 있다. 3-메틸콜란트 유도 미세소체에 의해 대사되려면 하위 치환된 동족체의 고리 하나 이상에서 비브롬화 오르토 및 메타위치가 있어야 하며 너무 높은 브롬화는 대사를 방해하는 것으로 보인다. 척추동물의 생체 외 및 생체 내 대사 산물에서 낮은 브롬화 비페닐의 수산화 유도체가 확인되었다. 대사 수율은 상대적으로 낮았고 수산화 반응은 아렌 산화 중간물질 및 직접적인 수산화를 통해 일어날 수 있다.

iv) 배설: 인간, 랫드, 붉은 털 원숭이, 돼지, 소, 닭은 PBB를 주로 대변을 통해 배출하며 대부분의 경우 배출속도가 느리다. 인간의 담즙 및 대변에 나타난 2,2,4,4,5,5-헥사브로모비페닐의 농도는 혈청 농도의 1/2~7/10 수준이었으며 지방에서의 농도는 약 0.5%였다.

⑥ 기형발생정보
i) 동물실험: 임신한 랫드에게 단회 경구투여하였을 때 구개열, 횡격막 탈장, 후기흡수 및 사망 등의 영향이 태자에게 일어났다. 랫드에게 21.5 mg/kg을 임신 8~22일 사이, 또는 분만 후 28일 동안 경구투여했을 때 간담즙계 발생 이상이 일어났다. 다른 실험에서 랫드에 22.5 mg/kg을 임신 7~15일에 경구투여했을 때 태자 사망이 일어났으며 11.25 mg/kg을 임신 7~15일에 경구투여했을 때 태자 독성이 나타났다. 마우스에게 144 mg/kg의 PBB를 임신 7~18일에 경구투여했을 때 중추신경계 발생이상, 두개안면 발생이상이 나타났다. 또한 90 mg/kg을 임신 15일에 경구투여했을 때 간담즙계 발생이상이 일어났다.

ii) 역학연구 정보: PBB에 노출된 미시간 주의 농부들 및 화학 작업자들을 상대로 조사한 결과 쇠약, 피로, 두통, 균형 문제, 발진, 관절통, 집중력 저하, 피부 병변 및 과민증을 호소하였다. 혈액검사 결과 혈청의 요산, 철, 콜레스테롤 및 트리글리세리드가 높았으며 간 기능 이상과 간 비대가 관찰 되었다. PBCs에 오염된 음식을 섭취한 인간에게서 신경행동 불편이 보고되었으며 피부이상, 관절 이상 및 정신적 이상이 관찰되었고 간 비대도 관찰되었다.

3) Phthalates 류

(1) Di-ethylhexylphthalate(DEHP)

① 물질정보

i) 분자식: $C_{24}H_{38}O_4$(분자량: 390.56 g · mol-1)

② 발생원

i) 염화비닐 수지의 가소제 및 도료, 안료 및 접착제의 용매

ii) 고무 및 플라스틱제품의 제조업이나 화합물 및 화학제품 제조업 등에서 배출

③ 임상적 적응증(Clinical indications)

i) DEHP가 체내에 심각한 영향을 유발한다는 증거는 아직 없음

ii) DEHP는 사람과 동물의 내분비계에 영향을 일으킬 수 잇는 Phthalate의 종류 중에 하나

iii) 정액 생산과 생식 및 출산에 유해한 영향 일으킴

④ 작용기전(Mechanism of action)

i) DEHP는 체내에서 쉽게 흡수되고 확산되지만 축적된다는 증거는 없다. DEHP의 대사에서 가장 중요한 단계는 lipase에 의하여 가수분해 되어 MEHP와 2-EH(2-에틸헥산올)로 되는 것이다. 이 물질은 소변을 통하여, 주로 MEHP 대사산물로 배출되지만 설치류 동물에서는 담즙을 통해서 배출되기도 한다.

⑤ 체내 동태

i) 흡수: DEHP는 경구와 비경구 경로로 흡수된다. 위 장관에서의 흡수는 먼저 모노 에스테르(monoester)로 일어난다. 흡입 노출은 유의한 결과를 보이지 않았는

데, 이는 이 화합물의 낮은 증기압 때문으로 판단된다.

ⅱ) 분포: 혈액투석, 수혈, 폴리염화비닐 의료용품에 이전에 접촉한 적이 있는 혈액을 투여 받은 대상자들을 연구한 결과, DEHP가 다음의 농도(μg/g 젖은 조직)로 나타났다: 뇌(1.9), 심장(0.5), 신장(1.2-2.2), 간(1.5-4.6), 폐(1.4-2.2), 비장(2.2-4.7). DEHP를 랫드 및 다른 종에 정맥으로 투여한 후에 '쇼크-폐'로 알려진 현상이 보고되었다. DEHP의 투여 2시간 후에 DEHP-방사성 표지 된 물질의 13%-48.6%가 랫드의 폐에서 나타났으며, 간에서는 26.3%-38.2%이었다. 이 현상은 인간에서 DEHP가 든 주머니나 관으로 정맥투여 시의 노출과 관련 있을 수 있다.

ⅲ) 대사: 정맥이나 경구로 투여된 DEHP는 모노-(2-에틸헥실)-프탈레이트(MEHP) 유도체로 빠르게 대사된다. 랫드에서는 디(2-에틸헥실) 프탈레이트가 모노(2-에틸헥실) 프탈레이트로 가수분해된 후 5-케토-2-에틸헥실 프딜레이드, 5-카복실-2-에틸펜틸 프탈레이드, 5-하이드록시-2-에틸헥실 프탈레이트, 2-카복시메틸뷰틸 프탈레이트로 대사된다고 보고되었다.

ⅳ) 배설: DEHP의 모노-(2-에틸헥실)-프탈레이트 대사체는 주로 소변과 담즙으로 배설된다. 경구로 투여한 후 프탈레이트 에스테르 혹은 그 대사된 화합물의 90% 이상이 24시간 내에 소변과 대변으로 배설되었다. 사람에서 정맥 투여 후에 추정되는 DEHP의 반감기는 28분이다.

⑥ 기형발생정보

ⅰ) 동물실험: 고용량의 DEHP를 복강 주사한 비임상시험에서 5 mL/kg의 농도에서는 기형유발이 나타나지 않았으나, 10 mL/kg 용량을 투여한 태자 41마리 중 9마리에서 다리 혈관종이 나타났으며, 하나는 뒷다리가 꼬였다. DEHP는 동물실험에서 수컷 랫드의 정소 위축, 정자 수 감소 등 생식독성과 간 독성으로 인한 발암성 등이 보고되었으나, 사람에 대한 영향은 드물게 보고되었다. DEHP는 수태능을 용량 의존적으로 감소시키고, 생존하는 새끼의 수와 비율을 감소시켰다. 교차교배시험에서 양쪽 성 모두 DEHP의 노출에 영향을 받는 것으로 나타났다.

ⅱ) 역학연구 정보: 임신기간 동안 환경적으로 DEHP에 노출된 모체에서 태어난 남아를 대상으로 한 연구에서 항안드로젠 작용의 가장 민감한 표지인 항문성기간 거리(Anogenital distance, AGD)가 짧았으며, 정소하강에 장애가 있다는 보고가 있었다.

정맥으로 DEHP를 투여하였을 때 임신 중 가능한 영향을 알아보기 위하여 DEHP에 노출된 19명의 임산부를 대상으로 연구한 결과에서, 임산부 중 2명이 사산하였으며, 영아의 반수 이상이 조산아 또는 저체중아였다. 하지만 기형은 관찰되지 않았으며, 신생아기의 성장도 또한 정상이었다. 보고된 유해한 결과는 임산부들의 의학적 합병증으로 인한 것이 아니라 DEHP로 인한 것이라는 근거는 없다. 탯줄 혈청 표본연구에서, DEHP의 1차 대사체인 MEHP는 MEHP-음성인 신생아와 비교했을 때 MEHP-양성인 신생아에서 유의하게 낮은 잉태기간이 관찰되었다(38.16 ± 2.34 대 39.35 ± 1.35). DEHP나 MEHP의 농도와 신생아의 성, 분만 형태, 모체의 흡연, 조기양막파열, 탯줄 고리의 존재, 신생아 황달, 잉태기간 대비 작은 크기, 1- 또는 5-분의 아프가(Apgar) 점수 간에 유의한 관련성은 관찰되지 않았다. 남성 생식능 독성에서 DEHP의 1차 대사체인 MEHP는 생식세포와 세르톨리(Sertoli) 세포를 차단하고, 기저상태 및 FSH-자극된 세르톨리 세포의 증식을 모두 용량의존적으로 억제하는 것으로 보고되었다. FSH-반응 경로에서는 cAMP 후 부위에 작용하는 것으로 보인다.

(2) Diethyl phthalate(DEP)

　　① 물질정보

　　　　i) 분자식: $C_{12}H_{14}O_4$(분자량: 222.24 g · mol-1)

　　② 발생원

　　　　i) 향기 희석제, 알코올 변성제, 니트로 셀룰로오스와 초산섬유소의 용매, 습윤제 및 화장품

　　　　ii) 플라스틱을 더 유연하게 만들어주는 유연제

　　③ 임상적 적응증(Clinical indications)

　　　　i) 인체에서 발암성은 없음

　　　　ii) 두통, 현기증, 구역질, 다발성 신경병증, 전정기능 장애, 통증, 감각 이상, 쇠약 유발

iii) 눈과 피부를 약하게 자극하여, 접촉 시 피부염을 유발

④ 체내 동태

i) 흡수: 55세 이상의 여성 사체 11구의 복부 피부에서 얻은 상피피부를 이용하여 DEP의 흡수를 생체 외 시험으로 측정하였다. DEP의 흡수의 지체시간(lag time)은 6시간이었으며 정상 흡수 속도는 12.8 $\mu g/cm^2$/시간이었다. 또한 DEP 는 피부 외에도 장관, 복막 강과 폐로 빠르게 흡수된다.

ii) 대사: DEP 10 mg, 100 mg을 각각 3마리의 랫드에 위관영양법으로 투여하고 10일 동안 매일 소변을 수집하여 GC-MS로 분석하였다. 투여량의 77~78%가 24시간 내에 모노에스테르(monoester) 유도체(67~70%), 프탈 산(8~9%), 모화합물(0.1~0.4%)로 소변으로 배출되었으며, 1주일 내에 약 83~93%가 배설되었다. 랫드와 개코 원숭이, 인간 조직을 사용한 생체 외 시 험에서 DEP가 모노 에스테르로 가수분해 되는 것으로 입증되었다.

iii) 배설: 임신한 랫드 13마리에게 임신 5일이나 10일째에 카르복시(carboxy)에 14C 로 표지 된 DEP(2,850 mg/kg)를 복강 내 투여하였고 그 결과, DEP의 반 감기는 2.22일로 계산되었다.

⑤ 기형발생정보

i) 동물실험: DEP의 살모넬라 배양에 대한 연구는 약한 양성 돌연변이 유발성을 나타 내었으며, 설치류 연구에서는 DEP는 수컷보다 암컷에서 독성을 나타내 었다.

(3) Butyl benzyl phthalate(BBP)

① 물질정보

i) 분자식: $C_{19}H_{20}O_4$(분자량: 312.36 g · mol-1)

② 발생원

i) BBP는 화학 중간재로 비닐 바닥재에서 가소제, 아크릴 수지, 접착제, 자동차 코팅, 손톱 광택, 공기투과성 콘택트렌즈에 사용

③ 임상적 적응증(Clinical indications)
    i) 중추신경계를 억제하여 오심, 두통, 메스꺼움, 운동조절불능, 의식소실 등을 나타냄
    ii) 만성적 노출 시 다발성신경증 발생
    iii) 눈과 피부 접촉 시 자극 유발
    iv) 흡입 시 기관지의 자극 유발하여 기관지 협착 발생

④ 작용기전(Mechanism of action)
    i) BBP는 에스트로겐성 환경호르몬으로 간주된다. 인간 유방암 세포주(MCF 7)와 정상 세포주(MCF 10A)를 BBP로 처리한 후 메틸화–특이적 중합효소사슬반응(MSP)을 통해 에스트로겐 수용체 알파(ERα) 유전자의 촉진자 부위에서 일어나는 DNA 저메틸화(hypomethylation)를 연구한 결과가 있다. 효모 유래 에스트로겐 수용체 전사 분석 결과에서 human–ERα 유전자 발현이 BBP에 의해 유도되었다. 10^{-5} M의 BBP로 처리한 MCF 7 세포는 ERα 촉진자 관련 CpG island를 탈메틸화시킨다. 이러한 결과들은 BBP에 의해 변화된 ER mRNA 발현이 ERα 촉진자 부위에서의 비정상적인 DNA 메틸화와 관련될 수 있음을 나타내주고 있다.

⑤ 체내 동태
    i) 흡수: 랫드에서 프탈레이트 디에스테르의 피부흡수 정도를 시험했다. 디메틸, 디에틸, 디부틸 디이소부틸, 디헥실, 디(2-에틸헥실)(di(2-ethylhexyl)), 디이소데실(diisodecyl), 벤질 부틸 프탈레이트를 시험했다. 실험 방법으로는 수컷 랫드의 등 피부에서 털을 뽑아서 14C 프탈레이트디에스테르 157 umol/kg를 처리했고 처리 부위를 다공성 덮개로 봉했다. 또한 7일간 랫드의 소변과 변을 구분하여 수집했다. 24시간 동안 소변과 대변을 수집했고 배설된 14C 양을 통해 피부흡수 지수를 얻었다. 실험 결과, 24시간째에 디에틸 프탈레이트의 배설량이 높았다(26%). 알킬 사슬 길이가 증가할수록 첫 24시간 내 배설되는 14C 양이 유의하게 감소했다. 7일간 배설된 축적 용량은 디에틸, 디부틸, 디이소부틸 프탈레이트에서 처리한 용량 14C의 약 50~60%가 나타났고 디메틸, 벤질 부틸, 디헥실 프탈레이트에서 중간 정도(20~40%)로 나타났다. 디이소데실 프탈레이트를 제외한 프탈레이트 디에스테르의 주요 배설 경로는 소변이었다. 이들 화합물은 흡수율이 낮았으며 소변을 통해서는 거의 배설되지 않았다. 7일 후 체내에는 각각의 프탈레이트가 최소한의 용량만 잔류했고 특이 조직에 분포되지 않았다. 배설되지 않은 대부분의 용량은 도포 부위에 남아 있었다. 이 결과는 프탈레이트 디에스테르 구조가 피부 흡수 정도를 결정한다는 것을 보여준다. 각각의 물질들의 흡수 정도를 시험한 결과에서 디에틸

프탈레이트가 최대의 흡수율을 보였고 알킬 사슬 길이가 증가할수록 흡수가 감소되었다.

ⅱ) 대사: BBP는 담즙에서 발견되지 않았지만 모노부틸 글루쿠로니드(monobutyl glucunide)와 모노벤질 프탈레이트 글루쿠로니드(monobenzyl phthalateglucuronide)는 각각 용량의 26%, 13%가 발견되었고 유리형 모노에스테르(monoester)는 미량(2%)만이 확인되었으며 확인되지 않은 대사체(14%)도 있었다. BBP는 비대칭적 디에스테르(diester)로 모노부틸 프탈레이트와 모노벤질 프탈레이트를 같은 양을 생성할 수 있지만 많은 양의 모노부틸 프탈레이트가 형성되었다(모노부틸 프탈레이트 = 44%, 모노벤질 프탈레이트 = 16%).

ⅲ) 배설: 부틸벤질프탈레이트를 개에 5 g/kg로 경구를 통해 4시간 동안 분할 투여하였을 때 변에서 미변환된 부틸벤질프탈레이트가 투여용량의 88~91%로 발견되었다. 반면 소변에는 존재하시 않았고 용량의 4.2%는 프탈산으로 존재했다. 임상시험 지원자를 대상으로 안정한 동위원소를 부착한 벤질부틸프탈레이트를 투여하였을 때 67~78%는 모노벤질프탈레이트(monobenzylphthalate)로 배설되었고 6%만이(고용량에서만) 모노부틸프탈레이트로 배설되었다. 14C를 표지한 BBP 20 mg/kg를 정맥주사 시 용량의 55%는 담즙으로 배설되었고, 34%는 소변으로 배설되었다. 부틸벤질프탈레이트, 모노프탈레이트(monophthalate, MP), 14C를 표지한 부틸벤질프탈레이트를 주사한 혈액(20 ng/kg, 정맥주사)의 총 반감기는 각각 10분, 5.9시간, 6.3시간이었다.

⑥ 기형발생정보

ⅰ) 동물실험: 임신한 랫드 30마리를 대상으로 임신 6-15일에 BBP 0, 420, 1,100, 1,640 mg/kg을 투여한 연구결과 중간용량과 고용량을 투여 받은 모체에서 체중이 감소하였으며, 간의 무게가 증가하였고, 수분 소비 증가가 관찰되었다. 또한 새끼의 신장 무게가 증가하였으며, 가장 흔한 변이로 요추 늑골이 제대로 발달하지 못하였다. 다음으로 수컷 랫드에게 0, 300, 900, 2,800, 8,300, 25,000 ppm의 BBP가 함유된 먹이를 급여한 연구에서는 고용량 그룹에서 체중 감소와 체중 증가의 감소가 관찰되었다. 또한 고환 무게가 감소하였고, 우측 꼬리와 부고환의 무게 감소, 정자농도 감소 또한 관찰되었다.

ⅱ) 역학연구 정보: 최근의 역학 연구에서는 BBP를 포함하여 일부 프탈레이트는 인간 남아의 성기 길이를 유의하게 감소시킨다는 결과를 보였다.

(4) Di-n-octyl phthalate(DnOP)

① 물질정보

i) 분자식: $C_{24}H_{38}O_4$

② 발생원

i) 플라스틱 제조에서 비닐 수지(염화폴리비닐), 폴리스티렌 수지, 셀룰로스 에스테르 수지, 접착제, 고무 물질 등의 제조를 위한 가소제

ii) 의료기기로 사용되는 플라스틱 물질로부터 유리됨

③ 임상적 적응증(Clinical indications)

i) 점막과 안구 자극 유발

ii) 중추신경계 억제

iii) 지속적인 피부 접촉으로 건조, 갈라짐, 발진 유발

iv) 흡입 시 호흡기를 자극

④ 작용기전(Mechanism of action)

i) DnOP는 설치류에서 과산화소체 증식인자이다. 동물 연구에서 간 비대와 혈청 아미노 전이효소치 상승이 입증되었으며, 생체 외 시험에서 다양한 효소 억제(효모에서 6-인산포도당탈수소효소, 돼지에서 말산탈수소효소)가 입증되었다. 동물 실험에서 디옥틸프탈레이트는 기형유발 물질이며, 대사체인 모노(2-에틸헥실) 프탈레이트는 고환독성을 일으킬 수 있다.

⑤ 체내 동태

i) 흡수: DnOP는 경구와 비경구 경로를 통하여 흡수된다. 위 장관을 통한 흡수는 일차적으로 모노네스테르로서 일어난다. 또한 DnOP는 증기압이 낮기 때문에 흡입을 통해 유의한 양이 흡수되지 않는다.

　　ii) 대사: DnOP는 정맥 또는 경구투여 시 모노-(2-에틸헥실)-프탈레이트 유도체로
　　　　빠르게 대사된다.

　　iii) 배설: DnOP의 모노-(2-에틸헥실)-프탈레이트 대사체는 주로 소변과 담즙으로
　　　　배설된다. 또한 경구투여 시에는 프탈레이트 에스테르 또는 그 분해산물의
　　　　90% 이상이 소변과 대변으로 24시간 이내에 제거된다. 인간에게서 정맥주
　　　　사 시에 추정 반감기는 약 28분이다.

⑥ 기형발생정보

　　i) 동물실험: 임신한 랫드에서 DnOP의 투여는 기능적인 아연결핍을 유발한다. 또한
　　　　수컷 랫드에게 고용량(2 g/kg)을 투여 시 고환 위축이 유발되었다. 또한
　　　　랫드, 마우스, 기니피그 등 불특정 포유류에서 기형유발성, 태자독성, 특
　　　　정 발달 이상, 고환손상이 보고된 바 있다. 이 외에도 재흡수 증가, 후기
　　　　태자 사망, 안구 돌출증, 바깥뇌증, 꼬리기형, 주요혈관기형, 간담도와
　　　　골격 기형이 보고되었다.

4) Pesticides 류 (농약류)

(1) Dichloro-diphenyl-trichloroethane(DDT)

① 물질정보

　　i) 분자식: $C_{14}H_9Cl_{15}$(분자량: 354.49 g · mol−1)

② 발생원

　　i) 유기염소 계열의 살충제이자 농약

③ 임상적 적응증(Clinical indications)

　　i) 신경계 질환

　　ii) 암을 유발할 가능성이 있음

④ 작용기전(Mechanism of action)

　i) DDT는 말초기관에 영향을 주어 과다활동 및 경련을 일으키는 구심성 자극이 격렬하게 방출되게 함으로써 곤충이 사망하도록 작용한다. 중추신경계에 대한 약물 활동의 기전은 완전히 밝혀지지 않았으며, 이 화합물은 축삭막을 통과하고 나트륨 이온 및 칼륨 이온의 전달 변경이 가능하여 결과적으로 전위가 증가하며 활동전위가 확장된다. 특히 DDT는 나트륨 채널의 비활성 및 칼륨 전도도의 활성을 억제하는 것으로 보인다.

⑤ 체내 동태

　i) 흡수: DDT는 오일, 지방, 지질 용매에 용해되었을 때 쉽게 흡수되지만 건조 분말 또는 수성 현탁액으로서는 잘 흡수되지 않는다. 흡수될 시에는 지방조직에 농축된다. 대부분의 DDT 분진은 비교적 큰 입자 사이즈이며, 흡입하였을 때에 기도 상부에 침전되어 경구로 삼켜질 가능성이 있다. 피부 흡수는 매우 제한적이다.

　ii) 분포: 개에서 DDT의 태반 통과가 보고되었으며 이 결과는 전체 동물 방사능 사진 촬영으로 확인된 바 있다. 태자에서는 간, 지방 조직, 장에만 분포되어 있는 것을 볼 수 있었다. DDT는 장 및 유방 조직의 세포막 전체를 통과하기 때문에 수동 확산이 일어나며, 여러 부분의 인체 지방에 저장된 DDT의 농도 차이는 없다고 밝혀진 바 있다.

　iii) 대사: 인간에게서 DDT는 탈염화수소화작용에 의해 불포화 pp-DDE [1,1-디클로로-2,2-비스(p-클로로페닐)에틸렌]으로 분해되고 하나의 에틸 결합 염소 원자를 생성하는 pp-DDD[1,1-디클로로-2,2-비스(p-클로로페닐)에탄]의 수소 치환에 의해 분해된다. DDD는 카르복시산 형태인 p,p-DDA[2,2-비스(p- 클로로페닐)아세트산]를 생성하는 일련의 중간 생성물을 통하여 더 대사된다. DDA는 비교적 물에 잘 녹아서 일차적으로 소변으로 배출된다. DDT 이성질체 혼합물 즉, pp-DDE, p,p-DDD, p,p-DDA를 투여한 피실험자 6명의 DDT 및 DDT 대사산물 섭취를 통하여 24 시간 이내에 소변 DDA 배설이 증가한다는 것이 보고되었다.

　DDA로써 DDT의 배설은 대체로 DDT에서 DDD로, 그런 다음에 DDA로의 선택적으로 환원되는 탈염소화에 따라 다른 것으로 보였다. DDT는 비교적 복잡한 일련의 분해 변화를 겪는다. 주요 반응은 DDE를 형성하는 탈염화수소화 작용이다. DDT는 또한 DDD를 형성하는 생물학 체계에서 환원적으로 염소화된다. DDD는 DDT 또는 DDE보다 덜 안정적이다. DDD는 DDMU 또는 2,2-비스-(p-클로로페닐)-1-클로로에틸렌으로 탈염화수소화되거나 DDM 또는 2,2-비스-(p-클로로페닐)-1-클로로에탄으로 환원된다. DDNU 또는 2,2-비스-(p-클로로페닐)-에틸렌으로 탈염화수소화되거나 1,1-비스-(p-클로로페닐) 에탄으로 환원되어 결국 DDA 또는 비스-(p-클로로페닐)-아세트산으로 산화된다.

iv) 배설: DDT는 노출이 중단되면 천천히 제거되며, 저장된 DDT의 1%가 대략 1일 동안 배설된다. 랫드에서의 DDT 대사산물의 분변 배출은 투여 경로와 관계없이 소변 배설보다 많았으며 모유를 통한 배설이 보고되었다. 또한 DDT를 섭취한 피실험자에게서 DDT 배설을 연구한 결과가 있다. 18개월 동안 1일간 35 mg을 투여 받은 피실험자는 DDA의 소변 배설은 처음 며칠간은 빠르게 증가하였으며 매일 용량 중 13~16%가 정상상태 수준에 도달하여 56주 동안 정상상태로 있었다.

⑥ 기형발생정보

i) 동물실험: DDT를 투약 받은 모체에서 태어난지 8일된 토끼는 대조군의 토끼보다 크기가 더 작았고 난황낭 액 안에서 착상 전에 단백질이 비정상적으로 지속되는 것을 볼 수 있었다. 이들 결과를 통하여 임신 중 착상 전 단계 동안 DDT에 노출되면 착상 전 또는 이후 자궁 내 발생 동안 성장 및 발육이 중단되는 결과를 초래할 수 있다는 것을 알 수 있다. 손상은 치료할 수 있지만 총체적인 이상 없이 자궁 내 성장지체가 나타날 수 있다. 또한, 수컷 랫드에 50 mg/kg를 급성 투여하였을 때 생식능력에 유해반응을 일으킨다는 연구 결과가 보고된 바 있다.

5) Paraben 류

(1) Methyl paraben

① 물질정보

i) 분자식: $C_8H_8O_3$(분자량: 152.148 g · mol-1)

② 발생원
    i) 식품, 음료 및 화장품의 방부제
    ii) 곰팡이 및 효모 억제제

③ 임상적 적응증(Clinical indications)
    i) 눈 주위 사용시 때때로 알레르기성 접촉 피부염으로 인해 눈꺼풀이 붉어지고 부어 오름
    ii) 모든 paraben은 피부를 감작시키고 피부 알레르기 반응을 유발함

④ 작용기전(Mechanism of action)
    i) Paraben의 세포독성 작용 기전은 미토콘드리아성 감극과 산화적 인산화의 분리를 통한 세포
    ii) ATP의 고갈을 수반하는 막 투과성 변화 유도에 의존하는 사립체 결핍과 관련될 수 있다.

⑤ 체내 동태
    i) 흡수: Methyl paraben은 인체, 랫드, 미니피그의 피부를 잘 통과하는 것으로 보이며, 적용량의 약 79%까지 흡수된다.
    ii) 분포: 50 mg/kg의 methyl paraben, ethyl paraben, propyl paraben 또는 butyl paraben을 공복 상태의 개 세 그룹에 정맥투여 또는 1.0 g/kg의 용량으로 경구투여하였다. 정해진 시간 간격으로 혈액과 소변을 분석한 결과, 정맥 투여 직후 매우 소량의 에스테르가 혈액에 남아있었다. 투여 후 6~24시간까지 대사체들은 혈액에서 검출되었으며, butyl paraben을 제외한 나머지 화합물들은 투여량의 58~94% 가량을 소변에서 회수할 수 있었다. 뇌, 비장, 이자에서 순수한 에스테르가 회수되었고, 고농도의 대사체들은 간과 신장에서 발견되었다.
    iii) 대사: 마우스, 랫드, 토끼, 개에서 methyl paraben은 대사되지 않은 벤조산인 p-하이드록시벤조산, p-하이드록시히퓨린산(p-하이드록시벤조일 글리신), 에스테르 글루쿠로니드, 에테르 글루쿠로니드 또는 에테르 설페이트 형태로 소변을 통해 배설된다.
    iv) 배설: Methyl paraben의 대사 및 배설이 6명의 조산아에서 모니터링되었다. 그들은 paraben 방부제가 들어있는 겐타마이신 제형을 다회 투여받았다. 소변에서 측정된 paraben은 평균적으로 82.6%였다. 소변 중 배설은 13.2~88.1%

범위였다.

⑥ 기형발생정보

　i) 동물실험: Methyl paraben이 에스트로겐 활성 및 생식력에 영향을 주는지에 대한 몇 가지 *in vivo* 연구가 수행된 바 있다. Methyl paraben은 1,000 mg/kg의 용량까지 수컷 랫드에 56일 동안 식이로 투여된 후 생식기관이나 정자 생산, 생식 호르몬 수치에 영향을 주지 않았으며, 800 mg/kg 용량까지 자궁 비대에 특이적인 영향을 유발하지 않았다.

　ii) 역학연구 정보: 2-74세의 여성들을 대상으로 겨드랑이 발한 억제제와 유방암 위험에 대한 상관관계를 조사하였다. 다음과 같은 요인들에 의해 유방암 위험은 증가하지 않았다: 1) 발한 억제제 또는 탈취제 사용; 2) 면도칼로 면도한 피험자들의 제품 사용; 3)면도 후 1시간 이내에 제품 사용. 이러한 시험결과는 발한 억제제 사용이 유방암의 위험을 증가시킨다는 가설을 입증하지 않는다.

(2) Ethyl paraben

① 물질정보

　i) 분자식: $C_9H_{10}O_3$(분자량: 166.17 g · mol-1)

② 발생원

　i) 의약품 보존제

　ii) 식품 보존제

　iii) 화장품 보존제

③ 임상적 적응증(Clinical indications)

　i) 피부염으로 나타나는 과민증을 유발함

　ii) 피부 노출 시 눈꺼풀의 발적과 알레르기성 접촉 피부염을 유발함

iii) 0.03% ethyl paraben 수용액 섭취 시 장 점막에 자극을 유발함

④ 작용기전(Mechanism of action)

i) 에스트로겐과 유사하게 작용하여 내분비계 교란 의심물질이다.

ii) Ethyl paraben은 유방암세포에서 estradiol에 대한 경쟁적 억제제로 작용한다.

iii) Ethyl paraben은 에스트로겐 수용체 알파의 ligand binding domain(LBD)에 존재하는 결정구조의 결합부위에 결합할 수 있으며, 에스트로겐 수용체와의 상호작용을 통해 내인성 에스트로겐 조절 유전자(pS2)의 발현량을 증가시킨다.

⑤ 체내 동태

i) 흡수: 경구투여 시 빠르게 흡수, 대사, 배설된다.

ii) 분포: Ethyl paraben을 개에 정맥주사 시 가수분해되지 않은 ethyl paraben이 대뇌에서 발견되었으며 간, 신장, 근육에서 파라히드록시벤조산으로 즉시 가수분해되었다. 또한, 50 mg/kg 용량으로 정맥투여 시 순수 에스테르는 뇌, 비장 췌장에서만 관찰되었으며 간과 신장에서는 고농도의 대사물질이 발견되었다.

iii) 대사: Ethyl paraben을 마우스에 투여하자 60분 안에 유리산으로 빠르게 가수분해되었다.

iv) 배설: Ethyl paraben을 마우스, 토끼, 돼지, 개에 투여하자 미변화체 벤조산염, 파라히드록시벤조산, 파라히드록시히푸릭산, 에스테르 글루쿠로니드, 에테르 글루코로니드, 에테르 황산염으로 소변을 통해 배출되었다.

⑥ 기형발생정보

i) 동물실험: Ethyl paraben을 Wistar 랫드에 10%, 1%, 0.1%의 농도로 경구투여한 결과, 10% 농도로 투여한 랫드의 일부 태아에서 체중 저하가 관찰되었지만 기형 발생에 대한 영향은 관찰되지 않았다. 0.1% 농도(3.9 g/kg)의 투여량은 사람에게 성인 체중 60 kg 당 240 g을 투여한 양과 유사하다. 하지만 이러한 수치에 대해서도 랫드에서 심각한 부작용이 관찰되지 않았다.

(3) Propyl paraben

① 물질정보

i) 분자식: $C_{10}H_{12}O_3$(분자량: 180.2 g · mol−1)

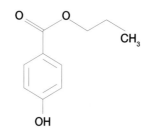

② 발생원

i) 약, 식품, 화장품의 방부제

ii) 향균 식품 첨가제

iii) 샴푸의 방부제

iv) 살충제

③ 임상적 적응증(Clinical indications)

i) 피부 노출 시 피부자극 및 피부염을 유발함

ii) 눈 노출 시 눈 자극을 유발함

iii) 섭취 시 장 점막 자극을 유발함

iv) Propyl paraben을 함유하는 hydrocortisone 제제를 천식 환자에게 주사할 경우 기관지수축 및 두드러기를 유발함

④ 작용기전(Mechanism of action)

i) 에스트로겐 내분비 교란 물질로 작용한다는 보고가 있다. 막 투과성 전환 유도에 의존하는 미토콘드리아 기능 상실과 관련될 수 있으며, 이때 막 투과성 전환 유도는 산화적 인산화의 분리를 통한 세포 ATP의 고갈 및 미토콘드리아 탈분극을 동반한다.

⑤ 체내 동태

i) 흡수: 경구투여 시 빠르게 흡수 및 대사되어 배출되나, 포유류의 경우 에스테르 사슬의 길이, 동물 종, 투여경로 및 투여 용량에 따라 대사 반응이 달라진다.

ii) 분포: Propyl paraben을 생후 31일의 수컷 랫드에 3, 10, 100, 1,000 mg/kg의 용량으로 단회 경구투여한 결과, 혈장 농도는 투여 8시간 후에 정량할 수 있었

고 평균 Tmax 값은 15분이었다. 분포 용적은 4.8 L/kg이었고 혈장 제거 반
감기는 47분이었으며, 청소율은 10 mg/kg에서 4.2(L/hr)/kg이었다. 황산
결합된 대사산물이 검출되었다.

iii) 대사: 개에 정맥주사 시 뇌에서만 가수분해되지 않은 propyl paraben이 관찰되
었고 간, 신장 및 근육에서는 p-hydroxybenzoic acid로 가수분해되었다.
Propyl paraben을 1 g/kg으로 경구투여한 개에서 투여 6시간 후 혈중 최고
농도가 관찰되었다.

iv) 배설: Propyl paraben을 랫드, 토끼, 개에 투여하자 benzoate, p-hydroxybenzoic
acid, p-hydroxyhippuric acid(p-hydroxybenzoylglycine), ester glucuro-
nides, ether glucuronides, 또는 ether sulfates로 소변을 통해 배출되었다.

⑥ 기형발생정보

i) 동물실험: Propyl paraben을 3주령 랫드에 0.001, 0.01, 0.1, 1%의 용량으로 식이
를 통해 투여한 결과, 부고환 정자 보유량과 농도가 용량 의존적으로 감
소하여 0.1% 이상의 용량군에서 유의한 차이를 보였다. Propyl paraben
을 투여한 모든 군의 고환에서 일일 정자 생성 및 효율이 급감했다. 혈청
테스토스테론 농도는 용량 의존적으로 감소하여 최고용량군에서 유의한
변화를 보였다.

ii) 역학연구 정보: 전향적 코호트 연구에서 소변 내 propyl paraben의 농도와 난소 예
비력 지표의 연관성을 조사하였다. 난소 예비력은 3일째 난포 자
극 호르몬(FSH), 날문방난포수(AFC) 및 난소 부피를 측정함으
로써 확인되었다. 선형 및 포아송 회귀 모델을 사용하여 소변 내
paraben 농도(삼분위수)와 난소 예비력 측정값의 연관성을 추정한
결과, 소변 내 propyl paraben 삼분위수가 증가할수록 AFC가 낮
아지는 경향을 확인하였다.

(4) Butyl paraben

① 물질정보

i) 분자식: $C_{11}H_{14}O_3$

② 발생원

    i) 항진균제

    ii) 보존제

    iii) 식품 보존제

    iv) 항균성 물질

③ 임상적 적응증(Clinical indications)

    i) 심한 난치성 접촉 피부염의 원인이 됨

    ii) 하나의 paraben에 민감한 환자는 다른 종류의 paraben에 대한 교차반응성을 나타냄

    iii) 피부염 양상의 과민반응을 나타냄

④ 작용기전(Mechanism of action)

    i) 이종 에스트로겐 화학물질 n-butyl paraben에 의해 유발된 수컷 랫드의 생식 장애의 가능한 메커니즘이 보고되었다.

⑤ 체내 동태

    i) 흡수: Paraben류는 경구로 빠르게 흡수, 대사, 배설된다.

    ii) 분포: 마우스, 랫드, 개에서 butyl paraben은 미변화 상태의 벤조산, p-하이드록시 벤조산, p-하이드록시히퓨릭 산, 에스테르 글루쿠로니드, 에테르 글루쿠로니드, 에테르 설페이드 형태로 배설된다.

    iii) 대사: Butyl paraben이 개에게 정맥으로 주입된 후 비수화된 butyl paraben이 뇌, 비장, 이자에서 발견되었다. 간, 신장, 근육에서는 즉각적으로 p-하이드록시 벤조산 형태로 수화되었다. 1.0 g/kg 용량으로 개에게 경구투여 6시간 후, 유리된 butyl paraben과 총 butyl paraben의 혈청농도는 각각 15, 141 ug/cu cm였다. 48시간 후 butyl paraben은 배설되었다.

    iv) 배설: 랫드와 사람의 피부에서 methyl paraben과 butyl paraben의 피부 대사와 투과를 연구하기 위한 *in vitro* 실험이 진행되었다. 방사능 표지(14C) 및 미표지 paraben은 수중유화 유탁액 형태로 목표 농도(0.4% butyl paraben)에 맞추어서 준비되었다. Butyl paraben은 52.3%가 하이드록시 벤조산으로 대사되었으며 5.5%는 대사되지 않았다. 사람 피부에서의 대사는 다르다. Butyl paraben은 32.8%가 하이드록시 벤조산이였으며 49.7%가 미대사체의 butyl paraben이였다.

⑥ 기형발생정보

    i) 동물실험: Butyl paraben을 100 혹은 200 mg/kg의 농도로 임신한 SD 랫드에 피하로 임신 6일째부터 출산 후 20일까지 투여한 결과, 모체가 butyl paraben에 노출될 경우 1세대 수컷 자손에게 악영향을 주었다.

    ii) 역학연구 정보: Methyl paraben, ethyl paraben, propyl paraben, butyl paraben을 각각 50명의 피험자 등에 5, 7, 10, 12, 15%의 프로필렌 글리콜 농도로 도포하였다. 시험물질을 5일 동안 매일 적용한 후 패치를 제거하고 적용 부위에서 점수를 매겼다. 자극을 일으키지 않는 paraben의 개별 농도는 5% methyl paraben, 7% ethyl paraben, 12% propyl paraben, 5% butyl paraben이었다. 고농도는 자극을 나타내었다. Repeated insult patch test(RIPT)에서 상기 "무영향" 농도의 각 paraben을 50명의 피험자 피부에 3주(10회 적용)동안 이틀에 한 번 4~8시간씩 도포하였다. 3주의 휴식 후, 각 paraben을 24시간에서 48시간 동안 재적용결과 감작성은 보고되지 않았다.

6) 기타 중금속 류

수은, 납, 카드뮴 등의 독성 중금속들은 때로 환경호르몬으로 인식되기도 하며 임산부에게 노출될 때에 조기분만뿐 아니라 태아의 발달과 건강에 영향을 미칠 수 있다. 하지만 아직까지 산모의 체내에 축적된 유해한 중금속이 모체만이 아니라 태아에게까지 어떤 영향을 미치는가에 대한 연구는 알려진 바가 많지 않아 독성 중금속에 대한 여러 가지 독성 및 유해성에 대한 연구가 더 필요하다.

(1) 수은(Hg)

① 수은은 상온, 상업에서 액체상태로 존재하는 원소로 체온계, 기압계 등 압력을 재는 많은 도구들에 사용된다. 고체상태의 수은은 대개 독성이 없으나, 메틸수은 및 염화수은과 같은 액체상태의 수은은 강한 독성을 나타낸다. 과학도구, 배터리, 자동차 부품 등과 같은 폐기물로부터 환경으로 수은이 방출되고 있다.

② 환경 중 노출된 수은은 먹이사슬을 거쳐 대형 어종에 생체적으로 농축되기 때문에 일부 종류의 참치와 같은 대형 어종에서 비교적 높은 농도로 관찰된다. 이에 따라, 임산부 및 소아에게는 과도한 섭취가 제한되고 있다.

③ 임신 중 영향

i) 평균 0.08 mg/m³에 노출된 임산부에서 임신 시간 동안 많은 문제가 생겼으며, 자연유산의 발생이 높아졌다.

ii) 수은에 노출된 여성에서 빈혈, 조기 중독증, 자연 산통, 저체중아 출산이 보고되었다.

(2) 납(Pb)

① 납은 비중이 큰 은회색의 금속으로, 부드럽고 무거우며, 가단성의 독성이 있다. 주로 피뢰침, 파이프, 탄환 전선 등으로 사용된다.

② 임신 중 영향

i) 모체가 납에 노출된 경우 제대혈의 농도는 모체 납 농도의 약 80%에 달한다. 납 농도 10 mcg/dL를 보이는 아이는 저농도의 아이에 비해 인지능력이 떨어지며, 섬세한 운동 수행능력에서 결핍이 발견되었다.

ii) 고농도의 납에 노출된 여성은 비정상적으로 발육이 저해된 유아를 출산할 가능성이 있으며, 사산아를 낳을 확률도 높다.

(3) 카드뮴(Cd)

① 카드뮴은 유해성 원소로, 주로 플라스틱 도금에 이용되며 현재 식품위생법으로 규제되고 있다. 또한 인체 발암성의 물질로서 카드뮴과 카드뮴 염은 매우 강한 독성을 가진다. 카드뮴을 섭취할 시에 질식, 타액분비, 지속적인 구토, 어지럼증이 나타나며 간과 신장 손상 및 사망에 이를 수 있다.

② 임신 중 영향

i) 인간 피험자를 카드뮴 연무에 노출시키는 시험에서 정모 세포의 억제와 성숙을 포함한 미세변화가 관찰되었다.

ii) 실험동물 연구에서 임신 8-15일차에 랫드의 정맥 내로 8 mg/kg의 카드뮴을 투여하였을 때 태자 독성이 발생하였으며, 여러 세대에 걸쳐 마우스에게 448 mg/kg을 경구로 투여한 실험에서는 태자 독성과 사망이 발생하였다.

3 결론

「도둑맞은 미래(Our Stolen Future)」가 1996년 테오 콜본에 의해 출간된 후 환경호르몬은 전

세계적으로 많은 영향을 끼쳤다. 선진국들을 중심으로 환경호르몬에 대한 독성 메커니즘을 연구하기 시작하였으며, 또한 인체에 끼칠 영향에 대해서 알기 위하여 많은 노력을 기울였다. 그럼에도 불구하고 아직까지도 환경호르몬의 독성작용과 위해성에 대해 확실히 밝혀진 것들이 많지 않다. 아직 정확히 규명되지 않은 환경호르몬들 때문에 많은 사람들은 불안감에 살아가고 있다. 우리가 살아가고 있는 지구의 대기에서나 마시고 있는 물에서는 가정이나 공장에서 폐기물을 소각할 때에 발생하는 다이옥신이 검출되고 있으며, 먹고 있는 식품을 통해서도 농약에서 전달된 환경호르몬들이 우리의 체내로 들어오고 있다. 우리 몸 속으로 들어온 환경호르몬들은 몸 밖으로 배출되지 않고 지속적으로 체내에 농축되며 내분비계에 교란을 일으켜 많은 질병들을 유발하게 된다. 특히 임산부의 경우에는 체내로 들어오게 되는 환경호르몬이 태반을 통해 태아에게까지 영향을 끼치며 태아가 태어난 후에는 모유를 통해서도 전달되게 된다. 이렇게 전달된 환경호르몬들은 성인이 될 때까지 큰 영향을 끼치게 된다. 그렇기 때문에 환경호르몬에 대한 불안감을 해소하기 위해서는 인간 및 생태계를 위협하고 있는 환경호르몬들을 가려내고 이를 관리하기 위한 과학적이고 효과적인 시험기술과 방법들이 우선적으로 확립되어야 한다.

환경호르몬의 독성과 위해성을 평가하기 위해서는 물질의 독성시험 방법을 국제적으로 표준화하여 이를 토대로 만들어진 데이터를 위해성 평가에 활용하여야 한다. 따라서 국내적인 것이 아닌 국제적으로 조직화된 다양한 종류의 시험지침을 만드는 것이 필요하며 단기간이 아닌 장기간에 걸친 연구를 통해 기존 화학물질의 위해성을 평가하고 내분비계 장애에 적합한 종말점(end-points)을 설정하고, 그에 따른 관찰무영향농도(NOEC)와 안전계수를 산출하는 것이 필요할 것이다.

▶ 참고문헌

1. Phenol 류

1) Bisphenol A

1. Engel SM, Levy B, Liu Z, et al. Xenobiotic phenols in early pregnancy amniotic fluid. Reprod Toxicol 2006;21:110-2.

2. HSDB(Hazardous Substances Data Bank), Bisphenol A, National Library of Medicine.

3. Takahashi O, Oishi S. Disposition of orally administered 2,2Bis(4 hydroxyphenyl)propane (Bisphenol A) in pregnant rats and the placental transfer to fetuses. Environ Health Perspect 2000;108:931-935.

4. Völkel W, Bittner N, Dekant W. Quantitation of bisphenol A and bisphenol A glucuronide in biological samples by high performance liquid chromatography-tandem mass spec-

trometry. Drug Metab Dispos 2005;33:1748–57.

2) Nonyl phenol

1. Green T, Swain C, Van Miller J.P., et al. Absorption, bioavailability, and metabolism of para-nonylphenol in the rat., Regul. Toxicol. Pharmacol. 2003;38: 43-51.

2. Hayashi K, Nakae A, Fukushima Y, et al. Contamination of rice by etofenprox, diethyl phthalate and alkylphenols: effects on first delivery and sperm count in mice. J Toxicol Sci. 2010;35(1): 49-55.

3. HSDB(Hazardous Substances Data Bank), Nonyl phenol, National Library of Medicine.

3) Pentachlorophenol

1. Anon: Chung-Hua Yu Fand I Hsueh Tsa Chih 1979;13:8-10.

2. Clayton GD & Clayton FE: Pattys Industrial Hygiene and Toxicology, Volume 2B. Toxicology, 4th ed, John Wiley & Sons, New York, NY, p 1605-13, 1994.

3. Dimichward H, Hertzman C, & Teschke K: Reproductive effects of paternal exposure to chlorophenate wood preservatives in the sawmill industry. Scand J Work Environ Health 1996;22:267-273.

4. HSDB: Hazardous Substances Data Bank. National Library of Medicine. Bethesda, MD (Internet Version). Edition expires 2000; provided by Thomson Healthcare Inc., Greenwood Village, CO.

5. JEF Reynolds: Martindale: The Extra Pharmacopoeia. The Pharmaceutical Press. London, UK (Internet Version). Edition expires 2000; provided by Thomson Healthcare Inc., Greenwood Village, CO.

2. 잔류성유기염소계 물질

1) Dioxin

1. HSDB(Hazardous Substances Data Bank), 2,3,7,8-TETRACHLORODIBENZO-P-DIOXIN, National Library of Medicine.

2. Hurst CH et al; Toxicol Sci 65 2002;(1):87-98.

3. Lindstrom P et al; Teratology 1990;41,(5):575.

4. Moses M et al; Am J Ind Med 1984;5,(3):161-82.

5. Rier SE et al; Fund Appl Toxicol 1993;21,(4):433-41.

6. Ruby C et al; Mol Pharmacol 2002;62,(3):722-8.

7. Umbreit TH, Gallo MA; Toxicol Lett 1988;42,(1):5-14.

2) PCBs

1. Clayton GD & Clayton FE: Pattys Industrial Hygiene and Toxicology, Vol 2D. Toxicology, 4thed, John Wiley & Sons, New York, NY, 1994.

2. Hathaway GJ, Proctor NH, & Hughes JP: Chemical Hazards of the Workplace, 4th ed, Van Nostrand Reinhold Company, New York, NY, 1996.

3. HSDB(Hazardous Substances Data Bank), Polychlorinated biphenyls , National Library of Medicine.

4. Mattison DR & Cullen MR: Disorders of reproduction and development, in: Rosenstock L &Cullen MR (Eds), Textbook of Clinical Occupational and Environmental Medicine, WB Saunders, Co, Philadelphia, PA. p 446-68, 1994.

5. Schardein JL: Chemically Induced Birth Defects, 2nd ed, Marcel Dekker, Inc, New York, NY, 1993.

3) PBBs

1. Bulletin of Environmental Contamination and Toxicology, 1992;V.1- 48,715.

2. Devito M, Umbreit TH, Thomas T, & Gallo MA An analogy between the actions of the Ah receptor and the estrogen receptor for use in the biological basis for risk assessment of dioxin.In: Gallo MA, Scheuplein RJ, & van der Heijden KE ed. Biological basis for risk assessment of dioxins and related compounds. Cold Spring Harbor, New York, Cold Spring Harbor Laboratory Press, p 367-77, 1991.

3. EHP, Environmental Health Perspectives, 1978;23,51,295,233.

4. Environmental Research, 1975;V.1- 10,390.

5. INCHEM(International Programme on Chemical Safety

6. Poellinger L, G?ttlicher M, & Gustafsson J-A The dioxin and peroxisome proliferatoractivated receptors: nuclear receptors in search of endogenous ligands. Trends Pharmacol Sci,1992;13: 241-245.

7. Safe S, Harris M, Biegel L, & Zacharewski T Mechanism of action of TCDD as an antiestrogen in transformed human breast cancer and rodent cell lines. In: Gallo MA, Scheuplein RJ, & van der Heijden KE ed. Biological basis for risk assessment of dioxins and related compounds. Cold Spring Harbor, New York, Cold Spring Harbor Laboratory Press, p 367-377, 1991.

8. Toxicology and Applied Pharmacology, 1981;V.1- 59,300.

3. Phthalates 류

1) DEHP

1. Doull, J., C.D. Klaassen, M. D. Amdur. Casarett and Doulls Toxicology. 2nd ed. New York: Macmillan Publishing Co., p. 543, 1980.

2. EPA: EPA chemical profile on dioctyl phthalate, Environmental Protection Agency, Washington, DC, 1985.

3. Fine LG: systemic lupus erythematosis in pregnancy. ann Intern Med 1981;94:667-77.

4. Gosselin RE, Smith RP, & Hodge HC: Clinical Toxicology of Commercial Products, 5th ed,Williams & Wilkins, Baltimore, MD, p 11-204, 1984.

5. Hazelton WashingtonI: A subchronic (4-week) dietary oral toxicity study of di(2-ethylhexyl) phthalate in B6FC3F1 mice. 8D submission, Microfische No. OTS0535433, Submited to U.S. Environmental Protection Agency, Office of Toxic Substances, Washington, DC, 1992.

6. HSDB: Hazardous Substances Data Bank. National Library of Medicine. Bethesda, MD (Internet Version). Edition expires 1/31/2000; provided by Thomson Healthcare Inc., Greenwood Village, CO.

7. IARC: Monographs on the evaluation of the carcinogenic risk of chemicals to man, 29, International Agency for Research on Cancer, World Health Organization, Geneva, Switzerland, p 285, 1982.

8. Lamb JC 4th, Chapin RE, Teague J. Reproductive effects of four phthalic acid esters in the mouse. Toxicol Appl Pharmacol 1987;88:255-69.

9. Latini G, DeFelice C, Presta G, et al. In utero exposure to di-(2-ethylhexyl) phthalate and duration of human pregnancy. Environ Health Perspect 2003;111:1783-5.

10. Li LH, Jester WF Jr, Orth JM. Effects of relatively low levels of mono-(2-ethylhexyl) phthalate on cocultured Sertoli cells and gonocytes from neonatal rats. Toxicol Appl Pharmacol 1998;153:258-65.

11. Singh AR, Lawrence WH, Autian J. Teratogenicity of phthalate esters in rats. J Pharm Sci 1972;61:51-55.

12. Swan SH, Main KM, Liu F, et al. Decrease in anogenital distance among male infants with prenatal phthalate exposure. Environ Health Perspect 2005;113(8):1056-61.

2) DEP

1. Bingham, E Cohrssen, B Powell, et al. Patty's Toxicology Volumes 1-9 5th ed. John Wiley & Sons. New York, N.Y. 2001.

2. International Programme on Chemical Safety (IPCS); Concise International Chemical Assessment Document (CICADS) 52: Diethyl Phthalate (2003) Available from, as of April 17, 2008.

3) BBP

1. Bingham, E. Cohrssen, B. Powell. Patty's Toxicology Volumes 1-9 5th ed. John Wiley & Sons. New York, N.Y., p. V6 86, 2001.

2. Eigenberg DA et al. J Toxicol Environ Health 1986;17(4):445-56.

3. HSDB: Hazardous Substances Data Bank. National Library of Medicine. Bethesda, MD (Internet Version). Edition expires 2005; provided by Thomson Healthcare Inc., Greenwood Village, CO.

4. IARC: Monographs on the Evaluation of the Carcinogenic Risk of Chemicals to Humans, 29, International Agency for Research on Cancer, World Health Organization, Geneva, Switzerland, p 193-201, 1982.

5. Lewis RJ: Hawley's Condensed Chemical Dictionary, 12th ed, Van Nostrand Reinhold Company, New York, NY, p 183, 1993.

6. Sharpe RM, Fisher JS, Millar MM. Gestational and lactational exposure of rats to xenoestrogens results in reduced testicular size and sperm production. Environ Health Persp 1995;103:1136-43.

4) DnOP

1. EPA: EPA chemical profile on dioctyl phthalate, Environmental Protection Agency, Washington, DC, 1985.

2. Gosselin RE, Smith RP, Hodge HC. Clinical Toxicology of Commercial Products, 5th ed, Williams & Wilkins, Baltimore, MD, p 11-204, 1984.

3. HSDB: Hazardous Substances Data Bank. National Library of Medicine. Bethesda, MD (Internet Version). Edition expires 2001; provided by Thomson Healthcare Inc., Greenwood Village, CO. Doull J, Klaassen CD, & Amdur MD: Casarett and Doull's Toxicology, 2nd ed, Macmillan Publishing Company, New York, NY, p 543, 1980.

4. James NH, Soames AR, Roberts RA. Suppression of hepatocyte apoptosis and induction of DNA synthesis by the rat and mouse hepatocarcinogen diethylhexylphlathate (DEHP) and the mouse hepatocarcinogen 1,4-dichlorobenzene (DCB). Arch Toxicol

1998;72:784-90.

5. Li LH, Jester WF Jr, & Orth JM: Effects of relatively low levels of mono-(2-ethylhexyl) phthalate on cocultured Sertoli cells and gonocytes from neonatal rats. Toxicol Appl Pharmacol 1998; 153:258-265.

6. Ohyama T: Effects of phthalate esters on glucose-6-phosphate dehydrogenase and other enzymes in vitro. Toxicol Appl Pharmacol 1977;40:355-364.

7. Piekacz H: The effect of dioctyl- and dibutylphthalates on the organism of rats during oraladministration in prolonged experiment. Part II. Investigations of subacute and chronic toxicity. Roczniki Panstwowego Zakladu Higieny 1971;22:295-307.

8. RTECS: Registry of Toxic Effects of Chemical Substances. National Institute for Occupational Safety and Health. Cincinnati, OH (Internet Version). Edition expires 1999; provided by Thomson Healthcare Inc., Greenwood Village, CO.

9. Singh AR, Lawrence WH, Autian J. Teratogenicity of phthalate esters in rats. J Pharm Sci 1972;61:51-55.

4. 농약류

1) DDT

1. Clayton, G.D., F.E. Clayton. Pattys Industrial Hygiene and Toxicology. Volumes 2A, 2B, 2C, 2D, 2E, 2F: Toxicology. 4th ed. New York, NY: John Wiley and Sons Inc., 1993-1994.

2. Fabro S et al; Am J Obstet Gynecol 1984;148,(7):929-38.

3. Hardman, J.G., L.E. Limbird, P.B. Molinoff, R.W. Ruddon, A.G. Goodman (eds.). Goodman and Gilmans The Pharmacological Basis of Therapeutics. 9th ed. New York, NY: McGraw-Hill, p. 1685, (1996).

4. Hayes, Wayland J., Jr. Pesticides Studied in Man. Baltimore/London: Williams and Wilkins, 1982.

5. Hayes, W.J., Jr., E.R. Laws Jr., (eds.). Handbook of Pesticide Toxicology Volume 1. General Principles. New York, NY: Academic Press, Inc., p. 151, 1991.

6. Kirk-Othmer Encyclopedia of Chemical Technology. 3rd ed., Volumes 1-26. New York, NY:John Wiley and Sons,., p. 13(81) 430, (1978-1984).

7. National Research Council. Drinking Water and Health Volume 1. Washington, DC: National Academy Press, p. 575, 1977.

8. OHS MSDS, Symyx Technologies, Inc.

9. The Chemical Society. Foreign Compound Metabolism in Mammals Volume 3. London: The Chemical Society, 1975.

10. The Chemical Society. Foreign Compound Metabolism in Mammals. Volume 5: A Review of the Literature Published during 1976 and 1977. London: The Chemical Society, 1979.

5. Paraben 류

1) Methyl paraben

1. Bingham, E.; Cohrssen, B.; Powell, C.H.; Patty's Toxicology Volumes 1-9 5th ed. John Wiley & Sons. New York, N.Y. (2001)., p. V6 665

2. Cosmetic Ingredient Review; Final Amended Report on the Safety Assessment of Methylparaben, Ethylparaben, Propylparaben, Isopropylparaben, Butylparaben, Isobutylparaben, and Benzylparaben as used in Cosmetic Products p 26. Int J Toxicol 27 Suppl 4: 1-82 (2008). Available from, as of November 21, 2016

3. ECHA, 2019

4. Ellenhorn, M.J. and D.G. Barceloux. Medical Toxicology - Diagnosis and Treatment of Human Poisoning. New York, NY: Elsevier Science Publishing Co., Inc. 1988., p. 1206

5. Grant, W.M. Toxicology of the Eye. 3rd ed. Springfield, IL: Charles C. Thomas Publisher, 1986., p. 695

6. Hindmarsh KW et al; J Pharm Sci 72: 1039-41 (1983)

7. Mirick DK et al; J Natl Cancer Inst 94 (20): 1578-80 (2002)

8. O'Neil, M.J. (ed.). The Merck Index - An Encyclopedia of Chemicals, Drugs, and Biologicals. Cambridge, UK: Royal Society of Chemistry, 2013., p. 1132

9. Osol, A. and J.E. Hoover, et al. (eds.). Remington's Pharmaceutical Sciences. 15th ed. Easton, Pennsylvania: Mack Publishing Co., 1975., p. 1096

10. Soni MG et al; Food Chem Toxicol 40 (10): 1335-73 (2002)

2) Ethyl paraben

1. Bingham, E.; Cohrssen, B.; Powell, C.H.; Patty's Toxicology Volumes 1-9 5th ed. John Wiley & Sons. New York, N.Y. (2001).

2. Byford JR et al; J Steroid Biochem Mol Biol 80 (1): 49-60 (2002)

3. Cosmetic Ingredient Review; Final Amended Report on the Safety Assessment of Methylparaben, Ethylparaben, Propylparaben, Isopropylparaben, Butylparaben, Isobutylparaben, and Benzylparaben as used in Cosmetic Products p 27. Int J Toxicol 27 Suppl 4:

1-82 (2008)

4. Grant, W.M. Toxicology of the Eye. 3rd ed. Springfield, IL: Charles C. Thomas Publisher, 1986., p. 695

5. Osol, A. and J.E. Hoover, et al. (eds.). Remington's Pharmaceutical Sciences. 15th ed. Easton, Pennsylvania: Mack Publishing Co., 1975., p. 1090.

3) Propyl paraben

1. Bingham, E.; Cohrssen, B.; Powell, C.H.; Patty's Toxicology Volumes 1-9 5th ed. John Wiley & Sons. New York, N.Y. (2001)., p. 6:639, 670-671

2. Grant, W.M. Toxicology of the Eye. 3rd ed. Springfield, IL: Charles C. Thomas Publisher, 1986., p. 695

3. Gazin V et al; Toxicol Sci 136 (2): 392-401 (2013)

4. Kirk-Othmer Encyclopedia of Chemical Technology. 4th ed. Volumes 1: New York, NY. John Wiley and Sons, 1991-Present., p. V12 884 (1994)

5. National Pesticide Information Retrieval System's Database on Propyl paraben (94-13-3). Available from, as of October 24, 2016: https://npirspublic.ceris.purdue.edu/ppis/

6. Oishi S; Environmental Sciences: an International Journal of Environmental Physiology and Toxicology 9 (2-3):181 (2002)

7. O'Neil, M.J. (ed.). The Merck Index - An Encyclopedia of Chemicals, Drugs, and Biologicals. Cambridge, UK: Royal Society of Chemistry, 2013., p. 1456

8. Smith KW et al; Environ Health Perspect 121 (11-12): 1299-305 (2013)

9. Soni MG et al; Food Chem Toxicol 39 (6): 513-32 (2001).

4) Butyl paraben

1. Bingham, E.; Cohrssen, B.; Powell, C.H.; Patty's Toxicology Volumes 1-9 5th ed. John Wiley & Sons. New York, N.Y. (2001)., p. 6:639, p. 6:672

2. Cosmetic Ingredient Review; Final Amended Report on the Safety Assessment of Methylparaben, Ethylparaben, Propylparaben, Isopropylparaben, Butylparaben, Isobutylparaben, and Benzylparaben as used in Cosmetic Products p 56. Int J Toxicol 27 Suppl 4: 1-82 (2008). Available from, as of November 21, 2016: https://online.personalcarecouncil.org/ctfa-static/online/lists/cir-pdfs/PR427.pdf

3. Cosmetic Ingredient Review; Final Report of the Cosmetic Ingredient Review Expert Panel; Amended Safety Assesment of Methylparaben, Ethylparaben, Propylparaben, Isopropylparaben, Butylparaben, Isobutylparaben, and Benzylparaben; p. 23, 29, 30, 36 June

2006

4. Gilman, A. G., L. S. Goodman, and A. Gilman. (eds.). Goodman and Gilman's The Pharmacological Basis of Therapeutics. 6th ed. New York: Macmillan Publishing Co., Inc. 1980., p. 969

5. Kang KS et al; J Vet Med Sci 64 (3): 227-35 (2002)

6. Osol, A. and J.E. Hoover, et al. (eds.). Remington's Pharmaceutical Sciences. 15th ed. Easton, Pennsylvania: Mack Publishing Co., 1975., p. 1089, 1090, 1095

7. Zhang L et al; J Appl Toxicol doi: 10.1002/jat.3291. (2016).

6. 기타 중금속 류

1). 수은

1. Environmental Protection Agency. Washington, DC (Internet Version). Edition expires 2002; provided by Thomson Healthcare Inc., Greenwood Village, CO.

2. Goncharuk: Gig Tr 1971;7:73-5.

3. HSDB: Hazardous Substances Data Bank. National Library of Medicine. Bethesda, MD, USA (Internet Version). Edition expires 2002; provided by Thomson Healthcare Inc., Greenwood Village, CO.

4. Mishonova VN, Stepanova PA, Zarudin VV. [Characteristics of the course of pregnancy and labor in women coming in contact with low concentrations of metallic mercury vapors in manufacturing work places]. Gig Tr Prof Zabol 1980;(2):21-3.

5. OHM/TADS: Oil and Hazardous Materials/Technical Assistance Data System. US

6. Panova Z, Ivanova S. Changes in ovarian function and some functional liver indices in occupational contact with mewrcury (I). Akuch Ginckol Sofica 1976;15:133-7.

7. Vasileva IA: Gig Tr 1975;11:179-82.

2). 납

1. ATSDR: US Public Health Service, Agency for Toxic Substances and Disease Registry, Toxicological Profile for Lead. Agency for Toxic Substances and Disease Registry, US Dept of Health and Human Services. Atlanta, GA, USA. 1999.

2. Budavari S: The Merck Index, 12th ed. on CD-ROM. Version 12:3a. Chapman & Hall/ CRCnetBASE. Whitehouse Station, NJ. 2000.

3. Ernhart CB, Wolf AW, Kennard MJ. Intrauterine exposure to low levels of lead: the status of the neonate. Arch Environ Health 1986;41:287-91.

4. Lewis RJ: Hawleys Condensed Chemical Dictionary, 14th ed, John Wiley & Sons, Inc, New York, NY, 2001.

3) 카드뮴

1. Clayton, G. D. and F. E. Clayton.. Pattys Industrial Hygiene and Toxicology: Volume 2A, 2B, 2C: Toxicology. 3rd ed. New York: John Wiley Sons, p. 1568, 1981-1982.

2. Doull, J., C.D.Klassen, M.D. Amdur. Casarett and Doulls Toxicology. 3rd ed., New York: Macmillan Co., Inc., p. 595, 1986.

마약류가 태아에 미치는 영향

○ 양준영

1 임신부의 마약류 사용 현황 및 연구의 필요성

1) 미국 임신부의 마약류 사용 현황

임신 중 노출된 마약류는 태아에 직·간접적인 영향을 미칠 수 있기 때문에 임신부는 마약류를 사용하지 않아야 한다. 미국의 경우 15세부터 44세까지의 임신부를 대상으로 조사한 결과에 따르면 가장 젊은 층에 속하는 15세부터 17세까지의 임신부의 15.8%(약 14,000명)가 마약류를 사용하고 있는 것으로 나타났다.

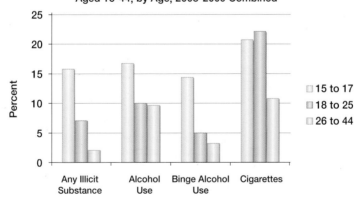

Current Substance Use Among Pregnant Women
Aged 15-44, by Age, 2008-2009 Combined

그림 4-9-1. 미국의 임신부가 사용하는 연령별 중독물질 현황 (NSDUH, 2010)

2) 임신부의 마약류 노출에 대한 연구의 필요성과 한계

임신 중 마약류의 사용은 일반적으로 저체중아 출산부터 행동발달과 인지능력에 영향을 주는 발달장애에 이르기까지 매우 다양한 태아독성과 연관되어 있는 것으로 알려져 있다. 예를 들어 임신 중 코카인(cocaine)과 마리화나(marijuana)에 노출되었던 태아는 어린이 시기에 주의력, 언어, 학습능력 및 행동 등의 장애를 가질 수 있다. 메스암페타민(methamphetamine) 노출은 태아성장 저하, 소아 행동장애와 연관이 있다. 또한 임신부의 헤로인(heroin) 사용은 저체중아 출산과 관련이 있다.

위와 같이 임신 중 마약류의 사용이 태아독성을 나타내고 있으며 그 영향이 아이가 성장하는 동안에도 이어질 수 있다는 연구가 있기는 하나, 모체를 통한 마약류의 영향을 충분히 평가하기 위한 연구가 이루어지기는 쉽지 않다. 그 이유는 개인, 가족 그리고 영양조건, 산전관리, 사회경제적 조건 등 다양한 환경적 요인이 임신 중 마약류 사용이 태아에 직접적인 독성을 일으킨다는 결론을 내리게 하기 어렵게 하고 있다. 더욱이 임신 중 마약류에 노출된 아이일지라도 충분히 훌륭한 가정환경과 교육을 통해서 그 영향이 개선되는 경우도 있다. 따라서 앞으로 더 많은 연구가 뒷받침되어야 할 영역이다.

2 마약류 종류에 따른 태아에 미치는 영향

1) 코카인(Cocaine)

임신 중 코카인 노출이 태아에 미치는 영향은 아직 완전히 밝혀지지 않았지만, 다수의 연구결과를 통해 코카인을 사용한 임신부는 정상 임신부에 비해 미숙아(prematurely delivered baby), 저체중아(low birth weight) 및 소두아(smaller head circumference) 출산의 빈도가 높은 것으로 알려져 있다.

이러한 출산 결과에 대한 연구에도 불구하고 임신 중 코카인 사용이 태어난 아이의 성장과 발달에 까지 영향을 미치는 지에 대해서는 아직 충분히 연구되지 않았다. 그 이유는 앞서 언급한 것과 같이 산전 관리, 육아 환경, 사회경제적 환경 등 다양한 요인이 존재하기 때문이다. 실제로 코카인 사용이 태아의 발달과 태어난 아이의 인지능력에 미치는 영향은 미미하다는 연구도 있다.

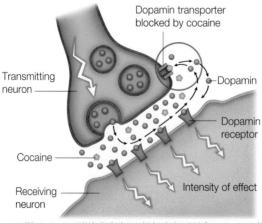

그림 4-9-2. 신경계에서 코카인 전달 과정 (NIDA, 2010)

2) 헤로인(Heroin)

임신 중 헤로인의 사용은 neonatal abstinence syndrome(NAS)를 일으킬 수 있다. NAS는 헤로인이 태반을 통해 태아에 전해져서 생기는 질환으로, 태어난 아이가 산모에 대한 과도한 의존성을 나타내는 것이다. NAS을 겪는 아이는 심한 울음, 발열, 발작, 체중감소, 떨림, 설사, 구토 등을 겪게 되며 심한 경우 사망에 이르게 된다. NAS의 증상을 완화시키기 위해서는 입원 치료가 필요하며, 몰핀(morphine)과 같은 약물 치료가 위와 같은 증상을 줄어들게 한다. 비록 임신 중 메타돈(methadone)에 노출된 아이는 NAS와 같이 치료가 필요하기는 하지만, 산전 관리와 함께 하는 메타돈 처방과 다른 광범위한 약물 처방은 아이와 산모 모두에게 보다 좋은 예후를 보이게 할 수 있다.

최근 미국국립마약연구원(National Institute on Drug Abuse, NIDA)에서 지원한 임상연구에 따르면 opioid-의존성 임신부에게 buprenorphine 치료가 태아와 엄마 모두에게 안전한 것으로 나타났다. 이 치료를 받은 엄마에게서 태어난 아이는 메타돈 치료를 받은 엄마에게서 태어난 아이보다 몰핀에 대한 의존성이 덜하며 입원 기간도 줄어들었다. 또한 naloxone과 병용한 buprenorphine 치료도 비슷하게 안전하고 부작용도 줄어드는 것으로 나타났다.

3) 마리화나(Marijuana)

동물연구를 통해서 신체의 endocannabinoid 시스템이 뇌의 발달(특히 감정 반응의 발달)을 조절하는데 중요한 역할을 하는 것으로 알려졌다. 따라서 조기에 delta-9-tetrahydro-cannabinol(THC)에 노출되는 것은 뇌의 발달에 부정적인 영향을 영향을 미치게 된다. 실험동물(rat)을 이용한 연구에서 임신 중 낮은 농도의 THC에 노출되었을 때에도 후세대(offspring)의 뇌와 행동에 영향을 미치는 것으로 나타났다. 임신 중 마리화나를 사용한 여성에게서 태어난 일부 아이는 시각 자극, 과민적인 떨림, 고도의 울음 등 신경 발달에 문제가 있음을 나타내는 징후가 보인다는 임상 연구도 있다. 임신 중 마리화나에 노출된 아이는 학교에서도 문제해결력, 기억력, 주의력 등에서 정상 아이와 차이를 보이는 것으로 나타났다. 더욱이 모유에서도 THC가 분비되는 것으로 나타났기 때문에 수유부도 마리화나 사용을 피해야 한다. 그러나 다양한 환경적 요인(산모의 영양, 양육 등)과 또 다른 마약의 사용과 같은 상황을 배제한 채 마리화나만의 독특한 영향을 밝히기 위한 연구는 더 많이 이루어져야 한다.

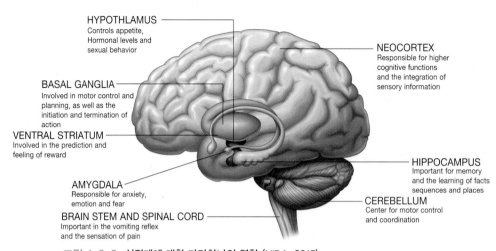

HYPOTHLAMUS
Controls appetite,
Hormonal levels and
sexual behavior

NEOCORTEX
Responsible for higher
cognitive functions
and the integration of
sensory information

BASAL GANGLIA
Involved in motor control and
planning, as well as the
initiation and termination of
action

VENTRAL STRIATUM
Involved in the prediction and
feeling of reward

HIPPOCAMPUS
Important for memory
and the learning of facts
sequences and places

AMYGDALA
Responsible for anxiety,
emotion and fear

CEREBELLUM
Center for motor control
and coordination

BRAIN STEM AND SPINAL CORD
Important in the vomiting reflex
and the sensation of pain

그림 4-9-3. 신경계에 대한 마리화나의 영향 (NIDA, 2015)

4) 흡입제(Inhalant)

휘발성이 강한 유독화학물질(toluene, fuel, nitrous oxide, alkyl nitrite 등)은 신체 내에 흡입될 경우 다양한 독성을 일으킬 수 있을 뿐 아니라 환각증상이나 중독성 등 마약류와 같은 작용을 할 수 있다. 그러나 다른 마약류와 달리 이러한 흡입노출 물질은 직업 상 불가피하게 노출되는 경우가 많다. 즉, 이러한 물질이 생산재료로서 혹은 공정상 포함되는 경우 작업소나 공장 등의 공기중에 노출되어 근로하는 임신부가 흡입하게 된다. 이러한 작업장에서 노출되는 물질의 양이나 농도는 일반적인 생활환경보다 대략 50배 가량 높게 나타난다.

임신 중 흡입제 노출은 태아뿐만 아니라 태어난 이후에도 유해영향을 미칠 수 있다. 동물을 이용한 시험에서 톨루엔(toluene)이 임신 중에 노출된 경우 저체중아 출산, 골격이상, 신경행동 발달 장애, 대사조절 장애 등의 독성이 나타났다. 그 외 다른 동물연구에서도 흡입 시 중독성을 가지는 화학물질에 장기적으로 노출된 모체에서 태어난 후세대가 다양한 발달 장애를 일으킨다는 보고가 있다. 그러나 잘 디자인된 임상연구는 아직 부족한 실정이다.

표 4-9-1. 동물에서 흡입 시 중독성을 가지는 화학물질이 포함된 생활물품의 종류 (NIDA, 2015)

흡입 시 중독성을 나타내는 화학물질	사용 물품
Amyl nitrite, Butyl nitrite	비디오헤드클리너
Benzene	가솔린
Butane, Propane	라이터 연료, 헤어스프레이
Methylene chloride	페인트 시너·세척제
Toluene	가솔린, 페인트 시너·세척제, 수정액

5) 메스암페타민(Methamphetamine)

메스암페타민은 간에서 주요 대사체(metabolites)인 amphetamine과 4-hydroxymethamphetamine으로 대사된다. 메틸기(methyl group)가 추가되기 때문에 메스암페타민이 암페타민보다 더 lipophilicity가 높으며 BBB(blood-brain barrier)를 더 잘 통과한다. 메스암페타민은 serotonin(5-HT) plasma membrane transporter(SERT)에 영향을 주고 도파민 분비작용을 자극시켜 심리적 보상감을 활성화시키기 때문에 다른 암페타민류 환각제보다 중독성과 각성효과가 더 크다.

메스암페타민의 임신 중 사용이 태아에 미치는 영향에 대한 연구 또한 다른 물질과 마찬가지 이유로 매우 제한적인 상황이다. 그럼에도 불구하고 지금까지 제시된 연구에 따르면 메스암페타민의 임신 중 사용은 조기출산율 증가, 태반 분리(placental abruption), 미숙아 출산, 심장 및 신경 발달 장애 등을 유발할 수 있다. 최근 미국국립마약연구원(NIDA)에서 지원한 임상연구에서도 메스암페타민을 남용한 엄마에게서 태어난 아이는 여러 가지 신경행동학적 문제를 보이는 것으로 나타났다.

6) 엑스타시(Ecstasy, MDMA)

엑스타시는 본래 물질인 MDMA(3,4-methylenedioxymethamphetamine)의 유통명칭이다. 미국의 2012년 통계(National Survey on Drug Use and Health)에 따르면 12세 이상의 약 6.2%는 적어도 한 번 이상 엑스타시를 사용하는 것으로 나타났을 정도로 널리 퍼져있는 마약이다. 특히 클럽 등에서 널리 사용되고 있어 가임기 여성이 임신을 인지하지 못한 채 사용하는 경우가 많다. 캐나다 토론토대학의 마더리스크프로그램에서 수집한 자료에 따르면 엑스타시를 사용하는 임신부는 젊고, 미혼모가 많으며, 백인종 그리고 알코올중독자가 많은 경향을 나타냈으며, 다른 신경학적 증상 빈도가 높은 편이었다. 임신 중 엑스타시에 노출된 136명의 아이에 대한 후향적(retrospective) 임상연구에서는 조숙아출산(premature births)과 심혈관계 및 근골격계 기형 등 선천적 기형이 나타났다. 네덜란드의 또 다른 연구에서도 임신 중 엑스타시 노출에 따라 선천적 심혈관계 기형과 유산이 보고되었으며, 최근에는 엄마로부터 엑스타시에 노출되어 태어난 아이의 성장과정에서 4~12개월 개월 사이에 정신 및 신체적 발달의 저하가 보고된 바 있다.

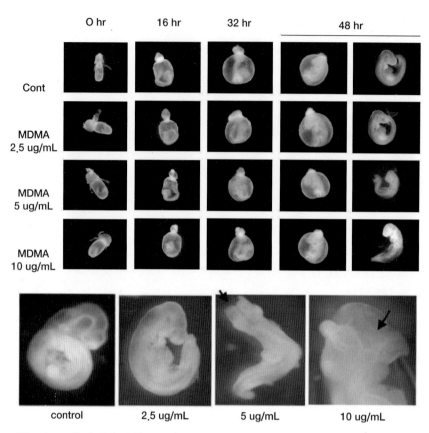

그림 4-9-4. 랫드(rat)의 배자(embryo)를 이용한 MDMA의 in vitro 독성시험 (Yang, 2009)

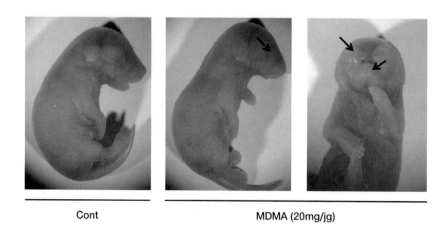

그림 4-9-5. 임신 된 마우스에 MDMA를 투여한 태자(fetus)의 기형(무안구증) 모습

표 4-9-2. **임신 중 마약류 노출에 따른 예상되는 영향 (Bradley, 2014)]**

Illicit Drug	Effects on Mother/ Pregnancy	Potential Structural Effects	Neurobehavioral Effects
Cocaine	· Preterm delivery · Placental abruption · Uterine rupture · Fetal death · IUGR	· Necrotizing enterocolitis · Disagreement regarding structural defects	· Impaired language development · Attention deficits in males · Inhibition deficits in males
Opioids (ex. Heroin)	· Preterm delivery · PPROM · Meconium-stained amniotic fluid · IUGR · Chorioamnionitis · Fetal death	· Congenital heart defects · Neural tube defect	· Neonatal abstinence syndrome · Aggressiveness · Impulsiveness · Increased temper · Poorer self-confidence · Impaired memory · Impaired perception
Cannabis (ex. Marijuanna)	· Shorter gestation · Lower birth weight	· None specific	· Impaired executive function
Inhalants	· Maternal electrolyte abnormalities · Maternal arrhythmias · Maternal RTA · IUGR · Preterm labor	· Microcephaly · Craniofacial abnormalities similar to those seen in fetal alcohol syndrome	· Developmental delay · Growth impairment · Attention deficits · Language deficits · Cerebellar dysfunction
Amphetamines (ex. METH, MDMA)	· Maternal psychiatric diagnosis	· Oral clefts · Smaller head circumference · Shorter length · Disagreement regarding other structural defects	· Increased emotional reactivity · Depression · Anxiety · ADHD · Externalizing behavior · Aggressiveness

Abbreviations
ADHD: attention-deficit/hyperactivity disorder
IUGR: intrauterine growth restriction
METH: methamphetamine
MDMA: 3,4-methylenedioxymethamphetamine
PPROM: preterm premature rupture of membranes
RTA: renal tubular acidosis

▶ **참고문헌**

1. Barr AM, Panenka WJ, MacEwan GW, Thornton AE, Lang DJ, Honer WG et al. The need for speed: an update on methamphetamine addiction. J Psychiatry Neurosci 2006;31:301-313.

2. Bradley D. Holrook, William F. Rayburn. Teratogenic risks from exposure to illicit drugs. Obstet Gynecol Clin N Am 2014;41:229-239.

3. Caldwell J, Dring LG, Williams RT. Metabolism of (14C)methamphetamine in man, the guinea pig and the rat. Biochem J 1972;129:11-22.

4. Cocaine. Research Report Series. National Institutes of Health(NIH); Publication Number 10-4166. Maryland. National Institute on Drug Abuse(NIDA). 2010.

5. de Moraes Barros MC., Guinsburg R., de Araujo Peres C., Mitsuhiro S., Chalem E., Laranjeira R.R. Neurobehavioral profile of healthy full-term newborn infants of adolescent mothers. Early Hum Dev. 2008;84:281-287.

6. Fried P.A., Makin J.E., Neonatal behavioral correlates of prenatal exposure to marijuana, cigarettes, and alcohol in a low risk population. Neurotoxicol Teratol 1987;9:1-7.

7. Goldschmidt L., Day N.L., Richardson G.A. Effects of prenatal marijuana exposure on child behavior problems at age 10. Neurotoxicol Teratol 2000;22:325-336.

8. Heroin. Research Report Series. National Institutes of Health(NIH); Publication Number 15-0165. Maryland. National Institute on Drug Abuse(NIDA). 2014.

9. Ho E., Karimi-Tabesh L., Koren G. Characteristics of pregnant women who use ecstasy (3,4-methylenedioxymethamphetamine). Neurotoxicol Teratol 2001;23:561-567.

10. Inhalants. Research Report Series. National Institutes of Health(NIH); Publication Number 15-3859. Maryland. National Institute on Drug Abuse(NIDA). 2015.

11. Jones H.E., Kaltenbach K., Heil S.H., Stine S.M., Coyle M.G., Arria A.M., O'Grady K.E., Selby P., Martin P.R., and Fischer G. Neonatal abstinence syndrome after methadone or buprenorphine exposure. N Engl J Med 2010;363:2320-2331.

12. Kraft W.K., Dysart K., Greenspan J.S., Gibson E., Kaltenbach K., and Ehrlich M.E. Revised dose schema of sublingual buprenorphine in the treatment of the neonatal opioid abstinence syndrome. Addiction 2010;106:574-580.

13. Lund I.O., Fischer G., Welle-Strand G.K., O'Grady K.E., Debelak K., Morrone W.R. and Jones H.E. A comparison of buprenorphine + naloxone to buprenorphine and methadone in the treatment of opioid dependence during pregnancy: maternal and neonatal outcomes. Subst Abuse 2013;7:61-74.

14. Marijuana. Research Report Series. National Institutes of Health(NIH); Publication Number 15-3859. Maryland. National Institute on Drug Abuse(NIDA). 2015.

15. McElhatton P.R., Bateman D.N., Evans C., Pughe K.R., Thomas S.H. Congenital anomalies after prenatal ecstasy exposure. Lancet 1999;354:1441-1442.

16. Methamphetamine. Research Report Series. National Institutes of Health(NIH); Publication Number 13-4210. Maryland. National Institute on Drug Abuse(NIDA). 2013.

17. Richardson G.A., Ryan C., Willford J., Day N.L., Goldschmidt L. Prenatal alcohol and marijuana exposure: effects on neuropsychological outcomes at 10 years. Neurotoxicolo Teratol 2002;4:309-320.

18. Schempf A.H., Strobino D.M. Illicit drug use and adverse birth outcomes: is it drugs or

context? J Urban Health. 2008;85:858-873.

19. Singer L.T., Moore D.G., Fulton S., Goodwin J., Turner J.J., Min M.O., et al. Neurobehavioral outcomes of infants exposed to MDMA (Ecstasy) and other recreational drugs during pregnancy. Neurotoxicol Teratol 2012;34:303-310.

20. Trezza V., Campolongo P., Cassano T., et al. Effects of perinatal exposure to delta-9-tetrahydrocannabinol on the emotional reactivity of the offspring: a longitudinal behavioral study in Wistar rats. Psychopharmacology 2008;198:529-537.

21. Yang J.Y., Chae M.H., et al. ATG5 expression induced by MDMA(ecstasy), interferes with neuronal differentiation of neuroblastoma cells. Mol. Cells. 2009;27:571-575.

10

면역독성: 알레르기질환의 발생

◦ 이희철

1 서론

아토피피부염은 가려움을 특징으로 하는 만성 재발성 염증성 피부질환으로 전세계 어린이의 10-20%가 경험하며 최근 지속적으로 증가하는 추세이다. 우리나라도 예외는 아니어서 대한 소아 알레르기 호흡기학회에서 약 40,000여명의 초등학생 및 중학생을 대상으로 실시한 전국적 역학 조사에 의하면 "일생 동안 아토피피부염으로 진단받은 적이 있다"로 본 유병률은 1995년에 비해 2000년에 6-12세(1995년 16.6%, 2000년 24.9%)와 12-15세(1995년 7.3%, 2000년 12.8%) 모 두에서 의미있게 증가되었다(표 4-10-1).

표 4-10-1. 우리나라 알레르기질환의 유병률 변화(진단받았던 병력에 근거) (%)

	초등학교 (6-12세)		중학교 (13-15세)		전체 (6-15세)	
조사 연도	1995	2000	1995	2000	1995	2000
조사 대상자(명)	25,361	28,050	15,068	15,326	40,429	43,376
천식	7.7	9.1	2.7	5.3	5.7	7.6
알레르기 비염	15.6	20.4	7.6	13.6	12.3	17.7
알레르기 결막염	10.3	13.1	5.5	8.3	8.4	11.2
아토피피부염	16.6	24.8	7.3	12.8	12.9	20.2
식품 알레르기	4.2	4.7	3.8	5.1	4.0	4.8
약물 알레르기	1.1	1.2	0.9	1.1	1.1	1.2

-1995년 및 2000년, 어린이-청소년 알레르기질환 국제역학조사(ISAAC) 설문지사용-

Epidemiological change of atopic dermatitis and food allergy in school aged children in Korea between 1995 and 2000. Oh JW, Pyun BY, Choung JT, Ahn KM, Kim CH, Song SW, Son JA, Lee SY, Lee SI. J Korean Med Sci 2004;19:716-23

최근 2006년 아토피피부염에 국한된 초등학생의 전국적 역학조사에서도 28.9%로 2000년 24.9%에 비해 지속적으로 증가하는 추세이다(표 4-10-2).

표 4-10-2. Comparison of Prevalences of Atopic Dermatitis in Korean Children between 1995, 2000 and 2006

Year	1995†	2000†	2006*
일생동안 아토피피부염의 가려운 증상 유병률(%)	15.3(14.9-15.8)	17.0(16.5-17.4)	21.8(21.3-22.2)
지난 12개월동안 가려운 flexural eczema증상 유병률	7.3(7.0-7.6)	10.7(10.4-11.1)	15.4(15.1-15.8)
일생동안 아토피피부염을 진단받은 유병률	16.6(16.2-17.1)	24.9(24.4-25.4)	28.9(28.5-29.4)
최근 12개월동안 아토피피부염으로 치료받은 유병률	8.2(7.9-8.6)	11.9(11.5-12.3)	14.2(13.8-14.5)

Abbreviations: AD, atopic dermatitis; 95% CI, 95% confidence interval
*P〈0.001, the prevalence of 2006 is increased significantly than that of 2000
†Hong, et al. Pediatr Allergy Respir Dis(Korea) 2007;17(Suppl 1):S55-66

Prevalence of Asthma,Rhinitis and Eczema in Korean Children Using the International Study of Asthma and Allergies in Childhood(ISAAC) Questionnaires, Jee HM, Kim KW,Kim CG, Sohn MH, Shin DC,Kim KE. Pediatr Allergy Respir Dis(Korea) 2009;19(2): 165-72.

또한 이 질환은 환아 본인의 육체적 정신적 고통뿐만 아니라 가족 구성원의 삶의 질에도 영향을 미치기 때문에 최근 사회적 관심도 증대되고 있다. 아토피피부염은 감수성 있는 유전자, 숙주의 환경, 약리학적 이상, 피부장벽 손상, 면역학적 요인의 상호작용에 기인하는데 많은 병태생리에 대한 연구들이 행해지고 있으나 아직 미비하며 부족한 수준이다. 무엇보다 이 질환의 병태생리를 정확히 이해함으로써 앞으로 새로운 치료방법의 개발이 용이해지고 예방적 접근도 좀더 발전되리라 확신한다.

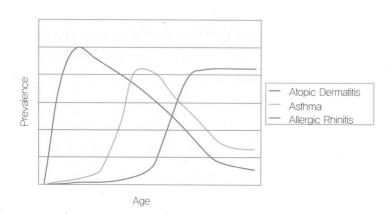

그림 4-10-1. 연령에 따른 아토피질환 발생률 변화. 아토피피부염의 발생률은 영아기에 최고에 이른 후 감소한다. 천식과 알레르기성비염은 감작이 생기고 시간이 지날수록 증가한다. (Spergel JM et al. 2003)

이 질환은 무엇보다 아토피피부염이 그 자체로 끝나는 것이 아니라 소위 '알레르기 행진'이 라고 하는 천식이나 비염 같은 호흡기 알레르기 질환으로 진행하는 경우가 많고 선행하는 첫번째 질환이고 첫 신호이다 보니 초기에 이에 대한 정확한 진단과 치료가 중요한 이유라 하겠다(그림 4-10-1).

또한 이 질환은 유전적 배경을 갖는 개체에서 임신 또는 출생 후 환경적인 영향이 질환의 발현에 관여하는 것으로 알려져 있어 이에 대한 연구가 현재 진행 중이지만 제한적이며 이 질환의 증가추세로 보아 향후 유전적, 면역학적 관련성과 산모의 임신 전 또는 임신 중 예방을 위한 노력이 질환의 발현에 어떠한 영향을 미치는가에 대해 집중적이며 활발한 연구가 이루어져야 하겠다.

이 장에서는 아토피피부염의 정의, 임상증상, 감별해야 할 질환, 유전, 병태생리, 임신과의 연관성, 환경적(식품 또는 호흡기 알레르겐) 위험인자의 예방적 노력 등에 대해 다루어 보고자 한다.

2 아토피피부염의 진단과 중증도 평가

먼저 '아토피'라는 용어는 주위환경에 존재하는 알레르겐에 대한 IgE 항체를 생성하는 유전 적 소인을 의미하며 실제로 아토피피부염 환자의 대다수에서 혈청 내 총 IgE 및 항원 특이 IgE 치가 상승되어 있고 피부반응 검사에서 여러 종류의 알레르겐에 대해 양성반응을 나타낸다. 하지만 일부 환자들의 경우 이러한 알레르겐 감작의 증거를 전혀 찾을 수 없고 천식, 비염 등 다른 알레르기 질환이 동반되지 않는다. 이렇게 공통의 임상적 특징을 가지면서 서로 다른 두가지 양상을 가지는 데 특이 IgE 매개성을 외인성(extrinsic)또는 알레르기성(Allergic) 아토피피부염이라고 하며 다른 형태를 이에 반해 내인성(intrinsic) 또는 비알레르기성(Non-allergic) 아토피피부염 이라고 분류한다.

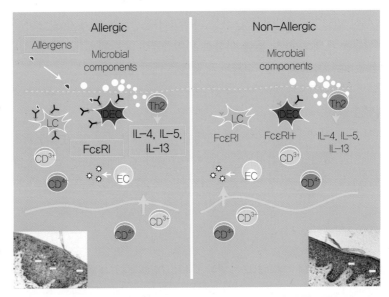

그림 4-10-2. 아토피피부염의 병태생리학적 현상. 아토피피부염의 알레르기성(좌)과 비알레르기성(우) 사이의 차이가 노란색에 의해서 구분된다. 추가적으로 immunohistochemical stainings of FcεRI on CD1a+ LCsc & IDECs (indicated by arrows)들이 각 그림의 하단에서 보인다. eo, Eosinophils. (Novak N. et al. 2003)

진단은 임상양상에 의하는데 개인, 연령, 종족에 따라 다양하여 절대적으로 확립된 기준은 없으나 1980년 'Haniffin' 과 'Rajka'가 제시한 주요 임상증상을 진단기준으로 사용한다. 주 증상으로 는 가려움증, 연령에 따른 특징적인 병변의 부위와 모양, 그리고 만성 혹은 재발성 경과를 취하는 병의 진행과정, 본인 또는 가족력에서 아토피의 병력(아토피피부염, 기관지 천식, 알레르기 비염) 이 있으며 이중 3가지 이상 있으면 아토피피부염이라 진단할 수 있다. 전세계적으로 통일된 기준 의 부재로 미국 피부과 학회에서 2001년 진단 기준 회의를 하여 보완된 새로운 기준을 제시하였 는데 가려움증과 특징적 피부 병변은 필수로 반드시 있어야 하고 진단을 뒷받침하며 대부분의 경 우에서 보이는 중요한 소견으로는 어린 나이에 시작하고 아토피력, 피부건조증이 있다.

중증도를 평가하는 방법(severity index)에는 여러 가지 종류가 있지만 현재 가장 흔히 통용되는 것은 European Task Force on Atopic Dermatitis 에서 제안한 SCORing Atopic Dermatitis (SCORAD) index 이다. 평가는 병변의 범위를 9의 법칙(rule of nine)을 이용하여 각 부위를 나누어 측정하며 병변의 심한 정도를 홍반, 부종, 삼출 혹은 가피찰상, 태선화, 피부건조에 대해 각각 점수를 주어 합산하며, 주관적 증상인 소양감과 수면장애는 최근 한 주간 심했던 정도를 점수화하며 이들 점수의 합산 점수로 경증, 중등증, 중증으로 중증도를 분류한다.

3 아토피피부염의 감별진단

소아에서는 특히 면역결핍질환에서 습진성 피부염이 동반되는 경우가 많으며 식품알레르기와 연관되어 단백섭취를 제대로 하지 못해 이차적 면역결핍이 동반될 수도 있다. 진단 시는 병력과 임상 증상 및 징후, 검사를 통해 다른 질환과의 감별을 해야 한다.

1) 지루성 피부염

생후 1개월 이내 시작하여 1년 사이에 발병하며 처음에는 두피에 낙설과 딱지가 생기며 귀, 코, 눈썹 부위에 잘 생긴다. 일반적으로 아토피피부염과 쉽게 감별되지만 생후 첫 몇 개월 동안 얼굴이 먼저 침범될 경우 감별이 어려우며 일반적으로 소양감이 없고 염증 후 색소침착이 남을 수 있다.

2) 알레르기 접촉피부염

원인 알레르겐의 노출된 부위에 국한되어 나타나며 피부의 세포 매개성 과민 반응에 의하며 피부의 두께가 얇은 눈꺼풀, 귀바퀴, 성기부위에 호발하고 굴곡부위에는 잘 침범되지 않는다.

3) 동전양 습진

동전 모양의 습진성 병변이 주로 팔다리의 신전부위, 둔부, 어깨 등에 생기고 소양감이 심하며 만성화되면 피부가 두꺼워 지고 태선화된다.

4) 건선

흔한 만성 피부질환으로 가족력이 있는 경우가 흔하며 표피세포의 빠른 증식과 탈락의 감소로 죽은 세포가 축적되어 회백색의 인설을 동반하는 특징이 있고 생식기, 항문, 둔부사이, 배꼽, 귀 위, 사지에 분포하고 경계가 명확한 빛나는 홍색의 판과 운(雲) 모양의 인설은 건선의 특징적인 소견이며 인설을 제거하면 출혈이 일어난다(Austpitz sign).

5) 어린선

피부에 인설이 과도하게 축적되는 것이 특징인 유전성 병변이며 심상성 어린선이 가장 흔하고 모공각화증과 잔금이 많은 손바닥(hyperlinear palm) 등이 특징이다. 인설의 축적 정도는 매우 다양하며 건조하고 추운 겨울에 심해지고 고온 다습한 여름에는 호전됩니다. 열대지방에 살면 증상 없이 지내다가 추운 지방으로 오면 증상이 나타나기도 하며 임상적 양상과 병리학적 검사를 시행하여 확진한다.

6) 포진상 습진

손상된 피부(주로 아토피피부염이나 Darier 병)에 단순포진 바이러스에 감염되어 발생하고 수포, 미란, 열, 피로감을 특징으로 자주 재발하며 얼굴, 목, 체간에 호발하고 수포의 중심부가 함몰된 양상이 특징이고 구강안면포진을 갖고 있는 부모로부터 자주 감염이 되며 유아가 심하게 긁음으로써 피부장벽이 파괴되고 자가 접종에 의해 넓게 퍼지게 된다.

이외에 중증복합면역결핍증의 피부 병변과 Wiskott-Aldrich 증후군, 과IgE증후군 등의 면역 결 핍질환과 Netherton 증후군과 같은 선천성 질환, 옴, HIV 감염과 악성종양, 자가면역질환, phenylketonuria 등의 대사질환과도 감별을 요한다.

4 발생인자

아토피피부염은 단순 피부의 결함이 아니라 면역학적 이상 특히 여러 가지 알레르겐과의 작용이 주요 원인이 되는 질환이다. 아토피피부염 발생에 미치는 알레르겐 중 식품은 다른 알레르기질환에 비해 연관성이 높아 많은 연구가 이루어진 상태이다. 아토피피부염과 식품과의 연관성은 20-80% 정도로 그 차이가 매우 크게 나타나고 있지만, 증등도 이상의 아토피피부염 환자의 경우 약 35% 정도가 식품과의 연관성이 있는 것으로 보고되었다. 특히 나이가 어리고 심한 아토피피부염일 경우 식품과의 연관성이 높다. 알레르기의 원인이 되는 주요 식품으로는 계란, 우유, 대두,

땅콩, 견과류, 밀 등으로 어린이 식품알레르기의 90%를 차지한다.

식품이 위장관을 통해 감작되는 알레르겐이라면 호흡기나 다른 경로를 통해 감작되는 알레르겐 중 가장 발생빈도가 높은 알레르겐은 집 먼지 진드기이다. Dermatophagoides pteronyssinus 와 Dermatophagoides farinae는 집 먼지 내의 알레르겐을 구성하는 주요성분으로(Voorhorst et al., 1964), 노출 시 이들 알레르겐에 대한 특이 IgE를 합성하여 천식과 알레르기 비염 등의 호흡기 알레르기 증상을 일으킬 뿐 아니라(Platts-Mills and Chapman, 1987) 가정에서의 집 먼지 진드기에 대한 노출과 감작 사이에는 용량-반응 관계가 있는 것으로 알려져 있다(Kuehr et al., 1994). 그러나 집 먼지 진드기에 대한 노출과 아토피피부염의 관련성에 대한 연구는 다른 알레르기 질환보다 많지 않다.

5 유전

아토피피부염의 유전은 복잡하며 최근 매우 활발히 연구되는 분야이다. 수많은 유전자가 이 아토피피부염의 발병에 관여하는데 '피부장벽/외피분화' 유전자와 '면역반응/숙주방어' 유전자가 가장 중요한 역할을 하는 것으로 보인다. 피부장벽 단백인 필라그린(filaggrin)의 기능 상실 변이가 외인성 아토피피부염 뿐만 아니라 심상성 어린선(ichthyosis vulgaris) 환자에서도 동일하게 가장 중요한 선행 유전 요소로 입증되었다.

후보(candidate) 유전자에 대한 접근이 최근 활발한데 피부 외피 가장 바깥층에서 표현되는 다양한 SPINK5 (Serin protease inhibitor, Kazal type 5) 유전자에서부터 시작되고 있으며 특히 이 유전자의 부산물인 LEKTI (Lympho-epithelial kazal-type related inhibitor)은 피부의 박리와 염증에 직접적으로 관여하는 두 serin protease를 억제하는 역할로 주목되고 있다.

이와 같이 protease와 protease 억제자 활성의 불균형이 아토피피부염에서 피부염증에 주요 한 역할을 하리라 여겨진다. 이러한 관점이 아토피피부염의 병인인 손상된 피부장벽 기능으로 경피적 수분소실을 초래하고 알레르겐, 항원, 환경적 유해 화학물의 유입이 쉬워지고 이로 일련의 피부 염증반응을 초래하는 결과를 이해하는 데 기초가 된다.

또한 아토피피부염을 갖는 대다수의 환자가 성장하면서 그들의 염증성 피부 질환이 소실되는 경향을 보이므로 다른 유전적 산물이 반드시 이 질환의 병인에 또한 관여한다는 것을 인식할 필요가 있다. 최근까지 아토피피부염의 후보유전자에 대한 연구를 정리하면 표 4-10-3와 같다.

6 병태생리학

1) 전신 면역 반응

아토피피부염을 갖는 대부분의 환자는 말초혈액 내 호산구가 증가하고 혈액내 IgE 농도가

표 4-10-3. 아토피피부염과 연관성 있는 유전자

Study	Gene symbol	Gene name	Chromosomal location	Poputation and study size
Palmer et al, 2006	FLG	Filaggrin	1q21*	Irish(n = 52), Scottish, (n = 279§), Danish (n = 142, 25†§)
Jones et al, 2006	CTLA⁴	Cytotoxic T lymphocyte–associated 4	2q33*‡	Australian, 112 nuclear families
Moffatt et all, 2005	TLR9	Toll–like receptor 9	3p21.3*	British(n = 172)
Ahmad–Nejad et al, 2004	TLR2	Toll–like receptor 2	4q32*	German(n = 78)
Nishio et al, 2001	IRF2	Interferon regulatory factor 2	4q35.1*‡	Japanese, 49 pedigress(n = 180)
Lange et al, 2005	CD14	Monocyte differentiation antigen CD14	5q31.1*	German(n = 40)
Rafatpansh et al, 2003	GM–CSF	Granulocyte–macrophage colony–stimulating factor	5q31.3*	British(n = 113)
Tsunemi et al, 2002	IL13	IL–13	5q31–33*	Japanese(n = 185)
Liu et al, 2000	IL13	IL–13	5q31–33†	German(n = 187)
Kawashima et al, 1998	IL14	IL–4	5q31–33*	Japanese, 88 nuclear families
Walley et al, 2001	SPINK5	Serine protease inhibitor, Kazal type 5	5q31–33*	British(n = 338)
Nishio et al, 2003	SPINK5	Serine protease inhibitor, Kazal type 5	5q31–33*	Japanese, 41 pedigress(n = 177)
Kato et al, 2003	SPINK5	Serine protease inhibitor, Kazal type 5	5q31–33	Japanese(n = 124)
Weidinger et al, 2005	CARD4	Caspase recruitment domain–containing protein 4	7q14–15*	German, 189 nuclear families (n = 454)
Cox H et al, 1998	F∝RIβ	βChain of the high–affinity receptor for IgE	11q12–13*	British, 60 nuclear families (n = 277)
Moffatl et al, 1992	F∝RIβ	βChain of the high–affinity receptor for IgE	11q12–13†	British(n = 172)
Novak et at, 2005	IL18	IL–18	11q22*	German(n = 225)
Chae et al, 2003	TIM1	T–cell immunoglobulin– and much domain–containing molecule 1	12q12–13*	Korea(n = 112)
Jang et al, 2005	PHF11	PHD finger protein 11	13q14*	Australian, 111 nuclear families
Mao et al, 1996	MCC	Mast cell chymase	14q11.2*	Japanese(n = 100)
Mao et al, 1998	MCC	Mast cell chymase	14q11.2*	Japanese(n = 145)
Tanaka et al, 1999	MCC	Mast cell chymase	14q11.2†	Japanese(n = 169)
Iwanage et al, 2004	MCC	Mast cell chymase	14q11.2*	British, 341 nuclear families
Weidinger et al, 2005	MCC	Mast cell chymase	14q11.2*	German(n = 242)
Oiso et al, 2000	IL4R	IL–4 receptor α chain	16q12–p11*	Japanese(n = 100)
Hosomi et al, 2004	IL4R	IL–4 receptor α chain	16p12–p11*‡	Japanese(n = 101)
Kabesch et al, 2003	CARD15	Caspase recruitment domain–containing protein 15	16q12†	German(n = 330)
Nickel et al, 2000	RANTES	Regulated on activation, normally T cell expressed and secreted	17q11.2†	German(n = 268)
Tsunemi et al, 2002	BOTAXIN	Eotaxin	17q21.1–21.2†	Japanese(n = 140)
Arkwrigh et al, 2001	TGFβ1	TGF–β1	19q13.1*	British(n = 68)
Vasilopoulos et al, 2004	SCCE	Stratum comeum chymotryptic enzyme	19q13.1*	British(n = 103)
Vavilin et al, 2003	GSTT1	Glutathions S–transferase, Theta–1	22q11.2*	Russian(n = 325)

Significance levels for the markers showing the strongest association are shown.
*$P \leq .0.1$.
†$P > .0.1 \leq .0.5$.
‡Markers showing association when haplotype analysis was performed.
§Phenoty of AD and asthma combined.

상승되어 있다. 환아의 거의 80%가 나이가 들어가면서 알레르기 비염이나 천식을 동반하게 되는데 이는 손상된 피부를 통하여 발생하는 경피부 감작(transepidermal sensitization)이 호흡기 알레르기의 병인과 연관될 수 있다는 추론을 가능하게 한다.

아토피피부염 환자의 말초혈액 단핵세포는 인터페론 감마(IFN-γ)생성 능력이 감소되어 있으며 결과적으로 혈액내 IgE가 증가하게 된다. 이러한 연관성은 IFN-γ 생성의 촉진자(inducer)인 IL-18 결핍의 결과일 수 있다. 아토피피부염 환자의 말초혈액에서는 IL-4, IL-5, IL-13은 다량 생산하고 IFN-γ은 소량 생산하는 항원 특이 T세포의 빈도가 증가함이 관찰된다. 이러한 면역학적 변화는 중요한데 왜냐하면 IL-4와 IL-13은 IgE 생산에 필요한 동형전환(isotype switching)을 유도하는 사이토카인이기 때문이다. 이러한 사이토카인들은 호산구의 침윤에 관여하고 Th1 사이토 카인 활성도를 하향 조절하는 유착분자인 VCAM(vascular adhesion molecule)-1의 표현을 활성화시킨다.

대조적으로 IFN-γ는 IgE의 합성을 억제하고 Th2세포의 활성도를 감소시키며, T세포 표면에서 IL-4수용체의 표현을 억제한다. IL-5는 호산구의 발달, 활성화, 그리고 생존 능력을 유지하는데 매우 중요한 역할을 한다. T세포의 발달이 이루어지는 사이토카인 미세환경, 약리학적 요인, T세포 활성화 과정에 필요한 costimulatory signals 그리고 항원제시세포가 T세포 반응의 결과를 결정하는 주요 인자들이다(그림 4-10-3).

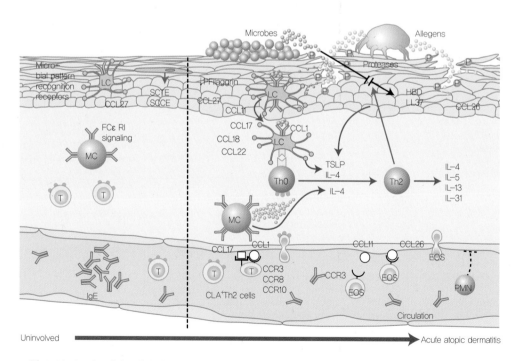

그림 4-10-3. 아토피피부염의 발생과정에서의 면역학적 이상(Boguniewicz M. et al. 2009)

2) 피부 병리와 면역병리

아토피피부염 환자에서 임상적으로 병변이 없는 피부에서도 비정상적인 상태를 보이며 피부 혈관주위로 T세포의 경도의 침윤 소견이 나타난다. 급성 습진성 피부 병변에서는 상피층의 현저한 세포간 부종(spongiosis)을 특징으로 한다.

항원제시세포들 즉 랑게르한스 세포(Langerhans cell, LC), 염증성 수지상 상피세포(in-flammatory dendritic epidermal cells, IDEC), 그리고 대식세포들은 IgE 분자들을 세포 표면에 갖고 있으며 병변 부위에서는 흔히 발견되고 비병변 부위에서는 적게 존재한다. 급성 병변이 있는 부위의 진피에서는 활성화된 CD4+T세포의 현저한 침윤이 관찰된다. 만성 태선화 병변의 상피조직에서는 IgE를 지닌 랑게르한스세포와 염증성 수지상 상피세포가 증가하고, 진피에서는 단핵세포의 침윤이 증가하는 것이 특징적이다. 뿐만 아니라 호산구 침윤도 증가하는데 이 호산구들은 활성산소 물질과 전염증(proinflammatory)성 사이토카인의 생성 및 독성 과립단백의 유리를 통하여 피부 염증과 조직 손상을 발생한다.

3) 사이토카인 표현

급성 아토피피부염과 만성 아토피피부염에서 표현되는 사이토카인의 유형을 알기 위해서는 두 가지 방법의 연구가 주로 이용된다. 첫째는 피부 조직의 생검 소견을 비교 분석하는 방법으로서 아토피피부염 환자의 비병변 부위는 정상인의 정상 피부 조직과 비교하여 IL-4, IL-13 mRNA를 표현하는 Th2세포의 수가 증가되어 있다.

아토피피부염 환자의 피부 병변에서는 정상인의 피부나 환자의 비병변 부위와 비교하여 IL-4, IL-5, IL-13의 mRNA를 표현하는 T세포의 수가 유의하게 증가되어 있다. 그러나 급성 아토피피부 염 환자에서 IFN-γ 혹은 IL-12 mRNA를 표현하는 T세포는 감소되어 있다. 대조적으로 만성 아토피피부염 환자의 피부 병변은 급성 아토피피부염에 비해서 IL-4, IL-13 mRNA를 표현하는 세포들은 유의하게 적고, IL-5, GM-CSF, IL-12, IFN-γ mRNA를 표현하는 세포의 수는 증가되어 있다.

또 다른 연구 방법은 atopy-patch test technique을 이용하는 것으로 집먼지 진드기에 의해서 유도된 병변에서 두 가지의 유형을 보인다. 초기 반응에서는 대부분 IL-4 생산 T세포가 차지하지만 다음 반응은 24-48시간 후에 나타나는데 이때에는 IFN-γ를 생산하는 Th1세포가 주를 이루게 된다. 이러한 변화는 피부 병변에 침윤한 호산구, 혹은 염증성 수지상 상피세포, 혹은 양자에 의해서 생산된 IL-12에 의한 것으로 추정된다.

활성화된 T세포는 역시 각질세포의 세포자멸사(apoptosis)를 유도하여 급성 아토피피부염의 조직학적 특징인 해면화(spongiosis) 과정에 기여하게 된다. 활성화 T세포에서 분비된 IFN-γ는 각질세포 표면에 세포자멸사 과정에 필수적인 Fas를 상향 조절하여 각질세포의 세포자멸사를 유도한다.

4) 항원제시세포의 역할

아토피피부염의 피부에서는 IgE를 지닌 랑게르한스세포와 IgE-고친화성 수용체(high affinity IgE receptor, FcεR I)를 표현하는 염증성 수지상 상피세포를 발견할 수 있다. 이러한 항원제시세포는 Th1세포와 Th2세포에 항원을 표현하는 과정에서 중요한 역할을 하는 것으로 보인다. 이런 측면에서 IgE-고친화성 수용체는 항원제시과정에서 알레르겐을 포획하고 내재화(internalization) 하는데 기여한다. 이러한 수용체를 지닌 랑게르한스세포는 역시 림프절로 이주하여 naive T세포를 자극하여 Th2세포의 증가에 기여한다.

이러한 세포들의 임상적 중요성은 아토피피부염 환자의 피부에 흡입항원을 투여하여 습진성 피부 병변을 악화시키는데 있어서는 IgE-고친화성 수용체를 보유한 랑게르한스세포의 존재가 필요하다는 연구 결과에 의해서 뒷받침된다.

5) 염증세포의 침윤

CD4+T세포의 화학주성 인자인 IL-16은 만성 아토피피부염 환자에서 보다 급성 아토피피부염 환자의 피부 병변에서 더 많이 표현된다. C-C 케모카인들 즉 RANTES, MCP-4, eotaxin 등은 아토피피부염 환자의 피부에서 증가되며, CCR3를 표현하는 호산구와 Th2세포를 피부 병변으로 유인하는 역할을 한다. 피부 병변의 T세포 유인 케모카인(cutaneous T-cell-attracting chemokine)은 cutaneous lymphoid antigen(CLA)+T세포를 피부 병변으로 우선적으로 불러들이는 역할을 한다. 아토피피부염 환자의 피부 병변에서 증가되는 macrophage-derived chemokine(MDC)과 thymus and activation-regulated chemokine(TARC)가 CCR4를 표현하는 Th2세포의 선택적인 유입을 매개하는 것으로 보인다. 만성 피부 병변에서의 지속적인 피부 염증은 IL-5와 GM-CSF 표현의 증가와 비례하는데 이러한 사이토카인은 호산구, 단구-대식세포, 그리고 랑게르한스세포의 수명을 연장시키는 역할을 한다. 피부를 긁는 것과 같은 기계적 손상은 tumour necrosis factor-α(TNF-α)와 다른 많은 전염증(proinflammatory)성 사이토카인들이 상피의 각질세포에서 분비되도록 유도한다. 뿐만 아니라 각질세포는 TNF-α나 IFN-γ에 의해 자극을 받으면 많은 양의 RANTES 생산을 유의하게 증가시킨다.

아토피피부염 환자의 각질세포는 비아토피성 피부염에서와 달리 thymic stromal lymphopoietin의 중요한 원천으로서 수지상세포를 활성화하여 naive Th세포가 IL-4, IL-13과 TNF-α를 생산할 수 있도록 초기화(priming)하는 역할을 수행한다. 이러한 사실로부터 아토피피부염에서 피부를 긁는 것과 Th2-매개성 피부 염증의 발생사이에 연관성이 있음을 알 수 있다.

6) 피부 장벽의 손상

아토피피부염에서의 피부 장벽 기능의 이상은 여러 연구에서 보고되고 있다. 피부 장벽을 이루는 각질세포와 세포간 지질 중 지질의 주성분은 세라마이드, 콜레스테롤, 지방산으로 특히 세라마이드가 중요하며 아토피피부염 환자의 피부에서 이 성분이 감소되어 있음이 확인되었다. 그러나 세라마이드를 제외한 나머지 성분들 즉, 스쿠알렌, 콜레스테롤, 트리글리세라이드, 지방산 등의 지질은 정상인의 피부에서와 거의 동일하다.

아토피피부염에서 이와 같이 세라마이드가 감소하는 원인으로는 spingomyelin deacylase와 glucosyl ceramide deacylase의 증가로 설명할 수 있다. 세라마이드의 감소는 피부 장벽의 손상을 초래하고 이로 이해 경피수분손실(transepidermal water loss, TEWL)이 증가하여 각질층의 수분 함량이 감소되고 결국 피부의 건조증으로 나타나게 되어 가려움증을 증가시킨다. 뿐만 아니라 가려움 때문에 피부를 긁게 되면 더욱 피부 장벽의 손상이 심해지고, 손상된 피부 조직의 각질세포에서 다양한 화학매개체가 분비되어 피부의 염증을 악화시키는 악순환(itch-scratch vicious cycle)을 겪게 된다.

7) 항균 펩타이드

아토피피부염 환자들에서는 spingosine deacylase 효소가 증가하여 있고 결과적으로 피부 각 질층의 지질 중 가장 강력한 항균작용을 하는 spingosine의 농도가 감소하여 각종 세균들의 감염에 취약하게 된다. 더욱이 아토피피부염 환자의 피부에서는 정상인에 비해 세균 집락 특히 포도상구균의 집락이 더 많으며 세균 집락이 많을수록 피부 염증의 정도가 심하고 spingosine의 생산이 감소되어 있다. 피부 장벽의 기능을 잘 유지하는데 있어서 피부의 pH가 중요한 역할을 하며, 정상인의 피부는 산성이지만 아토피피부염 환자의 경우는 중성 혹은 알칼리성을 나타낸다. 피부의 pH가 높을수록 피부 장벽 손상 후의 회복이 느리고, 임상적으로 가려움증의 정도가 비례하여 증가한다. 또한 각질세포의 탈락을 조장하는 피부 내 효소인 serine protease의 활성도 피부 pH가 높을수록 증가함으로써 피부 장벽의 구성 성분 중의 하나인 corneodesmosome의 분해를 촉진하여 각질세포 간의 결합력을 감소시킴으로써 각질층을 느슨하게 만들뿐만 아니라 피부 장벽을 구성하는 지질 생산을 저해하여 피부 장벽을 약화시킨다.

8) 초항원(Superantigen)

초항원은 기능적으로 T세포를 활성화시킬 수 있으며 세균이나 바이러스와 같은 미생물의 단 백질 성분으로 알려져 있다. 일반적인 항원은 T세포를 활성화시킴에 있어 항원제시세포(antigen presenting cell: APC)를 통하여 MHC class II 항원으로 제시되고 T세포 수용체의 MHC class II 분자 펩타이드와 결합함으로써 T세포를 활성화시키는데 반하여 초항원은 APC의 MHC class II 항원과 T세포 수용체 β사슬의 가변부(variable region)에 직접 결합함으로써 다클론성(polyclonal) T세포의 활성화를 일으킨다.

최근에는 아토피피부염 환자에서 S. aureus 균이 분비하는 독소가 초항원으로 작용하여 T세포와 대식세포를 강력히 활성화함으로써 피부의 염증을 악화시키고 지속시키는 것으로 보고되었다. 아토피피부염 환자에서 동정된 S. aureus 균의 37-57%가 초항원을 분비하는 균주이며, 환자의 정상 피부 또는 정상인의 피부에 SEB(staphylococcal enterotoxin B)를 도포하면 피부에 염증을 발생할 수 있고, TSST-1(toxic shock syndrome toxin-1)에 의해 야기되는 독성 쇼크 증후군을 앓았던 환자 중 20%에서 아토피피부염이 발병된다는 보고를 통해서 초항원이 아토피피부염의 발병기전에 관여할 것으로 추정할 수 있다.

피부는 매우 감작되기 쉬운 기관이며, 전신적인 알레르기 반응에도 막대한 영향을 줄 수 있기 때문에 피부의 염증을 줄일 수 있는 매우 효과적인 치료법의 개발이 필요하다. 그러기 위해서는 아토피피부염의 원인, 특히 피부의 알레르기 염증기전을 명확히 이해하는 것이 선결 조건이며 발병 기전에 대해서는 그 동안 수많은 연구들이 진행되어 왔다. 지금까지 정리한 연구 결과만으로 아토피피부염의 병리 기전을 완벽히 이해할 수는 없겠지만 추후 좀 더 많은 좋은 연구 결과들이 모아져서 아토피피부염의 병리 기전을 더 잘 이해하게 되면 확실히 효과적인 치료가 가능하리라 기대해 본다.

7 태내 면역환경

영아의 알레르기 운명이 태아시기를 포함해서 생의 가장 초기가 결정적일 수가 있다는 증거들이 많아지고 있는 현실인데 이는 자궁 내 엄마에게 기인한 항원에의 노출이라는 필수 과정이 선행한다. 산모에서 태아로의 항원 이동은 태아 면역시스템의 발달과 중요한 면역조절 역할을 감당한다.

최근 10년 사이에 천식뿐만 아니라 다른 알레르기 질환의 유병률이 현저하게 증가되고 있는데 알레르기에 대한 유전적 요소는 잘 정립되고 있지만 질환의 발현과 진행에는 어떤 환경적 상호작용이 있어야만 가능한데, 흥미로운 것은 이 상호작용은 이미 생의 초기부터 시작된다는 것이고 이는 면역반응의 뚜렷한 변화를 초래하여 알레르기 질환의 발현이나 증상이 나타나기 전에 앞으로 미리 예상도 가능해 진다는사실이다.

1) 자궁 내 프라이밍(Priming) 기전

아토피는 천식으로 진행하는 가장 중요한 위험요소인데 알레르겐의 감작이 일어나는 기전을 살피는 것이 질환을 이해하는데 필수일 것이다. 자궁 내에서 태아의 발달은 일반적으로 Th2 면역반응으로 치우쳐 있고 Th1-type 사이토카인은 임신상태의 유지를 어렵게 하는 반응을 유도한다는 것이 쥐 모델과 사람에서 모두 나타나 보였다. 임신의 유지와 태아의 발달은 그러므로 Th2 형태의 면역 반응을 유도하는 요소들, 즉 IL-4 과 IL-10 의 상향조절과 동시에 IL-2

와 IFN-γ의 하향조절 하에 일어난다.

그러나 왜 모든 아이가 알레르기성을 가지고 태어나지 않는가? 천식을 포함한 알레르기 문제를 가질 것으로 보이는 아기에서 좀 더 우세한 Th2 편향성 반응을 보인다는 것이다(그림 4-10-4). 이것은 유전적인 요소에 태아의 환경과 관련이 있다. 감작은 일반적으로 임신의 전반부에서 일어나는 것으로 알려져 있고 T cell 전구물질은 임신 18-22주까지 항원 프라이밍을 거쳐서 충분히 성숙된다.

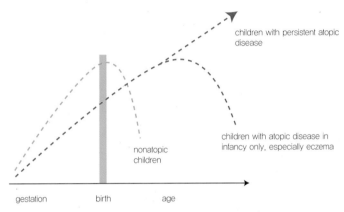

그림 4-10-4. 출생 전, 후 Th2-type reactivity변화. Th2 반응이 출생시 우세하지만 점차로 약화되어 꺾인다. 아토피질환이 발생한 환아에서는 출산 후 Th2 반응이 강한 상태로 유지되지만 아토피질환이 발생하지 않은 아이들에서는 약화된다. (Holloway JA. et al. 2000)

양수에서 IgE와 Th2 사이토카인이 조직학적으로 입증되어 왔는데 이것은 모체의 감염원으로부터 태아를 보호하는 역할을 할 것으로 여겨지고 있다. IgE와 IL-4를 포함하는 이 환경은 비만세포 내 FcεRI를 up-regulation 하는 것으로 알려져 있고 수지상 세포에도 똑같은 영향을 주어 모체의 IgE에 대한 태아 T cell의 초기 감작에 그들의 역할이 연구되고 있다.

IgE를 포함한 양수에 태아의 피부가 직접 노출될 뿐만 아니라 태아는 흡입하고 삼키는 과정을 통해 호흡기와 위장관계를 통해 양수 내 다른 물질과 함께 IgE에 노출된다. 이것은 피부, 장 점막, 폐가 최소 16주부터 IgE에 노출되고 이는 출생 시부터 아토피 질환이 나타나기 시작하는 증거가 되는 부분이다(그림 4-10-5).

IgE는 10 ng/mL 이하로 존재해도 항원특이 T cell을 활성화 하는 것이 가능한데 이는 수지상 세포들이 낮은 농도의 IgE와 항원에도 고친화성 IgE 수용체를 활성화 하는 기능을 감당하기 때문에 가능한 것이다. IgE와 항원 결합체의 수용체를 매개로 한 세포내 유입과 MHC class Ⅱ 펩타이드의 항원제시 과정으로 focusing과 충분한 선택, 농축과정을 거쳐 적은 양의 항원이라도 항원 특이 T cell 활성에 100-1000배의 증강이 가능케 된다. FcεRI-expressing 수지상 세포들에 의한 IgE 매개성 항원 focusing이 초기 태아 면역에 중요한 역할을 할 것으로

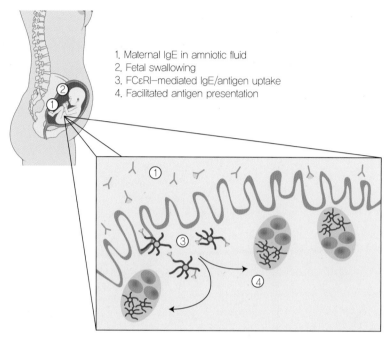

1. Maternal IgE in amniotic fluid
2. Fetal swallowing
3. FCεRI−mediated IgE/antigen uptake
4. Facilitated antigen presentation

그림 4-10-5. 태아의 위장관과 양수사이의 상호작용에 의해서 일어나는 IgE−매개항원의 경로(Holloway JA. et al. 2000)

여겨진다. 수지상세포에서 FcεRI 의 역할과 결과적으로 임신동안 항원에 의한 T cell의 프라이밍을 잘 이해하는 것은 향후 감작의 과정을 차단하는 기회를 가져올 수도 있을 것이다. 이 과정은 후에 질환 발생에 가장 중요한 임신 2분기에 주로 일어나는 것으로 알려져 있다. 또한 항원노출의 형태와 항원제시의 양과 시간, 경로는 그것이 면역 관용으로 갈 건지 면역 프라이밍으로 갈 것인지를 조절하는 요소들이 된다는 것이 동물 모델에서 밝혀졌다. 게다가 동물모델이지만 개별 항원에 대한 long−term Th1−like(tolerant) 와 Th2−like(allergic) 반응으로의 기억은 첫 번째 노출 전과정에서 일어난다는 것을 보여주었고 한번 형성된 것은 쉽게 지워지지 않는다. 결론적으로 항원에 대한 인생 초기노출의 특성이 항원감작과 질환의 이완이라는 복잡한 과정의 설명을 가능케 하리라 본다.

2) 태아로의 이동

모체에서 유래된 여러가지 물질들이 임신 기간동안 발견되는 데 대표적으로 엄마가 흡연 시 니코틴의 대사물질인 cotinine이 태반조직과 자궁내막, 양수. 태아혈청에서 임신 1기부터 관찰된다. HIV−1 p24 항원도 감염된 모체의 양수와 태아혈액에서 보인다. 이눌린(Inulin)은 또한 산모에게 정맥으로 투여된다면 태반 장벽의 특별한 이동 시스템 없이 자궁내막과 양수 내에서 임신 첫1분기부터 만삭아의 소변에까지 보일 수 있다.

항원에 대한 태아 면역체계의 프라이밍은 자궁 내 환경에서 이루어지는데 그것이 비활성 또는 생물학적 물질 모두 임신동안 모체에서 태아로 이동 가능한데 궁극적으로 태아의 항원 프라이밍을 증명하기 위해서는 태아 환경에서 항원이 검출되는 것을 입증하는 것이 필수적이다. 제대 IgE의 상승과 출생 시 항원 특이 T cell의 반응성 증가의 관련성 여부가 계속 제시되어 왔는데 이것은 항원에 대해 면역학적으로 naïve 면역체계가 산전에 일어날수 있다는 것인데 하지만 주수가 늘어날수록 체액에서 이들 단백질이 잘 보이지 않는 것이다. 현재의 연구들은 흔한 식품 항원인 Ovalalbumin(OVA)과 임신동안 모체가 노출되는 집먼지 진드기 항원 Der p1을 다루어 왔고 이들 항원들이 모체의 순환에서 검출될 수 있는 지를, 그리고 양수와 태아 혈액에서 똑같이 나오는 지를 연구해왔다.

3) 식품 알레르겐의 초기 노출

초기 노출의 특진은 임시 시 체액에서 OVA의 검출로 연구되고 있다.

44000 kDa의 수용성 당단백으로 난백 항원의 58% 차지하는 주요 단백 항원이다. 모체 혈장에서 검출 가능한 범위의 26 양수검체중 3명에서 OVA이 나왔는데 검사 이전에 금식하는 것을 고려할 때 실제 그들 양수에서 OVA 가지는 수는 저평가 된다고 본다. 더구나 OVA의 최고 농도는 식후 2시간 뒤에 나타난다. 한 Cohort 연구는 태아나 신생아에서 식품의 제거식이 실제 영아기의 알레르적 감작을 줄이는지 또는 소량으로 간헐적으로 노출시키는 것이 실제 체계적인 Priming을 증진시키는 지 답을 줄지도 모르겠다. 이러한 분석의 결과는 아토피의 가족력이 있는 경우 임신 시 땅콩이나 땅콩이 포함된 음식을 피하라는 영국의 공중 보건정책에 확실히 영향을 주었다.

4) 흡입 알레르겐의 초기 노출

집먼지 진드기 Der p1은 가장 흔한 실내흡입 항원이고 아토피 천식에 영향을 주는 대표 항원이다. 진드기 노출은 직접적인 감작과 관련이 있고 집중적인 진드기 회피 장치들은 집에서 Der p1 농도를 감소시키는 데 성공적인 처치이다. 이 항원이 도처에 있기 때문에 정상적인 생활 하에 일생의 초기에 일차적인 감작에 가장 중요한 역할을 할 수 있다는 것을 암시한다.

Der p1은 임신 주수 16-7주에 양수천자를 시행했던 무작위로 선택된 산모에서 수집된 혈장에서 21%가 검출되었는데(평균값 5.9 ng/mL), 이들 양성인 산모의 양수에서 56%가 진드기 항원이 검출되었다(평균 1.1 ng/mL). 게다가 마지막에 제대혈 혈장을 살펴보았는데 양성혈장인 산모의 제대혈에서 63%나 검출되었다.

알레르겐의 존재하에 임신 2분기시 장점막을 통해 자궁 내 항원 특이 반응의 개시는 임신 3분기 모체의 환경에 따라 수정될 수 있는데 특히, 모체의 IgE: IgG 비에 의해 태아/신생아의 항원 특이 반응성에 영향을 주는데 이 비는 특히 억제 효과가 있다. 모체의 항원 특이 IgG는

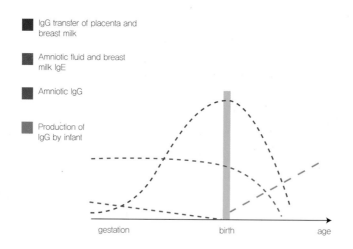

■ IgG transfer of placenta and
   breast milk

■ Amniotic fluid and breast
   milk IgE

■ Amniotic IgG

■ Production of
   IgG by infant

gestation   birth   age

그림 4-10-6. **태아와 신생아에게 IgE와 IgG 전달**(Holloway JA, et al. 2000)

같은 알레르겐에 대한 IgE의 발현을 억제하는 것이 최근 사람에게 입증되어 왔다. 항원노출의 두 경로 자궁 내와 출생 후 장내세균의 노출은 후의 천식 발현을 유도할 수 있는 면역반응의 형성에도 아주 중요한 역할을 하겠다. 그러므로 출생 전후 모두에서 알레르겐 특이 반응의 개시, 수정에 대한 확실한 이해가 자궁 내 노출과 질환 발현과의 관계가 규명되기 이전에 필요하리라 본다.

8 아토피피부염의 발현

아토피성 질환의 발생과 표현은 유전과 음식, 흡인성 알레르겐, 비특이적 요소(담배연기, 공기오염, 감염)같은 여러 환경적 요인의 상호작용에 의해 생긴다. 현재까지의 연구 결과로 보면 천식과 알레르기의 50%정도는 유전적 요소가 관여하는 것으로 보인다. 최근 몇 십 년간의 유병율의 증가는 이 유전적 요소로 설명이 되지 않는데, 이것은 알레르기 질환의 발생과 특히 감작이라는 부분에 환경적 요인이 결정적인 역할을 했을 것이라는 반증일 것이다. 그러므로 알레르기 질환의 발생에 중요한 위험요인과 예방적 조치의 효과에 대해 평가할 때는 여러 가지 요소들이 설명되어야 할 것이므로, 연구는 여러 변수를 줄이기 위해 일반적으로 전향적 연구이어야 하고 비중재적인 것이어야 하겠다.

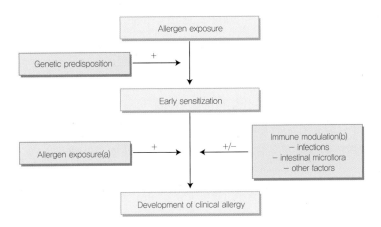

그림 4-10-7. **알레르기질환의 발생. (a)와 (b): 상호배타적이지 않음**(Susanne Halken, 2004)

1) 유전성

신생아의 약 30%정도에서 적어도 한 명의 부모 또는 한 명의 형제에서 현재 또는 과거에 알레르기성 질환을 갖고 있으며 약 5%는 양부모 모두, 약 10%는 한 부모와 한 형제에서 아토피 유전성을 가진다. 아토피 가계력이 없는 경우, 약 10%에서 알레르기 질환이 발생하며 하나의 가계력(부모나 형제 중 하나)일 경우 20-30%에서 발생하고 양부모가 모두 아토피력이 있으면 40-50%에서 질환이 발생한다. 하지만 이러한 요소는 여러 환경적 요인의 노출, 적절한 예방적 조치의 선행 여부에 따라 항상 영향을 미치는 것이다.

2) 음식요인

(1) 모유수유

핀란드에서 시행한 무작위 비위험군 아이들을 17세까지 평가한 한 연구에서는 3개월 이하의 모유수유한 아기보다 적어도 6개월을 모유수유만 한 아기가 1-3세까지 습진이 적고 후에 호흡기 알레르기가 적다고 보고하였고 비아토피성(6세경 피부반응검사에서 음성) 아이 중 모유수유를 하지 않은 그룹에서 천명(Wheezing)의 발생이 증가한다고 하였다. 하지만 아토피성 그룹에서는 별 차이가 없었다. 호주에서 나온 연구 결과도 4개월 이전에는 모유보다 우유를 먹은 그룹이 천식 또는 아토피와 연관될 위험이 크다고 하였다. 하지만 최근의 연구결과들을 종합하면 우유에 비해 모유수유가 아토피피부염을 예방하거나 피부염의 발생을 연기하는 것에는 약간의 상반된 결과들이 나오는 것이 현실이다. 이러한 천식의 발생에 과연 모유수유가 예방적인가에 대한 증거는 첨예한 대립을 보이고 있다. 적어도 5세까지는 천식을 예방하는 효과를 보이지만 천식을 가진 엄마에게서 모유수유는 성인이 되면서 천식 발생의 더 큰 위험요인인 것으로 나타났다.

미국소아과학회(AAP)에서는 2008년 보고에서 모유수유와 관련해서 잇점을 천식에서 뿐만 아니라 아토피피부염에서도 평가보류로 하였다. Matheson 등의 오랜 기간의 추적결과에서 엄마가 아토피의 병력을 가지면서 완전 모유수유를 한 그룹에서 7세까지는 천식이 적었지만 14세경에는 역전되기 시작하고 44세까지는 오히려 조금씩 증가하는 결과를 보였다. 이러한 결과는 초기에는 감염이 줄면서 감염에 의해 증가되는 천식이 줄어드는 효과, 후에는 감염의 감소로 면역 반응의 조절이상으로 아토피가 증가하는 소위, 환경위생학설로 설명이 가능하다. 현재는 모유수유가 단지 초기 영유아의 천명의 발생을 줄이는 정도로 설명하고 있다.

식품 알레르기의 발생과 아토피피부염과는 밀접한 관련이 있는데 Muraro 등이 한 연구에서 적어도 4개월 동안의 완전모유수유는 아토피의 발생 위험성이 높은 영아에서 우유단백 알레르기는 적어도 18개월까지 줄인다는 결론을 내렸다. 이에 반해 Cochrane은 완전 모유수유의 적정 기간을 분석한 결과, 모유수유가 1세까지 식품알레르기를 예방하지는 못한다고 결론을 내렸다. AAP(미국소아과학회)도 현재 모유수유가 첫 2년 동안 우유 알레르기의 발생만을 줄이는 것에 강조점을 둔다.

(2) 고형식

과거에는 고형식을 6개월까지 진행하지 않는 것을 권장하였고 1세까지는 버터나 비스켓 같은 흔히 먹는 음식을 제한하였고 알레르기 가족력이 있는 위험군은 2세까지로, 계란이 들어간 생일 케익을 먹지 않는 것이 일반적이었다. 하지만 최근의 연구결과를 종합하면 이유식을 연기하는 것이 예방적 효과가 더 있다는 결론이 없었다. 그래서 2008년 AAP는 4-6개월 이상 이유식을 연기하는 것의 예방적 효과에 대해 '현재로서는 납득할만한 증거 없음(no current convincing evidence)'이라는 단어를 사용한다.

3) 환경요인

(1) 흡입 알레르겐의 노출

소아에서 기도 과민성은 알레르겐의 감작과 연관이 깊은데 만성 천식은 실외보다 실내 알레르겐에 대한 감작이 중요한데 이는 실내에서 상대적으로 많은 시간을 보내는 것과 연관이 깊은 것으로 보인다. 뉴질랜드의 한 연구에서 18세까지 881명을 조사한 결과 겨울에 출생한 아이에서 고양이나 진균에 더 높은 감작율을 보인 결과가 있었는데 이는 알레르겐의 노출 양과 감작사이에 연관성이 큰 것으로 보인다. 이미 HDM (House dust mite)의 노출과 천식의 발생과 중증도는 그 양에 비례하는 결론을 보여왔다.

하지만 최근의 연구에서 보면 조기에 실내항원들(HDM, Cat allergen)의 노출과 7세까지 천식의 발생과는 직접적인 연관성이 없다고 하였다. 비록 조기 노출과 알레르기성 또는 비알레르기성 천식과의 직접적인 연관성은 적지만 실내항원의 노출과 알레르기성 천식의 발생은 배제할 수는 없을 것이다. 즉 알레르기성 천식을 다룰 때에는 알레르겐의 노출을 고려하여야 한다. 최근 한 전향적 연구에서는 조기에 애완동물의 노출이 4세까지 천식의 발생 위험을 줄인다고 보고하였는데 특히 조기에 강아지에 노출된 것이 4세까지 항원감작을 줄이지는 못하지만 천식양 증상의 발현을 예방할 수 있다고 하였다. 고양이에서는 그런 결과가 나오지 않았는데 이 연구들은 질문지를 통한 연구에 국한되고 애완동물의 소유에 영향을 끼치는 형제의 알레르기 여부가 포함되지 않은 단점이 있었다. 몇몇 최근 연구들은 Cat을 2세 이전에 노출된 군이 Cat 항원의 감작이 증가되고 4세까지 더 심한 천식 증상을 보였다. 덧붙여 이 시기의 부모의 흡연은 상승작용을 일으켜 더욱더 심한 천식이 발현되고 더 오랫동안 Cat 항원이 지속되는 결과를 보였다. 또한 천식과 연관되어 HDM의 알레르기는 지역의 습도가 높을 시 특히 털이 많은 Cat 알레르기와 밀접한 관계가 있었다.

알레르기성 비염은 대부분 실외항원에 영향을 받고 특히 봄과 이른 여름의 계절적인 요소가 많고 2가지 이상의 꽃가루가 증상이 나타나기 전에 선행하는 것이 일반적이다. 감작과 천식 발현의 연관성과 같이 노출과 감작의 관계도 설명이 되어 왔는데 이것은 천식군에서 기도의 염증이 여러 환경적 항원에 대한 감작보다 선행할 수 있다는 가설을 가능케 한다. 이것은 소위 알레르기 위험군에서 알레르기 행진이라는 아토피와 천식의 정상적인 과정은 아닌 것으로 보이며 이것은 알레르기성 천식의 발현에 있어서는 음식과 공수성(airborne) 항원의 조기 감작의 필요성을 말해 준다. 물론 바이러스 감염에 의해 발생되는 소위 비알레르기성 천식의 군에서는 이러한 가설은 설득력이 없을 것이다.

(2) 담배연기노출

여러 연구에서 부모의 흡연, 특히 모성 흡연은 소아에서 천명 또는 천식과 밀접한 관계를 보여 왔다. 이것은 특히 6세까지 더 밀접한 관련성이 있었다. 한 연구에서는 매일 집이나 보육원에서 담배 연기에 노출된 아이 중 25%에서 18개월까지 2번 이상의 천명을 보였다. 또한 반복적인 천명을 보이는 영유아가 간접 흡연에 노출 시, 후에 지속적 천명의 위험이 훨씬 증가함을 알 수 있었다. 증상의 정도와 빈도는 집에서의 노출의 양과 비례하였고 간접흡연은 몇몇 연구에서 실내 항원의 감작과 깊은 관련이 있었다. 중요한 사실은 임신 시 흡연은 초기 영아기 때의 호흡기능의 감소와 영유아의 반복적 천명과 현저하게 관련성이 있다는 사실이다.

(3) 공기 질

소위 'western life style'을 하는 나라에서는 대부분 환기가 잘 되지 않는 현대식 건물에서 그 들의 시간 중 95% 정도를 보낸다고 한다. 결과적으로 집먼지 진드기(HDM)나 진균에 더 잘 노출 되기 쉽고 게다가 생물연료 연소로 나오는 분말과 흡연에 익숙하고 또한 NO 가스를 포함한 화학 가스, 포름알데하이드, 휘발성유기화합물(VOC) 등에 높은 농도로 접촉한다. 이런 실내 오염원에 대한 관심이 점점 증가되고 있지만 특별히 아토피 호흡기 질환의 발현에 원인-영향이 성립하는지에 관한 연구들은 아직 미약하여 더 많이 연구되어야 할 부분이다.

(3) 면역조정

바이러스 감염이 천식의 급성악화를 조장하지만 아직 소아에서는 천식을 정의하기가 어렵고 이런 감염과 천식의 관계도 확실하지 않다. 최근 연구에서 조기 바이러스 감염이 소위 10-11세에 회복되는 경과를 보이는 감염성 천식의 형태와 일차적으로 관련성이 있다고 하였다. 하지만 이 조기 바이러스 감염이 후기 천식의 위험성을 증가시키지는 않는 것 같다. 가족의 수가 많을수록 아토피의 위험성은 적어진다는 가설이 있었는데 하지만 전향적 연구들에서 이 가설을 충분히 입증하지는 못하였다. 최근 BCG 백신 접종이 천식이나 아토피에 예방적일 수 있다고 하였는데 이는 Th1반응이 우세하여 Th1/Th2 비의 변화에 기인하는 것 같다. 물론 최근의 결과들 중에는 예방효과가 없다는 결과들도 많았다. 다른 백신, 예를 들어 백일해 백신이 아토피 반응을 발생하는 것에 대한 연구도 있었는데 현재까지는 확실한 증거가 없는 현실이다.

(4) 장내세균

장내세균이 감작의 생성에 영향을 준다는 가설이 있어왔다. 아토피가 예견되는 아이들에 대한 한 전향적 연구에서 대변내 세균의 지방산 분포를 비아토피성 아이와 비교한 결과 생후 3주째에는 현저한 차이를 보였고 3개월때는 차이가 보이지 않았는데 이는 신생아 시기의 장내 세균총의 차이가 아토피 발현에 선행한다는 것과 인간 면역성의 성숙에 장내 세균의 균형이 결정적인 역할을 한다고 하지만 이 결론에 확실한 증거를 제시하지는 못하였다. 영유아시기 감염에 많이 노출된 생활이 아토피성 질환을 예방한다는 가설도 향후 더 많은 전향적인 연구를 통한 확증이 필요할 것으로 보인다.

9 예방

알레르기 발생이 지속적으로 증가하고 일단 발생하면 증상이 만성적이고 치료가 어렵기 때문에 예방(prevention)의 필요성이 강조되고 있다. 알레르기에서는 예방의 단계를 3단계로 구분하여 접근하고 있다(그림 4-10-8). 제1예방단계(primary prevention)에서는 항원을 차단함으로써 항원

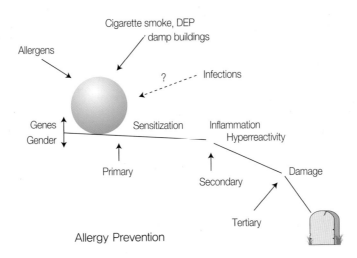

그림 4-10-8. **알레르기질환의 위험요인과 알레르기예방을 위한 각 단계에서 위험요인의 조절** DEP, Diesel exhaust particles(Zeiger RS, 2000).

에 감작되는 것을 예방 또는 지연시키는 것을 목적으로 하며 제2예방단계(secondary prevention) 에서는 이미 항원에 감작된 소아에게 알레르기 발병을 예방하는 것을 목적으로 하며 제3의 예방 단계(tertiary prevention)에서는 이미 알레르기 질환이 발생된 환아의 단기 또는 장기적인 병변으 로 인한 만성 증상을 감소시키기 위한 치료적 예방을 목적으로 한다. 각 예방의 단계 중에서 이상 적이고 진정한 의미의 예방은 primary prevention이다. 알레르기를 예방하기 위한 primary pre-vention방법으로 임신 중 알레르기 식품의 제한, 모유수유와 수유기간 중의 알레르기 식품의 제 한, 저항원 조제유 섭취 등이 시도되고 있다.

1단계 예방은 알레르기 질환의 발생을 예견할 수 있는(고위험군) 태아에게 생후 초기에 적용 한 다. 알레르기 질환의 발생을 예견할 수 있는 인자로서 여러 가지가 제시되었지만 현재까지는 제대 혈 IgE 농도와 알레르기 질환의 가족력 등이다.

제대혈 IgE의 경우 질병발현예측에 대한 유용성에 대해서는 연구자에 따라 약간의 차이는 있 을지라도 IgE치가 상승해 있을 경우 알레르기 질환의 발생위험도가 의미있게 높다고 알려져 있 다. 또한 이 질환은 부모로부터 받은 소인과 외부의 인자가 결합되어 증상이 발현되는 질환이기 때문에 알레르기 질환의 가족력 유무가 질환발현을 예측하는데 중요하다.

생후 초기 접하게 되는 항원에 대해 신체의 면역계는 Th1- 과 Th2-like immunity가 모두 반 응하는데 반복되는 항원의 접촉으로 한쪽 반응으로 치우치게 된다. 대부분의 경우(nonatopics) Th1-like immunity가 우세하나 아토피 성향이 있는 경우 IgE를 형성하는 Th2-like immunity 로 치우치게 된다. 유전적으로 성향이 결정된 경우에도 감염, microbrial stimulation에 의해 Th1 으로 바뀌기도 하고 담배와 같은 오염된 환경에서 Th2로 바뀌기도 한다.

알레르기 예방을 위한 primary prevention은 면역반응이 형성되는 조기에 항원성이 높은 식품

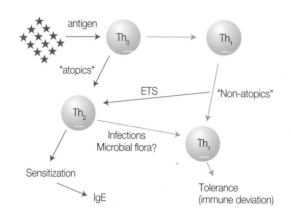

그림 4-10-9. 일생의 초기에 노출된 알레르기물질에 의한 1차 면역반응은 Th1- and Th2-like immunity를 포함한다.

(Bjorksten B et al. 1998)

을 차단함으로써 항원에 대한 면역반응이 Th2로 가는 것을 막는 것을 목적으로 한다. 예방의 시기를 출생 전인 태내에서부터 시작하는 면역학적 배경은 태내 면역계의 Th2 type을 들수 있다. 이러한 Th2 환경은 출생 직후는 물론이고 영아기 초반 내내 지속된다.

모유나 직접식이를 통한 경구항원 노출 및 환경으로부터의 흡입항원에의 첫 노출은 신생아기의 이러한 Th2 환경하에서 이루어지므로 자연히 Th2의 알레르기 반응으로의 진행이 우세하다. 유전적으로 아토피 성향이 있는 경우 IFN-γ의 생성이 저하되어 Th2 type으로 오랜 시간 지속되게 되고 만성적인 알레르기로 진행될 가능성이 높게 된다. 이러한 측면으로 볼 때 예방의 중요 시기 (critical period)가 존재한다. 임신기 동안의 엄마나 아기의 면역학적 특성상 알레르기 예방의 시점을 임신 중으로 잡는 것이 합리적인 것으로 생각되나 일관성 있는 결과를 얻지 못한 상태이다.

임신 중 예방관리의 시도로 항원 노출 양이 많은 식품에 대한 연구가 가장 많이 이루어져왔다. 그러나 태내 감작이 생후 식품 알레르기 발생과 어느 정도 관련이 있는가를 밝히고자 하는 연구가 진행되었으나 일관성 있는 결과를 얻지는 못하였다. 임신 3기에 계란과 우유를 제한한 후에도 알레르기 질환의 발생 및 감작이 줄어들지 않고 오히려 식품제한으로 인해 임산부와 태아의 영양적인 문제를 초래할 수 있다는 결과가 보고되었다. 따라서 미국과 유럽 소아과 학회에서는 임신 중의 식품제한에 대해 부정적인 태도를 보이고 있다(표 4-10-4). 최근 발표된 4,146명을 대상으로 한 코호트 연구에서 임신 말기 과일, 야채, 생선, 계란, 우유, 유제품, 견과류 제품의 섭취량을 조사하고 8세까지 천식 발생을 살펴보았을 때 임신기간 동안 견과류를 가끔 섭취한 산모의 아기보다 매일 섭취한 산모의 아기에게서 천식의 발생이 높게 나타났으며 유럽 농촌 지역 922명의 산모를 대상으로 한 코호트 연구에서는 끓인 우유를 섭취한 산모의 아기 제대혈에서의 우유 특이 IgE가 엄마의 IgE 수치와는 상관없이 높게 나타났다. 아토피피부염의 발생 및 악화와 관련된 이러한

표 4-10-4. 여러 전문기관의 식품 예방 권고 및 의견

Definitions/interventions	Group/publication			
	AAP 2008 Clinical Report	Recommendatons	ESPACL/ESPGHAN 1999, ESPGHAN 2008 recommendatons	SP-EAACI, 2004, 2008 recommendatons
Risk category:"high risk"	Parent or sibling with documented allergic disease	Biparental or parent plus sibling history of allergy	Parent of siblings affected (1996)	Parent of sibling with documented allergic disease
Pregnancy avoidance	Lack of evidence	Possibly peanut	4–6 mos	No special diets
Breast-feed"exclusively" until	Evidence for 3–4 mo(waiting 4–6 mo tied to introducing solidss)	6 mo		At least 4 mo, prefer 6 mos
Maternal lactation avoidance of allergens	Same evidence for reduced atopic dermatitis	Peanuts, tree nuts and "consider"egg, milk, fish, and"perhaps other foods"		No special diets
Prevention formulas	Compared with whole cow's milk protein, evidence for certain extensive hydrolysates, partial hydrolysates, but not soy	"Hypoallergenic formula" (extensive hydrolysate, possibly partial hydrolysate); not soy.	Confimed reduced allergenicity(1999)	Extensively hydrolyzed until 4 mo of age(2004); documented reduced allergenicity(2008)
Types of"solids"and complementary foods	Evidence to wait 4(to 6) mo; lack of convincing evidence for avoiding specific allergenic foods	Solids held to 6 mo Dairy prodcts, age 1 y Egg, age 2 y Peanuts, nuts, fish, age 3 y	Not before 17 wk and no later than 26 wk; no convincing evidence for delaying potentially allergenic foods such as fish egg(2008s)	No evidence of diet effect after 4–6 mo

ESPACI, European Society for Pediatric Allergology and Clinical Immunology; ESPHAN, European Society for Pediatric Gastoenterology, Hepatology and Nutrition, SP-EAACI, European Section on Pediatrics, European Allergology and Clinical Immunology.
* Advice that is the same for those not"high risk"

(Sicherer et al, 2008)

위험요소들에 관하여 아직 연구자마다 다른 결론이 나오는 이유는 연구대상의 숫자, 연구방법의 차이(전향적 연구 vs 후향적 연구), 지역적 차이, 연구대상의 유전적 요소의 차이 등 때문일 것으로 추정된다. 다만 최근에 나오고 있는 논문의 결론들은 다수의 연구대상을 포함하는 코호트 연구라는 점에서 인과관계를 밝히는데 좀 더 신빙성 있는 자료라고 판단된다.

알레르기 환경은 국가 간 다른 환경적 조건에 의해 다른 결과를 보일 수 있고 다른 위험요인 이 작용할 수 있기 때문에 자국의 연구가 필요하다. 국내에서는 이와 같은 코호트 연구가 없으므로 향후 우리나라 산모와 영아들을 대상으로 위험인자들을 밝히기 위한 전향적인 연구가 요구되고 있다.

▶ 참고문헌

1. 대한 소아알레르기 및 호흡기학회 편. 소아 알레르기 호흡기학 2005.

2. 대한 피부과학회 편, 피부과학 개정 4판. 2001.

3. 안성구, 송중원, 성열오. 소아 피부 질환. 2004.

4. 안효섭 편, 홍창의 소아과학 제8판. 2004.

5. Beck LA, Leung DY. Allergen sensitization through the skin induces systemic allergic responses. J Allergy Clin Immunol 2000;106:S258-63.

6. Bieber T, Leung DY. Atopic dermatitis. Lancet 2003;361:151?60.

7. Boguniewicz M, Leung DY. Atopic dermatitis. Middleton's Allergy, Mosby 2009.

8. Bratton DL, Hamid Q, Boguniewicz M, Leung DY. Granulocyte macrophage colony-stimulating factor contributes to enhanced monocyte survival in chronic atopic dermatitis. J Clin Invest 1995; 95:211-8.

9. Calvani M, Alessandri C, Sopo SM, Panetta V, Pingitore G, Tripodi S, et al. Consumption of fish, butter and margarine during pregnancy and development of allergic sensitizations in the offspring: role of maternal atopy. Pediatr Allergy Immunol 2006;17:94-102.

10. Chatzi L, Torrent M, Romieu I, Garcia-Esteban R, Ferrer C, Vioque J, et al. Mediterranean Diet in pregnancy protective for wheeze and atopy in childhood. Thorax. 2008;63:507-13.

11. Dold S, Wjst M, Mutius E, Reitmer P, Stiepel E. Genetic risk for asthma, allergic rhinitis, and atopic dermatitis. Arch Dis Child 1992:67:1018-22

12. DS Park, HH Kim, JS Lee. The significance of family history, IgE, total eosinophils and eosinophil cationic protein as a predictor of allergic disease. J Koera Pediatr Soc 1998;41:1273-82.

13. Hamid Q, Boguniewicz M, Leung DY. Differential in situ cytokine gene expression in acute versus chronic atopic dermatitis. J Clin Invest 1994;94:870-6.

14. Hamid Q, Naseer T, minshall EM, Song YL Boguniewicz M, Leung DY. In vivo expression of IL- 12 and IL-13 in atopic dermatitis. J Allergy Clin Immunol 1996;98:225-31.

15. Higashi N, Gesser B, Kawana S, Thestrup-Pederson K. Expression of IL-18 mRNA and secretion of IL-18 are reduced in monocytes from patients with atopic dermatitis. J Allergy Clin Immunol 2001;108:607-14.

16. Jee HM, Kim KW,Kim CG, Sohn MH, Shin DC,Kim KE.. Prevalence of Asthma,Rhinitis and Eczema in Korean Children Using the International Study of Asthma and Allergies in Childhood(ISAAC) Questionnaires. Pediatr Allergy Respir Dis(Korea) 2009;19(2): 165-72.

17. Jones AC, Miles EA, Warner JO, Colwell BM, Bryant TN, Warner JA. Fetal peripheral blood mononuclear cell proliferative responses to mitogenic and allergenic stimuli during

gestation. Pediatr Allergy Immunol 1996;7:109-116.

18. Jones CA. Holloway JA. Warner JO. Does atopic disease start in foetal life-. Allergy. 55(1):2-10.

19. Jones CA, Hollaway JA, Warner JO. Fetal immune responsiveness and routes of allergic sensitization. Pediatr Allergy Immunol 2002: 13 (Suppl. 15): 19–22.

20. King CL, Malhotra I, Mungai P, et al. B cell sensitisation to helminthic infection develops in utero in humans. J Immunol 1998;160:3578-84.

21. Kramer MS, Kakuma R. Maternal dietary antigen avoidance during pregnancy or lactation, or both, for preventing or treating atopic disease in the child. Cochrane Database Syst Rev 2006;3:CD000133.

22. Laberge S, Ghaffar O, Boguniewicz M, Leung DY, Hamid Q. Association of increased CD4+ T-cell infiltration with increased IL-16 gene expression in atopic dermatitis. J Allergy Clin Immunol 1998; 102:645-50.

23. Leung DY. Atopic dermatitis: new insights and opportunities for therapeutic intervention. J Allergy Clin Immunol 2000;205:860-76.

24. Leung DY, Bhan AK, schneeberger EE, Geha RS. Characterization of the mononuclear cell infiltrate in atopic dermatitis using monoclonal antibodies. J Allergy Clin Immunol 1983;71:47-56.

25. Leung DY, Boguniewicz M, Howell MD, et al. New insights into atopic dermatitis. J Clin Invest 2004;113:651-7.

26. Leung DY. Role of Staphylococcus aureus in atopic dermatitis. An Atopic Dermatitis. Edited by Leung DY, Bieber T. New York: Marcel Decker, Inc., 2002;401-18.

27. Lin H, Mosmann TR, Guilbert L, Tuntipopipat S, Wegmann TG. Synthesis of T helper 2-type cytokines at the maternal-fetal interface. J Immunol 1993;151:4562-73.

28. Macheleidt O, Kaiser HW, Sandhoff K. Deficiency of epidermal protein-bound omega-hydroxyceramides in atopic dermatitis. J Invest Dermatol 2002;119:166-73.

29. Malek A, Sager R, Kuhn P, Nicolaides KH, Schneider H. Evolution of maternofetal transport during human pregnancy. Am J Reprod Immunol 1996;36:248-255.

30. Markus JE, Iieana H, Giesela B, Susanne KE, Roger PL, Marjut R, et al . Prenatal exposure to a farm envirenment modifies atopic sensitization at birth. J Allergy Clin Immunol 2008;122:407-12.

31. Mihm MC Jr, Soter NA, Dvorak HF, Austen KF. The structure of normal skin and the morphology of atopic eczema. J Invest dermatol 1976;67:305-12.

32. Morar N, Willis?Owen SA, Moffatt MF, et al. The genetics of atopic dermatitis. J Allergy Clin Immunol 2006;118: 24-34.

33. Nemes Z, Steinert PM. Brick and Mortar of the epidermal barrier. Exp Mol Med 1999;31:5-19.

34. Nickoloff BJ, naidu Y. Perturbation of epidermal barrier function correlates with initiation of cytokine cascade in human skin. J Am Acad Dermatol 1994;30:535-46.

35. Novak N, Bieber T, Leung DY. Immune mechanisms leading to atopic dermatitis. J Allergy Clin Immunol 2003;112:S128-39.

36. Novak N, Kraft S, Bieber T. IgE receptors. Curr Opin Immunol 2001;13:721-6.

37. Saskia MW, Alet HW, Bert B, Marjan K, et al. Maternal food consumption during pregnancy and the longitudinal development of childhood asthma. Am J Respir Crit Care Med, 2008;178: 124-31.

38. Saurat JH. Eczema in primary immune deficiencies: clues to the pathogenesis of atopic dermatitis with special reference to the Wiskott-Aldrich syndrome. Acta Derm Venereol Suppl 1985;114:125-8.

39. Seidenari S, Giusti G. Objective assessment of the skin of children affected by atopic dermatitis: A study of pH, capacitance and TEWL in eczematous and clinically normal skin. Acta Dermatol Venereol 1995;75:429-33.

40. Spergel JM, Mizoguchi E, Brewer JP, Martin TR, Bhan AK, Geha RS. Epicutaneous sensitization with protein antigen induces localized allergic dermatitis and hyperresponsiveness to methacholine after single exposure to aerosolized antigen in mice. J Clin Invest 1998;101:1614-22.

41. Spergel JM, Paller AS. Atopic dermatitis and the atopic march. 2003;112:S118?27.

42. Stalder J, Taieb A. Euroupean Task Force on Atopic Dermatitis. Severity scoring of atopic dermatitis: the SCORAD index. Dermatology 1993;186:23-31.

43. Taieb A. Hypothesis: from epidermal barrier dysfunction to atopic disorders. Contact Dermatitis 1999;41:177-80.

44. Tang MLK, Kemp AS, Thorburn J, Hill DJ. Reduced interferon-csecretion in neonates and subsequent atopy. Lancet 1994;344:983-985.

45. Vance GHS, Holloway JA. Early life exposure to dietary and inhalant allergens Pediatr Allergy Immunol 2002: 13 (Suppl. 15): 14–18.

46. von Bubnoff D, Geiger E, Bieber T. Antigen-presenting cells in allergy. J Allergy Clin Immunol 2001;108:329-39.

47. William L, Alfred T, Joseph G. Color Textbook of Pediatric Dermatology. 2002.

48. Wollenberg A, Kraft S, Hanau D, Bieber T. Immunomorphological and ultrastructural characterization of Langerhance cells and a novel, inflammatory dendritic epidermal cell(IDEC) population in lesional skin of atopic eczema. J Invest Dermatol 1996;106:446-53.

11 직장에서 화학물 노출이 임신결과에 미치는 영향

한정열

Question:

직장 내에서 임신부에게 부정적 영향을 미칠 수 있는 유해한 것들은 어떤 것이 있나요? 내가 근무하는 직장에서는 어떻게 유해물질을 확인할 수 있나요?

1 서론

임신결과에 영향을 미칠 수 있는 다양한 화학물 및 중금속이 여러 산업현장에서 사용되고 있다. 많은 과학적인 증거들은 직장 내 화학물 및 중금속이 모체를 통해서 직접 또는 부체를 통해서 간접적으로 배아 또는 태아에 전달되어 영향을 미침을 보여주고 있다. Thomas 등의 보고에 의하면 성인에서 영향을 주지 않는 수준의 노출도 빠르게 성장하고 있는 태아와 신생아에게 비가역적인 해를 유발할 수 있다고 한다. 또한 태아는 성인보다 같은 용량의 독성 노출에 의해서 손상에 훨씬 더 취약하다. 이유는 태아와 신생아는 독성물질을 대사하여 제거할 수 있는 기능들이 미숙하기 때문이다. 또한, 이 시기의 중추신경계, 생식기관 그리고 면역체계는 화학물 및 중금속에 매우 민감하여 영구적인 구조적 또는 기능적 변화를 가질 수 있다. 직장 내에서 가임 부부의 지속적인 화학물 및 중금속 노출은 노출된 각 개인에서 다양한 생식기능의 손상뿐만 아니라 생식세포, 태아, 청소년 그리고 나중에 성인과 그들의 후손에 영향을 미칠 수 있는 불량한 임신 결과의 원인이 될 수 있다.

2 본론

본 내용의 대부분은 미국 질병통제관리국 산하 산업안전 보건연구원인 NIOSH (National Institute for Occupational Safety and Health)에서 발표한 'The effects of Workplace Hazards on Female Reproductive Health'의 내용을 발췌하여 정리하였다.

직장 내에서 임신결과에 영향을 미칠 수 있는 위해 요인들에는 방사선, 일부 화학물, 약물, 흡연, 알코올, 감염, 소음, 열 또는 저온 스트레스, 심하게 힘든 육체노동, 반복적 동작, 전신 떨림,

부상, 감정적 스트레스, 그리고 순환근무의 변화(changing shift rotations)등이 포함된다. 하지만 직장 내 유해물질들이 실제 생식능력(fertility) 또는 임신에 어떻게 영향을 미치는지 관한 연구는 많지 않다. 그럼에도 불구하고 직장 내 노출이 천식, 알레르기반응 또는 암을 유발할 수 있기 때문에 모든 근로자들은 직장 내에서 비록 임신이 아닐 지라도 그들의 안전을 보호하는 것이 적절하다. 그리고 남성들도 그들의 건강을 보호하기 위해 적절하고 안전한 조작방법을 따라야 한다.

직장 내 일부의 위해 요인들은 임신에 부정적 영향을 미치는 것으로 알려져 있다. 예를 들면, 납은 여성 도자기 근로자들에서 유산, 사산 그리고 불임과 관련되는 것으로 알려져 있다.

그림 4-11-1. Reproductive hazards

유해 물질들은 노출 시기에 따라서 한 가지 이상의 부정적 임신결과를 가져온다. 예를 들면, 임신 첫 3개월 동안 노출은 기형 또는 유산을 유발 할 수 있다. 반면 마지막 6개월 동안 노출은 태아의 성장과 뇌의 발달 그리고 조기진통을 유발 할 수 있다.

표 4-11-1. 작업장에서 여성이 노출될 수 있는 화학물 및 물리적 인자들

노출물질	잠재적 노출 근로자	관찰된 부정적 영향
Cancer treatment drugs (예, methotrexate)	보건의료인 약사	불임, 유산, 기형, 저체중아
Certain ethylene glycol (예, 2-ethoxyethanol, 2-methoxyethanol)	전기 또는 반도체 근로자	유산
Carbon disulfide(CS2)	점액성 레이온 근로자	생리주기 이상
Toluene	인쇄업근로자	난임
Organic solvent	석유산업근로자	출산 체중감소
Lead	밧데리 제조자, 군인, 용접공, 라디에이터 수리공, 다리 페인트 다시 칠하는 근로자, 사격훈련장근로, 집수리 근로자	불임, 유산, 저체중아, 발달장애

(계속)

표 4-11-1. 작업장에서 여성이 노출될 수 있는 화학물 및 물리적 인자들

노출물질	잠재적 노출 근로자	관찰된 부정적 영향
Mercury	램프공장 근로자, 치과보조근로자, 수은에 직업적으로 노출된 여성	생리이상, 난임, 불량한 임신결과 난임 자연 유산, 불량한 임신결과, 산후 출혈
Cadmium	카드뮴이 높은 토양 거주 여성 카드뮴에 노출된 임신부 출산 시 모체 및 제대혈의 높은 카드뮴 수준	조산 조산, 저체중아, 작은 키 출산체중과 모체 및 제대혈의 카드뮴수준에 역비례
Arsenic	임신 중 음용수에서 비소노출 (< 50mcg/L)	체중감소
Pesticides	여성 원예사 포도농원 근로자 농사짓는 임신부	잠복고환, 유산 높은 유산 기형
Ionizing radiation (예, X-rays, gamma rays)	보건의료인, 치관 근로자, 원자력발전소 근로자	불임, 유산, 기형, 저체중아, 발달장애, 소아암
Strenuous physical labor (예, 오래 서있는 근로자, 무거운 것 옮기는 근로자)	많은 종류의 근로자	유산, 조산

From NIOSH(1999) & Kumar S. et al(2010)

표 4-11-2. 작업장에서 여성들에게 감염될 수 있는 바이러스와 기생충

노출인자	잠재적 노출 근로자	관찰된 부정적 영향	예방
Cytomegalovirus (CMV)	보건의료인 영아와 어린이와 접촉하는 근로자	기형, 저체중아, 발달장애	손씻기와 같은 위생관리
Hepatitis B virus	보건의료인	저체중아	예방접종
HIV	보건의료인	저체중아, 소아암	의료행위시 주의
Human parvovirus B19	보건의료인 영아와 어린이와 접촉하는 근로자	유산	손씻기와 같은 위생관리
Rubella	보건의료인 영아와 어린이와 접촉하는 근로자	선천성풍진증후군 저체중아	이전 면역이 없다면 임신전 예방접종
Toxoplasmosis	동물관리근로자 수의사	유산, 저체중아, 발달장애	손씻기와 같은 위생관리
Varicella zoster virus(Chicken pox)	보건의료인 영아와 어린이와 접촉하는 근로자	기형, 저체중아	이전 면역이 없다면 임신전 예방접종

From NIOSH(1999)

표 4-11-1과 표 4-11-2는 직장에서 여성들이 노출될 수 있는 유해물질로서 화학물질과 물리적 인자들과 바이러스 및 기생충들이다.

바이러스의 경우 이들 바이러스에 면역이 있는 경우는 임신 시 태아에 영향을 미치지 않지만, 면역이 없는 경우 감염된 어린이나 성인들과의 접촉을 피해야 한다.

1) 직장 내 노출이 임신에 미치는 영향
- 생리 주기에 영향 (Menstrual cycle effects)
- 불임과 난임 (Infertility and Subfertility)
- 유산과 사산 (Miscarriage and Stillbirths)
- 선천성기형 (Birth Defects)
- 저체중아와 조산 (Low Birth Weight and Preterm Birth)
- 발달장애 (Developmental Disorders)
- 소아 암 (Childhood Cancer)

(1) 생리 주기에 영향(Menstrual cycle effects)

높은 수준의 물리적 또는 정서적 스트레스 또는 이황화탄소(CS2)와 같은 화학물의 노출은 뇌, 뇌하수체, 난소 사이의 평형을 깬다. 이는 에스트로겐과 프로게스테론의 불균형을 일으키고 생리의 기간과 규칙성, 그리고 배란에 문제를 일으킬 수 있다.

(2) 불임과 난임(Infertility and Subfertility)

모든 부부의 10-15%는 1년이 지나도 임신을 하지 못한다. 많은 요인들이 수정에 영향을 미친다. 여성의 난자와 남성의 정자에 손상 그리고 정상생리를 조절하는 호르몬의 이상은 난임을 유발하는 일부 원인들이다.

(3) 유산과 사산(Miscarriage and Stillbirths)

유산은 6명의 임신 중 1명에서 일어날 정도로 빈번하다. 유산과 사산을 유발하는 여러 이유들로는 난자 또는 정자의 손상으로 수정 후 생존 할 수 없음, 임신 유지에 필요한 호르몬 문제, 태아가 정상으로 발달할 수 없는 경우, 자궁 내 문제가 있는 경우 등이 포함된다.

(4) 선천성기형(Birth Defects)

선천성기형은 출산 시 존재하는 구조적 기형으로 2-3%의 주 기형이 출산 시 발견된다. 대부분의 경우 선천성기형의 원인은 잘 알지 못한다. 임신 첫 3개월은 기형발생과 관련하여 매우 민감한 시기이다. 대부분의 임신부가 이렇게 민감하고 중요한 시기에 임신을 인지하지 못한다.

(5) 저체중아와 조산(Low Birth Weight and Preterm Birth)

출산아의 7%정도는 저체중아이거나 조산아다. 임신 중 영양결핍, 흡연, 알코올이 관련되어있으며, 이들은 보다 많은 치료와 보호가 필요하지만 더 자주 아프거나, 출산 후 첫 1년 내 사망할 가능성이 높다.

(6) 발달장애(Developmental Disorders)

일부 출산아들의 뇌는 정상적으로 발달하지 못하고 발달지연 또는 학령기에 학습장애를 가져온다. 미국의 경우 약 10%의 아이들이 발달장애를 겪고 있다. 이들 발달장애는 과잉행동(hyperactivity), 집중력장애, 학습장애, 심한 경우에는 정신지체로 나타난다.

(7) 소아암(Childhood Cancer)

자궁 내에서 이온화된 방사선에 노출되는 경우 일부 어린이들에서 암이 유발될 수 있다. X-rays의 사용을 최소화 하기 위한 최근의 검사, 노출의 위험을 줄일 수 있는 새로운 장비의 사용, 보호장비의 사용은 태아에 대한 유해한 방사선 노출 가능성을 줄일 수 있게 하고 있다.

2) 근로자들과 그들의 태아는 어떻게 유해물질에 노출되는가?

유해물질은 호흡기를 통한 흡입(breathing in), 피부에 접촉, 그리고 삼킴(swallowing)으로써 여성의 체내로 들어갈 수 있다.

임신부와 임신을 계획하는 여성들은 유해물질에 관해 특별히 주의가 필요하다. 일부 화학물질(알코올 등)은 모체의 혈액으로 들어가서 태반을 통과하여 태아에 전달 될 수 있다. 일부 유해물질들은 임신부의 전신건강에 영향을 미치고 태아에게 전달되어야 할 영양이 감소될 수 있다. 방사선은 모체의 난자 또는 태아에게 직접 전달될 수 있다.

유해물질은 모든 여성 또는 임신부에게 영향을 미치지 않는다. 임신부나 태아가 부정적 영향을 받는 것은 노출 량, 노출기간, 노출방법에 따른다.

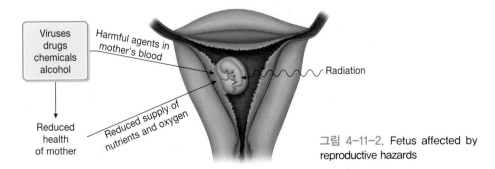

그림 4-11-2. Fetus affected by reproductive hazards

3) 가족들은 어떻게 유해물질에 노출되는가?

여성근로자와 임신부에 영향을 미치는 직장 내 유해물질은 그들의 가족들에게도 영향을 미칠 수 있다. 근로자들은 다른 가족들의 건강에 영향을 미칠 수 있는 유해물질을 집에 가지고 온다. 근로자의 피부, 머리카락, 옷, 신발, 공구상자 또는 차를 통해 집에 들여온 납은 임신한 가족, 특히 어린 자녀들의 납중독을 유발 할 수 있다.

4) 어떻게 하면 노출을 예방할 수 있는가?

고용주들은 그들의 근로자들을 교육시키고 보호할 책임이 있다. 고용주들은 그들의 작업장에서 노출될 수 있는 유해물질, 개인보호장비, 적절한 근무상황 등을 알아야 한다. 하지만, 작업장내의 유해물질에 대하여 잘 알려져 있지 않기 때문에 근로자들은 그들 자신의 안전을 위해 다음 단계들을 행해야 한다.

(1) 사용하지 않는 화학물질은 밀봉된 용기에 보관해야 한다.

(2) 유해물질을 만진 경우, 식사, 음료수를 마시기 전 또는 흡연 전에 손을 씻어라.

(3) 화학물질에 피부 접촉을 피하라.

(4) 만약 화학물질에 피부가 노출되는 경우, 물질안전보건자료(MSDS: material safety data sheet)에 따라 피부를 씻어라. 고용주들은 작업장내에서 사용되는 유해물질에 관한 MSDSs의 복사본을 가지고 있어야 하며 필요한 경우 근로자들에게 제공해야 한다.

(5) 근로자들은 작업장에서 사용되는 모든 유해물질에 친숙하도록 모든 MSDSs를 숙지하라. 만약 당신이 작업장에서 유해물질에 관해 우려하고 있다면, 당신의 의사나 의료인에게 상담하라.

(6) 고용주에 의해서 제공되는 모든 안전, 건강교육, 훈련과 모니터링 프로그램에 참여하라.

(7) 유해물질에 노출을 최소화하기 위한 적절한 작업공정 및 배출 향상과 같은 공학 컨트롤(engineering control)에 관해 숙지하라.

(8) 글러브, 신발, 앞치마, 가운, 마스크, 호흡기 및 개인 보호옷과 같은 개인 보호장비를 사용하라.

(9) 노출을 막기 위해 고용주의 안전과 건강을 지키기 위한 작업공정에 따라라.

(10) 유해물질로부터 집의 오염을 피하기 위해 다음 단계들을 따라라.

　① 오염된 옷을 갈아입어라 그리고 집에 가기 전에 비누와 물로 씻어라.

　② 오염을 막기 위해 작업장과 별도의 공간에 외출복을 준비해라.

　③ 가능하다면 직장 내 세탁소와 별개의 장소에서 근무복을 세탁하라.

　④ 오염된 옷 또는 다른 물건을 집에 가져오는 것을 피하라. 만약 근무복을 집에 가져올 수

밖에 없다면 밀봉된 비닐 백에 넣어서 옮겨라.

5) 남성에서 작업장내 유해물질의 노출

남성도 작업장내에서 납이나 방사선 같은 많은 유해물질에 노출될 수 있다. 1,000가지 이상의 작업장 내 화학물질이 동물실험에서 임신에 영향을 미친다고 알려져 있지만 대부분은 사람에서 연구된바 없다. 한편, 상업적으로 유통되는 4백만가지 이상의 화학물질 혼합물의 대부분은 시험되지 않은 채 남아 있다. 표 4-11-3는 남성에서 노출에 따른 정자 및 수정에 영향을 미치는 화학물질 및 인자들에 관해 기술하고 있다.

표 4-11-3. 남성에서 정자 및 수정에 영향을 미치는 화학물 및 인자들*

노출의 종류	관찰된 부정적 영향			
	정자 감소	정자모양 비정상	정자모양 변형	호르몬변화/ 성행위 이상
Lead	O	O	O	O
Dibromochloropropane	O			
Carbaryl (Sevin)		O		
Toluenediamine and Dinitrotoluene	O			
Ethylene Dibromide	O	O	O	
Plastic Production (styrene and acetone)		O		
Ethylene Glycol Monoethyl Ether	O			
Welding		O	O	
Perchloroethylene			O	
Mercury Vapor				O
Heat	O		O	
Military Radar	O			
Kepone**			O	
Bromine Vapor**	O	O	O	
Radiation** (Chernobyl)	O	O	O	O
Carbon Disulfide				O
2,4-Dichlorophenoxy Acetic Acid (2,4-D)		O	O	

*이들 유해물질에 의한 영향은 모든 근로자들에게서 나타나지 않으며, 노출량, 노출기간, 그리고 다른 개인적 요인들에 의해 결정됨.
**작업장내 사고에 의해서 높은 수준의 유해물질에 노출된 근로자

From NIOSH(1996)

표 4-11-4는 남성 근로자의 직장 내 화학물질 및 중금속 노출과 임신결과에 관해 보여주고 있다.

수은에 대한 부체의 노출에 관한 역학연구는 상충되는 결과를 보여주고 있다. 엘리멘탈 수은에 노출된 부체들에서 생식력, 유산, 기형 발생과는 상관없는 것으로 나타났다. 반면, 소변 내 수은이 50 mcg/l이상인 경우 2.3배의 유산 증가와 관련 되었다.

부체의 납(Lead) 노출과 관련된 경우 다양한 부정적 임신결과를 보인다. Sallmen등은 부체의 무기수은과 관련된 임신의 경우 연구 참여자의 수의 제한이 있어서 통계학적으로 의미가 있지는 않았지만 선천성기형발생이 증가하는 것으로 보고하였다. Picciotto는 중 정도 이하의 수은에 부체가 노출되었을 때 노출이 없었던 일반 임신부보다 유산이 증가하는 것으로 보고하였다. 또한, Alexander 등은 임신 전에 높은 농도의 납에 노출되는 남성들의 부인들이 낮은 농도에 노출되는 경우보다 사산률과 기형이 더 많이 발생하는 것으로 보고하였다. 또한, Markku 등은 납에 노출되는 남성들의 배우자들에서 후향적 연구를 시행한 결과 생식능력의 감소와 제한적으로 관련되는 것으로 보고하였다.

표 4-11-4. 남성 근로자의 직장 내 화학물 및 중금속 노출과 임신 결과

Chemicals/Physical Agents			Workers/Subjects	Effects
중금속	수은 (Mercury)	엘리멘탈 수은	노출된 남성근로자	부체의 수은 노출에 의해 생식독성 없음
		소변 수은	노출된 남성의 부인	소변내 50mcg/l 이상의 수은이 유산 증가와 관련
	납 (Lead)	중정도 이하의 납 노출	납과 아연 용광로 근무 남성	유산
		임신 전 높은 농도의 수은 노출 직장 근무	납을 모니터 하기 위한 남성의 배우자	사산과 기형증가, 유산과 관련되지 않음
		임신중 연구참여		부체의 납 노출이 생식능력의 감소 관련 가설을 제한되게 지지
농약	DDT		말라리아 박멸 캠페인에서 DDT 뿌리는 근로자	사산, 남녀 비 감소
	농사짓는 근로자			선천성기형으로 태아사망증가
	DDT		말라리아 박멸 캠페인에서 참여 근로자	유산 증가 없으며 성비 변화 없음 선천성기형 증가
유기 용제	이황화탄소 (Carbon disulphide)		점성이 있는 레이온공장에서 CS2에 노출된 남성근로자	높은 유산
	유기용제		부체의 노출	선천성기형

Modification of Kumar S, et al(2010)

3 맺음말

직장 내에서 가임 부부와 임신부들은 생식력 및 태아에 부정적 영향을 미칠 수 있는 다양한 유해물질에 노출될 수 있다. 하지만, 어떤 유해물질이 내 주변에 있는지 확인하는 것이 쉽지 않고 또한 이들 유해물질이 생식력 및 태아에 어떻게 영향을 미치는지에 관한 연구는 많지 않다. 그럼에도 불구하고 이들 유해물질들은 성인에서 암을 유발 할 수도 있고 천식 등 다양한 건강 문제를 일으킨다. 또한, 제한된 연구들이기는 하지만 수은, 납과 같은 중금속, 농약, 유기용제 등이 유산, 기형, 저 체중아, 조산과 관련이 있는 것으로 밝혀져 있다. 따라서, 고용주들은 이들 유해물질에 근로자들이 노출되지 않도록 하는 후드 등의 시설과 안전지침이 필요하고 근로자들은 이러한 지침

을 따라야 한다. 또한, 근로자들은 본인이 근무하는 작업장내에 어떤 유해물질이 있는지를 확인하고 가능한 노출을 최소화 할 수 있도록 장갑, 마스크, 신발 등의 개인 보호장비를 활용해야 한다.

Answer:

직장 내에서 임신부에게 부정적 영향을 미칠 수 있는 유해한 것들은 방사선, 화학물질, 약물, 흡연, 알코올, 감염, 소음, 열 또는 저온 스트레스, 심하게 힘든 육체노동, 반복적 동작, 전신 떨림, 부상, 감정적 스트레스, 그리고 순환근무의 변화(changing shift rotations) 등이 포함된다. 내가 근무하는 직장에서 내가 어떤 유해물질에 노출되는지는 물질안전보건자료 (MSDS: material safety data sheet)의 복사본을 구해서 확인하는 것이 가장 좋은 방법입니다. MSDS는 작업장에서 사용되는 모든 화학물질을 포함하고 있어야 합니다. 고용주들은 작업장 내에서 사용되는 유해물질에 관한 MSDSs의 복사본을 가지고 있어야 하며 필요한 경우 근로자들에게 제공해야 합니다.

▶ 참고문헌

1. Alcser, K.H., Brix, K.A., Fine, L.J., Kallenbach, I.,R., and Wolfe, R.A., 1989, Occupational mercury exposure and male reproductive health. Am. J. Med. 15:517-529.

2. Alexander BH, Checkoway H, Van Netten C, Kaufman JD, Vaughan TL, Mueller BA, Faustman EM. Paternal occupational lead exposure and pregnancy outcome. Int J Occup Environ Health.1996 Oct. 2:280-285.

3. cordier, S., Deplan, F., Mandereau, L., and Hemon, D., 1991, Paternal exposure to mercury and Spontaneous abortions. Br. J. Ind. Med. 48: 375-381.

4. http://mothertobaby.org/fact-sheets/reproductive-hazards-workplace/pdf/ 2015.12.2.

5. http://www.cdc.gov/niosh/docs/99-104/ 2015.11.30.

6. http://www.cdc.gov/niosh/docs/96-132/ 2015.11.30.

7. Judith H. Ford, , Lesley MacCormac, Janet Hiller. Occupational and Environmental Exposure to Chemicals and Reproductive Outcome. Original research article.1994.153-164.

8. Picciotto Irva-Hertz. The evidence that lead increases the risk for spontaneous abortion. American journal of industrial medicine J. 38:300-309.

9. Sallmen M, Lindbohm ML, Anttila A, Taskinen H, Hemminki K. Paternal occupational lead exposure and congenital malformations. J Epidemiol abd Community Health,1992,46:519-522.

10. Sallmén, Markku; Lindbohm, Marja-Liisa; Anttila, Ahti; Taskinen, Helena; Hemminki, Kari.

Time to pregnancy among the wives of men occupational exposed to lead. Epidemiology.2000 March. 11:141-147.

11. Sunil Kumar, R. Tiwari.Environmental and Occupational Exposures: Reproductive impairment. Daya Publishing House. 2010 August. 417: 304-337.

12. Thomas, K.B. and Coloborn, T. ,Organochlorine endocrine disruptors in human tissue, Chemically induced alterations in sexual functional development: The wildlife/Human connection, Colborn, T. and Clement, C.,Eds., Princeton Scientific Publishing Co., Inc., New Jersey,1992,365-394.

독성중금속(수은,납) 노출이 태아에 미치는 영향

◦ 한정열

Question:

생선에 수은(methyl mercury)이 함유되어 있어서 임신 중 생선 섭취 시 태아 지능저하와 관련된다고 하고, 또는 생선에 오메가-3가 포함되어 있어서 지능을 향상 시킨다고 생선 섭취를 권하고 있는데 어떤 것이 맞나요?

1 서론

수은, 납 등의 독성 중금속은 임신부에게 노출 시 태아의 발달에 영향을 줄 수 있다. 이들 중금속은 주로는 바위, 토양, 물 그리고 공기와 같은 자연에서 발생되어 널리 퍼져 있어서 그 농도가 낮아 직접적인 영향을 주는 경우는 드물다. 하지만 인간에게 의미가 있고 독성학적 입장에서 더 중요한 것은 인간이 가공하고 활용하는 중금속들이다. 이들 중금속들은 인간의 역사와 함께 도구나 기계 등에 이용 하는 산업 목적으로 또 한편은 인간을 치료하기 위한 의료용으로 사용되어 왔다. 이러한 중금속과 관련된 인간의 일련의 활동은 결과적으로 인간의 환경에 중금속의 양을 증가시키게 되었으며, 중금속을 다루는 공장에서 일을 하는 사람들 뿐만 아니라 나아가서 이들이 만든 공산품을 소비하는 임신부 및 가임여성을 포함하는 일반 소비자에게까지 중금속 노출에 따른 독성학적인 문제를 일으킬 수 있다.

2 수은(Mercury, Hg)

1) 수은의 분류

수은은 무기수은(inorganic mercury)과 유기수은(organic mercury) 두 가지 형태로 환경에 존재한다. 무기수은에는 원소성 수은(elementary mercury), 제 1 수은염(mercurous salts, Hg+), 제 2 수은염(mercuric salts, Hg2+)이 포함된다. 한편 유기수은에는 메틸수은, 알킬수은 등이 있다.

2) 수은의 이용

무기수은 중 원소성(elementary) 수은은 온도계, 혈압계, 페인트, 건전지, 형광등, 수은등, 치과용 아말감 등에 사용되었으며, 수은염 중 머큐리클로라이드는 과거에 매독, 변비, 우울증 치료에 사용되었다. 한편, 유기수은인 메틸수은은 살균제, 살충제, 방부제 등으로 사용된다.

3) 수은의 노출경로

수은에 의한 일차적 노출경로는 수은증기(mercury vapor)형태의 원소성 수은의 호흡기를 통한 노출이다. 하지만, 위장관을 통한 원소성 수은은 쉽게 흡수되지 않으며 상대적으로 해가 없는 것으로 알려져 있다. 이러한 원소성 수은이라도 일단 흡수되면 BBB (blood brain barrier)를 통과하여 신경계로 들어가고, 태반을 통과할 수 있다. 이러한 원소성 노출의 대부분은 직장에서 발생한다.

한편 환경에서의 수은 노출 중 우려되는 것은 유기수은이다. 대기중에 있는 무기수은은 강이나 바닷물 속에 흘러들어가 혐기성세균에 의해서 유기수은인 메틸수은으로 변환된다. 모든 물고기는 어느 정도의 메틸수은을 가지고 있으며, 이러한 메틸수은은 물고기의 먹이사슬을 통해서 전달되어 최상위에 있는 물고기나 바다 포유류에 대량으로 축적되고 농축되어 이를 포식하는 인간에게 전달된다.

4) 독성약동학(Toxicokinetics)

흡입된 수은증기(mercury vapor)는 폐포세포(alveolar cells)를 쉽게 통과한다. 이들 세포에서 catalase는 원소성수은을 산화시켜 2가 상태로 만든다. 알코올은 이러한 catalase의 활성을 억제하지만 몇 초 내에 혈류로 완전히 흡수되어 수은의 상당량이 BBB를 통과 할 수 있다. 위장관이나 피부를 통해서는 원소성수은은 잘 흡수되지 않는다. 위장관을 통해서는 원소성수은은 10% 미만에서만 흡수된다. 하지만 메틸수은은 90% 정도가 위장관을 통해서 흡수된다.

수은은 태반을 통과한다. 포유동물의 조직에서 유기수은, 특히 알킬수은은 무기수은으로 변환된다. 유기수은과 달리 무기수은은 metallothionein을 발생한다. 무기수은은 주로 신장에 축적되고, 반면 친지질성인 유기수은은 지방조직과 뇌에 축적된다. 하지만 모든 형태의 수은은 주로 변을 통해서 배설된다.

5) 독성기전(Mechanism of Toxicity)

수은은 술프히드릴(sulfhydryl)군과 결합력이 높아서 다양한 효소와 결합하여 활성을 억제한다. 또한 메틸수은은 지질의 peroxidation을 발생함으로써 세포막의 변형을 초래한다. 한편 in-vitro 실험에서 메틸 수은은 신경세포의 단백 튜블린과 작용함으로써 세포의 분열, 싸이토카인 형성 그리고 소포의 이동(vesicular transport)에 관여하는 마이크로튜블(microtubles)형성을 방해하고 단백합성을 억제하고, 신경막 활성을 변형시키고, DNA합성을 방해한다. 또한, in vivo 시험에서는 메틸수은은 세포의 분열(mitosis)과 신경세포의 이동(neuronal migration)을 방해하는 것으로 알려져 있다. 유기수은은 특별히 더 신경독성이 강하다.

6) 태아독성(fetal toxicity)

메틸수은이 태반을 통과하는 것은 잘 알려져 있으며, 임신부가 수은중독의 증상이나 징후가 없었음에도 기형아를 낳고, 이들 중 일부는 정신지체와 뇌성마비를 가져왔다. 이들에 대한 증거는 일본의 미나마타(Minamata)와 니이가타(Niigata)만에서의 수은에 중독된 어류의 섭취, 그리고 이라크에서의 항진균제로 사용한 수은에 오염된 밀을 이용해 만든 빵을 먹음으로 인한 사고를 통해서, 한편, 일상 식생활에서 수은을 다량 함유하고 있는 참치와 같은 큰 물고기를 섭취함으로 인한 수은 노출에 의해 나타나고 있다.

※ 일본에서의 재해: 미나마타와 니이가타

1950년대와 1960년대에 일본의 미나마타와 니이가타에서 산업오염에 의해서 메틸수은 중독이 발생했다. 미나마타에서 수은에 오염된 물고기를 먹었던 2천명이상의 주민이 중독되었던 것으로 알려져 있다. Harada(1968)는 이들 중에서 22명의 아이들은 당시에 자궁 안에 있었고 발달 장애를 가졌던 것으로 보고하였다. 이들 중 13명의 임신부에서는 임신 동안 메틸수은의 증상이 없었고, 5명은 지각이상(paresthesias)을 느꼈고, 3명은 피곤함(fatigue) 그리고 한명은 입덧을 심하게 하였다. 아이들 모두는 심한장애를 가졌고, 정신지체, 뇌성마비 그리고 경련이 포함되었다. 노출 수준은 출산 후 1-6년 지난 아이들과 모체의 머리카락(hair)에서 측정한 결과 아이들의 경우 6-100 ppm이었고, 모체에서는 2-191 ppm이었다. Harada는 이들 장애가 임신중 노출된 메틸수은에 기인한 것으로 판단하고, 이를 선천성미나마타질환(Congenital Minamata disease)이라고 명명하였다. 한편, Harada(1976)는 미나마타 지역의 13-16세의 223명의 학생들과 다른 지역의 196명의 대조군과 비교한 결과 지능장애, 감각장애, 언어장애가 미나마타 지역 학생이 2.5-7배까지 높다고 보고하였다.

한편, 미나마타에서의 수은 오염에 의한 미나마타질환의 인과 관계를 밝히는데 오랜 시간이 걸렸지만, 니이가타(Niigata)에서는 인과 관계를 거의 중독이 발생한 시점에 알게 되었고, 당시에 니이가타에서는 임신부의 혈중 수은 농도가 50 ppm 이상인 경우 임신중절에 관한 선택할 수 있게 하였다. 47명의 임신부에서 혈중 수은 농도가 50 ppm 이상으로 발견되었다. 13명에서는 hair level이 50 ppm 이상이었지만 임신을 유지하였다. 이들 중 단지 한 명의 아이에서만 선천성 미나마타 질환이 발생하였다. 이 아이의 삼촌도 당시 미나마타질환으로 진단되었다. 이 아이의 모체에 서의 hair mercury level은 293 ppm이었고 아이에서는 77 ppm이었다.

※ 이라크에서의 재해

1971–1972년사이의 겨울에 이라크에서 대규모 메틸수은 중독이 발생하였다. 한 농촌 마을에서 봄에 뿌릴 종자(seed)인 곡물에 메틸수은을 처리해두었던 것을 빵으로 만들어서 주민들이 먹었던 것이 화근이었다. 당시에 중독에 대한 원인을 재빨리 파악하고 주민들에게 알렸음에도 불구하고, 6,000명 이상이 병원에 입원하였고, 459명이 이로 인해 사망하였다.

한편, 많은 어린애들도 임신 중 자궁 내에서, 또는 출생 후에도 수은에 중독되었다. 이들 어린이에서도 일본에서의 보고된 수은중독에 의해 나타나는 증상과 징후의 임상적 특징이 비슷하게 나타났다. 또한, hair에서의 수은 농도와 어린이의 장애는 용량반응관계로 나타났다. 한편, 사망한 어린이에서는 발달하는 뇌에 대한 메틸수은의 영향이 평가되었다.

Cox 등(1989)에 의하면 당시 이 중독 사건으로 80명 이상의 영아가 자궁 내에서 노출이 있었고, 임신 중 이들의 모체 수은의 peak hair level과 함께 어린이들의 신경학적 검사와 처음 걷기 시작했던 나이를 비교 분석하였다. 결과는 그림 4–12–1과 그림 4–12–2와 같이 용량–반응 곡선을 나타내었다.

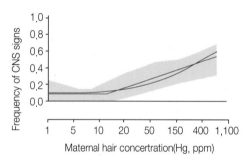

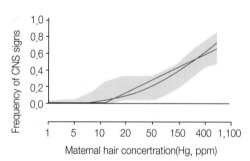

그림 4–12–1. Plots of the logit and hockey stick dose–response analysis of the relationship between central nervous system(CNS) signs and materal hair MeHg concentrations during gestation. The two dose–response curves are shown by solid lines. The shaded area represents the 95% confidence limits from kernel smoothing.

그림 4–12–2. Plots of the logit and hockey stick dose–response analysis of the relationship between retarded walking and materal hair MeHg concentrations during gestation. The two dose–response curves are shown by solid lines. The shaded area represents the 95% confidence limits from kernel smoothing.

(Myers GJ & Davidson PW, 2000)

표 4-12-1. 상용화된 어패류에서 수은 농도

Species	Mean mecury level (parts per million [ppm])
Lower Mean Mercury Levels(None detected[ND] to 0.29ppm	
Bass(saltwater; includes sea bass/striped bass/rockfish)	0.27
Catfish(메기)	0.05
Clams(대합)	ND
Cod(대구)	0.11
Crab(blue, king, and snow) (대게)	0.06
Crawfish(가재)	0.03
Flatfish(includes flounder and sole) (광어)	0.05
Haddock(해덕)	0.03
Halibut(가자미)	0.26
Herring(청어)	0.04
Lobster(spiny) (왕새우)	0.09
Mackerel(Atlantic) (고등어)	0.05
Mackerel chub(Pacific)	0.09
Mackerel, spanish(South Atlantic)	0.18
Monkfish(큰얼룩용구멍)	0.18
Oysters(굴)	ND
Perch(freshwater)	0.14
Pollock(대구류)	0.06
Salmon(fresh/frozen) (연어)	0.01
Sardines c(정어리)	0.02
Scallops(가리비)	0.05
Shad(American) (미국 정어리)	0.07
Shrimp(새우)	ND
Skate(홍어)	0.14
Snapper(도미)	0.19
Squid(오징어)	0.07
Tilapia(아프리카 민물고기)	0.01
Trout(freshwater) (송어)	0.03
Tuna(canned chunk light) (eye fin, yellow, fin)	0.12
Weakfish(sea trout) (민어과 고기)	0.25
Moderate Mean Mercury Levels(0.3 to 0.59ppm)	
Blue fish(쥐노래미)	0.31
Grouper(구루퍼)	0.55
Lobster(Northern/American) (바다가재)	0.31
Mackerel, Spanish(Gulf of Mexico)	0.45
Marlin(청새치)	0.49
Orange roughy	0.54
Tuna(canned, white albacore) (날개 다랑어)	0.35
Tuna(fresh/frozen)	0.38
Highest Mean Mercury Levels(≥0.6ppm): Avoid Eating	
Mackerel-king(Atlantic & Gulf of Mexico)	0.73
Shark	0.99
Swordfish(황새치)	0.97
Tilefish(Gulf of Mexico) (옥돔)	1.45

Adapted from EPA/FDA, 2004: http://www.cfsan.fda.gov/~frf/sea-mehg.html

표 4-12-2. 임신 중 생선소비에 의한 메틸수은의 노출과 어린이 발달관에 연관성을 보여주는 역학연구

Study, reference	No.	Prenatal exposure, hair MeHg levels	Outcomes measured	Associations with MeHg exposure
Canada	250	Mean 6 ppm Sex percent of children with>20ppm	Neurological exam DOST	Abnormal DTRs associated with increased MeHg in males with>13ppm No dose-response relationship
New Zealand	290	Mean 4 ppm Peak level 1.5×mean Range 1-86	DOST Vision, sensory, behavioral, and psychological tests(WISC-Ⅲ, MSCA)	Levels of >6ppm associated with deficiencies on DDST at 4 years Mean level of 13ppm associated with decreased performance on WISC-Ⅲ and MSCA at 6years of age
Peru	130	Mean 7 ppm, SD 2 Range 1-28ppm	Neurological exam Developmental milestones	No associatons reported
Faroeslslands	969	Mean 4 ppm Range(interquartile) 2.6-7.7	Developmental milestones Extensive battery of neuropsychological and neurophysiological tests	No adverse associations were found using hair levels of MeHg Using cord blood mercury adverse associations with tests of language, attention, memory, visuospatial functions, motor functions, and ABRs at 7years of age
Seychelles main study	779	Mean 5.9 ppm Range 0.5-27ppm	Neurological exam Developmental milestones Extensive battery of psychological tests	Beneficialassociations detected No adverse associations were found through the 66-month evaluations

Abbreviations, ABRs, auditory brainstem responses; DDST, Denver Developmental Screening Test; DTRs, deep tendon reflexes; MSCA, McCanthy Scale of Children's Abilities; WISC-Ⅲ, Wechsier Intelligence Scale for Children-Ⅲ.

(Myers GJ & Davidson PW, 2000)

※ 어류의 섭취와 수은에 의한 태아독성

메틸수은은 모든 물고기에 존재하고, 먹이 사슬을 통해서 상위로 전달되서 최상위의 물고기에는 대량의 수은이 축적되어 있다. 대부분의 바닷물고기는 0.29 ppm 미만의 메틸수은을 가지고 있다. 하지만 shark(상어), swordfish(황새치), tilefish(옥돔)에는 0.6 ppm 이상이 존재하는 것으로 알려져 있다(표 4-12-1). 돌고래나 고래는 더 높은 농도의 메틸수은을 가진다. 하지만, 미나마타와 같은 지역에서 물고기의 수은 농도는 40 ppm 이상을 보였다. 물고기를 섭취함으로 인해 흡수되는 메틸수은은 위장관을 통해 빠르게 혈류로 들어간다. 약 95%는 적혈구에 의해서 흡수되어 3-4일 내에 체내 전체로 확산된다. 뇌는 일차적인 표적 장기이다. 임신부에서 메틸수은은 쉽게 태반을 통과하여 태아의 헤모글로빈에 높은 결합력을 가져서 태아 혈중 농도는 모체에서보다 25% 더 높다.

물고기를 많이 먹는 나라에서의 임신 중 메틸수은의 농도와 태어난 아이의 신경학적 장애와 연관성에 관한 연구 결과는 표 4-12-2와 같다. Canada의 연구에서는 일관성 있는 dose-response관계가 나타나지 않았지만 메틸수은 농도가 아주 높은 군(13-23.9 ppm)에서는 남아의 신경학적검사에서 Deep tendon reflex 이상이 나타났다. 또한, 뉴질랜드 연구에서도 Denver Developmental Screening Test (DDST)와 psychological test scores 임신 중 메틸수은의

농도와 반비례하였다. 하지만 다른 연구들에서는 이러한 신경학적 이상과 연관성을 나타내지 않았다.

한편, Starling P 등(2015)의 임신 중 생선섭취가 태아의 신경발달(neurodevelopment)에 관한 Systemic review에 의하면, 관련 616개의 연구들 중 엄선된 8개의 논문 중 7개의 논문에서 추적 했던 6개월-9세의 아이들에서 임신 중 생선의 섭취가 신경발달에 도움을 주었다. 다만, 나머지 1개의 논문에서는 부정적 영향도 없지만 긍정적 영향도 없는 연구의 결과가 나왔는데 이는 출산 후 3일 된 아이에서 신경발달 검사를 했기 때문으로 추정하고 있으며, 신경발달의 차이를 볼 수 있으려면 장기적 추적관찰이 필요함을 지적하고 있다.

Oken등의 연구는 6개월 된 아이에서 Visual Recognition Memory (VRM)을 이용하여 검사하였다. 결과는 임신 중 생선 85-140 g을 추가적으로 섭취할 때마다 2.8 포인트씩 상승함을 보여주었다. 또한, ALSPAC (Avon Longitudinal study of Parents and children)의 연구는 임신 중 주당 1-3회의 생선섭취가 중정도지만 통계학적으로 의미 있게 13-18개월의 아이들에서 언어와 사회적 활동이 향상됨을 보고하였다. 또한 이 코호트의 장기적 추적결과는 임신 중 340g이상의 해산물(seafood intake)을 섭취했던 8세의 아이들에서 IQ가 낮은 아이들의 퍼센트 감소를 보고하였다.

또한, Strain JJ 등(2015)에 의한 생선섭취가 태아의 신경발달에 도움을 주는 기전에 대한 최근 연구에 의하면 임신부가 생선을 섭취하는 경우 메틸수은이 있음으로 해서 신경발달에 부정적 영향을 줄 수 있지만 생선에 있는 오메가-3가 이를 중재하는 것으로 알려져 있다

한편, 생선에는 iodine, 오메가-3(LCn-3PUFAs), 비타민 A, D, B12가 풍부하여 건강한 태아발달을 위해 임신 중 중요한 여러 영양소 중 하나로 알려져 있다. 따라서 미국, 유럽, 호주에서는 임신 중 생선의 섭취를 권장하고 있다.

7) 수은의 허용농도

(1) 원소성 수은(elementary mercury)과 무기수은염(Inorganic mercury salts):
수은증기(mercury vapor)에 관한 8시간 시간가중평균치로서 폭로한계농도(Threshold Limit Value)는 공기중 0.025 mg/m3이다(미국산업위생학회, 2003).

(2) 메틸수은(methyl mercury):
메틸수은에 관한 8시간 시간가중평균치로서 폭로한계농도(Threshold Limit Value)는 공기중 0.01 mg/m3이다(미국산업위생학회, 2003).

(3) 유기수은(Long chain aryl, alkyl group):

아릴수은에 관한 8시간 시간가중평균치로서 폭로한계농도(Threshold Limit Value)는 공기중 0.1 mg/m3이다(미국산업위생학회, 2003).

3 납(lead, Pb)

1) 납의 분류

무기납(Inorganic lead)과 유기납(organic lead)으로 분류되며, 모두 독성을 갖는다.

무기납은 중추 및 말초 신경계, 조혈계, 신장, 간 및 생식계에 주로 영향을 미치며, 유기납은 중추신경계에 주로 영향을 미친다.

2) 납의 이용

납은 배터리, 페인트, 납땜, 살충제, 제초제, 그림, stained glass window 같은 예술품, 장난감, 그리고 가솔린 첨가물 등으로 사용된다.

3) 납의 노출경로

납은 경구섭취, 흡입, 피부접촉을 통해서 노출된다. 대부분의 무기납은 피부를 통해서 잘 흡수 되지 않는 반면, 유기납(예, tetraethyl lead)은 피부를 통해서 잘 흡수된다. 오염된 물과 음식물의 섭취는 납의 일차적 노출원으로 알려져 있다. 성인의 경우 하루 음식물을 통해서 섭취하는 양은 대략 300 μg이다. 흡입은 작업장에서 납 노출의 가장 중요한 경로이다. 이렇게 흡입될 수 있는 가스나 분진 같은 형태의 납이 노출될 수 있는 환경은 흡연, 자동차 배기가스, 쓰레기 소각, 철강공장, 배터리 공장 등이다.

한편, 이런 형태의 납 노출이 지표수나 지하수를 오염시키게 되어 마시는 음료수에 영향을 미치고 결국 우리 몸에 들어오게 된다. 또한, 음식물은 환경으로부터 흡수와 음식물을 담는 용기(lead crystal, lead containing glazes)로부터 오염에 의한다. 나이 어린 유아의 경우 집에서 납이 포함된 페인트의 벗겨진 껍질이나 찌꺼기를 먹는 것이 납중독을 일으키는 중요한 원인으로 알려져 있다.

4) 독성약동학(Toxicokinetics)

납은 위장관을 통해 쉽게 흡수되며, 나이가 어릴수록 흡수율이 더 높다. 어린이는 경구로 흡수 되는 양의 30-50%가 혈중으로 들어가는 반면에, 성인에서는 5-15% 정도만 혈중으로 흡수된다. 납의 흡수는 철, 아연, 그리고 칼슘 부족에 의해서 더욱 촉진된다. 일반적으로 유기납이 무기납보다 더 잘 흡수된다. 일단 혈중으로 흡수된 납은 체내의 모든 조직으로 확산된다. 혈중에서 납의 95%는 적혈구에서 발견되며, 적혈구의 막(membrane)과 헤모글로빈에 납이 붙어 납합성물 (lead complexes)을 만들게 된다. 혈중 납의 농도는 최근 납 노출의 증거로 이용되어진다. 납은 신장, 뇌, 그리고 골격계에 축적된다. 한편, 납은 태반을 통과하여 성장하는 태아에서도 축적되어 검출된다. 어린이에서는 70% 이상 그리고 성인에서는 90% 이상이 뼈와 치아에 축적되어 있으며, 나머지는 연조직과 혈액에 분산되어 있다. 납의 반감기(t1/2)는 조직마다 차이가 많다. 뼈의 경우 는 10-30년, 연조직에서 40일, 혈액에서 28-36일이다.

영아나 3세미만의 어린이에서는 BBB가 충분히 발달되어 있지 않아서 혈중에 있는 무기납의 경우 쉽게 뇌에 도달한다.

뼈에서 납의 배출은 스트레스가 많다거나, 대사이상 그리고 임신 중에 더 가속될 수 있다. 납의 배출은 담즙을 통해 변, 소변, 침, 피부 탈락, 탈모에 의해서 이루어진다.

5) 독성기전(Mechanism of Toxicity)

납은 체내 대부분의 장기와 시스템에 영향을 미칠 수 있다. 세포의 신호전달과정(cellular signaling process), 신경세포의 활성, 그리고 많은 효소들의 기능을 방해할 수 있다.

세포막위의 sodium-potassium ATPase pump, heme 합성, 비타민 D의 대사, 칼슘흡수와 대사 등을 방해하며, 또한, 도파민 전달과 postsynaptic & presynaptic junction에서 신호전달을 포함하는 신경세포의 신호전달(signal transmission)을 방해한다. 그리고 부신과 갑상선의 기능을 억제할 수 있다.

납은 술프히드릴(sulfhydryl) 그룹의 단백질과 결합함으로써 일부 단백질과 효소의 구조 및 기능을 변화시킬 수 있다.

납은 heme합성의 과정 중 적어도 두 단계를 블록시키는 것으로 알려져 있다. Heme 단백질은 적혈구에서 헤모글로빈의 구조와 기능에 매우 중요하다. 납은 δ-aminolevulinic acid dehydratase와 결합하여 활성을 억제한다. 따라서, 납에 의한 이러한 블록은 만성납중독시 빈혈의 원인이 된다.

6) 태아독성(fetal toxicity)

납에 의한 독성은 일반적으로 노출된 량, 노출의 기간, 그리고 체내 총 납농도(total body burden)에 의해 결정되어진다.

임신 중 뼈에 축적된 납이 혈중으로 더 많이 이동하게 되어 모체의 혈중 납 농도는 증가된다. 한편, 임신한 동물과 인간에서 납이 태반을 쉽게 통과하여 태아에 전달될 수 있는 것으로 알려져 있으며, 한편 인간에서는 임신 12주면 태반 통과가 일어나는 것으로 알려져 있다. 임신중 작업장에서 납에 고용량에 노출되는 경우 계류유산(miscarriage)이나 조기양수파막 그리고 조산과 관련된다. 납은 신경계에 독성을 일으키기 때문에 태아의 신경독성과 관련될 가능성이 높다. Carson 등(1974)의 동물실험에서는 임신한 sheep에서 34 μg/dl의 혈중농도는 태어난 새끼 양에서 학습장애(learning defects)를 일으켰다고 보고하고 있다. 한편 인간에서는 임신중 낮은 수준의 납에 노출되어도 조기 인지발달장애가 발생할 수 있는 것으로 여러 연구들에서 보고하고 있다. 한 연구에서는 253명의 어린이들을 대상으로 20 μg/dl 이상군과 미만군을 비교했을 때 IQ가 납농도가 더 높은 군에서 약 7점 더 낮았다. 또 다른 연구에서는 납의 혈중 농도와 3개월, 6개월 아이의 Bayley Mental Developmental Index를 평가했을 때 농도가 높을수록 점수가 낮은 역상관성을 나타내었다. 또한, 10 μg/dl 이상과 미만군을 비교시 더 높은 군에서 Bayley Mental Developmental Index가 더 낮게 나타났다.

임신 중 납노출과 구조적기형과의 연관성은 명확하지 않다. Needleman 등(1984)의 보고에 의하면 제대혈(umbilical cord blood)에서 납 농도가 8.7~35.1 μg/dl인 경우 기형이 발생하는 것을 보고하였다. 포함된 기형은 hemangiomas, lymphangiomas, hydroceles, skin tags, papillae, 그리고 undescended testes가 포함되었다. 하지만, 발생된 기형들은 납 노출에 의해서 발생되었을 가능성보다는 우연에 의한 것으로 평가하고 있다.

Answer:

최근 sytematic review 연구에 의하면 임신 중 일주일에 2~3번의 생선 섭취가 전혀 섭취를 하지 않은 경우보다 IQ등을 포함한 신경발달향상에 도움을 주는 것으로 나타나고 있다.

임신부가 생선을 섭취하는 경우 메틸수은이 있음으로 해서 신경발달에 부정적 영향을 줄 수 있지만 생선에 있는 오메가-3가 이를 중재할 뿐만 아니라 iodine, 비타민 A, D, B1가 다량 포함되어 있어서 태아신경발달에 도움을 주는 것으로 알려져 있다.

▶ 참고문헌

1. Arthur Furst, Shirley B. Radding. Mercury(Hg). In: Philip Wexler. Encyclopedia of Toxicology. p288-289. USA. ACADEMIC PRESS 1998.

2. Choi BH, Lapham LW, Amin-Zai L, Saleem T. Abnormal neuronal migration, deranged cerebral cortical organization and diffuse white matter astrocytosis of human fetal brain. A major effect of methylmercury poisoning in utero. J Neuropathol Exp Neurol 1978. 37:719-733.

3. Cox C, Clarkson TW, Marsh DO, Amin-Zaki L, Tikriti S, Meyers GJ. Dose-response analysis of infants prenatally exposed to methylmercury. An application of a single compart-

ment model to single strand hair analysis. Environ Res 1989, 31:640-649.

4. Daniels, J.L.; Longnecker, M.P.; Rowland, A.S.; Golding, J. Fish intake during pregnancy and early cognitive development of offspring. Epidemiology 2004, 15, 394–402.)

5. Harada M. Intrauterine poisoning. Clinical and epidemiological studies and significance of the problem. Bull Inst Constitutional Med Kumamoto Univ 1976, 25(suppl):1-59.

6. Harada Y. Congenital(or fetal) Minamata Bay disease. In:Minamata disease(Study group of Minamata disease,eds). Kumamoto, Japan: Kumamoto University, 1968. 93-117.

7. Hibbeln, J.R.; Davis, J.M.; Steer, C.; Emmett, P.; Rogers, I.; Williams, C.; Golding, J. Maternal seafood consumption in pregnancy and neurodevelopmental outcomes in childhood (ALSPAC study): An observational cohort study. Lancet 2007, 369, 578–585.)

8. http://en.wikipedia.org/wiki/Mercury_(element)(2008.12.15)

9. Julshman K, Andersen A, Ringdal O, Morkore J. Trace element intake in the Faroe Islands I. Element levels in edible parts of pilot whales(Globcephalus melanus). Sci Total Environ. 1987, 65:53-62.

10. Matthews AD. Mercury content of commercially important fish of the Seychells, and hair mercury levels of a select part of the population. Environ Res 1983, 30:305-312.

11. Myers GJ, Davidson PW. Does methylmercury have a role in causing developmental disabilities in children? Environmental Health Perspectives 2000, 108; 413-420.

12. Oken, E.; Osterdal, M.L.; Gillman, M.W.; Knudsen, V.K.; Halldorsson, T.I.; Strom, M.; Bellinger, D.C.; Hadders-Algra, M.; Michaelsen, K.F.; Olsen, S.F. Associations of maternal fish intake during pregnancy and breastfeeding duration with attainment of developmental milestones in early childhood: A study from the Danish National Birth Cohort. Am. J. Clin. Nutr. 2008, 88, 789–796

13. Patrica E. Levi. Classes of toxic chemicals. In: Ernest Hodgson, Patrica E. Levi. A textbook of Modern toxicology. p260-264. USA. Appleton & Lange 1997.

14. Sager PR, Aschner M, Rodier PM. Persitent, differential alterations in developing cerebellar cortex of male and female mice after methylmercury exposure. Dev Brain Res. 1984. 12:1-11.

15. Starling P, Charlton K, McMahon AT, Lucas C. Fish intake during pregnancy and foetal neurodevelopment--a systematic review of the evidence. Nutrients. 2015 Mar 18;7(3):2001-14.

16. Strain JJ, Yeates AJ, van Wijngaarden E, Thurston SW, Mulhern MS, McSorley EM, Watson GE, Love TM, Smith TH, Yost K, Harrington D, Shamlaye CF, Henderson J, Myers GJ, Davidson PW. Prenatal exposure to methyl mercury from fish consumption and polyunsaturated fatty acids: associations with child development at 20 mo of age in an observa-

tional study in the Republic of Seychelles. Am J Clin Nutr. 2015 Mar;101(3):530-7)

17. Swedish Expert Group. Methymercury in fish. A toxicological epidemiological evaluation of risks. Nord Hyg Tidskr 1971, suppl4:19-364.

18. Tsubaki T, Irukayama K. In: Tsubaki T, Irukayama K. eds. Minamata disease. Methylmercury poisoning in Minamata disease and Niigata, Japan. Tokyo:Kodansha Ltd., 1977;57-95.

19. WHO. Environmental Health Criteria 101:Methylmercury.Geneva:World Health Organization,1990.

13

Hyperthermia가
태아에 미치는 영향

○ 홍달수

1 서론

진료를 하다 보면 종종 임신부들에게 "평소 사우나 또는 뜨거운 탕목욕을 하고 나면 몸이 편한데 태아에게는 괜찮을까요?"라는 질문을 받는다. 또한 이런 에피소드도 있다."며칠 전 독감을 앓아서 열이 40도가 넘게 3-4일을 고생했어요. 그래도 약은 해로울까봐 먹지 않고 견뎠지요"하면서 임신부 스스로 대견해 한다. 과연 임신 중 고열(hyperthermia)은 태아에게 어떠한 영향을 미칠까? 이러한 질문에 의료인조차도 명확한 답을 제시하지 못하는 경우가 많다.

저자는 '모태독성학' 첫째판이 발간될 무렵인 2009년도에서 2010년 사이에 신종플루(H1N1 influenza)의 영향으로 상당수의 임신부가 신종플루에 감염되었고 고열에 시달려 유산 또는 조산 등의 임신합병증이 발생했던 임신부들을 경험하였다.

열(heat)은 자연환경의 일부로 존재하며, 모든 생명체는 이러한 환경 인자에 적응하며 진화(evolution)해 왔다. 하지만, 이러한 진화를 거치는 과정에서 동물들은 비교적 좁은 범위 내에서 자신의 체온을 조절하는 능력을 가지게 되었다. 따라서 동물이나 인간은 수정란에서부터 배아기(embryo), 태아기(fetus) 및 출생 후까지 매우 순차적인 발생 및 발달과정, 즉 세포분열(mitosis), 세포이동(migration), 증식과 분화(proliferation and differentiation), 장기형성(organogenesis), 그리고 태아의 성장과 발달(growth and development) 등의 일련의 과정들은 임신 전 기간에 걸쳐 비정상적인 열에 대해 매우 민감하다. 다시 말해 인간과 동물은 정상중심체온(normal core body temperature)과 치명적인 중심 체온(lethal core temperature) 사이의 범위가 매우 좁으며, 이는 진화과정에서 고열에 적응하기 위한 새로운 유전적 변이(genetic mutations)라는 과정이 없다면 스스로 고열을 극복할 수 없음을 암시한다.

과거에는 고열에 의해 발생하는 태아기형은 임신부의 체온상승에 의한 것이 아니라 임신부의 발열에 의한 모체의 대사변화(metabolic change)에 의한 것으로 알려져 왔다. 하지만, 1972년 M.J. Edwards가 란셋학술지(The Lancet, 1972)에 아시아 인플루엔자(Asian influenza)에 의한 선천성 중추신경계 기형 발생이 바이러스 자체가 아닌 고열에 의한 것임을 제안하여 고열과 선천성 기형과의 연관성에 대한 국제적 관심을 이끌게 되었다. 이후에 고열에 의한 기형 발생의 의문점은 배아를

601

배양하는 과정에서 직접적으로 열을 가해 태아기형의 발생을 확인함으로서 많은 부분에서 궁금증이 해결되었다. 여러 보고된 문헌에서 고열은 마우스, 랫드, 기니아피그, 햄스터, 양, 돼지, 원숭이 등 여러 실험동물뿐만 아니라 인간에서도 태아기형을 유발하는 기형유발물질 (teratogen)의 하나임이 밝혀졌다. 또한 임신 중 고열에 노출된 시기에 따라 유사한 일련의 구조적인 기형뿐만 아니라 유산, 태아사망, 기능적 결함이나 성장장애 등도 발생한다는 것이 증명되었다.

2 고열의 정의

인체에서 발생하는 열은 발열(fever)과 고열(hyperthermia)로 분류할 수 있다. 체온은 일반적으로 겨드랑이, 구강, 항문 등에서 측정하게 되는데, 이때 발열이란 정상중심체온이 정상 범위(36.8 ±0.7℃) 이상으로 올라간 모든 상태로 정의된다. 한편, 고열이란 감염 등에 의한 여러 가지 내독소(endotoxin), 약물 등의 내인적(endogenous) 요인 또는 온천, 사우나, 뜨거운 환경에서의 작업 또는 격렬한 운동 등과 같은 외인적(exogenous) 요인에 의해 체온조절 중추(body's thermoregulatory set-point)가 정상적인 기능을 하지 못하거나 조절기능의 이상을 초래하여 체온이 계속 상승하여 비정상적인 고온이 지속되고 있는 상태로 정의할 수 있다.

대부분의 동물들은 정상중심체온과 최적의 세포증식을 유지하는데 필요한 각각의 중심체온을 가지고 있다(Mazza et al., 2004). 예를 들면 인간은 37℃, 마우스는 38.3℃(Shiota, 1988), 랫드는 38.5℃(Webster et al., 1985), 기니아 피그는 39.5℃(Edwards, 1969)의 정상중심체온을 나타내는 것으로 알려져 있다. 이와 같이 동물의 종(species)에 따라 정상중심체온이 서로 다르기 때문에 고열에 대한 평가는 실제적인 중심체온에 의해서가 아니라 각각의 종에 따른 정상중심체온에서의 상승 정도를 참고하여 평가하여야 한다.

실험동물에서는 정상중심체온에서 2-2.5℃의 중심체온 상승이 기형을 발생할 수 있는 고열의 임계역치온도(critical teratogenic threshold)로 알려져 있으며, 반면에 인간의 경우에는 38.9℃ (102°F)가 기형발생의 최소 역치온도로 알려져 있다.

3 고열에 의한 기형발생을 유발하는 노출시기와 반응형태

수정 후부터 출생 전까지 고열에 의한 태아의 영향을 평가하기 위해서는 태아의 발생, 성장 및 발달 과정을 시기적으로 이해하는 것이 필요하다. 착상전기(pre-implantation period), 배아기 (embryonic period), 태아기(fetal period) 각각의 시기에 따라 고열에 대한 민감도(sensitivity)는 차이가 있으며, 중요한 점은 수정 후부터 태아의 모든 발달과정에서 고열이 영향을 미친다는 점이다. 또한 고열의 노출 정도(dose)와 노출 기간(interval)에 따라서 유산, 구조적 기형 또는 기능적 장애의 정도가 매우 의존적임이 밝혀져 있다.

　실험동물 및 인간의 배아 및 태아기에서 고열에 의한 유해한 효과들을 요약하면 그림 4-13-1
과 같다.

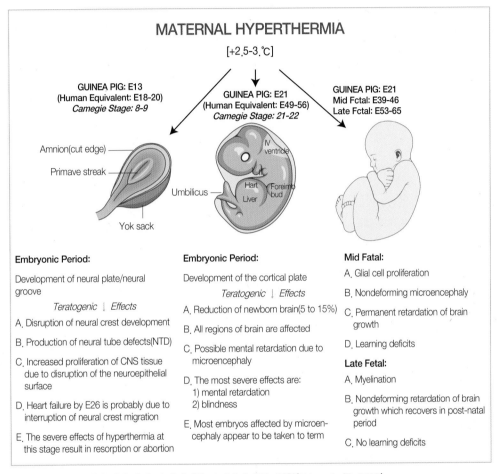

그림 4-13-1. 고열에 의해 배아 및 태아에서 나타날 수 있는 영향(Edwards 등, 2003)

　인간을 포함한 모든 동물의 태생기(pre-natal period) 발생 및 발달과정은 일반적으로 세 시기
로 분류된다.

1) 착상전기(Pre-implantation period)

2) 배아기 또는 기관형성기(Embryonic or organogenesis period)

3) 태아기(Fetal period)

　태생기에는 발생 및 발달 단계에 따른 다양한 시간차(time windows)에 따라 기형유발물질

(teratogen)에 대한 민감도가 다르게 나타난다. 고열에 의한 배아나 태아의 민감도 역시 다른 기형 유발물질과 마찬가지로 노출된 시기에 대단히 의존적이다. 예를 들면, 임신 초기에 세포가 분화하고 이동하는 시기, 즉 기관형성(organogenesis)이 유도되고 각각의 장기를 형성하기 위해서 빠르게 세포의 증식이 일어나는 시기가 고열에 의해 특히 손상 받기 쉽다. 반면에, 기관형성기의 후반기에 고열에 의해서 태아기형이 발생되기 위해서는 더욱 높은 온도와 장기간의 고열에 의한 노출이 필요하다. 하지만, 고열에 의해 손상 받기 쉬운 단계인 기관형성기 이전에 고열에 의한 노출, 즉 착상 전기에 고열에 의한 노출이 태아기형의 발생에 있어서 유해한 효과를 나타내는지는 명확하지 않다. 또한 고열에 대해 감수성 있는 시기가 지나가면 각각의 장기들은 열에 대해서 비교적 저항성을 가진다.

착상전기는 수정 후 착상이 완성되기 전 약 2주간의 시기를 말한다. 일반적으로 착상 전기에는 포배(blastocyst) 상태의 모든 세포들은 발생학적으로 유사하여 세포 중 일부가 손상되거나 손실된 경우에도 다른 세포들이 이들 세포들을 보상할 수 있다. 따라서 이 시기 동안에는 기형유발물질에 의해서 영향을 받은 경우에도 완전히 회복되거나 또는 세포손상이나 소실이 상당한 경우에는 배아사망(embryonic death)을 초래하는 쉽게 말해 "모 아니면 도" 시기인 "all or none period"로 알려져 있다. 결론적으로 착상 전기에 고열에 노출된 경우에는 다른 기형유발물질에 의한 경우와 마찬가지로 착상 실패나 배아 사망으로 인한 유산이 발생하거나 아니면 완전히 회복하게 되며 태아기형의 발생은 드물다.

배아기 또는 기관형성기는 대략 수정 후 3-8주까지를 말한다. 각각의 장기를 형성하는 중요한 시기로 주요 신체 구조가 형성되며, 결과적으로 다양한 기형유발물질에 의한 태아기형의 발생에 가장 민감한 시기이다. 기관형성기 말까지 배아는 4500개의 성인 구조 중 약 90% 이상을 형성한다. 따라서 기관형성기에 각각의 신체 기관을 형성하기 위한 빠른 변화는 세포분열 및 증식, 세포이동, 세포간 상호작용 및 분화, 그리고 형태형성 조직의 리모델링(remodeling)을 필요로 한다. 임신부의 과도한 체온 상승은 어느 시기에도 영향을 줄 수 있지만, 특히 기관형성기에는 세포의 증식, 분화, 이동 및 세포고사(apoptosis)를 통하여 기관형성을 포함한 다양한 변화가 발생하기 때문에, 이 시기에는 특정 장기나 기관들의 발생학적 결함이 더욱 쉽게 발생된다.

예를 들면, 발생과정에서 신경계(nervous system)는 고열과 이온화 방사선(ionizing radiation)을 포함한 다양한 유해물질에 대해 특히 민감하며, 근골격계 및 심장 또한 이시기에 고열에 의해 기형이 발생하는 것으로 알려져 있다.

기관형성기 중에서도 고열에 가장 민감한 시기는 신경판세포(neural plate cell)가 신경관 폐쇄(neural tube closure)를 유도하는 시기로 인간에서는 수정 후 20-28일째로 알려져 있다. 이 시기에는 뇌, 안구, 안면 그리고 심장 등이 손상받기 쉬운데, 결과적으로 무뇌아(anencephaly), 척추이분증(spina bipida), 대뇌류(encephalocele) 등의 신경관 결손(neural tube defect), 무안구증(anophthalmia), 소안구증(microphthalmia), 홍채결손(defects of iris) 등의 안구기형, 작은턱증

(micrognathia), 구개 열 및 구순열(cleft lip and palate) 등과 같은 안면기형, 그리고 심장기형 등이 발생할 수 있다. 신경관이 닫히고 뇌와 척수가 형성된 후에는 척추(spine)와 늑골(rib)의 기형이 발생할 수 있다.

배아기의 중-후반기에는 뇌가 형성되고 뇌세포가 증식하기 시작한다. 이 시기에 고열에 의한 뇌손상으로 발생하는 뇌세포의 손실은 불가역적으로 뇌의 모든 영역에 영향을 미치게 되며, 결과적으로 소뇌증(microencephaly)이 발생될 수 있다. 이때 발생할 수 있는 다른 기형으로는 척수 발생의 결함으로 인한 내반족(clubfoot), 손발가락의 저형성(hypoplasia) 또는 소실, 치아결손, 제대탈장(umbilical hernia) 등의 복벽결손, 백내장(cataract), 학습장애, 그리고 간질(seizure) 등이 있다.

수정 후 8주(약 56일째)가 되어야 비로소 명백히 형태학적으로 인간임을 알 수 있으며 이때 부터 태아라고 한다. 태아기에는 이미 형성된 태아 장기의 성장과 발달이 일어나는 시기이다. 따라서 이 시기에 과도한 체온 상승은 주로 태아의 성장과 발달 장애의 원인이 될 수 있으며 드물게 신경계 기형을 발생할 수 있다. 뇌의 발달과 신경아교세포(neuroglial cell)의 증식은 고열에 의해서 지체되며, 이로 인해 뇌의 크기와 기능이 불가역적으로 감소될 수 있다. 또한 척수 손상에 의해서 척수의 운동신경핵(motor neuron)의 손상과 함께 사지(limbs) 또는 체간(body trunk)의 근육 운동 능력의 소실로 인한 선천성 관절만곡증(athrogryposis)이 발생될 수 있다. 뇌간신경핵 (brain stem nuclei)의 손상은 뇌신경의 마비를 발생하여 뫼비우스증후군(Moebius syndrome)과 같은 선천성 신경장애가 발생할 수 있다.

임신 후반기 또는 진통과정에서 임신부의 고열에 의한 노출은 뇌성마비(cerebral palsy)의 위험 요인의 하나로 알려져 있다. 이는 신경관 폐쇄가 발생하는 시기부터 임신의 전 기간에 걸쳐 고열이 중추신경계(CNS)의 발달에 유해한 영향을 미친다는 사실을 입증한다.

다양한 실험동물과 인간에서 발생 시기 및 단계에 따라 고열에 의해서 발생되는 태아기형은 표 4-13-1에서 보는 바와 같다.

표 4-13-1. 고열과 관련된 다양한 선천성기형

	Mouse	Rat	Hamster	GuineaPig	Monkey	Human
Total length of gestation	20 days	21–22 days	16 days	68 days	166 days	38 weeks
Exencephaly/encephalocele	7–8 days	9 days	7–8 days	13–14 days		3–4 weeks
Vertebral kyphsls/scoliosis	8 days	9 days		13–14 days	26 days	
Microphthalmia	7–9 days	9 days		14–18 days	26 days	4–7 weeks
Maxillary/mandibular hypoplasia		9–10 days			24–27 days	4–7 weeks
Facial clefts	8 days	9 days	9–10 days			4–7 weeks
Microcephaly with seizures				20–30 days		4–7 weeks
Microcephaly with arthrogryposis				39–46 days		8–18 weeks
Microcephaly	12–15 days	13–14 days		53–60 days		8–26 weeks
Cardiac defects		9.5 days		13–14 days	26 days	5–6 weeks

(계속)

표 4-13-1. 고열과 관련된 다양한 선천성기형

	Mouse	Rat	Hamster	GuineaPig	Monkey	Human
Talipes			9–10 days	18–25 days	24–27 days	7–20 weeks
Hypodactyly	9 days	12–14 days		18–25 days		7–15 weeks
Exomphaios		9 days		20–23 days		6–10 weeks
Moebiud syndrome		14–16 days				7–20 weeks
Arthrogryposis			9–10 days	30–46 days		7–20 weeks

(Graham et al., 1998)

4 고열에 의한 기형발생을 유발하는 노출량과 반응형태

앞서 언급한 바와 같이 대부분의 기형유발물질 노출은 노출용량과 반응 양식, 즉 역치현상 (deterministic or threshold effect) 또는 확률적 영향(stochastic effect)에 따라 실제적이고 이론적인 생식발생학적 위험을 초래한다. 다시 말하면, 기형을 유발하는 약물, 화학물질, 그리고 물리적인 자들의 노출에 따른 반응형태는 결정론적 또는 역치 효과에 의하거나 확률적 효과에 의해 나타나는 용량–반응 곡선(dose–response curve)로 설명할 수 있다. 흔히 돌연변이 및 암 유발물질의 노출에 따른 위험도(risk)는 확률론적 현상에 따른다. 이들은 역치용량(threshold dose)을 갖지 않으므로 낮은 용량에서도 위험도는 여전히 존재하며, 이론적으로는 위험도가 증가하지 않는 낮은 노출량에서도 위험도는 노출용량에 비례하여 증가한다. 하지만, 자연적으로 발생하는 기본적 돌연변이 및 암 발생률을 넘지 않는다. 반면, 다양한 기형유발물질의 노출에 의해 발생하는 기형발생의 위험도는 역치용량을 가지는 S-모양의 커브를 나타낸다.

고열에 대한 역치용량은 노출 시기의 발생단계 및 조직이나 기관의 고열에 대한 민감도(sensitivity)에 따라 서로 다르게 나타난다. 따라서 태아기형을 발생하는 정해진 역치용량은 없으며, 다만 열에 대해 가장 취약한 시기에 열에 대한 민감도를 조사함으로서 최소 역치온도를 확인할 수 있다. 또한 동물의 종(species)에 따라 각각의 발생단계에서 기관의 성장속도가 다르고, 같은 종 내에서도 유전형(genotype)에 따라 서로 다른 민감도를 나타낸다. 실제로 배아의 유전형은 고열에 의한 기형의 발생 형태뿐만 아니라 발생 빈도 및 손상 정도를 결정하는데 상당한 영향을 미친다. 이러한 이유로, 종이 다른 실험동물로부터 인간에서의 고열에 대한 민감도를 연구하고 역치온도를 정량화(quantification) 하는 데는 어려움이 있다. 발생단계에서 고열에 대한 반응양상을 설명하는데 있어서 더욱 복잡한 이유는 동물의 종마다 자신의 정상중심체온에 따라서 대사과정(metabolic process)을 최적화하도록 진화되어 왔기 때문이다. 예를 들면, 기니아 피그(39.5℃)나 양(39℃)의 정상중심체온은 인간에 있어서 기형을 발생하는 체온 범위에 속한다. 이와 같이 동물의 종에 따라 정상중심체온이 서로 다르기 때문에 모든 동물에서 기형을 발생하는 특정 체온을 결정하는 것은 불가능하다. 이러한 이유로 기형을 유발하는 역치온도를 결정하는데 있어서 하나의 절대적인 체온을 적용하기 보다는 정상체온에서의 상승정도를 환산해서 기형발생이 가능한 역치 온도를 결정하는 것이 더욱 적절할 것이다.

지금까지의 연구에 의하면, 실험동물에서는 정상중심체온에서 2-2.5℃의 중심체온 상승이 기형을 발생할 수 있는 임계역치온도(critical teratogenic threshold)로 알려져 있으며, 1.5℃의 낮은 중심체온 상승은 유산 또는 배아사망을 유발하는 것으로 알려져 있다. 반면에 인간의 경우에는 38.9℃(102℃)가 기형발생의 최소 역치온도로 알려져 있다. 임신부의 발열과 임신 예후에 관한 전향적 연구에서 모체의 중심체온이 적어도 38.9℃ 이상 상승하고 24시간 이상 고열에 노출된 경우에 무뇌아, 외이 및 안면기형, 복벽 및 제대탈장, 심장기형, 그리고 사지 기형이 발생한다고 보고하였다(Chambers et al. 1998).

5 모체-태아의 열교환(heat exchange)

태아는 자신의 체온을 조절하는 능력이 거의 없기 때문에 태아의 체온은 일차적으로 모체의 체온에 의하여 결정된다. 태아와 모체 사이에 열의 전달은 대부분(85%) 제대순환(umbilical circulation)에 의해 이루어지며, 이 외에 태아피부, 양수(amniotic fluid) 그리고 자궁벽을 통해서도 열이 교환된다. 모체와 태아의 제대순환을 통한 혈류량이 상당하고 태반 또한 얇은 단일막으로 넓은 표면적을 가지고 있기 때문에 모체와 태아 사이에 열평형(heat equilibrium)이 빠르게 진행된다. 하지만 열교환(heat exchange)은 예상보다 효율적이지 못한데, 이는 아마도 제대와 태반의 작은 혈관을 통해서 반대 방향으로 열교환이 이루어지기 때문인 것으로 생각된다. 따라서 태아의 체온은 모체의 체온뿐만 아니라 태반의 혈류에 의해서도 영향을 받는다. 특히, 모체의 발열이나 과도한 운동은 태반의 혈류량을 감소시키는 원인이 된다. 임신부의 고열에 의한 태아와 태반에 대한 영향으로 장기간 고열이 지속되는 경우에는 자궁과 태반의 혈류가 감소하여 태반과 태아의 성장장애를 발생할 수 있다고 알려져 있다.

6 고열에 의한 기형발생 기전

고열에 의해 발생되는 배아나 태아의 손상기전은 다른 기형유발물질, 특히 이온화 방사선에 의해 발생되는 손상기전과 유사하게 발생하는 것으로 알려져 있다. 이러한 손상기전에는 세포사 멸(cell death), 세포이동의 방해(disturbance of cell migration), 유전자 발현의 중단(disruption of gene expression), 그리고 세포막의 손상(damage of cell membrane) 등이 포함된다. 이와 함께 혈관의 파괴(vascular disruption)와 태반경색(placental infarction)은 발생과정 중에 발생되는 배아나 태아의 손상을 더욱 악화시키는 작용을 한다.

세포의 증식이 빠르게 일어나는 배아기 초기에 역치온도 이상의 고열은 세포분열 과정에 있는 세포의 세포사멸을 유발하는데, 실험동물 연구에서 특징적으로 배아의 중추신경계와 안면기형이 발생하였다. 배아 초기 신경관이 닫히는 시기에 고열의 노출에 의한 신경외배엽상피세포(neuro-epithelial cell)의 사멸로 인한 세포소실은 절대적인 세포수의 감소를 초래하게 된다. 따라서 일부 남아있는 신경외배엽상피 세포만으로는 신경관이 닫히지 못하게 되며, 결과적으로 무뇌아, 척추 이분증 또는 대뇌류 등의 다양한 신경관 결손의 형태로 태아기형이 발생한다. 중요한 점은, 고열에 의해 손상된 배아의 뇌세포는 고열에 의해 사멸한 뇌세포의 결손을 보충하기 위해 세포의 분열 능력이 증가하지 않는다는 점이다. 즉, 배아기에 뇌의 초기 조직형성(histogenesis)이 이루어지는 동안에 고열에 의한 세포 소실은 일부 남아있는 세포의 일부 증식 만으로 뇌를 형성해야 하기 때문에 결과적으로 소두증이 발생된다. 이는 배아의 뇌가 형성되는 동안에 신경세포가 목표한 수에 도달되지 않더라도 뇌를 형성하기 위해 유도된 세포들은 최종 분열 횟수가 예정되어 있기 때문에 세포분열이 완성되는 시점에서 거의 동시적으로 신경세포의 증식이 종결되기 때문인 것으로 추정되고 있다.

세포이동의 방해(disturbance of cell migration)는 신경능선세포(neural crest cell)의 이동으로 형성되는 심장과 안면의 기형뿐만 아니라 내장신경(splanchnic nerve)의 결손에 의해 발생되는 선천성 거대 결장증(Hirschsprung disease)을 발생하는 것으로 알려져 있다. 신경능선세포는 안면 및 두개, 심장, 내장, 피부, 및 부신 등을 포함한 다양한 장기를 형성하기 위해서 신경관이 닫히는 시기에 이동이 일어난다. 인간에서 신경세포(neuronal cell)는 신경세포 증식이 나타나기 시작한 직후인 피질판(cortical plate)이 형성되는 임신 7-8주 경에 뇌소포(cerebral vesicle) 주위에서 기원하여 이동하기 시작한다. 실험동물의 연구에서는 발생 13-14일째에 열이 가해진 마우스 태아의 뇌에서 신경전구세포(neuronal precursor cell)의 증식이 억제되었으며 피질판으로 신경세포의 이동이 의미 있게 감소하였다. 따라서 이 시기에 고열에 의한 세포이동의 방해는 안면 및 두개, 심장, 내장, 피부, 및 부신 등의 다양한 장기의 발생결함을 초래할 수 있다.

유전자 발현의 중단(disruption of gene expression)은 상당한 세포사멸이 없이도 마우스의 척추와 늑골에서 기형을 유발하였다는 보고가 있다. 하지만 고열에 노출된 랫드의 척추 발생부위에서는 일부 세포사멸이 동시에 발견되었다.

신경관이 닫히는 시기에 신경세포의 세포막은 고열에 의해서 손상될 수 있다. 이는 뇌에서 뇌류(encephalocele)와 척수공동증(syringomyelia)을 유발하는 낭성구조(cystic-like structure)인 로제트(rosette)의 형성을 유도하는 하나의 기전으로 생각되고 있다.

혈관 파괴(vascular disruption)는 내피세포(endothelium) 손상에 의한 누출(leakage)과 혈관 주위 및 간질 부종(perivascular and interstitial edema)의 결과로 발생하는 미세혈관 기능부전(microvascular insufficiency)으로 고열에 의한 배아의 또 다른 손상기전의 하나로 생각되고 있다. 이러한 손상기전은 배아기 후기나 태아기의 초-중반기에 혈관의 손상과 함께 출혈을 야기함으로서 사지(limb)와 손발가락(digits)의 저형성이나 결손, 복벽개열증(gastroschisis) 또는 제대탈장 등의 복벽 결손, 뇌간신경핵의 손상에 의해 발생하는 뫼비우스 증후군, 그리고 척수의 운동신경핵의 손상과 함께 사지 또는 체간의 근육 운동 능력의 소실로 인한 선천성 관절만곡증(athrogryposis) 등의 원인으로 추측되고 있다.

다양한 태아나 배아의 직접적인 손상기전 이외에, 역치 온도 이상의 고열에 노출되는 경우에는 태반경색(placental infarction)이나 융모내 혈전(intervillous thrombi)의 발생이 관찰되었으며, 이와 함께 유산이나 태아사망 또는 소뇌증, 소안구증 및 골격계 기형(skeletal defect) 등의 다양한 태아기형이 동시에 목격되었다. 하지만, 고열에 의해 발생되는 태반의 손상이나 변화가 배아나 태아의 사망이나 성장과 발달에 영향을 줄 수 있지만, 이로 인해 직접적으로 기형을 발생한다는 확실한 증거는 없다.

7 열-충격 반응(Heat Shock Response)

1930년대 중반에는 고열이 단백질 변성(protein denaturation)을 유발하는 것으로 알려졌으며, 이후에 비록 정상체온일지라도 열손상에 의해서 상당한 세포의 소실이 발생한다고 발표되었다. 결과적으로 고열에 의해 손상된 배아에서 발견되는 세포손상 또는 세포사멸은 효소 또는 단백질의 구조적 및 기능적 변성 때문일 수 있다(그림 4-13-2). 배아의 열-충격 단백질(heat-shock protein)에 대한 최근 연구는 이러한 가능성에 무게를 싣고 있다.

열-충격 반응(ʻheat-shockʼ response)은 다양한 세포내독소(cellular toxin)와 외과손상(surgical injury) 뿐만 아니라 고열 등의 여러 가지 유해인자에 대한 보호 작용을 제공하는 방어기전으로 Ritossa(1962)에 의해 처음 연구되었으며, 여러 가지 독성물질(toxic agent)에 의해서도 유도되기 때문에 일명 '스트레스성 반응(Stress response)'이라고도 한다. 이러한 반응은 노출된 고온에 적응하며 성장한 모든 동식물뿐만 아니라 배아나 태아에서도 유도되는 것으로 알려져 있다.

열-충격 반응은 일종의 생존기전(survival mechanism)으로 다른 세포 활동보다 우위에 있기 때문에, 고온에 노출되어 열-충격 반응이 활성화된 경우에는 정상적인 단백질 합성과 세포증식은 일시적으로 정지된다. 이어서 열-충격 유전자(heat-shock gene)들의 발현으로 열-충격 단백질(HSP)로 알려진 다수의 단백질군의 합성이 빠르게 유도된다. 이와 같이 열-충격 반응은 잠재적인 유해온도 이상에 노출된 직후에 빠르게 시작된다.

열-충격 유전자들은 다양한 시기의 발생과정에서 발현되며, 특히 배아와 태아의 기관형성 및 성장이 진행하는 과정에서 많은 양이 존재한다. 하지만 착상 전단계인 수정 직후와 포배기(blastocyst) 단계에서 고열에 노출된 경우에는 열-충격 반응이 일어나지 않았고, 주로 배아의 사망이 발생되었다. 비교적 높지 않은 열손상에 의한 세포변성을 보호하기 위한 작용으로 샤페론단백

(chaperone protein)이 출현한다. 샤페론단백은 열-충격 단백질(HSP)의 일종으로 역치온도인 2.0-2.5℃ 정도의 중심체온 상승에 대해 보호 작용을 나타내는 것으로 추정된다. 하지만 역치온도를 훨씬 초과하는 고열에서는 샤페론단백에 의한 보호 작용은 충분하지 못한 것으로 알려져 있다. 이와 같은 상황에서는 손상된 단백질의 구조 및 기능을 복구시키거나 회복할 수 없는 변성된 단백질을 가진 세포의 처리를 돕기 위한 다른 형태의 열-충격 단백질(HSP)을 합성하기 위해서 빠르게 열-충격 반응이 활성화되며, 이러한 일련의 반응은 다양한 연구에서 증명되었다. 앞서 언급한 바와 같이, 태아의 성장과정에서 장기간 또는 반복적인 고열에 노출되는 경우에는 자궁과 태반의 혈류가 감소하여 태반과 태아의 성장장애를 발생한다. 이러한 장기간 또는 반복적인 고열에 노출되는 경우에 발생하는 태아의 성장장애는 부분적으로 반복적인 열-충격 반응으로 인한 태아와 태반의 정상적인 단백질 합성이 중단되기 때문인 것으로 추측할 수 있다.

그림 4-13-2. 고열에 의해 발생되는 단백질변성. 임신 중 고열에 의해 배아 또는 태아에서 발생할 수 있는 유해성을 단적으로 보여줌

8 고열과 다른 약물 또는 물질과의 상호작용

일부 약물이나 물질 등은 고열과 함께 작용하여 기형의 발생빈도나 기형의 심각성에 긍정적 또는 부정적 결과를 초래할 수 있다.

실험동물 연구에서 고열에 의한 기형의 발생에 상승작용을 하는 약물이나 물질에는 알코올, 비타민 A, 비소, 납, 내인성 독소 그리고 초음파 등이 알려져 있다. 이러한 약물이나 물질들은 정상적으로는 무해한 역치온도 이하의 체온상승에도 기형을 발생할 수 있으며, 특히 발열 질환을 가진 임신부에서 초음파의 사용에 유의해야 하는 이유가 된다.

초음파가 생체조직에 영향을 주는 기전은 크게 두 가지로 하나는 초음파가 조직을 투과하는 과정에서 파동 에너지의 일부가 조직 내로 흡수되는 과정에서 열에너지로 변환되어 조직의 온도를 상승시키는 열효과(thermal effect)이며 다른 하나는 가스나 증기를 포함하고 있는 체액에서 초음파로 인해 유발되는 조직의 손상의 결과로 나타나는 공동화(cavitation)와 같은 비열효과(non-thermal effect)이다. 특히 초음파에 의한 열효과는 초음파가 태아에게 영향을 미치는 가장 중요한 기전으로 알려져 있다. WFUMB (World Federation for Ultrasound in Medicine and Biology)는 "진단적 초음파로는 1.5℃이상 초음파 영역의 온도 상승을 유발하지 않는다는 것을 고려할 때 열효과와 무관하게 사용할 수 있으나 배아 또는 태아의 중심체온을 41℃로 5분 이상 상승시키는 정도의 초음파 노출은 유해할 수 있다"고 하였다. 따라서 초음파가 잠재적으로 발열효과의 고위험 인자임을 고려할 때, 발열질환을 가진 임신부는 응급 상황이 아니라면 초음파검사는 다음으로 미루어야 한다. 또한 고에너지를 발산하는 도플러 초음파의 경우 1.5℃이상 초음파 영역의 온도 상승을 유발할 수도 있으므로 EFSUMB (European Federation for Societies for Ultrasound in Medicine and Biology)는 추가적인 연구가 보고되기 전까지는 도플러 초음파의 사용은 출력량(output level)의 조절 하에 조심스럽게 시행되어야 한다고 권고하였다.

또한 내독소(endotoxin) 단독으로는 태아기형을 발생하지 않지만 내독소와 함께 발열이 있는 경우에는 역치온도가 낮아져 낮은 중심체온의 상승에 의해서도 기형이 유발될 수 있다.

일부 실험동물과 임상 연구에서 엽산(folic acid)이나 엽산을 함유한 종합비타민 제제가 고열에 의한 손상으로부터 보호 작용을 한다는 것이 증명되었다. 또한 아스피린 또는 다른 종류의 해열제 역시 고열에 의한 배아나 태아의 손상을 감소시키는 것으로 알려졌으며, 최근에는 고열 산모에서 해열제의 사용이 일부 복합적인 선천성 기형을 예방할 수 있음이 보고되었다(Czeizel 등). 하지만, 한 실험동물 연구에서는 체온이 상승되기 전에 아스피린을 투여한 경우에는 프로스타글란딘의 합성과 열-충격 반응의 발생을 방해하여 오히려 배아나 태아의 손상이 악화될 수 있다고 하였다.

9 고열의 발생요인

임신 중 고열을 발생하는 여러 가지 내인적 또는 외인적 요인은 다음과 같다.

1) 바이러스나 세균 감염에 의한 발열(Fever due to viral or bacterial infections)

2) 온천 또는 온욕(Hot tubs or hot baths)

3) 사우나(Saunas)

4) 전기장판(Electronic blankets)

5) 고온 환경에서의 작업(Heavy work on hot environments)

6) 약물(drugs)

7) 과도한 운동(Heavy exercise)

8) 초음파(Ultrasound)

10 고열이 human development에 미치는 영향 연구

인간에서 고열에 의한 기형의 발생 유무에 대한 연구는 매우 복잡한데, 그 이유는 고열의 발생 요인에 따른 태아에 대한 영향을 단독으로 분리하여 연구하기가 어렵고, 열이 발생 하는 과정에서 모체의 대사변화가 혼란변수로 작용할 수 있으며, 개개인의 유전형질에 따라 열에 대한 반응이 다를 수 있다는 점이다. 또한 고열이 발생한 시기, 기간 및 고열의 정도를 정확히 평가하기 어렵다는 점도 인간에서의 연구가 복잡해지는 원인이 된다. 또한 약물의 사용유무, 기형을 발생하는 감염성 질환의 여부도 고열과 태아기형 발생과의 관련성을 입증하는데 어려운 부분이다.

태아의 발생과정에서 고열의 영향에 대한 연구에는 수많은 실험동물에 대한 연구가 바탕이 되었다. 인간에서도 임신부의 고열과 태아기형에 관한 다양한 임상 및 역학적 연구가 시행되었으며, 발생과정에서 고열에 의한 영향으로 발생하는 기형들은 실험동물에서 발견되는 그것과 유사하게 발생하였다.

임신초기 고열 노출은 유산이나 태아사망을 발생할 수 있음이 여러 연구에서 확인되었다. 또한 임신 중 고열에 의한 노출과 다양한 태아기형과의 관련성이 입증되었으며, 일반적으로 중추 신경계(CNS)가 가장 흔히 손상되는 기관으로 이중 신경관 결손이 가장 흔한 기형이었다(표 4-13-2). 인간에서 발견된 고열에 의해 발생하는 태아기형에는 신경관결손(McDonald, 1958, 1961; Coffey and Jessop, 1959, 1963; Chance and Smith, 1978; Halperin and Wilroy, 1978; Miller et al., 1978; Smith et al., 1978; Layde et al, 1980; Fisher and Smith, 1981; Hunter, 1984; Erickson, 1991; Milunsky et al., 1992; Chambers et al., 1998; Medveczky et al, 2004; Suarez et al, 2004; Acs et al., 2005; Moretti et al, 2005), 소안구증(Fraser and Skelton, 1978; Pleet et al., 1981; Spragget and Fraser, 1982), 백내장(Vogt et al., 2005), 복벽결손(Erickson, 1991; Little et al., 1991), 심장기형(McDonald, 1958, 1961; Erickson, 1991; Tikkanen and Heinonen, 1991; Chambers et al., 1998), 소두증 및 지능저하(Pleet et al., 1981; Takei et al., 1995), 내반족 및 손발가락의 저형성(Pleet et al., 1981; Erickson, 1991; Peterka et al., 1994; Graham et al., 1998), 안면 및 사지기형(Superneau and Wertelecki, 1985; Martinez-Frias et al., 2001; Acs et al., 2005; Metneki et al., 2005), 뫼비우스증후군(그림 4-13-3)(Graham et al., 1988, Lipson et al., 1989; Govaert et al., 1989) 그리고 선천성 관절만곡증(Ivarsson and Henrikkson, 1984; Edwards et al., 1990; Martinez-Frias et al., 2001) 등이 있다.

임신 중 고열을 발생하는 여러 가지 내인적 또는 외인적 요인에 대한 다양한 임상 및 역학적 연구도 고열과 태아기형과의 관련성을 입증하고 있다.

바이러스나 세균 감염을 포함한 발열의 내인적 요인들은 흔히 임신부에서 고열을 유발하는 원인이 된다. 임신부는 계절 인플루엔자이건 대유행 인플루엔자이건 인플루엔자 감염의 고위험군에

표 4-13-2. 고열과 신경관결손증과의 연관성을 밝히는 연구들

First Author Year	No. Subject	Heat Souce	
		Type	Definition
Retrospective case—Control studies			
Chance.1978	43 NTD:63 normal controls	Internal	Fever ≥ 38.9℃
Halperin.1978	45 NTD:48 normal controls	Internal and Exlemal	"High fever"or sauna 43℃
Miller.1978	63 NTD:64 normal controls	Internal and Exlemal	≥ 38.9℃ fever for ≥ 1 day, or very hot sauna ≥ 15 min
Fisher.1981	17 NTD:17 Down syndrome controls		
Internal	Fever 〉38.9℃		
Shiota.1982	113 NTD:113 normal controls	Internal	"Febrile illness"
Dlugosz.1992	224 NTD:224 normal controls	Internal	"High fever"
Lynberg.1994	385 NTD:3647malformed controls	Internal	
Shaw.1988	504 NTD:509 normal controls	Internal	"Febrile illness"
Shaw.2002	252 NTD:464 normal controls	Internal	At least 37.8℃
Prospective cohort studies			
Coffey.1959	656 hyperthermia; 658 control	Internal	"Influenza"
McDonald.1961	148 fever; 3103 control	Internal	Febrile illnesses and infections
Klienebrecht.1979	2302 fever; 2501 control	Internal	"Febrile illnesses"or "influenza"
Little.1991	55 fever; 54 control	Internal	Fever 38.4℃ for ≥ 24h
Milunsky.1992	5,566 fever. 17,188 controls	Internal and External	Fever 37.8℃ or" use of hot rub, sauna, or electric blanker"
Milunsky.1992	71 hyperthermia; 265 controls	Internal	Fever ≥ 37.8℃ for ≥ 24h

(Moretti et al, 2005)

속하는데, 이는 임신하게 되면 호흡기계, 심혈관계, 면역계 등에 생리적인 변화가 생기고 이로 인해 호흡기계 바이러스 감염에 대한 감수성이 높아지거나 임상경과가 나빠진다고 알려져 있다. 특히 기형 발생이 바이러스 자체가 아닌 고열에 의한 것이라고 알려진 이후부터 발열질환과 기형발생의 관련성을 입증하기 위한 여러 연구가 활발히 진행되었다. McDonald는 3,144명의 임신부를 대상으로 시행한 연구에서 임신 12주 이전에 발열 질환에 이환된 임신부에서 유산 및 태아기형의 발생빈도가 증가한다고 보고하였다. 발열 질환에 이환된 148명의 임신부에서 유산의 빈도가 대조군에 비해 증가하였고(2.1% vs 4.7%), 무뇌아, 수두증(hydrocephalus), 심장기형, 구순열 및 구개열 그리고 요도하열 (hypospadias) 등의 기형의 발생빈도도 증가하였다(2.8% vs 6.1%). Coffey와 Jessop 등은 임신주수와 관계없이 아시아 인플루엔자에 이환된 임신부를 대상으로 시행한 연구에서 대조군에 비해 인플루엔자에 이환되어 고열에 노출된 임신부에서 기형의 발생빈도가 2.4배 증가한다고 보고하였다. 하지만 다수에서 신경관 결손을 포함한 기형의 발생부위와 고열에 이환된 임신주수와는 잘 일치하지 않았다. Saxon 등도 인플루엔자에 이환된 임신부와 신경관결손과의 관련성을 확인하였다. Pleet은 임신 4-14주 사이에 적어도 24시간 이상 38.9℃를 초과한 적이 있

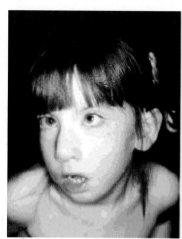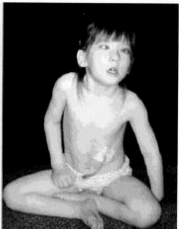

그림 4-13-3. Möbius sequence의 전형적 증상을 보이는 여아. 임신 18주에 3-4일간 38.9℃의 고열이 있었으며, 6번, 7번 뇌신경의 손상으로 인한 측면주시와 안면근마비 그리고 선천성 내반족을 보이고 있다. (Graham et al., 1998)

는 임신부를 대상으로 후향적 연구를 하였다. 노출된 28명의 소아들 모두에서 지능저하와 근긴장도의 저하가 발견되었으며, 특히 임신 4-7주 사이에 임신부가 고열에 노출된 경우에는 구순열 및 구개열을 포함한 안면기형, 소안구증, 작은턱증, 이소성 회백질(neuronal heterotopias) 및 경련질환 등이 발견되었다. 이와 유사하게 Graham과 Edwards 등은 임신 4-20주 사이에 고열에 노출된 적이 있는 임신부를 대상으로 후향적 연구에서 선천성 관절만곡증와 근긴장도의 저하를 보이는 9명의 소아를 보고하였다. Shaw는 임신 제일삼분기에 발열질환에 노출된 임신부를 대상으로 한 환자-대조군 연구에서 신경관 결손의 교차비(odds ratio, OR)는 1.91(CI 1.35-2.72)였으며, 특히, 고열에 민감한 시기에 엽산을 함유한 종합비타민을 복용하지 않은 경우에 신경관 결손의 교차비가 7.9배로 증가하였다고 보고하였다.

온천 또는 온욕, 사우나 및 전기장판은 임신부에서 고열을 유발하는 외인적 요인이 되고 있는데, Harvey 등은 온천을 한 비임신 여성의 질내(intravaginal) 체온을 측정하여 온천을 하는 경우에는 39℃의 물에서는 15분, 40-41℃ 이상에서는 10분 만에 질내 체온이 38.9℃에 도달한다는 것을 발견하였으며, Ridge와 Budd도 유사한 보고를 하였다. Spragget과 Fraser 등은 또한 93.3-98.8℃에서 20분간 사우나를 시행 받은 여성에서 구강 체온이 38.9℃에 도달하였다고 보고하였다. 따라서 반복적으로 모체의 중심체온이 38.9℃ 이상 상승하지 않도록 온천 또는 온욕을 하는 경우에는 39℃의 물에서는 15분 이상, 40-41℃ 이상에서는 10분을 초과하여 노출되지 않도록 해야 하며, 90℃에서 사우나를 하는 임신부는 10분 이상의 노출을 피해야 한다고 권고하고 있다. Milunsky 등은 23,491명의 임신부에서 임신 12주 이전에 온천 또는 온욕, 사우나 및 전기장판에 노출된 경 우를 대상으로 모체의 알파태아단백(AFP)이나 양수검사를 통한 스크리닝을 이용하여 전향적 연구를 시행하였다. 전체 임신 중에서 5,566명이 적어도 1회 이상 고열에 노출되었으며, 노출원인은 1,865명은 발열질환, 1,254명은 온천, 367명은 사우나, 그리고 2,883명은 전기장판의 사용이었다. 발열질환, 온천 그리고 사우나 등에 노출된 임신부에서 기형의 발생 위험은 2.2배 높았다(CI=1.2-4.1). 두 가지 고열의 원인에 노출된 경우에 기형의 발생 위험은 6.2배로 증가하였다(CI=2.2-17.2). 특히 발열질환, 온천 그리고 사우나 등에 노출된 임신부에서는 신경관결손의 발생 빈도가 증가한다고 결론지었다. 전기장판의 경우, 태아의 기형을 발생할 정도로 모체의 중심온도를 올리지는 않는 것으로 보이며, 신경관결손의 위험도를 증가시키지 않았다. 하지만, 임신 중 전기장판의 사용은 임신초기 유산이나 자궁 내 성장장애의 위험도를 증가 시킬 수 있다고 한다. Miller 등은 무뇌아를 출산한 63명의 임신부를 대상으로 시행한 연구에서 5명의 산모가 38.9-40℃의 고온에 노출된 적이 있으며, 이중 2명은 사우나와 관련된 고열이었다고 보고하였다. 주목할 점은, 고열에 노출된 임신부 모두 신경관 폐쇄가 일어나는 시기(14-28 days)에 고열에 노출되었다는 점이다. Suarez 등은 온천, 사우나 그리고 전기장판의 이용에 의해서 고열에 노출된 임신부에서는 신경관결손의 위험도가 4배 증가한다고 보고하였다. 한 등도 임신 중 사우나의 이용과 태아기형 위험성에 대한 연구에서 주요 기형의 교차비가 1.66(CI 1.08-2.57)으로 높았다고 보고하였으며(Han et al., 2002), 이는 이전에 보고된 결과와 일치한다. 반면에, Saxon은 핀란드에서는 임신부들도 다른 나라에 비해 사우나를 자주 하지만 사우나에 의한 고열 노출은 기형의 발생빈도를 증가시키지 않았다고 보고하였다.

고온 환경에서의 작업과 이로 인한 고열에 의한 태아 기형발생 가능성에 대한 연구도 있는데, McDonald는 뜨거운 세탁소에서 작업을 하는 28명의 임신부 중 네 명에서 무뇌아, 수두증, 심장기형, 그리고 요도하열 등의 심각한 태아기형을 가지고 있었다고 보고하였다.

진통 중 경막외 마취(epidural anesthesia)는 모체와 태아의 체온상승과 관련이 있다. 한 보고에 의하면, 분만 전 경막외 마취를 시행 받은 산모에서 태어난 태아의 약 5%에서 체온이 40℃를 초과하였다. 이와 관련하여, 임신 후반기 또는 진통 중 고열에 노출된 임신부에서 뇌성마비(cerebral palsy)의 위험성이 증가한다는 보고가 있었다.

임신 중 뜨거운 환경에서의 격렬한 운동은 임신부의 중심체온을 올리는 것으로 알려져 있다. 하지만, 운동에 의한 체온 상승은 다른 외적 발열요인(온천 또는 온욕, 사우나) 보다 높거나 지속되지 않는다.

임신 중 진단적 초음파의 사용은 안전한 것으로 알려져 있다. 일반적인 진단적 초음파가 1.5℃ 이상 초음파 영역의 온도 상승을 유발하지 않는다는 것을 고려할 때 임신 초기 초음파 또한 안전하게 사용될 수 있다. 실험동물에서 임신 초기 초음파는 출생체중을 상당히 감소시켰지만, 이러한 영향은 일시적이었고 발달장애는 나타나지 않았다. 인간에서는 초음파에 의한 태아기형이나 출생체중의 감소는 나타나지 않았다. 하지만, 발열질환을 가진 임신부에서는 정상적으로는 무해한 역치온도 이하의 체온상승에도 초음파의 열효과로 인한 추가적인 온도상승으로 인해 기형을 발생할 수 있으므로 발열질환을 가진 임신부에서는 응급상황 등 불가피한 경우를 제외하고는 초음파의 사용을 자제해야 한다. 임신 중에 고에너지를 발산하는 컬러도플러나 펄스 도플러의 안전성에 대한 자료는 아직 부족하여, 고에너지를 발산하는 도플러 초음파의 경우 1.5℃이상 초음파 영역의 온도 상승을 유발할 수도 있으므로 추가적인 연구가 있기 전까지는 도플러 초음파의 사용은 출력량(output level)의 조절 하에 조심스럽게 시행되어야 한다.

11 결론

임신 중 고열은 기형유발물질의 하나로 유산 및 태아사망, 다양한 선천성 기형 그리고 성장 및 발달장애와 관련된다. 태아의 발생 및 발달 시기에 따른 다양한 시간차에 따라 고열에 대한 민감도가 다르게 나타나며, 특히 중추신경계(CNS)가 가장 흔히 손상되는 기관이다. 인간에서 기형을 유발하는 모체 중심체온의 임계역치온도는 38.9℃로 알려져 있으며, 24시간 이상 지속되는 38.9℃ 이상의 고열에 노출된 경우에 기형의 발생빈도가 증가한다고 알려져 있다. 하지만, 그 보다 낮은 온도나 짧은 노출의 영향에 대해서는 아직 연구 자료가 부족하다. 따라서 임신을 계획하고 있는 여성이나 임신부에 대해서는 전체 임신 기간 동안에 24시간을 초과하는 38.9℃ 이상의 고열에 장기간에 노출되지 않도록 적절한 교육이 필요하다.

임신 중 고열 노출의 원인이 되는 온천 또는 온욕 및 사우나의 반복적이고 과도한 노출을 피하고, 불가피하게 노출되는 경우에도 모체의 중심체온이 38.9℃ 이상 상승하지 않도록 39℃의 물에서는 15분 이상, 40-41℃ 이상에서는 10분 이상 그리고 90℃에서 사우나를 하는 임신부는 10분 이상 초과하여 노출되지 않도록 권고해야 한다. 대표적으로 독감이나 계절감기, 신우신염 등과 같이 임신 중 고열을 유발 할 수 있는 다양한 발열질환의 예방에도 노력해야 한다. 특히 독감과 같은 발열질환을 예방하기 위해서 임신부는 우선적으로 독감 예방접종을 하는 것이 합리적이다. 이외에 임신부는 고온 환경에서의 작업이나 과도한 운동을 피해야 하며, 발열 질환을 가진 임신부에서는 응급상황 등 불가피한 경우를 제외하고는 초음파의 사용을 자제해야 한다.

임신 중 고열에 노출되었거나 발열질환이 있는 임신부의 경우에는 적절한 해열제의 사용으로 빠르게 열을 내리는 것이 배아나 태아를 고열에 의한 손상으로부터 보호하는데 도움이 된다. 엽산제 또는 엽산을 함유한 종합비타민의 추가적인 복용이 고열에 노출된 임신부에서 기형을 감소시키는 효과가 있으므로 임신을 계획하고 있거나 임신한 모든 임신부는 엽산제 또는 엽산을 함유한 종합비타민을 복용하도록 반드시 권고해야 한다.

12 임상증례

1) 임신 5주인 임신부가 처음으로 산전진찰을 위해 내원하였다. 임신부는 다음주에 신혼여

행을 계획 중으로 온천 관광이 포함되어 있었고, 온천욕이나 사우나 등의 여행 중 주의사항에 대해서 질문하였다. 이러한 상황에서 임신부에게 어떻게 조언할 것인가?

2) 계절 독감이 유행하는 지역에서 임신을 계획중인 가임기 여성이 내원하였다. 현재 많은 독감 환자가 발생하는 상황에서 초음파, 혈액검사 등 일반적인 진료내용 외에 임신 준비를 위해 무엇을 권고해야 하나?

3) 38.7℃ 의 발열을 동반한 임신 8주 임신부가 태아가 걱정되어 태아 상태를 확인하기 위해 내원하였다. 감기증상 외에는 다른 증상이나 유산의 징후는 없었다. 임신부를 안심시키기 위해 초음파를 통해 태아 상태를 확인하고 심장소리를 들려주는 것이 합당한 처치일까?

4) 임신 6주인 임신부가 39.5℃의 고열을 주소로 내원하였다. 진찰 소견 및 소변검사상 급성 신우신염(Acute pyelonephritis)으로 진단되었다면 항생제 치료 외에 즉시 처치해야 할 치료는 무엇일까?

5) 유리 제조업체에 근무하는 29세 여성이 임신을 계획하기 위해 내원하였다. 평소 직접 유리 가공을 하는 작업환경 때문에 지속적인 고온 및 유해 가스에 노출되는 상황이었다. 임신 중 주의 및 권고사항은 무엇일까?

6) 임신 30주된 임신부가 독감에 이환되어 40℃의 고열로 3일간 부루펜 정(ibuprofen)을 복용 후 내원하였다. 이러한 NASIDs 계열의 약물 사용으로 인해 발생 가능한 태아의 합병증은 무엇일까?

7) 임신 5주에 쯔쯔가무시병(Scrub Typhus)으로 인해 3일간 39℃ 이상의 고열로 테트라사이클린(tetracycline) 제재의 항생제 치료를 시행 받은 임신부에서 앞으로 산전진찰 중에 발견 가능한 가장 흔한 기형은 무엇일까?

8) 임신 16주에 독감에 이환되어 5일간 39-40℃의 고열로 고생하였다. 하지만, 인터넷에서 약물의 사용이 태아에게 해롭다는 정보를 얻고 병원에 가지 않았다. 출생 후 신생아는 선천성 내반족을 보이고 2세가 되면서 측면 주시와 함께 안면근마비 증상이 뚜렷해지면서 표정을 지을 수 없을 뿐만 아니라 음식을 잘 먹지도 상황이었다. 가능한 진단명은 무엇일까?

▶ 참고문헌

1. Acs N, Banhidy F, Puho E, Czeizel AE. Maternal influenza during pregnancy and risk of congenital abnormalities in offspring. Birth Defects Res A Clin Mol Teratol. 2005; 73: 989-996.

2. Angles JM, Walsh DA, Li K, Barnett SB, Edwards MJ. Effects of pulsed ultrasound and temperature on the development of rat embryos in culture. Teratology. 1990; 42: 285-293.

3. Annex C. Biological effects of pre-natal irradiation. In: United Nations Scientific Committee on the Effects of Atomic Radiation, Genetic and Somatic Effects of Ionising Radiation. UNSCEAR Report to the General Assembly with Scientific Annexes, New York: United Nations. 1986; 263-366.

4. Arora KL, Cohen BJ, Beaudoin AR. Fetal and placental responses to artificially induced hyperthermia in rats. Teratology. 1979; 19: 251-260.

5. Barnett S. Recommendation on the safe use of ultrasound. Paper presented at Proceddings of the Symposium on Safety of Ultrasound in Medicine, WFUMB (World Federation for Ultrasound in Medicine and Biology). 1998.

6. Barnett SB, Ter Haar GR, Ziskin MC, Rott HD, Duck FA, Maeda K: International recommendations and guidelines for the safe use of diagnostic ultrasound in medicine. Ultrasound Med Biol. 2000 ; 26: 355-66.

7. Bell A. Consequences of severe heat stress for fetal development. In: Hales JRS, Richards DAB, editors. Heat stress: physical exertion and environment. Amsterdam: Elsevier Science. 1987; 313-333.

8. Botto LD, Erickson JD, Mulinare J, Lynberg MC, Liu Y. Maternal fever, multivitamin use, and selected birth defects: evidence of interaction- Epidemiology. 2002; 13: 485-488.

9. Breen JG, Claggett TW, Kimmel GL, Kimmel CA. Heat shock during rat embryo development in vitro results in decreased mitosis and abundant cell death. Reprod Toxicol. 1999; 13: 31-39.

10. Chambers CD, Johnson KA, Dick LM, et al. 1998. Maternal fever and birth outcome: a prospective study. Teratology. 58:251-257.

11. Chance PI, Smith DW. Hyperthermia and meningomyelocele and anencephaly. Lancet. 1978; 1: 769.

12. Cockroft DL, New DA. Effects of hyperthermia on rat embryos in culture. Nature. 1975 ; 258: 604-606.

13. Cockroft DL, New DA. Abnormalities induced in cultured rat embryos by hyperthermia. Teratology. 1978; 17: 277-283.

14. Coffey VP, Jessop WJ. Maternal influenza and congenital deformities: a prospective study. Lancet. 1959; 2: 935-938.

15. Coffey VP, Jessop WJ. Maternal influenza and congenital deformities. A follow-up study. Lancet. 1963; 1: 748-751.

16. Czeizel AE, Puho EH, Acs N, Banhidy F. High fever- related maternal diseases as possible causes of multiple congenital abnormalities: a population-based case-control study. Birth Defects Res A Clin Mol Teratol. 2007; 79: 544-551.

17. Dewhirst MW, Vigilanti BL, Lora-Michiels M, Hanson M, Hoopes PJ. Basic principles of thermal dosimetry and thermal thresholds for tissue damage from hyperthermia. Int J Hyperthermia, 2003; 19: 267-294.

18. Done, JT, Wrathall AE. Richardson C. Fetopathogenicity of maternal hypethermia at midgestation. Proc Int Pig Vet Soc. (Mexico). 1982; 252.

19. Edwards M J. Congenital malformations in the rat following induced hyperthermia during gestation. Teratology. 1967; 1: 173-177.

20. Edwards MJ. Congenital malformations in the rat following induced hyperthermia during gestation. Teratology. 1968; 1: 173-177.

21. Edwards MJ. Congenital defects in guinea pigs: Fetal resorp-tions, abortions and malformations following induced hyperthermia during early gestation. Teratology. 1969a; 2: 313-328.

22. Edwards MJ. Congenital defects in guinea pigs: Retardation of brain growth of guinea pigs following hyperthermia during gestation. Teratology. 1969b; 2: 329-336.

23. Edwards MJ. The experimental production of arthrogryposis multiplex congenita in guinea pigs by maternal hyperthermia during gestation. J Path. 1971; 104: 221-229.

24. Edwards MJ, Mulley R, Ring S, Wanner RA. Mitotic cell death and delay of mitotic activity in guinea-pig embryos following brief maternal hyperthermia. J Embryol Exp

25. Morphol. 1974; 32: 593-602.

26. Edwards MJ, Wanner RA, and Mulley RC. Growth and development of the brain in normal and heat- retarded guinea pigs. Neuropathol Appl Neurobiol. 1976; 2: 439-450.

27. Edwards MJ, Beatson J. Effects of lead and hyperthermia on prenatal brain growth of guinea pigs. Teratology. 1984; 30: 413-421.

28. Edwards MJ, Penny RHC. Effects if hyperthermia on the myelograms of adult and fetal guinea pigs. Br J Haematol. 1985; 59: 93-108.

29. Edwards MJ. Hyperthermia as a teratogen: A review of experi-mental studies and their clinical significance. Teratogenesis Carcinog Mutagen. 1986; 6: 563-582.

30. Edwards MJ, Moeschler J, Fahy M, et al. History of gestational hyperthermia in two patients with amyoplasia. Pediatr Res. 1990; 27: 68A.

31. Edwards, MJ, Shiota, K, Smith MSR, and Walsh DA. Hyperthermia and birth defects. Reprod Toxicol. 1995; 9: 411-425.

32. Edwards MJ, Walsh DA and Li Z. Hyperthermia, teratogenesis and the heat shock response in mammalian embryos in cultures. Int J Dev Biol. 1997; 41: 345-358.

33. Edwards MJ, Saunders RD, Shiota K, Effects of heat on embryos and foetuses. Int J Hyperthermia. 2003; 19; 295-324.

34. Erickson JD. Risk factors for birth defects: data from the Atlanta Birth Defects Case-Control Study. Teratology. 1991; 43: 41-51.

35. Erkkola RU, Pirhonen JP, Kivijarvi AK. Flow velocity waveforms in uterine and umbilical arteries during submaximal bicycle exercise in normal pregnancy. Obstet Gynaecol. 1992; 79: 611-615.

36. European Committee for Medical Ultrasound Safety (ECMUS). Clinical Safety Statement for Diagnostic Ultrasound (2008). EFSUMB Website: http://www.efsumb.org/ecmus [Accessed 1 March 2009].

37. Ferm VH, Kilham L. Synergistic teratogenic effects of arsenic and hyperthermia in hamsters. Environ Res. 1977; 14: 483-486.

38. Ferm VH, Ferm RR. Teratogenic interaction of hyperthermia and vitamin A. Biol Neonate 1979; 36: 168- 172.

39. Finnell RH, Moon SP, Abbott LC, Golden JA. and Chernoff GF. Strain difference in heat-induced neural tube defects in mice. Teratology. 1986; 33: 247-252.

40. Finnell RH, Gelineau-van Waes J, Bennett GD, et al. Genetic basis of susceptibility to environmentally induced neural tube defects. Ann NY Acad Sci. 2000; 919: 261-277.

41. Fisher NL, Smith DW. Occipital encephalocele and early gestational hyperthermia. Pediatrics. 1981; 68:480-483.

42. Fraser FC, Skelton J. Possible teratogenicity of maternal fever. Lancet. 1978; 2:634.

43. Fusi L, Steer PJ, Maresh MJA, Beard RW. Maternal pyrexia associated with the use of epidural analgesia in labor. Lancet. 1989:1250-1252.

44. Germain M-A, Webster WS. and Edwards MJ.Hyperthermia as a teratogen: Parameters determining hyperthermia-induced head defects in the rat. Teratology. 1985; 31: 265-272.

45. Govaert P, Faesebrouck PV, DePraeter C, Frankel U and LeRoy J. Moebius sequence and prenatal brainstem ischemia. Pediatrics. 1989; 84:570-573.

46. Graham JM Jr, Ferm VH. Heat- and alcohol-induced neural tube defects: interactions with folate in a golden hamster model. Pediatr Res. 1985; 19:247-.251.

47. Graham JMJ, Edwards MJ, Lipson AH, Webster WS, Edwards M. 1988. Gestational hyperthermia as a cause for Moebius syndrome. Teratology. 37:461.

48. Graham JM, Edwards MJ. Teratogenic effects of maternal hyperthermia. Ann Res Inst Environ Med 1989; 40: 365-374.

49. Graham JM, Edwards Matthew J, Edwards MJ. Teratogen update: gestational effects of maternal hyperthermia due to febrile illnesses and resultant patterns of defects in humans. Teratology. 1998; 58: 209-221.

50. Grisso JA, Strom BL, Cosmatos I et al: Diagnostic ultrasound in pregnancy and low birthweight. Am J Perinatol. 1994; 11: 297-301.

51. Halperin LR, Wilroy RS Jr. Maternal hyperthermia and neural-tube defects. Lancet. 1978; 2: 212-213.

52. Han JY, Ahn HK, Jung YC, Jung SH, Choi JS, Kim MU, Rheu HM, Yang JH and Choi KH. Association between sauna use during early pregnancy and congenital anomaly. (abst) Teratology. 2002; 65: 311.

53. Hande MP, Devi PU: Effect of in utero exposure to diagnostic ultrasound on the postnatal survival and growth of mouse. Teratology. 1993; 48: 405-411.

54. Hartley WJ, Alexander G, and Edwards MJ. Brain cavitation a n d micrencephaly in lambs exposed to prenatal hyperthermia. Teratology. 1974; 9: 299-303.

55. Harvey MAS et al. Suggested limits to the use of hot tubs and sauna by pregnant women. Can Med Assoc J. 1981; 125: 50-54,

56. Heikkila JJ, Miller JG, Schultz GA, Kloc M, Browder LW. Heat shock gene expression during early animal development. In: Atkinson BG, Walden DB, eds, Changes in Eukaryote Gene Expression in Response to Environmental Stress, Orlando: Academic Press. 1985; 135-138.

57. Hendrickx AG, Stone GW, Henrickson RV, Matayoshi K. Teratogenic effects of hyperthermia in the bonnet monkey(macaca radiata). Teratology 1979; 19: 177-182.

58. Hicks SP, D'Amato CP. Effects of ionizing radiation on mammalian development. In: Woollam DHM, ed., Advances in Teratology, London: Logos Press, 1966; 196-143.

59. Hightower, L.E. Heat shock, stress proteins, chaperones and proteotoxicity. Cell. 1991; 66: 1-20.

60. Hilbelink DR, Chen LT, Bryant M. Endotoxin-induced hyperthermia in pregnant golden hamsters. Teratogen Carcinogen Mutagen 1986; 6: 209-217.

61. Hinoue A, Fushiki S, Nishimura Y, Shiota K. In utero exposure to brief hyperthermia interferes with the production and migration of neocortical neurons and induces apoptotic cell death in the fetal mouse brain. Dev Brain Res 2001; 132: 59-67.

62. Hunter AG. Neural tube defects in Eastern Ontario and Western Quebec: demography and family data. Am J Med Genet. 1984; 19:45-63.

63. Hutchinson R and Bowler K. The effect of hyperthermia on the development of the brain in the guinea pig. Dev Brain Res. 1984; 14: 219-227

64. Impey L, Greenwood C, MacQuillan K, et al. Fever in labour and neonatal encephalopathy: a prospective cohort study. Br J Obst Gyn 2001; 108: 594-597

65. Ivarsson SA, and P Henriksson. Septic shock and hyperthermia as possible teratogenic factors. Acta Paediatr Scand. 1984; 73: 875-876.

66. Johnson HA, and M. Pavelec Thermal injury due to normal body temperature. Am. J. Pathol. 1972; 66:557-564.

67. Kilham L. and Ferm VH. Exencephaly in fetal hamsters following exposure to hyperthermia. Teratology. 1976; 14: 323-326.

68. Kimmel GL, Cuff JM, Kimmel GL, et al. Embryonic development in vitro following short-duration exposure to heat. Teratology. 1993; 47: 243-251.

69. Kline J, Stein Z, Susser M, Warburton D. Fever during pregnancy and spontaneous abortion. Am J Epidemiol. 1985; 121: 832-842.

70. Laburn HP, Mitchell D, Goelst K. Fetal and maternal body temperatures measured by radiotelemetry in near-term sheep during thermal stress. J Appl Physiol. 1992; 72: 894-900.

71. Larsson L, Lindqvist PG: Low-impact exercise during pregnancy-a study of safety. Acta Obstet Gynecol Scand. 2005; 84: 34-38.

72. Layde PM, Edmonds LD, Erickson JD. Maternal fever and neural tube defects. Teratology. 1980; 21: 105-108.

73. Lary JM, Conover DL, Foley ED and Hanser PL. Terato-genic effects of 2712 MHz radio-frequency in rats. Teratology. 1982; 26: 299-309.

74. Li ZL, Shiota K. Stage-specific homeotic vertebral transformations in mouse fetuses induced by maternal hyperthermia during somitogenesis. Devel Dynamics 1999; 216: 336-348.

75. Lindquist S. The heat shock response. Annu Rev Biochem. 1986; 55: 1151-1191.

76. Lipson AH, Webster WS and Edwards JM Sauna and birth defects. Teratology. 1985; 32: 147-148.

77. Lipson AH. Hirschsprung disease in the offspring of mothers exposed to hyperthermia during pregnancy. Am J Med Genet. 1988; 29: 117-124.

78. Lipson AH, Webster WS, Woodman-Brown PDC, and Osborn RA. Moebius syndrome: Animal model human correlations and evidence for a brainstem vascular etiology. Teratology. 1989; 40: 339-350.

79. Little BB, Ghali FE, Snell LM, et al. Is hyperthermia teratogenic in the human- Am J Perinatol. 1991; 8: 185-189.

80. Lomax P. Implications of drugs for heat and exercise tolerance. In: Heat Stress: Physical Exertion and Environment. Hales JRS and Richards DAB. eds. Amsterdam: Exerpta Medica, Elsevier Science. 1987; 399-418.

81. Macaulay JH, Bond K, Steer PJ: Epidural analgesia in labor and fetal hyperthermia. Obstet Gynecol. 1992; 80: 665-669.

82. Martinez-Frias ML, Garcia Mazario MJ, Caldas CF, et al. High maternal fever during gestation and severe congenital limb disruptions. Am J Med Genet. 2001; 98: 201-203.

83. Mazza S, Battaglia LF, Miller MW. A feasibility test of the DT thermal dose concept. 2. In vitro cellular effects. J Therm Biol. 2004; 29: 151-156.

84. Merritt CR, Kremkau FW, Hobbins JC. Diagnostic ultrasound:bioeffects and safety. Ultrasound Obstet Gynecol 1992; 2:366 - 374.

85. Metneki J, Puho E, Czeizel AE. Maternal diseases and isolated orofacial clefts in Hungary. Birth Defects Res A Clin Mol Teratol. 2005; 73: 617-623.

86. McDonald AD. Maternal health and congenital defect; a prospective investigation. N Engl J Med. 1958; 258: 767-773.

87. McDonald AD. Maternal health in early pregnancy and congenital defect. Final report on a prospective inquiry. Br J Prev Soc Med. 1961; 15: 154-166.

88. McMurray RG, Katz VL. Thermoregulation in pregnancy: implications for exercise. Sports Med. 1990; 10: 146-158.

89. Medveczky E, Puho E, Czeizel AE. An evaluation of maternal illnesses in the origin of neural-tube defects. Arch Gynecol Obstet. 2004; 270: 244-251.

90. Miller P, Smith DW, Shepard TH. Maternal hyperthermia as a possible cause of anencephaly. Lancet. 1978; 1: 519-521.

91. Miller MW and Ziskin MC. Biological consequences of hyperthermia. Ultrasound in Med and Biol. 1989; 15: 707-722.

92. Miller MW, Nyborg WL, Dewey WC, Edwards MJ, Abramowicz JS, Brayman AA. Hyperthermic teratogenicity, thermal dose and diagnostic ultrasound during pregnancy: implications of new standards on tissue heating. Int J Hyperthermia. 2002; 18: 361–384.

93. Milunsky A, Ulcickas M, Rothman KJ, et al. Maternal heat exposure and neural tube defects. JAMA. 1992; 268: 882-885.

94. Mirkes PE. Effects of acute exposures to elevated temperatures on rat embryo growth and

development in vitro. Teratology. 1985; 32: 259-266.

95. Mirkes PE. Hyperthermia-induced heat shock response and thermotolerance in postimplantation rat embryos. Dev Biol. 1987; 119: 115-122.

96. Mirkes PE, Grace RH, Little SA. Developmental regulation of heat shock protein synthesis and HSP 70 RNA accumulation during postimplantation rat embryogenesis. Teratology. 1991; 44: 77-89.

97. Mirkes PE, Doggett B. Accumulation of heat shock protein 72(hsp 72) in postimplantation rat embryos after exposure to various periods of hyperthermia(40 degrees -.43 degrees C) in vitro: evidence that heat shock protein 72 is a biomarker of heat-induced embryotoxicity. Teratology. 1992; 46: 301-319.

98. Mirkes PE, Cornel LM, Park HW, Cunningham ML. Induction of thermotolerance in early postimplantation rat embryos is associated with increased resistance to hyperthermia-induced apoptosis. Teratology. 1997; 56: 210-219.

99. Mirsky AE and Pauling L. On the structure of native, denatured, and coagulated proteins. Natl Acad Sci. 1936; 22: 439-447.

100. Morange M, Diu A, Bensaude O, Babinet C. Altered expression of heat shock proteins in embryonal carcinoma cells and mouse early embryonic cells. Mol Cell Biol. 1984; 4: 730-735.

101. Moretti ME, Bar-Oz B, Fried S, Koren G. Maternal hyperthermia and the risk for neural tube defects in offspring: systematic review and meta-analysis. Epidemiology. 2005; 16: 216-219.

102. Morishima HO, Glaser B, Biermann WH, James LS. Increased uterine activity and fetal deterioration during maternal hyperthermia. Am J Obstet Gynecol. 1975; 121: 531-538.

103. Nilsen NO. Vascular abnormalities due to hyperthermia in chick embryos. Teratology. 1985; 30: 237-251.

104. Park JS. Is Diagnostic Ultrasound Harmful to the Fetus?. J Korean Med Assoc 2008; 51(9):823 – 830.

105. Pleet H, Graham JM Jr, Smith DW. Central nervous system and facial defects associated with maternal hyperthermia at four to 14 weeks'gestation. Pediatrics. 1981; 67: 785-789.

106. Poswillo D, Nunnerley H, Sopher D and Keith J. Hyperthermia as a teratogenic agent. Ann Roy Coll Surg Engl. 1974; 55: 171-174.

107. Power GG. Biology of temperature: the mammalian fetus. J Devel Physiol 1989; 12: 295-304.

108. Ridge BR, Budd GM: How long is too long in a spa pool- N Engl J Med. 1990; 323: 835.

109. Ritossa, F.M. A new puffing pattern induced by heat shock and DNP in Drosophila. Experientia. 1962; 18: 571-573.

110. Saxen L, Holmberg PC, Nurminen M and Kuosma E. Sauna and congenital defects. Teratology. 1982; 25: 309-313.

111. Schroder HJ, Power GG. Engine and radiator: fetal and placental interactions for heat dissipation. Exp Physiol. 1997; 82: 403-414.

112. Shaw GM. Todoroff K. Velie EM and Lammer EJ. Maternal illness, including fever, and medication use as risk factors for neural tube defects. Teratology. 1998; 57:1-7.

113. Shaw GM, Lammer EJ, Carmichael SL and Finnell RH. Interaction between host susceptibilities and exogenous exposures in birth defects research: An epidermiologic perspective. (Abst) Birth Defects 2003; 67: 334.

114. Shin JH, Shiota K. Folic acid supplementation of pregnant mice suppresses heat-induced neural tube defects in the offspring. J Nutr. 1999; 129: 2070-2073.

115. Shiota K. Induction of neural tube defects and skeletal malformations in mice following brief hyperthermia in utero. Biol Neonate. 1988; 53: 86-97.

116. Shiota K. Neural tube defects and maternal hyperthermia in early pregnancy: epidemiology in a human embryo population. Am J Med Genet 1982; 12: 281-288.

117. Skreb N. and Frank Z. Developmental abnormalities in the rat induced by heat shock. J Embryol Exp Morph. 1963; 11: 445-457.

118. Smith DW, Clarren SK, Harvey MA. Hyperthermia as a possible teratogenic agent. J Pediatr. 1978; 92: 878-883.

119. Smith MSR, Upfold JB, Edwards MJ, Shiota K, Cawdell-Smith J. The induction of neural tube defects by maternal hyperthermia; a comparison of the guinea-pig and human. Neuropathol Appl Neurobiol. 1992; 18: 71-80.

120. Spragget K, Fraser FC. Teratogenicity of maternal fever in women-a retrospective study. Teratology. 1982; 25: 78.

121. Suarez L, Felkner M, Hendricks K. The effect of fever, febrile illnesses, and heat exposures on the risk of neural tube defects in a Texas-Mexico border population. Birth Defects Res A Clin Mol Teratol 2004; 70: 815-819.

122. Superneau DW, Wertelecki W. Similarity of effects-experimental hyperthermia as a teratogen and maternal febrile illness associated with oromandibular and limb defects. Am J Med Genet. 1985; 21: 575- 580.

123. Tikkanen J and Heinonen OP. Maternal hyperthermia during pregnancy and cardiovas-

cular malformations in the offspring. Eur J Epidemiol. 1991; 7: 628-635.

124. Tiboni GM, Iammarrone E, Piccirillo G, Liberati M, Bellati U. Aspirin pretreatment potentiates hyperthermia-induced teratogenesis in the mouse. Am J Obstet Gynecol 1998; 178: 270-279.

125. Upfold JB, Smith, MSR and Edwards MJ. Quantitative study of the effects of maternal hyperthermia on cell death and proliferation in the guinea pig brain on day 21 of pregnancy. Teratology. 1989; 39: 173- 179.

126. Visser GHA, de Vries JIP, Mulder EJH, Ververs IAP: Effects of frequent ultrasound during pregnancy. Lancet. 1993; 342: 1360.

127. Vogt G, Puho E, Czeizel AE. Population-based case-control study of isolated congenital cataract. Birth Defects Res A Clin Mol Teratol. 2005; 73: 997-1005.

128. Walsh DA, Li K, Speirs J, et al. Regulation of the inducible heat shock 71 genes in early neural development of cultured rat embryos. Teratology 1989; 40: 321-334.

129. Walsh DA, Klein NW, Hightower LE, Edwards MJ. Heat shock and thermotolerance during early rat embryo development. Teratology. 1987; 36: 181-191.

130. Walsh D, Li K, Wass J, et al. Heat-shock gene expression and cell cycle changes during mammalian embryonic development. Dev Genet. 1993; 14: 127-136.

131. Walsh, DA, Zhe L, Zeng F, Yan W and Edwards MJ. Heat shock genes and cell cycle regulation during early mammalian development. Environ Med. 1994; 38: 1-6.

132. Walsh DA, Edwards MJ and Smith MSR. Heat shock proteins and their role in early mammalian development. Exp Mol Med. 1997; 29:129-132.

133. Wanner RA, Edwards MJ, Wright RG. The effect of hyperthermia on the neuroepithelium of the 21-day guinea-pig foetus: histologic and ultrastructural study J Path. 1976; 118: 235-244.

134. Wanner RA, Edwards MJ. Comparison of the effects of radiation and hyperthermia on prenatal retardation of brain growth of guinea-pigs. Brit J Radiol. 1983; 56: 33-39.

135. Webster WS and Edwards MJ. Hyperthermia and the induction of neural tube defects in mice. Teratology. 1984; 29: 417-425.

136. Webster WS, Germain M-A and Edwards MJ. The induction of microphthalmia, encephalocele and other head defects following hyperthermia during the gastrulation process in the rat. Teratology. 1985; 31: 73-82.

방사선과 임신

◦ 조연경

1 서론

1895년 뢴트겐(W. Roentgen)이 X선을 방출할 수 있는 방법을 고안해내기 전까지는 방사선 노출의 원인으로 태양, 행성, 토양, 대기 등에서 발생하는 자연적인 원인 뿐이었으나 이의 발견 이후 의학분야에서 방사선의 이용이 발달하기 시작하여 현재 많은 분야에서 진단이나 치료 목적으로 널리 쓰이고 있다. 이런 과정에서 제 2차 세계대전에서 원자폭탄의 투여로 방사선이 인체에 미치는 영향 즉, 유전학적 효과를 비롯한 다음 세대에의 영향, 장기적으로 건강에 미치는 영향 등에 대한 여러 연구가 행해졌으며 이어서 의학적으로 통용되고 있는 방사선에 대해서도 이의 후세대의 기형발생이나 암 발생 등에 대한 영향을 알아보고자 하는 연구가 많이 진행되었다.

2 방사선의 종류

방사선은 이온성 방사선과 비이온성 방사선, 2종류로 나눌 수 있다. 이 중 sound wave, microwave등은 장파(long-wavelength)로서 약한 에너지를 방출하는 비이온성방사선에 속하며 이온성 방사선은 의학적으로 많이 쓰이는 X선과 γ선이 속하며 이는 단파(short-wavelength)로 상당한 양의 에너지를 방출함으로써 직접적으로 분자구조를 변형하거나 세포의 많은 부분을 차지하고 있는 수분을 방사선 분해함으로써 OH, H^+, H_2, H_2O_2와 같은 라디칼을 형성, 간접적으로 주위의 분자구조를 변형하는 과정을 거쳐 조직을 손상시킨다. 이러한 방식으로 이들은 직간접적으로 정상세포의 구조를 변형시킬 수 있다. 앞으로 논의되는 방사선이라 함은 이온성 방사선에 대하여 논하는 것으로 한다.

3 방사선의 단위

방사선에 대해 보다 깊은 내용을 들어가기에 앞서 이의 양을 산정하기 위한 방사선의 단위에 대해 알아볼 필요가 있는데 이의 단위로 여러 가지가 쓰이고 있다. 먼저 방사선을 방출하여 대기에 노출되는 정도를 나타내는 단위(Roentgen: Number of ions produced X-rays per kilogram of air), 사람의 조직으로 흡수되는 정도(rad, gray : amount of energy deposited per kilogram of tissue, 100rad = 1Gy(Gray)), 그리고 방사선이 흡수된 후 나타내는 생물학적 효과 즉, roentgenequivalent man(rem : amount of energy deposited per kilogram of tissue normalized for biological effectiveness, 100rem = 1Sv(Sivert)) 등의 여러 단위가 있다. 조직마다 밀도가 다르고 방사선의 종류에 따라 흡수된 에너지와 조직손상을 발생하게 되는 그 에너지의 생물학적 효과와의 사이에 차이가 있을 수 있어 그 사이에 각각 impact factor인 weightering factor(Wr)가 존재하는데 연부조직, X-ray, γ-ray에서는 그 값이 1이어서 대개의 경우 rad와 rem, Gy와 Sv는 혼용해서 쓰이고 있다.

임신부에게 방사선을 이용한 진단이나 치료시에는 많은 윤리적 고민을 하게 된다. 이는 모체와 태아 모두 고려해야 하기 때문인데 모체는 이로 하여금 직접적인 이익을 얻을 수 있으나 태아는 직접적인 이익이 없다는 것이 문제이다. 하지만 반대로 모체가 매우 심각한 건강상태라면 방사선 치료로 하여금 모체가 살 수 있는 기회를 줄 뿐 아니라 이로 하여금 태아에게도 직접적인 이득이 될 수 있는 것이다.

임신 중 방사선진단이나 치료를 하기로 결정했다면 다음은 용량을 적절히 정하는 것이 필요하다. 너무 낮은 용량을 사용하게 되면 진단하는데 별다른 도움을 주지 못할 수 있고 종양치료도 잘 되지 않을 수 있다. 반대로 너무 과용량을 사용하게 되면 이로 인한 악성종양의 발생 가능성을 높이고 또한 태아에게 치명적인 결과를 초래할 수 있다. 시술이 행해진 다음 방사선양을 감소시키는 방법은 거의 없다. 단, bone scan의 경우 검사 이후에 물을 많이 마셔서 소변을 자주 봄으로써 방광을 통한 방사선 노출을 줄일 수도 있다.

표 4-14-1. Some Measures of Ionizing Radiation

Measure	Definition	Legacy Unit	SI*Unit
Exposure	Number of ions produced by X-ray or gamma radiation per kilogram of air	Roentgen (R)	2.58×10^{-4} C/kg
Dose	Amount of energy deposited per kilogram of tissue	Rad (rad)[†]	Gray (Gy)[†] 1,000 mGy = 1 Gy 1 Gy = 100 rad
Relative effective dose	Amount of energy deposited per kilogram of tissue normalized for biological effectiveness	Roentgen equivalent man (rem)	Sievert (Sv) 1,000 mSv = 1Sv 1 Sv = 100 rem

*International System of Units(SI) - these are preferred.
†For diagnostic X-rays, 1 rad = 1 rem , 1 Gy = 1 Sv.
Modified from Cunningham FG, Leveno KJ, Bloom SL, Spong CY, Dashe JS, Hoffman BL, et al. General considerations and maternal evaluation. In: Williams obstetrics. 24소 ed. New York (NY): McGraw Hill Medical; 2014. p. 926-39.

우리의 관심사는 모체에게 노출되는 방사선 양이 아니고 태아에게 노출되는 양이다. 이는 gray(Gy), milligray(mGy) 등으로 표현하는데 1 Gy는 100 rad와 같다. 1 Gy는 1000 mGy, 1Sv(sivert) = 100 rem의 관계가 있다(표 4-14-1).

4 생물학적 영향

방사선에 의한 생물학적 영향에 관한 연구는 히로시마와 나가사키에 행해진 원폭투하 이후 생존자들을 대상으로 약 30여년에 걸쳐 나타난 조사 결과를 바탕으로 하고 있다. 이러한 연구결과 방사선이 인체에 미치는 영향은 방사선의 노출량과 상당히 밀접한 관련이 있다는 사실이 밝혀졌다. 반면에 대부분의 생존자들의 90% 이상이 원자폭탄에 의해 약 0.1 Gy 이하의 방사선에 노출되었으며 이 경우 이로 인해 나타나는 생물학적 영향은 노출이 없었던 일반적인 경우와 그다지 차이가 나지 않는 것으로 밝혀졌다.

1) 고환에 미치는 영향

미국의 Atomic Energy Commission (AEC)의 연구에 따르면 고환에 방사선을 조사한 경우 0.15 Gy 이상 노출시 약 1-2개월 경과 후 정자의 수가 감소하기 시작하며 0.5 Gy 이상 노출시 2-6개월 이내에 무정자증을 초래한다고 발표하였다. 1 Gy 이상 노출시 약 7개월 이후에 정자가 다시 출현하기 시작하며 2-6 Gy 이상 노출시에는 11-24개월 까지도 정자의 생성이 이루어지지 않는다. 대체적으로 1-6 Gy 사이의 방사선에 노출시 정상적인 정자의 생성이 이루지기까지는 9개월 내지 5년 정도 소요가 된다.

2) 난소에 미치는 영향

태아상태에서 저용량의 방사선에 노출시 출생 후 성인이 된 후 가임력에는 거의 영향이 없어 보인다. 영아기에 0.01-0.05 Gy의 방사선을 난소부분에 노출 받은 180명의 여성을 대상으로 한 연구에서는 일반적인 경우와 비교해서 가임, 출산력에 큰 차이가 없는 것으로 나타났다. Brent에 의하면 태아시기에 0.25 Gy 이하의 방사선 노출 시에는 이후 이들 태아의 성별에 관계없이 불임을 초래하지는 않는다고 보고하였다. 젊은 여성에서 약 20 Gy의 방사선을 5-6주에 걸쳐 난소에 노출시키면 약 95%에서 불임을 초래하며 이보다는 적은 양일 때에는 장기간의 무월경 기간을 겪게 된다.

3) 임신에 대한 영향

소아기, 청소년기 또는 성인이 된 후에도 임신 전에 난소, 자궁암 또는 골반에 위치한 다른 장기에 암이 진단된 경우 치료로 방사선 치료를 필요로 하는 경우가 많다. 이러한 치료를 겪게 되면 골반에 위치한 난소나 자궁이 손상을 받게 되고 이 결과 임신시도가 어렵다고 알려졌으나 최근들어 보조생식의학기술이 발달하면서 임신을 시도하고자 하는 연구가 증가하게 되었고 따라서 임신 전 난소, 자궁에 암에 대한 치료로 방사선 노출시 어느 정도, 어떠한 손상이 있는지 자세한 파악을 하고자 하는 연구, 또 임신을 도울 수 있는 방법에 대한 많은 연구들이 이루어지고 있다.

난소암으로 난소에 방사선 노출이 이루어졌던 경우 조기난소부전을 초래한다는 것은 익히 알려진 사실이며 이런 경우 최근에는 방사선 치료 전에 난모세포(oocyte) 또는 배아동결보존(embryo cryopreservation)을 하거나 이를 하지 못한 경우에는 난자기증(oocyte donation)을 고민하기도 한다.

반면에 자궁이 방사선에 노출된 경우는 또다른 문제인데, 예를 들면 소아기에 윌름즈종양(Wilm's tumor)으로 방사선치료를 받은 경우와 같은 윌름즈종양이었지만 방사선 치료를 받지 않은 경우를 비교해 보았을 때 전자의 경우 약 30%에서 주산기 사망, 저체중아 등의 주산기 합병증을 나타냈다. 반면에 후자에서는 약 3%에서 위와 같은 합병증이 발생했다. 이의 원인으로는 자궁에 직접적인 방사선노출이 되어 자궁내막, 자궁근육, 혈관등에 직접 손상이 가해져서이기 때문일 것으로 보인다. 자궁크기도 작은 데다가 근육의 탄력성도 상당히 소실되며 자궁내막의 손상으로 착상과 태반형성에도 문제가 발생할 수 있고 자궁혈관의 손상으로 태반-태아간 혈류가 정상적이지 못해 자궁내 발육지연, 유산, 조산 등의 합병증이 증가한다. 모든 경우에서 임신이 지속될 수 없다고 판단할 만한 정확한 기준은 아직 밝혀지지 않았지만 45 Gy 이상의 방사선 노출에서 성공적인 임신을 기대하긴 어렵다고 보인다. 그리고 나이가 어릴수록, 특히 사춘기이전에 노출시 향후 임신 능력에 관한 자궁의 기능의 손상은 더욱더 크다. 소아기의 경우는 약 25Gy 이상 노출시에는 정상적인 자궁의 기능을 기대하기 어렵다.

또한 백혈병이 있어 예방적으로 중추신경계에 대한 방사선치료를 받은 군에서도 가임, 출산력이 낮은 것을 볼 수 있었는데 이는 뇌에 상당한 양(18-24 Gy)의 방사선 노출로 시상하부, 뇌하수체의 손상을 발생하는 것이 원인일 것으로 추정하고 있다. 하지만 이런 경우에도 기형아의 발생률이 증가하지는 않았다.

4) 유전질환에 대한 영향

임신 전에 난소에 방사선 노출이 있었던 경우 이후 임신에서 삼염색체증(Trisomy)발생에 대한 상대위험도는 0.8(CI: 0.34-1.83)로 통계학적으로 유의성이 없었다. 다른 연구에서도 이온성방사선과 유전적 질환 발생률에 관한한 용량과는 무관하게 보인다.

방사선의 기형발생에 대한 영향은 어느 정도 이상의 방사선노출이 있을 때 즉, 역치용량이상에 노출된 경우 발생하는데, 이에 반해 방사선노출로 인한 악성종양발생은 특정 역치용량이 존재하지 않고 그보다 더 적은 용량에서도 나타날 수 있다. 이러한 현상이 유전질환의 발생에서도 유사하게 적용될 것으로 추정되지만 방사선이 유발하는 유전학적 변화에 관한 human data는 거의 전무하다. 동물실험을 바탕으로 했을 때 유전적 결함을 발생시키는 위험은 거의 남자 태아에서 0.0003%/mSv (0.3%/Sv), 여자 태아에서 0.0001%/mSv(0.1%/Sv)이다.

5) 기형발생에 대한 영향

임신 중 방사선노출시 태아에게 발생할 수 있는 현상은 cell killing effect와 neoplasm induction이다. 방사선노출로 인해 접할 수 있는 임상적 양상들은 cell killing, DNA손상의 복구부전 등으로 초래되는 것이다. Cell killing으로 인한 현상은 특정 수준이하의 노출에서는 그 영향이 나타나지 않는 특징이 있고 역치값 이상의 노출시에는 그 용량이 증가함에 따라 영향이 심각하게 나타난다. 반면에 백혈병, 암 등은 DNA 복구부전으로 초래되며 이들은 특정 역치값 이 없이 노출량이 증가함에 따라 그 영향 또한 증가한다. 또한 임신 중의 방사선 노출은 일회성의 고용량의 노출보다는 저용량의 만성적 노출이 더 많을 수 있는데 전자에 비해 후자의 경우 전체적인 영향은 훨씬 적다.

역치 이상으로 방사선 노출시 cell killing의 결과로 다양한 현상이 발생할 수 있다. 치사(lethality), 중추신경계이상, 백내장, 성장지연, 태아기형, 행동장애까지도 발생할 수 있다. 태아의 신경계는 방사선에 가장 민감한 계통이고 또한 발달과정에 가장 많은 시간이 소요되므로 방사선으로 인해 태아의 이상이 발생하는 경우 신경학적 이상을 동반하는 경우가 대부분이다.

임신 중 방사선 노출 시 태아에 미치는 영향에 관해서 가장 중요한 것은 임신 중 어느 시기에 노출 되었는가와 흡수된 양의 정도이다. 수정 후 14일 이내 즉, 착상이전의 시기에는 세포의 수가 적고 아직 주요 기관의 형성이 이루어지기 이전이어서 착상이 안 되거나 임신부가 채 임신을 인지하기도 전에 유산되는 경우가 증가하며, 반면에 기형아 발생은 거의 일어나지 않는다(all or none effect). 수정 후 2주에서 8주 사이의 기간인 태아의 주요기관형성기에는 기형발생에 매우 민감한 시기로 방사선 노출시 형성 중인 기관의 기형을 발생할 수 있다. 방사선 노출과 관련 발생할 수 있는 기형으로는 외부생식기의 형성부전, 구개열, 소안구증, 망막의 색소침착, 백내장, 골격계의 기형 등이 있다. Goldstein 등(1929)의 20세기 초 자궁의 악성종양으로 방사선 치료를 받은 임신부와 신생아에 대한 연구가 있었는데 총 74명의 신생아 중 34%에서 선천성 기형이 발견되었다. 이들 중 대부분은 소두증(microcephaly)을 비롯한 두위의 감소, 외부생식기의 형성저하, 소안구증, 백내장, 사시, 망막변성 등이었다. 그리고 기형이 발생한 이들 중의 70%는 임신 5개월 이전에 노출되었다. 이러한 현상들은 모두 100-200 mGy 이상 노출 시 발생하였고, 또한 특이한 것은 자궁내 발육지연을 동반하였다. 이렇듯 임신 중 고용량의 방사선 노출시 발생하는 태아에서 발생할 수 있는 문제들은 발육지연, 지능저하 등을 동반하는 특징이 여러 역학적 연구를 통해서 알려졌다. 이러한 현상이 일어나기 위한 100-200 mGy 정도의 양은 우리가 보통 진단적목적으로 X-ray를 촬영하거나 진단적 핵의학검사를 하는 경우보다 훨씬 많은 양이다. 100 mGy 정도의 양은 대략 골반부위 CT를 3회 이상 시행하거나 복부, 골반부분을 일반적인 X-ray로 20회 이상 촬영 시에도 이에 도달하지 못하는 양으로 이 정도의 수준에서는 기형발생이 증가하지 않는다. 하지만 이 수준을 넘어서면 용량이 증가함에 따라 여러 부정적 영향이 증가할 수 있다.

(1) 중추신경계에 미치는 영향

많은 연구에서 임신 중 고용량의 방사선 노출시 가장 잘 발생할 수 있는 것이 소두증 (microcephaly)이라고 밝혀왔다. Goldsteine 등(1929)의 연구에 따르면 1 Gy 이상의 방사선에 노출된 75건의 임신에서 16명이 소두증이었고 이들 대부분은 정신지체가 있었다.

Dekaban(1968)의 연구에서는 수정 후 3-12주 사이에 수 Gy의 방사선에 노출된 26명 중 22명의 아이에서 소두증과 정신지체가 나타났다. 하지만 반대로 0.5 Gy 이하의 방사선 노출된 군에서는 중증 정신지체는 보이지 않았다. 수정 후 8-15주 사이에는 neuronal stem cell의 mitotic activity, proliferation등이 활발하게 일어나며 16-25주에는 이러한 현상이 다소 둔해지며 25주 이후에는 거의 없어진다. 따라서 이에 근거하면 방사선의 중추신경계에 대한 영향은 8-15주에 가장 두드러지고 그 이후 감소하여 25주 이후에는 태아의 주요기형과 기능적 이상이 발생하는 경우는 드물다. 방사선 노출시 태아에 이상을 초래하게 되는 현상은 cell killing, cellular differentiation, neuronal migration의 변화가 초래된 것에 기인한다고 보고 있다. 원폭투하 후 생존자들을 대상으로 한 연구에서 보면 고용량의 방사선 노출시 IQ저하를 볼 수 있었다. 하지만 임신 주수에 무관하게 100 mGy이하의 노출시에는 이러한 현상이 발생하지 않았고 8-15주 사이에는 1000 mGy이상 노출시 IQ가 30정도 감소하였고 16-25주 사이 노출시에도 고용량의 방사선 노출시 유사한 결과가 나타났으나 동일한 결과를 보이기 위해서는 8-15주 노출시에 비해 훨씬 많은 양의 방사선 노출이 필요했다. Otake 등(1992)의 원폭투하사건과 관련연구에서 지속적이고 만성적인 방사선 노출이 아니고 일회성이지만 상대적으로 매우 높은 용량의 갑작스런 노출 시의 결과로 0.1-1.5 Gy 노출시 4.2%는 소두증을, 87%는 중증정신지체를 보였다. 이 결과는 정신지체가 반드시 소두증과 직접적으로 연관있는 것은 아니라는 것을 보여준다. 그리고 소두증의 경우 수정 직후 에서 7주 이내에 노출 시 이러한 결과가 많았다.

하지만 방사선 노출군에서 정신지체가 있다고 해서 반드시 방사선이 그 원인이라고 하기에는 논란이 있을 수 있다. 지능저하에는 약 25가지 이상의 원인이 밝혀졌고 여기에는 영양결핍, 납중독, 임신 중의 풍진감염, 모체의 알콜중독증 등이 있다. 100 mGy정도의 방사선에 노출되었다면 이로 인해 지능이 저하될 확률은 자연적인 지능저하발생빈도 보다 훨씬 낮다. 반면에 8-15주에 태아가 1 Gy에 노출시에는 일반적으로 일어날 수 있는 지능저하의 빈도 3%보다 훨씬 높은 40%까지 증가할 수 있다. 지능저하가 있는 경우 그 원인이 방사선 노출인 경우는 다른 원인에 의한 경우와 가끔은 구별될 수 있다. 방사선노출이나 모체의 알콜 중독으로 인한 경우에는 뇌의 ectopic Gray matter와 소두증이 나타나며 뇌성마비로 인한 지능저하인 경우에는 태아의 머리가 정상크기라는 점이 감별진단에 도움을 줄 수 있고 분만중의 저산소성 환경이 있었다는 사실은 방사선 노출이 지능저하의 원인이 아닐 것을 시사하는 소견이다.

(2) 성장에 미치는 영향

0.5 Gy 이상 급성으로 방사선 노출시에 소두증, 정신지체, 성장지연 등은 대표적으로 관찰할 수 있는 현상이다. 방사선으로 인해 형태학적인 기형이 발생한 경우 성장지연, 중추신경계의 이상(소두증, 정신지체, 안구의 이상)을 반드시 동반하였다. 많은 사람들이 진단적 목적으로 방사선 검사를 받게 되었을 때에는 대개 5 rad이하이며 이런 경우는 지금까지 언급한 여러 기형, 성장지연등은 관찰되지 않았다. 또한 진단적 목적으로 검사시 대개는 일회성으로 다량을 노출받는 것이 아니고 소량씩 여러 번에 걸쳐 받게 되므로 이런 경우는 전자의 경우보다 기형을 발생시킬 위험도가 상당히 낮아진다.

여러 연구에서 주장하듯이 방사선노출시 어떠한 영향이 나타나기 위해서는 특정 수준 이상의 방사선 노출이 필요하다. 즉, 방사선의 양이 그 수준보다 낮다면 기형발생은 거의 일어나지 않기 때문에 임신 중 이온성방사선의 영향을 파악하려고 할 때에는 임신 중 노출시기와 함께 태아에게 흡수될 수 있는 양을 추정하는 것이 중요하다. 임신 중 방사선노출시 나타날 수 있는 영향과 그 영향별 가장 민감한 시기, 영향이 나타나기에 필요한 최소 노출용량 등을 표 4-14-2에 제시하였다.

대부분의 임신 중 진단 목적으로 방사선 검사를 하는 경우 대부분은 태아에게 태아사망, 기형, 정신지체 등의 발생을 증가시키진 않는다. 반면에 치료목적으로 행해지는 방사선 노출은 태아에게 상당한 해를 끼칠 수 있다. 임신 중 방사선에 노출되었다면 임신주수와 태아에게 노출된 방사선의 용량을 고려하여 임신에 대한 위험도를 판단하게 된다. 기관형성기와 초기 태아기에 가장 큰 영향을 끼칠 수 있으며 그 다음은 임신 이삼분기, 그리고 임신 삼삼분기는 그 영향이 가장 적다.

표 4-14-2. Effects of Gestational Age and Radiation Dose on Radiation-Induced Teratogenesis

Gestational Period	Effects	Estimated Threshold Dose*
Before implantation (0–2 weeks after fertilization)	Death of embryo or no consequence (all or none)	50–100 mGy
Organogenesis (2–8 weeks after fertilization)	Congenital anomalies (skeleton, eyes, genitals) Growth restriction	200 mGy 200–250 mGy

Gestational Period	Effects	Estimated Threshold Dose*
8–15 weeks	Severe intellectual disability (high risk)[†] Intellectual deficit Microcephaly	60–310 mGy 25 IQ–point loss per 1,000 mGy 200 mGy
16–25 weeks	Severe intellectual disability (low risk)	250–280 mGy*

*Data based on results of animal studies, epidemiologic studies of survivors of the atomic bombrings in Japan, and studies of groups exposed to radiation for medical reasons (eg. Radiation therapy for carcinoma of the uterus).
[†]Because this is a period of rapid neuronal development and migration.
Modified from patel SJ, Reede DL, Kartz DS, Subramaniam R, Amorosa JK. Imaging the pregnant patient for nonobstetric conditions: algorithms and radiation dose considerations. Radiographics 2007;27:1705–22.

(3) 백혈병과 소아암발생에 미치는 영향

여러 역학연구를 통하여 이온성방사선의 노출이 백혈병과 그 외 소아암을 발생한다고 알려져 있다. 백혈병, 악성종양, potential hereditary effect들은 unrepaired/misrepaired DNA damage때문으로 생각되며 이는 기형발생과는 달리 방사선 노출량에 그 영향이 비례하여 그 영향이 나타나며 역치용량(threshold dose)이 존재하지 않는다. 또한 조금씩 장기간 노출되는 것이 고용량으로 짧은 시간 노출되는 것보다 전체적인 영향은 더 적다. 즉, 0.01Gy 미만의 방사선노출이 태아에게 있는 경우 선천성기형, 자궁내 발육지연, 태아사망 등은 초래하지 않으나 발암의 위험은 배제할 수 없다.

방사선노출은 성인, 소아 모두에게 백혈병을 비롯한 여러 종류의 암을 발생하는 것으로 밝혀졌다. 그 중 특히 임신 중에 방사선 노출이 있는 경우 이후 출생한 아이에게서 백혈병과 소아암의 발생을 증가시키는 것으로 밝혀졌다. Yoshimoto 등은 일본에 원폭이 투하된 후 생존자의 자녀들에 대해 1950년부터 1984년까지 약 30여년에 걸쳐 소아기의 악성종양 발생에 관해 조사하였다.

표 4-14-3. Cancer incidence (1950–1984) and A–Bomb radiation exposure

	DS86 maternal uterine dose (Gy)			
	0	0.01–0.29	0.30–0.59	>0.6
Mean dose (Gy)	0.000	0.087	0.416	1.372
No. at risk	710	682	129	109
Person–Years	21770	21659	4095	3287
Cancer cases	5	7	3	3
Adjusted rate per 100,000	22.4	32.5	77.8	97.0
Esstimated RR	1.00	1.24	2.18	4.78
		[1.01–2.10]	[1.06–6.32]	[1.19–7.93]

(Yoshimoto Y. Risk of cancer among chilren exposed in utero to A–bomb radiatins, 1950–1984. Lancet 1988;17:665–669.)

노출된 방사선 양에 따라 4군으로 분류하였고 용량이 증가하면서 그에 따른 암발생에 대한 상대위험도가 점차적으로 증가하는 것을 볼 수 있고 이렇듯 자녀의 소아기 악성종양 발생에 관한 영향은 기형발생에서 나타나는 Threshold effect를 보이는 것과는 달리 노출된 양의 많고 적음과 직접적으로 관련이 있음을 알 수 있다(표 4-14-3). 하지만 임신 중 임신부의 진단적 X-ray촬영과 관련한 저용량 노출인 경우 소아암 또는 백혈병의 발생을 증가시킨다는 환자-대조군 연구가 있기는 하나 그 외 많은 코호트 연구를 비롯한 여러 방식의 연구들에서는 이러한 결과를 나타내진 않았다. 즉, 최근의 임신 중 x-ray와 소아암과의 연관성에 관한 연구에서 태아가 약 10 mGy에 노출될 때 상대위험도(relative risk)가 1.4로 자연발생 빈도보다 약 40% 증가하기는 하지만 사실 그렇다 할지라도 한 개인이 임신 중 방사선 노출시 소아암이 발생할 확률은 매우 낮다. 왜냐하면 소아암의 자연발생빈도가 0.2-0.3%로 매우 낮기 때문에 상대위험도가 1.4라고 해도 0.3-0.4%로 매우 낮기 때문이다. 표 4-14-4 에서 보이는 것처럼 임신 중 0.02 Gy에 노출시 백혈병의 위험은 1:2000이고 방사선에 노출되지 않은 경우엔 10년간 이들이 백혈병에 걸릴 위험은 1:3000이다. 이런 경우 약 50% 더 위험이 높다고 해서 치료적 유산을 고려하게 된다면 이는 방사선에 노출되었지만 백혈병에 걸리지 않았을 상당히 많은 태아를 유산시키는 것이나 마찬가지이기 때문에 방사선 노출시 질환의 위험이 증가한다고 말하는 것과 치료적 유산을 고려하는 것은 다른 맥락에서 이해, 설명되어야 한다.

표 4-14-4. Risk of leukemia among the atomic bomb survivors exposed in utero.

Group	Risk	Latency
Identical twin of a leukemic twin	1:5	weeks to months
Hiroshima survivors ⟨ 1000m hypocenter	1:60	3-12 years
Down syndrome	1:95	weeks to months
Siblings of a leukemic child	1:720	10years
Combined background risk of leukemia plus radiation risk from Stewart	1:2000	10years
US Caucasian aged ⟨ 15years	1:3000	10years

(Brent RL. Carcinogenic risks of prenatal ionizing radiation. Seminars in Fetal & Neonatal Med 2014;19:203-213)

즉, 진단적 방사선의 경우 대부분 0.01 Gy 미만의 매우 저용량인 경우이고 이로 인한 암발생 위험도 매우 낮아서 이런 경우는 오히려 환자 질병상태에 적절한 진단을 시행하는 것이 우선되어야 하고 항상 일반적인 암발생의 빈도를 염두해 두고 객관적인 위험증가를 고려할 필요가 있다.

5 임신과 진단적 방사선

모체가 방사선 노출을 엄격하게 제한한다 하더라도 태아는 어느 정도의 방사선은 피할 수 없다. 즉, 대기, 토양, 건물 등으로부터도 방사선을 받을 수 있기 때문이다. 이러한 경우의 방사선노출량은 임신 9개월 동안 약 1 mGy 이내이다. 이번 장에서는 임신 시기를 전후하여 발생하는 여러 질환의 진단, 치료를 위해 방사선이 쓰이는 경우가 흔하게 발생하여 이 부분에 관해 논하고자 한다.

1) 임신 이전의 방사선 노출

임신 이전에 남녀의 생식선(Gonad)에 방사선에 노출시 이후 출생할 아이의 소아암이나 기형 발생을 증가시키는 것으로 보이지는 않는다. 수십년 동안의 연구에서 수정 이전에 부모의 생식선에 방사선 노출이 있었다고 해서 자손에게 이로 인한 이상이 발생한다고 밝혀진 것은 없다. 원폭투하후 생존자에서도 자녀, 손주에서도 이러한 현상은 일어나지 않았다. 암의 치료를 위해 방사선치료후 생존한 환자들 또한 이후 자녀에게 방사선의 영향이 전해지지 않았다. 그럼에도 불구하고 방사선치료를 하는 경우 치료가 끝나고도 수개월동안 피임을 권하게 된다. 500 mGy 이하의 방사선 노출의 경우에는 큰 의미는 없고 대개 임신 전 난소에 500 mGy 이상 방사선이 노출되는 경우 약 2개월 동안은 피임하도록 권유한다. 그러나 이러한 내용들은 이론적인 관점이지 실제임상과는 거리가 있을 수 있다. 이러한 고용량의 방사선노출을 경험하게 되는 경우는 대개 악성종양이나 심각한 내분비적 질환이 있는 경우인데 이런 경우는 방사선 노출과는 별개로 질병의 재발여부 관찰을 위해 가능한 피임을 권하게 된다.

2) 방사선 검사 이전 확인 사항

여성에게 방사선 검사가 필요한 경우 임신 중 방사선 노출의 가능성을 피하기 위해 검사 전 임신을 확인하는 것이 중요하다. 이를 알기 위해서는 월경력 자체만으로는 큰 도움이 되지 않고 소변, 혈액을 이용하여 임신여부를 확인해야 한다. 이들 검사는 매우 민감하고 신뢰성 있는 검사이고 수정 10일 후, 만약 월경이 규칙적이라면 LMP로부터 24일 후면 양성이 나온다. 이런 검사들은 저용량의 방사선이 노출되는 일반적인 검사에는 별 의미가 없을 수 있으나 고용량의 방사선이 골반으로 전해질 수 있는 일부 특정 상황에서는 매우 유용하게 쓰일 수 있다. 임신 첫 2주 이내에 방사선에 노출되는 상황을 막기 위해서는 방사선검사가 반드시 필요하거나 급하게 시행되어야 하는 상황이 아니라면 LMP로부터 10일 이내에 시행하길 권한다. 월경주기상 월경이 시작할 때가 지났다면, 그리고 임신을 완전배제할 수 있는 자궁적출, 난관결찰술 등의 경험이 있는 상황이 아니라면 항상 임신을 염두에 두어야 한다. 모든 가임여성에게 임신하진 않았는지 꼭 물어보아야 한다. 임신인지 모른 채 태아에게 방사선이 노출되는 경우를 줄이기 위해 방사선 검사를 하는 장소에, 방사선촬영실의 환자대기실 등에 "임신 가능성이 있는 경우 촬영 전에 담당의사 또는 방사선사에게 알려주십시오"라는 안내문구를 설치하는 것도 좋은 방법이다. 만약 환자가 임신했다고 또는 임신가능성이 상당히 있다고 한다면 그 다음에는 방사선이 가해지는 부분이 직접 태아에 근접한 부분인지를 보는데 만약 그렇지 않다면 태아가 노출되는 양은 상당히 적을 것으로 예상된다. 하지만 태아에게 직접적으로 방사선이 노출된다면 즉, 모체의 복부에 방사선조사를 하게 된다면 다음은 태아에게 전해질 수 있는 용량을 따져 봐야 한다. 만약, 단순복부촬영 등의 저용량노출검사인지 아니면 형광투시법 등의 고용량이지를 판단하고 만약 고용량 노출의 검사라면 이온성방사선이 노출되지 않는, 초음파 등의 다른 종류의 검사로 대체할 수 있는 상황은 아닌 지 판단한다. 이것도 여의치 않다면 임신 주수, 태아에게 노출될 방사선 양, 검사를 해야 하는 산모의 질환 상태, 검사를 당분간 미루면 당할 수 있는 불이익 등을 고려해서 당장 검사를 해야할 지의 필요성을 판단해야 한다. 1992년 WHO에 의하면 거주하는 지역이 무증상의 흉부질환의 빈도가 높지 않다면 임신 중 정기적인 흉부 X선 검사는 필요하지 않다고 밝히고 있다. 또한 예전에 많이 시행되던 Radiographic pelvimetry 또한 일부의 경우 도움이 될수도 있겠지만 특정 이유없이 사용되어서는 안된다(WHO, 1999). 이는 매우 제한된 정보를 주며 분만, 진통에 있어서 큰 도움이 되지 않아 보이고 최근에는 초음파에 의해 훨씬 많은 정보를 얻을 수 있다.

3) 검사를 시행하게 되는 경우

골반을 제외 한다면 방사선 검사가 태아로부터 멀리 떨어져 있는 신체 부위, 즉 흉부, 두경부, 사지 등에 적용되는 경우 임신 중 어느 시기를 불문하고 배 부분을 가리고 안전하게 검사를 시행할 수 있다. 만약 임신부가 복부 또는 골반 X선 검사를 받게 된다면 그 시점에 그 검사가 반드시 필요한 것인지 임신 후로 미루기엔 무리가 있는지 검토해 본다. 많은 경우 진단을 정확히 내리지 않았을 때의 위험이 태아의 방사선 노출로 인한 위험보다 크다고 판단되는 경우에 검사를 시행하게 된다. 요로결석이 의심되는 임신부의 경우 초음파를 통해서 결석의 크기나 이로 인한 요로폐쇄의 장소 등을 정확히 파악하기 어렵다. 그렇게 되면 IVP를 시행하게 되는 데 통상의 여러 장을 찍는 대신 조영제 전후 1장씩만 촬영하여 결과를 볼 수도 있다.

대부분의 진단적 검사들은 50 mGy 이하이고 반면에 barium enema(7 mGy), 골반−복부 CT(25 mGy)는 다른 종류의 검사들에 비해서는 비교적 높은 편이다. 각 검사항목별 태아에게 노출되는 방사선의 양을 표 4−14−5에 정리하였다.

표 4-14-5. Fetal Radiation Doses Associated With Common Radiologic Examinations

Type of Examination	Fetal Dose* (mGy)
Very low-dose examinations (<0.1 mGy)	
Cervical spine radiography (anteroposterior and lateral views)	<0.001
Head or neck CT	0.001–0.01
Radiography of any extremity	<0.001
Mammography (two views)	0.001–0.01
Chest radiography (two views)	0.0005–0.01
Low-to moderate-dose examinations (0.1–10 mGy)	
Radiography	
Abdominal radiography	0.1–3.0
Lumber spine radiography	1.0–10
Intravenous pyelography	5–10
Double-contrast barium enema	1.0–20
CT	
Chest CT or CT pulmonary angiography	0.01–0.66
Limited CT pelvimetry (single axial section through the femoral heads)	<1
Nuclear medicine	
Low-dose perfusion scintigraphy	0.1–0.5
Technetium-99m bone scintigraphy	4–5
Pulmonary digital subtraction angiography	0.5
Higher-dose examinations (10–50 mGy)	
Abdominal CT	1.3–35
Pelvic CT	10–50
^{18}F PET/CT whole-body scintigraphy	10–50

Abbreviations: CT, computed tomography; PET, positron emission tomography.
*Fetal exposure varies with gestational age, maternal body habitus, and exact acquisition parameters.
Note: Annual average background radiation = 1.1–2.5 mGy. ^{18}F = 2-[fluorine-18]fluoro-2-deoxy-D-glucose.
Modified from Tremblay E, Therasse E, Thomassin-Naggara I, Trop I, Quality initiatives: guidelines for use of medical imaging during pregnancy and lactation. Radigraphics 2012;32:897–911.

4) 방사선 노출후

흉부 X선 검사와 같은 방사선 노출량이 적은 검사, 특히 태아에게 direct beam이 적용되지 않는 경우라면 태아의 방사선 노출량을 굳이 따지지 않아도 될 정도이다. 그러나 복부, 골반 CT, 형광투시법과 같은 경우에는 태아에게 흡수되는 양을 꼼꼼히 따져보고 태아에 대한 영향을 평가해야 한다. 진단적 방사선검사에서 태아에의 노출양은 환자의 신체적 구조에 의해서도 영향받을 수 있는데 환자의 복벽두께, 자궁의 전굴, 후굴여부, 방광이 어느정도 차 있는지에 따라서도 다르다. 대개 태아의 노출용량이라고 하는 것은 임신초기에 태아에 노출되는 용량을 말하는 것으로 임신주수가 진행되면 그 정도는 어느 특정 값으로 볼 수 없고 다양하다.

6 임신과 방사선 치료

임신 중의 암은 드문 일이긴 하지만 의사나 환자에게 있어 매우 고민스런 일이다. 방사선치료, 항암치료, 수술 모두 태아에게 상당한 영향을 미칠 수 있기 때문이다. 임신 중 암의 발생은 약 1,000분의 1 정도로 드물다. 주로 유방암, 자궁경부암, 호지킨병, 악성흑색종, 백혈병 등이 임신 중 발견되는 암들이다. 이 중 가장 흔한 것이 유방암으로 이는 3,000분의 1의 빈도로 발생하며 임신 중에는 약 10,000임신 당 1건 꼴로 발생한다.

임신 중 가장 흔하게 발생하는 암은 유방암, 자궁경부암, 백혈병, 림프종, 흑색종, 갑상선암, 난소암 등이다. 이들 암들은 다양한 방법으로 치료되는데 종양과 태아 사이가 어느 정도 근접해 있는가 하는 점이 방사선치료를 시행할 것인지 결정하는 데 중요한 요인이 된다.

골반의 암으로 치료를 받는 경우라면 태아는 태아사망 등의 심각한 영향을 받을 수 있다.

1) 방사선 치료 전에 고려할 사항

방사선 치료 시 태아의 방사선 노출량은 상당히 높을 수 있기 때문에 여자 환자에게 방사선 치료를 시작할 때에는 그 전에 임신 여부에 대해서 꼭 확인해야 한다. 임신하지 않은 상태라 하더라도 치료가 완전히 끝날 때까지 그리고 상태가 안정될 때까지 피임할 것을 꼭 권해야 한다. 만약 환자가 임신 중이라면 암의 병기, 심각성 정도, 암에 대한 임신의 영향, 다양한 치료방법의 종류, 기간, 효과, 합병증, 치료를 당분간 연기할 경우의 문제점, 모체의 건강상태가 태아에 미치는 영향, 태아의 안녕상태, 태아가 비교적 안전하게 분만될 수 있는 시기, 분만방법, 임신이 종결되어야 하는지의 여부, 법적, 윤리적인 문제점 등에 대해 고려해야 한다.

2) 방사선 치료를 하게 된 경우

임신 중 암이 발견되고 분만까지 치료를 미룰 수 없다고 판단되면 일단 방사선 치료를 할 수 있는지 고려하게 된다. 하지만 이는 임신부에게 이로울 수 있지만 반면에 태아에게는 치명적일 수도 있어 여러 고려사항이 요구된다.

과거에는 임신 중 암환자에게 방사선 치료는 무조건 금기시되었다. 치료목적으로 방사선을 사용하는 경우 진단적 사용시와는 달리 매우 고용량이기 때문에 기형, 발육지연, 태아 사망 등이 발생할 수 있으며 출생 후 소아기의 암발생을 증가시킬 수 있고 신경발달지연 등을 초래할 수 있기 때문이다. 이러한 위험에도 불구하고 최근 들어서 모체의 건강상태가 위급하거나 종양이 복부로부터 비교적 떨어진 곳에 있는 경우 선택적으로 방사선 치료를 시도하고 있다.

즉, 암이 골반에 위치한 장기가 아니라면 방사선 치료를 시도할 수 있다. 하지만 여러 고려 사항이 필요한데 태아에게 노출되는 용량에 대한 변수는 internal scatter, linear accelerator로부터의 leakage radiation, collimeter로부터의 scatter, blocks등이 변수가 된다. 먼저 internal scatter에 관해서는 irradiation의 source, treatment field의 size등이 관여하게 되며 나머지 세 요소에 관해서는 uterus에 대해서 적절한 shielding으로 태아에 대한 방사선의 노출을 상당히 줄일 수 있다. 하지만 골반에 위치한 암의 경우 임신 중 방사선 치료를 하게 된다면 태아에게 매우 심각한 결과를 초래할 수 있기 때문에 방사선을 이용하여 적절한 치료를 하는 것은 거의 불가능하다.

임신 중에 발견되는 암 중 가장 흔한 것이 유방암이고 이의 치료에서 방사선 치료는 상당한 부분을 차지하고 있기 때문에 유방암에 대해 살펴보겠다. 임신 중의 유방암이라고 하면 임신 중 또는 출산 후 1년 이내에 발생하는 경우를 가리킨다. 이 경우 임신을 유지하면서 유방암에 대한 방사선 치료를 할 때 그 위험성에 주목하게 된다. 유방이나 흉벽에 방사선 노출이 있는 경우 이의 0.1-0.3%만이 태아에게 노출되며 이는 대개의 유방암에 대해서 방사선 치료, 즉 대개 50 Gy 중 0.05-0.15 Gy정도의 방사선 양이다. 임신 후반기로 갈수록 태아는 유방부분에 근접해지므로 치료영역에 가까워져 노출용량이 2 Gy 정도까지 증가할 수도 있다. Van der Giessen(1997)은 임신의 시기별로 태아에 대한 방사선 노출량을 산정해 보았는데 임신 8주경에는 0.03 Gy, 임신 24주경에는 0.2 Gy, 임신 36주 경에는 1.43 Gy에 이른다고 하였다.

임신기간 동안 골반이 아닌 부분의 암에 대해서는 Teletherapy가 시행되어질 수 있다. 방사선 치료를 시행하기로 결정했다면 이 때 태아의 방사선노출량에 가장 중요한 요소는 방사선치료영역에서부터 태아까지의 거리이다. 거리가 멀어질수록 노출용량은 급격하게 감소한다. 뇌종양에 대한 방사선 치료의 경우 태아에게는 약 30 mGy정도 노출되며 호지킨병이 흉부에 발생한 경우 보호물을 하지 않은 경우 400-500 mGy 가량 노출될 수 있다. 보호물을 착용하는 경우 태아의 방사선노출을 약 50% 감소시킬 수 있다.

자궁경부암의 경우 임신 중 발생하는 암 중 비교적 흔한 것에 속한다. 다른 암과는 달리 이 암이 발생했을 경우에는 병에 대한 치료와 태아의 안녕상태가 공존할 수 없다. 즉, 임신초기에 암을 진단한 경우 지금 곧 치료할지 아니면 분만 후까지 연기할 지 결정해야 하는데 만약 임신 일삼분기 또는 이삼분기 초반에 진단하였다면 태아가 있는 상태에서 외부 방사선 치료를 시작, 이어서 유산이 되고 이후 intracavitary radiation이 시행된다. 만약 임신 후기에 발견되어 분만 후로 치료가 미루어진다면 질식분만하지 않고 제왕절개를 하도록 한다. 이는 회음 절개부위에 암 조직이 전이될 수 있어서 이를 예방하기 위한 것이다.

방사선 치료 중 임신 사실을 알게 되었다면 태아에 대한 방사선의 노출용량을 정확하게 파악하는 것이 중요하며 이런 경우 가능성 있는 태아의 위험성 등에 대해 자세한 상담이 필요하다.

방사선 치료 전에 임신중절을 해야 하는가에 관해서는 많은 요소를 고려해야 하는 심각한 문제이다. 하지만 일반적으로 0.1 Gy 이하의 방사선 노출의 경우에는 의학적으로 임신 중절이 고려되지 않는 경우이다. 0.2 Gy까지도 임신 중절이 정당화될 수는 없다. 골반으로부터 멀리 떨어져 있는 장기의 암에 방사선치료를 적용하는 경우 그리고 치료시 적절한 보호물을 착용했다면 0.2 Gy를 넘어서는 경우는 거의 없다. 만약 이 용량을 초과한 경우라면 태아에의 손상이 초래될 수 있다. 이 경우에는 방사선이 가해진 시기가 임신 중 어느 시기인지에 따라 그 영향은 다를 수 있다. 만약 주요장기형성기에 0.5 Gy 이상의 방사선에 노출되었다면 발육지연, 중추 신경계손상 등을 초래할 수 있다.

유방암, 횡격막상부에 발생한 호지킨병, 뇌종양, 두경부의 종양의 경우 적절한 보호물을 착용 후 방사선 치료를 한다면 이 때의 방사선 노출은 태아기형발생을 야기시키게 되는 threshold dose에 훨씬 못 미치는 용량이다. 반면에 Doll 등(1997)에 따르면 소아기의 악성종양발생에 대한 방사선의 영향 면에서는 1,000명 당 2-3명 꼴로 발생하는 일반적인 경우에 비해 다소 증가하여 0.01 Gy 방사선노출시 약 1.4 정도의 상대위험도를 보인다고 보고하였다. 임신 중에는 태아에 대한 우려 때문에 방사선치료를 무조건 하지 말라고 많이 권하고 있으나 실제로는 이 주장은 옳다고 볼 수 없다. 유방암, 뇌종양을 비롯한 횡격막상부에 발생한 암들에 대해서는 임신 중 방사선 치료가 금기가 아니다. 그렇기 때문에 임신 중 암이 발생한 경우 방사선치료를 해야 할지에 관해서는 방사선 종양학과 의사와 자세한 상담 후 결정해야 한다.

3) 방사선 치료후

방사선치료를 받은 후 다음 임신의 시도는 치료 완료 후 약 1-2년 후에 하도록 권한다. 이러한 기간을 두는 것은 잠재적인 방사선의 영향 때문이 아니라 암이 재발하여 수술, 방사선 또는 항암화학요법을 시행해야할 경우가 발생할 수 있기 때문에 병의 경과를 보기 위함이다.

7 임신과 초음파

약 30-40년 전에 초음파가 의학에 도입된 이후 현재까지 많은 발전을 거듭해 오고 있고 특히 산과 영역에서 초음파의 역할은 상당히 중요한 부분을 차지하고 있다. 반면에 이의 사용을 두고 태아에게 있어 과연 안전한 것인가에 관해 항상 문제제기가 되어 왔다. 검사의 안전성에 대해 초점이 맞추어지는 부분은 초음파의 열 발생기전과 cavitation형성으로 인한 기전으로 인해 태아에 영향을 미칠 수 있다고 보고되어 왔는데 이러한 사항에 관해 많은 연구가 진행되었으나 아직 명확하게 결론이 내려져 있지 않은 상태이다. 지금까지 알려진 바에 따르면 열 발생에 관해서는 초음파가 연부조직이나 골격에 흡수되면서 열로 전환되는데 이 때 모체의 심부 온도가 1.5-2.0℃ 이상 상승시 태아에 영향을 미친다고 알려져 있다. 하지만 실제로 최근에 진단목적으로 쓰이는 초음파기기에서는 대개 열 발생은 매우 미미한 정도이고 객관적으로는 WFUMB (The World Federation for Ultrasound in Medicine and Biology)에서 진단 목적의 초음파 사용시 심부 온도의 상승이 1.5℃를 초과하지 않는다고 밝히고 있어 임신 일삼분기에 대개 사용되는 grayscale 방식의 초음파로 인해 태아가 영향받을 가능성은 매우 낮을 것으로 보인다. 하지만 doppler 방식은 1.5℃

이상 상승시킬 수 있어서 doppler 사용은 필요성을 고려하여 주의하여 사용해야 하며 검사시간도 최소한으로 하는 것이 필요하다. 하지만 이 또한 낮은 수준으로 제한적으로 사용한다면 태아에 별다른 영향을 미치지 않을 것으로 보인다. AIUM (The American Institute of Ultrasound in Medicine)에서는 질병의 진단을 위해 초음파를 이용할 경우 이로 인한 생물학적인 영향이 아직은 저명하게 밝혀져 있지는 않지만 분명한 것은 지금 사용되고 있는 초음파의 경우 이로 인한 위험보다는 이것을 이용하여 얻을 수 있는 이득이 더 많다고 보고 있다. Kremkau 등(2006)은 진단면에서 보다 많은 이득을 얻으면서 위험은 최소한으로 줄이기 위해서는 ALARA (as low as reasonably achievable)원리를 검사시에 적용하기를 권하고 있다. 즉 초음파로 인한 위험을 최소화하기 위해서는 초음파에의 노출을 최소화하는 것이 가장 중요하고 이를 위해서는 반드시 필요한 경우에 한해 시행하고 검사시간을 최소화하고 검사의 강도를 최소화하여 시행하는 것이 필요하다는 의미이다. 한편 Merritt 등(1989)은 초음파로 인한 생물학적 효과도 중요하겠지만 이보다 는 오히려 숙련되지 않은 실력으로 초음파검사를 시행하여 이로 인해 진단을 잘못하여 그 결과로 환자에게 해를 끼칠 수 있음이 더욱 더 초음파와 관련하여 위험한 사항이라고 강조하였다.

8 임신 중인 의료진의 관리

직업적으로 방사선 노출을 피할 수 없는 경우 태아에 대한 영향에 대한 한 연구에 따르면 방사선사 6,730명이 경험한 9,208예의 임신에서 기형발생의 위험은 증가하지 않았다. 염색체 이상, 소아기의 악성 종양 면에서는 미미한 증가를 보였다. 한편 다른 연구에서는 13,600명의 근로자들의 27,181예의 임신에서는 태아사망이 의미 있게 증가하였다. 하지만 기형발생에는 차이가 없었다. 즉, 예후 면에서 상당한 차이가 있는 것은 아닐 지라도 몇 가지 사항에서는 부정적인 영향이 분명히 있기 때문에 그리고 방사선 노출이 수개월에 걸쳐 이루어지기 때문에 임신을 확인하면 반드시 임신임을 주위에 알리고 가능한 방사선 노출을 감소시킬 수 있는 환경에서 작업하도록 신경 써야 한다.

임신하기 전에는 직업적 방사선 노출에 관한 주의사항은 남성에서와 다르지 않다. 하지만 임신이 되었다면 남은 임신기간 동안 태아의 방사선 노출량의 총량이 1 mGy 이하가 되도록 해야한다. 이 정도의 수준은 임신한 여성을 불필요하게 구분할 정도는 아니라는 의미도 있다. 태아에 대한 방사선 양을 줄이기 위한 것이 방사선 및 방사성 물질과 관련한 일을 하지 말라는 것 또는 방사성 지역을 들어가거나 그곳에서 일하는 것을 무조건 금하라는 것을 의미하는 것은 아니다. 하지만 고용량의 우연한 방사선 노출이 거의 없는 곳이어야 할 필요는 있다. 평상시 dosimeter에 측정되는 값은 실제 태아에게 노출되는 방사선의 양과 상당히 차이가 있다. 이는 대개의 작업시 사용되는 납보호장치의 외부에 위치해 있는 등 10가지 이상의 여러 요인들에 의해 실제 태아에의 노출용량보다 100배 이상 체크된다. 즉, 납보호장치를 하지 않고 고에너지에 노출되는 경우에조차 실제 태아노출량은 dosimeter에 측정된 값의 25% 이내이다. 또한 방사선 이외에도 환자를 옮긴다든지 허리를 깊게 구부린다든지 등의 물리적 활동도 임신 중인 근로자에게 신경써야 할 부분이다.

9 방사선 노출 후 임신중절여부의 문제

임신중절여부에 관한 결정은 개개인에 따라 여러 요인이 고려될 것이다. 태아의 노출용량이 100 mGy 이하라면 임신을 중절할 이유가 되지 못한다. 이것보다 더 많은 양에 노출되었다면 태아에게 영향이 있을 수 있고 이 경우라도 방사선 노출이 임신 중 어느 시기인지, 방사선 노출량에 따라 그 영향은 달라진다. 태아의 방사선 노출량을 파악하고 방사선노출이 없는 일반적인 경우에 발생할 수 있는 위험도와 방사선 노출로 인해 증가하는 위험도 등에 대해 생각해봐야 한다. 일반적인 경우 매우 낮은 정도에 노출된 경우라 할지라도 기형의 발생이 매우 높을 거라고 생각하는 경우가 많다. 이런 경우 자세한 상담을 통해 기형이나 종양 등이 없는 아기일 가능성이 얼마만큼인지, 일반적인 경우와 비교하여 방사선으로 인해 얼마만큼 더 영향받을 지에 관해 접근해본다. 복부, 골반 부분의 방사선치료가 행해지는 경우를 제외하고는 의학적인 방사선으로 인해 생길 수 있는 영향은 임신 중 다른 문제들의 일반적인 발생과 비교해서 상당히 적은 편이다. 방사선노출이 없는, 일반적인 임신의 경우 자연유산은 15%, 주요기형 2-4%, 자궁내 발육지연 4%, 유전적 질환 8-10%를 갖고 있다고 한다. 100 mGy 이하의 태아노출용량의 경우 이러한 일반적인 경우에 비해 그 위험도가 의미있게 증가하지 않으므로 방사선 노출의 이유만으로 임신을 중절하는 것은 의학적인 고려사항이 될 수 없다.

방사선 노출양에 따라 그 영향을 다시 정리해 보면 100 mGy 노출 시 소아기의 악성종양발생은 1/170이다. 100-200 mGy 이하의 태아노출시에는 방사선으로 인해 기형발생이 증가하지 않는다. 만약 이를 초과시 이 문제에 대한 접근은 약간 달라진다. 500 mGy 이상의 방사선이 수정 후 3-16주 태아에 노출되었다면 태아가 생존한다할지라도 여러 종류의 부정적영향이 발생할 수 있음에 대해 반드시 주지시켜야 한다. 100-500 mGy이라면 상황은 불분명해지는데, 8-15주 사이에 노출되었다면 IQ의 상당한 저하가 의심될 수 있다. 이런 경우 여러 개인적 상황에 따라 결정이 달라질 수 있는데 만약 100 mGy 이상이지만 그 동안 불임이라 고생했다면 임신중절을 원하지 않을 수 있다. 적절한 정보를 제공한 후 개개인의 결정이 이루어져야 한다.

10 상담에서의 실제

흉부X선 검사 등의 저용량 노출 시 이로 인한 위험은 상당히 낮다는 말로 안정시키는 것으로 충분하지만 방사선 노출용량이 1 mGy 이상이라면 이로 인한 잠재적인 위험도, 이를 대체할 만한 다른 방식의 검사가 있는지, 이 검사를 시행하지 않을 때의 위험한 사항 등을 환자에게 알려야 하며 이러한 상담내용, 동의내용 등을 환자의 의무기록에 남겨야 한다.

표 4-14-6은 임신시 일반적으로 발생할 수 있는 임신 관련 문제들의 위험도와 0.05 Gy 이하의 방사선 노출시 이들의 위험도에 추가적으로 얼마만큼의 문제를 더 가중시키는지에 관한 연구결과이다. 이 표에서 알 수 있듯이 일반적으로 진단목적으로 쓰이는 방사선검사들로 인한 방사선 노출은 0.2 mGy에서 0.05 Gy사이로 이는 태아에 미치는 위험은 극히 적다. 일반적인 경우 전체 임신의 약 15%에서 유산이 발생하고 3%에서 주요 기형이 발생한다고 보는데 이런 상황에서 0.05

표 4-14-6. Spontaneous risk facing an embryo at conception and the additional risk that would come from a low exposure of ionizing radiation (0.05 Gy)

Type of risk	Spontaneous risk facing an embryo at conception (0 rad exposure)	Additional risk from a 0.05-Gy exposure
Risk of spontaneous abortion in known pregnant women	150,000/10^6 pregnancies	0
Risk of major congenital malformations	30,000/10^6	0
Risk of severe mental retardation	5,000/10^6	0
Risk of childhood leukemoa/year	40/106/year	⟨?1-3/10^6/year
Prematurity	40,000/10^6	0
Growth retardation	30,000/10^6	0
Stillbirth	20-2,000/10^6	0
Infertility	7% of couples	0

(Brent RL. Utilization of developmental basic science principles in the evaluation of reproductive risk from pre- and postconception environmental radiation exposures. Teratology 1999;59(4):182-204.)

Gy 이하의 방사선 노출로 인해 이러한 위험성이 더욱 증가하는가에 관해서 그 영향은 매우 적을 것으로 보인다. 반면에 소아암의 발병과 관련, 이러한 용량에서도 그 위험도가 증가할 수 있으나 전체 발생빈도에 비하면 매우 적은 부분의 증가로 볼 수 있다.

실제 임상에서 겪는 일을 예로 들어보자.

임신 여성 또는 임신이 의심되는 여성이 특정 임상증상을 호소하여 진단이나 치료가 급하게 요구될 때 방사선의 노출을 최소화하면서 보다 정확한 진단을 하도록 노력해야 한다. 생리 주기 중 전반부라면 배란이전일 테니 문제가 없지만 생리 주기 중 후반부라면 임신의 가능성이 있기 때문에 태아에 영향이 있을 수 있다. 만약 그렇다면 유산이 발생할 수 있는데 이러한 현상이 발생하기 위해선 0.1 Gy 이상의 노출을 요한다. 이로 인해 이 시기에는 기형 등의 발생은 거의 증가하지 않는다.

만약 급한 상황이 아니고 검진 목적이나 주기적으로 추적검사를 하는 상황이라면 가임여성의 경우 검사 시기를 생리가 끝난 후로 정하는 것이 혹시라도 임신 중 방사선 노출을 최소화할 수 있는 방법이다. 만약 임신사실을 모르고 방사선 검사를 시행했을 경우엔 노출이 일어난 임신 주수와 태아에 노출된 방사선 노출량을 추정하는 것이 중요하다. 그 용량이 0.05 Gy 이하라면 유산이나 기형 발생의 위험이 증가하지 않는다고 설명한다. 실제 이러한 현상이 발생하기 위해서는 0.2 Gy 이상의 노출이 필요하므로 0.05 Gy조차 threshold dose와는 상당한 거리가 있다.

기형아를 낳은 산모가 임신 초기 진단적 x-ray를 1회 촬영했던 것이 기형의 원인인지를 문의할 수 있다. 기형의 임상적 양상을 보고 원인이 과연 방사선 때문인지 그렇지 않은지 어느 정도 판단할 수 있을 정도로 방사선으로 인해 기형이 발생하는 경우는 그 특징이 있다. 하지만, 이러한 특정 기형들조차 기형을 발생할 수 있을 정도의 고용량에도 잘 나타나지 않는다. 또한 진단적 방사선 노출은 그 용량이 적어 0.05 또는 0.1 Gy에 훨씬 못 미치기 때문에 이런 경우 더욱 방사선이 기형의 원인이라고 보기 어렵다. 따라서 선천성기형이 발견된 경우, 방사선노출 경험이 있다 하더라도 이 때문이라고 속단하지 말고 유전적 질환 등 다른 요인도 함께 고려해야 한다.

방사선의 노출로 임신부가 걱정을 하여 상담을 의뢰할 때에 고려해야 할 것은 다음과 같다. 방사선 노출 시 임신주수, 내과력, 산과력, 수정시기, 기형발생의 가족력, 임신 동안 해를 끼칠 수 있는 다른 환경적 요인, 태아 부모의 연령 등을 고려하여 일반적으로 임신 중 발생할 수 있는 합병증의 위험도를 설명하고 대개 0.05 Gy 이하의 노출의 경우 임신유지를 권하게 된다. 하지만 이것이 곧 건강한 임신을 의미하는 것은 아님을 주지시켜야 하며, 이후 태아상태를 보다 자세히 파악하기 위한 초음파검사 등 산전검사를 권해야 한다.

또한 이러한 의문이 들 수도 있다. 방사선으로 인한 영향이 미미하다면 왜 검사를 하기 전에 임신 여부를 확인하려고 애를 써야 하는 지 말이다. 우선 임신사실을 확인하게 된다면 불필요한검사를 하지 않아도 되는 경우가 많다. 예를 들어 소화기 또는 비뇨생식기 계통의 불편한 증상을 호소하는 가운데 여러 검사를 시행하기 전에 임신을 확인한다면 그러한 증상이 임신으로 인한 증상이어서 다른 추가적인 검사를 하지 않고 좀 더 지켜볼 수 있는 여지가 있을 수 있다. 또한 특정 증상이 있어 검사가 필요한 경우에는 미리 임신을 안다면 임신인데도 불구하고 이 검사를 해야 하는 필요성, 이로 인한 위험성 등에 대해 미리 충분히 숙지시킬 수 있고 이로 인해 훨씬 안심을 시킬 수 있다. 그리고 왜 검사 전에 임신여부를 확인하지 않았는가에 대해서 의료과실로 몰고 가는 불필요한 송사에 관련될 여지도 줄일 수 있다.

즉 가임여성들에게 방사선 검사를 시행할 때에는 임신 여부를 검사 전에 확인하고 환자와 상황에 대해 충분히 대화를 나눈다면 위와 같은 상황에 도움이 될 수 있다.

11 결론

이온성방사선은 분명한 기형발생요인이다. 하지만 임신 중 진단을 위해 우연히 사용된 방사선 검사인 경우 일반적으로 우려가 많기는 하나 대부분의 경우에 기형발생을 증가시키지 않는다.

대부분의 진단적 검사는 기형을 발생할 수 있는 역치용량인 0.05 Gy을 초과하지 않는다. 미국 산부인과학회(ACOG)는 임신 중 진단적 목적의 방사선 노출은 인공유산의 적응증이 되지 않는 다고 언급하고 있다. 하지만 총 노출용량이 0.05 Gy 이상이거나 방사선노출로 인해 태아의 상태에 대해 심각하게 우려하는 상황이라면, 이후 보다 정밀한 산전검사와 상담을 필요로 한다. 의료 인이 방사선에 노출된 임신부와 상담할 때에는 일단 태아에 노출된 방사선의 양에 대해서, 그리고 일반적인 기형발생률이 2–3%라는 것을 꼭 알려줘야 한다. 모체의 건강상태에 대한 평가를 위해 다른 방법을 통한 검사로 충분한 정보를 얻을 수 없고, 반드시 방사선 검사로 진단을 해야 하는 상 황이 발생한다면 대안이 없기는 하지만 환자의 치료에 반드시 필요한 중요한 정보를 이 검사를 통해 알 수 있고 또한 다른 검사들로 이러한 사항을 알아낼 수 없을 때에 한해서만 방사선 검사를 시행해야 한다.

미국산부인과학회(ACOG)에서는 임신 중 방사선 검사 또는 노출에 관한 지침을 수년마다 개정해서 발표하는데 2017년에 발표한 내용에 따르면 우선, 임신중에는 진단을 위한 도구로서 방사선위험성이 낮다고 고려되는 초음파나 MRI 를 우선해서 사용한다. 또한 일부 예외적인 경우에 X–ray, CT, 핵의학 등이 임신부 환자의 질환의 진단에 있어서 반드시 필요하다고 판단되면 태아에게 영향을 미칠 수 있다고 알려진 용량보다 훨씬 적은 용량을 고려하여 빠르고 정확한 진단을 하는 것이 훨씬 현명한 선택이라고 밝히고 있다. 조영제의 경우는 사용을 최소화하고 진단에 꼭 필요한 경우에 한해서 사용을 고려하며 모유수유 중이라면 수유를 중단할 필요는 없다.

▶ 참고문헌

1. American College of of Obsterians and Gynecologist, Committee on Obstetric Practice. Guidelines for diagnostic imaging during pregnancy. ACOG Committee Opinion no. 723. Washington, ACOG;2017

2. Brent RL. Bushberg JT, Linet M, et al. NCRP Report No. 174. Preconception and prenatal radiation exposure: health effects and protective guidance.; 2013:351.

3. Brent RL. Carcinogenic risks of prenatal ionizing radiation. Seminars in Fetal & Neonatal Med 2014;19:203-213.

4. Brent RL. Counselling patuients exposed to ionizing radiation during pregnancy. Pan Am J Public Health 2006;20:198-204.

5. Brent RL. Utilization of developmental basic science principles in the evaluation of reproductive risk from pre- and postconception environmental radiation exposures. Teratology 1999;59(4):182-204.

6. Callen PW.: Ultrasonography in obstetrics and gynecology, 5th ed. Philadelphia, Saunders, 2008.

7. Dekaban AS. Abnormalities in children exposed to X-radiation during various stages of gestation: tentative timetable of radiation injury to the human fetus. J Nucl Med 1968;9(9):471-7.

8. Doll R, Wakeford R. Risk of childhood cancer from fetal irradiation. Br J Radiol 1997;70:130-39.

9. Doyle P, Maconochie N, Roman E, et al. Fetal death and congenital malformation in babies born to nuclear industry employee: report from the nuclear industry family study. Lancet 2000:365(9238):1293-9.

10. Goldstein L, Murphy DP. Microcephalic idiocy following radium therapy for uterine cccancer during pregnancy. Am J Obstet Gynecol 1929;18:189-95, 289-3.

11. Goldstein L, Murphy DP. Etiology of ill health in children born after maternal pelvic irradiation. Part II. Defective children born postconceptional maternal irradiation. Am J Roentgenol 1929;22:322-31.

12. Guidelines for perinatal care. 3rd ed. Elk Grove Village, IL: American Academy of Pediatrics and American College of of Obstericians and Gynecologist ; 1992

13. Gwyn KM, Theriault RL. Breast cancer during pregnancy. Curr Treat Options Oncol 2000;1:239-43.

14. Internatinal Commission on Radiological Protection. Pregnancy and medical radiation. Ann ICRP 2000;30:1-43.

15. Kal HB, Struikmans H. Radiotherapy during pregnancy: Fact and fiction. Lancet oncology 2005;6:328-33.

16. Katz SD, McNeil M, Limmer J, et al. Cancer and pregnancy:the clinician's perspective. Obstet Gynecol Surv 2014;69:277-286.

17. Koren G. Maternal-fetal toxicology:A Clinician's guide. 3rd ed. Marcel Dekker, Inc., 2001.

18. Kremkau FW. Diagnostic Ultrasound: Principles and Practice, 7th ed. Philadelphia, WB Saunders, 2006.

19. McCollough CH, Scheler BA, Atwell TD, et al. Radiation exposure and pregnancy: When should we be concerned? Radiographics 2007;27:909-918.

20. Merritt CR. Ultrasound safety: what are the issue? Radiology 1989;173:304.

21. Otake M, Schull WJ. Radiation-related small head sizes among prenatally exposed atomic bomb survivors Technical Report Series, RERF 6-92, 1992.

22. Otake M, Schull WJ, Lee S. Int J Radiat Biol 1996;70:755-63.

23. Pavlidis NA. Coexistence of pregnancy and malignancy. Oncologist 2002;7:279-87.

24. Santis MD, Gianantonio ED, Straface G, et al. Ionizing radiation in pregnancy and teratogenesis: Reproductive toxicology 2005;20:323-329.

25. Scharwachter C, Roser A, Schwarz CA, et al. Prenatal radiation exposure: Fortschr Rontgenstr 2015;187:338-346.

26. Schull WJ, Otake M. Cognitive function and prenatal exposure to ionizing radiation. Teratology 1999;59:222-6.

27. Sudor H, Chastagner P, Claude L, et al. Fertility and pregnancy outcome after abdominal irradiation that included or excluded the pelvis in childhood tumor survivors. International J Radiation Oncol Biol Physics 2010;76:867-873.

28. Teh WT, Stern C, Chander S, et al. The impact of uterine radiation on subsequent fertility and pregnancy outcomes. Biomed Research International 2014;6:1-8.

29. Van der Giessen PH. Measurement of the peripheral dose for the tangenital breast treatment technique with Co-60 gamma radiation and high energy X-rays. Radiother Oncol 1997;42:257-64.

30. Woo SY, Fuller LM, Cundiff JH, et al. Radiotherapy during pregnancy for clinical stages IA-IIA Hodgkin's disease. Int J Radiant Oncol Biol Phys 1992;23:407-12.

31. Yoshimoto Y, Kato H, Schull WJ. Risk of cancer among chilren exposed in utero to A-bomb radiatins. 1950-1984. Lancet 1988;17:665-669.

32. Yoshimoto Y, Delongchamp R, Mabuchi K. In-utero exposed atomic bomb survivors: cancer risk update. Lancet. 1994;30;344(8918):345-6.

15 방사성핵종(Radionuclide)과 임신

◦ 윤석남

Q. 임신 5주경 임신인지 모른 상태에서 갑상선암 치료를 위해 방사성핵종을 사용하는 경우 태아에 어떤 영향을 미칠 수 있나요?

1 방사선의 정의

사물을 구성하는 입자 중에서 에너지가 높은 상태에서 불안정하므로 스스로 안정화되려고 주변으로 방출하는 에너지, 즉 주변으로 에너지 형태를 가지고 나가는 입자들을 방사선이라 부르며 불안정한 원소의 원자핵이 스스로 붕괴하면서 내부로부터 방사선을 방출하는 현상을 방사능, 방사성 핵종을 포함한 물질을 방사능 물질이라 부른다.

2 방사능물질의 반감기

방사성 물질은 불안정한 물질로 붕괴를 일으키며 안정화된 상태를 이루려고 한다. 이때 방상선 물질의 방사능이 절반으로 감소되는 시간을 반감기라 하며 일반적으로 물리적 반감기로 각각의 물질에 따라서 고유의 반감기를 가진다. 예를 들어 핵의학에 이용되는 bone scan, 간담도스캔, 신장스캔등 대부분의 감마카메라영상에 이용되는 Tc-99m(테크네슘)은 6시간, 근래 악성종양 검사에 가장 널리 이용되는 PET/CT에는 F-18 FDG가 이용되는 데 반감기는 110 분이다. 일반적으로 검사에 이용되는 방사성물질의 반감기는 짧은데 비해서 갑상선 기능항진증, 갑상선암의 치료에 이용되는 iodine-131의 경우 반감기는 8일로 긴 편이다. 즉 물리적 반감기는 방사성 물질이 스스로 붕괴하여 방사선을 내뿜게 됨으로써 자신의 방사능이 반으로 감소하는데 걸리는 시간을 말하며 생물학적 반감기 (대사 반감기)는 몸 안에 들어온 방사성 물질의 절반 가량이 우리 몸의 대사 과정을 거쳐 몸 밖으로 배출되는데 걸리는 시간을 말한다. 그러나 인체에 미치는 영향은 방사성물질 고유의 물리적 반감기는 변화가 없으나 생리적 반감기는 다르기 때문에 인체에 미치는 영향을 감소시키기 위해서는 이러한 이해가 반드시 필요하다. 유효 반감기(실제 반감기): 생물학적 반감기 기간 내에서 물리적 반감기를 고려한 기간 유효반감기 = (생물학적 반감기 × 물리적 반감기)/(생물학적 반감기 + 물리적 반감기) 예를 들어, 성인의 경우 세슘(Cs 137)의 물리적 반감기는 30년이지만 생물학적 반감기 및 유효 반감기는 70일이다. 뼈에 주로 쌓이는 스트론튬(Sr 90)의 경우 물리적 반감기가 28년, 생물학적 반감기는 50년, 유효 반감기는 18년이다. 인체에 미치는 노출을 가능하면 적게 하기 위해서 수분섭취로 인한 배뇨증진 또는 이뇨제사용 등을 통한 배뇨증진등을 임상에서 시행되고 있다.

3 방사능물질이 인체에 미치는 영향

방사능 물질이 인체에 미치는 영향은 히로시마와 나가사키에 행해진 원폭투하 이후 생존자들을 대상으로 시행된 연구결과에 바탕을 두고 있다. 방사능 물질이 인체에 미치는 영향은 방사능의 노출량과 상당히 밀접한 관련이 있다. 그리고 방사능물질에 의해 인체에 미치는 영향은 문턱 값(threshold level)인 최소선량 이상이 필요한 확정적 영향과 최소선량에 의해서라기보다는 작은 노출에 의해서도 영향을 미칠 수 있는 확률적 영향이 있다.

1) 확정적 영향(deterministic effects)

확정적 영향은 세포사에 따라 일어나며 피폭선량이 많을수록 많은 세포를 잃어버리게 되며 기관이나 조직의 기능에 한층 중한 장해가 일어나는 영향이다. 임상적으로 병적 상태라고 진단하는 데는 일정한 최소선량(문턱 값)이 필요하다. 따라서 임상적으로 인정할 수 있는 장해의 발생확률은 문턱 값 이하의 선량에서는 영이 된다. 문턱 값을 넘으면 선량의 증가에 따라 장해의 중독도가 증가하며, 또, 장해의 발생확률(빈도)도 급격히 증가해서 100%의 환자에 장해가 발생하게 된다. 확정적 영향을 보면 급성영향으로 피부의 변화, 불임이 있고, 만성 영향으로 백내장, 백혈병, 암, 태아에 미치는 영향 등이 있다.

2) 확률적 영향(stochastic effects)

확률적 영향은 세포사보다 오히려 증식 가능한 하나의 손상 세포로부터 생겨나 선량이 증가하면 손상 세포의 빈도도 증가해서 결과로서 발암이나 자손에게 전해지는 유전장해의 빈도를 높이는 것과 같은 영향이다. 증식 가능한 손상 세포는 선량이 낮더라도 생겨날 수 있기 때문에 확률적 영향에는 문턱 값 선량이 없다고 가정할 수 있다. 또 선량의 증가에 따라 영향의 정도는 변하지 않으며 영향의 발생확률만 증가한다. 확률적 영향에 의해서 발생할 수 있는 것은 태아이상, 백혈병, 암 등이 있으나 핵의학 검사나, 진단영역의 방사선 검사가 임신 시 여러 번 반복되어 시행되지 않는다면 임신중절의 적응증은 태아가 확정적 영향을 일으키는 허용치인 100 mSv이상을 넘을 경우가 거의 없기 때문에 진단영역의 검사에서 위험성은 낮으나 확률적 영향에 의한 영향은 낮은 방사선량에서도 존재 할 수 있으므로 태아에 노출되는 방사선량은 적게 유지되어야 한다.

4 핵의학(Nuclear medicine)

대부분 진단적 목적의 핵의학적 시술은 단시간 작용하는 것으로, 이는 태아 노출용량이 많지 않다. 하지만, 태반을 통과하지 않는 방사핵이라도 모체의 조직에 있는 방사능으로부터 태아는 영향 받을 수 있다. 또한, 방사성 요오드처럼 일부 방사성의약품은 태반을 통과하고 특정 장기에 농축되어 태아에게 위험을 끼칠 수 있다. 방사성 요오드는 처음에는 단백질과 결합하여 있는 경우에는 태반을 통과하지 못하나, 시간이 지나면서 단백질로부터 분리되고 태반을 통과하게 된다. 태아 갑상선은 엄마 갑상선보다 요오드에 대한 친화력이 높으며 태아 10주부터 요오드를 흡수한다. 12~13주에는 태아 갑상선요오드 섭취가 엄마갑상선의 1.2배, 임신 이삼 분기에는 1.8배, 임신 삼삼 분기에는 7.5배까지 높기 때문에 엄마에 미치는 영향과 태아 갑상선에 미치는 영향은 확연히 다르다.

1) 방사선 동위원소 투여에 의한 태아에 미치는 방사선량 계산

최근 발표된 것을 보면 어떤 방사성 동위원소가 이용되었는가, 얼마만큼의 용량이 투여되었나, 임신 주 수는 얼마인가, 방사선 동위원소와 이용된 약제는 무엇인가에 따라서 컴퓨터 프로그램을 이용하여 배아/태아에 미치는 방사선량을 계산할 수 있다고 하였다. 방사선 종류는 이전에 반감기 부분에서 언급한 것처럼 각각 방사성 동위원소의 고유 반감기를 갖기 때문에 반감기가 긴 것은 체내에서 오랫동안 방사선을 방출하기 때문에 일반적으로 Tc-99m 보다는 iodine-131은 방사선 노출이 많게 되어 주의를 요한다. 똑같은 감마카메라 영상을 이용한 Tc-99m 검사도 방사선 추적자 즉, 어떤 약제를 붙이냐에 따라서 예를 들어 신장검사에 이용되는 Tc-99m DTPA는 사구체 여과를 통해 쉽게 배출이 된다. 그러나 Tc-99m DMSA는 신장을 검사하지만 신장에 고정되어 배출이 안되기 때문에 방사선 노출이 더 될 수 있다. 예를 들어 Tc-99m DTPA 20 mCi(340 MBq)을 임신 3개월에 투여 시 태아는 6.4 mSv의 낮은 방사선량을 받았지만, I-131을 임신 초기에 100 mCi(3700MBq) 치료용량으로 투여 받았을 시에는 266 mSv의 매우 높은 방사선량이 태아에게 노출되게 된다.

2) 갑상선기능항진증, 갑상선암에서의 방사성 요오드 치료.

갑상선 암 및 갑상선 기능항진증의 경우 진단적 핵의학 검사와는 달리 치료에 방사성 핵종이 이용되기 때문에 고용량의 투여가 있게 되며, 이로 인해서 진단적 검사와 달리 많은 양의 방사선 노출이 있게 된다. 갑상선 기능항진증의 경우 갑상선암에 비해서는 적은 양의 방사성 요오드를 투여받게 되나 갑상선암이 일반적으로 수술로 갑상선 전절제술 후 남아 있는 미세 갑상선 조직에 포획되는 것과는 달리 비대하고 기능이 매우 항진된 갑상선에 매우 많은 양의 방사성 요오드가 축적되어 치료되는 것으로 전체적인 방사선 노출은 많이 된다. 임신상태를 모르고 치료한 갑상선 기능항진증 및 갑상선암환자에 방사성 요오드를 치료한 논문보고에 의하면, 갑상선기능항진증의 경우 태아 갑상선의 기능은 완전히 소실되었으나 태아 전신피폭이 100 mGy로 정상 출생하였으며 갑상선기능 소실 이외는 잘 자라는 것으로 보고하였다. 반면, 갑상선암의 경우 태아 피폭이 심해 24주에 중절을 하였으나 태아가 사망한 채로 분만되었다고 보고하였다.

갑상성암을 치료하고 나서 일시적 난소 기능장애를 보일 수 있으나 영구적 장애는 없으며, 임신에 미치는 영향을 보면, 조기 분만이나 유산 등은 있으나 출산 시 기형은 없었으며 이후 임신에 영향을 미치지 않으므로 12개월 이후에 임신은 안전한 것으로 알려졌다.

방사성 옥소가 태아에 미치는 영향은 두 가지 측면의 방사선 노출량을 말할 수 있는데 태아 갑상선에 노출되는 갑상선 피폭과 태아 전신에 영향을 주는 전신 피폭이 있다. 그러나 임신초기에는 갑상선 조직의 형성이 안 되어 있기 때문에 임신 초기에는 갑상선 피폭은 영향이 없다.

임신 시기별 영향을 보면 방사성 요오드는 태반을 쉽게 통과할 수 있고 수정 후 10~11주부터 갑상선에 축적되기 때문에 10주 이전이거나 15 mCi 정도의 요오드 투여량은 태아 갑상선 기능에 심각한 영향을 주지 않는다. 즉 10주 이후에 이보다 많은 양을 투여 시에는 갑상선을 파괴시켜 태아 기능저하증을 유발하게 된다. 태아방사선 노출량이 13.5 mCi이하의 양에서는 100 mGy 이하이기 때문에 이것으로 임신을 중지시키는 근거는 되지 못한다. 갑상선암의 경우 피폭량이 많아 전신 피폭이 상한선을 넘게 된다. KI(potassium iodide)는 방사성요오드에 노출 시 12시간이내에 투여될 때 태아 갑상선의 방사성요오드 섭취를 막을 수 있으나 일반적으로 문제가 되는 경우 임신을 모르는 경우가 있으므로 투여가 늦으며 이 경우에 아무런 효과가 없다.

▶ 참고문헌

1. Arndt D, Mehnert WH, Franke WG, Woller P, Laude G, Rockel A, Waller M. Radioiodine therapy during an unknown remained pregnancy and radiation exposure of the fetus. A case report. Strahlenther Onkol 1994 Jul;170(7):408-14.

2. Berg GE, Nyström EH, Jacobsson L, Lindberg S, Lindstedt RG, Mattsson S, Niklasson CA, Norén AH, Westphal OG. Radioiodine treatment of hyperthyroidism in a pregnant women. J Nucl Med 1998 Feb;39(2):357-61.

3. Bohuslavizki KH1, Kröger S, Klutmann S, Geiss-Tönshoff M, Clausen M. Pregnancy testing before high-dose radioiodine treatment: a case report. J Nucl Med Technol 1999 Sep;27(3):220-1.

4. GERTRUD BERG, LARS JACOBSSON, ERNST NYSTRO¨M,KATARINA SJO¨ GREEN

GLEISNER & JAN TENNVALL. Consequences of inadvertent radioiodine treatment of Graves'' disease and thyroid cancer in undiagnosed pregnancy. Can we rely on routine pregnancy testing?. Acta Oncologica 2008; 47: 145-149

5. Hamile Bir Hastanın Nukleer Goruntulemesi: Hamilelik Sırasında Nukleer Tıp Tetkikleri Yapılabilir mi. Nuclear Imaging of a Pregnant Patient: Should We Perform Nuclear Medicine Procedures During Pregnancy. Molecular Imaging and Radionuclide Therapy 2012;21(1):1-5

6. Hyer S, Pratt B, Newbold K, Hamer C. Outcome of Pregnancy After Exposure to Radioiodine In Utero.Endocr Pract 2011 Jan 17:1-10.

MRI와 임신

○ 최준식

임상증례

32세 임신부는 임신인지를 모르고 요통으로 임신 4주5일에 lumbar MRI 및 조영제를 투여받았다. 조영제는 gadolinium을 포함하고 있는 제제이었다. 이 임신부에게 어떠한 조언을 할 것인가?

MRI는 자기장(magnetic field)과 radiofrequency radiation을 이용하여 조직의 영상을 획득하는 non-ioninzing radiation 기술이다. 일상에서 노출될 수 있는 background magnetic field는 약 30-70 micro-Tesla (mcT) 이며, MRI 영상 촬영에서 노출될 수 있는 양은 약 2 T이다. 다만 자궁내장치(intracuterine contraceptive device)를 착용 후에 MRI를 시행하는 경우에는 3 T까지 노출 될 수 있다. MRI는 체온 상승을 유발시킬 수 있으므로 이전 연구에서는 임신 후반부에 사용할 것을 권고하였다.

MRI는 박테리아와 인간 림프구 배양에 대한 연구에서 돌연변이 유발 효과(mutagenic effect)를 나타내지 않았습니다. 그러나 실험동물 연구(mice)에서 임신 초기 4T에 9-16시간 노출된 경우 태자의 정수리엉덩이길이(crown rump length)의 감소를 보고하였다. 반면에 자연유산, 체중 감소 및 기형 증가는 관찰되지 않았다. 눈에 기형을 일으키기 쉬운 strain의 mice를 대상으로 한 실험동물 연구에서 임신 중 MRI 노출 시 태자의 눈 기형의 증가를 보고하였으나, 이후의 연구에서는 이를 입증하지 못하였다.

인간에서 MRI는 임신 중 상용에 대한 보고는 많으나, 제 1삼분기에 대한 보고는 아직 부족하다. 15명의 임신부를 대상으로 한 연구에서는 1예에서 좌측 신장무발생(renal agenesis), 다른 한 예에서 우측 overlapping toe를 보고하고 있다.

또한 임신 중 MRI를 시행한 751명의 임신부 중 44예가 임신 제 1 삼분기에 노출되었다. 이들에서 신생아의 체중 변화나 청력 손상의 증가는 없었다. 2016년 연구에서는 1737예 의 임신부가 임신 제 1삼분기에 MRI에 노출되었으나, 선천성기형, 종양, 시력 및 청력 손상의 증가는 보고하지 않았다.

MRI 촬영 시 경사코일(gradient coil) 안에서 빠른 전류(current)의 여닫이(switching)에 의하

여 소음이 발생하므로 신생아의 청력에 영향을 미칠 이론적 위험이 있으나, 임신 제 2, 3 삼분기에 MRI에 노출된 신생아의 청력검사 상 청력의 손실은 발견되지 않았다.

2013년 American College of Radiology의 권고사항에 의하면, 현재까지의 연구에서 임신 중 MRI가 태아에게 심각한 영향을 미친다고 결론지을 수 없다고 기술하고 있다. 따라서 임신 주수에 따른 특별한 고려 사항은 없다고 권고하고 있다.

Gadolinium-based 조영제 사용은 임신 중 안전성이 확립되어 있지 않았다. 일부 동물 실험에 의하면 gadolinium은 태반을 통과하여 일시적으로 태자의 콩팥에 축적되었다가 다시 모체로 재분포되어 48시간 후에는 태자의 순환계통에서 gadolinium이 검출되지 않았다고 보고하고 있다. 그러나 임신 중 gadolinium-based 조영제를 사용한 실험동물 연구에서 특별한 기형증가를 보고하지 않았다. 제한된 수의 인간에서의 임신 제 1 삼분기에 gadolinium- based 조영제에 노출된 연구(289예)에서 선천성기형의 증가를 보고하지 않았다. American College of Radiology는 " free gadolinium ion에 대한 태아 노출의 가능성은 있으나, 알려지지 않은 위험보다 임신부 또는 태아에게 잠재적으로 상당한 이점이 있는 경우에만 gadolinium-based 조영제를 사용해야 한다."라고 권고하고 있다. European Society of Urogenital Radiology는 가장 안정적인 gadolinium-based 조영제를 적은 용량으로 임신부에게 투여할 것을 권고하며, 임심 중 조영제에 노출된 신생아에게 특별한 검사는 필요 없다고 기술하고 있다.

결론적으로 인간에서 제한적인 연구로 임신 초기에 대한 안전성의 확립은 되어 있지 않으나, 실험동물 연구 및 인간에서의 경험에 의하면 임신 중 MRI는 태아의 기형 증가를 시키지 않는 것으로 보고되고 있다. 따라서 임신부의 질환 및 태아 기형의 진단을 위하여 사용될 수 있다. 그러나 gadolinium-based 조영제에 대한 안전성이 대규모의 연구로 이루어 지지 않았으므로, 조영제의 사용은 이점이 위험율을 상외하는 경우에만 제한적으로 이루어져야 한다.

▶ 참고문헌

1. Choi JS, Ahn HK, Han JY et al. A case series of 15 women inadvertently exposed to magnetic resonance imaging in the first trimester of pregnancy. J Obstet Gynaecol. 2015, 2: 1-2.

2. Cooke P, Morris PG: The effects of NMR exposure on living organisms. II. A genetic study of human lymphocytes. Br J Radiol 154:622, 1981.

3. Correia L, Ramos AB, Machado AI et al. Magnetic resonance imaging and gynecological devices. Contraception. 2012, 85:538-43.

4. Expert Panel on MR Safety, Kanal E, Barkovich AJ, Bell C et al. ACR guidance document on MR safe practices: 2013. J Magn Reson Imaging. 2013, 37(3):501-30.

5. Heinrichs WL, Fong P, Flannery M: Midgestational exposure of pregnant balb/c mice to magnetic resonance imaging conditions. Magn Reson Imaging 6:305-313, 1988.

6. Hoyer C, Vogt MA, Richter SH et al. Repetitive exposure to a 7 Tesla static magnetic field of mice in utero does not cause alterations in basal emotional state and cognitive behavior in adulthood. Reprod Toxicol 2012, 34:86-92.

7. Kanal E, Barkovich AJ, Bell C et al: ACR guidance document for safe MR practices. AJR Am J Roentgenol 2007;188:1447-74.

8. Kikuchi S; Saito K; Takahashi M; Ito K: Temperature elevation in the fetus from electromagnetic exposure during magnetic resonance imaging. Phys Med Biol. 2010, 21; 55(8):2411-26.

9. Magin RL; Lee JK; Klintsova A; Carnes KI; Dunn F: Biological effects of long-duration, high-field (4 T) MRI on growth and development in the mouse. J Magn Reson Imaging 2000;12:140-9.

10. Mevissen M, Buntenkotter S, Loscher W: Effects of static and time-varying (50 Hz) magnetic fields on reproduction and fetal development in rats. Teratology. 1994, 50:229-37.

11. Mühler MR, Clément O, Salomon LJ et al. Maternofetal pharmacokinetics of a gadolinium chelate contrast agent in mice. Radiology. 2011, 258:455-60.

12. Pediaditis M; Leitgeb N; Cech R: RF-EMF exposure of fetus and mother during magnetic resonance imaging. Phys Med Biol. 2008, 53(24):7187-9.

13. Puac P, Rodríguez A, Vallejo C, Zamora CA, Castillo M. Safety of Contrast Material Use During Pregnancy and Lactation. Magn Reson Imaging Clin N Am. 2017 Nov;25(4):787-797.

14. Ray JG, Vermeulen MJ, Bharatha A, Montanera WJ, Park AL. Association Between MRI Exposure During Pregnancy and Fetal and Childhood Outcomes. JAMA. 2016 Sep 6;316(9):952-61.

15. Reeves MJ, Brandreth M, Whitby EH, et al: Neonatal cochlear function: measurement after exposure to acoustic noise during in utero MR imaging. Radiology. 2010, 257(3):802-9.

16. resonance imaging in the first trimester of pregnancy. J Obstet Gynaecol. 2015, 2:1-2.

17. Strizek B, Jani JC, Mucyo E, et al. Safety of MR Imaging at 1.5 T in Fetuses: A Retrospective Case-Control Study of Birth Weights and the Effects of Acoustic Noise. Radiology. 2015 May;275(2):530-7.

18. Sundgren PC, Leander P. Is administration of gadolinium-based con- trast media to pregnant women and small children justified? Journal of Magnetic Resonance Imaging. 2011, 34:750-7.

19. Thomas A, Morris PG: The effects of NMR exposure on living organisms. I. A microbial assay. Br J Radiol 154:615, 1981.

20. Tyndall DA, Sulik KK: Effect of magnetic resonance imaging on eye development in the C57BL/6J mouse. Teratology. 1991, 43:263-75.

21. Webb JAW, Thomsen HS. Gadolinium contrast media during pregnancy and lactation. 2013, 54: 599-600.

PART

V

예비임신부 및 임신부 관리

임신과 엽산

◦ 홍순철

임신에서 엽산(Folic acid, Vit B9)은 태아의 DNA, RNA 합성에 관여함으로써, 세포 생성에 관여한다. 의학적으로 혈중 엽산 농도가 부족할 때, 신경관 결손증을 포함한 다인성 태아기형(multifactorial fetal anomalies) 발생의 위험도는 증가한다. 또한 임신 중기이후에도 엽산은 임신 예후에 영향을 줄 수 있다. 엽산 결핍은 유산, 전자간증, 조산, 태아 발육장애 등의 임신 합병증 증가와 관련 있다는 많은 보고가 있다.

여기서는 엽산의 태아 기형 예방 효과와 임신 예후 증진 효과 및 엽산 섭취 가이드라인에 대해 기술하고자 한다.

1 엽산의 태아기형 예방효과

태아의 신경관 결손증은 엽산 또는 엽산을 포함한 복합 비타민에 의해 감소시킬 수 있다. 무뇌아, 척추 수막류 등의 신경관 결손증은 대부분의 임신부가 임신을 확인할 시점인, 수정후 28일 이내에 발생하게 된다. 1980년대에 수정전후 복용한 복합 비타민이 태아의 신경관 결손증을 줄였다는 보고가 발표된 이후,[1] 여러 연구에서 임신초기, 엽산이 포함된 복합 비타민 또는 음식물을 통한 엽산의 섭취가 신경관 결손증 위험을 감소시킬 수 있음이 증명되었다.[2-4]

과거 신경관 결손증 환아를 임신한 과거력이 있는 여성을 대상으로 엽산의 효율성에 대한 연구에서, 임신전과 임신 1삼분기 동안 매일 엽산 400 μg을 복용한 여성에서 신경관 결손증을 72% 감소시킬 수 있었다는 무작위 대조군 연구가 영국에서 발표되었다.[5] 또한 헝가리에서 Czeizel 등은, 수정 전후기에 엽산 800 μg를 포함한 복합 비타민 복용으로 신경관결손증의 일차 발병율을 감소시켰다는 보고를 하게 된다.[6] 1992년 미국 보건 당국(The Public Health Service)은, 임신 예정인 여성은 매일 엽산 400 μg를 복용할 것을 권장하였으며, 다른 국가들도 이 권고안을 받아들이게 되었다.[7] 엽산은 신경관 결손증외에도 선천성 심장질환, 구순열 등 다른 기형도 감소 효과가 있음이 보고되고 있으며[8-10] 엽산을 강화한 복합 비타민 역시 신경관 결손증, 심혈관 기형, 사지 기형, 구순열, 구개열, 비뇨기계 기형 등의 감소 효과가 있음이 보고되었다.[11, 12]

1998년 미국 식품의약품안전청(FDA)에서는 평균여성이 하루에 추가로 엽산 200 μg의 복용을 증가시키기 위해, 모든 곡류 100 g당 엽산 140 ㎍ 첨가를 법제화하고, 2004년도 보고를 통해 신경관 결손증의 발생율이 27% 감소하였음을 보고하였다.[13] 미국내의 곡류내 엽산 강화 법제화와 맞물려, 1998년 캐나다 역시 모든 밀 또는 옥수수 가루 100 g당 엽산 150 ㎍ 첨가를, 쌀 100 g당 엽산 154-308 ㎍ 첨가를 법제화하게 되고, 2007년 논문을 통해 신경관 결손증의 유병율이 46% 감소하였음을 보고하였다[14](그림 5-1-1).

일부 선진국의 이러한 곡류 엽산 강화정책에도 불구하고 2007년도의 한 보고에 의하면, 세계 인구의 2/3는 엽산 강화 곡류의 섭취가 이루어지지 않고 있다. 특히 한국이 속한 동아시아 지역의 엽산 강화 밀 접근도는 20%전후에 머물고 있는 실정이다.[15]

또한, 최근의 일부 보고자는 신경관 결손증 예방을 위하여 임신전부터 400-800 ㎍ 용량의 엽산대신 3-5 mg의의 엽산용량이 필요하다고 주장한다.[16, 17]

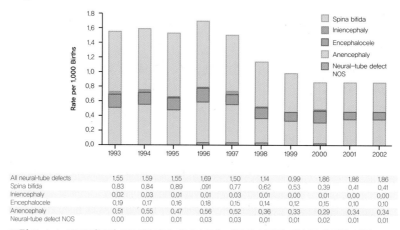

그림 5-1-1. 1993년부터 2002년까지 캐나다 7개 지역의 신경관 결손증 유병율 변화
(1998년 곡류 엽산 강화정책 시행)

2 엽산과 임신 예후

임신 중 엽산의 섭취는 전자간증 감소 및 조산 감소와 관련 있다고 보고되고 있다. Bukowski 등은 임신전 엽산 섭취가 34주 미만의 조기 조산을 50-70% 감소시킨다고 보고하였다.[18] Czeizel 등은 임신 제 1삼분기 이후 엽산 섭취를 지속하는 것이 유의하게 조산을 감소시키고, 임신 제 3 삼분기의 엽산섭취 그룹이 평균 임신 주수가 0.6주 길었다고 보고하였다.[19] Hong 등에 의하면, 1,220명의 임산부의 임신 제 1 삼분기와 제 3 삼분기 혈중 엽산농도와 분만주수와의 연구에서, 대부분 임신 34주 미만의 조산이 임산부 혈중 엽산 농도가 20 ng/mL미만 환자군에서 발생하였음을 보고하였고[20] 저자는 임신 전기간에 걸쳐 혈중 엽산 농도가 20 ng/mL이상 유지되는 것이 조산을 감소하기 위한 안전한 혈중 농도라고 제안하였다(그림 5-1-2). 김 등의 연구에서도 혈중 엽산

농도가 20 ng/mL미만인 그룹에서 20 ng/mL 이상인 환자군에 비하여 조산이 3.3배 높았다고 보고하고 있다.[21]

또한 김 등에 의하면 엽산 섭취 부족 시에 증가할 수 있는 Homocysteine 농도가 높은 것은 전자간증 발생 빈도 증가와 유의한 연관이 있다고 보고하였다.[21] Ahn 등에 의하면 임신 중 엽산 섭취는 전자간증 예방과 태아발육장애 감소에 도움을 줄 수 있다고 보고하였다.[22]

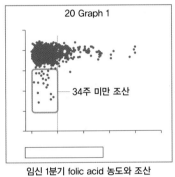

임신 1분기 folic acid 농도와 조산

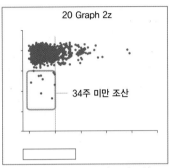

임신 3분기 folic acid 농도와 조산

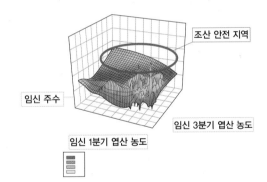

그림 5-1-2. **혈중 엽산 농도와 조산**

이는 엽산 섭취가 임신전과 임신 제 1삼분기에는 태아기형예방 효과가 있고, 임신 제 2삼분기, 제 3삼분기에는 조산 예방, 전자간증 감소 및 태아발육장애 감소에 효과가 있음을 말해준다.

3 엽산 섭취 가이드라인

1) 캐나다 임신전 비타민/엽산 공급에 대한 산부학회 입장

계획임신에서의 엽산 및 비타민 사용과 관련하여, 캐나다 산부인과 학회와 마더리스크 프로그램에서는 다음과 같은 권고안(Preconceptional vitamin/folic acid supplementation 2007)

을 제안했다.[23]

(1) 임신을 고려중인 가임기 여성에게, 산부인과 방문 시 엽산과 복합비타민 복용의 장점에 대해 조언해 주어야한다.

(2) 여성들이 건강 식단을 유지할 수 있도록 조언해주어야 한다. 다만, 음식만으로는 엽산/비타민 복용과 같은 수준의 엽산량을 제공할 수 없다.

　① 엽산이 풍부한 음식: 엽산강화 곡류, 시금치, 편두콩, 완두콩, 아스파라거스, 브로콜리, 옥수수, 오렌지

(3) 엽산이 포함된 복합비타민은 하루에 1정만 복용하도록 하여야 한다.

(4) 경제적 또는 기타 다른 이유로도 엽산/복합 비타민 사용이 제한되어서는 안 된다.

(5) 엽산 5 mg 공급은 비타민 B12 결핍(pernicious anemia)의 진단을 방해하지 않으며, 엽산 처방을 위한 기타 검사는 필요하지 않다.

(6) 과거 선천성 기형(무뇌아, 척수 수막탈출증, 수막탈출증, 구순열/구개열, 구조적 심장기형, 팔/다리 기형, 비뇨기계 기형, 수두증)을 분만한 여성:

　① 엽산이 풍부한 음식+복합비타민+엽산 4-5 mg: 임신 3개월전부터 임신 12-14주까지 지속

　② 복합비타민+엽산 0.4-1.0 mg: 임신 14주부터 임신기간내 지속, 분만후 4-6주(또는 수유기 지속)

(7) 일차 예방을 위한 권고

　① 건강한 여성: 엽산이 풍부한 음식+복합비타민+엽산(0.4-1.0 mg), 임신 2-3개월전부터 분만후 4-6주(또는 수유기 지속)

　② 고위험 여성(간질, 당뇨병, 비만(BMI > 35), 신경관 결손증 가족력, 신경관 결손증 고위험 인종):

　　i) 엽산이 풍부한 음식+복합비타민+엽산 4-5 mg: 임신 3개월전부터 임신 12-14주까지 지속

　　ii) 복합비타민+엽산 0.4-1.0 mg: 임신 14주부터 임신기간내 지속, 분만후 4-6주(또는 수유기 지속)

　③ 과거 약물에 대한 순응도가 낮은 환자, 알코올·흡연 등 기형유발물질 노출 환자: 기형 예방과 건강에 대한 상담, 엽산 4-5 mg+복합비타민

(8) 정부는 엽산 강화곡류의 엽산량을 300 mg/100 g으로 증가시키는 것의 장단점에 대한 평가 작업을 고려한다.

2) 한국의 엽산 섭취 가이드라인

대한모체태아의학회에서 고려대 홍순철 교수는, 한국의 실정을 토대로, 다음과 같은 엽산 복용 가이드라인을 제안하였다.

(1) 고위험 여성(간질, 당뇨병, 비만(BMI 〉 30), 신경관 결손증 가족력, 과거 선천성 기형아 분만 여성(무뇌아, 척수 수막탈출증, 수막탈출증, 구순열, 구개열, 구조적 심장기형, 팔/다리 기형, 비뇨기계 기형, 수두증)

　　① 엽산이 풍부한 음식+엽산 3-4 mg 포함된 복합 비타민: 임신 3개월전부터 임신 12-14 주까지 지속

　　② 엽산 0.4-1.0 mg 포함된 복합 비타민: 임신 14주부터 임신기간내 지속, 분만후 4-6주 (또는 수유기 지속)

(2) 건강한 여성: 엽산이 풍부한 음식+복합비타민+엽산(0.4-1.0 mg), 임신 2-3개월전부터 분만후 4-6주(또는 수유기 지속)

정리하면, 엽산은 임신전 2-3개월전부터 섭취를 권하고, 임신 제 1삼분기에는 태아기형의 고위험군은 고용량(3-4 mg) 엽산 섭취를 하고 건강한 여성은 엽산 0.4-1 mg의 엽산 섭취를 권한다. 임신 제 2삼분기, 제 3삼분기 및 분만 후 6주 정도까지는 지속적인 엽산 섭취를 권함으로써, 조산 예방 및 전자간증 예방과 함께 신생아 발육에 도움을 줄 수 있다.

▶ 참고문헌

1. Smithells RW, Sheppard S, Scholrah CJ, et al. Possible prevention of neural tube defects by periconceptiona vitamin supplementation. Lancet 1980; 1: 339-340.

2. Mulunsky A, Jick H, Jick SS, et al. Multivitamin/folic acid supplementation in early pregnancy reduces the prevalence of neural tube defects. JAMA 1989; 262: 2847-52.

3. Dower C, Stanley FJ. Dietary folate as a risk factor for neural-tube defects: evidence from a case-control study in Western Australia. Med J Aust 1989; 150: 613-9.

4. Shaw GM, Schaffer D, Velie Em, Morland K, Harris JA. Periconceptional vitamin use, dietary folate, and the occurrence of neural tube defects in California. Epidemiology 1995; 6: 219-26.

5. MRC Vitamin Study Research Group. Prevention of neural tube defects: results of the Medical Research Council Vitamin Study. Lancet 1991; 338: 131-7

6. Czeizel AE, Dudas I. Prevention of the first occurrence of neural-tube defects by pericon-ceptional vitamin supplementation. N Engl J Med 1992; 327: 1832-5.

7. Centers for Disease Control and Prevention: Recommendations for the use of folic acid to reduce the number of cases of spina bifida and other neural tube defects. MMWR Morb Mortal Wkly Rep 1992; 41(RR-14): 1-7.

8. Verkleij-Hagoort A, Bliतᅡ J, Sayed-Tabatabaei F et al. Hyperhomocysteinemia and MTH-FR polymorphiᄂᆖ in association with orofacial clefts and congenital heart defects

9. van Beynum IM, Kapusta L, den Heijer M, et al. Maternal MTHFRC>T is a risk factor for congenital heart defects: effect modification by periconceptional folate supplementation. European Heart Journal 2006; 27: 981-987.

10. van Rooij IA, Ocke MC, Straatman H, et al. Periconceptional folate intake by suppleman-tation and food reduces the risk of nonsyndromic cleft lip with or without cleft palate. Per-ventive Medicine 2004; 39: 689-694.

11. Czeizel AE, Dudas I. Prevention of the first occurrence of neural-tube defects by pericon-ceptional vitamin supplementation. N Engl J Med. 1992; 327: 1832-1835

12. Goh YI, Bollano E, Einarson TR, Koren G. Prenatal multivitamin supplementation and rate of congenital anomalies: a meta-analysis 2006; 28: 680-689.

13. Centers for Disease Control and Prevention: Spina bifida and anencephaly before and after folic acid mandate-United States, 1995-1996 and 1999-2000. MMWR Morb Mor-tal Wkly Rep 2004; 53: 362-365.

14. De Wals P, Tairou F, Van Allen MI, et al. Reduction in neural-tube defects after folic acid fortification in Canada. N Engl J Med 2007; 357: 21-28.

15. Centers for Disease Control and Prevention: Trends in wheat-flour fortification with folic acid and iron---worldwide, 2004 and 2007 MMWR Morb Mortal Wkly Rep 2008; 57: 8-10.

16. Wald NJ, Law MR, Morris JK, Wald DS. Quantifying the effect of folic acid. The Lancet 2001; 358: 2069-2073.

17. Koren G, Goh YI, Klieger C. Folic acid; the right dose. Canadian Family Physician 2008; 54: 1545-1547.

18. Bukowski R, Malone FD, Porter FT et al. Preconceptional folate supplementation and the risk of spontaneous preterm birth: a cohort study. PLoS Medicine 2009; 6;e1000061

19. Czeizel AE, Puho EH, Langmar Z et al. Possible association of folic acid supplementation during pregnancy with reduction of preterm birth: a population-based study. European Journal of Obstetrics, Gynecology, and Reproductive Biology 2010; 148: 135-140

20. Hong SC, Ha EH, Han JY, Park H et al. The relationship between folic acid supple-

mentation and serum folate level in early pregnancy and pregnancy outcomes: MOCEH(Mothers and Children's Environmental Health) Study. Journal of Population Therapeutics and Clinical Pharmacology 2011 CSPT annual conference abstrcts e344

21. Kim MW, Hong SC, Choi JS, Han JY et al. Homocysteine, folate and pregnancy outcomes. J Obstet Gynaecol. 2012 Aug; 32(6):520-524

22. Kim MW, Ahn KH, Ryu KJ, Hong SC et al. Preventive effects of folic acid supplementation on adverse maternal and fetal outcomes. Plos one 2014. 19;9(5):e97273

23. Wilson RD, Johnson JA, Wyatt P, et al. Pre-conceptional vitamin/folic acid supplementation 2007: the use of folic acid in combination with a multivitamin supplement for the prevention of neural tube defects and other congenital anomalies. J Obstet Gynaecol Can. 2007; 29: 1003-1026.

chapter 02
가임여성의 엽산복용실태

현태선

1 가임여성의 엽산의 중요성

엽산(folate)은 수용성 비타민인 B군의 하나로 DNA 합성과 아미노산 대사에 반드시 필요하다. 1991년과 1992년 발표된 2개의 대규모 연구[1, 2]에서 임신 전 엽산보충제의 복용이 신경관결손증을 예방할 수 있다는 것이 보고된 이후 1992년부터 미국에서는 가임여성에게 400 μg의 엽산보충제를 복용하도록 권장하였으며,[3] 현재 WHO와 많은 나라에서 가임여성에게 엽산보충제를 복용하도록 권장하고 있다.[4]

미국과 캐나다에서는 1998년부터 곡류 100 g에 140 μg의 엽산을 강화하도록 의무화하였으며,[5] 현재 80여개의 국가에서 곡류에 엽산을 강화하고 있다. 최근에는 신경관결손증 뿐 아니라 구순구개열, 선천성 심장질환 등의 다른 질환도 모체의 엽산 부족과도 관련이 있다고 보고되고 있으며,[6-9] 유산 등의 임신결과도 관련이 있다고 하여[10, 11] 가임여성의 엽산 영양상태가 매우 중요하다는 것을 알 수 있다.

2 신경관결손증과 엽산과의 관련성

신경관결손증은 중추신경계를 형성하게 되는 신경관의 일부가 닫히지 않아서 지능저하, 하지마비, 감각상실, 대소변 조절능력 상실 등의 이상을 초래하는 질환이다. 신경관결손증의 발생원인은 아직 정확히 알려져 있지 않으며, 유전적 요인과 환경적 요인이 복합되어 나타나는 것으로 생각된다.[12] 수정 후 배아의 특정세포는 분화와 융합을 일으켜 좁은 관을 형성하고 이 관을 중심으로 뇌, 척추, 뼈, 그리고 조직들이 형성된다. 이 때 몇 개의 연결되지 않은 신경관 부분은 수정 후 28일 이내에 닫혀야 하는데, 신경관결손증은 닫히지 않는 부위가 생겨 뇌와 척수 중 하나 이상의 손상이 보호막에 나타나는 것이다. 뇌와 척수는 각각 두개골과 척추를 통해 보호받으며, 척수는 우리 몸을 움직이게 하는 신경들이 통과하는 곳으로 이 곳에 손상이 오는 경우 신체가 마비 될 수도 있고 근육이나 장기가 약해질 수도 있다.

1965년 Hibbard & Smithells[13]는 신경관결손증 아기를 분만한 여성의 엽산 대사에 이상이 있음을 보고하였다. 다른 선천성 질환과는 달리 신경관결손증은 사회경제적 수준이 낮은 가정에서 많이 발생한다는 역학연구 결과[14]로부터 신경관결손증이 하나 또는 그 이상의 비타민 결핍증과 관련이 있을 가능성을 연구하기 시작하였다.

1976년 Smithells 등[15]은 신경관결손증 태아를 분만한 여성과 대조군의 혈액 중 몇몇 비타민 농도를 비교하였고, 적혈구 엽산과 백혈구 비타민 C 농도가 대조군에 비해 유의적으로 낮은 것을 보고하였다. 그 후 신경관결손증 태아를 분만한 여성들을 대상으로 비타민을 보충한 임상시험 결과 엽산을 함유한 복합비타민 또는 엽산을 보충하였을 때 신경관결손증의 재발률이 낮아졌다고 보고하였다.[16-18] 1988년 Mulinare 등[19]은 347명의 신경관결손증 분만 여성과 2,829명의 대조군 여성의 복합비타민제 복용을 조사한 결과 임신 전후에 복합비타민제을 복용한 경우 재발률이 60% 줄었다고 하였다.

1991년 MRC Vitamin Study Research Group[1]에서 신경관결손증 태아를 분만한 1,817명의 여성을 대상으로 무작위로 4개의 그룹으로 나누어 임신 전부터 임신 12주까지 비타민을 보충한 결과 4 mg의 엽산을 보충한 그룹이 다른 비타민을 보충하거나 전혀 보충하지 않은 그룹보다 72%의 예방효과가 있었다. 헝가리에서 수행된 연구[2]에서는 첫 번째 임신을 계획하고 있는 여성들을 두 그룹으로 나누어 0.8 mg의 엽산을 함유한 비타민제 또는 무기질제을 매일 복용시킨 결과 엽산 그룹의 신경관결손증 발생률이 무기질 보충군보다 유의적으로 낮았다.

1999년 Berry 등[20]은 중국에서 가임여성에게 하루 400 μg의 엽산보충제를 복용하도록 하는 건강 캠페인 이후 엽산을 복용한 그룹과 그렇지 않은 그룹을 비교하였는데 엽산 복용 그룹의 신경관결손증 발생률이 40~85% 낮았다고 보고하였다. 2007년 Grosse & Collins[21]은 메타분석 결과 엽산 보충이 신경관결손증 재발률을 85~100% 예방할 수 있다고 보고하였다.

3 엽산보충제 복용 권장정책(Folic Acid Supplementation Policy)

1990년대 초에 임신 전과 임신 초기 몇 주 동안 엽산을 충분히 섭취해야 대부분의 신경관결손증을 예방할 수 있다는 것이 받아들여지면서 1991년 미국 질병관리본부에서는 신경관결손증 출산력이 있는 여성은 재발하지 않기 위해서 4,000 μg의 엽산을 매일 복용하도록 권장하였다. 1992년 미국 공중보건국/질병관리본부에서는 신경관결손증의 발생을 줄이기 위하여 모든 가임여성이 400 μg의 엽산보충제를 복용하도록 권고하였다.[3] 1992년 미국과 영국을 시작으로 다른 국가들도 이와 비슷하게 임신 전후에 엽산을 보충하도록 하는 권고를 하였다.[22]

WHO와 전 세계 36개국의 공식적인 보건기구에서 신경관결손증 예방을 위한 엽산권장 정책에 대한 내용을 분석한 결과[22]에 의하면 조사된 대부분의 나라(69.4%)에서 엽산이 풍부한 건강한 식사와 함께 400 μg의 엽산보충제를 임신 전(4~12주 전) 부터 임신 일삼분기 (8~12주)까지 복용하도록 권장하고 있었다. 또한 가임여성의 엽산 권장섭취량은 300~400 μg/일, 임신여성의 경우 500~600 μg/일이었다. 가임여성에게 엽산의 역할을 인식하도록 하고, 엽산보충제의 복용하도록 하기 위해 많은 나라에서는 캠페인을 실시해 왔다.[23] 우리나라의 엽산 권장섭취량은 가임여성의 경우 400 μg/일, 임신여성의 경우 620 μg/일이며, 2010년부터 가임여성에게 400 μg의 엽산보충제를 복용하도록 권장하고 있다.[24]

4 엽산 강화 정책(Folic Acid Fortification)

엽산복용 권장정책을 실시한 후에도 엽산보충제를 임신 전후에 복용하는 여성의 비율은 그리 높지 않았으며, 신경관결손증의 감소에도 효과적이지 않았다.[25] 신경관이 닫히는 것은 수정 후 28일 이내에 일어나므로 엽산 보충은 적어도 임신 1개월 전에는 시작해야 하는데, 대부분의 임신이 계획되지 않고 일어나며, 임신을 알게 되면 이미 9주 정도 된 후이므로 신경관결손증을 예방하기에는 너무 늦다. 따라서 주식에 엽산을 강화하는 방법을 추진하게 되었다.

1998년부터 미국에서 신경관결손증을 예방하기 위해 곡류에 엽산을 강화하도록 의무화한 이래 1998년 캐나다와 코스타리카, 2000년 칠레, 2003년 남아프리카를 시작으로 중동 지역과 호주, 뉴질랜드, 그리고 2021년 영국 등 현재 약 80개국 이상의 나라에서 엽산을 강화하고 있다.[5,26] 엽산을 강화한 모든 나라에서 신경관결손증 발생률의 감소가 보고되어 엽산강화는 신경관결손증 이환율과 사망률을 감소하는데 가장 성공적인 정책으로 여겨진다. 신경관결손증의 감소율은 연구에 따라 19%부터 78%로 보고되었고, 엽산을 평균 100 μg 더 섭취하면 신경관결손증 발생률이 18~22% 감소하는 것으로 예측된다.[27]

곡류에 엽산을 강화하는 것은 일반적인 영양소 강화와는 다른 특징을 갖고 있다. 일반적으로는 하나의 특정 영양소의 결핍으로 나타나는 질병, 예를 들면 갑상선종, 펠라그라, 각기병 등과 같이 요오드, 니아신, 티아민으로 명확하게 예방할 수 있을 때 영양소 강화를 하는데 비해, 엽산 강화는 발병 원인이 복합적인 신경관결손증의 위험을 감소시키는 것이다. 즉, 엽산을 강화한다고 하여 모든 경우의 신경관결손증이 예방되는 것은 아니다. 또한 엽산을 강화함으로써 신경관결손증 발생율이 낮아졌으나, 엽산이 어떻게 신경관결손증을 예방하는지에 대한 기전을 잘 모른다. 뿐만 아니라 식품강화의 표적집단이 전체 국민이 아니라 가임기 여성, 그 중에서도 엽산에 반응하는 신경관결손증 태아를 임신할 위험이 높은 여성의 일부 인구집단이라는 점에서 엽산 강화는 조심스럽게 접근하고 있다. 그리고 식품강화에 사용되는 엽산은 천연식품에는 존재하지 않으나 안정한 형태로 합성된 folic acid로, 식품강화한 나라의 사람들에게서는 혈액 중에는 대사되지 않은 엽산 (unmetabolized folic acid)이 발견된다. 대사되지 않은 엽산이 건강에 어떤 영향을 주는지는 잘 알려

져 있지 않다.[28]

엽산이 강화된 곡류와 함께 엽산보충제를 복용하여 상한섭취량인 1,000 μg 이상 섭취하는 경우 비타민 B12 결핍을 진단하지 못하게 되어 결핍을 악화시킬 가능성, 노인의 인지기능 저하, 암 발생율 증가, 어린이의 천식이나 알레르기 증가 등 다양한 부작용에 대한 관찰과 가설들이 제기되었다. 그러나 지금까지 일관성 있는 결과들을 얻지 못하여, 엽산 강화 정책에 부작용의 위험이 있다라는 결론을 내릴 수는 없다.[28-31]

5 우리나라 가임여성의 엽산 섭취량

엽산은 자연식품과 엽산 강화식품, 엽산 보충제로부터 섭취할 수 있으며, 자연식품에서는 folate의 형태로, 강화식품이나 보충제에서는 folic acid의 형태로 섭취하게 된다. folic acid는 pteridine, para-aminobenzoic acid, glutamate가 결합된 pteroylglutamic acid을 말하며, 자연에는 존재하지 않지만 안정한 형태이다(그림 5-2-1).[32] 식품에 들어있는 엽산의 주된 형태는 pteroylglutamic acid의 환원형인 tetrahydrofolate로서, 2~7개의 glutamate가 γ-peptide 결합에 의해 연결되어 있는 pteroylpolyglutamate이다. 또한 엽산은 다양한 형태의 단일 탄소단위를 운반하는 조효소 역할을 하므로 유도체들의 종류가 많은데, 이들을 모두 엽산(folate)으로 일컫는다.

엽산의 함량이 높은 식품은 대두, 녹두 등의 두류, 시금치, 쑥갓 등의 푸른잎채소, 마른 김, 다시마 등의 해조류, 딸기, 참외, 오렌지, 키위 등의 과일, 김치 등이다.[33-36] 곡류에 엽산 강화가 의무화된 미국에서는 자연식품 보다는 강화 밀가루로 만든 빵, 아침식사용 시리얼 등이 좋은 급원식품이다.[37,38] 현재 우리나라에서는 엽산이 강화된 식품은 매우 드물며, 아침식사용 시리얼, 일부 우유와 두유에 엽산이 강화되어 있다.

엽산은 식품 중에 다양한 형태로 존재하는데, 어떤 형태인가에 따라, 또 엽산을 음식과 함께 먹는가의 여부에 따라 생체 이용율에 큰 차이가 있다.[24] 강화식품이나 보충제에 들어있는 folic acid의 형태는 자연식품 중의 엽산에 비해 흡수율이 높다. 엽산보충제를 빈 속에 섭취하는 경우에는 100% 흡수되지만 보충제를 다른 음식과 함께 섭취하는 경우에는 약 85%가 흡수된다. 엽산 강화식품의 흡수율도 약 85%로 추정한다. 식품 중에 자연적으로 들어 있는 다양한 형태의 엽산은 약 50% 정도 흡수된다. 이와 같이 식품에 첨가된 folic acid는 식품 중의 folate에 비해 1.7배(85/50) 이용율이 높다. 따라서 이를 고려하여 식이엽산당량(Dietary Folate Equivalent)을 만들어 사용하고 있다.

식품 중 엽산 1 μg	= 1.0 μg DFE
강화식품 또는 식품과 함께 섭취한 보충제 중의 엽산 1 μg	= 1.7 μg DFE
빈속에 섭취한 보충제 중의 엽산 1 μg	= 2.0 μg DFE

일반적으로 식이 엽산당량을 계산하기 위해서는 다음의 식을 이용한다.

μg of Dietary Folate Equivalents (DFEs) = μg of food folate + (1.7×μg of folic acid)

   엽산 섭취량을 정확히 계산하기 위해서는 식품 중의 엽산 데이터베이스가 구축되어 있어야 한다. 농촌진흥청에서 발간되는 「국가표준식품성분표」에는 2017년 제9개정판부터 국내에서 분석한 엽산 함량이 수록되기 시작하였다.[39] 또한 질병관리청에서 발표한 2019년 국민건강영양조사 결과 보고서에는 처음으로 우리나라 국민의 엽산섭취량이 산출되어, 만 1세 이상 남자 322 μg DFE, 여자 267 μg DFE으로 보고되었다.[40] 또한 2016~2018년 국민건강영양조사 자료를 이용하여 엽산 섭취량을 산출한 연구에서는 가임기 여성인 19~29세, 30~49세의 엽산 섭취량이 각각 239 μg DFE, 290 μg DFE으로 보고되어, 권장섭취량인 400 μg DFE에 비해 매우 낮은 실정이었다.[41]

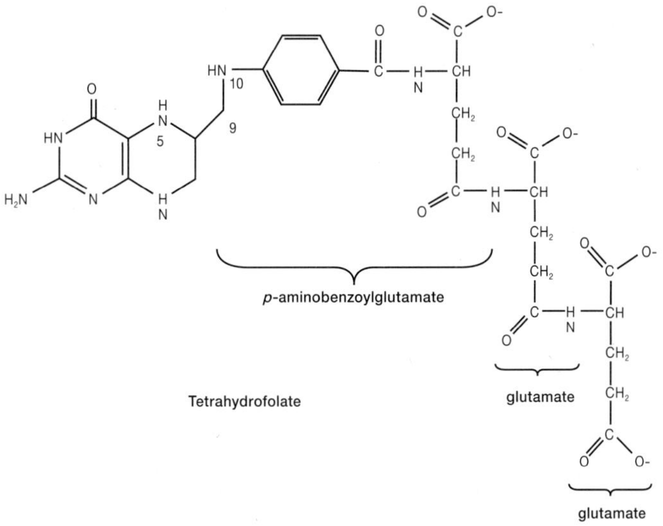

그림 5-2-1. **엽산의 구조**

(출처: Stover, 2004)

6 우리나라 가임여성의 혈액 중 엽산 농도

엽산의 영양상태는 혈청 엽산, 적혈구 엽산를 측정하여 판정할 수 있다. 혈청 엽산 농도는 엽산 섭취량에 민감한 지표이지만 농도가 낮은 경우 일시적으로 섭취량이 적은 것인지 만성적 결핍인지 알 수 없다. 적혈구 엽산 농도는 조직의 엽산 저장량을 잘 반영하므로 엽산 영양상태를 판정하는 좋은 지표이다. 적혈구 엽산은 골수에서 적혈구가 생성될 때 엽산이 적혈구 안으로 들어간 것으로 적혈수의 수명인 120일을 고려하면 장기간의 엽산 상태를 반영하는 것이다. 따라서 엽산의 영양상태를 판정하기 위해서는 혈청 엽산 농도와 적혈구 농도를 함께 사용하는 것이 바람직하다. 적혈구 엽산 농도는 혈청 엽산 농도는 6.8 nmol/L (3 ng/mL) 미만인 경우 305 nmol/L (140 ng/mL) 미만을 결핍으로 판정한다. 그러나 Daly 등은 임부의 혈청 엽산이 15.8 nmol/L (7 ng/mL), 적혈구 엽산 농도는 907 nmol/L (400ng/mL)보다 높은 경우에 신경관결손증 발생이 감소한 것을 보고하여 기준을 높여야 할 필요가 있다고 하였다.[42]

2009년 가임여성 90명을 대상으로 한 연구에 의하면 평균 혈청 엽산 농도는 12.5 ng/mL, 적혈구 엽산농도는 405.3 mg/L이었으며, 혈청 엽산 농도 7 ng/mL 미만이 16.7%, 적혈구 농도 400ng/mL 미만이 50%이었다.[43] 2012년 조사한 가임기 여성 대상의 연구에서는 평균 혈청 엽산 12.6 ng/mL, 적혈구 엽산 622 ng/mL, 혈청 호모시스테인 8.5 μmol/L으로 혈액 수치로 결핍인 사람은 없었다.[44]

모자환경보건센터(MOCEH)의 산모 및 영유아 코호트 연구에서 2006년부터 2011년까지 임신부를 추적관찰한 연구에서 중기 임신부 1,105명의 평균 엽산 농도는 9.6 ng/mL이었으며, 이 중 후기에도 추적조사된 841명의 엽산 농도는 10.3 ng/mL이었다.[45] 또한 2009~2010년에 215명의 임신부를 대상으로 엽산 농도를 측정한 연구에서는 보충제를 섭취하지 않은 임신부는 11.8 ng/mL, 보충제를 섭취한 임신부는 24.6 ng/mL 이었으며, 호모시스테인 농도는 각각 6.8 μmol/L, 5.5 μmol/L로 유의적인 차이가 있었다.[46]

7 우리나라 가임여성의 엽산보충제 복용실태

2005년과 2006년 사이 국내 임신부 1,277명을 대상으로 조사한 연구에 의하면 10.3%가 임신 전후 엽산보충제를 복용한 것으로 나타났으며, 다중로지스틱분석 결과 보충제 복용과 관련된 요인은 이전의 자연유산 경험이 있는 경우, 계획적 임신인 경우, 엽산의 역할을 알고 있는 경우로 나타났다.[47]

2009년 임신부 165명을 대상으로 보충제 복용에 대한 조사한 결과 복합비타민제를 포함하여 엽산보충제 복용율은 66.7%이었으나 임신 전부터 복용하였는지에 대해서는 확실하지 않다.[48] 또한 2009년 2월부터 2010년 6월 사이에 분만한 임신부 215명을 대상으로 임신 전 엽산보충제를 복용하였는지의 여부를 질문한 결과 62.3%가 복용한 것으로 나타났다.[49] 그러나 이 두 연구의 경우 대상자가 비교적 교육수준이 높은 임신부이므로 우리나라 가임여성 전체를 대표한다고는 할 수 없다.

2007~2009년 국민건강영양조사 결과에서 20세 이상 성인의 보충제 복용 실태를 분석한 연구에 의하면 가임여성만을 따로 분석하지는 않았으나 전체 여성 9,504명 중 8.3%만이 엽산보충제를 복용한 것으로 확인되었다.[50]

2012년 저소득계층 임산부 439명을 대상으로 한 엽산보충제 관련 조사에서 65.6%가 임신 전에 엽산을 들어본 적이 있다고 하였으나 26.4%만이 임신 전에 엽산보충제을 복용하였다고 응답하였다.[51] 2013~2014년에 가임기 여성 799명을 대상으로 한 조사에서는 67%가 엽산에 대해서 들어본 적이 있다고 하였고, 23.7%는 엽산이 선천성 기형의 예방효과가 있다는 것과 임신 전에 복용해야 한다는 것을 알고 있었다.[52] 그러나 실제 엽산보충제를 복용하는 비율은 9.4%에 불과하였다.

가임여성의 엽산 영양상태가 태아의 정상적인 성장 발달에 매우 중요하며, 엽산보충제 복용의 이익에 대한 충분한 근거가 있으므로, 가임여성을 대상으로 엽산 섭취의 중요성에 대한 교육과 함께 임신을 계획하고 있거나 임신 가능성이 있는 경우 엽산보충제를 복용하도록 하는 교육이 필요하다.

▶ **참고문헌**

1. MRC Vitamin Study Research Group. Prevention of neural tube defects: results of the Medical Research Council Vitamin Study. Lancet 1991;338:131-7.

2. Czeizel AE, Dudás I. Prevention of the first occurrence of neural-tube defects by periconceptional vitamin supplementation. N Engl J Med 1992;327:1832-5.

3. Centers for Disease Control and Prevention. Recommendations for the use of folic acid to reduce the number of cases of spina bifida and other neural tube defects. MMWR 1992;41(RR-14). Available at http://www.cdc.gov/mmwr/preview/mmwrhtml/00019479.htm.

4. Gomes S, Lopes C, Pinto E. Folate and folic acid in the periconceptional period: recommendations from official health organizations in thirty-six countries worldwide and WHO. Public Health Nutrition 2015; doi:10.1017/S1368980015000555.

5. Centers for Disease Control and Prevention. CDC Grand Rounds: Additional Opportunities to Prevent Neural Tube Defects with Folic Acid Fortification. MMWR 2010;59;980-984. Available at http://www.cdc.gov/mmwr/preview/mmwrhtml/mm5931a2.htm.

6. van Rooij IA, Swinkels DW, Blom HJ, Merkus HM, Steegers-Theunissen RP. Vitamin and homocysteine status of mothers and infants and the risk of nonsyndromic orofacial clefts. Am J Obstet Gynecol 2003;189:1155-60.

7. Hobbs CA, Shaw GM, Werler MM, Mosley B. Folate status and birth defect risk. Epidemiological perspective. In: Baily LB, ed. Folate in Health and Disease, pp.133-153, CRC Press, Boca Raton, Florida, 2010.

8. De-Regil LM, Peña-Rosas JP, Fernández-Gaxiola AC, Rayco-Solon P. Effects and safety of periconceptional oral folate supplementation for preventing birth defects. Cochrane Database Syst Rev 2015;12:CD007950. doi: 10.1002/14651858.CD007950.pub3.

9. Kelly D, O'Dowd T, Reulbach U. Use of folic acid supplements and risk of cleft lip and palate in infants: a population-based cohort study. Br J Gen Pract 2012;62:e466-72.

10. Fekete K, Berti C, Trovato M, Lohner S, Dullemeijer C, Souverein OW, Cetin I, Decsi T. Effect of folate intake on health outcomes in pregnancy: a systematic review and meta-analysis on birth weight, placental weight and length of gestation. Nutr J 2012;11:75.

11. Lassi ZS1, Salam RA, Haider BA, Bhutta ZA. Folic acid supplementation during pregnancy for maternal health and pregnancy outcomes. Cochrane Database Syst Rev. 2013;3:CD006896.

12. Wallingford JB, Niswander LA, Shaw GM, Finnell RH. The continuing challenge of understanding, preventing, and treating neural tube defects. Science 2013;339:1222002.

13. Hibbard ED, Smithells RW. Folic acid metabolism and human embryopathy. Lancet 1965;285:1254.

14. Leck I. Causation of neural tube defects: clues from epidemiology. Br Med Bull 1974;30:158-63.

15. Smithells RW, Sheppard S, Schorah CJ. Vitamin dificiencies and neural tube defects. Arch Dis Child 1976;51:944-50.

16. Laurence KM, James N, Miller MH, Tennant GB, Campbell H. Double-blind randomised controlled trial of folate treatment before conception to prevent recurrence of neural-tube defects. Br Med J 1981;282:1509-11.

17. Smithells RW, Sheppard S, Schorah CJ, Seller MJ, Nevin NC, Harris R, Read AP, Fielding DW. Apparent prevention of neural tube defects by periconceptional vitamin supplementation. Arch Dis Child 1981;56:911-8.

18. Smithells RW, Nevin NC, Seller MJ, Sheppard S, Harris R, Read AP, Fielding DW, Walker S, Schorah CJ, Wild J. Further experience of vitamin supplementation for prevention of neural tube defect recurrences. Lancet 1983;321:1027-31.

19. Mulinare J, Cordero JF, Erickson JD, Berry RJ. Periconceptional use of multivitamins and

the occurrence of neural tube defects. JAMA 1988;260:3141-5.

20. Berry RJ, Li Z, Erickson JD, Li S, Moore CA, Wang H, Mulinare J, Zhao P, Wong LY, Gindler J, Hong SX, Correa A. Prevention of neural-tube defects with folic acid in China. China-U.S. Collaborative Project for Neural Tube Defect Prevention. N Engl J Med 1999;341:1485-90.

21. Grosse SD, Collins JS. Folic acid supplementation and neural tube defect recurrence prevention. Birth Defects Res A Clin Mol Teratol 2007;79:737-42.

22. Gomes S, Lopes C, Pinto E. Folate and folic acid in the periconceptional period: recommendations from official health organizations in thirty-six countries worldwide and WHO. Public Health Nutr 2016;19:176-89.

23. Al-Wassia H, Shah PS. Folic acid supplementation for the prevention of neural tube defects: promotion and use. Nutr Diet Supplements 2010;2:105-16.

24. 보건복지부, 한국영양학회. 2020 한국인 영양소 섭취기준. 비타민. 보건복지부. P259-289. 2020.

25. Busby A, Abramsky L, Dolk H, Armstrong B; Eurocat Folic Acid Working Group. Preventing neural tube defects in Europe: population based study. BMJ 2005;330:574-5.

26. Haggarty, P. UK introduces folic acid fortification of flour to prevent neural tube defects. The Lancet 2021;398:1199-1201.

27. Berry RJ, Mulinare J, Hamner HC. Folic acid fortification. Neural tube defect risk reduction-a global perspective. In: Baily LB, ed. Folate in Health and Disease, pp.179-204, CRC Press, Boca Raton, Florida, 2010.

28. Field MS, Stover PJ. (2018). Safety of folic acid. Ann N Y Acad Sci. 2018;1414(1):59-71.

29. Salerno-Kennedy R. Folic acid and health: An overview. In: Elliot CM, ed. Vitamin B: New Research, pp.39-56, Nova Science Publishers, New York, 2008.

30. U.S. Preventive Services Task Force. Folic acid for the prevention of neural tube defects: U.S. Preventive Services Task Force recommendation statement. Ann Intern Med 2009;150:626-31.

31. Office of the Prime Minister's Cief Science Advisor and the Royal Society Te Apūrangi. The health benefits and risks of folic acid fortification of food. 2018. https://dpmc.govt.nz/sites/default/files/2021-10/pmcsa-The-health-benefits-and-risks-of-folic-acid-fortification-of-food.pdf.

32. Stover PJ. Physiology of folate and vitamin B12 in health and disease. Nutr Rev 2004;62:S3-12.

33. Yon M, Hyun TH. Folate content of foods commonly consumed in Korea measured after trienzyme extraction. Nutr Res 2003;23:735-46.

34. Han YH, Yon M, Hyun TH. Folate intake estimated with an updated database and its association to blood folate and homocysteine in Korean college students. Eur J Clin Nutr 2005;59:246-54.

35. 연미영, 현태선. 한국인 상용식품의 엽산함량 분석에 의한 식품영양가표의 보완 – 한국영양학회지 2005;38:586-604.

36. 김지현, 이은정, 현태선. 충청 인근지역 어린이, 청소년의 엽산 섭취량과 급원식품 – 일부 식품의 엽산 분석으로 수정한 데이터베이스 활용 – 한국영양학회지 2015;48:94-104.

37. Dietrich M, Brown CJ, Block G. The effect of folate fortification of cereal-grain products on blood folate status, dietary folate intake, and dietary folate sources among adult non-supplement users in the United States. J Am Coll Nutr 2005;24:266-74.

38. Berner LA, Keast DR, Bailey RL, Dwyer JT. Fortified foods are major contributors to nutrient intakes in diets of US children and adolescents. J Acad Nutr Diet 2014;114:1009-22.

39. 농촌진흥청 국립농업과학원. 국가표준식품성분표 제9개정판, 2017.

40. 보건복지부, 질병관리청. 2019 국민건강통계. 국민건강영양조사 제8기 1차년도(2019), 2020.

41. Han YH, Hyun T. Folate: 2020 Dietray referece intakes and nutritional status of Koreans. J Nutr Health 2022; 55.

42. Daly LE, Kirke PN, Molloy A, Weir DG, Scott JM. (1995). Folate levels and neural tube defects: implications for prevention. JAMA 1995;274:1698-1702.

43. Jang HB, Han YH, Piyathilake CJ, Kim H, Hyun T. Intake and blood concentrations of folate and their association with health-related behaviors in Korean college students. Nutr Res Pract 2013;7:216-23.

44. Hwang E. Development of a screening tool for identifying risk of folate deficiency among women of child-bearing age. Master's thesis, Chungbuk National University 2014.

45. Kim H, Kim K, Hwang J, Ha E, Park H, Ha M, Kim Y, Hong Y, Chang N. Relation between serum folate status and blood mercury concentrations in pregnant women. Nutrition 2013;29:514-8.

46. Kim MW, Ahn KH, Ryu K, Hong S, Lee JS, Nava-Ocampo AA, Oh M, Kim H. Preventive effects of folic acid supplementation on adverse maternal and fetal outcomes. PLoS One 2014;9:e97273.

47. Kim MH, Han JY, Cho YJ, Ahn HK, Kim JO, Ryu HM, Kim MY, Yang JH, Nava-Ocampo AA. Factors associated with a positive intake of folic acid in the periconceptional period among Korean women. Public Health Nutrition 2011;12:468-71.

48. Park E, Lee HC, Han JY, Choi JS, Hyun T, Han Y. Intakes of iron and folate and hematologic indices according to the type of supplements in pregnant women. Clin Nutr Res. 2012;1:78-84.

49. Hong SC, Ha EH, Han JY, Park HS, Ha M, Kim YH, Hong YC, Nava-Ocampo AA, Koren G: The relationship between folic acid supplement and serum folate level in early pregnancy and pregnancy outcomes: MOCEH study. J Popul Ther Clin Pharmacol 2011;18:e344.

50. Kang M, Kim DW, Baek YJ, Moon SH, Jung HJ, Song YJ, Paik HY. Dietary supplement use and its effect on nutrient intake in Korean adult population in the Korea National Health and Nutrition Examination Survey IV (2007-2009) data. Eur J Clin Nutr. 2014;68:804-10.

51. Kim MJ, Kim J, Hwang EJ, Song Y, Kim H, Hyun T . Awareness, knowledge, and use of folic acid among non-pregnant Korean women of childbearing age. Nutr Res Pract 2018 ;12:78-84.

52. Kim, J., Yon, M., Kim, C. I., Lee, Y., Moon, G. I., Hong, J., & Hyun, T. (2017). Preconceptional use of folic acid and knowledge about folic acid among low-income pregnant women in Korea. Nutr Res Pract 2017;11:240-246.

예비 임신부의 관리
(Preconception care)

홍순철

1 서론

1980년대부터 최근까지 미국의 임산부와 태아 건강을 위한 보건정책의 핵심은 임신 기간 중의 산전 진찰(prenatal care)이었다. 적극적인 산전 진찰 도입 후 산모와 태아의 건강은 많은 부분 향상되었다. 하지만, 최근 들어 산모나 태아의 사망률, 조산 문제, 저체중아 문제 등은 이러한 적극적인 산전 진찰에도 불구하고 감소하지 않고 있다. 신생아의 12%는 조산이고, 8%는 저체중아이며, 3%는 주요한 기형을 갖고 태어나고 있다. 가임기 여성 중 약 11%가 흡연에 노출되어 있고, 10%가 알코올에 노출되어 있다. 또한 임신 가능성이 있는 여성의 69%가 엽산제(folic acid supplements)를 복용하지 않고 있으며, 3%는 기형 유발 가능성이 있는 약을 복용하고 있는 것으로 알려지고 있다.

우리나라도 상황은 비슷해서 임신부의 50%정도는 의도하지 않은 임신으로 알려져 있으며, 이들 중의 상당수는 약물, 방사선, 알코올과 같은 기형유발가능 물질에 계획된 임신보다 2-3배 더 많이 노출되는 것으로 알려져 있다[1](표 5-3-1). 또한, 국내의 지속적인 산전진찰 프로그램에도 불구하고 외국과 비교하여 무뇌아 등의 일부 선천성기형은 비교적 높은 발생율을 보이고 있으며, 매년 선천성 기형아의 발생율은 큰 변화가 없는 것으로 알려져 있다[2, 3] (표 5-3-2).

계획임신(Preconception care)이란, 여성건강과 임신에 영향을 줄 수 있는 생물학적, 행동학적 그리고 사회적 위험 요인으로부터, 임신전 조치를 통한 적극적 예방과 치료 행위를 의미한다.

2006년 미국 질병관리본부(CDC; Centers for disease control and prevention)에서는 미국의 임신 전 관리(preconception care, 즉 계획 임신)에 노력하는 것이 모성사망율, 태아 사망률, 조산, 저체중아 등 중요한 문제를 개선할 수 있는 방법이란 판단 하에, 계획임신 비율을 60%까지 끌어올리기 위해 노력하고 있으며, 국내에서는 일산 백병원, 고려대 안암병원 등이 한국 실정에 맞는 계획임신 프로그램 모델 개발에 대한 연구를 지속하고 있다.

표 5-3-1. 계획임신 유무에 따른 기형유발가능물질 노출 비율

potential teratrogenic exposure to:	Unintended pregnanies (n=657)	Intended pregnanies (n=697)	RP(95%CI)	P Vaiue
Alcohol	143(21.8)	079(11.3)	1.9(95%CI1.5−2.5)	⟨0.001
Medications	082(12.5)	029(4.2)	3.0(95%C2.0−4.5)	⟨0.001
Smoking	46(7.0)	33(4.7)	1.5(95%CI1.0−2.3)	0.075
X−ray	16(2.4)	6(0.9)	2.9(95%CI1.1−7.2)	0.022
Any of the above	221(33.6)	120(17.2)	2.0(95%CI1.6−2.4)	⟨0.001

*Total number of surveys=1354.Data are n(%).The relative risks were estimated without adjusting data to any of the risks factors

표 5-3-2. ICBDMS에서 시행하고 있는 19개 선천성 기형들에 대한 한국, 일본, 중국, 미국의 모니터링 결과 비교.

Congenital anomalies	Korea Observed /10,000	Japan Observed /10,000	China Observed /10,000	USA: Atlanta Observed /10,000
Anencephaly	3.3	1.9	5.4	1.8
Spina bifida	0.2	3.2	8.0	3.8
Encephalocele	1.6	0.9	2.5	1.1
Hydrocephalus	3.6	7.5	6.5	7.1
Microtia	2.7	1.6	−	0.9
Cleft palate, only	1.4	4.8	2.4	6.0
Cleft lip, and/or cleft palate	10.3	15.9	13.6	9.9
Esophageal atresia or Stenosis	2.4	3.3	0.5	0.9
Anorectal atresia or Stenosis	3.5	4.0	3.0	4.0
Hypospadias	1.2	3.5	3.1	7.7
Renal agenesis/dysgenesis	7.6	4.3	0.9	5.3
Limb reduction defect	1.3	3.8	5.3	4.9
Omphalocele	3.0	4.6	1.6	2.0
Gastroschsis	1.6	2.3	2.7	2.0
Abdominal wall defects	1.4	7.1	4.3	4.0
Diaphragmatic hernia	4.8	4.9	0.5	1.6
Transposition of great vessels	2.1	2.1	−	4.2
Hypoplastic left heart Syndrome	1.3	1.9	−	2.9
Down syndrome	9.2	10.4	1.7	11.3

ICBDMS: International Clearinghouse for Birth Defect Monitoring System

2 계획임신과 엽산

1) 엽산의 태아 기형 예방 효과

태아의 신경관 결손증은 엽산 또는 엽산을 포함한 복합 비타민에 의해 감소시킬 수 있다. 무뇌아, 척추 수막류 등의 신경관 결손증은 대부분의 임신부가 임신을 확인할 시점인, 수정후 28일 이내에 발생하게 된다. 1980년대에 수정전후 복용한 복합 비타민이 태아의 신경관 결손증을 줄였다는 보고가 발표된 이후,[4] 여러 연구에서 임신초기, 엽산이 포함된 복합 비타민 또는 음식물을 통한 엽산의 섭취가 신경관 결손증 위험을 감소시킬 수 있음이 증명되었다.[5-7]

과거 신경관 결손증 환아를 임신한 과거력이 있는 여성을 대상으로 엽산의 효율성에 대한 연구에서, 임신전과 임신 1삼분기 동안 매일 엽산 400 μg을 복용한 여성에서 신경관 결손증을 72% 감소시킬 수 있었다는 무작위 대조군 연구가 영국에서 발표되었다.[8] 또한 헝가리에서 Czeizel 등은, 수정 전후기에 엽산 800 μg를 포함한 복합 비타민 복용으로 신경관결손증의 일차 발병율을 감소시켰다는 보고를 하게 된다.[9] 1992년 미국 보건 당국(The Public Health Service)은, 임신 예정인 여성은 매일 엽산 400 μg를 복용할 것을 권장하였으며, 다른 국가들도 이 권고안을 받아들이게 되었다.[10] 엽산은 신경관 결손증외에도 선천성 심장질환, 구순열 등 다른 기형도 감소 효과가 있음이 보고되고 있으며[11-13] 엽산을 강화한 복합 비타민 역시 신경관 결손증, 심혈관 기형, 사지 기형, 구순열, 구개열, 비뇨기계 기형 등의 감소 효과가 있음이 보고되었다.[14, 15]

1998년 미국 식품의약청 안정청(FDA)에서는 평균여성이 하루에 추가로 엽산 200 μg의 복용을 증가시키기 위해, 모든 곡류 100 g당 엽산 140 μg 첨가를 법제화하고, 2004년도 보고를 통해 신경관 결손증의 발생율이 27% 감소하였음을 보고하였다.[16] 미국내의 곡류내 엽산 강화 법제화와 맞물려, 1998년 캐나다 역시 모든 밀 또는 옥수수 가루 100 g당 엽산 150 μg 첨가를, 쌀 100 g당 엽산 154-308 μg 첨가를 법제화하게 되고, 2007년 논문을 통해 신경관 결손증의 유병율이 46% 감소하였음을 보고하였다.[17]

일부 선진국의 이러한 곡류 엽산 강화정책에도 불구하고 2007년도의 한 보고에 의하면, 세계인구의 2/3는 엽산 강화 곡류의 섭취가 이루어지지 않고 있다. 특히 한국이 속한 동아시아 지역의 엽산 강화 밀 접근도는 20%전후에 머물고 있는 실정이다.[18]

또한, 최근의 일부 보고자는, 신경관 결손증 예방을 위하여, 임신전부터 400-800 μg 용량의 엽산대신 5 mg의 엽산용량이 필요하다고 주장한다.[19, 20]

2) 한국의 엽산 섭취 가이드라인

한국모체태아의학회에서 고려대 홍순철 교수는, 한국의 실정을 토대로, 2013 학술대회를 통해 다음과 같은 엽산 복용 가이드라인을 제안하였다.[21]

(1) 고위험 여성(간질, 당뇨병, 비만(BMI >30), 신경관 결손증 가족력, 과거 선천성 기형아 분만 여성(무뇌아, 척수 수막탈출증, 수막탈출증, 구순열, 구개열, 구조적 심장기형, 팔/다리 기형, 비뇨기계 기형, 수두증)

① 엽산이 풍부한 음식+엽산 4 mg 포함된 복합 비타민: 임신 3개월전부터 임신 12-14주까지 지속

② 엽산 0.4-1.0 mg 포함된 복합 비타민: 임신 14주부터 임신기간내 지속, 분만후 4-6주(또는 수유기간 지속)

(2) 건강한 여성: 엽산이 풍부한 음식+복합비타민+엽산(0.4-1.0 mg), 임신 2-3개월전부터 분만후 4-6주(또는 수유기간 지속)

정리하면, 엽산은 임신전 2-3개월전부터 섭취를 권하고, 임신 제 1삼분기에는 태아기형의 고위험군은 고용량(4 mg) 엽산 섭취를 하고 건강한 여성은 엽산 0.4-1mg의 엽산 섭취를 권한다. 임신 제 2삼분기, 제 3삼분기 및 분만 후 6주 정도까지는 지속적인 엽산 섭취를 권함으로써, 조산 예방 및 전자간증 예방과 함께 신생아 발육에 도움을 줄 수 있다.

3 다른 국가의 계획 임신 모델

미국, 캐나다, 홍콩, 헝가리 등 여러 국가에서 계획임신관련 정책을 시행하고 있다.[22-26] 계획임신 모델중 미국과 홍콩의 서비스와 전략은 다음과 같다.

1) 미국

미국의 경우, 2006년도에 질병관리 본부(CDC)를 중심으로 산부인과학회, 소아과학회를 포함한 모든 전문가 집단이 참여하여, 임신전 건강 증진을 위한 권고안을 발표하였다.

권고안 마련의 기본이 된, 계획임신과 관련하여 지금까지 효과가 입증된 임신전 상담 및 조치는 다음과 같다.[24, 25]

표 5-3-3. 계획임신관리에서 필요한 검사 및 처치애 따른 증명된 효과

검사 및 조치	증명된 효과
엽산제 공급	신경관 결손증을 2/3이상 감소시킨다.
풍진 예방접종	선천성 풍진 증후군을 예방한다.
당뇨 관리	당뇨를 앓고 있는 임신부에서 기형확률이 3배정도 증가하므로 임신전 혈당 조절을 통해 기형확률을 낮춘다.
갑상선 기능저하증 치료	적절한 갑상선 기능조절은 태아의 정상적인 신경계 발달을 돕는다.
B형 간염 예방접종	태아감염을 예방하고, 엄마 또한 B형간염의 합병증(간기능부전, 간경화, 간암)으로부터 보호받을 수 있다.
AIDS선별검사	환자와 보호자에게 에이즈와 관련된 치료 및 임신시기 등 적절한 정보제공
성병 선별검사 및 치료	클라미디아, 임질과 관련한 자궁외 임신, 불임, 만성 골반통증을 줄이고 태아합병증 가능성을 줄인다.
임신부의 페닐케톤뇨증(PKU)의 치료	태아가 페닐케톤증(PKU) 관련 정신지체(mental retardation)로 태어나는 것을 막는다.
항응고제 조절	Wafarin과 같은 기형유발가능성있는 항응고제를 임신전에 다른 약제로 바꾼다.
항경련제 조절	간질(epilepsy) 여성의 경우 기형유발가능성이 적은 약제로 교환한다.
Accutane 사용 조절	기형유발물질로 알려진 여드름 치료제의 일종인 Accutane사용 시 임신을 피하고, 임신전에 Accutane 사용을 중지한다.
금연 상담	임신전에 금연을 함으로서, 흡연과 관련된 조산, 저체중아 등의 임신 합병증을 예방한다.
알코올 상담	무심코 먹는 일회성 술이나 습관적인 알코올 노출을 피함으로서, 태아알콜증후군 또는 알코올 관련 기형을 예방한다.
비만 조절	임신전에 적절한 체중에 도달함으로써, 비만시 증가하는 신경관 결손증, 조산, 당뇨병, 제왕절개증가, 고혈압, 혈전증을 감소시킨다.

미국 질병관리본부(CDC)가 중심이 되어 제시한 임신전 건강 증진을 위한 10가지 권고안은 다음과 같다.[24, 25]

(1) 건강에 대한 개인의 책임: 모든 여성과 부부는 계획적인 임신을 하도록 격려한다.

(2) 소비자의 지식향상: 국민들이 계획임신의 중요성을 알고, 계획임신 서비스를 이용할 수 있도록 학교 교육, 캠페인, 언론 매체를 통해 홍보한다.

(3) 예방목적의 병원방문: 1차 예방목적의 병원 방문 시, 임신과 관련된 위험성을 감소시키기 위해 가임기 여성의 상담 및 위험성 평가를 제공한다.

(4) 확인된 위험성에 대한 조치: 위험성 평가에 따른 우선순위 조치에 초점을 맞춘다. 즉, 알려진 기형유발 물질(알코올, 흡연, 마약 등), 내과적질환(당뇨병, 고혈압, 심장질환, 갑상선기능저하증, 페닐케톤뇨증, 비만, 치과질환), 약물노출(항경련제, Accutane 등), 엽산결핍, 풍진/B형 간염 항체 결핍, AIDS, 성병 등

(5) 분만후 다음 임신전 관리: 조산, 저체중, 태아 사망 등의 합병증을 보인 임신 시, 다음 임신

전에 예방을 위한 적극적인 조치를 취한다.

(6) 임신전 확인: 모성간호의 일환으로, 임신을 계획중인 부부에게 임신전 병원 방문을 제공한다.

(7) 저소득층 여성을 위한 보험 지원: 저소득층 여성의 계획임신, 차기 임신전 관리 등의 병원 접근도를 높이기 위한 지원을 한다.

(8) 계획임신과 기존 공중보건 프로그램과의 연계: 계획임신 프로그램을 기존 공중보건 프로그램의 일부로 연결 시키고, 과거력상 합병증 있었던 여성을 계획임신서비스와 연계시킨다.

(9) 연구: 계획임신과 관련된 연구를 강화한다.

(10) 모니터링 증진: 사회의 임신전 건강 수준을 모니터링하기 위해 공중 보건 연구를 강화한다.

2) 홍콩

홍콩 가족 계획 협회(The Family Planning Association of Hong Kong, FPAHK)는 1950년에 인구 감소를 목적으로 설립되었다. 1965년 가구당 자녀는 평균 4.5명에서 2004년에는 가구당 0.93명으로 감소하였다. 가구당 자녀수 감소에 따라, 건강한 임신과 자녀 출산이 중요한 사회적 과제로 대두되었다. 이후 임신전 준비 서비스(Prepregnancy preparation service)가, 계획임신에 대한 사회적 관심 증가에 따라 1998년도에 시작되었다. 이 프로그램은 다음의 목표를 달성하기 위해 임신을 계획중인 부부에 대한 의료 서비스, 상담 및 교육 서비스를 포함하고 있다.[26]

(1) 부부와 태아의 건강을 보호하기 위해 감염의 예방과 치료: 성병에 대한 선별검사와 치료, 풍진, B형 간염 항체에 대한 검사와 예방접종, HIV 검사는 환자 본인만 정보를 알 수 있도록 검사 시행.

(2) 모든 여성에게 엽산 복용을 권장한다.

(3) 상담을 통해 부부의 건강상태를 이해하게 하고, 임신 예후를 좋게하기 위한 생활습관을 조절한다.

(4) 임신이 어려운 여성을 확인하고 조기에 의학적 도움을 받도록 조언한다. 남성에게는 정액 검사를 검사항목에 포함시킨다.

(5) 내과적 질환을 갖고 있는 여성에게, 가장 적절한 임신시기, 질병이 임신에 미치는 영향, 임신이 질병에 미치는 영향, 태아에게 미치는 영향, 약물조절, 임신중 피해야 할 약물 등에 대해 이해할 수 있도록 돕는다.

(6) 부인과적 질환을 갖고 있는 여성에게, 자신의 질환이 임신에 미치는 영향에 대해 이해할 수 있도록 돕는다.

이를 위해, 병원 첫 방문 시 기존 내과적 질환, 복용중인 약물, 부인과적 질환, 과거 임신 시 합병증, 위험성있는 생활 습관 등에 대한 설문지를 작성하고 계획임신 관련 검사를 시행한다. 부부는 계획임신을 위한 교육 비디오를 받아 가게 되며, 이 비디오에는 계획임신 서비스의 목적, 검사항목, 임신전 준비 사항으로 적정 체중, 균형있는 식사, 규칙적인 운동, 금연, 금주, 피임방법을 포함한 임신 조절, HIV 검사를 포함한 검사에 대한 정보 등이 포함되게 된다.

4 계획임신에서의 기형유발 물질의 관리

임신 중 노출 시 태아기형을 유발시키는 약물은 약 30여 가지가 알려지고 있다[27](표 5-3-4).

표 5-3-4. 태아기형 유발 가능성이 있거나 증명된 약물 또는 물질

태아기형유발 가능 약물/물질	
Acitretin	Lithium
Alcohol	Macitentan
Ambrisentan	Methimazole
Angiotensin-converting enzyme inhibitors	Mercury
Angiotensin-receptor blockers	Methotrexate
Androgens	Misoprostol
Bexarotene	Mycophenolate
Bosentan	Paroxetine
Carbamazepine	Phenobarbital
Chloramphenicol	Phenytoin
Cocaine	Radioactive iodine
Corticosteroids	Ribavirin
Cyclophosphamide	Tamoxifen
Danazol	Tetracycline
Diethylstilbestrol (DES)	Thalidomide
Efavirenz	Tobacco
Fluconazole	Toluene
Isotretinoin	Topiramate
Lamotrigine	Trastuzumab
Lead	Tretinoin
Leflunomide	Valproic acid
Lenalidomide	Warfarine

이 중 알코올, 흡연은 한국 여성에게도 중요한 태아기형유발 가능 물질이며, 임신을 계획중인 여성에서 금연, 금주의 효과에 대해서는 아무리 강조해도 지나치지 않을 것이다.

임상에서 사용중인 약물 중 태아 노출 시 부작용이 알려져있고, 계획임신 시 효과가 예상되는 약물로는 Accutane, 항경련제, 항응고제, misoprostol 등이 있다. 계획 임신 시, 이들 물질에 대한 관리는 중요하다.

1) 알코올(Alcohol)

임신 기간 중 알코올 노출에 안전한 시기는 없으며 적은 용량의 알코올도 태아에게 안전하지 않다.[28] 임신 초기일수록 태아에 영향을 미칠 가능성은 커지며, 주로 임신 사실을 모르고 임신 진단 전에 알코올에 노출되는 경우가 임상적으로 흔하다. 전체 임신의 약 10%는 임신중 알코올에 노출되는 것으로 생각되고 있다. 전통적으로 태아알코올 증후군은 자궁내 성장장애, 특징적인 얼굴형태, 정신지체를 포함한 태아 신경발달 장애를 갖고 있는 환아를 말하며[29, 30], 알코올을 꾸준히 일정량이상 복용하는 여성의 4-5%에서 발생하는 것으로 알려져 있다.[31] 태아 알코올 증후군보다 더 흔하게 나타나는 증상으로서, 주의력 결핍-과잉행동 장애(Attention deficit hyperactivity disorder, ADHD) 등의 경도의 인지 장애를 동반한 신경행동학적 이상증상을 보이는 태아 알코올 스펙트럼 장애(fetal alchohol spectrum disorder)가 약 30-40%에서 발생하는 것으로 알려져 있다.(표 5-3-5)[32, 33] 미국과 캐나다에서는 태아 알코올 스펙트럼 장애가 신생아 1000명당 9.1명까지 발생하는 것으로 추정하고 있다.[34] 또한, 알코올 관련 태아 기형의 빈도는 확실하지 않지만, 심장, 골격계, 신장, 안구, 청각 등의 기형과 연관있는 것으로 알려져 있다.[32]

표 5-3-5. 태아 알코올 스펙트럼 장애(FASD) 환아에서 흔한 인지장애 및 행동장애

- Attention deficit hyperactivity disorder
- Inability to foresee consequences
- Inabiliy to learn from previous experience
- Inappropriate or immature behaviour
- Lack of organization
- Learning difficulties
- Poor adaptability
- Poor impulse control
- Poor judgement
- Speech, language and other communication Problems

태아 알코올 증후군 및 기타 알코올 관련 선천성 기형은 임신전에 알코올 섭취를 금함으로써 예방가능하다.[35-37]

2) 흡연(Smoking)

한국 금연 연구소의 통계에 따르면 한국의 성인 여성 흡연율은 8-10% 정도로 추산된다. 흡연을 통해 태아는 일산화탄소(carbon monoxide), 니코틴(nicotine) 외에도 씨아나이드(cya-nide), 벤조피렌 등 4,000가지 이상의 화학물에 노출되는 것으로 알려져 있다. 임신 중 흡연은 저체중아, 조산, 자연유산, 주산기 사망률, 자궁외 임신, 영아 돌연사 증후군(SIDS)과 연관있는 것으로 알려져 있다.[38-41] 일반적으로 태아 적혈구의 높은 일산화탄소 결합력으로 인해, 태아는 모체보다 높은 일산화탄소−적혈구 농도를 보이며 세포로의 산소 운반을 감소시키며 태아세포 및 신경 발달에도 영향을 미치는 것이 알려져 있다.[42, 43]

흡연으로 인한 임신 중 합병증은 금연으로 예방이 가능하다. 임신 중 금연 성공률은 20%정도에 머무르고 있으므로, 임신전에 금연이 권장된다.[41,45]

3) 아큐탄(Accutane, isotretinoin)

아큐탄은 isotretinoin 제제로 심한 여드름 치료에 사용되고 있다. 임신 중 아큐탄을 복용한 경우, 약 25−38%의 태아 기형이 보고되고 있고, 이 중 대부분은 신경계 기형이며, 그 외 소이증, 소하악증, 구개열, 심혈관계 기형과 자연 유산 증가 등이 보고되고 있다.[46-48]

아큐탄의 반감기는 12시간 정도이며, 대사물의 경우 약 10일후에는 대부분 체내에서 사라지게 된다. 따라서 임신을 시도하기 최소 1달전에는 아큐탄 사용을 중지하여야 하고, 아큐탄 복용 전후 1달은 2가지 이상의 피임 방법을 사용하여야 하며 이 중 한가지 피임법은 피임약(oral pill) 복용이 반드시 포함되어야 한다. 아큐탄을 사용하는 모든 여성은 아큐탄의 기형유발 가능성에 대한 설명을 듣고 동의서에 서명한 후 복용을 시작하여야 하고, 아큐탄 복용전에 2번의 임신 테스트가 음성이 나온 후에 복용을 하여야 하며, 2번째 임신 테스트는 생리시작 후 첫 5일 안에 시행하여야 한다. 이러한, 임신 예방 프로그램(Pregnancy prevention program, PPP)을 통해 아큐탄 관련 기형을 예방할 수 있을 것이다.[49-51]

국내에는 약 19가지의 isotretinoin 제품이 유통되고 있다(표 5−3−6).

표 5−3−6. **국내에 유통중인 isotretinoin(아큐탄) 제품**

사진	제품명	성분명	판매회사
	레씨범 연질캅셀 10 mg	Isotretinoin	제이에스팜
	로이탄 연질캡슐	Isotretinoin	마더스
	아키놀 연질캡슐 10 mg	Isotretinoin	아주

사진	제품명	성분명	판매회사
	오피큐탄 연질캡슐	Isotretinoin	더유
	우리큐탄 연질캡슐	isotretinoin	팜젠사이언스

4) 항경련제(Phenytoin, Carbamazepine, Valproic acid etc.)

뇌전증(epilepsy)을 앓고 있는 여성은, 일반 여성보다 2-3배 불량한 임신 예후를 보인다. 또한 흔히 사용되는 항경련제재는 태아 기형유발 가능물질이다. 간질, 항경련제의 기형유발, 환자의 유전적 경향과 환자의 경련성 질환의 심각도는 뇌전증 여성의 불량한 임신예후에 영향을 준다. 항경련제와 엽산(folic acid)/비타민 K와의 상호작용은 신경관 결손증의 증가와 신생아 조기 출혈의 원인이 된다.

항경련제로 인한 태아 기형은 높은 혈중 농도에서, 두 가지 이상의 복합 처방에서 발생이 증가한다. 항경련제를 두 종류, 세 종류, 네 종류 사용 시, 태아 주요 기형 발생율은 5.5%, 11%, 23%로 증가하게 된다.[52] 임상적으로 흔히 사용되는 phenytoin, carbamazepine, valproate의 생식발생 독성을 보면, phenytoin은 5-10%에서 전형적인 태아 하이단토인 증후군(fetal hydantoin syndrome)-특징적인 얼굴 형태와 손가락/발가락의 저형성증 및 발달장애, 심장기형, 구순열 등-과 지능저하 가능성이 증가하고, carbamzepine은 1% 정도의 신경관결손증을 유발하며, valproic acid는 논문에 따라 2% 또는 그 이상의 신경관 결손증과 주요 기형 및 지능저하를 초래할 수 있다고 보고되고 있다. 또한 일부연구에서 Carbamazepine 단독 제재는 태아의 지능저하를 유발하지 않았던 것으로 보고하고 있다.[53-55]

뇌전증 환자의 계획임신을 위해, 환자는 약을 복용하지 않아서 발생할 수 있는 경련성 질환의 위험성과 항경련제의 기형유발 가능성에 대해 교육이 우선되어야 한다. 항경련제 조절은 임신 6개월전에 조절되어야 하며, 임상적으로 가능하다면 뇌전증 종류에 따른 단일 제재의 최소용량으로 항경련제를 조절하여야 한다. 임신중에는, 안정성이 입증되지 않은 새로운 제재의 항경련제는 추천되지 않는다. 또한 엽산 감소로 인한 태아 기형을 예방하기 위해, 임신 3개월 전부터 임신 1삼분기까지 하루 엽산 4-5 mg을 처방한다. 또한 분만 4주 전부터는 임신부에게 비타민 K의 공급이 시작되어야 하며 분만 직후 신생아에게는 비타민 K가 투여되어야 한다. 적절한 계획 임신과 임신중, 분만후 관리로 전체 임신의 95%는 좋은 임신 예후를 보인다고 보고되고 있다.[56-58]

5) 와파린(Warfarin, Coumarins)

복용의 간편성으로 인해, 혈액 응고를 조절하기 위해 광범위하게 사용되고 있는 와파린은 기형유발 약물로 증명되어 있다. 임신 1삼분기에 와파린 노출 시, 태아 와파린 증후군으로 알려진 주요 기형은 골격계 이상이다. 태아 와파린 증후군은 코 형성저하증, 점각 골단(stippled epiphyses)이다.[59,60] 그 외 중추신경계와 안구 이상, 청각 장애, 자궁내 성장지연, 선천성 심장 기형 등이다.[61,62] 임신 2, 3삼분기에 노출 시에는 중추신경계 이상이 증가한다. 이는 아마도 신경조직내 미세 출혈에 의한 것으로 생각되고 있다.[63-65]

와파린의 생식발생 독성 가능성으로 인해, 일부 의사는 임신 전 기간에 걸쳐 금할 것을 고려하기도 하지만,[66] 하루 5 mg 미만의 저용량에서는 태아 합병증의 가능성이 적다는 보고도 있어[67-69] 일부 임상의는 임신 1삼분기에 와파린 사용을 피했다면, 임신 2-3분기동안의 와파린 사용은 어린아이의 골격계 발달 장애 가능성이 적다는 보고도 있다.[70] 이 경우에도, 분만전 2-4주전에는 주산기 출혈 감소를 위해 헤파린으로 바꿀 것이 요구되며,[70] 분만 12시간전에는 헤파린 또한 중지하여야 한다.

실제 인공판막을 치료하는 임상의는 임신 전부터 임신 전기간에 걸쳐 헤파린 또는 저분자량 헤파린(LMWH)을 사용하거나, 임신 1삼분기까지 헤파린 또는 저분자량 헤파린을 사용하다가 임신 2삼분기때 와파린으로 바꾸며 임신 38주경부터는 다시 헤파린 또는 저분자량 헤파린으로 바꾸는 2가지 방법을 고려할 수 있을 것이다.[71-73]

6) 미소프로스톨(misoprostol)

미소프로스톨(misoprostol, PGE1)은 합성 프로스타글란딘 E1제제(PG E1)로서 소염진통제 사용으로 인한 위장관 손상의 예방과 위궤양/십이지장 궤양 치료제로 사용된다. 미소프로스톨은 자궁수축 유발과 태아 생존을 위협할 수 있어, 임신초기의 사용이 권장되지 않는다.[74,75] 또한 임신 초기 미소프로스톨의 사용은 Moebius 증후군과 상지 말단 기형의 위험성을 증가시킨다고 보고되었다.[76]

일부 국가에서는 미소프로스톨이 인공 유산에 광범위하게 사용되었다. 브라질에서는 인공 유산이 법적으로 금지되어있지만 미소프로스톨은 일반의약품으로 분류되어 쉽게 구입이 가능하여 유산제로 많이 사용되었다. 전향적 연구에서, 미소프로스톨의 주요 기형의 증가는 증명되지 않았지만, 유산과 자궁 내 태아 사망율은 미소프로스톨 노출군에서 유의하게 높았다.[77] 또한 임신 중 미소프로스톨의 사용은 6번, 7번 뇌신경 마비(palsies of the 6th, 7th cranial nerve)를 일으키는 Moebius 증후군의 증가와 연관이 있었다[78,79](그림 5-3-1).

그림 5-3-1. Mobius 증훈군(좌)과 수술후의 모습(우)

국내에는 약 9가지의 미소프로스톨 제품이 유통되고 있다(표 5-3-7). 임신을 계획중인 여성은 위장관 보호제 또는 위궤양치료제로서 미소프로스톨의 사용을 피해야겠고, 유산제로서의 미소프로스톨 사용도 자제하여야 하겠다.

표 5-3-7. 국내에 유통중인 미소프로스톨 제품

사진	제품명	성분명	판매회사
	가스텍 정	misoprostol	에이프로젠
	가스토텍 정 100 mcg	misoprostol	비보존
	가스토텍 정 200 mcg	misoprostol	비보존
	미셀 정 200 mcg	misoprostol	신풍
	싸이토텍 정 200 μg	misoprostol	화이자ㅣ제일

사진	제품명	성분명	판매회사
	알소벤 정 100 mcg	misoprostol	유니메드
	알소벤 정 200 mcg	misoprostol	유니메드
	지스톨 정	misoprostol	위더스
	한국넬슨 미소프로스톨 정 200 mcg	misoprostol	넬슨

5 계획임신과 감염관리

1) 풍진

계획임신에서 풍진 검사의 목적은, 풍진에 감염될 위험성이 있는 여성을 확인하고 예방접종을 시행함으로서 임신 시 풍진 감염과 선천성 풍진 증후군을 예방하는 것에 있다.

임신 중 풍진의 태아 감염율과 기형발생율에 대한 연구에서 임신 12주 이내에 발진을 동반한 모체 감염이 되었을 때 80%이상에서, 임신 13-14주에는 54%에서, 임신 2삼분기 말에는 25%에서 태아감염이 확인 되었다. 태아 기형과 관련하여 임신 11주 이전에는 감염된 태아 모두에서 기형(주로 심장기형과 귀머거리)을 나타내었고 13-16주 감염의 35%에서 기형(귀머거리)을 나타낸 반면, 16주이후 감염된 63명에서는 태아기형이 발생하지 않았다[80](표 5-3-8). 반면, 면역력을 갖고 있는 여성에서의 임신중 재감염은 선천성 풍진 증후군을 일으킬 가능성은 거의 없는 것으로 보고되고 있다.[81]

한국에서는 1983년부터 생후 12-15개월과 4-6세 남녀아를 대상으로 홍역, 볼거리, 풍진 혼합백신(MMR)을 이용한 예방접종을 시작하였고, 1994년부터는 여고 1년생을 대상으로 RA27/3 풍진 단독 백신을 일부에서 시행하고 있다. 접종후 풍진 항체율은 90-95%에서 나타나게 되며 시간이 경과하면 항체 역가가 감소하나, 항체 생성후 16-18년까지 항체가 90%이상에서 지속된다.[82, 83] 하지만, 최근 국내 가임기 여성들을 대상으로 한 풍진 항체 조사결과를 보면, 약 19.5-27%의 여성이 풍진에 대한 면역력이 없는 것으로 보고되고 있다.[84, 85] 이는 미국 9.4%, 영국 2.5%, 오스트리아 7% 등에 비하여 월등히 높은 비율이다.[86-88]

표 5-3-8. 임신 중 증상을 동반한 풍진감염의 결과

Fetal Comnsequences of Symptomatic Maternal Rubella during Pregnancy					
STAGE OF PREGNANCY (WEEKS)	INFECTION		DEFECTS		OVERLL RISK OF DEFECT (RATE OF INFECTION × RATE OF DEFECTS) (%)
	NO. TESTED	NO. POSITIVE	NO. FOLLOWED	RATE (%)	
〈11	10	9 (90%)	9	100	90
11-12	6	4 (67%)	4	50	33
13-14	18	12 (67%)	12	17	11
15-16	36	17 (47%)	14	50	24
17-18	33	13 (39%)	10	0	0
19-22	59	2 (34%)			
23-26	32	8 (25%)			
27-30	31	11 (35%)			
31-36	25	15 (60%)	53	0	0
〉36	8	8 (100%)			
Total	258	117(45%)	102	20	9

　　풍진 감염 시 모체에 미치는 위험성은 높지 않다. 하지만 임신 주수에 따라 태아는 선천성 기형의 위험에 높게 노출될 수 있다. 또한 풍진의 20-50% 정도의 감염은 무증상을 보이는 불현성 감염이다.[89] 임신 중 풍진감염 시, 모체-태아간 수직감염을 예방하거나 줄일 수 있는 방법은 없다.[90] 따라서 계획임신에서 Rubella IgG 항체 검사를 통해 풍진면역력을 확인하고, 풍진감염의 위험이 있는 여성을 확인하여 예방접종을 통해 향후 임신에서 풍진에 대한 예방을 하는 것은 중요하다.

2) 톡소플라즈마(Toxoplasmosis)

　　Toxoplasmosis는 기생충인 톡소포자충(Toxoplasma gondii)의 감염에 의한다. 이 기생충은 자연에서 trophozoite(tachyzoite), bradyzoite(tissue cyst), oocyst의 형태로 존재한다. Trophozoite은 급성감염에서 나타나고 많은 다른종류의 세포에 침범할 수 있다. Bradyzoite은 주로 근육에서 발견되고 덜익은 고기를 섭취 후 감염되는 형태이다. Oocyst는 T. gondii에 감염된 고양이의 배설물에서 배출된다. 감염은 고양이의 배설물과 접촉하거나 요리하지 않은 고기를 섭취 후 이루어질 수 있다.(그림 5-3-2)[91] 하지만, 한 연구에 의하면, 임신중 toxoplasma 감염은 주요 원인은 덜익은 고기와 건조 가공된 육류제품을 통해 이루어진다고 알려져 있다.[92]

　　일차적인 toxoplasmosis 감염은 일반적으로 건강한 여성에서 증상을 나타내지 않으며, 한번 감염되면, 항체 반응이 추가 감염에 대한 면역력을 평생 나타내는 것으로 알려져 있다. 다만, HIV 감염이나 신장이식 등 면역저하 여성에서는 모체에 치명적인 증상을 일으킬 수 있다.

　　미국인의 40-50%는 toxoplasma에 대한 항체를 보유하고 있고 사회경제적 수준이 낮을수

록 높은 항체 보유율을 나타내고 있으며 임신 기간 중 항체전환(seroconversion) 비율은 5%미만으로 알려져 있다. 영국의 경우, 임신 여성의 75-90%가 항체가 없는 감염가능성이 있는 것으로 알려져 있고 선천성 toxoplasma 감염율은 신생아 1000명중 0.3으로 보고되었다.[93] 한국의 경우, 제주주민의 경우 Toxoplasmosis IgG 항체보유율이 5.5% 충남옥천의 여성에서 7.2%, 임산부를 대상으로 한 연구에서 0.79%로 나타났다.[94-96]

임신중 T. gondii에 의한 일차감염 시, 모체-태아 전파율은 임신주수에 따라 증가한다. 전파율은 임신 13주경에 6%에서 임신 36주에는 72%까지 변한다. 수직 전파율과는 달리, 감염된 태아가 임상증상(수두증, 뇌내 결절)을 나타낼 위험성은 임신 초기에 가장 높다. 임신 13주경 61%에서 임신 36주경에는 9%로 감소한다. 이를 종합할 때 임상증상을 동반한 선천성 아이를 낳을 가능성(10%)이 가장 높은 주수는 임신 24-30주로 나타났고 임신 2, 3삼분기는 5% 이상이며 분만직전에는 6% 정도이다.[97] 선천성 toxoplasmosis의 임상증상은 뇌, 망막, 맥락막의 염증과 이로 인한 신경계 손상, 시력 장애 등이다. 감염된 모체로부터 임상증상이 있는 신생아가 태어날 확률은 14-30%정도로 알려져 있다.[97-100]

일차 Toxoplasma감염은 일반적으로 증상이 없으므로 감염 여부는 혈청검사를 통해서만 측정될 수 있다. 감염 후 IgG는 수년간 높은 농도로 유지되며, IgM 역시 감염후 18개월까지 지속되는 것으로 보고되었다.[101] 감염여부 확인을 위한 산전검사로서는 IgG, IgM에 대한 검사를 시행한다. 이후, IgG 항체가 없다면 1개월 또는 3개월 간격으로 IgG 항체검사를 반복한다. 이

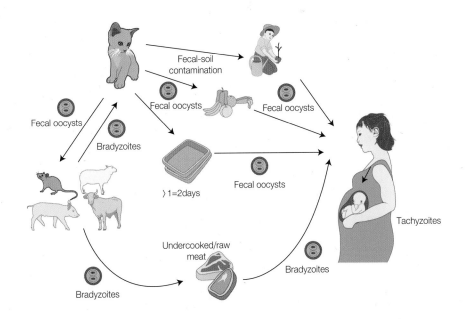

그림 5-3-2. **톡소포자충(Toxoplasma gondii) 생활사**

검사에서 양성 소견이 나오면 다양한 검사(IgG, IgM 양성, IgG 역가의 상승, 낮은 IgG avidity, 높은 IgG 역가, 또는 IgA 항체 양성 등)를 통해 확진을 해야 한다.[102] 하지만, 선별검사에서 양성소견이 나타나더라도, 임신 중 감염과 임신전 12개월 이내 감염사이의 감별이 쉽지 않고, 임신 전에 감염된 여성은 태아감염의 위험이 증가하지 않는다.

임신중 선별검사의 문제점으로 알려진 것은, 감염여성이 임신중절을 시행하는 경우, 각 한 예의 임신중 toxoplasmosis 치료 시마다 약 12.1명의 감염되지 않은, 임상증상이 없는 태아가 희생될 수 있고[103] 불필요한 치료와, 반복되는 검사로 인한 불편을 요할 수 있다. 또 하나의 제기되는 문제는, 임신 중 치료가 모체−태아 전파를 줄일 수 있는가 여부이다. 일부 연구에서는 감염후 4주 이내에 spiramycin 치료 시, 치료를 하지않은 그룹에 비해 모체−태아 전파를 유의하게 감소시켰다는 보고도 있지만,[104] 유럽의 광범위한 3개 논문의 연구결과에 의하면, 치료유무, 치료제의 선택, 진단 후 8주간이상의 치료지연에서도 모체−태아 전파율 감소의 유의한 효과를 증명할 수 없었다.[102, 105, 106]

영국 NHS guideline에서는 임신중에는 toxoplasmosis 검사를 반대하고 있으며[107] 미국 산부인과 학회에서도 임신중 HIV 감염환자를 제외한 임신부에서 toxoplasmosis에 대한 선별검사를 권유하고 있지 않다.

국내 논문을 통해서는 태아 또는 신생아 toxoplasmosis 감염 빈도에 대한 보고가 없다. 하지만 다른 국가에 비해 IgG 항체율이 낮은 것은, 상대적으로 고기를 익혀먹는 한국인의 식습관과 고양이를 애완동물로 기르는 비율이 낮은 것과 연관이 있을 것으로 생각된다. 따라서 임신 중 Toxoplama 감염의 비율도 미국, 유럽 등 다른 국가에 비해 낮을 것으로 추론된다.

산전 검사로서Toxoplasma IgG, IgM 검사 시행 시 임신중 toxoplasmosis 치료 시마다 약 12.1명의 감염되지 않은, 임상증상이 없는 태아가 희생될 수 있고 불필요한 치료와, 반복되는 검사로 인한 불편을 초래할 수 있으며 치료 효과에도 의문이 제기되는 상황이므로 임신중 산전 검사로서는 toxoplasmosis 검사를 권유하지 않는 것이 적절할 것으로 판단된다.

계획임신에서 Toxoplasma IgG 검사의 중요성은, 임신 전 Toxopalsma IgG 검사를 시행하여 음성인 경우, 감염을 피할 수 있는 다음의 방법에 대한 사전 교육을 시행하는 것이다.

- 음식을 만지기 전 손 씻을 것
- 모든 과일과 채소는 먹기 전에 철저히 씻을 것
- 모든 고기와 냉각 육류는 철저히 익혀 먹을 것
- 흙을 만지거나, 정원을 정리 시에는 장갑을 끼고, 작업이 끝난 후 손을 씻을 것
- 고양이 깔집이나 흙에 있는 고양이 배설물을 피할 것

6 계획임신과 내과적 질환

계획임신으로 태아와 임신 예후에 효과가 입증되어 있는 질환으로는 가임기 여성의 갑상선 기능저하증, 당뇨병, 비만 등이 있다.

1) 갑상선 기능저하증

진성 갑상선 기능저하증(overt hypothyroidism)은 높은 혈청내 TSH 수치와 낮은 thyroxine 수치를 보이는 경우를 의미하고, 무증상 갑상선 기능저하증(subclinical hypothyroidism)은 높은 TSH수치와 정상 혈청 thyroxine 수치를 나타내는 경우를 의미한다. 갑상선 기능저하증의 빈도는 가임기 여성의 2.5%로 알려져 있으며, 무증상 갑상선 기능저하증은 가임기 여성의 5% 정도에서 발견된다.[108]

진성 갑상선 기능저하증에서는 임신 중독증, 태반 박리증, 심장 기능 장애, 저체중아, 사산 등이 증가하며,[109] 임신전에 이를 교정하여 합병증을 예방할 수 있다.[110] 요오드 섭취량이 적을 때, 임신부와 태아의 갑상선 기능저하증을 나타낼 수 있고, 이는 태아의 정신지체(mental retardation)로 나타날 수 있다.[111] Pop VJ 등은 임신 12주에 측정한 free T4 수치가 10 퍼센타일 미만(<10.4pmol/l)일 때 낮은 점수의 정신 운동 발달 지수(lower scales on the Bayley Psychomotor Developmental Index (PDI) scale)를 보였다고 보고하였다.[112] Haddow JE 등은 임신 2삼분기 TSH 수치가 98 퍼센타일(TSH> 약 5 mU/L)이상인 치료받지 않은 임신부 48명의 아이들과 갑상선 기능이 정상이었던 임신부 124명의 아이들의 IQ를 비교한 결과, 갑상선 기능저하증 임신부의 아이들이 평균 7점 낮은 IQ를 보였다고 보고하였다.[113] 또한 Allan WC 등은 임신 2삼분기에 측정한 TSH수치가 6 mU/l이상인 경우가 6 mU/l미만인 경우보다 태아 사망이 4.4배 증가하므로, 임신중 갑상선 선별검사가 필요하다고 주장하였다.[114] 현재까지는 임신중 갑상선 기능저하증 진단을 위해 모든 임신부를 선별검사 해야 한다는 견해에 대해 일반적인 공감이 형성되어 있지는 않지만, 일부 그룹들은 임신전 또는 임신이 확인되자마자 TSH를 체크하도록 권하고 있다.[114, 115]

임신 전 갑상선 기능저하증이 진단된 여성은, levothyroxine 용량을 조절하여야 한다. 일반적으로, 임신 초 levothyroxine 용량 증가가 필요하며 임신이 진행됨에 따라 30-50%의 증량이 필요하다. Levothyroxine 용량은 태아의 적절한 신경계 발달을 위해 조절되어야 한다.[116, 117]

2) 당뇨병

당뇨병은 계획임신의 효과가 잘 알려진 질환의 하나이다. 당뇨병으로 인한 임신 합병증은, 전자간증, 조산, 거대아, 사산, 태아 기형, 주산기 사망률 증가 등이 있다.[118] 이러한 여러 가지 합병증은, 혈당 수치가 정상범위에서 임신이 이루어지면 예방할 수 있다.[119, 120] 환자와의 임신

전 상담을 통해, 당뇨병으로 인한 임신 중 합병증에 대한 교육과 합병증을 감소시키기 위한 프로그램을 제공하는 것이 중요하다.

임신 전 상담의 효과는 잘 알려져 있다. 그림 5-3-3에서처럼 계획 임신을 통해 임신한 당뇨병 임신부의 태아 기형발생율은, 계획임신을 받지 않은 여성에 비해 유의하게 적었음이 보고되었다.[121] 또한 임신 전 상담을 받은 환자군에서 낮은 hemoglobin A1c수치와, 낮은 조산율, 적은 비율의 거대아(25% 대 40%) 출산과 낮은 사산율을 보고하였다.[122]

미국 당뇨병 학회에서는 인슐린을 이용한, 임신전 공복 시 적정 혈당수치를 70-100 mg/dL 식후 1시간, 2시간에 측정한 혈당이 120 mg/dL 미만으로 정의하였고, 과거 4-8주간의 혈당 평균치를 반영하는 hemoglobin A1c 검사가 초기 대사 조절을 평가하는데 유용하다고 보고하였다.(표 5-3-9)[123, 124] 또한 당뇨병 여성의 경우, 임신전 3개월전부터 임신 초기, 엽산 4-5 mg과 복합 비타민의 복용을 통해 신경관 결손증과 기타 선천성 기형을 감소시키는 노력이 필요하다.[20]

이처럼 계획임신을 통한 당뇨병의 적절한 관리를 통해, 태아 기형을 포함한 임신중 합병증을 감소할 수 있다.[125-127]

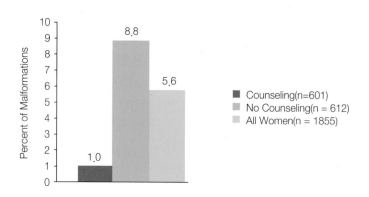

그림 5-3-3. 당뇨병 여성의 계획임신 여부에 따른 주요 선천성 기형 발생율 비교

표 5-3-9. 당뇨병 임신부에서 임신 1삼분기 Glycohemoglobin과 주요 선천성기형 발생과의 관계

Glycohemoglobin(%)	Major anomalies(%)
4.6–7.6	1.9
7.7–8.6	1.7
8.7–9.9	6.3
10–10.5	9.1
〉10.6	25

3) 비만

비만의 정의와 분류를 위해서 흔히 체질량 지수(body mass index, BMI)가 사용된다. BMI는 몸무게(kg)를 키의 제곱(m^2)으로 나누어 계산한다(kg/m^2). BMI에 따른 분류를 보면 18.5-24.9 kg/m^2를 정상 BMI, 25-29.9 kg/m^2를 과체중, 30 kg/m^2이상을 비만으로 정의한다.[128]

모체 비만과 관련된 주산기 합병증은 신경관 결손증, 배꼽탈장(omphalocele), 심장 기형, 조산, 당뇨병, 임신성 당뇨병, 제왕절개 증가, 고혈압성 질환과 이로 인한 태아 성장 장애, 사산 등이 있다.[129-133]

임신전 체중 감소와 엽산제 공급은 이러한 위험성을 감소시킬 수 있다.[128, 134, 135] 비만 환자의 키에 맞는 이상적인 몸무게 계산은 '21(이상적인 체질량 지수)X키의 제곱(m^2)'으로 계산하고, 체내 비타민과 무기질 등의 손실없이 체중 감량할 수 있는 범위는 1.5-2 kg/월이므로, 3개월간 약 5-7% 정도의 체중감량을 목표로 식이요법과 운동요법을 병행한다.[136]

7 한국에서의 계획임신

우리나라 임신부의 반정도는 계획되지 않은 임신(unintended pregnancy)으로 알려져 있으며, 이들 중의 상당수는 약물, 방사선, 알코올, 흡연과 같은 기형유발 가능 물질에 계획된 임신보다 2-3배 더 많이 노출되는 것으로 알려져 있다.[1] 따라서, 가임 여성에게 있어서 계획 임신의 중요성을 강조하는 것은 지나치지 않으며, 부득이하게 이러한 약물 등에 노출된 임신부의 경우는 적절한 생식발생독성 위험성 상담을 통해 불필요한 불안감에 의한 임신 중절은 피해야 한다.

그 동안의 국내, 국외 연구결과를 고려할 때, 실제 계획임신 클리닉에서 시행할 수 있는 프로그램은 ① 엽산제 공급, ② 위험성 평가(질문지 작성, 검사), ③ 예방접종, ④ 임신전 상담을 포함하고 있다.

1) 엽산제 공급

(1) 고위험 여성:

① 기준: 간질, 당뇨병, 비만(BMI > 30), 신경관 결손증 가족력, 과거 선천성 기형아 분만 여성(무뇌아, 척수 수막탈출증, 수막탈출증, 구순열, 구개열, 구조적 심장기형, 팔/다리 기형, 비뇨기계 기형, 수두증)

② 엽산이 풍부한 음식+엽산 3-4 mg 포함된 복합 비타민: 임신 3개월전부터 임신 12-14주까지 지속

③ 엽산 0.4-1.0 mg 포함된 복합 비타민: 임신 14주부터 임신기간내 지속, 분만후 4-6주(또는 수유기간 지속)

(2) 건강한 여성: 엽산이 풍부한 음식+복합비타민+엽산(0.4-1.0 mg), 임신 2-3개월 전부터 분만후 4-6주(또는 수유기간 지속)

2) 부부의 위험성 평가

(1) 질문지 작성

– 부부의 ① 생활양식과 환경, ② 영양상태, ③ 병력, ④ 약물복용, ⑤ 감염성 질환, ⑥ 가족력, ⑦ 생식력, ⑧ 가계내 질병력 등을 질문지 작성을 통해 조사한다.

(2) 검사 항목: 일반적인 산전 검사 항목, Rubella Ig G, HBsAg/Ab, Toxoplasma IgG, Varicella-zoster Ig G, TSH, Antimicrosomal Ab, STD test(chlamydia trichomatis, N. gonorrhea, Ureaplasma urealyticum, Mycoplasma genitalium)

3) 예방접종

항체 검사를 통해 면역력이 없는 경우, 풍진, B형간염, 수두 백신을 투여한다. 생백신인 MMR(measles, mump, rubella), varicella 백신은 최소한 임신 1달 전에 투여한다. 만약 백신 투여 후 임신이 확인되었다고 하더라도 미국 질병관리본부 자료[137, 138]에 의하면 유산을 시행할 필요는 없다는 것을 예비 임신부에게 미리 인지시키는 것은 중요하다.

4) 임신전 상담

질문지와 검사 결과를 통해 알코올, 흡연, 태아 기형 약물, 방사선, 고열 등 태아 기형 유발 가능성이 있는 생활 환경에 대한 상담 및 교육과 임신 전 환자가 갖고 있는 당뇨병, 간질, 비만, 갑상선 기능저하증 등의 만성 질환에 대한 조절 상담 및 엽산의 필요성 등에 대한 상담을 시행한다.

▶ 참고문헌

1. Han JY, Nava-Ocampo AA, Koren G. Unintended pregnancies and exposure to potential human teratogens. Birth Defects Res A Clin Mol Teratol. 2005 Apr;73(4):245-8.

2. Yang JH, Kim YJ, Chung JH, Kim MY, Ryu HM, Han JY, et al. A multi-center study for birth defect monitoring systems in Korea. J Korean Med Sci 2004; 19: 509-513.

3. 김 암, 김소라, 양순하, 한정열, 김문영, 양재혁 등. 한국 선천성 기형 모니터링 체계 구축을 위한 다기관 공동연구. 대한산부회지 2002; 45: 1924-1931.

4. Smithells RW, Sheppard S, Scholrah CJ, et al. Possible prevention of neural tube defects by periconceptiona vitamin supplementation. Lancet 1980; 1: 339-340.

5. Mulunsky A, Jick H, Jick SS, et al. Multivitamin/folic acid supplementation in early pregnancy reduces the prevalence of neural tube defects. JAMA 1989; 262: 2847-52.

6. Dower C, Stanley FJ. Dietary folate as a risk factor for neural-tube defects: evidence from a case-control study in Western Australia. Med J Aust 1989; 150: 613-9.

7. Shaw GM, Schaffer D, Velie Em, Morland K, Harris JA. Periconceptional vitamin use, dietary folate, and the occurrence of neural tube defects in California. Epidemiology 1995; 6: 219-26.

8. MRC Vitamin Study Research Group. Prevention of neural tube defects: results of the Medical Research Council Vitamin Study. Lancet 1991; 338: 131-7

9. Czeizel AE, Dudas I. Prevention of the first occurrence of neural-tube defects by periconceptional vitamin supplementation. N Engl J Med 1992; 327: 1832-5.

10. Centers for Disease Control and Prevention: Recommendations for the use of folic acid to reduce the number of cases of spina bifida and other neural tube defects. MMWR Morb Mortal Wkly Rep 1992; 41(RR-14): 1-7.

11. Verkleij-Hagoort A, Bli다 J, Sayed-Tabatabaei F et al. Hyperhomocysteinemia and MTH-FR polymorphi는 in association with orofacial clefts and congenital heart defects

12. van Beynum IM, Kapusta L, den Heijer M, et al. Maternal MTHFRC>T is a risk factor for congenital heart defects: effect modification by periconceptional folate supplementation. European Heart Journal 2006; 27: 981-987.

13. van Rooij IA, Ocke MC, Straatman H, et al. Periconceptional folate intake by supplemantation and food reduces the risk of nonsyndromic cleft lip with or without cleft palate. Perventive Medicine 2004; 39: 689-694.

14. Czeizel AE, Dudas I. Prevention of the first occurrence of neural-tube defects by periconceptional vitamin supplementation. N Engl J Med. 1992; 327: 1832-1835

15. Goh YI, Bollano E, Einarson TR, Koren G. Prenatal multivitamin supplementation and rate of congenital anomalies: a meta-analysis 2006; 28: 680-689.

16. Centers for Disease Control and Prevention: Spina bifida and anencephaly before and after folic acid mandate-United States, 1995-1996 and 1999-2000. MMWR Morb Mortal Wkly Rep 2004; 53: 362-365.

17. De Wals P, Tairou F, Van Allen MI, et al. Reduction in neural-tube defects after folic acid fortification in Canada. N Engl J Med 2007; 357: 21-28.

18. Centers for Disease Control and Prevention: Trends in wheat-flour fortification with folic acid and iron---worldwide, 2004 and 2007 MMWR Morb Mortal Wkly Rep 2008; 57:

8-10.

19. Wald NJ, Law MR, Morris JK, Wald DS. Quantifying the effect of folic acid. The Lancet 2001; 358: 2069-2073.

20. Koren G, Goh YI, Klieger C. Folic acid; the right dose. Canadian Family Physician 2008; 54: 1545-1547.

21. 홍순철. 한국 임산부의 엽산 복용 어떻게? 대한모체태아의학회 추계 학술대회 연구회. 2013

22. Allaire AD, Cefalo RC. Preconceptional health care model. European Journal of Obstetrics & Gynecology and Reproductive Biology 1998; 78: 163-168.

23. Czeizel AE. Ten years of experience in periconceptional care. European Journal of Obstetrics & Gynecology and Reproductive Biology 1999; 84: 43-49.

24. Centers for Disease Control and Prevention: Recommendations to improve preconception health and health care-United States. A report of the CDC/ATSDR preconception care work group and the select panel on preconception care. MMWR Morb Mortal Wkly Rep 2006; 55/RR-6.

25. Centers for Disease Control and Prevention: Preconception health and care 2006.

26. Ebrahim SH, Lo SS, Zhuo J, et al. Models of preconception care implementation in selected countries. Matern Child Health J 2006; 10: S37-42.

27. Yaffe SJ, Briggs GG. Is this drug going to harm my baby? Contemp Ob/Gyn 2003; 48:57.

28. Henderson J, Gray R, Brocklehurst P. Systematic review of effects of low-moderate prenatal alcohol exposure on pregnancy outcome. BJOG An International Journal of Obstetrics and Gynaecology 2007; 243-252.

29. Jones KL, Smith DW. Recognition of the fetal alcohol syndrome in early infancy. Lancet 1973; 2: 999-1001.

30. Abel EL. Fetal alcohol Abuse Syndrome. New York; Plenum Press, 1998.

31. Alcohol use among women of childbearing age-United States, 1991-1999. MMWR Morb Mortal Wkly Rep 2002; 51: 273-6.

32. Koren G, Nulman I. The Motherisk guide to diagnosing fetal alcohol spectrum disorder. Toronto: The Hospital for Sick CHildren; 2002.

33. Koren G, Nulman I. Chudley AE et al. Fetal alcohol spectrum disorder. JAMC 2003; 169: 1181-1185.

34. Sampson PD, Streissguth AP, Bookstein FL, et al. Incidence of fetal alcohol syndrome and prevalence of alcohol related neurodevelopmental disorder. Teratology 1997; 56: 317-326.

35. US Prevention Services Task Force. Screening and behavioral counseling interventions in primary care to reduce alcohol misuse: recommendation statement. Ann Intern Med 2004; 140: 554-556

36. Whitlock EP, Polen MR, Green CA et al. Behavioral counseling interventions in primary care to reduce risky/harmful alcohol use by adults: a summary of the evidence for the US Preventive Service Task Force. Ann Intern Med 2004; 140: 557-568.

37. Institute of Medicine, Bonnie RJ, O'Connell ME, eds. Committee on Developing a Strategy to Reduce and Prevent Underage Drinking: reducing underage drinking-a collective responsibility. Washington, DC: National Academy Press; 2004.

38. Martin TR, Brackern ME. Association of low birth-weight with passive smoke exposure in pregnancy. Am J Epidmiol 1986; 124: 633-642.

39. Abel EL. Smoking and pregnancy. J Psychoactive Drug 1984; 16: 327-328

40. Stillman RJ, Rosenberg MJ, Sacks BJ. Smoking and reproduction. Fertil Steril 1986; 46: 545-566

41. Rogers JM. Tobacco and pregnancy: overview of exposures and effects. Birth Defects Research 2008; 84: 1-15.

42. Rush D, Callahan KR. Exposure to passive cigarette smoking and child development. Ann NY Acad Sci 1989; 562:74-100.

43. Aubard Y, Magne I. Carbon monoxide poisoning in pregnancy. BJOG 2000; 107: 833-838.

44. Hopkins DP, Briss PA, Ricard CJ, et al. Reviews of evidence regarding interventions to reduce tobacco use and exposure to environmental tobacco smoke. Am J Prev Med 2001; 20: 16-66.

45. American College of Obstetricians and Gynecologists. Smoking cessation during pregnancy. Obstet Gynecol 2005; 106: 883-888.

46. Lammer EJ, Chen DT, Hoar RM, et al. Retinoic acid embryopathy. N Engl J Med 1985; 313: 837-841.

47. Rizzo R, Lammer EJ, Parano E, et al. Limb reduction defects in humans associated with prenatal isotrtinoin exposure. Teratology 1991; 44: 599-604.

48. Dai WS, LaBraico JM, Stern RS. Epidemiology of isotretinoin exposure during pregnancy. J Am Acad Dermatol 1992; 26: 599-606.

49. Honein MA, Paulozzi LJ, Erickson JD. Continued occurrence of Accutane-exposed pregnancies.

50. Perlman SE, Leach EE, Dominguez L, et al. Be smart, be safe, be sure: the revised Pregnancy Prevention Program for Women on Isotretinoin. J Reprod Med 2001; 46: 179-185.

51. Garcia-Bournissen F, Tsur L, Goldstein LH, et al. Fetal exposure to isotretinoin-An international problem. Reproductive toxicology 2008; 25: 124-128.

52. Nakane Y, Okuma T, Takahashi R, et al. Multi-institutional study on the teratogenicity and fetal toxicity of antiepileptic drugs: A report of a collaborative study group in Japan. Epilepsia 1980; 21: 663

53. Barrett C, Richens A. Epilepsy and pregnancy: Report of an epilepsy research foundation workshop. Epilepsy research 2003; 52: 147-187.

54. Koren G, Nava-Ocampo AA, Moretti ME et al. Motherisk Update: Major malformation with valproic acid. Canadian Family Physician 2006; 52: 441-447.

55. Gaily E, Kantola-Sorsa E, Hiilesmaa V, et al. Normal intelligence in children with prenatal exposure to carbamazepine. Neurology 2004; 62: 28.

56. Battino D, Tomson T. Management of epilepsy during pregnancy. Drugs 2007; 67: 2727-2746.

57. Yerby MS. Clinical care of pregnant women with epilepsy: neural tube defects and folic acid supplementation. Epilepsia 2003; 44: 33-40.

58. Koren G. Treatment for epilepsy in pregnancy. Maternal-fetal toxicology. 3rd edition. 73-84.

59. Harrod MJE, Sherrod PS. Warfarin embryopathy in siblings. Obstet Gynecol 1981; 57: 673-676.

60. Holzgrve W et al. Warfarin-induced fetal abnormalities. Lancet 1976; 2: 914-5.

61. Pauli RM, Haun J. Intrauterine effects of coumarin derivatives. Dev Brain Dysfunc 1993; 6: 229-247.

62. Kaplan LC. Congenital Dandy Walker malformation associated with first trimester warfarin: a case report and literature review. Teratology 1985; 32: 333-337.

63. Pati S, Helmbrcht GD. Gongenital schizencephaly associated with in utero warfarin exposure. Reprod Toxicol 1994; 8: 115-20.

64. van Driel D, Wesseling J, Sauer PJ et al. Teratogen update. Fetal effects after in utero exposure to coumarins overview of cases, follow-up findings, and pathogenesis. Teratology 2002; 66: 127-140.

65. Hall JG, Pauli RM, Wilson KM. maternal and fetal sequelae of anticoagulation during pregnancy. Am J Med 1980; 68: 122-140.

66. Berkowitz RL et al. Handbook for prescribing medications during pregnancy 2nd ed. 1986 Little, Brown & Co. Boston/Toronto pp. 91&144.

67. Cotrufo M, de Luca TSL, Calabro R, et al. Coumarin anticoagulation during pregnancy in

patients with mechanical valve prostheses. Eur J Cardiothroac Surg 1991; 5: 300-305.

68. Cotrufo M, DeF대 M, DeSanto LS et al. Risk of warfarin during pregnancy with mechanical valve prostheses. Obstet Gynecol 2002; 99: 35-40.

69. N Vitale , M De F대, LS De Santo et al. Dose-dependent fetal complications of warfarin in pregnant women with mechanical heart valves. J Am Coll Cardiol 1999; 33: 1637-1641.

70. van Driel D, Wesseling J, Sauer PJ et al. In utero exposure to coumarins and cognition at 8 to 14 years old. pediatrics 2001; 107: 123-9.

71. Hirsh J, Fuster V, Ansell J et al. American Heart Association/ American College of Cardiology Foundation guide to warfarin therapy. JACC 2003; 41: 1633-52.

72. Iturbe-Alessio J, Fonesca MDC, Mutchiniko Santos MA et al. Risks of anticoagulant therapy in pregnant women with artificail heart valves. N Engl J Med 1986; 315: 1390-1393.

73. American College of Obstetricians and Gynecologists Committee on Practice Bulletins. Obstetrics: thromboembolism in pregnancy. Int J Gynaecol Obstet 2001; 75: 203-212.

74. Lewis JH. Summary of the 29th meeting of the gastrointestinal drugs advisory committee, Food and Drug Administration. Am J Gastrointesterol 1985; 80: 743-5.

75. Bond GR, Van Zee A. Overdosage of misoprostol in pregnancy. Am J Obstet Gynecol 1994; 171: 561-2.

76. da Silva Dal Pizzol T, Knop FP, Mengue SS. Prenatal exposure to misoprostol and congenital anomalies. Systemic review and meta-analysis. Reprod Toxicol 2006; 22: 666-671.

77. Schuller L, Pastuszak AL, Sanseverino MT et al. Pregnancy outcome after abortion attempt with misoprostol. Teratology 1997; 55: 36.

78. Pastuszak AL, Schuller L, Coelho KA, et al. Misoprostol use during pregnancy is associated with an increased risk for Moebius sequence. Teratology 1997; 55: 36.

79. Miller G. The mystery of the missing smile. Science 2007; 316: 826-7.

80. Miller E, Cradock-Watson JE, Pollock TM. Consequences of confirmed maternal rubella at successive stages of pregnancy. Lancet 1982; 2: 781-784.

81. Morgan-Capner P, Crowcroft NS. Guidelines on the management of, and exposure to, rash illness in pregnancy(including consideration of relevant antibody screening programmes in pregnancy). On behalf of the PHLS joint working party of the advisory committees of virology and vaccines and immunization. Communicable Disease and Public Health/PHLS 2002;5(1):59-71.

82. Chu SY, Bernier RH, Stewart JA, et al: Rubella antibody persistence after immunization. Sixteen-year follow-up in the Hawaiian islands. JAMA 1988; 259: 3133-3136.

83. Robert K. Creasy. Ch 39 Maternal and fetal infectious disorders. Maternal-fetal medicine. 5th edition :760-762.

84. 박영자, 박금자, 유국영, 이병관. 최근 5년간(1992-1996) 한국인 가임기 여성의 풍진 항체에 관한 연구. 대한산부회지 1997; 40: 110-118

85. 조혜진, 정혁, 이철갑. 한국 여대생의 풍진 항체 보유율에 관한 조사 연구 2007; 48(3): 732-740.

86. Haas DM, Flowers CA, Congdon CL. Rubella, rubeolar, mumps in pregnant women: susceptibilities and strategies for testing and vaccinating. Obstet Gynecol 2005; 106: 295-300.

87. National collaborating centre for women's and children's health. Antenatal care: routine care for the healthy pregnant woman. NICE 2008. Clinical guideline 6.

88. Sathanandan D, Gupta L, Liu B, Rutherford A, Lane J. Factors associated with low immunity to rubella infection on antenatal screening. Australian and New Zealand Journal of Obstetrics and Gynaecology 2005; 45: 435-438.

89. Control and prevention of rubella: evaluation and management of suspected outbreaks, rubella in pregnant women, and surveillance for congenital rubella syndrome. Morbidity and Mortality Weekly Report 2001; 50: 1-23

90. Tookey P. Antenatal screening for rubella. Personal communication; 2002.

91. Jone JL, Lopez A, Wilson M, Schulkin J, Gibbs R. Congenital toxoplasmosis: A Review. CME review article. 2001; 56(5): 296-305.

92. Cook AJ, Gilbert RE, Buffolano W, Zufferey J, Petersen E, Jenum PA, et al. Feasibility of neonatal screening for toxoplasma infection in pregnant women: European multicentre case-control study. European Research Network on Congenital Toxoplasmosis. British Medical Journal 2000; 321: 142-147.

93. National collaborating centre for women's and children's health. Antenatal care: routine care for the healthy pregnant woman. NICE 2008. Clinical guideline 6.

94. Yang HJ, Jin KN, Park YK, Hong SC, et al. Seroprevalence of toxoplasmosis in the residents of Cheju island, Korea. The Korean Journal of Parasitology. 2000; 38: 91-93.

95. Lee YH, Non HJ, Hwang OS, et al. Seroepidemiological study of Toxoplasma gondii infection in the rural area Okcheon-gun, Korea. The Korean Journal of Parasitology 2000; 38: 251-256.

96. Song KJ, Shin JC, Shin HJ, et al. Seroprevalence of toxoplasmosis in Korean pregnant women. The Korean Journal of Parasitology 2005; 43: 69-71.

97. Dunn D,Wallon M, Peyron F, Petersen E, et al. Mother-to-child transmission of toxoplasmosis: risk estimates for clinical counseling. Lancet 1999; 353: 1829-1833

98 Foulon W et al. Congenital toxoplasmosis; a prospective survey in Brussels. Br J Obstet Gynaecol 1984; 91: 419-423.

99. Stray-Pedersen B. A prospective study of acquired toxoplasmosis among 8048 pregnant women in the Osloarea. Am J Obstet Gynecol 1980; 136: 399-406

100. Jenum PA,Stray-Pedersen B, Melby KK. Incidence of Toxoplasma gondii infection in 35,940 pregnant women in Norwayand pregnancy outcome for infected women. J Clin Microbiol 1998; 36: 2900-2906.

101. Wilson M, McAuley JM. Toxoplasma. In: Murray PR, Baron ES, Pfaller MA et al. Manual of Clinical Microbiology, 7thEd. Washington, DC: ASM Pres, 1999: 1374-1382.

102. European Multicentre Study on Congenital Toxoplasmosis. Effect of timing and type of treatment on the risk of mother to child transmission of Toxoplasma gondii. 2003; 110: 112-120.

103. Bader TJ, Macones GA, Asch DA. Prenatal screening for toxoplasmosis. Obstetric Gynecol 1997; 90: 457-464.

104. Gras L, Wallon M, Pollark A, et al. Association between prenatal treatment and clinical manifestations of congenital toxoplasmosis in infancy: A cohort study in 13 European centres. Acta Pediatrica 2005; 94: 1721-1731.

105. Gilbert RE, Gras L, Wallon M, Peyron F, et al. Effect of prenatal treatment on mother to child transmission of Toxoplasma gondii: retrospective cohort study of 554 mother-child pairs in Lyon, France. International Journal of Epidemiology 2001; 30: 1303-1308.

106. Gras L, Gilbert RE, Ades AE, Dunn DT. Effect of prenatal treatment on the risk of intracranial and ocular lesions in children with congenital toxoplasmosis. International Journal of Epidemiology 2001; 30: 1309-1313.

107. National collaborating centre for women's and children's health. Antenatal care: routine care for the healthy pregnant woman. NICE 2008. Clinical guideline 6.

108. Canaris GJ, Manowitz NR, Mayor G, et al. The Colorado thyroid disease prevalence study. Arch Intern Med 2000; 160: 526.

109. Abalovich M, Gutierrez S, Alcaraz G, et al. Overt and subclinical hypothyroidism complicating pregnancy. Thyroid 2002; 12: 63.

110. Matalon S, Sherner E, Levy A, et al. Maternal hypothyroidism is not associated with adverse perinatal outcome(abstract). Obstet Gynecol 2003; 189: S190.

111. Delange F. The disorders induced by iodine deficiency. Thyroid 1994; 4: 107-128.

112. Pop VJ, Kuijpens JL, van Baar AL, et al. Low maternal free thyroxine concentrations during early pregnancy are associated with impaired psychomotor development in infancy. Clin Endocrinol 1999; 50: 149-155.

113. Haddow JE, Palomaki GE, Allan WC, et al. Maternal thyroid deficiency during pregnancy and subsequent neuropsychological development of the child. N Engl J Med 1999; 341: 549-555.

114. Allan WC, Haddow JE, Palomaki GE, et al. Maternal thyroid deficiency and pregnancy complications: implications for population screening.

115. Utiger RD. Maternal hypothyroidism and fetal development. N Engl J Med 1999; 341: 601.

116. Helfand M. Screening for subclinical thyroid dysfunction in nonpregnant adults: a summary of the evidence for the US Preventive Services Task Force. Ann Intern Med 2004; 140: 128-141.

117. Ameican Association of Clinical Endocrinologists. medical guidelines for clinical practice for the evaluation and treatment of hyperthyroidism and hypothyroidism. Endocr Pract 2002; 8: 457-69.

118. Hanson U, Persson B. Outcome of pregnancies complicated by type 1 insulin-dependent diabetes in Sweden: Acute pregnancy comlications, neonatal mortality and morbidity. Am J Perinatol 1993; 361: 330.

119. Jovanovic L, Druzin M, Peterson CM. Effect of euglycaemia on the outcome of pregnancy in insulin-dependent diabetic women as compared to normal control subjects. Am J Med 1981; 71: 921.

120 Bell R, Bailey K, Cresswell T et al. Trends in prevalence and outcomes of pregnancy in women with pre-existing type I and type II dabetes.

121. Gregory R, Tattersall RB. Are diagetic pre-pregnancy clinics worthwhile? Lancet 1992; 340: 656.

122. Dunne FP, Brydon P, Smith T et al. Preconception diabetes care in insulin-dependent diabetes mellitus. QJM 1999; 92: 175.

123. American Diabetes Association. Clinical practice recommendations 1999. Diabetes Care 1999; 23: S10.

124. Kitzmiller JL, Gavin LA, Gin GD et al. Preconception care of diabetics. JAMA 1991; 265: 731.

125. American Diabetes Association. Preconceptional care of women with diabetes. Diabetes care 2004; 27: S76-8.

126. Kitzmiller JL, Buchanan TA, Kjos S et al. Preconception care of diabetes, congenital malformations, and spontaneous abortions. Diabetes Care 1996; 19: 514-41.

127. Roland JM, Murphy HR, Ball V et al. The pregnancies of women with Type 2 diabetes: poor outcomes but opportunities for improvement> Diabet Med 2005; 22: 1774-7.

128. National Heart, Lung, and Blood institute. Clinical guidelines on the identification, evaluation and treatment of overweight and obesity in adults: the evidence report. Washington, DC: Government Printing Office 1998.

129. Sebire NJ, Jolly M, Harris JP, et al. Maternal obesity and pregnancy outcome: A study of 287,213 pregnancies in London. int J Obs Relat Metab Disord 2001; 25: 1175.

130. Watkins ML, Rasmussen SA, Honein MA, et al: Maternal obesity and risk for birth defects. Pediatrics 2003; 111: 1152.

131. Shaw GM, Velie EM, Schaffer D. Risk of neural tube defect-affected pregnancies among obese women. JAMA 1996; 275: 1093.

132. Stephansson O, Dickman PW, Johansson A, et al. Maternal weight, pregnancy weight gain, and the risk of antepartum stillbirth. Am J Obstet Gynecol 2001; 184: 463.

133. Baydock S, Chari R. Prepregnancy obesity as an independent risk factor for unexplained stillbirth. Obstet Gynecol 2002; 99: 74S.

134. McTigue KM, Harris R, Hemphill B, et al. Screening and interventions for obesity in adults: summary of the evidence for the U.S. Preventive Services Task Force. Ann Intern Med 2003; 139: 933-49.

135. Nawaz H, Katz DL, American College of Preventive Medicine Practice Policy statement. Weight management counseling of overweight adults. Am J Prev Med 2001; 21: 73-8.

136. 한정열. 건강한 아기 출산을 원하는 엄마들의 선택 계획 임신. 조선일보 생활미디어; 192-8.

남성의 임신전관리

◦ 최진호

(본 내용은 한국모자보건학회 20권 1호에 저자가 발표한 내용을 재정리함)

1 서론

　계획임신을 위해서는 남녀 공히 임신 전 관리는 필요하다는 인식이 최근 부각되고 있다. 현재까지 여성관리의 필요성이나 방법에 대한 중요성은 잘 알려져 있지만 아직 남성 관리에 대한 관심은 많이 부족한 편이다. 절반의 책임을 지어야 할 남성 대신 여성들이 모든 책임과 부담을 지고 있는 것이 현실이다. 임신이 안되어 의료기관을 방문 후에 비로소 문제점을 발견하고 건강한 상태로 되돌리기 어려운 경우도 많이 접하게 된다. 최근 우리나라의 늦결혼 추세는 의학적 진단 시기까지 늦추게 되어 고령임신을 더더욱 어렵게 하고 있다. 정상부부에서 임신 가능성은 정상적인 성생활 후 첫 달에 20-25%, 6개월에 75%, 1년에 85-90%에 이르게 된다. 1년 간 자의적인 피임 없이 정상적인 부부생활과 성관계를 하여도 임신이 안 되는 약 15%의 부부는 난임으로 간주하여 이에 대한 평가를 하게 되며 적극적 검사를 원할 때는 1년이 되기 전이라도 평가를 하게 된다. 일반적으로 난임 원인은 여성요인 (배란장애, 난관 및 복강요인)이 50%, 남성요인이 35%, 원인불명이 10% 정도 차지하는 것으로 알려져 있다. 하지만 정부가 지원한 체외수정 시술자의 난임 원인의 분석결과 (2013년) 여성요인 31.3%, 남성요인 6.2%, 원인불명이 46.1%로 나타났다. 이는 여전히 남성요인에 대한 진단과 치료가 미흡한 현실을 보여주는 것이라 하겠다. 1990년대에 들어서 보조생식술 (assisted reproductive technique, ART)과 배아복제 등 생식의학술기에 많은 변화와 발전이 있었다. 세포질 내 정자주입술(intracytoplasmic sperm injection, ICSI)의 확립은 많은 난임부부들에게 희망을 주고 있다. 그러나 이러한 고도의 기술과 고 비용의 ART의 확산은 정작 임신을 위한 남성의 건강 및 관리 그리고 나아가 남성의 문제점의 진단과 치료를 간과하는 문제점을 발생시키고 있다. ART의 발전은 역설적으로 불임증의 한 축인 남성의 생식건강과 남성불임증에 대한 관심을 저하시키고 있다. 이는 부부의 자연적 임신을 유도하기 보다는 남성의 정자만을 획득하여 이를 난자와 결합시키는 것에 집중할 소지가 있기 때문이다.

　남성불임에 대한 전문의료기관이 손에 꼽을 정도로 부족한 우리나라의 현실 속에서 과거부터 임신 전 남성관리에 대한 관심은 거의 없었다고 해도 과언이 아니다. 이는 비단 우리나라뿐만 아

니라 외국의 경우도 마찬가지이다. 의료선진국인 미국도 2005년이 되어서야 질병관리본부가 35
여개의 유관기관을 아우르는 국가적 협의를 거쳐 임신 전 관리의 중요성을 인지하고 이를 증진하
기 위한 권고안을 제시하였다. 예방 및 관리를 통해 건강과 임신에 미칠 수 있는 생물 의학, 행동
학, 사회학적 위험 요소를 알아내어 개선하는 것이 임신 전 관리의 기본적인 개념이다. 임신 전 관
리는 크게 위험 인자의 평가, 건강의 증진, 임상 및 심리 사회적 중재의 세 요소로 이루어져 있다.
이와 같이 임신 전 관리의 개념은 마치 일차의학인 예방의학의 개념과 흡사하다. 예방의학의 개념
과 범위는 좁게는 조깅, 에어로빅 등 운동과 식이요법으로 건강한 신체를 유지하는 것에서부터 암
과 같은 치명적인 질병을 조기에 발견해 병이 더 중증으로 발전하는 것을 예방하는 것, 그리고 나
아가서는 질병 치유 이후에 사회에 무사히 복귀해 정상적인 생활을 할 수 있게 하는 재활의 개념
까지 포함한다. 즉, 각종 예방접종을 하여 면역성을 높임으로써 질병의 발생을 차단하는 소극적
예방을 포함하는 1차적 예방, 일단 발병하였으면 가능한 한 정기 검진 등으로 조기에 알아내어 이
를 치료하며, 병이 더 중증으로 되는 것을 막는 2차적 예방, 그리고 이미 발병하였을 때 그 후유증
의 발생을 예방하여 신체기능에 장애가 오지 않도록 하는 것이고, 만약에 후유증의 발생이 불가피
할 경우에는 재활시켜서 사회에 복귀, 적응할 수 있도록 하는 3차적 예방이다. 임신 전 남성관리
의 목적은 임신계획의 구체적이고 확고한 결정, 여성의 생식 건강 향상, 임신 결과의 향상, 남성
자신의 건강 증진, 부성(fatherhood)으로서의 자질 향상이라고 할 수 있다. 산부인과 의사를 포함
한 임상의는 임신 전 남성관리의 필요성과 중요성을 인식하고 관심을 기울여야 하겠다. 본론에서
저자는 임상의들이 숙지해야 할 임신 전 남성관리의 주된 요소인 위험평가에 초점을 두어 그 필요
성을 기술하고자 한다.

2 임신 계획의 수립

위험 평가는 임신 계획의 검토로부터 시작한다. 부부 자신들의 가치관과 경제력을 포함한 여
러 능력을 고려하여 자녀를 가질 계획 여부를 신중하게 결정해야 한다. 첫째 또는 추가 자녀를 가
지기 위해서 부부는 얼마나 기다릴 수 있는지를 공감대가 형성되어야 한다(Dunlop et al., 2007;
Frey et al., 2008). 1년 이내 임신을 계획하고 있다면 남자 배우자는 임신 전 관리로 돌입해야 한
다. 만약 1년 이후에 임신을 고려한다면 연령에 맞는 적절한 예방 의료 서비스를 받음으로써 그와
그의 배우자는 효과적인 피임과 임신 생활 계획을 지속적으로 업데이트 할 것을 권장한다. 계획
수립에 있어서 연령의 고려는 매우 중요하다. 임신에서 지금까지는 주로 여성의 나이만 고려 대상
이었으나 남성의 연령도 매우 중요한 요소이다. 어떤 경우라도 가장 좋은 것은 부부가 한 살이라
도 젊을 때 임신하는 것이다. 남성 불임의 원인은 여러 가지이지만 임신을 시도하는 연령이 고령
화되었다는 것도 중요한 원인이다. 최근에는 결혼 연령뿐 아니라 결혼 후 임신을 하기까지의 기간
도 점차 늦어지고 있다. 2014년도 현재 우리나라 여성의 평균 초혼 연령이 만 30.7세, 남성은 만
32.8세이다(그림 5-4-1).

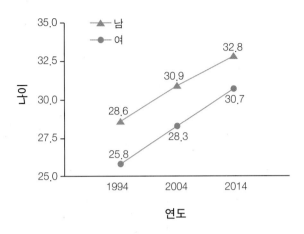

그림 5-4-1. **우리나라 평균 초혼 연령의 연도별 변화**

따라서 남성이 첫 아기를 갖는 시점은 만 35세 무렵이 되기 쉽다. 또한 최근에는 연상녀-연하남 부부의 증가 추세가 뚜렷하기 때문에 이런 특수성을 임신계획수립에 반영해야 한다. 흔히 여성이 만 35세 이상이면 고령 임신부로 분류되는데 남성도 나이가 들면서 임신능력이 떨어진다. 20-30대에는 남성의 정관에 성숙한 정자가 포함될 가능성이 90%인데 만 40세를 넘으면 그 수치가 50%로 감소한다(Balasch, 2010). 또한 남성은 연령증가에 따라 테스토스테론의 분비가 감소하게 된다. 이로 인해 정자 생산이 줄어들고 정자의 질도 떨어지고 발기능력의 저하로 성생활에도 장애가 오기 쉽다. 미국 질병관리본부에서는 임신계획수립을 위한 워크시트를 제시하였다. 임신을 원하는 경우와 원하지 않는 경우에 각각 해당하는 질문 리스트에 답을 하면서 구체적인 계획을 직접 써보도록 하였다(http://www.cdc.gov/preconception/reproductiveplan.html).

3 질병력과 수술력의 파악

일차 진료 의사는 다른 모든 질환에서와 마찬가지로 주기적으로 남자 배우자의 생식 건강을 손상시킬 수 있는 지속적인 건강 상태를 포함하여, 환자의 병력 청취와 의무 기록을 검토해야 한다. 정자 질의 감소와 관련된 의학적 상태는 비만, 당뇨, 성매개병 등이 있다. 출생 후 성인이 되기까지의 성장력도 중요하다. 특히 고환과 정로에 영향을 미쳐서 불임을 유발할 수 있는 개인의 과거력을 청취하는 것은 중요하다. 이때에는 특히 사춘기 이전과 사춘기 이후로 나누어서 성장력 청취를 하는 것이 편리하다. 사춘기 이전의 병력에 관한 항목으로는 기형 병력과 교정 과정, 고열을 동반한 질환 병력, 수술 경력, 장기간 복용 약물과 유·소아기의 주위 환경 등이 될 수 있는데, 유아기의 질환에 관한 항목은 부모에게서 불임의 단서를 얻는 경우도 있다.

체중관리는 자연임신을 위해 꼭 필요한 부분이다. 많은 남성불임의 원인 중 간과해서는 안되는 것이 남성비만이다. 비만도를 알기 위해 많이 사용되는 체질량 지수는 국제적으로 통용되고 용이하게 비만을 스크리닝 할 수 있는 장점이 있다. 그러나 '마른 비만'을 가려낼 수 없고, 동서양인에 따라 기준을 달리해서 적용되는 단점이 있다. WHO(2010년)에서 제시된 아시아태평양 비만 기준은 BMI가 23-24.9이면 과체중, 25-29.9이면 비만, 30 이상을 고도비만으로 분류하고 있다. 그러나 최근 연구 결과에 의하면 우리나라도 점차 식생활과 체형이 서구화되어 가고 있고, 일본 검진학회에서 비만 기준을 BMI 남자 27.7, 여자 26.1 이상으로 제시한 것처럼 우리나라도 상향 조정해야 한다고 보고하였다(Yoon et al., 2015).

BMI을 기준으로 한 비만도와 정액의 질과의 관련성에 대해서는 두 개의 메타분석 결과가 상충되어 논란이 있었지만 비만에 의한 2차적 호르몬 분비 변화에 따른 생식기능 저하는 명확하므로 대체적으로 비만한 남성에서 정자의 양과 질에 문제가 생기는 것으로 받아들여지고 있다(Mac-Donald et al., 2010; Sermondade et al., 2013). 1,558명의 덴마크 남성을 대상으로 한 연구에서 BMI 25 kg/m²이상에서 정자 농도와 총 정자 수에서 유의한 감소를 보였고, 또한 저체중 남성(BMI < 20 kg/m²)도 비만 남성과 비슷한 결과가 나와서 적절한 체중관리의 필요성을 강조하고 있다(Jensen et al., 2004). 호주 서부지역에서 20-22세 청년들을 대상으로 한 대단위 코호트 연구에서도 체질량 지수가 높을수록 정액 양, 정자 수, LH, inhibin B, testosterone, DHT가 유의한 감소를 보였다(Hart et al., 2015).

비만과 불임의 관련 병리기전은 다음과 같이 설명되고 있다. 비만남성에서는 과다한 지방조직이 성호르몬의 대사작용에 문제를 일으켜 남성호르몬을 여성호르몬으로 변화시켜 남성호르몬의 감소로 정자 생성을 방해한다. 또 insulin, SHBG, leptin, inhibin B 분비의 불균형으로 남성호르몬 분비가 감소되고 정자생성에 방해를 초래한다. 비만은 정자의 RNA단계 변형, DNA메틸화, 정자 chromatin 응축 과정에 문제가 초래될 수 있다(Davidsno et al., 2015). 비만남성의 과다한 지방이 체온을 높이기 때문이라는 주장도 있다. 정자는 체온보다 1-2℃ 낮은 환경에서 잘 만들어지는데 체온 자체가 높으면 정자가 잘 생성될 수 없기 때문이다. 과체중이 20 lb마다 증가할 때마다 불임의 가능성은 10%씩 증가한다는 보고도 있다(Sallmen et al., 2006). 비만 남성에게 흔한 당뇨병도 원인으로 지목되고 있다. 비만남성은 당뇨뿐 아니라 고혈압, 고지혈증, 협심증 등 성인병에 걸릴 위험이 높다. 이런 질환 때문에 정상인에 비해 정자수가 적고 다양한 성기능 장애가 발생할 가능성도 높다. 비만남성은 성생활에도 어려움을 겪는다. 수면무호흡증에 의해서 발기부전이 올 수 있고, 성기가 치골 아래 살 속으로 깊이 파묻혀 삽입에 어려움을 초래할 수도 있다. 또한 비만남성은 심폐기능이 좋지 않은 경우가 많아 성욕도 감퇴되기 쉽다(Bray, 1997).

당뇨병은 정액 지표의 악화, 산화스트레스에 의한 정자 핵과 미토콘드리아의 DNA손상, 부고환의 조직학적 손상으로 정자 이동 방해, 남성호르몬 감소, 당뇨병성 말초신경병증으로 인한 정낭, 방광, 요도의 이완으로 누정(emission) 및 사정 장애 초래하여 생식기능에 악영향을 준다

(Jangir & Jain, 2014). 제1형 당뇨은 국소적 자가면역 손상과 관련된 생식세포의 세포자멸사와 관련 있고, 제2형 당뇨는 인슐린저항성, 비만, 동반 관련 질환에 의해서 간접적으로 정자 지표와 남성호르몬에 영향을 준다. 모든 당뇨병 남성 중에서 혈당 조절이 안되는 경우에 조절이 잘 되는 남성보다 낮은 정자 수, 운동성, 속도 및 생존성을 보이는 경향이 있다(Padron et al., 1984). 이밖에 당뇨병은 성기의 발기 조직을 포함한 혈관성, 신경인성, 약물투여, 심인성 요인 등의 복합적인 작용에 기인하여 발기부전을 유발할 수 있다.

정류고환은 출생 시에 3–4% 정도에서 발견되며, 적절한 시기에 교정을 받더라도 양측성인 경우의 50%에서 정액검사의 이상을 보이며, 임신율이 30–50%, 일측성일 때에는 25%에서 정액검사 이상을 보이며, 임신율은 78–92%로 보고되기도 한다. 일측성 고환염전 혹은 고환손상 병력이 있으면 항정자 항체가 생길 수 있어서 손상된 고환뿐 아니라 반대쪽 고환에도 나쁜 영향을 주는 경우가 많고 남성불임의 원인이 되기도 한다는 점에 유의하여야 한다.

과거의 수술 경력도 중요하다. 방광경부 수술은 역행성 사정을 초래할 수 있다. 탈장교정술이나 음낭수종절제술, 고환고정술과 같은 서혜부위 수술은 정관을 직접 손상시키거나 정관과 고환의 혈관을 손상시켜 이차적으로 영향을 미칠 수 있다. 과거에 정관수술과 정관복원수술을 받았던 경우에는 부고환기능에 영향을 미쳐 정자의 운동성이 감소하고 항정자 항체가 생길 수 있어 수정 능력과 임신에 영향을 주게 된다. 뇌하수체종양 수술을 받았던 환자에서는 성선자극호르몬과 남성호르몬의 분비장애로 정자생성에 영향을 주게 될 뿐 아니라 다른 내분비호르몬의 장애도 함께 나타난다. 최근 병력으로 필요한 것은 3개월 이내의 열성 질환의 동반여부로, 고열이 있었던 경우에는 1달에서 3달간 정자형성에 문제가 나타날 수 있기 때문이다. 일반적인 전신질환으로 불임을 유발되기도 하는데 특히 당뇨병과 다발성경화증을 가진 환자에서는 발기장애와 함께 누정 장애 및 역행성 사정이 있을 수 있으며, 만성신부전 환자에서도 불임이 흔하게 발견된다. 고환암과 림프종 환자의 60%에서 진단 시에 이미 감정자증이 발견되며, 화학요법, 방사선치료, 후복막림프절 절제술 등을 통해 더욱 나빠져 약 70–80% 이상에서 불임이 된다. 후복막림프절 절제술은 사정에 관여하는 교감신경절을 포함하기 때문에 역행성 사정, 누정장애 등을 초래하기 때문이다. 결국 전체 고환암 환자의 치료 만료 후 약 30%에서만 가임 능력을 유지할 수 있다. 과거의 감염 병력으로 급성 부고환염이나 고환염을 앓았는지를 조사해야 한다. 유행성 이하선염은 사춘기 전에는 별 문제를 일으키지 않지만 11–12세 이후에는 10–30%의 환자에서 고환염이 발생하며 고환손상을 일으킨다. 사춘기 이전의 바이러스성 이하선염은 고환염을 유발하지 않기 때문에 사춘기 이후의 바이러스성 이하선염에 의한 고환염의 과거력은 매우 중요하다. 이 고환염은 주로 양측보다는 일측성으로 호발한다. 약 36%에서 고환의 위축을 유발할 수 있으며, 13%에서 불임을 초래할 수 있다. 급성 세균성 부고환염은 여러 가지 원인균에 의해 발생하며 부고환이 막혀 폐쇄성 무정자증이 될 수 있다. 이러한 급성 음낭증(acute scrotum)의 병력이 없더라도 요로감염이나 성 접촉성 병력이 있었는지, 결핵을 앓은 적이 있었는지 알아보아야 한다. 감염으로 인한 정액 내 백혈구 등은 정자

운동성을 감소시키고 반응성산소기(radical oxygen species)를 발생시킬 수 있다. 특히 일반세균이 검출되면 적절한 항생제 투여가 필요한데 퀴놀론계 항생제는 전립샘과 정낭에서 고농도를 유지할 수 있기 때문에 널리 쓰인다. 클라미디아 감염인 경우는 1주간의 doxycycline이나 5일간의 azithromycin을 투여한다. 임질, 비임균성요도염, 결핵성부고환염 등은 부고환막힘증을 유발시킬 수 있다. 이런 경우는 항생제 치료 후 수술적 치료를 고려해야 한다.

4 복용 약물 파악

과거, 현재의 투여 약물을 알아야 한다. 처방 약물은 물론이고 비처방 약물(OTC, 등), 생약제, 한약 등을 포함한다. 고혈압 치료제 calcium channel blocker, 이뇨제 spironolactone, 소화성궤양용제 cimetidine, 통풍치료제 colchicine, corticosteroids, 전립선비대증 및 탈모 치료제 finasteride, 진정진통제 methadone, 항진균제 ketoconazole, 항균제 tetracycline, erythromycin, gentamycin, nitrofurantoin, 항전간제 phenytoin, 류마티스관절염 및 궤양성대장염 치료제 sulfasalazine 등은 정자의 형성을 방해하거나 남성호르몬을 감소시켜 정자의 질을 떨어뜨릴 수 있다(Samplaski, 015). 5알파환원효소 억제제인 finasteride, dutasteride는 정액량의 감소와 정자수 감소를 유발하고 일부 연구에서는 남성호르몬 T와 DHT의 감소와 운동성에도 영향이 있다고 보고하였다(Amory et al., 2007). 감정자증인 난임 남성은 반드시 중단해야 한다. 대부분 투약 중단 후에 정액지표 및 호르몬은 정상화 되지만 회복하는데 3-12개월로 개인차가 있으므로 임신을 희망하는 남성들은 주의를 기울여야 한다.

항암치료에 사용되는 화학요법제제는 성선 장애를 유발시키는 약물로 가장 대표적인 것으로 투여량에 비례하여 고환의 정자형성기능을 파괴하며 남성호르몬을 분비하는 라이디히 세포에도 영향을 줄 수 있다. 여러 종류의 화학요법제제 중 cyclophosphamide 등의 알킬화제(alkylating agent)는 DNA와 직접 결합을 하여 DNA의 복제를 억제하기 때문에 타 약제에 비해 고환의 생식세포 손상이 제일 많고, 화학요법 중단 후 회복률도 제일 낮다.

5 가족력과 유전적 위험 요소의 평가

남성의 유전적 위험도는 가족력, 연령, 특정 민족을 바탕으로 평가되어야 한다. 간혹 상염색체 열성 또는 반성(sex-linked) 유전 질환은 세대를 건너 뛸 수 있기에 가족력은 3세대에 걸친 평가가 반드시 필요하다. 상염색체열성 질환인 낭성섬유증(cystic fibrosis)과 카르타게너 증후군(Kartagener syndrome, immotile cilia syndrome), 상염색체우성 질환인 다낭신장병(polycystic kidney disease), 그리고 클라인펠터 증후군(Klinefelter syndrome) 등은 정자의 질을 떨어뜨리거나 무정자증을 초래할 수 있다. 낭성섬유증은 선천적 정관무형성증으로 폐쇄성 무정자증이 나타난다. 클라인펠터 증후군은 남성불임을 일으키는 가장 흔한 성염색체 이상으로 500명당 1명에서 나타난다. 대부분이 47,XXY형태이지만 10%정도에서는 XY/XXY의 모자이크 형태를 보이며 모자이크형에서는 때때로 정액검사에서 심한 감정자증을 보이기도 한다. 카르타게너 증후군은 선천적으로 체내의 모든 섬모의 기능이 감소하므로 정자의 운동력도 저하된다. 다낭신장병은 정자 미부의 미세관(microtubule) 이상과 정낭의 무긴장성 이완에 의한 비대로 정자의 질이 저하된다.

조현병(schizophrenia)은 유전성 경향이 알려져 있는데 남성의 고연령 또한 자식의 조현병 발생 빈도의 증가와 관련이 있어서 아버지의 나이가 10세 증가할 때마다 1.47배의 위험률이 있다고 한다(Malaspina et al., 2001; Sipos et al., 2004).

최근 국제결혼이 증가 추세이다. 흔치 않지만 배우자가 아쉬케나지 유대인, 아프리카계 미국인, 동남아인, 지중해 소수민족인 경우에 특정 유전질환을 감별해야 한다.

6 작업장에서 노출력 평가

주위의 환경이나 작업장에서 불임을 일으킬 수 있는 여러 성선 독성물질(gonadotoxin)이나 내분비교란물질(endocrine disrupter)에 고환이 노출되거나 영향을 받을 수 있다. 화학물질을 다루는 작업자, 전기 작업자, 전자산업 종사자, 금속을 다루는 작업자, 염색 관련 작업자, 신발 제조업자, 직물공장 종사자, 세탁소 종사자, 가구 제조업자, 핵발전소 종사자, 의료 종사자 등이 여기에 해당한다. 농약인 dibromochloropropane (DBCP), 솔벤트, 이황화탄소, 중금속(카드뮴, 납, 수은), 체외에스트로겐(exoestrogen), 환경호르몬 혹은 내분비 교란물질로 불리는 다이옥신(dioxin), dichloro-diphenyl trichloroethane (DDT), polychlorinated biphenyls (PCB) 등은 지속적으로 인체에 축적되어 성기능을 억제하거나 고환에서 라이디히 세포의 과증식을 유발하거나 정자형성을 억제하여 정자수를 감소시킬 수 있다. 고온 작업환경에서는 근무하는 것도 원인이 될 수 있다. 제철제강 근로자, 소방관, 제빵사, 요리사, 트럭 운전사의 임신율은 다른 직업 종사자에 비해 낮다. 고환의 온도는 다른 신체 부위에 비해 1-2도 낮게 유지되어야 하는데 고온의 외부조건에 지속적이거나 반복적으로 노출이 된다면 정자형성에 나쁜 영향을 주게 된다.

7 위험행동의 평가 및 상담

일부 취미활동과 흡연, 음주, 마약 및 스테로이드 복용은 잠재적 위험요소이다. 흡연은 정자형성에 아무런 영향도 없다는 보고도 있으나, 흡연으로 인하여 정자 수의 감소, 기형정자 비율 증가, 운동성 감소, 수정능 저하와 관련이 있다고 알려져 있다. 최근 연구에서 담배의 니코틴과 여러 화학물질이 정자 DNA의 산화적 손상을 준다고 보고 하였다(Taha et al., 2012; Kovac et al., 2015). 흡연은 남성 수정 능력의 30%까지 손상을 주는 아주 해로운 습관이다. 남성의 생식세포가 정자로 분화되는 데에는 약 60일이 걸리는데, 이 기간에 니코틴 같은 유해물질이 침투하면 정자 세포가 유전자 돌연변이나 염색체 이상을 일으킬 수 있다. 또한 남성의 흡연은 여성에게 간접흡연 및 3차 흡연의 경로로 피해를 준다는 것을 간과해서 안 된다. 남편의 흡연에 노출된 여성의 자연 유산율이 그렇지 않은 여성보다 월등히 높다. 또한 흡연은 정계정맥류 등의 남성불임의 다른 원인을 가진 환자에서 보조 인자로서 나쁜 영향을 미칠 수 있다(Fariello et al., 2012). 금연은 남녀 모두에게 가임 능력을 증가시키는 간단하면서도 효과적인 방법이다.

특정 주류는 항산화 효과의 장점으로 정자의 DNA 손상을 예방한다고 하였으나 이 역시 DNA 손상을 준다는 보고가 더 많다(Marinelli et al., 2004; Muthusami & Chinnaswamy, 2005). 과음은 발기부전의 주요 원인이 된다. 알코올은 만성중독자에서 직접적으로 고환위축과 함께 혈중 남성호르몬을 감소시키고, 정자의 성장 발달에 필요한 비타민 A의 대사 작용을 방해해 비정상적으로 발육하게 하여 정자의 수, 운동성, 모양 모두에서 이상이 나타날 수 있다. 또 간접적으로 간에 문제를 일으켜 남성호르몬의 대사를 변화시키고 발기부전과 정자를 생산하는 능력을 떨어뜨린다.

마리화나, 코카인, 아나볼릭 스테로이드도 남성 불임과 관련이 있다. 마리화나는 남성호르몬 생산정자 수, 정액의 질의 감소를 초래한다. 코카인 또한 정자수의 감소, 기형정자의 비율 증가, 운동성의 감소가 보고되었다. 코카인의 중단 후 정자에 대한 영향이 약 2년까지도 남아있다고 한다. 근육량을 늘리기 위하여 아나볼릭 스테로이드(anabolic steroid)를 사용하는 남성들이 있다. 아나볼릭 스테로이드는 흔히 근육강화제로 통하는데 운동선수들이 인위적으로 근육을 만들기 위해 사용하는 호르몬제이다. 요즘은 운동선수뿐 아니라 근육에 관심 있는 일반 남성들도 이 약물을 많이 사용하고 있는 것이 문제가 될 수 있다. 아나볼릭 스테로이드는 남성의 몸에서 과도한 테스토스테론을 생성하게 한다. 테스토스테론은 생식세포의 발달과 분화, 성장에 핵심적인 작용을 하는 호르몬으로 남성에게서 여성의 20배 정도 더 많이 분비된다. 즉, 남성의 몸에서는 이미 충분한 양의 테스토스테론이 생성되고 있으므로 이를 추가로 사용하면 좋지 않다. 아나볼릭 스테로이드를 장기간 복용한 남성에게는 대부분 성선기능저하증이 나타나며 불임증, 전립선 증대, 고환위축, 무정자증이 발생한다. 아나볼릭 스테로이드의 남용에 의한 남성 불임은 흔히 핍정자증이나 무정자증과 함께 정자의 운동성과 형태에도 이상을 나타낸다(Torres-Calleja et al., 2001).

일부 취미 활동을 통해 생식능에 악영향을 줄 수 있는 환경에 노출될 수 있다. 수제가구 마감질, 차량 정비, 그림 그리기, 도자기, 사격, 등은 화학용제 및 중금속 물질의 영향을 받을 수 있다. 또 자전거 및 모터사이클 타기는 발기 부전, 고환의 온도 상승, 정계정맥류 악화와 연관이 있다. 안장이 남성 성기로 가는 주요 혈류를 압박하고 발기에 중요한 역할을 하는 신경을 압박할 수 있다. 또한 고환의 온도가 급격하게 올라간다는 것도 원인이 된다. 16주 동안 집중적으로 사이클링을 했던 남성에서 정액 지표의 이상 소견이 관찰되었고, 정액 내 cytokine이 증가되었으며 중단 후 1달까지도 회복이 되지 않았다(Hajizadeh Maleki & Tartibian, 2015).

8 영양(nutrition) 섭취

임신을 준비하기 위한 영양관리는 여성에게 중요한 만큼 남성의 영양 상태 역시 정자에 직접적으로 영향을 주기 때문에 중요하다. 남성이 균형적인 영양 섭취를 하지 못하면 성욕이 감소하는 것은 물론이고 정자 수도 줄어든다. 남성의 몸이 향후 수정될 성숙된 정자를 만드는 데 필요한 시간인 약 100일 동안 섭취한 영양분은 정자의 성숙 과정에 영향을 미친다는 것을 의미하겠다. 임신 후 영양소의 섭취도 중요하지만 남녀 모두 임신 시도 전부터 영양 섭취에 대한 꼼꼼한 계획을 세울 필요가 있겠다. 남성에게 도움이 되는 영양소로 전통적으로 알려진 것으로 아연과 엽산이 있다. 이들은 항산화작용을 통해서 활성산소에 대응하여 산화 스트레스와 DNA 손상을 줄일 수 있다고 알려져 있다. 연구에 따르면 아연과 엽산의 병용 섭취 또는 아연의 단독 투여로 정자 수의 증가와 운동성 향상에 유의한 효과가 있다는 보고들이 있다(Kynaston et al., 1988; Omu et al., 1998; Wong et al., 2002). 엽산(비타민 B9)은 임신시도 3-6개월 전부터 부부가 함께 복용하도록 권유받는 중요 영양소이자 항산화제이다. 치명적인 선천성 기형인 태아척추이분증을 예방하려면 엽산 섭취가 필수적이다. 태아척추이분증은 태아의 신경관이 완전하게 폐쇄되지 않는 것이 원인인데, 임신 초기에 발생하므로, 임신 확인 후 엽산을 복용하는 것은 너무 늦다. 수정 전에 난자와 정자에 충분한 양의 엽산이 저장되어 있어야 한다. 엽산이 부족하면 태아가 다운증후군일 가능성도 높아지고, 정자 수가 감소하여 불임의 원인이 되며 정자의 염색체에도 이상이 생길 수 있다. 엽산은 태아의 성장 과정에도 지대한 영향을 준다. 세포 생성에 필요한 DNA 합성과 대사 작용, 헤모글로빈합성 등에 엽산이 꼭 필요하다. 성인남성의 엽산의 1일 권장량은 400 μg인데, 엽산은 일상적인 식사를 통해서는 권장 섭취량의 1/3-1/2 수준인 200 μg정도만 섭취하게 되므로 보충제를 복용하는 것이 좋다. 무기질(미네랄)은 인체 각 조직에 가장 널리 펴져 있으면서 신체 각 조직의 성장과 유지에 영향을 미치는 매우 중요한 미량 영양소이다. 특히 생식환경에 중요한데, 신체 내 필요량은 아주 적지만 우리 몸에서 자체적으로 생성하지 못하므로 섭취해야 한다. 가임기 남성에게 도움이 되는 무기질은 아연, 칼슘, 셀레늄, 마그네슘, 등이다. 이중에서 아연은 정액 분비물의 3분의 1가량을 만들어 내는 전립선액에 풍부해 정자에 영양을 공급한다. 한 무작위 대조군 연구에서 저활동성정자증을 보이는 남성에게 1일 2회 아연황산염 250mg을 3개월 투여 시 정자의 수, 운동성, 등이 향상되었고, 비운동성 정자가 감소하였다(Omu et al., 1998). 이외에 vitamin C, vitamin E, selenium, glutathione, ubiquinol(코엔자임큐텐), carnitine, arginine and carotenoids, 등이 있으나 Cochrane Database(2014)에 따르면 각 항산화제들의 효능에 대한 데이터가 충분하지 않고, 이질적이어서 대부분 낮은 등급의 level of evidence이었다. 일부 연구에서 고용량의 Vitamin C와 E가 정자의 DNA를 손상시킬 수 있다고 보고하여서 고용량 항산화제의 잠재적 해로움에 대한 논란도 제기되고 있다(Donnelly et al., 1999).

9 정신 건강

평생 동안 남성의 주우울증(major depression)의 발생률은 1.4-11%이다. 최근 연구에서 아버지의 우울증은 자식의 정서와 행동 발달과정에 유의한 악영향을 준다(Ramchandani et al., 2005). 심지어 우울증의 조절 이후에도 영향은 계속 된다고 한다. 아버지의 우울증은 어머니-자녀간 상호 행동에 부정적인 영향을 줄 뿐 아니라 아버지-자녀간 상호 관계 또한 부족해진다(Paulson et al., 2006). 반대로 건강한 정신 건강을 가진 아버지는 아이들에 대한 어머니의 우울증의 영향을 감소시킬 수 있다는 보고도 있다(Kahn et al., 2004).

10 신체적 검사(Physical examination) 및 혈액 검사(Laboratory test)

임상의의 역할 중 가장 중요한 부분이다. 상담 시 남성의 인상과 꼼꼼한 신체검사가 요구된다. 적절한 남성화와 관련된 hair 패턴을 관찰해야 하고, 가슴 부위 (여성형 유방, 유두분비물 여부), 국소적 신경학적 소견 (후각상실, 시야 결손), 그리고 마지막으로 생식기 부위에 집중해서 검사한다. 요도구 위치, 고환 위치와 크기, 정계정맥류 유무 여부를 체크하고, 필요 시 전립선 수지 검사를 시행한다.

이때 부신성기증후군, 클라인펠터 증후군, 칼만 증후군, 남성호르몬 수용체 이상 등의 성선기능저하증을 의심할 수가 있고, 여성형 유방이 관찰되면 고프로락틴혈증이나 여성호르몬 이상 등의 내분비 이상도 짐작할 수가 있다. 칼만 증후군은 10,000명당 1명에서 있으며 시상하부의 성선자극호르몬(GnRH) 분비호르몬이 없어서 나타나며, 가족력이 있고 매우 작은 고환과 무후각증, 색맹, 구개열 등의 정중선 장애가 동반되어 나타나기도 한다. 낭성섬유증 환자에서는 선천성 양측 정관무형성증을 보인다.

정액검사, 혈액검사, 소변검사, 매독 혈청 및 AIDS 검사, 간염 및 간기능 검사는 필수검사 항목이다. 또한 과거 요도염 병력이 있는 경우에는 임균, 비임균검사가 필요하다(Hoh & Park, 2011). 이외에 임상의 판단에 의해 필요하다면 호르몬 검사(FSH, LH, Prolactin), 염색체 검사, Y 염색체 미세결실(microdeletion) 검사를 시행할 수 있다. 미국 Preventive Services Task Force에서는 모든 성인 남성에서 혈압과 비만도 측정을 권장한다. 35세 이상에서는 이상지질혈증을, 고혈압 또는 고지혈증이 있는 남성에서는 2형 당뇨병 검사를, 그리고 50세 이상에서는 대장암 검사를 권장하였다. 또한 50-75세 남성에서는 전립선암 선별검사가 고려된다.

11 결론

2000년대 들어서 점차 세계적으로 임신 전 남성들의 건강 관리 및 준비의 중요성이 부각되고 있으나 우리나라에서는 임신 전 남성관리에 대한 논의 및 관심이 미흡한 것이 현실이다. 경제적 논리에 따른 우리나라의 의료현실은 임신을 위한 남성의 건강 및 관리 그리고 나아가 남성의 문제점의 진단과 치료를 간과하는 문제점을 발생시키고 있다. ART의 발전은 역설적으로 임신을 위한 절반의 책임을 가져야 할 남성의 생식건강과 난임에 대한에 대한 관심을 저하시키고 있다. 자본주의 의료시장에서 보조생식술 지향적인 진료행태와 의료수익 추구가 문제가 될 수 있는 것이 현실이다. 남성의 생식건강과 난임에 대해서 좀 더 깊이 있게 연구하고 치료하여 자연적 임신을 유도하기 보다는 남성의 정자만을 획득하여 이를 난자와 결합시키는 것에만 집중하고자 하는 경향이 없지 않다. 이로 인해 남성들이 자연임신력을 회복할 수 있는 기회를 박탈당할 가능성도 실재한다. 임신 전 남성에 대한 생식건강을 체크하고, 임신을 방해하는 위해 요소와 질병을 진단 치료해야 한다. 정액검사에서 이상을 보이는 남성 불임증 중 20-25%는 특발성이지만 나머지 대다수는 원인을 찾을 수 있으므로 치료 방향은 일차적으로 자연 임신을 목표로 원인적 치료를 시도하고 체외수정이나 보조생식술은 비용, 임신성공률 등을 고려하여 이차적으로 선택하여야 한다. 예를 들어, 정계정맥류, 감염, 정로폐색 같이 약물이나 수술적 교정으로 해결이 될 수 있는 질환과 비뇨생식기 장애 및 기형, 고환암이나 뇌하수체 종양으로 비롯되는 남성생식기능 저하 등은 충분한 평가와 치료로서 기능을 회복할 수 있다. 저자들의 병원 데이터를 분석한 결과, 2011-2014년에 산부인과에서 임신 전 관리 목적으로 진료한 260명의 여성 중 61명(23.5%)의 남자 배우자 (26-50세, 평균 36.6세)만이 임신 전 상담을 위해 비뇨기과를 방문하였다. 이들 중 정액검사 이상 소견은 28명(45.9%), 비임균성 요도염의 원인균 감염은 18명(29.5%), 정계정맥류는 11명(18%), 염색체 이상은 1명(1.6%)에서 진단되었다. 이를 통해서 현재 임신 노력을 위해 의료기관을 방문하는 남성의 나이가 많고, 정액의 질을 저하시키는 질병을 가지고 있을 가능성이 높으며, 대다수의 남성들이 임신 전 관리에서 방치되고 있음을 알 수 있었다. 과거에서 현재까지 정액검사만 통과하면 그것으로 남성들에게 '불임 면죄부'를 주었다. 사실상 남성의 몸과 관련된 사소한 사항들, 즉 환경과 습관, 체중 등이 난임과 직접적으로 관련이 있음에도 난임의 굴레는 대부분 여성들에게 돌아갔다. 앞으로 임신 전 남성관리의 중요성과 필요성에 대한 관심이 확대되고 국가적으로 임신 전 남성관리에 대한 지원과 홍보 그리고 일선 의사들의 관심이 절실하다.

▶ 참고문헌

1. Amory JK, Wang C, Swerdloff RS, Anawalt BD, Matsumoto AM, Bremner WJ, Walker SE, Haberer LJ, Clark RV. The effect of 5alpha-reductase inhibition with dutasteride and

finasteride on semen parameters and serum hormones in healthy men. J Clin Endocrinol Metab. 2007 May;92(5):1659-1665

2. Balasch J. Ageing and infertility: an overview. Gynecol Endocrinol. 2010 Dec;26(12):855-860

3. Bray GA. Obesity and reproduction. Hum Reprod 1997;12 Suppl 1:26-32

4. Centers for Disease Control and Prevention. Preconception Health and Health Care. Information for Men. Available online: http://www.cdc.gov/preconception/men.html.

5. Davidson LM, Millar K, Jones C, Fatum M, Coward K. Deleterious effects of obesity upon the hormonal and molecular mechanisms controlling spermatogenesis and male fertility. Hum Fertil (Camb). 2015 Sep;18(3):184-193

6. Donnelly ET, McClure N, Lewis SE. The effect of ascorbate and alphatocopherol supplementation in vitro on DNA integrity and hydrogen peroxide-induced DNA damage in human spermatozoa. Mutagenesis 1999;14:505–512.

7. Dunlop AL, Jack B, Frey K. National recommendations for preconception care: the essential role of the family physician. J Am Board Fam Med 2007;20(1):81–84

8. Fariello RM, Pariz JR, Spaine DM, Gozzo FC, Pilau EJ, Fraietta R, Bertolla RP, Andreoni C, Cedenho AP. Effect of smoking on the functional aspects of sperm and seminal plasma protein profiles in patients with varicocele. Hum Reprod. 2012 Nov;27(11):3140-3149

9. Frey KA, Navarro SM, Kotelchuck M, et al. The clinical content of preconception care: preconception care for men. Am J Obstet Gynecol 2008;199(6 Suppl 2): S389–395

10. Hajizadeh Maleki B, Tartibian B. Long-term Low-to-Intensive Cycling Training: Impact on Semen Parameters and Seminal Cytokines. Clin J Sport Med. 2015 Nov;25(6):535-540

11. Hart RJ, Doherty DA, McLachlan RI, Walls ML, Keelan JA, Dickinson JE, Skakkebaek NE, Norman RJ, Handelsman DJ. Testicular function in a birth cohort of young men. Hum Reprod. 2015 Sep 25 [Epub ahead of print]

12. Hoh JK, Park MI. The concepts and necessity of preconception care for men. J Korean Med Assoc 2011 August; 54(8): 808-817

13. Jangir RN, Jain GC1. Diabetes mellitus induced impairment of male reproductive functions: a review. Curr Diabetes Rev. 2014 May;10(3):147-157

14. Jensen TK, Andersson AM, Jørgensen N, Andersen AG, Carlsen E, Petersen JH, Skakkebaek NE. Body mass index in relation to semen quality and reproductive hormones among 1,558 Danish men. Fertil Steril. 2004 Oct;82(4):863-870

15. Kahn RS, Brandt D, Whitaker RC. Combined effect of mothers' and fathers' mental health symptoms on children's behavioral and emotional well-being. Arch Pediatr Adolesc Med 2004;158:721–729

16. Kovac JR, Khanna A, Lipshultz LI. The effects of cigarette smoking on male fertility. Postgrad Med. 2015 Apr;127(3):338-341

17. Kynaston HG, Lewis-Jones DI, Lynch RV, et al. Changes in seminal quality following oral zinc therapy. Andrologia 1988;20:21–22

18. MacDonald AA, Herbison GP, Showell M, Farquhar CM. The impact of body mass index on semen parameters and reproductive hormones in human males: a systematic review with meta-analysis. Hum Reprod Update. 2010 May-Jun;16(3):293-311

19. Malaspina D, Harlap S, Fennig S, et al. Advancing paternal age and the risk of schizophrenia. Arch Gen Psychiatry 2001;58:361–367

20. Marinelli D, Gaspari L, Pedotti P, et al. Mini-review of studies on the effect of smoking and drinking habits on semen parameters. Int J Hyg Environ Health 2004;207:185–192

21. Muthusami KR, Chinnaswamy P. Effect of chronic alcoholism on male fertility hormones and semen quality. Fertil Steril 2005;84:919–924

22. Omu AE, Dashti H, Al-Othman S. Treatment of asthenozoospermia with zinc sulphate: andrological, immunological and obstetric outcome. Eur J Obstet Gynecol Reprod Biol 1998;79:179–184

23. Padron R, Dambay A, Suarez R, et al. Semen analyses in adolescent diabetic patients. Acta Diabetol 1984;21:115–121

24. Paulson JF, Dauber S, Leiferman JA. Individual and combined effects of postpartum depression in mothers and fathers on parenting behavior. Pediatrics 2006;118:659–668

25. Ramchandani P, Stein A, Evans J, et al. ALSPAC Study Team. Paternal depression in the postnatal period and child development: a prospective population study. Lancet 2005;365:2201–2205

26. Sallmen M, Sandler DP, Hoppin JA, Blair A, Baird DD. Reduced fertility among overweight and obese men. Epidemiology. 2006;17:520–523

27. Samplaski MK, Lo K, Grober E, Jarvi K. Finasteride use in the male infertility population: effects on semen and hormone parameters. Fertil Steril. 2013 Dec;100(6):1542-1546

28. Samplaski MK, Nangia AK. Adverse effects of common medications on male fertility. Nat Rev Urol. 2015 Jul;12(7):401-413

29. Sermondade N, Faure C, Fezeu L, Shayeb AG, Bonde JP, Jensen TK, Van Wely M, Cao J, Martini AC, Eskandar M, Chavarro JE, Koloszar S, Twigt JM, Ramlau-Hansen CH, Borges E Jr, Lotti F, Steegers-Theunissen RP, Zorn B, Polotsky AJ, La Vignera S, Eskenazi B, Tremellen K, Magnusdottir EV, Fejes I, Hercberg S, Lévy R, Czernichow S. BMI in relation to sperm count: an updated systematic review and collaborative meta-analysis. Hum Reprod Update. 2013 May-Jun;19(3):221-231

30. Showell MG, Mackenzie-Proctor R, Brown J, Yazdani A, Stankiewicz MT, Hart RJ. Antioxidants for male subfertility. Cochrane Database Syst Rev. 2014;12:CD007411.

31. Sipos A, Rasmussen F, Harrison G, et al. Paternal age and schizophrenia: a population based cohort study. BMJ 2004;329:1070

32. Taha EA, Ez-Aldin AM, Sayed SK, Ghandour NM, Mostafa T. Effect of smoking on sperm vitality, DNA integrity, seminal oxidative stress, zinc in fertile men. Urology. 2012 Oct;80(4):822-825

33. Torres-Calleja J, Gonzalez-Unzaga M, De- Celis-Carrillo R, et al. Effect of androgenic anabolic steroids on sperm quality and serum hormone levels in adult male bodybuilders. Life Sci 2001;68:1769–1774

34. US Preventative Task Force. Guide to clinical preventive services, 2007: recommendations of the US Preventative Services Task Force. AHRQ Publication No.07–05100. Rockville (MD): Agency for Healthcare Research and Quality; 2007. Available at: http://www.ahrq.gov/clinic/pocketgd07

35. Wong WY, Merkus HM, Thomas CM, et al. Effects of folic acid and zinc sulfate on male factor subfertility: a double-blind, randomized, placebo-controlled trial. Fertil Steril 2002;77:491–498

36. Yoon JL, Cho JJ, Park KM, Noh HM, Park YS. Diagnostic Performance of Body Mass Index Using the Western Pacific Regional Office of World Health Organization Reference Standards for Body Fat Percentage. J Korean Med Sci. 2015 Feb;30(2):162-166

05 항암제와 가임보존

○ 박찬우, 김세정

암의 조기 진단과 암치료의 발달로 암 환자의 생존율이 증가되면서 암치료 후의 삶이 주목받고 있다. 특히 항암제를 통한 암 치료가 눈부신 발달을 하면서, 그에 따른 합병증이 환자와 의료진 모두에게 중요한 관심사가 되었다. 항암치료 시 동반되는 오심, 구토, 탈모의 합병증은 항암치료 동안 일시적으로 발생하나 가임력 소실은 비가역적인 현상이다. 많은 암 환자들은 항암 치료 후 가임력의 감소 또는 상실을 겪게 되고 이는 이후 삶의 질을 저하시키는 중요한 문제로 남아있다. 특히 가임기 여성에서 항암 치료 후 가임력 저하에 따른 '난임'은 우울증, 불안감 등을 유발할 수 있다. 더구나 소아 암, 사춘기 여성 암 환자에서 항암치료 동안 가임력 보존을 인지하지 못 하는 경우가 많으며 암 치료 후 동반되는 가임력의 저하는 인생의 또 다른 문제로 다가올 수 있다.

따라서 암 환자에게 항암치료로 인한 가임력 저하의 가능성을 설명하고 저하를 최소화 하는 방법이 제공되어야 한다. 항암치료 전 가임력 상태, 항암제의 종류와 용량, 빈도 등에 따라 가임력 저하 정도가 달라질 수 있다. 가임력 보존을 위해서는 난자, 정자, 배아, 난소 조직 동결 등의 방법이 있다. 종양주치의와 가임 보존 시술을 담당하는 생식 내분비 및 난임 산부인과 의사는 긴밀한 관계 속에서 이들 암 환자에게 가임 보존의 기회를 제공하여 한다. 이와 관련한 분야가 'Oncofertility'의 학문으로 자리잡고 있다.

1 난소 예비력(Ovarian reserve)

여성의 가임력은 난소 예비력으로 대표되며, 30세 초반부터 감소하기 시작하여 후반에는 급격히 감소한다. 폐경이 되는 연령은 대략 50세 초반으로 가임력은 이보다 6~7년 선행하여 소실된다. 따라서 생리를 하고 있다고 해서 가임력을 유지하고 있는 것은 아니다(그림 5-5-1).

난소의 예비력은 난소 내 생식세포 수에 의해 결정되며, 생식세포는 단층의 과립막세포(granulosa cell)로 둘러싸여 원시난포(Primordial follicle, PMF)를 형성하며 이를 생식세포의 기능적 단위라 한다.

원시난포는 태아가 엄마 배 속에 있는 태생기부터 세포분열에 의해 그 수가 증가하여 태생 20주에 최고 7×10^6 개에 이르게 되고, 이 후 세포사멸(atresia) 기전에 의해 수가 감소하여 출생 당

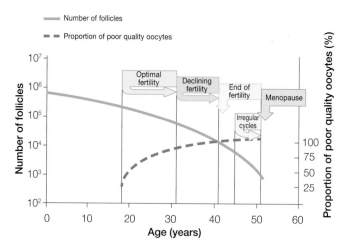

그림 5-5-1. 연령 증가에 따른 가임력의 저하. 연령이 증가 함에 따라 난소 내 난포의 수가 감소하고 질이 저하된 난자의 비율이 증가한다.

시 1×10^6 개로 감소한다. 생리를 시작하는 사춘기에는 3×10^5 개로 감소하고 원시 난포 수가 약 1×10^3 개로 감소하면 폐경을 맞이하는 것으로 알려져 있다.

각 연령에 따라 남아 있는 원시난포의 수(PMF pool)를 난소 예비력(ovarian reserve)이라 하며, 원시난포의 수적 저하는 가임력의 저하를 의미한다(그림 5-5-2).

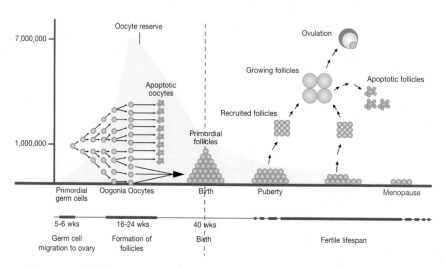

그림 5-5-2. 태생기부터 폐경기 동안 생식세포 수의 변화. 생식세포는 태생 20주에 최고에 이르고 이후 감소하기 시작하여 출생 이후 생리를 시작하는 사춘기에는 약 300,000 개로 감소한다.

2 난소 예비력 평가(Monitor of ovarian reserve)

항암치료 전 가임력을 평가하고 항암치료 후 가임력을 추적 관찰하는데 난소 예비력이 유용하게 쓰인다. 생리 주기의 단축이나 안면홍조와 같은 폐경기 증상 등은 가임력에 대한 객관적인 지표로 쓰이는데 한계가 있다.

난소 예비력으로 생리 시작 2~3일에 FSH, inhibin B 호르몬을 측정하거나 초음파검사를 통한 antral follicle count (AFC), Anti-mullerian hormone (AMH)가 있다. 최근 AMH는 민감도와 특이도가 제일 높은 지표로서, 생리 주기와 무관하게 측정할수 있다는 장점으로 주목받고 있으며, 암 치료 이후의 가임력 변화를 판단하는 지표로 많이 사용되고 있다.

3 항암치료에 의한 가임력 저하

방사선치료, 항암화학치료가 난소, 자궁 및 정소에 미치는 영향은 다양하다. 항암 치료 당시 환자의 나이나 방사선 조사량, 항암제의 종류 및 치료 기간에 따라 가임력 저하에 차이가 있다. 이미 가임력이 저하한 상태에서 항암 치료를 받는 경우에는 무월경 또는 무정자증을 유발할 수 있다.

1) 항암화학치료(Chemotherapy)에 의한 난소 기능 저하

항암 치료 시 여러가지 약제들을 조합하여 투여하기 때문에 특정 항암제에 의한 난소 기능 저하는 파악하기 어렵다. 항암제 자체가 난자, 난자를 둘러싸고 있는 과립막세포 및 난포막 세포 등에 직접적으로 손상을 주기도 하고 주변의 혈관 손상이나 염증 반응 등으로 간접적으로 난소에 손상을 주기도 한다.

항암화학요법의 경우 약제의 종류, 누적 용량, 투여 방법에 따라 난소 기능 저하의 정도가 다르며 항암화학제의 생식선 독성(gonadotoxicity)은 고위험군, 중등도 및 저위험군으로 분류할 수 있다(표 5-5-1). 특히 알킬화제는 난소 기능 저하를 유발하는 대표적인 항암제로 알려져 있다.

치료 당시 환자의 연령과 약제의 용량에따라 난소에 미치는 영향이 달라지는데, 일반적으로 나이가 많거나 치료 전 난소 예비력이 낮으면 손상의 정도가 더 크다. 고용량의 항암화학요법은 어린이나 성인에 관계없이 대부분에서 난소부전(ovarian insufficiency)을 야기한다.

표 5-5-1. 생식선 독성에 따른 항암화학치료제의 분류

High risk	Intermediate risk	Low risk
Cyclophosphamide	Doxorubicin	Methotrexate
Busulfan	Cisplatin	Bleomycin
Melphalan	Carboplatin	5-Flurouracil
Chlorambucil		Actinomycin-D
Dacarbazine		Mercaptopurine
Procarbazine		Vincristine
Ifosfamide		
Thiotepa		
Nitrogen mustard		

2) 방사선치료 (Radiotherapy) 에 의한 난소기능 저하

자궁경부암과 직장암 또는 중추신경계 종양, Hodgkin's disease 등 혈액종양 등의 치료 방법으로 방사선 치료가 쓰인다. 정소나 난소, 자궁에 직접적으로 조사되는 방사선뿐만 아니라 확산을 통해 간접적으로 노출되는 방사선에 의해서도 손상이 유발된다. 방사선치료에서 발생하는 이온화 방사선은 직접적으로 염색체 손상을 유발한다. 방사선의 총 조사량, 조사 부위, 조사 시간 및 간격 등에 의해서 영향을 받는다.

방사선 치료는 모든 연령에서 난소 기능을 저하시키며, 난소 예비력의 50%가 저하하는 방사선 조사량은 2 Gy 미만으로 알려져 있으며, 40세 이하 여성의 경우 조기 난소 부전을 유발하는 방사선 조사량은 20 Gy, 40세 이상 고령 여성에서는 6 Gy의 조사량으로 난소 부전이 유발될 수 있다.

3) 암 치료가 자궁에 미치는 영향

암 치료 이후의 가임력 감소에는 난소 뿐만 아니라 자궁 또한 영향을 준다. 소아 시기 암 치료를 받은 환자는 자궁 성장을 방해 받아 자궁의 크기가 작고, 항암화학 치료를 받은 과거력이 있는 여성에서 출생아의 체중이 감소하는 경향이 있다는 연구가 있다.

4) 암 치료에 의한 남성 가임력 저하

고농도의 항암제나 고강도의 방사선 치료로 고환 조직이 직접적으로 손상 받을 수 있다. 또한 암 환자의 전신적인 상태나 면역학적 요인이 정상적인 정자 발생 과정을 방해할 수 있다. 항암제 중에서 알킬화제는 투여 90일 이내 무정자증을 유발할 수 있는 생식선 독성 위험도가 큰 항암제이다.

4 가임력 보존 방법

1) 난소 전위(Ovarian transpostion, oophoropexy)

방사선치료를 받는 여성에게 난소를 방사선 조사 범위 밖으로 이동시키는 방법이다. 주로 자궁경부암, 질암, 골반육종, Hodgkin's disease 등에서 방사선 조사 전에 시행할 수 있다.

난소 전위 시 난소에 미치는 방사선 조사량은 5~10%로 감소하며, 복강경을 통한 시술로 시행할 수 있다. 하지만 실제 난소기능 보존의 정도는 16~90%로 다양하게 보고되고 있다.

2) 동결보존(Cryopreservation)

항암치료 전에 난자, 배아 및 난소조직을 동결하여 항암치료 후 융해하여 임신을 시도할 수 있다. 난자 및 배아 동결 시 다수의 난자 획득을 위해 난임 환자에서 시행하는 시험관아기시술과 유사하게 과배란유도(controlled ovarian stimulation, COS)를 시행한다. 전형적인 과배란유도 방법은 생리시작 2~3일에 맞춰 과배란 유도를 위한 주사제를 투여하나 최근에는 생리주기에 관계 없이 과배란유도가 가능하다. 항암치료 전까지 약 2주간의 시간적 여유가 있다면 과배란유도를 시행하여 다수의 난자를 획득할 수 있다. 획득된 다수의 난자들은 배우자 유무에 따라 배아 또는 난자로 동결보존한다. 유방암과 같은 호르몬 민감성 암의 경우 과배란유도에 따른 혈중 에스트로겐 농도의 상승을 최소화하기 위해 tamoxifen과 aromatase inhibitor(letrozole)를 병합 투여하여 혈중 에스트로겐 농도 500 pg/mL 미만으로 과배란유도를 시행할 수 있다.

① 배아 동결보존(Cryopreservation of embryos)

현재까지 알려진 가임력 보존 방법 중 임신 성공률이 가장 높은 방법으로 배우자가 있는 경우 시행할 수 있다. 배아는 동결에 의한 손상에 저항력이 강하여 동결 후 융해 시 생존율은 80~90%, 배아 이식 주기당 임신율은 30~40%로 보고되고 있다.

② 난자 동결보존(Cryopreservation of oocytes)

사춘기 이후 청소년 또는 미혼 여성에서 배우자가 없는 경우 난자 동결을 시행할 수 있다. 최근 유리화동결법(vitrification)을 사용하여 성공율이 증가하여 배아 동결과 유사한 융해 후 임신율을 보고하고 있다.

③ 난소조직 동결보존(Cryopreservation of ovarian tissue)

소아 또는 사춘기 이전 청소년 여성 암 환자 또는 항암치료를 즉시 시행해야 하는 환자에서 시행할 수 있는 방법이다. 항암치료 후 동결 난소 조직을 융해하여 골반 내(orthotopic site) 또는 골반 이외의 장소(heterotopic site)에 이식하여 임신을 시도한다.

3) 생식샘자극호르몬 분비호르몬 작용제(Gnadotropin releasing hormone agonist, GnRH agonist)

난소의 원시난포는 생식샘자극호르몬(gonadotropin)에 의해 성숙 난포로 발달한다. 생식샘자극호르몬 분비호르몬 작용제를 이용해 난소 기능을 억제하는 것이 암 치료 중에는 난소기능을 보존하는 결과를 가져올 수 있다. 유방암 환자에서 항암치료 전 생식샘자극호르몬 분비호르몬 작용제를 투여하면 조기 폐경 및 조기난소 부전이 크게 감소했다는 여러 연구가 발표되어 있다. 그러나 아직까지는 효과에 대해 논란의 여지가 있고, 난소 기능 보존에 대한 기전이 확립되지 않은 채 가설로 제시되고 있어 추가적인 연구가 필요하다.

비침습적이고 비교적 간단하다는 점에서 다른 가임력보존 방법과 같이 병행되는 경우가 많다. 대개 투여 후 효과를 나타내기 까지 약 1~3주가 소요되므로 항암 치료 2주 전에 투여한다.

4) 남성 가임력 보존

청소년기 이후의 남성 암환자들에게 정자 동결보존은 가장 우선적인 가임력보존 방법이다. 환자에게 멸균 용기와 독립된 방에서 사적인 시간을 제공하고, 자위를 통한 방법으로 획득한다. 채취된 정액은 전 처리 후 동결보조제를 첨가하여 동결보존하고, 추후 원하는 시기에 해동하여 체외 수정이나 세포질내 정자 주입과 같은 보조 생식술에 이용한다.

▶ **참고문헌**

1. Bedaiwy MA, Abou-Setta AM, Desai N, Hurd W, Starks D, El-Nashar SA, Al-Inany HG, Falcone T. Gonadotropin-releasing hormone analog cotreatment for preservation of ovarian function during gonadotoxic chemotherapy: a systematic review and meta-analysis. Fertil Steril. 2011 Mar 1;95(3):906-14.e1-4.

2. Broekmans FJ, Soules MR, Fauser BC. Ovarian aging: mechanisms and clinical consequences. Endocr Rev. 2009 Aug;30(5):465-93.

3. Cakmak H, Katz A, Cedars MI, Rosen MP. Effective method for emergency fertility preservation: random-start controlled ovarian stimulation. Fertil Steril. 2013 Dec;100(6):1673-80.

4. Donnez J, Dolmans MM, Pellicer A, Diaz-Garcia C, Sanchez Serrano M, Schmidt KT, Ernst E, Luyckx V, Andersen CY. Restoration of ovarian activity and pregnancy after transplantation of cryopreserved ovarian tissue: a review of 60 cases of reimplantation. Fertil Steril. 2013 May;99(6):1503-13.

5. Donnez J, Martinez-Madrid B, Jadoul P, Van Langendonckt A, Demylle D, Dolmans MM. Ovarian tissue cryopreservation and transplantation: a review. Hum Reprod Update. 2006 Sep-Oct;12(5):519-35

6. McGee EA, Hsueh AJ. Initial and cyclic recruitment of ovarian follicles. Endocr Rev. 2000 Apr;21(2):200-14.

7. Meirow D, Biederman H, Anderson RA, Wallace WH. Toxicity of chemotherapy and radiation on female reproduction. Clin Obstet Gynecol. 2010 Dec;53(4):727-39.

8. Oktay K, Hourvitz A, Sahin G, Oktem O, Safro B, Cil A, Bang H. Letrozole reduces estrogen and gonadotropin exposure in women with breast cancer undergoing ovarian stimulation before chemotherapy. J Clin Endocrinol Metab. 2006 Oct;91(10):3885-90.

9. Rodriguez-Wallberg KA, Oktay K. Fertility preservation during cancer treatment: clinical guidelines. Cancer Manag Res. 2014 Mar 4;6:105-17

보조생식술과 기형발생: 연관성 있는가?

◦ 차선화

(본 내용은 한국모자보건학회지 20권 2호에 저자가 발표한 내용을 재정리함)

보조 생식술(Assisted reproductive technology, ART)이란 신체의 밖에서 난자와 정자 등 생식세포를 다루어 난임(Infertility) 치료를 하고자 하는 것과 관련된 기술들을 의미한다. 넓은 의미로는 여성의 배란시기에 맞춰 남성의 정자를 채취한 후 가느다란 관을 통해 자궁경부 혹은 자궁내강에 직접 정자를 주입하는 인공수정시술(IUI, intrauterine insemination)을 포함하며, 좁은 의미로는 체외수정에 의한 배아생성과 이식 과정(IVF-ET, in vitro fertilization-Embryo transfer) 즉, 시험관 아기의 경우를 보조 생식술로 한정하여 사용하기도 한다.

1978년 최초로 체외수정 시술이 성공한 이래 시험관 아기 시술의 안정성에 대한 관심이 지속되어왔다. 지금까지의 문헌에 따르면 체외시술 후 출생한 아이에서 자연임신에 비해 선천성 기형이 발견될 확률이 다소 높은 것으로 알려진다. 이는 시험관 아기 시술의 경우에 모체의 연령이 자연임신에 비해 높고, 다태 임신과 조산으로 인한 미숙아의 출생이 상대적으로 많아 이와 관련된 질환 예를 들면, 심장의 중격결손증(Cardiac septum defects)과 동맥관 개존증(Patent ductus arteriosus) 등의 발생빈도에 미미한 차이가 있는 것으로 보고된다. 그럼에도 불구하고 아직까지 보조생식술과 선천성 기형의 발생에 대한 연관성, 인과관계 및 가능한 기전에 대해 밝혀진 것은 없고 다만 다인성(multifactorial) 인자에 의할 것으로 추측하고 있다.

보조생식술과 기형 발생에 대한 주된 관심사는 체외수정 시술 과정에서 시술 방법 자체, 배양액의 차이, 배양 시간, 난자내 정자 주입술, 배아의 동결보존술 등이 직접 태아의 기형을 유발할 수 있을지 여부이다. 또한, 과배란 유도 결과로 나타나는 체내 호르몬 변화는 착상과 초기 태아 및 태반의 발달에 영향을 끼칠 것으로 우려되기도 한다. 체외수정 시술시 엔젤만 증후군(Angelman syndrome)과 같은 후성적 변형(epigenetic changes)이 증가할 수 있는지에 대한 관심도 높아지고 있다. 마지막으로 난임 자체 혹은 난임 부부가 갖는 유전요소가 선천성 기형과 주산기 예후에 영향을 끼칠 것이라고 고려되고 있다.

1　체외수정 시술 과정

시험관 아기 시술의 첫 단계는 배란 유도제를 주사하여 여러 개의 난자를 얻는 것이며 이를 '과배란 유도'라고 한다. 매일 피하주사 또는 근육주사로 배란 유도제를 투여하면서 2~3일 간격으로 초음파검사를 시행하여 난자가 잘 자라는지를 지속적으로 관찰하게 되며, 배란 유도제 투여 전후로 스스로 배란이 되는 것을 막아주는 배란 억제제 주사를 추가로 투여한다.

배란 유도제를 계속 맞다가 적절한 시기에 난포를 터뜨리게 하는 주사를 한 번 맞고 이틀 후 아침(34-36시간 이내)에 초음파를 보면서 난자를 채취한다. 난자 채취일 당일에 남편의 정액을 채취한다. 무정자증과 같은 심각한 남성요인의 난임에서는 정자채취를 위해 미세수술을 통해 부고환이나 고환에서 정자를 추출한다 [testicular sperm extraction (TESE)/percutaneous epididymal sperm aspiration (PESA)/testicular sperm aspiration (TESA)].

각각 체외로 얻은 난자와 정자를 배양관에서 수정시키고 2-5일 정도 더 배양한 다음 여성의 자궁 내로 이식을 한다. 수정시키는 방법에는 일반적인 체외수정술(conventional *In vitro* fertilization, IVF)과 미세수정술(세포질내 정자 주입술, Intracytoplasmic sperm injection, ICSI) 이 있다. 전자는 체외로 채취한 난자와 정자를 배양관에 함께 둠으로써 자연수정이 되도록 하는 방법이고 후자는 정자 하나를 선택하여 미세 유리관을 통해 난자의 세포질내에 직접 주입하여 수정시키는 방법이다. 이외에도 발달한 수정란이 잘 착상할 수 있도록 보조부화술(assisted hatching, AH)을 통해 배아의 투명대에 작은 구멍을 인위적으로 생성시킴으로써 착상률을 향상시키려는 시술도 할 수 있다. 이식 후에는 황체기 결함을 극복하기 위한 황체 호르몬제제를 매일 사용하며 이식 9~12일 정도 후에 혈액 검사로 임신 여부를 확인한다. 잉여의 수정란은 동결하여 냉동보존하며 추후 다시 해동하여 동결란 이식을 할 수 있다.

표 5-6-1. **보조생식술에 사용되는 약물**

분류	약품명
(과)배란유도 약물	클로미펜 (Clomiphene citrate) 페마라 정 (Femara®, letrozole, aromatase inhibitor) 고나도트로핀 주사 　- Gonal-F®, Follitrope®, Gonadopin®, Puregon®, (유전자재조합 인 난포자극 호르몬, rFSH; recombinant human follicle stimulating hormone) 　- Menopur®, IVF-M 주®, IVF-HP 주®, (폐경기뇨 성선자극 호르몬, human menopausal gonadotropin, HMG)
배란억제 목적 주사	생식선 자극호르몬 분비 호르몬 작용제 (GnRH agonist) 　- Decapeptyl®, Leuplin®, Suprefact ® 생식선 자극호르몬 분비 호르몬 길항제 (GnRH antagonist) 　- Cetrotide®, Orgalutran®
배란 촉진제	Pregnyl®, IVF-C 주®, Ovidrel®
황체 호르몬제 (착상 유지 목적, luteal support)	Progesterone 주, 예나트론 질좌제, 유트로게스탄 질좌제, 크리논 질좌제

2 연구의 한계점

보조생식술과 선천성 기형 발생의 연관성을 연구한 지금까지 발표된 문헌들에 다음과 같은 한계점이 있어 명확한 결론을 내리기 쉽지 않다.

첫째는 선천성 기형에 대한 분류가 문헌마다 일치하지 않는다는 점이다. Major defect와 minor defect의 정의가 논문마다 다르고 기관별 기형의 비교에서도 발생빈도가 매우 낮아서 통계적 의미를 갖기가 어렵다.

둘째, 많은 논문에서 단태아와 쌍태아를 구분하지 않고 포함하여 분석하였다. 따라서 쌍태아가 갖는 조산 및 쌍태아 수혈 증후군과 같은 특이 사항을 고려하지 않았다. 쌍태아를 별도로 분석한 몇몇 연구에서는 자연임신과 비교할 때 보조생식술 후 쌍태아에서 선천성 기형의 유병률이 증가하지 않는 것으로 보고하고 있다.

셋째, 일종의 샘플링 바이어스로 ascertainment bias가 존재한다. 대개 보조생식술 후 출생한 아이들은 자연임신 때보다 부모들이 병원에 자주 방문하므로 기형에 대한 보고가 높음에 반해 자연임신의 경우 진단이 늦어지거나 아예 보고가 되지 않을 수 있다.

3 난임(subfertility)과 선천성 기형

난임이란 피임하지 않고 임신을 계획한지 1년이 지나도 임신되지 않는 경우를 정의한다. 일반적으로 난임 기간이 길수록 모체의 연령은 증가하고 고령 임신일수록 선천성 기형의 빈도는 증가하는 것으로 알려져 있다. 일례로 미국에서 보고한 population-based study에서 여성의 나이가 26세일 때 태아 기형은 약 2.7%임에 반해 37세에서는 약 3.4%로 증가해 기형 발생에 모체 나이를 중요한 요인으로 간주하였다.

특별한 난임 치료 없이 자연 임신된 경우에도 1년 이내에 임신된 단태아에 비해 난임 기간이 1년 이상이었던 부부에서 태어난 단태아에서 선천성 기형의 위험률이 20% 정도 더 높았다는 보고가 있다(HR 1.20; 95% CI 1.07–1.35). 이 연구에서는 난임 기간이 길수록 기형의 유병률도 증가한다고 하였다. 스웨덴의 국가등록연구(national Swedish register study)에서는 체외수정 시술 후 출생아의 약 5%에서 심각한 기형을 보고하지만 모체의 연령, 출산력, 난임 기간, 흡연등의 요소를 고려하면 시술로 인한 위험률은 차이가 없다고 보고하였다(aOR 1.12, 95% CI 0.99–1.28). 따라서 보조생식술 후 기형의 증가는 시술 자체에 의한 것뿐만 아니라 난임 부부의 잠재되어있는 불임의 원인이 함께 작용한다고 고려된다. 최근 한 메타분석 연구에서는 이렇듯 난임 자체로 인해 약 40%의 기형이 초래된다고 간주하고 보정하였을 때 보조생식술 후 선천성 기형의 위험률은 29%(HR 1.29, 95% CI 1.01–1.67)에서 1%(HR 1.01, 95% CI 0.82–1.23)로 감소한다고 발표하였다.

네덜란드에서 발표한 논문에 따르면 정상 가임군에 비해 난임 부부에서 자연임신 된 경우에 특히 복벽 기형(aOR 2.43, 95% CI 1.05-5.62), 요도하열(penosacral hypospadia) (aOR 9.83, 95% CI 3.58-27.04), 심장기형(right ventricular outflow tract obstruction) (aOR 1.77, 95% CI 1.06-2.97), imprinting disorders(aOR 13.49, 95% CI 2.93-62.06)의 빈도가 의미있게 높았다.

4 클로미펜(Clomiphene citrate)과 페마라 정(Letrozole)

클로미펜은 체내에서 에스트로겐의 길항제 역할로 뇌하수체에 작용하여 생식샘 자극 호르몬 분비를 촉진하는 약으로 배란 장애에 의한 불임증을 치료하거나 둘 이상의 난포를 성장하도록 유도하는 데에 사용한다. 간에서 대사되며 약 85%는 복용 후 6일 만에 대변으로 배출되고 소량은 6~8주 후에도 혈중에서 체크되는 것으로 되어있다. 현재 판매되는 클로미펜은 작용시간이 짧고 배란유도 작용이 강한 Enclomiphene과 약물작용이 약하면서 체내 오랫동안 남아있는 Zuclomi-phene이 3대 2의 비율로 혼합되어 있기 때문인데 이로 인해 가끔 체내 축적되는 성분이 초기 임신시 태아발달에 영향을 끼치지 않을까 우려되기도 한다. 과거의 몇몇 연구에서는 클로미펜 복용과 신경관 결손 및 요도하열의 연관성을 보고하기도 하였으나 최근 미국 CDC에서 발표한 논문에서는 클로미펜 복용군에서 대조군보다 심혈관계 기형과 식도폐쇄(esophageal atresia), 제대 탈장 (omphalocele) 등 다양한 선천성 기형이 발견되지만 기존의 논문과 다른 형태의 기형들에 연관성이 보이므로 난임 인자에 의한 것인지 클로미펜에 의한 영향인지 구분하기가 어렵다. 따라서 현재까지의 문헌으로 미국불임학회에서는 클로미펜의 사용으로 선천성 기형이 유발된다는 근거는 없다고 결론지었다.

페마라정은 난소 내에서 에스트로겐의 합성에 필요한 효소인 aromatase를 억제하는 약물로 혈중 에스트로겐 농도를 낮춰 체내 생식샘 자극 호르몬 분비를 자극하고 배란을 유도하는 작용을 한다. 다낭성 난소 증후군과 같은 배란장애에서 클로미펜에 효과가 없는 경우 사용되며, 클로미펜에 비해 자궁내막의 두께에 끼치는 영향이 적고 단일 난포 성장을 유도하므로 쌍태아의 위험이 적은 장점이 있다. 하지만 초기 태아발달 시기에 필요한 정상적인 aromatase의 기능에도 방해가 되어 기형을 유발하지 않을까 우려하기도 하였다. 2005년에 Biljan등에 의해 처음 제기된 바로 letro-zole을 복용한 군에서 정상 자연 임신군에 비해 심장기형과 골격계 기형의 위험률이 높았으나 전체적인 주요기형(major anomaly)의 발병에는 차이가 없다고 보고하였다. 그러나 이후에 발표된 여러 논문에서는 선천성 기형의 발생률을 비교한 결과, 자연 임신군에서는 2.9-3.2%, letrozole을 복용한 군에서는 2.4-3.6%, 클로미펜을 복용한 군에서는 2.6-4.8%로 세 군간의 차이가 없다고 보고한다. 결론지어 말하면, letrozole을 배란유도의 목적으로 생리 초기에만 복용하는 경우

(대개 생리 시작 3일째부터 5일간만 복용) 선천성 기형을 유발하지 않는 것으로 보인다. 근거로는 letrozole의 반감기가 약 45시간(30-60시간)으로 짧아 배아의 착상기 이전에 체내에서 모두 배출되고, 활성 대사산물(active metabolite)이 없기 때문이다.

5 과배란유도 및 인공수정(IUI)

배란유도는 무배란 여성에서 약물이나 gonadotropin 주사를 통해 미성숙 난자를 성숙시켜서 배란이 될 수 있도록 도와주는 것과 난임치료를 위해 두 개 이상의 난자가 자랄 수 있도록 호르몬 치료를 하는 과배란 유도과정이 있다. 배란유도에 사용되는 약물의 종류와 용량은 매우 다양하며 동일한 방법에도 약물의 효과 즉, 과배란 정도가 다르므로 과배란에 따른 선천성 기형에 대한 연관성을 밝히기는 쉽지 않다. 하지만 대부분의 논문에서 배란유도 후 태어난 아이들이 조산이나 저체중아, 다태임신 등 더 불량한 주산기 예후를 갖는다고 보고한다. 선천성 기형의 측면에서 보면, 정상 자연 임신군에 비해서는 높은 유병률을 나타내지만 체외수정 시술아에 비해 낮게 나타나는데 핀란드에서는 자연 임신군 2.85%, 배란유도/인공수정 후 3.52%, 체외수정후 4.27%로 자연임신에 비해 배란유도/인공수정 1.2배(aOR 1.21, 95% CI 1.02-1.44), 체외수정 1.31배(aOR 1.31, 95% CI 1.10-1.57) 높았다. 비슷하게 캐나다의 연구에서는 자연임신 1.86%, 배란유도 2.35%, 배란유도 후 인공수정 2.89%, 체외수정 3.45%로 발표하였고, 프랑스에서는 자연임신 2.1%, 인공수정 3.6%, 체외수정 4.2%로 보고하였다. 미국 뉴욕주의 선천성 기형 등록(NYS congenital malformation registry)을 이용한 분석에서는 배란유도/인공수정 군에서 자연임신에 비해 척추이분증(spina bifida, 0.05% vs 0.02% RR 2.89), 척수이상(0.05% vs 0.02% RR 3.01), 폐동맥판막협착(0.07% vs 0.03% RR 2.61), 요도하열(0.50% vs 0.39% RR 1.27), 요관 및 신우의 이상(0.41% vs 0.30% RR 1.37)이 더 높은 빈도를 보였다. 그러나 이들은 정상 가임 임신군과 비교한 것으로 앞서 언급한 난임 부부가 갖는 유전적 혹은 환경적 요인에 대한 부분이 고려되지 않은 연구 결과이므로 과배란/인공수정 시술에 의한 직접적인 효과라고 단정 짓기는 어렵다고 고려된다.

6 체외수정 시술(IVF-ET)

현재까지 보고된 바에 의하면 가임 정상 자연임신 군에 비해 체외수정 시술을 통한 난임 치료 후에 태어난 신생아에서 선천성 기형의 위험도가 20-40% 정도 더 높았다(표 5-6-2, 표 5-6-3).

이중 스웨덴의 코호트 연구에 따르면 2001년 이전(1982-2000년)에 태어난 신생아에서 기형률은 체외수정 5.0%, 일반 가임군 4.0%로 약 1.33(95% CI, 1.24-1.43)배임에 비해 2001년 이후(2001-2006년)에 태어난 신생아에서는 각각 5.3% 대 4.4%로 약 1.15(95% CI, 1.07-1.24)

배로 그 위험성이 감소한 것으로 발표하였다. 최근 다른 나라에서의 연구에서도 체외수정 시술 후 기형 발생률이 더 낮은 빈도로 발표되는데 이는 분명하지 않지만 몇 가지 이유를 추측해 볼 수 있다. 과거에 비해 체외수정 시술이 보편화되면서 난임 자체에 의한 요인 즉 유전적, 환경적 위험성이 비교적 낮아졌을 가능성과 체외수정 기술의 발달, 배양액과 배양조건 등의 발달, 배란 유도 때 난소의 저자극 요법으로 호르몬의 변화를 적게 하는 노력 등에 의한 영향으로 추측된다.

표 5-6-2. Population-based studies of anomalies in assisted reproductive technology pregnancies

study	Years of sample accrual	Adjusted OR (95% CI)	Statistical significance	country
Dhont et al.	1986-2002	1.25(0.96-1.64)	No	Belgium
Westergaard et al.	1994-1995	1.04(0.78-1.39)	No	Sweden
Anthony et al.	1995-1996	1.03(0.86-1.23)	No	Netherlands
Kallen et al.	1982-2000	1.33(1.24-1.43)	Yes	Sweden
Davies et al.	1986-2002	1.24(1.09-1.41)	Yes	Australia(Adelaide)
Halliday et al.	1991-2004	1.36(1.19-1.55)	Yes	Australia(Parkville)
Hansen et al.	1994-2002	1.53(1.30-1.79)	Yes	Australia(Perth)
Pinborg et al.	1995-2000	1.24(0.97-1.58)	No	Denmark
Klemetti et al	1996-1999	1.31(1.10-1.57)	Yes	Finland
Ombolet et al.	1997-2003	1.11(0.08-1.58)	No	Belgium
Kallen et al.	2001-2007	1.15(1.07-1.24)	Yes	Sweden
Kelley-Quon et al.	2006-2007	1.25(1.21-1.39)	Yes	USA(California)
Fuji et al.	2006	1.17(0.81-1.69)	No	Japan

표 5-6-3. Meta-analyses of birth defects in ART compared with non-ART pregnancies

	Rimm et al.	Hansen et al.	McDonald et al.	Pandey et al.	Wen et al.	Hansen et al.
Singletons						
Years included	1990-Sep 2003	1978-Mar 2003	1966-Oct 2003	1978-2011	1978-Sep 2011	1978-Sep 2012
No. of studies in meta-analysis	IVF: 8 ICSI: 6	15	7	7	-	23
No. of ART infants	IVF: 2064 ICSI: 3948	13,059	4,031	4,382	-	48,944
Birth defects (95% CI)	IVF: 1.5 (0.8-2.7) ICSI: 1.3 (0.9-2.0)	1.3(1.2-1.5)	1.3(1.2-1.5)	1.7(1.3-2.1)	-	1.4(1.3-1.4)
Singletons and multiples together						
No. of studies in meta-analysis	19	25	-	-	46	45

(계속)

표 5-6-3. Meta-analyses of birth defects in ART compared with non-ART pregnancies

	Rimm et al.	Hansen et al.	McDonald et al.	Pandey et al.	Wen et al.	Hansen et al.
Singletons and multiples together						
No. of ART infants	35,578	28,638	–	–	124,468	92,671
Birth defects	1.3(1.0–1.7)	1.3(1.2–1.4)	–	–	1.4(1.3–1.5)	1.3(1.2–1.4)

한편 쌍태아에서 기형률을 비교한 연구에서는 자연임신과 체외수정 시술 모두에서 단태아에 비해 높게 나타나지만 쌍태아만을 대상으로 비교할 때 양군 간의 차이는 보이지 않아 체외수정 시술 자체에 의한 위험성은 분명하지 않다.

1) IVF (conventional *In vitro* fertilization) vs ICSI (Intracytoplasmic sperm injection)

1990년대에 미세수정술(ICSI, Intracytoplasmic sperm injection)이 체외수정 시술에 적용되면서 무정자증과 같은 심각한 남성 요인의 불임에서도 임신할 수 있게 되었다. 일반적으로 심한 정도의 정자 감소증을 보이거나 무정자증인 남성에서 Y 염색체의 미세 결실이나 균형전좌와 같은 염색체 이상이 잘 발견되고 유전됨으로써 미세수정술 이후 선천성 기형의 가능성이 더 크다는 연구결과도 있다. 체외수정 때 수정방법에 따른 선천성 기형을 비교한 메타 분석 연구에서 Lie 등은 ICSI 후 태아에서 IVF에 비해 RR 1.12(95% CI, 0.97–1.28), Wen 등은 RR 0.95(95% CI, 0.83–1.10)로 양군 간의 통계적 차이는 없다고 보고하였다. 한편 덴마크의 코호트 연구에서는 고환 조직/부고환 정자 채취술(TESE/PESA)을 통한 정자를 이용한 미세수정술, 사정 정자(ejaculated sperm)를 이용한 미세수정술, 고식적 체외수정(conventional IVF), 자연임신에서의 선천성 기형을 비교하였는데 각각 7.73%, 9.48%, 8.34%, 8.05%의 빈도로 전체 기형의 발생빈도에는 차이가 없었으나, 남성불임의 정도가 심할수록 단태 남아에서 심장기형(자연임신 1.05%, IVF 1.36%, ICSI with ejaculate 1.73%, ICSI with TESE/PESA 3.62%) 및 요도하열, 잠복고환(자연임신 0.38%, IVF 0.50%, ICSI with ejaculate 0.81%, ICSI with TESE/PESA 1.45%)의 빈도는 높아지는 경향을 보였다(P<0.001).

2) 수정란의 배양(Blastocyst vs cleavage-stage embryo transfer)

체외 수정된 수정란은 인큐베이터에서 배양 후 2일째부터 5일째 사이에 자궁 내에 이식한다. 5일 배양 후 발달한 배아를 배반포(blastocyst)라고 하며 체외에서 더 장시간 배양되기 때문에 기형의 위험성이 더 클 것으로 우려되기도 하는데, Kallen 등은 난할 배아(cleavage-stage, 2-3일 배양) 보다 배반포 이식 후에 선천성 기형의 위험이 더 크다고 하였고(4.0% vs 4.9%, OR 1.33, 95% CI 1.01–1.75), Wikland 등은 차이가 없다고 보고하였다. 그러나 이에 대한 자료는 아직 충분하지 않아 더 많은 연구가 필요한 상태이다.

3) 보조부화술(Assisted hatching) 및 할구 생검(Blastomere biopsy)

보조부화술이란 배아의 착상률을 향상시키기 위해 이식 전에 레이저 혹은 약물을 이용하여 배아의 투명대(zona pellucida)에 구멍을 만들어 줌으로써 부화과정을 용이하게 하는 시술을 말한다. 체외수정 시술 후 반복적 착상실패 혹은 투명대가 두꺼울 때 한정적으로 행해지며 보조부화술이 선천성 기형에 끼치는 영향에 대한 자료는 아직 부족한 편이다. 최근 일본에서 체외수정 시술 후 임신 22주 이상 유지된 72,125건을 대상으로 비교한 결과, 선천성 기형의 빈도가 보조부화술을 시행한 경우 1.36%, 시행하지 않은 경우 1.50%로 양군 간의 차이가 없었으며 (aOR 0.91, 95% CI 0.79-1.05), 기형의 장기별 유형에 따른 차이도 보이지 않았다.

부모의 유전 질환 및 염색체 이상이 유전되는 것을 예방하기 위해 착상전 유전진단(Preimplantation genetic diagnosis, PGD)을 시행할 때 8세포기의 배아에서 한 개 혹은 두 개의 할구를 생검할 수 있다. 이 경우 배아의 발달에 영향을 끼치지 않을까 우려되는데 현재까지의 연구 결과에 따르면 배아 생존율의 감소로 임신율의 저하에 연관성을 갖지만 태아의 선천성 기형과는 상관없다고 알려져 있다. 이는 배아 시기의 세포가 분화전능성(totipotential)을 가지고 있기 때문에 장기 발달에는 그 영향이 적은 것으로 생각된다('All or none' effect).

4) 배아의 동결 및 해동, 동결란 이식

배아의 냉동 보존 및 해동 후 배아 이식은 1985년부터 시행됐으며 이미 확립된 체외시술 방법이다. 최근에는 오히려 신선주기(fresh cycle) 때 나타나는 호르몬의 과다 상태 및 과배란 증후군과 같은 여러 단점 때문에 동결란 이식을 주장하기도 한다. 그러나 동결 과정에 사용하는 동해방지제(cryoprotectants), 동결 및 해동 과정의 온도 변화 및 동결 방법에 따른 차이가 배아의 발달 및 선천성 기형의 발생에 어떤 영향을 끼칠지 관심이다. Pelkonen 등에 따르면 선천성 기형의 빈도가 동결란 이식 때 4.2%, 신선배아 이식때 4.5%로 차이가 없고(aOR 0.95, 95% CI 0.71-1.27), 자연임신군(3.2%)에 비해 높았다(aOR 1.24, 95% CI 1.05-1.47). 이제까지 진행된 연구 결과 체외수정 후 신선배아 이식과 동결란 배아 이식에 따른 선천성 기형의 발병률에 차이는 없는 것으로 보고된다. 오히려 동결란 이식이 신선배아 이식 주기에 비해 조산율에는 차이가 없으나 저체중아 빈도는 낮고 평균 출생 체중이 더 크다는 연구도 있어 이에 관한 연구가 더 필요할 것으로 보인다.

7 | Imprinting disorders

2000년대 초반에 몇몇 논문에서 체외수정 시술 후 출생한 아이에서 Beckwith-Wiedemann syndrome (BWS) 을 보고하면서 체외수정 시술과 유전체 각인(Imprinting disorders)의 위험성에 대해 대두되었다. 이제까지의 역학 연구를 종합하면 IVF/ICSI 후 BWS 의 위험률은 의미 있게 증가하고(RR 5.2, 95% CI 1.6−7.8), Angleman syndrome (AS), Prader−Willi syndrome (PWS), retinoblastoma의 발생과는 연관되지 않는 것으로 보인다. 그러나 유전체 각인 질환들은 발병률이 10,000명에서 30,000명 중 한 명으로 매우 드물고, 난임 부부가 갖는 유전적 위험인자를 고려하지 않고 일반 가임 인구와 비교한 연구라는 점, 체외수정 과정과 유전자의 메틸화 오류 및 각인 등 직접적인 인과관계를 설명할 수 있는 근거는 아직 부족한 상태로 향후 이에 관한 연구가 필요한 실정이다.

8 결론

일반적으로 정상 자연 임신에서는 2−3%, 보조생식술 후에 3−4%의 기형아 출산 빈도를 보인다. 가임 부부에 비해 난임 부부가 갖는 유전적, 내분비적 원인으로 인한 영향을 고려해야 할 것으로 보이며, 체외수정 시술과 기형 발생과의 연관성에 관한 연구는 여러 가지 제한점이 있어서 현재까지의 문헌으로 과배란으로 인한 약물 효과 혹은 호르몬 차이, 수정 및 배아 발달을 위해 체외에서 시행되는 여러 과정에 의한 영향에 대해서는 아직 뚜렷한 결론을 내기 어려워 보인다. 다만 과거에 비해 최근에 체외수정 시술 후 조산이나 여러 주산기 합병증은 감소하고 기형아 발생 역시 감소하는 추세이며 체외수정 시술 후 태어난 대부분의 아이가 건강하고 추적연구에서 정상적인 발달을 보인다는 점은 강조되어야 할 것이다.

▶ 참고문헌

1. Amor DJ, Haliday J. A review of known imprinting syndromes and their association with assisted reproduction technologies. Hum Reprod 2008;23: 2826−34.

2. Croen LA, Shaw GM. Young maternal age and congenital malformations: a population-based study. Am J Public Health 1995;85:710−3.

3. Davies MJ, Moore VM, Willson KJ, Van Essen P, Priest K, Scott H, et al. Reproductive technologies and the risk of birth defects. N Engl J Med 2012;366:1803−13.

4. Diamond MP, et al. ; NICHD Reproductive Medicine Network. Letrozole, Gonadotropin, or Clomiphene for Unexplained Infertility. N Engl J Med. 2015 Sep 24;373(13):1230-40.

5. El-Chaar D, Yang Q, Gao J, Bottomley J, Leader A, Wen SW, et al. Risk of birth defects increased in pregnancies conceived by assisted human reproduction. Fertil Steril 2009;92:1557−61.

6. Fedder J, Loft A, Parner ET, Rasmussen S, Pinborg A. Neonatal outcome and congenital malformations in children born after ICSI with testicular or epididymal sperm: a con-

trolled national cohort study. Hum Reprod. 2013 Jan;28(1):230-40.

7. Greenland S, Ackerman DL. Clomiphene citrate and neural tube defects: a pooled analysis of controlled epidemiologic studies and recommendations for future studies. Fertil Steril 1995;64:936–41.

8. Hansen M, Bower C, Milne E, de Klerk N, Kurinczuk JJ. Assisted reproductive technologies and the risk of birth defects—a systematic review. Hum Reprod 2005;20:328–38.

9. Hansen M, Bower C. The impact of assisted reproductive technologies on intra-uterine growth and birth defects in singletons. Semin Fetal Neonatal Med. 2014 Aug;19(4):228-33

10. Heisey AS, Bell EM, Herdt-Losavio ML, Druschel C. Surveillance of congenital malformations in infants conceived through assisted reproductive technology or other fertility treatments. Birth Defects Res A Clin Mol Teratol. 2015 Feb;103(2):119-26.

11. Jwa J, Jwa SC, Kuwahara A, Yoshida A, Saito H. Risk of major congenital anomalies after assisted hatching: analysis of three-year data from the national assisted reproduction registry in Japan. Fertil Steril. 2015 Jul;104(1):71-8.

12. Kallen B, Finnstroom O, Lindam A, Nilsson E, Nygren K-G, Otterblad PO. Congenital malformations in infants born after in vitro fertilization in Sweden.Birth Defects Res 2010 (Part A);88:137–43.

13. Kallen B, Finnstrom O, Lindam A, Nilsson E, Nygren KG, Olausson PO. Blastocyst versus cleavage stage transfer in in vitro fertilization: differences in neonatal outcome? Fertil Steril 2010;94:1680–3.

14. Kallen B, Finnstr€om O, Nygren KG, Olausson PO. In vitro fertilization (IVF) in Sweden: risk for congenital malformations after different IVF methods. Birth Defects Res A Clin Mol Teratol 2005;73:162–9.

15. Kato O, Kawasaki N, Bodri D, Kuroda T, Kawachiya S, Kato K, et al. Neonatal outcome and birth defects in 6623 singletons born following minimal ovarian stimulation and vitrified versus fresh single embryo transfer. Eur J Obstet Gynecol Reprod Biol 2012;161:46–50.

16. Klemetti R, Sevon T, Gissler M, Hemminki E. Health of children born after ovulation induction. Fertil Steril 2010;93:1157–68.

17. Maheshwari A, Pandey S, Shetty A, Hamilton M, Bhattacharya S. Obstetric and perinatal outcomes in singleton pregnancies resulting from the transfer of frozen thawed versus fresh embryos generated through in vitro fertilization treatment: a systematic review and meta-analysis. Fertil Steril 2012;98: 368–77.

18. Manipalviratn S, DeCherney A, Segars J. Imprinting disorders and assisted reproductive technology. Fertil Steril 2009;91:305–15.

19. McDonald S, Murphy K, Beyene J, Ohlsson A. Perinatal outcomes of in vitro fertilization twins: a systematic review and meta-analyses. Am J Obstet Gynecol 2005;193:141–52.

20. McDonald SD, Murphy K, Beyene J, Ohlsson A. Perinatel outcomes of singleton pregnancies achieved by in vitro fertilization: a systematic review and meta-analysis. J Obstet Gynaecol Can 2005;27:449–59.

21. Pandey S, Maheshwari A, Bhattacharya S. Obstetric and perinatal outcomes in singleton pregnancies resulting from IVF/ICSI: a systematic review and meta-analysis. Fertil Steril 2012;97:1331–7.

22. Pelkonen S, Koivunen R, Gissler M, Nuojua-Huttunen S, Suikkari AM, Hyden-Granskog C, et al. Perinatal outcome of children born after frozen and fresh embryo transfer: the Finnish cohort study 1995–2006. Hum Reprod 2010;25:914–23.

23. Pinborg A, Henningsen AK, Malchau SS, Loft A. Congenital anomalies after assisted reproductive technology. Fertil Steril. 2013 Feb;99(2):327-32.

24. Pinborg A, Loft A, Aaris Henningsen AK, Rasmussen S, Andersen AN. Infant outcome of 957 singletons born after frozen embryo replacement: the Danish National Cohort Study 1995–2006. Fertil Steril 2010;94:1320–7.

25. Poikkeus P, Unkila-Kallio L, Vilska S, Repokari L, Punam€aki RL, Aitokallio-Tallberg A, et al. Impact of infertility characteristics and treatment modalities on singleton pregnancies after assisted reproduction. Reprod Biomed Online 2006;13:135–44.

26. Reefhuis J, Honein MA, Schieve LA, Rasmussen SA, National Birth Defects Prevention Study. Use of clomiphene citrate and birth defects, National Birth Defects Prevention Study, 1997–2005. Hum Reprod 2011;26:451–7.

27. Rimm AA, Katayama AC, Diaz M, Katayama KP. A meta-analysis of controlled studies comparing major malformation rates in IVF and ICSI infants with naturally conceived children. J Assist Reprod Genet 2004;21:437–43.

28. Rimm AA, Katayama AC, Katayama KP. A meta-analysis of the impact of IVF and ICSI on major malformations after adjusting for the effect of subfertility. J Assist Reprod Genet 2011;28:699–705.

29. Rossi AC, D'Addario V. Neonatal outcomes of assisted and naturally conceived twins: systematic review and meta-analysis. J Perinat Med 2011;39: 489–93.

30. Sagot P, Bechoua S, Ferdynus C, Facy A, Flamm X, Gouyon JB, et al. Similarly increased congenital anomaly rates after intrauterine insemination and IVF technologies: a retrospective cohort study. Hum Reprod 2012; 27:902–9.

31. Seggers J, de Walle HE, Bergman JE, Groen H, Hadders-Algra M, Bos ME, Hoek A, Haadsma ML. Congenital anomalies in offspring of subfertile couples: a registry-based study in the northern Netherlands. Fertil Steril. 2015 Apr;103(4):1001-1010.

32. Sharma S, Ghosh S, Singh S, Chakravarty A, Ganesh A, Rajani S, Chakravarty BN.Congenital malformations among babies born following letrozole or clomiphene for infertility treatment. PLoS One. 2014 Oct 1;9(10):e108219

33. Simpson JL. Birth defects and assisted reproductive technologies. Semin Fetal Neonatal Med. 2014 Jun;19(3):177-82.

34. Sørensen HT, Pedersen L, SkriverMV, Nørgaard M, Nørgard B, Hatch EE. Use of clomifene during early pregnancy and risk of hypospadias: population based case-control study. Br Med J 2005;330:126–7.

35. Tulandi T,Martin J, Al-Fadhli R, Kabli N, Forman R, Hitkari J, et al. Congenital malformations among 911 newborns conceived after infertility treatment with letrozole or clomiphene citrate. Fertil Steril 2006;85:1761–5.

36. Vermeiden JP, Bernardus RE. Are imprinting disorders more prevalent after human in vitro fertilization or intracytoplasmic sperm injection? Fertil Steril. 2013 Mar 1;99(3):642-51.

37. Wen J, Jiang J, Ding C, Dai J, Liu Y, Xia Y, et al. Birth defects in children conceived by in vitro fertilization and intracytoplasmic sperm injection: a metaanalysis. Fertil Steril 2012;97:1331–7.

38. Wikland M, Hardarson T, Hillensj€o T, Westin C, Westlander G, Wood M, et al. Obstetric outcomes after transfer of vitrified blastocysts. Hum Reprod 2010;25:1699–707.

39. WuYW, Croen LA, Henning L, Najjar DV, Schembri M, Croughan MS. Potential association between infertility and spinal neural tube defects in offspring. Birth Defects Res A Clin Mol Teratol 2006;76:718–22.

40. Zhu JL, Basso O,Obel C, Bille C, Olsen J. Infertility, infertility treatment, and congenital malformations: Danish national birth cohort. Br Med J 2006;333:679.

chapter 07

태아의 발달위험과 관련된 모체질환

안기훈

임상 증례

수년동안 앓아온 1형당뇨병으로 인슐린 주사를 맞고 있다. 현재 임신 9주이다. 이 여성은 인슐린이 태아에 영향을 주는지 궁금하다. 당신은 어떻게 조언할 것인가?

1 서론

임신과 모체질환이 같이 있을 때 산모 및 태아에 심대한 영향을 미칠 수 있다. 20세기를 거치면서 인간배아가 발달장애를 유발하는 잘 알려진 위험인자들(방사선노출, 풍진바이러스, 탈리도마이드 등)로부터 스스로 보호받고 있다는 개념은 없어졌다고 할 수 있다. 그러나 많은 연구를 통해 이러한 위험인자들이 조절되면 안전한 임신이 가능함 역시 알게 되었다. 예를 들면, 5 rad 이하의 x−레이 피폭은 태아의 발달에 영향을 미치지 않거나 미미하다는 것을 이제 알게 된 것이다. 그러나 모체질환이 태아의 발달에 미치는 영향에 대한 연구는 상대적으로 미흡한 실정이며 이는 그 태아발달이상의 발생빈도가 드물고 해당 발달이상이 다양한 원인에 의할 가능성이 높아 원인−결과 관계를 밝히기 쉽지 않기 때문일 것이다.

일반인구에서의 태아기형위험은 3%로 알려져 있으며 그 원인은 크게 단일유전질환, 후성유전학적 요인, 염색체이상, 환경적 요인, 그 외 알려지지 않은 다른 요인으로 나눌 수 있다. 이 중 마지막 분류인 알려지지 않은 요인이 60%를 차지하고 후성유전학적 요인이 20% 정도의 원인일 수 있다. 단일유전질환은 7.5%, 염색체 이상이 6% 가량의 원인일 수 있다. 알려져 있는 환경적요인이 나머지 부분의 원인을 이루는 바 그 중에 일부를 모체질환이 차지하고 있고 이번 장에서 기술하겠지만 이는 약 3.5%를 차지한다.

이번 장에서는 그 중요성에 비해 쉽게 간과될 수 있는 모체질환과 태아의 발달위험에 대하여 살펴보고자 한다.

2 본론

1) 산모의 감염성 질환

1941년 산모의 풍진바이러스 감염이 태아기형을 유발한다는 사실이 알려지면서 인간의 발달에서 기형을 유발할 수 있는 감염에 대한 연구가 이루어져 왔지만 놀랍게도 그 알려진 종류는 많지 않다. 풍진바이러스 외에 거대세포바이러스, 톡소플라즈마 감염이 태아기형을 유발한다. 2형 단순포진바이러스, 수두바이러스, B군 콕사키바이러스, 매독균, 요로감염균 또한 어떠한 상황에서 선천성기형을 유발할 수 있다.

(1) 에이즈바이러스[1-3]

혈청반응양성인 경우는 인종에 따라 인구 10만 명당 3.8-61.9명으로 알려져 있다. 가임기여성에서는 1,000명당 1.1-1.4명으로 알려져 있으며 나이가 어린 여성, 매춘부, 정맥약물남용 여성은 고위험군에 속한다. 70%의 성인감염이 이성간의 성관계에서 유래한다.

수직감염율은 선진국에서 14-33%로 산전, 분만중, 분만후, 모유수유중 어느때라도 전파가 가능하다. 수직감염이 발생하면 자궁내태아성장지연, 산후자궁내막염, 신생아에이즈의 발병이 증가한다. 임신자체가 질환에 영향을 미치지는 않는 것으로 알려져 있다. 에이즈양성으로 판정되면 임신부는 신생아의 위험성에 대하여 상담받을 필요가 있다. 지도부딘을 비롯한 항레트로바이러스제제가 수직감염율을 낮춘다. 수직감염을 낮추기 위해 제왕절개가 제안될 수 있으나 그 증거는 뚜렷하지 않다. 신생아 기도흡인기구 사용은 자제하여야 한다. 선진국의 경우 모유수유는 금하는 것이 권장된다.

(2) 클라미디아 감염[4, 5]

사회경제적 수준이 낮은 여성에서 호발하며 25%까지 산전검사에서 발견된다. 하지만 대부분은 무증상인 경우가 많다. 감염된 여성의 50% 이상에서 수직감염이 발생한다. 치료받지 않은 여성의 영아에서 1/3 가량이 신생아안염이 발생하고 10%에서 폐렴이 발생한다. 조기양막파수, 조산, 주산기사망이 연관된다. 지연성 산후자궁내막염 역시 증가한다. 임신은 감염의 경과에 영향을 주지 않는 것으로 보인다. 감염된 여성은 치료를 받아야 하며 클라미디아결막염 예방을 위한 질산은, 에리스로마이신, 테트라사이클린 치료의 효과는 확실하지 않다.

(3) 거대세포바이러스 감염[6, 7]

임신의 1-4%에서 일차성감염이 발견된다. 낮은 사회경제적 수준에서 발병이 많다. 주산기감염의 가장 흔한 원인이며 모든 신생아의 0.5-2%에서 태아감염의 증거가 발견된다. 일차성감염의 90% 이상 그리고 거의 모든 재발성감염이 무증상성이다. 임신중 수직감염은 일차성감염인 경우 40-79%에서 발생하고 재발성인 경우 1% 미만이다. 선천성거대세포바이러스감염으로 인해 임신나이보다 작은 신생아, 소두증, 뇌석회화, 맥락망막염, 감각신경난청, 간비장비대, 황당, 점상출혈, 자반증, 혈소판감소증이 나타날 수 있다. 자연유산 및 사산의 확률 역시 증가한다. 모든 신생아의 1%가 선천적으로 감염된다. 임신 전반기에 감염되면 태아감염확률이 더 높으나 태아발달이상은 임신의 어느 시기에서나 가능하다. 선별검사는 큰 의미가 없으며 단지 혈청음성인 여성에게 감염의심자나 그 지역의 접촉을 줄이도록 권고한다. 양수검사로 균배양을 해도 민감도가 100%가 되지는 않는다. 예방적인 제왕절개는 필요하지 않고 모유수유의 금기사항도 아니다.

(4) 임질 감염[8]

7%까지 자궁경부 임질을 가지며, 75-90%가 무증상이다. 40%에서 클라미디아 감염을 동반한다. 수직감염은 양막파수의 경우 상행감염 또는 감염된 산도를 통한 분만시 발생한다. 치료하지 않는 경우 조기양막파수, 조기진통, 조산, 자궁내태아발육지연, 융모양막염과 연관된다. 대부분 무증상이기 때문에 임신 초기 및 28주 경에 자궁경부균배양검사가 중요하다. 모체는 세프트리악손 치료, 신생아는 1% 질산은 및 에리스로마이신 치료가 신생아감염을 감소시킨다.

(5) 간염[9-11]

임신부의 0.2%에서 발견된다. 성인의 1-5%가 만성감염으로 발전하여 지속적인 바이러스혈증을 가질 수 있다. C형간염의 경우 임신부의 1.5-5.2%에서 발병한다. A형간염은 수직감염이 일어나지 않는다. B형간염은 급성 및 만성간염, 무증상보균자로부터 수직감염이 가능하다. 산모의 HBe항체가 양성이고 HBe항원이 음성이면 10-20%의 주산기감염율을 가진다. HBe항원이 양성이면 영아간염 또는 보균자가 될 확률은 80-90%이다. C형간염의 경우 수직감염이 가능하나 B형보다 위험이 낮다. 균의 전파는 임신 3삼분기 이전에는 발생하지 않는다. 임신 3삼분기에는 45-87.5%의 수직감염위험이 있다. 영아의 1/3이 만성 무증상보균자가 된다. C형간염에 대한 태아기형이 알려져 있지는 않다. E형간염은 태아사망율을 높인다. 산모의 간염으로 조산가능성이 2-3배 증가한다. 전격간염인 경우, 태아사망율은 70% 이상이다. A형간염자와 접촉한 임신부는 즉시 면역글로불린 0.02 mL/kg 을 투여해야 한다. B형간염에 노출된 임신부는 B형간염면역글로불린 0.04-0.07 mL/kg을 투여하고 동시에 세 번의 1 mL B형간염백신중 첫 번째를 맞아야 한다. 1개월, 6개월 뒤에 각각 두 번째, 세 번째 백신을 투여한다. B형간염 수직감염예방을 위해서 임신후반기 및 산욕기에 HBs항원과 HBe항원을 가지는지 확인하는 것이 중요하다. HBs항원 양성여성의 신생아는 출생 12시간내 B형간염면역글로불린 주사 0.5 mL을 B형간염백신과 함께 맞아야 한다. 영아는 출생 1년후 치료의 성공을 확인하기 위해 HBs항원과 항-HBc 항체를 검사 한다. HBs항원의 존재는 IgM 항-HBc항체의 여부와 관계없이 치료실패를 의미하는데, 그 이유는 영아가 활동성감염임을 의미하기 때문이다. 지속적인 보호를 위해 5년마다 추가 접종을 실시한다. C형간염의 예방과 치료에 면역글로불린은 효과적이지 않다.

(6) 단순포진바이러스 감염[12, 13]

일차감염의 20-50%가 1형 단순포진바이러스에 의하지만, 재발성감염인 경우 80% 이상 이 2형에 의한다. 분만시 산모의 0.2-2%에서 바이러스가 발견된다. 단순포진바이러스감염 의 기왕력이 없더라도 바이러스를 배출할 수 있다. 단순포진바이러스감염을 가진 신생아를 분만한 여성의 단지 0.25-0.33%만이 분만시 증상을 가진다. 선천성단순포진바이러스감염 을 가지는 경우는 5%이며 주로 임신중 산모의 일차성감염에 의한다. 임신1삼분기에 일차성 감염이 있더라도 치료적 유산의 적응증이 되지는 않는데, 그 이유는 기형이 생긴다 해도 대 개 생존에 영향을 주지는 않기 때문이다. 임신후반기의 감염은 조기진통을 유발할 수 있다. 신생아감염은 피부, 눈, 입에 국한되어 일어날 수도 있고, 중추신경계를 침범할 수도 있으 며, 전신에 퍼질 수도 있다. 임신중 재발성감염은 신생아감염과 연관될 수 있지만 태아의 이 환 및 사망에 크게 영향을 미치지 않는다. 주산기 감염은 1/3000-1/7000에서 발생하며 특 히 조산에서 많다. 이러한 위험은 모체의 증상이나 병변이 없더라도 가능하다. 일차모체감 염은 재발뿐 아니라 진통중 바이러스배출의 위험을 높인다. 단순포진바이러스감염의 기왕 력은 있으나 분만당시 병변이나 증상이 없는 경우 질식분만이 가능하다. 그러나 신생아의 안전을 위해 이전에 병변이 있던 부위의 균배양검사가 필요하다. 신생아감염은 1/1000 정 도이다. 증상을 가진 생식기병변을 가진 여성은 진통의 시작 또는 양막파수가 되면 되도록 4-6시간내에 빨리 제왕절개를 해야 한다.

(7) 말라리아[14]

유행지역에서는 면역력이 있는 산모에서는 0.3%, 면역력이 없는 산모에서는 1-4% 발생 한다. 대부분 Plasmodium falciparum 감염에 의한다. 심각한 모체감염은 유산, 사산과 연 관될 수 있다. 말라리아는 자궁내감염, 태반기능부전, 자궁내발육지연, 저출생체중아를 일 으킬 수 있다. 유행지역에 사는 산모는 항말라리아예방이 권장된다. 예방을 위해 클로로퀸, 메플로퀸이 쓰일 수 있다.

(8) 파보바이러스B19 감염[15, 16]

가임기여성의 35-55%는 혈청양성이다. 수직감염은 임신전반기에는 16%, 20주 이후 후반기에는 35%이다. 선천성기형에 관한 몇몇 보고가 있으나 역학연구는 없다. 유산, 사산을 증가시킬 수 있다. 유해한 태아예후의 가능성이 낮으므로 모든 임신부에서 검사를 할 필요는 없다.

(9) 풍진 감염[17]

예방접종을 한다 하더라도 젊은 성인의 6-25%는 감염이 가능하다. 그 영향은 감염 당시 임신주수와 연관된다. 임신 1삼분기에는 20%가 선천풍진증후군이 발생한다. 선천풍진증후군은 다음 중 하나 이상을 가지는 경우이다. -눈병변, 심장질환, 감각신경성난청, 중추신경계손상, 자궁내태아발육지연, 혈소판감소증과 빈혈, 간병변, 폐렴, 뼈의 변화, 염색체이상- 감염된 아이들의 4세에서의 문제를 종합하면 85%의 문제는 언어발달장애, 망막하혈관신생, 자폐, 그 밖의 운동, 지능, 행동발달장애들이다. 분만후 48-72시간에 혈청음성인 여성의 예방접종이 권장된다. 백신바이러스는 모유로 분비되지만 모유수유의 금기는 아니다. 임신은 예방접종후 3개월간 미뤄야 한다. 임신중 예방접종으로 선천풍진증후군이 증가한다는 증거는 없다.

(10) B군연쇄상구균[18-20]

15-25%의 임신부의 비뇨생식기에 존재하며 1,000명 생존출생당 1.8회의 빈도로 발생한다. 조산조기양막파수, 조산, 산후자궁내막염, 융모양막염과 연관된다. 침습적 영아 B군연쇄상구균감염은 조기발병인 경우 5-20%의 사망률을 가진다. 임신 35-37주에 질 및 직장 균배양검사로 선별한다. 진통중 페니실린은 다음의 경우 사용한다. -이전 B군연쇄상구균 출생아 기왕력, 현재 임신에서 소변 B군연쇄상구균검출, 조기진통, 35-37주에 선별검사 양성인 경우- 만일 선별검사를 하지 않았다면 -진통중 38도 이상의 고열, 18시간 이상의 양막파수 상태-

(11) 매독[21, 22]

어떤 임신주수에서도 수직감염이 가능하다. 대부분의 심한 태아감염은 임신초기에 발생한다. 이러한 초기임신감염에서 치료하지 않는 경우 80%의 영아 사망률 및 유병률을 보인다. 치료하지 않은 일차/이차매독에서 태어난 영아의 50%가 선천매독감염을 가진다. 임신중 흔히 혈청검사가 위양성으로 나올 수 있다. 에이즈와 같이 감염된 경우 매우 높은 혈청역가를 보이거나 이차매독에서 오히려 음성으로 나올 수 있다. 확진검사는 비임신시와 마찬가지이다.

(12) 톡소플라즈마[23, 24]

가임기여성의 50-60%가 감염취약계층으로 분류된다. 1,000 임신당 1-5회의 빈도로 급성톡소플라즈마감염이 발생한다. 우리나라의 통계는 없으나 미국의 경우 1,000 생존출생당 1-2명의 선천감염이 발생한다. 임신중 어느때라도 태아에 감염이 가능하다. 임신1삼분기에는 가능성이 적다. 감염된 40-60%에서 선천감염이 발생한다. 대부분의 심한 후유증을 가지는 수직감염은 임신 20주 이전의 감염이다. 자연유산, 사산, 심한 선천감염의 경우 임신초기 모체의 감염인 경우에만 주로 발생한다. 선천톡소플라즈마감염은 자궁내태아발육지연, 간비장비대, 황달, 빈혈, 경련, 뇌석회화, 수두증 또는 소두증, 정신지체를 일으킨다. 대부분의 감염된 아이는 무증상이다. 고위험여성(최근 고양이를 키우기 시작한 여성, 고양이 새끼를 만진 여성, 날고기를 먹은 여성, 단핵구증과 같은 질환을 겪은 여성)은 임신전 혈청검사가 권장된다. 혈청음성인 여성은 고위험상황을 피해야 한다. 최근 감염의 진단은 IgM 항체가가 >1:512인 경우이다. 치료가 선천감염의 위험을 낮추지만 그 위험은 치료후에도 여전히 존재한다. 초음파로 선천감염을 진단하는 것은 민감도가 낮다. 임신중 감염이 발생한 경우 진단을 위해 양수검사, 제대혈검사, PCR을 시행하고 치료적 유산이 조심스럽게 상담될 수 있다. 시술을 기다리는 동안 스피라마이신치료가 권장된다.

(13) 결핵[25]

자궁내태아감염은 드물지만 발생하면 사망률이 50%로 치명적인데 그 이유는 진단의 실패 때문이다. 일반인과 마찬가지로 임신부도 망투검사를 한다. 임신중 이소니아지드예방은 권장되지 않는다. 최근 2년 안에 감염이 된 여성, 최근 망투검사에서 양성으로 나온 여성, 에이즈감염여성은 치료한다. 이소니아지드, 리팜핀, 에탐부톨이 태아기형을 유발한다는 증거는 없다. 이소니아지도와 함께 피리독신을 준다. 신생아출혈성질환 예방을 위해 비타민 K를 예방적으로 치료받아야 한다. 활동성결핵을 가진 산모에게서 태어난 신생아는 적어도 첫 2-3개월동안 또는 균배양음성이 될 때까지 이소니아지드로 치료해야 한다. 치료는 효과적이기 때문에 엄마와 아이를 분리할 필요가 없다. 영아의 피부검사양성이거나 임상증상이 있다면 네가지 약제로 치료를 시작한다.

(14) 요로감염[26]

임신부의 2-7%에서 무증상세균뇨가 발견된다. 이들 중 대부분은 첫 산전방문에서 소변균배양검사상 양성이다. 치료하지 않으면 25%에서 급성요로감염이 발생한다. 임신중 1-2%에서 신우신염이 발생한다. 무증상세균뇨는 임신고혈압, 빈혈, 조산, 유산과 연관된다. 급성요로감염이 자궁내태아발육지연, 태아사망, 선천기형과 연관되는지는 논란이 있다. 모든 임신부는 첫 산전방문에서 무증상세균뇨가 있는지 선별검사해야 한다. 무증상세균뇨를 치료하면 대부분의 급성요로감염을 막을 수 있다. 치료는 니트로푸란토인 10일요법, 암피실린, 세파렉신이며 단일요법과 3일요법이 가능하다. 무증상세균뇨를 치료하더라도 1/3은 감염이 지속되거나 재발한다.

(15) 수두[27, 28]

10만 임신당 5-7건 발생한다. 선천수두증후군은 자궁내태아발육지연, 사지형성저하증, 뇌위축, 흉터, 정신지체, 안병변을 특징으로 한다. 선천수두증후군은 임신 20주 이전에만 발생하는 것으로 알려져 있으나 20주 이후에도 몇 예가 보고된 바 있다. 임신 13주 이전에는 오히려 위험도가 더 낮다(0.5%). 다른 임신예후에는 큰 영향을 주지 않는다. 노출된 임신부는 합병증을 줄이기 위해 96시간 내에 수두면역글로불린을 맞아야 한다. 면역글로불린이 수직감염을 감소시키는지에 대해서는 아직 결론나지 않았다. 분만 전 5일에서 분만 후 2일 이내 수두를 가진 산모에서 태어난 영아는 수두위험이 가장 높다. 따라서 수두면역글로불린을 신생아에게 투여해야 한다.

(16) 당뇨병[29, 30]

당뇨병이 태아발달장애를 일으키는 문제를 다루기 위해서는 유병률에 대한 정보가 우선 필요하다. 진성당뇨병은 가임기여성에서 1,000명당 1-10.8명의 빈도를 가진다. 1형당뇨병은 임신부의 1%, 임신당뇨병은 임신부의 3%를 차지한다. 당뇨전단계, 임신당뇨병, 당불내성은 태아기형과 연관되어 있다고 보기 어려우므로 진성당뇨병만을 고려할 필요가 있고 이는 White 분류 B-F에 해당할 것이다. 모체의 만성고혈압, 임신고혈압, 양수과다증, 모성사망율이 증가한다. 태아/신생아의 경우, 산모의 1형당뇨병에서 선천기형이 2-6배(7.5-12.9%) 증가한다. 기형으로 발견되는 신생아는 9.1%에서 발견되는데 이는 일반여성의 3배에 해당한다. 또한 이는 전체 태아기형의 1.44%를 차지한다. 현재까지 알려진 바로는 당뇨병의 특징적인 기형의 양상이 있는 것이라기 보다는 일반적으로 알려진 문제의 빈도가 많은 것으로 보는 것이 맞으며 해당되는 흔히 발견되는 발달의 문제는 심혈관계, 신경관, 천골, 대퇴골 이상 등이다. 심장 및 신경관기형이 가장 흔하며, 그 다음으로 골격, 위장관, 요로기형순이다. 임신전 상담이 필요한데, 임신전 HbA1c가 6-7% 이내로 조절되면 당뇨가 아닌 여성에서처럼 기형의 빈도가 감소하기 때문이다. 혈당조절로 주산기사망율과 이환율(거대아, 제왕절개, 분만손상, 호흡곤란증후군, 저혈당, 저칼슘혈증, 고빌리루빈혈증, 적혈구증가증)이 감소할 수 있다. 임신이 진행되면 인슐린요구량이 늘어난다. 1형당뇨병의 비증식성 망막병증인 경우 임신중 진행하지 않으나, 증식성인 경우 진행할 수 있다. 당뇨병 신장병증에서 단백뇨는 임신중 증가한다. 반면, 크레아티닌청소율은 1/3의 환자에서 감소할 수 있다. 대부분의 검사수치는 분만후 정상으로 돌아간다. 임신전 및 초기임신에서의 혈당조절은 태아기형위험을 감소시킬 수 있다. 당뇨식이에 대한 영양사의 조언이 필요하다. 1형당뇨병은 엄격한 인슐린치료와 조절을 위해 내분비전문의에 의해 조절될 필요가 있으며, 안과적 진찰, 단백질 및 크레아티닌청소율을 보기 위한 24시간 소변검사가 요구된다. 임신중기의 정밀초음파, 혈청 알파태아단백검사가 필요하다. 산과적 적응증이 되는 경우에만 제왕절개를 실시한다.

(17) 간질[31, 32]

태아기형이 2-3배 증가하는데 특히 안면갈림, 심장기형, 신경관결손이 흔하다. 이는 질환자체뿐 아니라 항경련제에 의한다. 자간전증, 조기진통, 태아발육지연, 제왕절개, 주산기사망율이 증가한다. 태어난 아이는 뇌성마비, 경련, 정신지체 위험이 증가한다. 간질을 가진 여성이 임신을 하면, 45%는 경련의 빈도가 증가, 50%는 불변, 5%는 감소한다.

(18) 엽산결핍증[33, 34]

세계보건기구는 전세계여성의 1/3이 엽산결핍을 가지고 있다고 보고한 바 있다. 저소득층에서 흔하다. 엽산결핍과 신경관결손증의 원인-결과관계는 잘 알려져 있다. 태반과 태아는 모체로부터 효율적으로 엽산을 흡수한다. 임신중 엽산손실이 증가한다. 엽산 1 mg 보충이 엽산결핍증의 예방에 적당하다. 치료시 철분의 보충이 같이 필요하다. 엽산의 보충은 신생아의 신경관결손증의 위험을 감소시킨다.

(19) 심장질환[35]

모든 임신의 1-4%에서 심장질환을 가진다. 선천적 및 류마티스 심장병이 가장 흔하다. 심혈관계의 이상은 자연유산, 태아발육지연, 조기진통과 연관된다. 선천심장기형을 가진 산모는 역시 선천심장기형을 가진 아이를 가질 확률이 3-10%인데, 특히 좌심실유출로협착에서 그러하다. 태아와파린증후군이 생기는 임계시기는 임신 6-12주인데, 이 때 25%의 아이가 영향을 받는다. 태아와파린증후군은 코형성저하증과 반점골단을 특징으로 한다. 태아발육지연, 안병변, 청력소실, 또한 보고된다. 임신1삼분기 이후 와파린의 노출은 출혈로 인한 중추신경손상 및 사산의 위험을 보이지만 투약하지 않았을 경우 인공심장판막에서 발생하는 뇌졸중 같은 산모의 위험도 고려해야 한다. 임신중 심장박출량이 40%까지 증가하며 이는 임신 2삼분기말에 최대가 된다. 대부분의 환자는 임신말기까지 안전하게 조절된다. NYHA 분류 I이나 II인 경우 모성사망율은 0.4%이지만, III나 IV인 경우 4-7%이다. 다음과 같은 고위험심장질환을 가진 여성은 임신이 권장되지 않는다: NYHA 분류 III 또는 IV 증상을 가진 심장질환, 교정되지 않은 청색증 선천성심장질환, 위험한 대동맥협착증, 일차성 폐고혈압, 아이젠멩거증후군, 말판증후군, 분만전후심근병 기왕력과 지속적인 심비대를 가진 여성. 산모는 울혈심부전이 가능하고 말판증후군이나 대동맥축착증에서 대동맥파열이 가능하다. 고위험산모센터에서의 치료가 필요하다. 휴식, 안심, 매달진찰이 중요하다. NYHA 분류 III 또는 IV 증상을 가진 환자는 입원해야 한다. 와파린은 임신전, 특히 임신 6주 이전에 헤파린으로 교체해야 한다. 디곡신, 베타차단제, 칼슘통로길항제, 헤파린은 기형을 유발하지 않는다. 안지오텐신전환효소억제제는 임신중 사용되어서는 안된다. 임신 18-20주에 선천심장기형을 배제하기 위한 태아심장초음파가 요구된다. 분만방법은 산과적 적응증에 의해 결정된다. 진통중 또는 분만후 심장질환이 악화될 수 있다. 심장질환이 있다 하더라도 분만이 예방적 항생제의 적응증이 되지는 않는다.

(20) 고혈압[36, 37]

모든 임신의 1-3%가 해당한다. 70%는 자간전증/자간증, 25%는 만성고혈압, 5%는 임신고혈압이다. 모성사망의 20%를 야기한다. 자간전증에서, 고혈압의 정도에 비례하여 자연유산, 태아발육지연, 태아사망, 조기태반박리, 조산, 수술적분만, 주산기이환율 및 사망률이 증가한다. 최근 연구에서는 산모의 자간전증이 영아의 심장기형과 연관된다고 보고하였다. 만성고혈압에서는 태아발육지연, 조기태반박리, 주산기사망율이 증가한다. 만성고혈압의 20%는 중첩된 자간전증으로 발전한다. 혈압은 임신 1삼분기에 감소하였다가 분만시기까지 이전 수준으로 돌아간다.

(21) 갑상선질환[38, 39]

가임기여성에서 갑상선질환의 유병율은 높은 편으로 0.82%로 알려져 있다. 갑상샘기능항진증은 2,000 임신당 1건으로 그레이브스병이이 가장 흔한 원인이다. 갑상샘기능저하증은 20주 이상 임신부 1,000명당 6건으로 발생한다. 갑상샘기능항진을 치료하지 않으면 사산, 저출생체중아, 신생아사망, 조사, 임신고혈압, 심부전의 위험이 증가한다. 오랜 기간 갑상샘기능항진치료를 하면 신생아의 갑상샘기능저하를 가져올 수 있다. 그러나 성장이나 발달에 큰 영향은 없는 것으로 보인다. 태아의 갑상샘기능항진증이나 기도를 막는 갑상샘종이 모체의 높은 갑상샘자극면역글로불린 농도 및 모체의 갑상샘기능항진증 치료 때문에 발생할 수 있으나 선천태아기형과 연관된 것은 아니다. 프로필티오우라실이 치료선택제이다. 갑상샘기능저하는 유산 및 태아 및 주산기예후에 안좋은 영향을 미친다. 전세계적으로 풍토병 크레틴병이 흔하며 자이르의 경우 7.6%, 파푸아뉴기니의 경우 15%까지 유병률을 보인다. 그러나 북미, 유럽의 경우 외인성 요인의 크레틴병은 발견되지 않는다. 무증상갑상샘기능저하도 임신중 치료를 요한다.

(22) 페닐케톤뇨증[40]

소두증 및 선천심장기형과 같은 선천기형 및 정신지체를 야기하는 모체질환으로 페닐케톤뇨증이 있다. 전체 선천기형에서 차지하는 비율은 매우 미미하지만, 치료에 의해 그 예후가 좋아지므로 발견하는 것이 중요하다. 페닐케톤뇨증을 선별하고 일찍 식이치료를 시작하면서 이 질환을 가진 여성이 임신이 가능하게 되었다. 그러나 임신전부터 식이치료를 시작하고 임신중 철저히 유지하지 않으면 태아기형이 발생할 수 있을 뿐 아니라, 철저히 식이치료를 한다 하더라도 완벽히 기형을 예방할 수는 없다. 혈중 페닐알라닌 농도가 20 mg/dL 이상인 페닐케톤뇨증을 가진 여성의 95%에서 발달이상을 가진 아이가 태어났다. 그러나 다행스럽게도 전체 태아발달장애에서 차지하는 비율은 매우 적다.

(23) 태아남성화질환[41]

모체의 난소 및 부신의 종양, 증식증, 기능성병변이 여성태아의 남성화를 일으킬 수 있다. 그러나 그 가능성이 매우 낮기 때문에 일반적으로 무시할만하다.

(24) 자궁출혈[42, 43]

임신초기 자궁출혈과 선천태아기형과의 연관성은 오래 논의되어 온 주제이지만 여전히 결론을 맺지 못하고 있다. 그리고 또 하나 간과하지 말아야 할 것은 이러한 자궁출혈이 선천기형을 일으킨다는 원인-결과 관계보다는 단지 연관된 것일 수 있다는 것이다. 임신초기 자궁출혈은 절박유산을 암시하지만, 자연유산되는 태아는 흔히 기형을 가지므로 이미 존재하는 태아기형 때문에 착상에 문제가 생겨 유산되면서 출혈이 발생할 수 있는 것이다.

(25) 고열[44, 45]

많은 후향적 연구들에서 임신초기 모체의 고열질환 및 사우나가 태아의 발달이상을 가져온다고 발표한 바 있다. 무뇌아, 척추이분증, 소안증, 얼굴기형이 증가한다고 알려져 있다. 그러나 전향적 연구에서는 그 결과가 뚜렷하지 않은 부분이 있어 추가 연구가 더 필요한 부분이다.

(26) 항인지질항체증후군[46, 47]

가임기여성의 3-5%를 차지한다. 반복유산, 사산, 태아발육지연, 자간전증의 위험을 높인다. 정맥 및 동맥 혈전증, 뇌혈전증, 용혈빈혈, 혈소판감소증, 폐고혈압의 가능성이 높다. 항cardiolipin IgG 항체인 경우 임상적으로 의미가 있으나 IgM은 아니다. 스테로이드, 아스피린, 헤파린의 효용성에 대해서는 아직 논란이 있다. 항체가가 높고 이전에 반복초기유산, 원인불명의 2,3삼분기태아사망의 기왕력이 있는 경우 스테로이드와 아스피린의 사용여부와 관계없이 항응고제의 사용이 임신진단과 함께 시작되어야 한다. 항인지질항체에 의한 혈전증의 과거력이 있는 경우 임신중과 산욕기에 항응고제 치료를 해야한다. 임상양상이 없는 경우 항인지질항체양성만으로 치료를 할 필요는 없다.

(27) 천식[48, 49]

임신부의 1-4%의 유병율을 가진다. 만성천식의 조절정도와 출생임신주수, 태아발육지연, 주산기사망율은 밀접한 연관이 있는 것으로 보인다. 천식의 조절이 잘 안되는 경우 자간증의 위험이 증가한다. 임신1삼분기에는 그 양상의 변화가 일정하지 않다. 임신전 천식의 정도가 심했던 경우 임신후 악화되는 경우가 많다. 주로 28-36주에 악화된다. 60%의 여성은 천식의 진행양상이 다음 임신에서 유사하다. 10%의 여성에서 진통이나 분만시 악화된다. 이는 제왕절개에서 더 흔하게 발생한다. 치료는 기도폐쇄정도의 객관적지표를 기준으로 이루어져야 하며, 주관적인 증상만으로 판단해서는 안 된다. 흡입 베타2-선택제, 스테로이드, disodium chromoglycate, ipratropium은 임신중 안전하게 쓰이는 약제이다. 정맥이나 경구 스테로이드가 쓰일 수 있다. 흡입 베타2-선택제는 자궁수축을 억제하므로 진통이 가까운 경우 사용을 자제한다. 진통제로는 meperidine이나 몰핀보다는 히스타민분비와 연관이 없는 펜타닐이 선호된다. 산후출혈시에는 PGF2α보다는 PGE2를 이용한다. PGF2α는 기관지연축과 산소불포화반응을 일으킬 수 있다.

(28) 비타민 B12 결핍[50]

매우 드물지만 부분 또는 전위절제술, 크론병, 회장절제술, 작은창자의 세균과증식에 의해 발생할 수 있다. 악성빈혈인 경우 불임이 야기될 수 있다. transcobalamine 2 결핍을 제외하고 태아가 결핍을 가지는 경우는 거의 없는데 그 이유는 태반으로의 전달이 효율적이기 때문이다. B12 결핍을 가진 산모가 모유수유중인 신생아는 출생후 4-12개월 뒤에 심한 결핍을 가질 수 있다. 비타민 B12 〈 50 pg/mL인 경우 치료가 필요하다. 결핍이 교정될 때까지 모유수유는 권장되지 않는다.

(29) 악성질환

① 급성백혈병[51]

10만명의 임신당 0.9-1.2명꼴로 발생한다. 자연유산, 조산, 사산의 위험이 증가한다. 항암치료로 말초혈구수가 감소하면 산모의 출혈, 감염이 증가한다. 항암제가 태아의 이상을 초래할 수 있다. 2-10%에서 태아기형이 보고된다. 백혈병을 가진 산모의 신생아가 선천성백혈병을 가진 예가 보고된 바 있다. 임신이 백혈병의 진행에 영향을 주지는 않는다. 태아의 보호를 위해 산모의 치료가 부적당하게 되거나 연기되면 완치에 영향을 줄 수 있다. 일단 급성백혈병의 진단이 내려지면 다약제항암치료가 연기되어서는 안된다. Tretinoin은 임신중 피한다. 진단이 임신1삼분기에 되었다면 산모의 나쁜 예후 및 태아에 대한 항암제의 효과를 고려할 때 치료적유산을 고려할 수 있다. 항암제가 분만시기즈음에 투여되는 경우 산전 혈액학적 상태가 점검되어야 한다.

② 유방암[52]

10만명의 임신당 10-30명에서 발생한다. 항암제가 임신 1삼분기에 사용되면 태아기형의 위험이 10% 정도 있다. 유방암은 수직전파되지 않는다. 자궁내에서 세포독성약물에 노출된 태아가 미래에 암이 발생할 위험에 대한 가능성을 고려한다. 태아가 여아인 경우 항암제가 발생중인 난자에 영향을 미칠 수 있다. 항암제에 노출된 난자로 형성된 접합체에서 발생한 돌연변이나 염색체이상이 다음 세대에서 배아형성에 문제를 일으킬 수 있다. 비임신여성과 병기별 생존율에서 큰 차이는 없다. 치료가 임신으로 연기되면 예후가 악화될 수 있다. 적절히 방어하면 유방촬영이 태아에 미치는 영향은 미미하다. 임신1삼분기에 항암제를 시작해야하는 경우가 아니면 치료적유산이 고려되어서는 안 된다. 방사선치료는 태아를 방어한다해도 노출되는 용량이 상당하므로 임신중 권장되지 않는다. 수술이나 항암치료는 비임신과 마찬가지로 시행할 수 있다.

③ 자궁경부암[53]

원추절제술은 출혈, 유산, 양막파수, 조산을 일으킬 수 있다. 태아는 직접 영향을 받지 않는다. 임신에 의해 생존율이 달라지지는 않는다. 분만방법이 예후를 변하게 하지는 않으나 이론상 질식분만할 때 암세포가 질에 착상할 가능성이 있다. 침윤성암인 경우 임신중이라도 병기에 따른 치료를 한다. 미세침윤인 경우 태아가 성숙할 때까지 기다렸다가 제왕절개와 함께 자궁절제술을 할 수 있다. 24주 이전에 진행성암으로 진단된 경우라면 임신의 종결이 상의될 수 있다. 24주 이후라면 태아폐성숙때까지 치료를 연기하는 것을 고려할 수 있다. 병기설정시 MRI가 CT보다 우선 고려되어야 한다. 임신 1삼분기에 진단된 경우 치료적 유산을 고려해야 한다. 증상이 없고 임신 2,3삼분기에 진단된 경우에는 태아의 성숙을 보고 분만시까지 치료를 늦출 수 있다.

④ 난소암[54]

25,000 분만 중 1건으로 발생한다. 자궁부속기종괴로 수술하는 임신부 1,000명 중 1건으로 발생한다. 임신중 부속기종양의 약 5%가 악성이다. 태아는 대개 영향을 받지 않는다. 다만 꼬임 및 파열로 인한 유산, 조산의 위험이 증가한다. 진행된 암에서는 태아발육지연이 가능하다. 난소간질종양에서 분비되는 안드로겐에 의해 여아태아의 남성화가 가능하다. 임신에 의해 예후가 변하지 않는다. 임신이 난소암을 야기하지는 않지만, 향후 난소암이 발생하는 것을 예방하는 효과가 있는 것으로 생각한다. 임신초기에 발견된

병기설정이 필요한 시험적 개복술이 늦춰져서는 안 된다. 난소종괴의 12%는 응급수술을 요할 수 있다. 진행된 경우는 자궁절제와 함께 양측부속기절제술이 필요하고 특정한 경우 종양만 제거하고 항암제를 쓰면서 태아폐성숙이 될 때까지 기다릴 수 있다. 수술후치료는 대부분 필요하다. 종양의 진행을 알기 위해 알파태아단백, hCG, LDH, CA-125 같은 혈청표지자검사를 시행해야 한다.

3 결론

임상증례에서 임신부에 상담할 수 있는 내용은 1형당뇨병 자체로 인한 태아기형가능성을 언급해야 하고 혈당조절을 한다면 태아기형의 가능성을 줄일 수 있음 역시 상담시 언급되어야 할 것이다. 1형당뇨병은 혈당조절을 위해 인슐린이 필요하고 인슐린은 일반적으로 태반통과가 어려운 것으로 알려져 있으므로 인슐린자체로 인한 태아기형 가능성이 낮음을 설명해주어야 한다.

앞에서 언급한 것을 종합하면 일반적인 3%의 선천기형 중 2%는 모체감염에 의한 것이고 1.4%는 모체의 당뇨병에 의한 것이며 다른 모체질환으로 인한 것으로 1% 미만으로 선천기형의 약 3.5%가 모체질환에 의함을 알 수 있다. 모체질환이 태아의 발달과 밀접하게 연관되어 있음을 이해함으로써 임신전부터 해당질환을 인지하고 조절하려는 노력이 건강한 임신과 출산에 다다르는 중요한 한 부분임에 틀림없다. 태아의 발달위험과 관련하여 위에 언급한 모체질환뿐 아니라 그 외에도 아직 밝혀지지 않은 분야가 많은데 그 이유는 앞에서 언급하였듯이 정상발달 및 태아기형에 대한 정의가 여전히 모호하고 그 발생빈도가 많지 않은데다 대부분의 연구들이 후향적이어서 모체질환과 발달장애의 연관성이 명확하지 않기 때문이다. 즉 오랜 기간의 전향적 대규모 코호트 또는 비교연구만이 이를 명확하게 할 수 있는 것이므로 향후 이러한 코호트 연구를 통해 많은 미지의 모체질환과 태아기형의 연관성이 밝혀질 수 있기를 희망하면서 이 장을 마치고자 한다.

▶ 참고문헌

1. Mofenson LM. Reducing the risk of perinatal HIV-1 transmission with zidovudine: results and implications of AIDS Clinical Trials Group protocol 076. Acta paediatrica (Oslo, Norway: 1992) Supplement 1997;421:89-96.

2. Minkoff HL. HIV disease in pregnancy. Introduction. Obstetrics and gynecology clinics of North America 1997;24:Xi-Xvii.

3. Lindsay MK, Nesheim SR. Human immunodeficiency virus infection in pregnant women and their newborns. Clinics in perinatology 1997;24:161-80.

4. Andrews WW, Goldenberg RL, Mercer B, et al. The Preterm Prediction Study: association

of second-trimester genitourinary chlamydia infection with subsequent spontaneous preterm birth. American journal of obstetrics and gynecology 2000;183:662-8.

5. Madan E, Meyer MP, Amortegui AJ. Isolation of genital mycoplasmas and Chlamydia trachomatis in stillborn and neonatal autopsy material. Archives of pathology & laboratory medicine 1988;112:749-51.

6. Nelson CT, Demmler GJ. Cytomegalovirus infection in the pregnant mother, fetus, and newborn infant. Clinics in perinatology 1997;24:151-60.

7. Tongsong T, Sukpan K, Wanapirak C, Phadungkiatwattna P. Fetal cytomegalovirus infection associated with cerebral hemorrhage, hydrops fetalis, and echogenic bowel: case report. Fetal diagnosis and therapy 2008;23:169-72.

8. Stoll BJ, Kanto WP, Jr., Glass RI, Pushkin J. Treated maternal gonorrhea without adverse effect on outcome of pregnancy. Southern medical journal 1982;75:1236-8.

9. Prevention of perinatal transmission of hepatitis B virus: prenatal screening of all pregnant women for hepatitis B surface antigen. MMWR Morbidity and mortality weekly report 1988;37:341-6, 51.

10. Ohto H, Terazawa S, Sasaki N, et al. Transmission of hepatitis C virus from mothers to infants. The Vertical Transmission of Hepatitis C Virus Collaborative Study Group. The New England journal of medicine 1994;330:744-50.

11. Kane MA. Hepatitis viruses and the neonate. Clinics in perinatology 1997;24:181-91.

12. Kohl S. Neonatal herpes simplex virus infection. Clinics in perinatology 1997;24:129-50.

13. Kulhanjian JA, Soroush V, Au DS, et al. Identification of women at unsuspected risk of primary infection with herpes simplex virus type 2 during pregnancy. The New England journal of medicine 1992;326:916-20.

14. Uneke CJ. Impact of placental Plasmodium falciparum malaria on pregnancy and perinatal outcome in sub-Saharan Africa: I: introduction to placental malaria. The Yale journal of biology and medicine 2007;80:39-50.

15. Kishore J, Misra R, Paisal A, Pradeep Y. Adverse reproductive outcome induced by Parvovirus B19 and TORCH infections in women with high-risk pregnancy. Journal of infection in developing countries 2011;5:868-73.

16. Keyserling HL. Other viral agents of perinatal importance. Varicella, parvovirus, respiratory syncytial virus, and enterovirus. Clinics in perinatology 1997;24:193-211.

17. Rubella and congenital rubella syndrome--United States, 1985-1988. MMWR Morbidity and mortality weekly report 1989;38:173-8.

18. Verani JR, McGee L, Schrag SJ. Prevention of perinatal group B streptococcal disease--revised guidelines from CDC, 2010. MMWR Recommendations and reports: Morbidity

and mortality weekly report Recommendations and reports / Centers for Disease Control 2010;59:1-36.

19. Hannah ME, Ohlsson A, Wang EE, et al. Maternal colonization with group B Streptococcus and prelabor rupture of membranes at term: the role of induction of labor. Term-PROM Study Group. American journal of obstetrics and gynecology 1997;177:780-5.

20. Baker CJ. Group B streptococcal infections. Clinics in perinatology 1997;24:59-70.

21. Sanchez PJ, Wendel GD. Syphilis in pregnancy. Clinics in perinatology 1997;24:71-90.

22. Gomez GB, Kamb ML, Newman LM, Mark J, Broutet N, Hawkes SJ. Untreated maternal syphilis and adverse outcomes of pregnancy: a systematic review and meta-analysis. Bulletin of the World Health Organization 2013;91:217-26.

23. Jeannel D, Costagliola D, Niel G, Hubert B, Danis M. What is known about the prevention of congenital toxoplasmosis? Lancet (London, England) 1990;336:359-61.

24. Jenum PA, Stray-Pedersen B, Melby KK, et al. Incidence of Toxoplasma gondii infection in 35,940 pregnant women in Norway and pregnancy outcome for infected women. Journal of clinical microbiology 1998;36:2900-6.

25. Starke JR. Tuberculosis. An old disease but a new threat to the mother, fetus, and neonate. Clinics in perinatology 1997;24:107-27.

26. Schieve LA, Handler A, Hershow R, Persky V, Davis F. Urinary tract infection during pregnancy: its association with maternal morbidity and perinatal outcome. American journal of public health 1994;84:405-10.

27. Pastuszak AL, Levy M, Schick B, et al. Outcome after maternal varicella infection in the first 20 weeks of pregnancy. The New England journal of medicine 1994;330:901-5.

28. Enders G, Miller E, Cradock-Watson J, Bolley I, Ridehalgh M. Consequences of varicella and herpes zoster in pregnancy: prospective study of 1739 cases. Lancet (London, England) 1994;343:1548-51.

29. Priest JR, Yang W, Reaven G, Knowles JW, Shaw GM. Maternal Midpregnancy Glucose Levels and Risk of Congenital Heart Disease in Offspring. JAMA pediatrics 2015;169:1112-6.

30. Schaefer-Graf UM, Buchanan TA, Xiang A, Songster G, Montoro M, Kjos SL. Patterns of congenital anomalies and relationship to initial maternal fasting glucose levels in pregnancies complicated by type 2 and gestational diabetes. American journal of obstetrics and gynecology 2000;182:313-20.

31. Katz JM, Pacia SV, Devinsky O. Current Management of Epilepsy and Pregnancy: Fetal Outcome, Congenital Malformations, and Developmental Delay. Epilepsy & behavior: E&B 2001;2:119-23.

32. Charlton RA, Weil JG, Cunnington MC, Ray S, de Vries CS. Comparing the General Practice Research Database and the UK Epilepsy and Pregnancy Register as tools for postmarketing teratogen surveillance: anticonvulsants and the risk of major congenital malformations. Drug safety 2011;34:157-71.

33. Czeizel AE. Primary prevention of neural-tube defects and some other major congenital abnormalities: recommendations for the appropriate use of folic acid during pregnancy. Paediatric drugs 2000;2:437-49.

34. Bortolus R, Blom F, Filippini F, et al. Prevention of congenital malformations and other adverse pregnancy outcomes with 4.0 mg of folic acid: community-based randomized clinical trial inItaly and the Netherlands. BMC pregnancy and childbirth 2014;14:166.

35. Ford AA, Wylie BJ, Waksmonski CA, Simpson LL. Maternal congenital cardiac disease: outcomes of pregnancy in a single tertiary care center. Obstetrics and gynecology 2008;112:828-33.

36. CLASP: a randomised trial of low-dose aspirin for the prevention and treatment of pre-eclampsia among 9364 pregnant women. CLASP (Collaborative Low-dose Aspirin Study in Pregnancy) Collaborative Group. Lancet (London, England) 1994;343:619-29.

37. Auger N, Fraser WD, Healy-Profitos J, Arbour L. Association Between Preeclampsia and Congenital Heart Defects. Jama 2015;314:1588-98.

38. Momotani N, Ito K, Hamada N, Ban Y, Nishikawa Y, Mimura T. Maternal hyperthyroidism and congenital malformation in the offspring. Clinical endocrinology 1984;20:695-700.

39. Kallen B, Norstedt Wikner B. Maternal hypothyroidism in early pregnancy and infant structural congenital malformations. Journal of thyroid research 2014;2014:160780.

40. Nissenkorn A, Michelson M, Ben-Zeev B, Lerman-Sagie T. Inborn errors of metabolism: a cause of abnormal brain development. Neurology 2001;56:1265-72.

41. Malinowski AK, Sen J, Sermer M. Hyperreactio Luteinalis: Maternal and Fetal Effects. Journal of obstetrics and gynaecology Canada: JOGC = Journal d'obstetrique et gynecologie du Canada: JOGC 2015;37:715-23.

42. Sipila P, Hartikainen-Sorri AL, Oja H, Von Wendt L. Perinatal outcome of pregnancies complicated by vaginal bleeding. British journal of obstetrics and gynaecology 1992;99:959-63.

43. Ananth CV, Savitz DA. Vaginal bleeding and adverse reproductive outcomes: a meta-analysis. Paediatric and perinatal epidemiology 1994;8:62-78.

44. Li Z, Ren A, Liu J, et al. Maternal flu or fever, medication use, and neural tubedefects: a population-based case-control study in Northern China. Birth defects research Part A, Clinical and molecular teratology 2007;79:295-300.

45. Chambers CD, Johnson KA, Dick LM, Felix RJ, Jones KL. Maternal fever and birth outcome: a prospective study. Teratology 1998;58:251-7.

46. Infante-Rivard C, David M, Gauthier R, Rivard GE. Lupus anticoagulants, anticardiolipin antibodies, and fetal loss. A case-control study. The New England journal of medicine 1991;325:1063-6.

47. Chakravarty K, Merry P. Anticardiolipin syndrome, aspirin therapy and fetal malformation. Lupus 1993;2:61-2.

48. Mabie WC. Asthma in pregnancy. Clinical obstetrics and gynecology 1996;39:56-69.

49. Wendel PJ, Ramin SM, Barnett-Hamm C, Rowe TF, Cunningham FG. Asthma treatment in pregnancy: a randomized controlled study. American journal of obstetrics and gynecology 1996;175:150-4.

50. Hovdenak N, Haram K. Influence of mineral and vitamin supplements on pregnancy outcome. European journal of obstetrics, gynecology, and reproductive biology 2012;164:127-32.

51. Brell J, Kalaycio M. Leukemia in pregnancy. Seminars in oncology 2000;27:667-77.

52. Loibl S, Han SN, von Minckwitz G, et al. Treatment of breast cancer during pregnancy: an observational study. The Lancet Oncology 2012;13:887-96.

53. Van Calsteren K, Vergote I, Amant F. Cervical neoplasia during pregnancy: diagnosis, management and prognosis. Best practice & research Clinical obstetrics & gynaecology 2005;19:611-30.

54. Blake EA, Kodama M, Yunokawa M, et al. Feto-maternal outcomes of pregnancy complicated by epithelial ovarian cancer: a systematic review of literature. European journal of obstetrics, gynecology, and reproductive biology 2015;186:97-105.

임신부의 산전 진단

◦ 김민형

1 서론

지난 10년 간 초음파 해상도의 향상, 차세대 염기서열 분석법과 같은 유전자 검사법의 발달로 태아의 기형, 염색체 이상 선별검사의 방법과 시기, 진단검사 시 염색체 이상 확인에 적용하는 검사법들이 다양해지고 있다. 예를 들어, 40여 년 전, Brock (1972)이 신경과 결손 태아를 임신한 임신부의 혈액과 양수의 알파태아단백(alpha-fetoprotein, AFP)이 높다는 것을 보고한 이래, 고식적으로 신경관 결손에 대한 선별검사는 임신 중기 모체 혈액 검사로 알파태아단백 농도를 검사하는 것이었다. 그러나 현재 미국에서는 임신 중기 정밀초음파로 대부분의 신경관 결손을 발견할 수 있기 때문에, 임신부는 신경관 결손 선별검사로서 임신 중기 알파태아단백검사와 임신 중기 초음파 중 하나를 선별검사로 택할 수 있다. 또한 1979년도 이후 임신부 연령 35세 이상에서 태아 염색체 이상의 빈도가 임신 중기 양수천자의 태아 손실률 보다 높으므로 35세 이상의 임신부에서 선별검사 없이 진단검사인 양수천자 검사 여부를 결정하였으나, 최근에는 선별검사의 정확도가 높아지면서 임신부 연령에 관계없이 모든 선별검사와 진단검사의 장단점을 설명하고 임신부의 자율적인 선택으로 산전 진단을 하는 것을 권고하고 있다. 태아 염색체 이상을 선별하는 시기도 과거 임신 중기에서 현재는 임신 초기로 보다 이른 시기부터 시행하고 있으며, cell free 태아 DNA 선별검사(NIPT, noninvasive prenatal testing)의 도입으로 임신 10주부터 태아 염색체 이상에 대한 선별을 가능하게 했다.

산전 진단이란 태아의 선천성 기형, 염색체 이수성(aneuploidy), 유전 질환을 확인하는 분야로 구조적 기형을 진단하는 초음파검사부터 염색체 이상과 신경관 결손에 대한 선별검사, 융모(chorionic villi)와 양수천자 검체를 이용한 염색체 핵형과 염색체 마이크로어레이(chromosomal microarray, CMA)와 같은 진단 검사, 특이 유전 질환의 위험이 있는 임신부에 대한 진단 검사까지 포함한다.

2 염색체 이수성(aneuploidy)의 선별검사

사람의 세포 핵 내 염색체는 1번부터 22번까지의 상염색체 22쌍과 23번의 성염색체 한 쌍으로 구성된 23쌍, 총 46개의 염색체로 이루어져 있다. 염색체 갯수가 한 개 이상 더 있거나, 없는 숫자의 이상을 염색체 이수성(aneuploidy)이라고 하며, 염색체 이수성은 임신 1삼분기 유산 원인의 50%를 차지한다. 산전에 진단되는 염색체 이수성의 절반이 21번 세염색체인 다운 증후군이며, 그 다음이 18번 세염색체(에드워드 증후군), 13번 세염색체(파타우 증후군)이다.

태아 세염색체(trisomy)는 산모의 연령에 비례하여 증가하며, 특히 35세 이상에서 증가한다. 염색체 이수성에 대한 선별검사 시에는 산모의 연령에 따른 위험율에 대한 상담이 이루어져야 한다(표 5-8-1). 염색체 이수성에 대한 선별검사는 넓게는 두 종류의 검사가 있는데, 통상적인 생화학분석물 기반 검사와 cell-free DNA에 기반한 검사가 있다.

표 5-8-1. 임신부의 연령에 따른 다운 증후군과 모든 염색체 이수성의 위험도

출산 시 산모 연령(세)	다운 증후군 위험도	모든 염색체 이수성의 위험도
25	1/1270	1/480
30	1/970	1/390
35	1/330	1/180
36	1/255	1/150
37	1/205	1/125
38	1/155	1/100
39	1/125	1/80
40	1/95	1/65
41	1/73	1/50
42	1/55	1/40
43	1/45	1/30
44	1/35	1/24
45	1/28	1/19

출처: Hook EB. Rates of chromosome abnormalities at different maternal age. Obstet Gynecol 1981:282

1) 통상적 염색체 이수성 선별검사

기존의 염색체 이수성 선별검사는 임신부 연령에 따른 위험율에 임신부 혈액 내의 AFP, hCG, estriol, inhibin, PAPP-A와 같은 생화학적 분석물 농도의 MoM (multiple of median)을 보정하여 염색체 이수성에 대한 위험도를 계산하는 원리이다. 보정하여 나온 위험도가 일정 기준보다 높으면 '고위험군'으로 분류되며 cell-free DNA 선별검사, 융모막 검사 또는 양수천자 검사와 같은 진단 검사에 대한 유전 상담이 이루어 진다. 통상적인 선별검사는 다음과

같은 세 범주로 나눌 수 있다:임신 1삼분기 선별검사, 임신 2삼분기 선별검사, 임신 1삼분기와 2삼분기를 조합하는 선별검사.

각 선별검사의 단태 임신에서 다운증후군에 대한 발견율과 위양성율, 양성예측율을 표 5-8-2에 제시하였다.

표 5-8-2. 단태 임신에서 다운 증후군 선별검사들의 효능

선별검사	발견율	위양성율	양성 예측율
임신 1삼분기 선별 　NT, hCG, PAPP-A 　NT 단독	 80-84% 64-70%	 5% 5%	 3-4%
임신 2삼분기 선별 　쿼드검사(AFP, hCG, estriol, inhibin)	 80-82%	 5%	 3%
임신 1삼분기와 2삼분기 조합 선별 　통합 선별(Integrated screening) 　단계적 선별(sequential screening)	 94-96% 92%	 5% 5%	 5% 5%

AFP: alpha-fetoprotein, hCG: human chorionic gonadotropin, NT: nuchal translucency, PAPP-A: pregnancy-associated plasma protein-A. 출처: Baer, 2015; Malone, 2005b; Norton, 2015; Pergament, 2014; Quezada, 2015; Dashe, 2016.

(1) 임신 1삼분기 선별검사

임신 1삼분기 선별검사는 임신 11주-13.6주 사이에 시행되며, 두 개의 산모 혈청 분석물- hCG (human chorionic gonadotropin)와 PAPP-A (pregnancy-associated plasma protein A)과 초음파로 측정하는 태아 목덜미 투명대(nuchal translucency, NT) 두께를 이용한다.

① 태아 목덜미 투명대

태아 목덜미 투명대는 초음파로 관찰되는 태아 목 뒤 연부 조직과 피부 사이의 최대 두께를 일컫는다(그림 5-8-1). 태아 정둔장길이(crown lump length, CRL)가 38-45 mm일 때 측정하는 구조로 두께가 두꺼울수록 염색체 이수성의 위험도와 심장기형의 빈도가 증가한다. 목덜미 투명대 두께가 3 mm 이상 또는 CRL의 99th 퍼센타일 이상일 경우에는 임신부 혈청 분석물 농도를 보정하여도 '저위험군'으로 나오는 경우가 드물기 때문에 cell-free DNA 선별검사와 진단 검사에 대한 유전 상담이 이루어져야 한다.

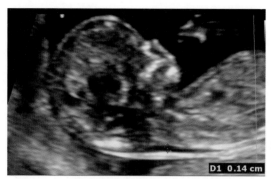

그림 5-8-1. 임신 12주에 측정한 태아 목덜미 투명대

② 임신 1삼분기 선별검사의 효능

위양성율을 5%일 때, 임신 1삼분기 선별검사의 다운 증후군에 대한 발견율은 80-84%, 태아 목덜미 투명대 단독은 64-70%이다(표 5-8-2).

(2) 임신 2삼분기 선별검사

① 쿼드검사(quadruple test)

임신 2삼분기에 시행하는 검사로 AFP, hCG, estriol과 inhibin의 네 가지 호르몬을 조합하여 염색체 이수성에 대한 위험도를 계산한다. 쿼드검사는 다운 증후군과 에드워드 증후군 발견에 있어 임신 1삼분기 선별검사보다 효율이 낮아 단일 검사로는 염색체 이수성 선별검사로서의 장점이 적다(표 8-1-2). 그러므로, 쿼드검사 단독은 임신 1삼분기에 산전 진찰을 받지 못하고, 임신 2삼분기에 산전 진찰을 시작한 임신부에 한해 시행할 수 있다.

② 신경관 결손 선별을 위한 알파태아단백(AFP) 검사

모든 임신부는 임신 중기(임신 15-20주)에 태아의 신경관 결손에 대한 선별검사로서 임신부 혈청의 알파태아단백 검사 또는 임신 중기 정밀 초음파검사를 받을 수 있다. 태아가 신경관 또는 복부 결손이 있으면 태아의 알파태아단백이 양수를 통해 임신부의 혈액으로 유입되어 임신부 혈청 내의 알파태아단백 농도가 증가한다. 임신부 혈청 알파태아단백 농도 2.5 MoM을 기준으로 선별할 경우 태아 신경관 결손 중 무뇌증(anencephaly)은 90%, 척추 갈림증(spina bifida)은 80%를 발견할 수 있다. 과거에는 임신부 혈청 알파태아단백 농도가 2.5 MoM 이상이면 재검을 하거나 침습적 검사인 양수천자 검사를 시행하여 양수 내 알파태아단백 농도나 acetylcholinesterase 농도를 측정하였다. 그러나, 최근에는 임신 중기 정밀 초음파로 대부분의 신경관 결손을 발견할 수 있기 때문에, 임신부의 알파태아단백 농도가 상승한 경우 정밀 초음파가 신경관 결손 진단에 대한 일차적

검사로 권고된다. 그러나, 정밀 초음파검사를 시행하지 못하거나 척수수막류(myelome-ningocele)를 배제할 수 없을 경우에는 양수천자 검사를 고려한다.

(3) 임신 1삼분기와 2삼분기 조합 선별검사

① 통합 선별검사(Integrated screening)

통합 선별검사는 임신 11–13.6주에 시행한 태아 목덜미 투명대 두께, hCG, PAPP-A와 임신 15–21주에 시행한 쿼드검사를 조합한 총 7가지의 표지자들을 통합한 검사이다. 임신 1삼분기 선별검사의 결과를 제시하지 않고, 임신 2삼분기 검사까지 모두 시행한 후에 위험도를 제시한다. 혈청 물질을 이용한 선별검사 중 다운 증후군 발견율이 가장 높으며, 5%의 위양성율 시 94–96%를 발견할 수 있다(표 5-8-2).

② 단계적 선별검사(Sequential screening)

단계적 선별검사는 통합 선별검사와 동일한 시기와 검사들로 이루어지지만, 임신 1삼분기 선별검사로 다운 증후군 위험도 결과를 제시하여 일정 기준 이상의 '고위험군'으로 나오면 cell-free DNA 선별검사나 침습적 진단검사에 대한 유전 상담을 시행하고, '저위험군'으로 나오면, 임신 중기 쿼드검사를 진행하여 임신 1삼분기와 2삼분기 검사를 통합하여 최종 위험도를 제시한다. 5%의 위양성율 시 92%의 다운 증후군을 발견할 수 있다(표 5-8-2).

2) Cell-free DNA 선별검사

Cell-free DNA 선별검사는 차세대 염기 서열 분석법의 발달로 2011년도에 도입되었으며 산전 선별검사의 패러다임을 바꾼 검사법이다. 태반의 영양막세포(trophoblast)가 고사되면서 세포 핵에 존재하는 DNA 분절들이 세포 외로 유리되어 모체 혈액 내로 들어가고, 이 모체 혈장 내의 cell-free DNA를 차세대 염기 서열 분석 방법을 통해 단시간에 대량으로 증폭시켜 태아의 염색체 이수성을 선별하는 검사이다. 현재까지 태아 염색체 이수성에 대한 선별검사 중 가장 이른 시기인 임신 10주부터 검사가 가능하며, 다운 증후군 발견율이 99%로 가장 높고, 위양성율은 0.5–1%로 가장 낮다. 다운 증후군 외에도 18번 세염색체, 13번 세염색체, 성염색체 이수성에 대한 발견율도 높다. Cell-free DNA 선별검사에 대한 자세한 내용은 다음 장인 '게놈 시대의 산전 진단'에 수록되어 있다.

3) 초음파검사

초음파검사는 정확한 임신 주수 평가, 다태 임신 여부, 주요 구조적 기형, "soft sign"으로 불리우는 부수 소견(minor marker)들을 확인함으로써 염색체 이수성 선별을 향상시킬 수 있다.

주요 구조적 기형의 염색체 이수성 위험도는 표 5-8-3과 같으며, 침습적 진단 검사로 확인하기에 충분한 위험도를 보인다. 일반적으로 초음파 상 태아의 주요기형이 확인되면, 염색체 마이크로어레이(CMA) 분석법이 일차 검사로 권고된다. 주요기형이 확인된 경우에는 cell-free DNA 선별검사법을 포함한 다른 선별검사는 권고되지 않는다.

표 5-8-3. 주요 태아 기형과 연관된 염색체 이수성 위험도

이상	출생 유병율	염색체 이수성 위험도(%)	흔한 염색체 이수성
Cystic hygroma	1/5000	50-70	45,X;21;18;13;triploidy
Nonimmune hydrops	1/1500-4000	10-20	21,18,13,45,X,triploidy
Ventriculomegaly	1/1000-2000	5-25	13,18,21,triploidy
Holoprosencephaly	1/10,000-15,000	30-40	13,18,22,triploidy
Dandy-Walker malformation	1/12,000	40	18,13,21,triploidy
Cleft lip/palate	1/1000	5-15	18,13
Cardiac defects	5-8/1000	10-30	21;18;13;45,X;22q11.2 microdeletion 18,13,21
Diaphragmatic hernia	1/3000-4000	5-15	18,21
Esophageal atresia	1/4000	10	21
Duodenal atresia	1/10,000	30	—
Gastroschisis	1/3000-4000	No increase	—
Omphalocele	1/4000	30-50	18,13,21,triploidy
Clubfoot	1/1000	5-30	18,13

출처: Best, 2012; Canfield, 2006; Colvin, 2005; Cragan, 2009; Dolk, 2010; Ecker, 2000; Gallot, 2007; Long, 2006; Orioli, 2010; Pedersen, 2012; Sharma, 2011; Solomon, 2010; Walker, 2001.

지난 30년 간 초음파로 염색체 이수성, 특히 다운 증후군을 발견하는 것은 "soft sign"으로 불리는 부수 소견들로 인해 많이 향상되었다. 부수 소견(minor marker)이란 태아의 이상보다는 정상 변이에 해당하며 염색체 이수성이나 동반된 다른 이상이 없다면 태아의 예후와는 무관하다. 정상 태아의 약 10%에서 발견 되는 것으로 보고되었다. 이 소견들은 임신 15-22주 사이가 유용하다. 부수 소견의 예는 표 5-8-4에 제시하였다. 부수 소견들 중 여섯 가지가 초음파 연구의 초점이 되었고, 염색체 이수성 위험도를 계산할 수 있도록 likelihood ratio가 도출되었다(표 5-8-5). 발견된 부수 소견의 수가 많을수록 염색체 이수성의 위험도는 증가한다. 부수 소견이 단독으로 발견된 경우, 염색체 이수성에 대해 선별검사를 받지 않은 임신부라면, 염색체 이수성에 대한 다른 선별검사를 시행하여야 한다. 이미 cell free DNA 선별검사를 하였다면, 이 후에 발견된 부수 소견은 더 이상 임상적 의미는 없다. 즉, cell free DNA 선별검사 결과가 '저위험군'이라면 태아 염색체 이수성의 위험도가 부수 소견에 의해 달라지지 않으며, 반대로 '고위험군'이라면 부수 소견이 없다고 해서 안심할 수 있는 것이 아니다.

표 5-8-4. 임신 중기 태아의 21번 세염색체와 연관된 초음파 부수 소견들 또는 "soft signs"

Aberrant right subclavian artery
Brachycephaly or shortened frontal lobe
Clinodactyly (hypoplasia of the 5th digit middle phalanx)
Echogenic bowel
Flat facies
Echogenic intracardiac focus
Nasal bone absence or hypoplasia
Nuchal fold thickening
Renal pelvis dilation(mild)
"Sandle gap" between first and second toes
Shortened ear length
Single transverse palmar crease
Single umbilical artery
Short femur
Short humerus
Widened iliac angle

표 5-8-5. 다운 증후군 선별을 위한 임신 중기 '단독' 부수 소견의 Likelihood ratio와 위양성율

초음파 부수 소견	Likelihood ratio	이환 되지 않은 태아에서의 유병율
Nuchal skin fold thickening	11–17	0.5
Renal pelvis dilation	1.5–1.9	2.0–2.2
Echogenic intracardiac foci	1.4–2.8	3.8–3.9
Echogenic bowel	6.1–6.7	0.5–0.7
Short femur	1.2–2.7	3.7–3.9
Short humerus	5.1–7.5	0.4
Any one marker	1.9–2.0	10.0–11.3
Two markers	6.2–9.7	1.6–2.0
Three markers	80–115	0.1–0.3

출처: Bromley, 2002; Nyberg, 2001; Smith–Bindman, 2001

3 진단검사

산전 진단을 위해 임신 중 태아 검체를 얻는 침습적 검사 방법으로는 양수천자 검사, 융모막 검사, 드물게 태아 혈액 채취 검사가 있고, 각각의 검사로 태아 유래 검체를 획득 후 염색체 이상을 분석하는 방법으로는 세포를 이용한 염색체 핵형(karyotype) 분석법과 DNA를 이용한 염색체 마이크로어레이(CMA) 분석법이 있다. 염색체 핵형 분석법은 5-10 Mb 보다 큰 염색체 이상을 발견하고, 염색체 마이크로어레이는 5 Mb 미만의 미세 결실을 발견할 수 있다. 초음파에서 태아의 주요 기형이 발견되면, 염색체 핵형 분석법보다 염색체 마이크로어레이 검사법이 일차적 검사법으로 권장되는데, 주요기형이 있으나 핵형은 정상인 경우 염색체 마이크로어레이로 6%의 이상을 추가로 발견할 수 있기 때문이다. 염색체 마이크로어레이에 대한 자세한 내용은 다음 장인 '게놈 시대의 산전 진단'에 수록되어 있다. 침습적 진단 검사의 적응증은 표 5-8-6과 같다.

표 5-8-6. **침습적 진단 검사의 적응증**

---

1. 세포유전학적 분석
　검사 방법: 융모막 검사, 양수천자 검사, 태아 혈액 채취, 착상 전 배아 검사
　산모 연령이 많은 경우
　비정상 임신부 혈청 선별검사: 21번/18번 세염색체 고위험군, 알파태아단백 상승
　과거 염색체 이상이 있는 아기 기왕력
　부모가 염색체 전좌 등 구조적 이상 보인자
　초음파검사 상 태아 이상이 발견된 경우
　성-연관성 질환에서 태아의 성감별이 필요한 경우

---

2. DNA 분석(돌연변이 또는 연관분석)
　검사 방법: 융모막 검사, 양수천자 검사, 착상 전 배아 검사, 드물게 태아 혈액 채취
　상염색체 우성 질환
　상염색체 열성 질환
　성-연관성 질환

---

3. 생화학적/조직병리학적 분석
　검사 방법: 융모막 검사, 양수천자 검사, direct fetal biopsy
　단일 유전 질환(single-gene disorders)

---

1) 양수천자(Amniocentesis)

가장 흔한 침습적 진단 검사법이다. 일반적으로 임신 15주에서 20주 사이에 시행하며, 이 시기 이후에도 언제든지 시행할 수 있다. 양수천자 검사의 적응증으로는 태아의 염색체 이상 외에도 특이 유전질환, 선천성 감염, 동종면역(alloimmunization) 진단 등이 있다. 염색체 이상 진단을 위한 태아 핵형 분석법은 양수세포(amniocytes)를 배양하여야 하기 때문에 7-10일 정도가 소요되며, 염색체 마이크로어레이법은 배양 없이 양수세포의 DNA를 추출하여 시행하므로 3-5일이 소요된다.

(1) 검사 술기

양수천자 검사는 무균적 시술로서 20-22 gauze의 척추 바늘과 초음파를 이용한다. 표준적인 척추 바늘은 길이가 9 cm인데, 복부 두께에 따라 더 긴 바늘이 요구되기도 한다. 초음파로 피부에서 양수 pocket까지 거리를 측정하는 것이 바늘 선택에 도움이 된다. 초음파로 천자할 양수 pocket 위치를 확인하면, 바늘을 피부에 수직으로 삽입하여, 태아와 제대를 피하여 양수 pocket의 깊은 부분에 바늘을 위치시킨다(그림 5-8-2). 시술 시 불편감은 적어, 국소 마취는 거의 필요 없다. 시술 후 채취한 양수의 색과 선명도를 기록한다. 양수는 맑고 무색 또는 연노란색이다. 태반을 통과하여 바늘이 삽입되면 출혈이 섞인 양수가 흔하지만 양수를 계속 뽑아내면 맑아진다. 태반을 통과하는 것은 다행이 태아 손실율 증가와는 무관하지만 가급적 태반을 피하여 양수천자를 하는 것이 좋다. 진한 갈색 또는 초록색의 양수는 과거 양수내 출혈을 시사한다. 처음 뽑아낸 1-2 mL의 양수는 모체 세포가 섞여 있을 수 있기 때문에 버린다. 염색체 마이크로어레이나 핵형분석을 위해 약 20-30 mL의 양수를 추출한다. 바늘을 제거한 후 초음파로 자궁을 찌른 부위의 출혈 여부와 태아 심박동을 기록한

다. 임신부가 Rh D-음성이고 감작 되어 있지 않다면, anti-D-immunoglobulin을 시술 후 투여한다.

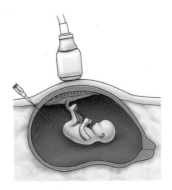

그림 5-8-2. **양수천자검사**

(2) 다태 임신

이양막 다태 임신에서 양수천자 검사를 할 때, 각각의 양막강과 분리된 양막의 위치에 주의를 기울여야 한다. 최근까지 첫 번째 양막강에서 시술 후 바늘을 제거하기 전에 소량의 indigocarmin을 주입하고, 두 번째 양막강에서 뽑아낸 양수가 깨끗하면 두 태아에서 양수천자가 잘 시행되었음을 의미하므로 indigocarmin 주입이 다태 임신 양수천자 검사에서 많이 시행되었다. 그러나 전세계적으로 indigocarmin이 부족해지고 있어서 경험이 많은 의료진은 indigocarmin 없이 다태 임신에서 양수천자 검사를 시행하고 있다. 과거에는 methylene blue가 사용되었는데, 이 시약은 jejunal atresia와 신생아 methemoglobinemia와 연관이 있어서 금기이다.

(3)합병증

양수천자 검사와 관련된 태아 손실율은 영상 기술이 향상되면서 감소하였다. 단일 기관 연구와 메타분석에 의하면, 양수천자 검사로 인한 태아 손실율은 숙련된 의료진에 의해 시행된 경우는 0.1-0.3%이다 – 약 500 시술 당 1예. 쌍태 임신에서는 1.8%로 보고되었다.

(4) 조기 양수천자(Early amniocentesis)

조기 양수천자는 임신 11-14주에 시행하는 양수천자 검사를 일컫는다. 술기는 임신 중기 양수천자 검사와 동일하나, 양막이 자궁 벽에 붙어 있는 경우가 드물기 때문에 양막 천자가 더 어렵다. 조기 양수천자는 시술과 연관되어 만곡족(clubfoot), 양막 파수, 태아 손실과 같은 합병증이 유의하게 증가한다. 이런 이유로 미국산부인과 학회에서는 조기 양수천자 검사는 권고하지 않는다.

2) 융모막융모생검(Chorionic villus sampling, CVS)

융모 생검은 일반적으로 임신 10-13주에 시행한다 양수천자 검사처럼 검체는 핵형분석이나 염색체 마이크로어레이에 사용된다. 융모막융모생검의 이점은 보다 이른 시기에 태아 염색체 결과를 확인하여 향후 임신의 진행 여부에 대해 부모로 하여금 충분히 생각할 시간적 여유를 준다는 것이다.

(1) 검사 술기

융모는 무균적 시술로 자궁경부경유법(transcervical) 또는 복부경유법(transabdominal)을 통해 얻을 수 있다. 두 방법 모두 동일하게 안전하고 효과적이다. 자궁경부경유법은 끝이 뭉툭하고, 모양 변형이 가능한 stylet이 들어있는 polyethylene으로 만들어진 카테터를 사용한다. 복부경유법은 18 또는 20-gauze의 척추 바늘을 사용한다. 어떤 방법을 사용하더라도 초음파가 카테터나 바늘을 placenta-chorion frondosum에 삽입하는데 가이드로 사용되며, 주사기로 융모를 흡입하여 채취한다(그림 5-8-3). 임신부가 Rh D-음성이고 감작되어 있지 않다면, anti-D-immunoglobulin을 시술 후 투여한다.

그림 5-8-3. **융모막검사**

(2) 합병증

융모막융모생검 후의 태아 손실율은 임신 중기 양수천자 검사에 비해 높다. 그 이유는 검사 시기의 차이로 자연 손실율이 임신 초기가 임신 중기에 비해 더 높기 때문이다. 시술과 관련된 태아 손실율은 양수천자 검사에 견줄 만하다. Caughey 등은 융모막융모생검 이후 추적 시 손실율은 2%, 양수천자 검사 후 손실율은 1% 미만이라고 하였다. 그러나 융모막융모생검 시술의 보정된 손실율은 400 시술 당 1예였다. 검사의 적응증 역시 태아 손실율에 영향을 미친다. 예를 들어, 목덜미 투명대가 두꺼운 태아는 유산의 위험율이 더 높다. 임신 10주 이전에 융모막융모생검을 시행할 경우 태아의 limb-reduction defects가 증가하였으나, 10주 이후에 시행하는 경우에는 일반 인구 집단의 발병율인 1/1000보다 증가하지 않아 현재 융모막융모생검은 이신 10주 이후로 권고된다. 융모막융모생검의 제한점으로 염색체 섞임증(mosaicism)이 2%에서 나타난다. 대부분의 경우 태아의 세포 계열이 아닌 태반 국한성 섞임증(confined placental mosaicism)이다. 융모막융모생검에서 염색체 이수성 섞임증이 발견되면, 양수천자 검사를 시행한다. 양수천자 검사가 결과가 정상이면, 태반 국한성 섞임증으로 추정되며, 이 경우 자궁 내 발육제한과 연관이 있다.

3) 태아 혈액 채취(Fetal blood sampling)

제대천자(cordocentesis) 또는 경피 제대혈 채취(percutaneous umbilical blood sampling, PUBS)로도 불리운다. 태아의 동종면역(alloimmunization)으로 인한 빈혈 시 적혈구를 수혈하기 위해 고안되었으며, 현재도 태아의 빈혈 평가가 태아 혈액 채취의 가장 흔한 적응증이다. 태아 혈액 채취는 양수천자 검사나 융모막융모생검에서 염색체 섞임증이 발견되었을 때에도 시행될 수 있다. 태아 혈액 핵형분석은 24-48시간 내에 가능하다. 출산 후 신생아 혈액으로 시행하는 모든 검사가 태아 혈액으로 분석 가능하기는 하지만 양수천자 검사와 융모막융모생검으로 가능한 검사의 발달로 태아 혈액 채취가 많이 감소하였다.

(1) 술기

초음파 가이드 하에 무균 시술로 22-에서 23-gauge 척추 바늘을 제대 정맥에 삽입하고, 헤파린 첨가 주사기로 태아 혈액을 천천히 흡인한다(그림 5-8-4). 초음파로 바늘을 잘 보여주는 것이 중요하다. 양수천자 검사처럼 산모의 체형에 따라 긴 바늘이 필요할 수도 있다. 태반이 자궁 앞쪽에 위치한 경우에는 태반의 제대 부착부와 가까운 부위에서 시행하는 것이 용이하나, 양수 내 떠있는 제대에서 시행하기도 한다. 제대 부착 부위에서 태아 혈액을 채취하는 것이 시간은 더 짧게 걸리지만, 모체 혈액 오염의 가능성이 더 높다. 태아 혈액 채취 검사는 다른 침습적 진단 검사에 비해 시간이 더 걸리므로, 천자 부위에 국소 마취제를 투여하기도 한다. 제대 동맥을 천자할 경우 혈관 수축으로 태아 서맥을 유발할 수 있으므로 주의하여야 한다. 바늘을 제거한 후 태아 심박동을 기록하고 천자 부위의 출혈 유무를 관찰한다.

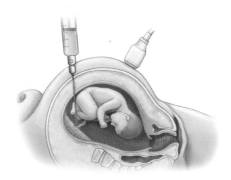

그림 5-8-4. 제대천자검사

(2) 합병증

태아 혈액 채취 술기와 연관된 태아 손실율은 1.4%이다. 실제 손실율은 검사의 적응증과 태아의 상태에 따라 다를 수 있다. 제대 혈관 출혈은 20-30%, 태반 통과 시 태아-모체간 출혈은 40%, 태아 서맥은 5-10%에서 보고되었다. 대부분은 일시적이고 완전히 회복되지만, 간혹 태아 손실이 발생하기도 한다.

4 착상전 유전자 검사

체외 수정(in vitro fertilization, IVF)으로 임신하는 경우, 착상 전 배아에서 유전 검사를 통하여 염색체와 단일 유전 질환을 포함한 유전 질환에 대한 정보를 얻을 수 있다. 착상전 유전자 검사는 난자의 polar body, 수정 후 3일 때 분할단계 배아의 blastomere, 수정 후 5일된 blastocyst 단계의 trophoectoderm의 세포들에서 시행될 수 있는데, trophoectoderm 세포를 가장 많이 사용한다. Trophoectoderm은 태반으로 분화되는 부분으로, 태아로 분화되는 inner cell mass의 생검을 필요로 하지 않기 때문이다. 그러나, trophoectoderm을 이용하기 때문에 섞임증이 가능하며 inner cell mass의 유전자를 반영하지 않을 수 있다. 어떤 검체를 사용하더라도 착상전 유전자 검사는 위양성, 위음성이 모두 가능하다. 이 검사 분야도 빠르게 발전하고 있으며, 과거에는 착상전 유전 진단(preimplantation genetic diagnosis, PGD), 착상전 유전 선별(preimplantation genetic screening, PGS)로 나뉘었다면, 현재는 착상전 유전자 검사(preimplantation genetic testing, PGT)로 명명되며 다음과 같은 세 범주로 분류되었다:PGT-monogenic, PGT-structural rearrangements, PGT-aneuploidy.

1) PGT-monogenic

PGT-M이라고도 불리우며 단일 유전 질환을 대상으로 한다. 이 검사는 주로 blastocyst인 초기 배아의 몇 개의 세포만을 이용해서 하는 검사이므로 드물지만 오진이 가능하다. PGT-M 후 임신이 되면 반드시 융모막융모생검 또는 양수천자 검사로 확인하여야 한다.

2) PGT-structural rearrangements

PGT-SR이라고도 불리우며 염색체 전좌와 같은 구조적 염색체 이상을 발견하기 위해 사용된다. PGT-SR의 경우 역시 임신이 되면 융모막융모생검 또는 양수천자 검사로 확인하여야 한다.

3) PGT-aneuploidy

PGT-A로 불리우며 이 검사의 주요 목적은 배아의 전체 염색체 이상을 선별하는 것이다.

PGT-A를 통해 임신된 경우에는 PGT-A 결과에 관계없이 통상적인 염색체 이상에 대한 선별검사와 진단 검사에 대한 상담을 시행한다.

착상전 유전자 검사 중 PGT-M과 PGT-SR은 임상적 유용성이 확실하고 잘 성립되어 있지만, PGT-A는 모든 불임 여성에게 적용하기에는 근거가 아직 부족하다. 향후 PGT-A의 임상적 유용성을 확립하기 위해서는 착상 실패, 자연 유산 등 PGT-A의 비용효과에 대한 분석, PGT-A로 이득을 볼 수 있는 세부 집단, 섞임증의 임상적 의미, PGT-A 선별 배아에서 염색체 이수성에 대한 잔존 위험율에 대한 추가적인 연구가 더 필요하다.

▶ 참고문헌

1. Akolekar R, Beta J, Picciarelli G, et al: Procedure-related risk of miscarriage following amniocentesis and chorionic villus sampling: a systematic review and meta-analysis. Ultrasound Obstet Gynecol 2015;45(1):16.

2. American College of Obstetricians and Gynecologists: Neural tube defects. Practice Bulletin No. 44, July 2003, Reaffirmed 2016a.

3. American College of Obstetricians and Gynecologists: Prenatal diagnostic testing for genetic disorders. Practice Bulletin No. 162, May 2016b.

4. American College of Obstetricians and Gynecologists: Screening for fetal aneuploidy. Practice Bulletin No. 163, May 2016c.

5. American College of Obstetricians and Gynecologists: Preimplantation genetic testing. Committee Opinion No. 799, March 2020.

6. Baer RJ, Flessel MC, Jelliffe-Pawlowski LL, et al: Detection rates for aneuploidy by first-trimester and sequential screening. Obstet Gynecol 2015;126(4):753.

7. Baffero GM, Somigliana E, Crovetto F, et al: Confined placental mosaicism at chorionic villus sampling: risk factors and pregnancy outcome. Prenat Diagn 2012;32(11):1102.

8. Best KE, Tennant PW, Addor MC, et al: Epidemiology of small intestinal atresia in Europe: a register-based study. Arch Dis Child Fetal Neonatal Ed 2012;97(5):F353.

9. Boupaijit K, Wanapirak C, Piyamongkol W, et al: Effect of placental penetration during cordocentesis at mid-pregnancy on fetal outcomes. Prenat Diagn 2012;32(1):83.

10. Brock DJ, Sutcliffe RG: Alpha-fetoprotein in the antenatal diagnosis of anencephaly and spina bifida. Lancet 1972;2(7770):197.

11. Bromley B, Lieberman E, Shipp TD, et al: The genetic sonogram, a method for risk assessment for Down syndrome in the mid trimester. J Ultrasound Med 2002;21(10):1087.

12. Callaway JL, Shaffer LG, Chitty LS, et al: The clinical utility of microarray technologies

applied to prenatal cytogenetics in the presence of a normal conventional karyotype: a review of the literature. Prenat Diagn 2013;33(12):1119.

13. Canadian Early and Mid-Trimester Amniocentesis Trial (CEMAT) Group: Randomised trial to assess safety and fetal outcome of early and midtrimester amniocentesis. Lancet 1998;351(9098):242.

14. Canfield MA, Honein MA, Yuskiv N, et al: National estimates and race/ethnic-specific variation of selected birth defects in the United States, 1999–2001. Birth Defects Res A Clin Mol Teratol 2006;76(11):747.

15. Caughey AB, Hopkins LM, Norton ME: Chorionic villus sampling compared with amniocentesis and the difference in the rate of pregnancy loss. Obstet Gynecol 2006;108(3):612.

16. Colvin J, Bower C, Dickinson JE, et al: Outcomes of congenital diaphragmatic hernia: a populationbased study in Western Australia. Pediatrics 2005;116(3):e356.

17. Comstock CH, Malone FD, Robert H, et al: Is there a nuchal translucency millimeter measurement above which there is no added benefit from first trimester screening? Am J Obstet Gynecol 2006;195(3):843.

18. Cowett MR, Hakanson DO, Kocon RW, et al: Untoward neonatal effect of intraamniotic administration of methylene blue. Obstet Gynecol 1976;48(1 Suppl):74S.

19. Cragan JD, Gilboa SM: Including prenatal diagnoses in birth defects monitoring: experience of the Metropolitan Atlanta Congenital Defects Program. Birth Defects Res A Clin Mol Teratol 2009;85(1):20.

20. Cuckle HS, Malone FD, Wright D, et al: Contingent screening for Down syndrome—results from the FaSTER trial. Prenat Diagn 2008;28(2):89.

21. Dashe JS: Aneuploidy screening in pregnancy. Obstet Gynecol 2016;128(1):181.

22. Dashe JS, Twickler DM, Santos-Ramos R, et al: Alpha-fetoprotein detection of neural tube defects and the impact of standard ultrasound. Am J Obstet Gynecol 2006;195(6):1623.

23. de Wit MC, Srebniak MI, Govaerts LC, et al: Additional value of prenatal genomic array testing in fetuses with isolated structural ultrasound abnormalities and a normal karyotype: a systematic review of the literature. Ultrasound Obstet Gynecol 2014;43(2):139.

24. Dolk H, Loane M, Garne E: The prevalence of congenital anomalies in Europe. Adv Exp Med Biol 2010;686:349.

25. Ecker JL, Shipp TD, Bromley B, et al: The sonographic diagnosis of Dandy-Walker and DandyWalker variant: associated findings and outcomes. Prenat Diagn 2000;20(3):328.

26. Evans MI, Wapner RJ: Invasive prenatal diagnostic procedures. Semin Perinatol 2005;29(4):215.

27. Firth HV, Boyd PA, Chamberlain PF, et al: Analysis of limb reduction defects in babies exposed to chorionic villus sampling. Lancet 1994;343(8905):1069.

28. Firth HV, Boyd PA, Chamberlain P, et al: Severe limb abnormalities after chorion villus sampling at 56–66 days' gestation. Lancet 1991;337(8744):762.

29. Gallot D, Boda C, Ughetto S, et al: Prenatal detection and outcome of congenital diaphragmatic hernia: a French registry-based study. Ultrasound Obstet Gynecol 2007;29(3):276.

30. Ghidini A, Sepulveda W, Lockwood CJ, et al: Complications of fetal blood sampling. Am J Obstet Gynecol 1993;168(5):1339.

31. Gil MM, Quezada MS, Revello R, et al: Analysis of cell-free DNA in maternal blood in screening for fetal aneuploidies: updated meta-analysis. Ultrasound Obstet Gynecol 2015;45(3):249.

32. Hook EB. Rates of chromosome abnormalities at different maternal age. Obstet Gynecol 1981:282

33. Hook EB, Cross PK, Schreinemachers DM: Chromosomal abnormality rates at amniocentesis and in live-born infants. JAMA 1983;249(15):2034.

34. Kuliev A, Jackson L, Froster U, et al: Chorionic villus sampling safety. Report of World Health Organization/EURO meeting in association with the Seventh International Conference on Early Prenatal Diagnosis of Genetic Diseases, Tel Aviv, Israel, May 21, 1994. Am J Obstet Gynecol 1996;174(3):807.

35. Long A, Moran P, Robson S: Outcome of fetal cerebral posterior fossa anomalies. Prenat Diagn 2006;26(8):707.

36. Malone FD, Canick JA, Ball RH, et al: First-trimester or second-trimester screening, or both, for Down's syndrome. N Engl J Med 2005b;353(19):2001.

37. Malvestiti F, Agrati C, Grimi B, et al: Interpreting mosaicism in chorionic villi: results of a monocentric series of 1001 mosaics in chorionic villi with follow-up amniocentesis. Prenat Diagn 2015;35(11):1117.

38. Marthin T, Liedgren S, Hammar M: Transplacental needle passage and other risk-factors associated with second trimester amniocentesis. Acta Obstet Gynecol Scand 1997;76(8):728.

39. Milunsky A, Canick JA: Maternal serum screening for neural tube and other defects. In Milunsky A (ed): Genetic Disorders and the Fetus. Diagnosis, Prevention, and Treatment, 5th ed. Baltimore, Johns Hopkins University Press, 2004.

40. Norton ME, Jacobsson B, Swamy GK, et al: Cell-free DNA analysis for noninvasive examination of trisomy. N Engl J Med 2015;372(17):1589.

41. Nyberg DA, Souter VL: Use of genetic sonography for adjusting the risk for fetal Down syndrome. Semin Perinatol 2003;27(2):130.

42. Nyberg DA, Souter VL, El-Bastawissi A, et al: Isolated sonographic markers for detection of fetal Down syndrome in the second trimester of pregnancy. J UltrasoundMed 2001;20(10):1053.

43. Odibo AO, Gray DL, Dicke JM, et al: Revisiting the fetal loss rate after second-trimester genetic amniocentesis: a single center's 16-year experience. Obstet Gynecol 2008;111(3):589.

44. Orioli IM, Catilla EE: Epidemiology of holoprosencephaly: prevalence and risk factors. Am J Med Genet Part C Semin Med Genet 2010;154C:13.

45. Pedersen RN, Calzolari E, Husby S, et al: Oesophageal atresia: prevalence, prenatal diagnosis, and associated anomalies in 23 European regions. Arch Dis Child 2012;97(3):227.

46. Pergament E, Cuckle H, Zimmermann B, et al: Single-nucleotide polymorphism-based noninvasive prenatal screening in a high-risk and low-risk cohort. Obstet Gynecol 2014;124(2 Pt 1):210.

47. Philip J, Silver RK, Wilson RD, et al: Late first-trimester invasive prenatal diagnosis: results of an international randomized trial. Obstet Gynecol 2004;103(6):1164.

48. Quezada MS, Gil MM, Francisco C, et al: Screening for trisomies 21, 18, and 13 by cell-free DNA analysis of maternal blood at 10–11 weeks. Ultrasound Obstet Gynecol 2015;45(1):36.

49. Reddy UM, Abuhamad AZ, Levine D, et al: Fetal imaging: Executive summary of a joint Eunice Kennedy Shriver National Institute for Child Health and Human Development, Society for Maternal-Fetal Medicine, American Institute for Ultrasound in Medicine, American College o of Obstetricians and Gynecologists, American College of Radiology, Society for Pediatric Radiology, and Society of Radiologists in Ultrasound Fetal Imaging Workshop. Obstet Gynecol 2014;123(5):1070.

50. Sharma R, Stone S, Alzouebi A, et al: Perinatal outcome of prenatally diagnosed congenital talipes equinovarus. Prenat Diagn 2011;31(2):142.

51. Simpson LL, Malone FD, Bianchi DW, et al: Nuchal translucency and the risk of congenital heart disease. Obstet Gynecol 2007;109(2 Pt 1):376.

52. Smith-Bindman R, Hosmer W, Feldstein VA, et al: Second-trimester ultrasound to detect fetuses with Down syndrome. A meta-analysis. JAMA 2001;285(8):1044.

53. Society for Maternal-Fetal Medicine, Berry SM, Stone J, et al: Fetal blood sampling. Am J Obstet Gynecol 2013;209(3):170.

54. Solomon BD, Rosenbaum KN, Meck JM, et al: Holoprosencephaly due to numeric chromosome abnormalities. Am J Med Genet C Semin Med Genet 2010;154C(1):146.

55. Tangshewinsirikul C, Wanapirak C, Piyamongkol W, et al: Effect of cord puncture site on cordocentesis at mid-pregnancy on pregnancy outcome. Prenat Diagn 2011;31(9):861.

56. Tongsong T, Wanapirak C, Kunavikatikul C, et al: Fetal loss rate associated with cordocentesis at midgestation. Am J Obstet Gynecol 2001;184(4):719.

57. van der Pol JG, Wolf H, Boer K, et al: Jejunal atresia related to the use of methylene blue in genetic amniocentesis in twins. BJOG 1992;99(2):141.

58. Wald NJ, Densem JW, George L, et al: Prenatal screening for Down's syndrome using inhibin-A as a serum marker. Prenat Diagn 1996;16(2):143.

59. Wald NJ, Rodeck C, Hackshaw AK, et al: First and second trimester antenatal screening for Down's syndrome: the results of the Serum, Urine and Ultrasound Screening Study (SURUSS) Health Technol Assess 2003;7(11):1.

60. Walker SJ, Ball RH, Babcook CJ, et al: Prevalence of aneuploidy and additional anatomic abnormalities in fetuses and neonates with cleft lip with or without cleft palate. A populationbased study in Utah. J Ultrasound Med 2001;20(11):1175.

61. Wellesley D, Dolk H, Boyd PA, et al: Rare chromosome abnormalities, prevalence and prenatal diagnosis rates from population-based congenital anomaly registers in Europe. Eur J Hum Genet 2012;20(5):521.

62. Wou K, Hyun Y, Chitayat D, et al: Analysis of tissue from products of conception and perinatal losses using QF-PCR and microarray: a three-year retrospective study resulting in an efficient protocol. Eur J Med Genet 2016;59(8):417.

게놈(genome)시대의 산전진단

◦ 부혜연 · 한유정 · 임지혜 · 류현미

현재 심각한 저출산 현상과 고령의 고위험 임신부의 지속적인 증가라는 사회적 현상으로 인해 모성과 태아의 건강을 평가하는 산전 관리에 대한 국내 임신부들의 관심과 이해가 상당히 높아지고 있으며, 이와 더불어 임상에서는 전문적인 산전 관리의 중요성이 더욱 강조되고 있다. 산전 관리의 중요 영역인 산전진단(prenatal diagnosis)은 발달하고 성장하는 태아의 구조적 또는 기능적 이상을 밝히는 분야로써, 산전진단의 정보는 태아의 치료와 감시 및 분만 방법의 결정 등 적절한 산과적 치료를 위해 폭넓게 이용된다. 산전진단은 여러가지 방법이 있으며, 산전진단의 방법과 방법별 장단점에 대한 충분한 유전상담 후 검사 여부와 방법을 임신부가 선택하여 시행하게 된다.

산전진단은 일반 임신부를 대상으로 시행하는 산전선별검사(prenatal screening testing)와 고위험 임신부의 경우에 시행하는 산전침습적진단검사(prenatal invasive diagnostic testing)로 구분된다(표 5-9-1). 최근 유전체학의 급속한 발전은 초고속 유전체 해독을 가능하게 하는 차세대염기서열분석(next generation sequencing: NGS)과 전체 염색체의 변화를 한번에 분석할 수 있는 염색체마이크로어레이(chromosomal microarray: CMA)의 개발을 이끌었고, 이러한 기술은 산전검사에 적용되어 태아DNA선별검사(cell-free DNA screening: cfDNA screenig, non-invasive prenatal testing: NIPT)와 산전 염색체마이크로어레이(prenatal chromosomal microarray: prenatal CMA)로 발전하여 현재 임상에서 폭넓게 이용되고 있다. 이 장에서는 태아DNA선별검사와 산전 염색체마이크로어레이의 기본 개념과 산전검사로써의 임상적 활용에 대해 기술하고자 한다.

표 5-9-1. 산전진단검사의 종류

	산전선별검사	산전침습적진단검사 (융모막융모생검, 양수천자술)
Current age	모체혈청선별검사 태아 초음파검사	세포유전학적 검사
Genomic Age	Cell-free DNA screening (cell-free DNA screening: cfDNA screenig or NIPT)	산전 염색체마이크로어레이 (prenatal CMA)

1 산전진단의 개요

산전진단의 주요 목표 질환은 다운, 에드워드, 파타우 증후군과 같은 염색체 수적 이상(aneuploi-dy)과 신경관 결손질환(neural tube defect)이다. 산전진단은 임신부가 검사에 대한 충분한 이해 후 스스로 자율적인 선택을 할 수 있도록 하여야 한다. 따라서 의료인은 산전진단에 대한 충분한 정보를 임신부에게 제공하고 스스로 검사를 선택할 수 있도록 이에 대한 상담을 하는 것이 매우 중요하다. 모든 임신부에게 선별이 가능한 태아 염색체 질환에 대한 정보, 임신부 연령에 따른 염색체 이상에 대한 위험률, 각 선별검사의 염색체 이상 발견율, 위양성율, 장점, 단점, 한계점에 대한 상담과 침습적진단검사의 장단점에 대한 상담을 동시에 시행해야 한다. 모든 임신부는 충분히 상기 정보를 이해하고 어떤 검사를 할지 선택하여야 하며, 검사에서 고위험 결과가 나온 경우 다음 단계 검사를 선택할 수 있다.

산전진단은 산전선별검사와 산전침습적진단검사로 구분된다. 산전선별검사는 목표 질환의 고위험군 여부 및 위험 정도를 알아보는 검사로, 산전선별검사에서 고위험 결과가 나온 경우 산전침습적검사를 권유하게 된다. 산전침습적진단검사는 태아의 검체를 이용하여 염색체 검사 등의 유전자 검사를 시행하여 태아의 이상을 진단하는 방법으로 융모막융모생검이나 양수천자술 등의 시술이 필요하다.

1) 산전선별검사

산전선별검사는 태아의 염색체 수적 이상과 신경관 결손에 대한 발병 위험도를 추정하기 위한 검사로써 임신부 혈액 내의 단백질을 분석하는 모체혈청선별검사(maternal serum screen-ing)와 임신부 혈액 내의 세포 유리 DNA분석을 이용한 태아DNA선별검사 및 초음파검사를 이용한 방법 등이 있다.

(1) 초음파검사

초음파검사를 이용한 산전선별검사는 임신 초기에 시행하는 태아 목덜미투명대 초음파검사(nuchal translucency: NT)와 임신 중기의 정밀초음파검사가 있다. 태아 목덜미투명대 측정은 5% 위양성율을 기준으로 약 70%의 다운증후군 검출 정확도를 보인다(표 5-9-2).[1]

표 5-9-2. 산전선별검사의 종류[2]

검사 종류	다운증후군 발견율 /위양성율	단점
태아 목덜미투명대 초음파검사 (nuchal translucency, NT)	70%/5%	검사의 양성예측도가 낮고, 검사자의 경험에 의존적임.
First trimester screen: NT, PAPP-A, hCG	82-87%/5%	

검사 종류	다운증후군 발견율/위양성율	단점
Quad test: hCG, AFP, uE3, inhibin-A	81%/5%	높은 위양성율로 인해 불필요한 침습적산전검사가 요구됨.
Sequential test: First trimester screen, Quad test	95%/5%	
Integrated test: NT, PAPP-A, Quad test	96%/5%	

(2) 모체혈청선별검사

임신부의 혈액을 이용한 모체혈청선별검사는 임신 초기에 pregnancy-associated plasma protein A (PAPP-A)와 free beta human chorionic gonadotropin (hCG)를 측정하고, 임신 중기에는 쿼드검사(alpha-fetoprotein, unconjugated estriol, hCG, inhibin-A)를 시행하여 이루어진다. 임신 중기 쿼드검사의 다운증후군 검출 정확도는 5% 위양성율을 기준으로 81%이며, 임신 12주 모체혈액검사 마커의 다운증후군 검사 정확도는 5% 위양성율에서 PAPP-A는 44%이고 free beta hCG는 25%로 매우 낮다.[1]

현재 산전선별검사의 정확도를 높이기 위해 임신 초기와 중기의 모체혈청생화학검사와 초음파검사를 모두 통합하여 질환의 위험도를 분석하는 통합선별검사(integrated test)가 이용되고 있으며, 정확도는 최대 약 96%로 향상되었다(표 5-9-2).[2] 하지만 여전히 산전선별검사가 가지는 높은 위양성율은 정상 태아를 임신한 임신부들에게 불필요한 침습적 검사를 유도하며, 더욱이 검사 결과를 임신 중기까지 기다리게 한다는 점과 임신 초기와 중기에 거쳐 시행되는 두 단계의 검사를 모두 거쳐야 하는 순응도 문제 등의 단점이 있다.

(3) 태아DNA선별검사(cell free DNA screening: cfDNA screening)

① 용어

태아DNA선별검사는 임신부 혈액 내 존재하는 세포 유리 태아 DNA (cell free fetal-DNA: cffDNA)의 미세한 양적 차이를 검출함으로써 산전검사의 주된 목적 질환인 염색체 수적 이상을 검사하기 위해 사용되는 산전선별검사법으로 비침습적 산전검사(non-invasive prenatal testing)로도 명명된다.

② 태아DNA선별검사의 개발과 임상 적용

태아DNA선별검사는 임신부 혈액 내 cffDNA 존재 확인과 초고속 유전체 해독 기술의 개발을 통해 가능하게 되었다. cffDNA는 임신부 혈액에서 추출한 남아 유래의 Y-염색체 염기서열 분석에 의해 처음 발견되었고,[3] 태반 형성 과정 중 세포사멸과정을 겪은 영양막세포의 유전물질이 태반의 물질교환 기전을 통해 임신부의 순환계로 유입되어 나타나는 태반 기원의 유전물질이다.[4, 5] 배아 이식 18일째부터 발견이 가능하고, 임신 37일경에는 대부분의 임신부 혈액 내에서 발견되며,[6] 짧은 반감기를 가지므로 분만 약 2시간 이후부터 출산 후 1~2일 내에 모두 제거되는 특징을 가진다.[7] 이처럼 빠른 임신부 혈액 내 소멸은 과거의 임신에 영향을 받지 않아 현재의 임신 상황을 모니터링하기에 적절한 장점을 가진다. 또한 200 base pair (bp) 이하의 짧은 가닥의 DNA로 존재하므로 다양한 분야에 적용 가능성이 높다.[8] 하지만 cffDNA는 임신부 혈액 내 극소량 존재하여 이에 대한 정확한 검출은 기술적으로 어려운 문제가 있다. 이러한 문제점은 2008년 대규모 병렬염기서열분석(massively parallel sequencing: MPS)에 의해 극복됨으로써,[9] 태아의 염색체 수적 이상에 대한 태아DNA선별검사를 가능하게 하였다. 이후, 2011년부터 유전체 검사 서비스 기관에 의한 상업적 서비스가 시작되어 현재 전 세계적으로 임상에서 사용하고 있다(그림 5-9-1).[10]

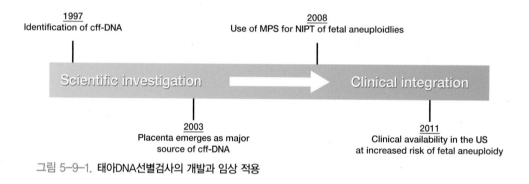

그림 5-9-1. 태아DNA선별검사의 개발과 임상 적용

③ 태아DNA선별검사의 방법과 결과

　　태아DNA선별검사를 위한 MPS 방법은 임신부 혈액 내 존재하는 임신부 유래의 cf-DNA와 태반 기원의 cffDNA의 분절을 증폭하고 각 염색체의 표준염기서열(reference genome)과 비교한 후 전산화된 생물정보학을 통해 해당 염색체의 상대적인 발현양을 분석하는 과정으로 이루어진다. MPS의 방법은 임신부 혈액 내 세포 유리 DNA 모두를 증폭하여 이용하는 shotgun MPS (s-MPS)와 염색체 13, 18, 21 등 검사 대상이 되는 특정 염색체의 해당 분절만을 증폭하여 이용하는 targeted MPS (t-MPS)가 있다. 최근에는 임신부와 태아에서 서로 다른 single nucleotide polymorphism (SNP)을 검출하여 태아 유래의 유전 정보만을 선택적으로 분석할 수 있는 MPS 방법이 개발되어 사용되고 있다. 태아DNA선별검사의 검사 결과는 해당 질환에 대한 '양성' 또는 '음성', '고위험' 또는 '저위험'으로 보고된다.

④ 태아DNA선별검사의 검사 정확도

태아DNA선별검사의 검사 정확도는 다양한 코호트 연구를 기반으로 이미 증명되었으며, 사용되는 방법과 질환의 종류에 따라 다소 차이를 보이지만 다운증후군의 경우 99% 이상의 높은 진단 정확성과 0.16%의 낮은 위양성률을 보이는 효과적인 산전선별검사로 확인되었다(표 5-9-3).[11] 이러한 태아DNA선별검사의 높은 검사 정확성은 부정확한 산전선별검사로 인한 불필요한 산전침습적진단검사의 빈도를 급격히 감소시키는데 중요하게 작용하는 것으로 보고되고 있다.[12]

표 5-9-3. **태아DNA선별검사의 검사 정확도**[11]

Method	Trisomy 21		Trisomy 18		Trisomy 13	
	Sensitivity (%)	Specificity (%)	Sensitivity (%)	Specificity (%)	Sensitivity (%)	Specificity (%)
S-MPS	99.2	99.8	96.3	99.9	83.9	99.8
T-MPS	99.5	99.9	97.0	99.9	83.3	99.9
SNP	100	100	96.4	99.9	100	100
Total	99.4	99.8	96.6	99.9	86.4	99.9

s-MPS, 'shotgun' massively parallel sequencing; t-MPS, 'targeted' sequencing; SNP, single nucleotide polymorphism

⑤ 검사 전후 유전상담의 중요성

태아DNA선별검사의 급속한 임상도입과 폭발적인 시장 확대는 검사의 비의료적 오용과 낙태 증가 등 다양한 윤리적, 사회적 문제점을 유발할 수 있기 때문에 태아DNA선별검사의 임상적용을 위한 규정이 다양한 국제 학회들을 통해 발표되고 있다. 태아DNA선별검사는 다운증후군에 대한 민감도와 특이도가 기존의 모체혈청선별검사 보다 높은 방법으로, 미국산부인과의사협회(American College of Obstetrics and Gynecologists: ACOG)에서는 모든 산모에게 모체혈청검사 및 산전침습적진단검사와 함께 태아DNA선별검사에 대한 설명이 임신 초기에 이루어지고 임신부가 자율적인 선택을 할 수 있게 하는 것을 권고하고 있다.[2] 2015년 국제산전진단학회(International Society of Prenatal Diagnosis: ISPD)에서도 태아DNA선별검사의 적용 범위를 태아 염색체 이상에 대한 고위험 임신부로 한정하지 않고 모든 일반 임신부로 확대할 수 있다고 발표하였다.[13] 대한모체태아의학회에서도 모든 임신부에게 태아DNA선별검사에 대한 정보를 줄 수 있고 자율적인 선택이 가능하지만 고위험군 임신부에게 우선적으로 권유되어야 한다고 권고하였다.[14] 하지만 임신부의 나이에 따라 질환의 발생빈도에 차이가 있고 태아DNA선별검사의 양성예측치(positive predictive value: PPV) 역시 산모의 나이에 따라 상당한 차이를 나타내기 때문에 태아DNA선별검사는 검사 전후의 적절한 유전상담을 통한 검사의 이해가 매우 중요하다(표 5-9-4).[2]

표 5-9-4. 임신 10주 임신부 나이에 따른 태아DNA선별검사의 양성예측치[2]

	Maternal age	Age related risk	Positive predictive value
Trisomy 21	20	1:804	38–80%
	35	1:187	73–95%
	40	1:51	91–99%
Trisomy 18	20	1:1,993	11–41%
	35	1:465	34–75%
	40	1:126	66–92%
Trisomy 13	20	1:6,347	5–13%
	35	1:1,481	17–40%
	40	1:401	43–71%

⑥ 태아DNA선별검사의 임상적용 지침

국내와 국외의 여러 학술단체에서 제안한 NIPT 임상적용 지침을 요약하면 다음과 같다.

가. NIPT의 적용범위

NIPT는 가장 흔한 상염색체 수적 이상인 다운증후군(trisomy 21), 에드워드증후군 (trisomy 18), 파타우증후군(trisomy 13)에 대한 산전선별검사로 이용할 수 있다. 그 밖의 흔하지 않은 염색체 수적 이상이나 염색체 미세결실에 대한 검사는 충분한 검증이 이루어지지 않았으므로 권장하지 않는다.

나. 태아DNA선별검사 권고사항[14]

가) 모든 임신부에게 태아DNA선별검사에 대한 정보를 줄 수 있고, 자율적인 선택이 가능하지만 고위험군 임신부에게 우선적으로 권유되어야 한다.

나) 태아DNA선별검사로 세염색체(Trisomy) 중 21, 18, 13을 선별할 수 있으며, 성염색체 수적 이상 또한 선별할 수 있다. 아직까지 미세결실(microdeletion)의 선별에는 추천되지 않는다.

다) 태아DNA선별검사가 기존의 모체혈청 선별검사보다 모든 면에서 우월하지는 않으므로 우선적으로 권고할 수는 없다.

라) 태아DNA선별검사는 임신 10주 이후에 시행할 것을 권장한다.

마) 2020년 미국산부인과의사협회와 국제산전진단학회에서는 쌍태임신에서도 태아 DNA선별검사를 권유할 수 있다고 발표하였다.[2,15]

다. 검사 전 상담요소:

가) 태아DNA선별검사는 다운증후군, 에드워드증후군, 파타우증후군에 대한 보다 정확한 선별검사이다.

나) 태아 염색체 이상에 대한 기존의 확진 검사인 양수검사나 융모막융모생검으로 발견할 수 있는 전체 염색체 이상의 약 80% 정도만을 선별할 수 있다.

다) 기존의 선별검사의 고위험 결과로 인해 NIPT를 시행하는 경우, 저위험 결과가 나오더 라도 염색체 이상에 대한 2%의 잠재적 위험도가 존재한다.

라) 임신 일삼분기에 시행하는 태아 목덜미투명대 검사를 포함하여 임신 중기 태아 초음파검사를 대신할 수 없다.

마) 신경관결손선별검사인 모체혈청AFP검사는 별도로 받아야 한다.

바) 검체에 따라 분석이 불가능한 경우가 있다.

사) 피험자 동의서(informed consent)를 받아야 한다.

라. 검사 후 상담 요소

가) 저위험군의 결과가 나왔더라도 다운증후군일 가능성이 있다.

나) 고위험군의 결과가 나올 경우, 반드시 적절한 유전상담과 함께 융모막검사나 양수검사를 통한 확진 검사가 필요하다. 이 검사의 결과만으로 돌이킬 수 없는 산과적 결정을 해서는 안 된다.

다) 'low fetal fraction' 또는 'no call' 결과가 나올 경우, 태아 염색체 이상의 위험이 증가된 다는 보고가 있으므로 재검사보다는 융모막융모생검이나 양수검사 등의 진단 검사에 대한 자세한 유전상담을 받아야한다.

⑦ 태아DNA선별검사의 전망

현재 태아DNA선별검사는 대표적인 상염색체 수적 이상인 세 염색체 중 21, 18, 13의 산전선별검사를 위해 빠르게 임상에 적용되고 있다. 최근에는 성염색체 이상과 염색체 미세결실에까지 태아DNA선별검사의 적용질환 범위가 확대되고 있으며, 앞으로는 태아의 whole exome sequencing과 열성 유전질환의 genotyping까지 더욱 확대될 전망이다. 따라서 태아DNA선별검사의 국내 임상 도입에 따른 법적, 사회적, 윤리적, 경제적 문제점들을 고려한 적절한 산전 관리 임상진료지침의 업데이트 및 유전상담 프로토콜의 개발이 필요하다.

2 산전침습적진단검사

산전침습적진단검사는 유전적 또는 선천적 질환에 대한 진단을 목적으로 시행하는 검사로 융모막융모생검, 양수천자술 등이 있다. 이 검사는 태아의 융모(태반), 양수와 같은 태아 조직을 침습적으로 채취하여 태아 세포를 배양한 후 분열 중기의 세포 내 염색체를 G-banding으로 염색하여 현미경으로 분석함으로써 태아의 핵형(karyotype)을 확인할 수 있다. 이는 염색체의 수적·구조적 이상을 검출하기 위해 사용되는 가장 기본적인 검사법으로, 태아의 염색체를 직접 검사하므로 거의 100%까지 정확히 태아의 염색체 이상 유무를 확인할 수 있다. 하지만 이러한 세포유전학적 염색체 검사만으로는 염색체 수적 이상과 5–10 Mb (mega base pair) 크기의 염색체 구조적 이상만 확인 가능하므로 미세결실(microdeletion)과 같은 유전체의 작은 이상을 검출하기 어려운 단점이 있다. 이 외에도 채취된 검체로 형광정량법(Quantitative Fluorescent–Polymerase Chain Reaction, QF–PCR), 형광제자리부합법(Fluorescent in situ hybridization, FISH) 및 염색체 마이크로어레이 검사(Chromosomal microarray, 염색체마이크로어레이)를 시행할 수 있다.

하지만 신전침습적진단검사는 태반을 통과하여 태아 조직을 채취하여야 하므로 검사에 숙련된 산과 전문의가 필요하며, 고가의 검사 비용, 유산, 출혈, 감염과 같은 합병증이 동반될 수 있으므로 모든 임신부에게 시행하기 어렵다. 시술로 인한 유산의 빈도는 전문가에 의한 시술 시에도 약 0.1~0.3%로 알려져 있다.[16] 최근에는 태아DNA선별검사 등 산전선별검사의 발전으로 과거보다 이러한 침습적 시술이 상당히 감소하고 있다.

3 산전 염색체마이크로어레이(Prenatal chromosomal microarray)

1) 산전 염색체마이크로어레이 검사의 배경

일반적인 염색체 검사는 G–banding 염색을 통해 500~600 band 수준으로 세포분열 중기 세포의 염색체를 현미경상에서 관찰함으로써 염색체의 수 혹은 구조적 변이와 같은 유전체상의 큰 이상을 확인하는 방법이다. 인간 유전체는 약 30억 bp로 구성되어 있으므로, 500~600 band 수준의 일반적인 염색체 검사의 경우 band 당 5–6 크기의 유전체를 포함하게 된다. 따라서 일반적인 염색체 검사로는 5 Mb 미만의 염색체 이상을 검출하는 것은 매우 어렵다. 특정 유전체 부위에서 나타나는 5 Mb 이하의 미세결실로 인해 특징적인 표현형을 나타내는 미세결실 증후군은 선천적 유전질환의 중요한 부분을 차지한다(표 5–9–5).[17] 따라서 미세결실 증후군을 진단하기 위해서는 목적 염색체 부위에 대한 형광제자리부합법(fluorescence in situ hybridization, FISH)과 같은 검사를 시행하게 된다. 그러나 이러한 검사법은 검출하고자 하는 목적 염색체 부위에 대한 결과만을 알 수 있어, 그 외의 염색체 부위에서 나타나는 이상은 확인할 수 없다.[18, 19] 최근 유전체학의 기술적 발전을 통해 염색체 전체를 한 번에 분석하여 초현미경적인 미세한 유전체 변이를 검출할 수 있는 염색체마이크로어레이가 개발되어, 전통적인 핵형분석을 통해 규명하기 어려웠던 유전학적 원인을 밝혀내기 위하여 실제 임상 진료에 널리 사용되고 있다.

표 5-9-5. 미세결실 증후군

Disorder	Location	Genomic Rearrangement	
		Type	Size (Mb)
1q21.1 deletion/duplication syndrome	1q21.1	deletion/duplication	~ 0.8
Williams syndrome	7q11.23	deletion	~ 1.6
Prader-Willi/Angelman syndrome	15q11-q13	deletion	~ 3.5
16p11.2 deletion/duplication syndrome	16p11.2	deletion/duplication	~ 0.6
Smith-Magenis syndrome	17p11.2	deletion	~ 3.7
dup(17)(p11.2p11.2)		duplication	
DiGeorge syndrome/velocardiofacial syndrome	22q11.2	deletion	~ 3.0, 1.5
Cat eye syndrome/22q11.2 duplication syndrome		duplication	
Azoospermia (AZFc)	Yq11.2	deletion	~ 3.5

2) 산전 염색체마이크로어레이 기술 소개

염색체마이크로어레이는 DNA 탐색자(probe)로 bacterial artificial chromosome (BAC) clone 또는 oligonucleotides를 사용할 수 있으며, 방법으로 comparative genomic hybridization (CGH) 또는 single nucleotide polymorphism (SNP) array가 있다. 플랫폼의 종류에는 BAC clone-based CGH (BAC array), Non-polymorphic oligonucleotide-based CGH (oligonucleotide array), SNP oligonucleotide-based array (SNP array) 세 종류가 있다. BAC arrays는 인간 게놈 프로젝트에서 파생된 BAC 클론을 이용한 최초의 염색체마이크로어레이 플랫폼이며, 이후 oligonucleotide array와 SNP array가 개발되어 전세계적으로 폭넓게 사용되고 있다. BAC array와 oligonucleotide array는 test 게놈과 reference 게놈의 유전체 양에 대한 상대적 분석에 기초하고, SNP array는 게놈의 특정 위치에 대한 두 가지 SNP 대립 유전자의 구별에 기초한다. SNP array는 SNP유전형을 통해 유전체의 복제변이뿐만 아니라 이형접합소실 및 한부모이체성 여부도 확인할 수 있다.

3) 산전 염색체마이크로어레이의 특징

염색체마이크로어레이는 유전체 복제수 변이(copy number variant, CNV)에 관한 광범위한 정보를 제공함으로써, 유전체 상의 특정 영역의 복제 수 증가와 감소를 측정하는 데에 사용된다. 칩 위에 설치된 DNA 탐색자의 밀도에 따라 결과로 예측된 변이의 양 끝단(breakpoint), 해상도(resolution) 및 크기가 결정되므로, 얼마나 정확한 위치에 또는 높은 밀도로 프로브를 설치하였는가에 따라 분석의 성능이 좌우된다. 또한 해당 위치의 프로브에 대하여 상대적인 빈도를 기반으로 변이의 상태(gain 혹은 loss)가 계산되므로 염색체 균형 전좌나 역위와 같이 DNA양이 정상적으로 유지되는 구조적 변이 및 일정 비율 이하의 섞임증은 검출이 되지 않는 단점이 있다.

4) 산전 염색체마이크로어레이의 적용

현재 염색체마이크로어레이는 태아의 융모막융모나 양수 세포를 이용하여 태아의 염색체 이상을 진단하기 위한 산전검사에 성공적으로 적용되어, 태아의 CNV에 관한 다양한 정보를 제공함으로써 전통적인 핵형분석을 통해 규명하기 어려웠던 태아의 염색체 이상 질환을 진단하는 것이 가능해졌다. 산전 염색체마이크로어레이는 미세한 염색체 이상을 검출할 수 있고, 양수나 융모막융모 세포를 배양할 필요가 없기 때문에 검사 시간을 단축할 수 있으며, 배양이 잘 되지 않는 조직(예, 사산 조직)의 경우에도 검사가 가능한 장점이 있다. 또한 검사 자체가 자동화되어 현미경을 통한 일반적인 염색체 검사에 비해 객관적이며, 유전자가 밀집된 지역과 같이 유전체 상의 특정 부위에 DNA탐색자를 집중시킨 플랫폼의 주문제작이 가능하므로 검사의 정확성을 증가시킬 수 있다. 더욱이 이미 데이터베이스화 되어 있는 방대한 유전체 자료를 이용하여 결과를 보다 효율적으로 분석할 수 있다. 하지만 전좌나 역위와 같은 구조적 변이와 20% 이하의 낮은 비율로 존재하는 모자이시즘은 발견할 수 없고, 고가의 검사 비용이 소요되는 단점이 있다. 더욱이 benign CNV나 임상적 의의가 불분명한 다양한 변이(variation of unknown clinical significance, VUS)가 검출될 수 있으므로 이에 대한 결과 해석과 고지에 대한 명확한 지침이 필요하다.

5) 국내외 산전 염색체마이크로어레이의 지침

2009년 미국산부인과학회의 산전 염색체마이크로어레이 지침이 발표된 이후, 최근 2013년 개정안이 발표되었고 관련 내용은 다음과 같다.[20]

(1) 초음파검사에서 주요 구조적 이상이 동반된 태아의 경우, 태아 핵형검사를 대체하여 산전 염색체마이크로어레이를 권장한다.

(2) 초음파검사에서 구조적 정상이 확인된 태아의 경우, 태아 핵형검사 혹은 산전 염색체마이크로어레이를 권장 한다.

(3) 자궁내 태아 사망이나 사산의 경우, 태아조직을 이용한 염색체마이크로어레이검사는 태아 사망의 원인이 되는 비정상 결과를 얻을 수 있으므로 권장한다.

(4) 검사 전·후 유전상담을 통해 검사 동의, 불확실한 검사 결과의 의미, 검사의 장·단점 등 염색체마이크로어레이에 대한 종합적인 정보를 환자에게 제공한다.

2013년 국내 한국유전자검사평가원 역시 산전 염색체마이크로어레이에 대해 다음과 같은 지침을 발표하였다.[21] 관련 내용을 요약하면, 고식적 핵형분석(conventional karyotyping)이 산전유전진단의 1차 주요 검사이며, 고식적 핵형분석의 보조적인 검사로 산전 염색체마이크로어레이를 시행할 수 있는 경우는 첫째, 산전 태아 초음파에서 주요기형이 있으면서 태아의 고식적 핵형분석에서 정상 염색체, 균형 재배열 염색체, 기타 현미경소견 상으로 비정상 염색체로 추정되나 명확한 진단을 내리기 어려운 경우이며, 둘째, 태아의 핵형분석에서 표적 염색체(marker chromosome)가 발견되거나 부모가 염색체 균형 재배열 보인자인 경우이고, 셋째, 태아 또는 배아를 이용한 핵형분석이 불가능한 사산이나 유산의 경우이다. 마지막으로 모든 임신부는 반드시 검사 전·후 산전 염색체마이크로어레이에 대한 적절한 유전상담을 받아야 함을 강조하고 있다.

6) 산전 염색체마이크로어레이의 검사 전·후 유전상담

산전 염색체마이크로어레이 검사를 위해서는 검사대상자에게 검사 전후에 검사에 대한 충분한 상담이 필요 하며, 국내외의 여러 학술단체에서 제안한 산전 염색체마이크로어레이의 검사 전·후의 유전상담 내용을 요약하면 다음과 같다.

(1) 산전 염색체마이크로어레이의 검사 전 유전상담

① 부부의 병력과 삼대 이상의 가계도를 작성한다.

② 임신과 관련된 병력과 태아 초음파 소견을 확인하고 설명한다.

③ 산전 염색체마이크로어레이의 개요는 핵형검사와 비교하여 설명하고, 염색체마이크로어레이 검사로 확인 가능한 염색체 이상의 종류를 설명한다.

④ 염색체마이크로어레이는 모든 유전질환이나 증후군을 진단할 수 없으며, 최근까지 연구결과로 태아 초음파에서 주요 장기 기형이 확인되었을 때 핵형검사에 비해 염색체마이크로어레이가 5-6%의 추가 이상을 확인할 수 있음을 설명한다.

⑤ 표현형이 잘 알려진 원인 변이라 하더라도, 변이마다 투과도(penetrance)가 불완전하거나 표현형이 다양하게 나타날 수 있어 검사 해석의 제한이 있음을 설명한다.

⑥ 전장 유전체를 분석하는 플랫폼을 사용하므로 새로운 변이와 인과관계가 불명확한 변이가 발견될 가능성이 있음을 설명한다.

⑦ 새로운 변이와 인과관계가 불명확한 변이의 해석에 있어 부모 검체의 분석이 필요하며, 염색체마이크로어레이를 위한 검체 채취 시 부모도 같이 채혈할 것을 권장한다.

⑧ 이미 태아 초음파에서 이상 소견을 발견한 후 추가 검사를 논의하는 상황을 고려하여 충분한 정서적 지지를 제공하여야 하고, 검사와 관련된 정보를 객관적으로 전달할 수 있도록 노력한다.

⑨ 검사에 소요되는 시간과 결과에 따라 추가 검사가 필요할 경우 예상되는 소요시간을 설명하여야 하며, 각각의 단계에서 임신 유지에 미치는 영향을 충분히 논의한다.

⑩ 검사시행 및 검사보고 범위에 대한 부부의 서면화된 동의가 필요하고, 상담 내용을 문서로 기록해 보관할 것을 권장한다.

(2) 산전 염색체마이크로어레이의 검사 후 유전상담

① 산전 염색체마이크로어레이 결과는 질환의 원인이 유력한 변이와 질환과 인과관계가 불명확한 변이로 구분하여 설명한다.

② 기형의 원인이 유력한 변이는 예상되는 경과와 가계 안에서의 재발 위험성을 설명한다.

③ 검사 전 부모의 검체 확보가 되어있지 않은 상태에서 태아에게 인과관계가 불명확한 변이가 발견된 경우, 적절한 동의 절차 후 부모 검체를 추가로 분석해야 함을 설명한다.

④ 산전 염색체마이크로어레이결과에서 산전 태아 초음파의 기형 원인을 확인하지 못하였을 경우, 검사의 제한점을 다시 한번 설명하고 현 시점에서 예상되는 경과와 예후에 대해 설명한다.

⑤ 필요하면, 출생 후 해당 기형의 전문 진료분야의 임상 의사에게 자문 의뢰를 권장한다.

산전 염색체마이크로어레이는 태아의 유전체 전체를 한 번에 검색하여 미세한 염색체 이상을 정밀하고 정확 하게 검출할 수 있는 검사이다. 국외에서는 염색체 검사 또는 표적 부위만을 검출하는 분자유전학적 검사를 대체하는 임상진단검사로 이미 널리 활용되고 있으며, 국내에서는 2019년 경부터 산전검사에 이용되기 시작하여 현재 태아의 구조적 이상이 동반된 경우에 주로 적용되고 있다. 그러나 2018년 캐나다 유전학회와 산부인과학회에서 공동으로 발표한 산전 염색체마이크로어레이 진료지침은 산전 염색체마이크로어레이에서 확인된 변이의 표현형 예측에 한계가 있고 질환 관련성이 불명확한 CNV의 가능성을 최소화하기 위하여 500Kb 이하의 결손이나 1MB 이하의 VUS를 보고하지 않을 것을 권고하고 있다. 따라서 산전 염색체마이크로어레이는 잘못된 결과 해석 및 상담으로 임신부가 돌이킬 수 없는 결정을 할 수 있으므로, 이러한 산전 염색체마이크로어레이의 한계에 대하여 명확히 숙지하고 상담을 해야 할 것이다.[22]

4 결론

게놈(genome), 즉, 유전체는 유전자(gene)와 염색체(chromosome)의 합성어로 각 생물체가 갖고 있는 고유한 전체의 유전정보를 의미한다. 인간의 유전체, 즉, 인간의 게놈에 대한 완전한 해독을 위해 1990년부터 2003년까지 '인간 유전체 프로젝트(Human Genome Project)'가 진행되었고, 처음으로 인간이 갖고 있는 유전체의 모든 염기서열이 분석되었다. 이 연구 결과는 질병의 원인 파악과 예방, 진단, 새로운 치료기술 개발 등 다양한 분야에 적용되어 인간 삶의 질적 향상에 대한 획기적인 전기를 마련하였다. 이 과정에서 유전체 분석 기술은 급속도로 발전하였고, NGS와 염색체마이크로어레이 같은 새로운 기술의 개발을 통해 대용량 유전체의 초고속 해독이 가능하게 되었다.

　최근 염색체마이크로어레이와 NGS와 같은 유전체 분석 기술이 적용된 새로운 산전검사법의 임상 도입은 기존 산전검사가 지닌 다양한 문제를 해결하는데 기여하고 있다. NGS를 이용하는 NIPT는 기존 산전선별검사의 정확성을 월등히 향상시킴으로써 불필요한 침습적산전검사률의 감소에 기여하고 있으며, 산전 염색체마이크로어레이는 기존 핵형검사와 분자유전학적 검사가 지닌 낮은 해상도의 문제점을 극복함으로써 태아의 전체 유전체 상에서 나타날 수 있는 미세한 이상을 보다 정확하게 검출할 수 있게 되었다. 이러한 산전검사법은 보다 이른 시기에 보다 정확한 산전진단을 가능하게 함으로써 앞으로 보다 효과적이며, 적극적인 산전 관리를 가능하게 할 것이다. 하지만 유전체 관련 기술의 급속한 발전으로 유전체 분석을 이용한 관련 기술의 재현성이 떨어지고, 다양한 분석결과의 오류가 유발되고 있어 이러한 기술적 문제의 최소화가 요구되고 있다. 뿐만 아니라 방대한 유전체 정보의 분석에 대한 의료적 규제와 분석 결과의 활용에 대한 기준을 법적, 윤리적, 경제적 상황에 기반하여 제도적으로 표준화할 필요가 있다. 마지막으로 이러한 유전체 분석 기술을 이용한 산전진단에 있어 다양한 유전체 정보에 대한 정확한 해석은 매우 중요하므로 이를 위해 임상 정보, 임상의학적 지식, 유전학적 지식 등의 총체적 기반 지식을 갖춘 전문 산전 유전상담 인력의 양성이 요구된다. 이렇게 앞으로 해결해야할 과제들이 존재하지만, 유전체 기술을 기반으로 하는 태아DNA선별검사와 산전 염색체마이크로어레이는 게놈시대의 산전진단을 이끌 주요 산전검사법으로 그 활용 범위는 더욱 확대될 것이다.

▶ **참고문헌**

1. Malone FD, Canick JA, Ball RH, et al. First-trimester or second-trimester screening, or both, for Down's syndrome. N Engl J Med. 2005;353(19):2001-11.

2. American College of Obstetricians and Gynecologists' Committee on Practice Bulletins—Obstetrics; Committee on Genetics; Society for Maternal-Fetal Medicine. Screening for Fetal Chromosomal Abnormalities: ACOG Practice Bulletin, Number 226. Obstet Gynecol. 2020 Oct;136(4):e48-e69.

3. Lo YM, Corbetta N, Chamberlain PF, et al. Presence of fetal DNA in maternal plasma and serum. Lancet. 1997;350(9076):485-7.

4. Alberry M, Maddocks D, Jones M, et al. Free fetal DNA in maternal plasma in anembryonic pregnancies: confirmation that the origin is the trophoblast. Prenat Diagn. 2007;27(5):415-8.

5. Gupta AK, Holzgreve W, Huppertz B, et al. Detection of fetal DNA and RNA in placenta-derived syncytiotrophoblast microparticles generated in vitro. Clin Chem. 2004;50(11):2187-90.

6. Guibert J, Benachi A, Grebille AG, et al. Kinetics of SRY gene appearance in maternal

serum: detection by real time PCR in early pregnancy after assisted reproductive technique. Hum Reprod. 2003;18(8):1733-6.

7. Lo YM, Zhang J, Leung TN, et al. Rapid clearance of fetal DNA from maternal plasma. Am J Hum Genet. 1999;64(1):218-24.

8. Chan KC, Zhang J, Hui AB, et al. Size distributions of maternal and fetal DNA in maternal plasma. Clin Chem. 2004;50(1):88-92.

9. Chiu RW, Chan KC, Gao Y, et al. Noninvasive prenatal diagnosis of fetal chromosomal aneuploidy by massively parallel genomic sequencing of DNA in maternal plasma. Proc Natl Acad Sci U S A. 2008;105(51):20458-63.

10. Allyse M, Minear MA, Berson E, et al. Non-invasive prenatal testing: a review of international implementation and challenges. Int J Womens Health. 2015;7:113-26.

11. Benn P, Borrell A, Chiu RW, et al. Position statement from the Chromosome Abnormality

12. Screening Committee on behalf of the Board of the International Society for Prenatal Diagnosis. Prenat Diagn. 2015;35(8):725-34.

13. Larion S, Warsof SL, Romary L, et al. Uptake of noninvasive prenatal testing at a large academic referral center. Am J Obstet Gynecol. 2014;211(6):651.e1-7.

14. Benn P, Borrell A, Chiu RW, et al. Position statement from the Chromosome Abnormality Screening Committee on behalf of the Board of the International Society for Prenatal Diagnosis. Prenat Diagn. 2015;35(8):725-34.

15. Choe SA, Seol HJ, Kwon JY, et al. Clinical Practice Guidelines for Prenatal Aneuploidy Screening and Diagnostic Testing from Korean Society of Maternal-Fetal Medicine: (1) Prenatal Aneuploidy Screening. J Korean Med Sci. 2021 Jan 25;36(4):e27.

16. Palomaki GE, Chiu RWK, Pertile MD, et al. International Society for Prenatal Diagnosis Position Statement: cell free (cf)DNA screening for Down syndrome in multiple pregnancies. Prenat Diagn. 2021 Sep;41(10):1222-32.

17. Practice Bulletin No. 162: Prenatal Diagnostic Testing for Genetic Disorders. Obstet Gynecol. 2016;127(5):e108-22.

18. Schinzel A. Microdeletion syndromes, balanced translocations, and gene mapping. J Med Genet 1988;25:454-62.

19. Speicher MR, Carter NP. The new cytogenetics: blurring the boundaries with molecular biology. Nat Rev Genet 2005;6:782-92.

20. Cho EH, Park BY, Cho JH, et al. Comparing two diagnostic laboratory tests for several microdeletions causing mental retardation syndromes: multiplex ligation-dependent amplification vs fluorescent in situ hybridization. Korean J Lab Med 2009;29:71-6.

21. American College of Obstetricians and Gynecologists Committee on Genetics. Commit-

tee Opinion No. 581: the use of chromosomal microarray analysis in prenatal diagnosis. Obstet Gynecol. 2013;122(6):1374-7.

22. 한국유전자검사평가원. 산전염색체마이크로어레이검사의 지침. 2013.

23. Christine MA, Shelley DD, Jo-Ann B, et al. Practice guideline: joint CCMG-SOGC recommendations for the use of chromosomal microarray analysis for prenatal diagnosis and assessment of fetal loss in Canada.J Med Genet 2018;55:215–21

모유수유의 장점

◦ 안현경

1 서론

    엄마 젖을 먹이는 것은 아이의 건강과 산모의 건강 뿐 아니라 나아가서는 사회경제적으로 많은 장점을 가지고 있다. 세계보건기구에서는 출산 후 6개월동안 완전모유수유(exclusive breastfeeding)를 권장하고 있지만 미국이나 여러 유럽 국가에서 출산 직후 수유율은 56~98%이나 6개월 후 수유율은 약 13~39%로 감소한다. 국내 모유수유율의 경우 2018년 전국 출산력 및 가족보건 복지실태조사 원시자료의 분석에서 완전모유수유율은 산후 1개월에 36.6%로 가장 높고 출산 후 시간이 경과할수록 낮아져 출산 후 6개월에 약 2.3%로 매우 낮다.

표 6-1-1. 2000-2018 사이 미국과 한국의 완전모유수유율의 비교

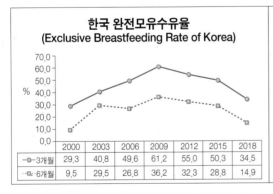

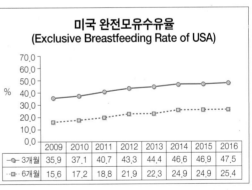

한국 완전모유수유율 (Exclusive Breastfeeding Rate of Korea)						
	2000	2003	2006	2009	2012	2015	2018
3개월	29.3	40.8	49.6	61.2	55.0	50.3	34.5
6개월	9.5	29.5	26.8	36.2	32.3	28.8	14.9

미국 완전모유수유율 (Exclusive Breastfeeding Rate of USA)						
	2009	2010	2011	2012	2013	2014	2015	2016
3개월	35.9	37.1	40.7	43.3	44.4	46.6	46.9	47.5
6개월	15.6	17.2	18.8	21.9	22.3	24.9	24.9	25.4

출처: 한국 보건사회연구원 출산력 및 가족 보건복지 실태조사 in 대한모유수유의사회 사이트

    이렇게 모유수유율이 낮은 가장 큰 이유는 여성의 사회참여율이 상승한 것에 비교하여 직장내 모유수유에 대한 제도적 지원이 부족한 것이다. 또한 출산 시 산모나이가 증가하면서 고위험 출산이 증가하고 이로 인해 산모가 약을 복용하는 경우 모유를 통해 약이 수유아에게 이행되는 걱정으로 수유를 중단하는 경우가 많다. 실제로 상당히 많은 수유부들에게 있어서 노출된 약물이 수유아에게 나쁜 영향을 미칠까 걱정하여 일시적으로 수유를 중단한 것이 원인이 되어 영구적으로 수유

를 못하는 결과를 가져오는 것 같다. 실제로 한 연구의 결과는 수유부나 아이의 질병의 유무가 모유수유를 중단하게 되는 원인이 된다고 보고하였다. 하지만 수유 중 금기가 되는 약물은 실제로 많지 않으며 대부분의 약물이 모유수유 시 신생아의 건강에 큰 해가 없음에도 불구하고 산모자신, 심지어는 의료인들도 수유 중 약물 복용에 대해 과도한 우려를 표시하며 결과적으로 모유수유의 중단으로 이어지는 경우가 많다. 하지만 모유수유는 아기에게 영양적, 면역학적, 그리고 정서적으로 헤아릴 수 없는 많은 장점을 가지기 때문에 약물 치료 동안 모유수유에 대한 수유부의 결정은 아이에 대한 약물에 따른 위험과 모유수유의 장점을 충분히 이해한 후 결정되어야 할 것이다. 불행하게도 약물이 모유수유아에 미치는 영향에 관한 연구는 매우 빈약하여 관련된 정보는 매우 제한되어 있다. 따라서, 의료인들조차도 수유 중 약물 처방 시 수유를 일시적으로 중단할 것을 권하는 경우가 대부분이며 수유부의 경우는 수유를 중단하거나 아니면 처방된 약을 복용하지 않아서 병을 키우거나 하여 결국 수유를 포기하게 되는 경우가 많다. 다행히 최근 우리나라는 그림 6-1-2(제일병원 산전모유수유교육팀 자료)에서 보는 것처럼 대부분 임신부는 출산 후 모유수유를 우선적으로 선택하고 있다.

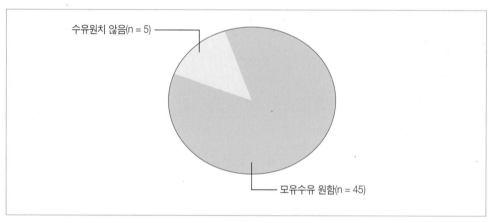

그림 6-1-2. 출산 전 모유수유를 원하는 임신부의 비율
*모유수유 하기를 원치 않는 경우: 직장(2), 간염보균(1), 함몰유두(1), 이전 수유 중 젖 량 적음(1)

따라서, 이러한 시대 흐름에 맞추어서 수유 중 약물 복용으로 인하여 불필요하게 모유수유를 줄이거나 중단하지 않도록 적극적인 상담과 관리가 필요하다. 한국 마더리스크 프로그램에서는 2005년 이후 모유수유중 약물 상담을 위해 콜센터를 운영하여 적극적으로 수유부에게 관련 정보를 주고 있다. 하지만, 아직은 모유수유관련 약물의 독성 정보는 많이 부족한 실정이다.

2 본론

1) 유방의 발달과 모유수유

유방의 특징 중 하나가 여성의 일생을 통해 변화하는 기관이라는 것이다. 태생기에 발생하여 사춘기를 지나면서 발달을 시작하고 임신을 하면서 발달을 완성한다. 수유기가 지나 갱년기 폐경기가 되면서 또 변화를 겪는 유방은 우리 여성의 일생을 통해 변화하는 신비로운 기관이다.

성인 여성의 유방은 앞 가슴의 2번째에서 6~8번째 늑골까지, 흉골의 외측연에서 겨드랑이의 전방까지의 범위에 위치한다. 유방은 보통 15~20개의 엽으로 구성된 유선조직과 유관이 주위 지방 조직에 둘러싸여 있으며 이는 피부에 의해 감싸져 있다. 지방 조직은 부드러운 촉감과 형태를 유지하는 역할을 하며 피부의 탄력성도 유방의 형태를 유지하는데 중요한 역할을 한다. 유방의 중심에 있는 유두는 착색된 유륜으로 둘러 쌓여 있으며 피지선과 아포크린 선이 발달해 있다. 또한 유두에는 15~25개의 개구부가 있어 이를 통해 젖이 나오게 된다. 유방조직의 아래에는 대흉근이라는 근육이 자리잡고 있다.

유방은 수정 후 7~8주째부터 발생을 시작하는데 겨드랑이 부위에서 서혜부에 이르는 원시유선에서 발생하기 시작하여 유방융기(mammary milk ridge)로 발달하여 이 선상에서 유방이 발달한다. 태생 15~24주경 모유를 분비할 선방세포(alveoli)를 형성할 상피세포가 만들어지며 이때 유두와 유륜 생긴다. 태생 32주 이후 각 분지에서 도관이 형성되고 15~25개의 유관이 형성되어 태어난다.

신생아에서는 엄마와 태반으로부터 기인한 여성호르몬이나 그와 관련된 호르몬의 영향으로 여아나 남아나 크게 차이 없이 유두주위가 좀 부어있으며 유륜이 쉽게 만져진다. 경우에 따라서는 소량의 초유와 같은 성상의 젖이 분비되기도 한다. 이러한 현상은 생후 3~4주가 지나면서 없어진다.

그 후 사춘기까지 유방은 큰 변화를 겪지 않는다. 여성에서 사춘기가 시작되면서 유방의 발

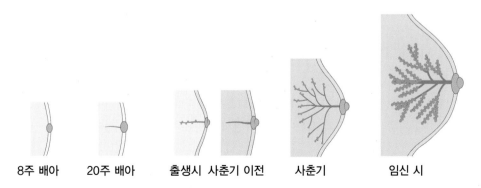

| 8주 배아 | 20주 배아 | 출생시 사춘기 이전 | 사춘기 | 임신 시 |

그림 6-1-3. **유방의 발달**

달이 계속되는데 신체 발달과 함께 유방 실질인 세관(ductule), 소엽(lobule), 지방조직, 젖샘관 (ducts), 엽(lobes), 젖꽈리(alveoli) 등이 성장한다. 이 꽈리가 실제 모유를 생산하는 조직이다. 초경을 즈음해서 젖샘관의 1, 2차 성장과 함께 분지가 이루어지고, 끝부분은 망울을 형성하여 젖꽈리가 된다.

난소기능이 발달하면서 주기적으로 여성호르몬이 작용을 받게 된다. 일반적으로 여성 사춘 기의 시작인 젖 망울이 커지기 시작한 후 1~2년 뒤에 월경이 시작된다.

영국의 소아과 의사인 Tanner가 주창한 사춘기 발달 단계 중 유방의 발달을 보면 유두가 돌 출되는 시기를 1단계로 이야기 한다. 2단계에서 유방의 분화가 본격적으로 시작되면서 유방전 체가 흉부에서 돌출되기 시작한다. 3단계에서는 유방의 선조직의 발달이 활발히 되면서 젖꽃판 이 더 커진다. 4단계에서는 젖꽃판이 두드러지게 더 커지면서 수유를 할 수 있는 선 조직의 발 달이 거의 되는 시기로 유방이 더 커진다. 5단계에서 유방이 어른형태를 갖추게 된다. 이러한 일련의 현상은 16세를 전후하여 완성된다. 사춘기가 시작되면서 대표적인 여성호르몬이 에스 트로겐과 프로게스테론이 유방발달을 돕게 된다. 월경주기에 따라 에스트로겐과 프로게스테론 의 분비가 주기적으로 계속되는데 에스트로겐은 주로 젖의 수송을 담당하는 유관의 발달 및 성 장을 돕고 유방에 지방축적을 돕는다. 즉 여성의 유방의 모양형성에 에스트로겐이 주로 영향을 미친다 하겠다. 프로게스테론은 젖의 형성을 담당하는 선조직의 증식 및 발달을 돕는다. 에스 트로겐과 프로게스테론은 이처럼 수유를 위해 유방을 준비해주는 호르몬들이라 하겠다.

임신이 되면 첫 1삼분기에는 젖의 수송을 관여하는 관조직의 증식이 주로 일어나게 되고 2삼분기에 선조직의 증식으로 유방이 커지게 된다. 3분기에 젖을 만들고 수송할 수 있는 모든 준비가 완성이 되며 초유를 분비할 수 있는 만반의 채비가 이루어진다. 임신 중에 에스트로겐 과 프로게스테론이 유방을 준비하지만 실제로 젖의 형성에는 프로락틴이라는 호르몬이 관여한 다. 프로락틴 역시 임신중에 분비되어 여러역할을 하고 있지만 젖의 형성에 적극적인 역할을 하는 것은 분만 후부터이다. 임신 중에는 에스트로겐과 프로게스테론이 프로락틴이 역할을 하 는 것을 방해한다. 태반이 분만이 되면 에스트로겐과 프로게스테론이 급격히 감소하게 되고 상 태적으로 프로락틴의 분비가 유지되면서 젖의 형성분비가 이루어지는데 프로락틴도 수유를 하 지 않으면 분만 7일 후부터는 그 농도가 현저히 떨어지게 된다. 출산 후 적극적인 수유를 권하 는 데에는 이러한 이유가 있겠다. 프로락틴의 농도 유지를 위해서는 적극적인 수유가 선행조건 인 것이다.

수유기가 끝나고 폐경기가 되면 관조직이 퇴축하게 된다. 갱년기시기에 일시적으로 지방조 직이 증가하나 차츰 지방조직의 소실이 일어나면서 유방의 탄성이 줄어들게 된다.

2) 모유수유의 장점

모유수유는 신생아를 위해 영양적, 면역학적, 그리고 심리적으로 가장 적당한 영양 형태이다. 따라서, 절대적 모유수유가 인생의 첫 6개월 동안은 강력히 추천된다. 아기의 성장을 위해 필요한 영양소 즉 비타민, 단백질과 지방이 거의 완벽하게 조화를 이루고 있다. 그리고 모유는 다른 어떤 분유보다 더 쉽게 소화된다. 모유는 아이의 성장에 따라 모유의 조성이 조금씩 변하는데 다른 동물의 젖에 비해 단백질 양은 적지만 아기의 성장이나 뇌 발달에 충분하며 모유 내에 있는 지방은 뇌 성장에 필요한 지방산을 포함하고 있으며 모유 내 효소가 지방을 미리 소화시켜 에너지로 사용하기 쉽게 한다. 특히 초유에는 태변이 잘 나오도록 하는 완화제 성분이 있으며 원할 때마다 젖을 먹을 수 있는 아기는 수분을 보충할 필요가 없다.

모유수유의 장점을 몇 가지 면에서 살펴보면

(1) 아기측의 장점

모유수유는 아기 면역력을 강화 시켜 세균이나 바이러스에 의한 감염이 상대적으로 낮다. 많은 연구에 따르면 적어도 6개월간 모유수유를 한 경우 분유수유를 한 아이들에 비해 월등히 면역력이 높다. 알레르기 예방에도 효과가 있어 분유수유아와 아토피나 천식등의 발병율이 2배~7배 정도 차이가 난다고 보고되고 있다. 영아돌연사증후군의 발생빈도도 낮은 것으로 알려져 있으며 소아성 당뇨, 임파종과 같은 소아암 및 귀 질환빈도도 낮은 것으로 보고되고 있다. 그 외 예방접종에 대한 반응성의 강화로 질병에 대한 저항력이 증가되어 치열이나 치과 문제 감소하고 정신적, 정서적, 사회적 발달에 도움을 주며 지능발달등에도 관여한다고 보고되고 있다.

(2) 엄마측 장점

아기가 젖을 빨 때 반사적으로 분비되는 옥시토신으로 인해 자궁수축이 유발되어 산후출혈을 줄여주며 역시 젖분비에 관여하는 프로락틴과 같은 호르몬의 영향으로 배란이 지연되어 피임효과가 있어 분만 6개월의 자연피임율이 96%에 달한다. 칼슘대사를 촉진시켜 골다공증 발생이 줄고 유방암이나 난소암의 발생빈도가 감소한다. 산후 다이어트 효과도 있으며 모유수유를 수행했을 때의 자신감을 갖게한다.

그 외 아기의 감염성 질환의 발생이 적기 때문에 의료비를 감소시킬 수 있으며 아이의 병으로 인해 부모의 경제활동제약을 받는 상황을 피할 수 있으며 부모의 스트레스를 줄일 수 있다. 분유를 먹일 때 수반되는 여러 환경공해의 요인을 줄일 수 있으며 무엇보다 수유를 통해 엄마와 아기의 유대감이 형성된다. 아래 표는 토론토대학의 Children's Hospital에서 발표된 모유수유 장점을 정리한 것이다.

표 6-1-1. 모유수유의 장점

1. 캐나다 소아과 학회와 미국소아과 학회에서는 모유수유를 추천한다.
   (*대한민국 소아과 학회에서도 모유수유를 적극 추천한다.)

2. 모유수유는 엄마와 아기 사이에 유대관계(bonding)를 촉진 한다.

3. 모유수유는 아기의 감정적인 요구를 충족시킨다.

4. 모유는 아기를 위한 완전한 영양식이다.

5. 모유수유는 엄마의 유방암 위험을 감소시킨다.

6. 모유수유는 여아가 성장했을 때 유방암의 위험을 감소시킨다.

7. 모유수유는 높은 IQ점수와 관련된다.

8. 모유는 항상 준비되어 있고 분유보다 더 잘 포장되어 있다.

9. 모유를 먹는 아기들은 운동성 발달(motor development)이 더 잘 된다.

10. 모유는 질병에 대항하는 면역물질을 포함, 아기의 면역체계 발달을 돕는다.

11. 모유는 분유보다 훨씬 더 소화가 잘된다.

12. 아기가 젖을 빨면 출산 후 엄마의 자궁 수축을 돕는다.

13. 아기가 젖을 빨면 엄마의 출산 후 출혈을 막는다.

14. 모유수유는 아기가 태어난 후에 엄마의 체중 감량을 돕는다.

15. 조산한 엄마의 모유는 조산아를 위해 특별히 고안되어 있다.

16. 세계보건기구와 유니세프는 6개월 동안은 절대적 모유수유를 권한다.

17. 모유수유는 크론시 질환(Crohn's disease)을 예방할 수 있다.

18. 모유수유는 아기가 당뇨병이 되는 위험률은 감소시킨다.

19. 모유수유는 당뇨병이 있는 엄마의 인슐린 필요량을 감소시킨다.

20. 모유수유는 엄마의 자궁 내막증의 진행을 억제한다.

21. 모유수유는 엄마의 난소암의 위험률을 감소시킨다.

22. 모유수유는 엄마의 자궁내막암의 위험률을 감소시킨다.

23. 모유수유는 아기의 알레르기 발생의 위험률을 감소시킨다.

24. 모유는 아기가 천식이 발생되는 위험률을 감소시킨다.

25. 모유수유는 아기 귀 감염질환의 위험률을 감소시킨다.

26. 모유수유는 아기의 돌연사 위험률을 감소시킨다.

27. 모유수유는 아기에 설사를 일으키는 감염을 예방한다.

28. 모유수유는 아기의 세균성 수막염(meningitis)을 예방한다.

29. 모유수유는 아기의 호흡기 감염을 예방한다.

30. 모유를 먹는 아기들은 소아기 암의 위험률을 낮춘다.

31. 모유수유는 유년기 류마티스 관절염의 위험을 낮춘다.

32. 모유를 먹는 아기들은 Hodgkin's disease의 위험률이 감소된다.

33. 모유수유는 아기의 시각장애(vision defects)를 예방한다.

34. 모유수유는 아기의 골다공증의 위험률을 감소시킨다.

35. 모유는 아기의 적절한 장관발달(intestinal development)를 돕는다.

36. 우유는 아기의 장관 자극제이다.

37. 모유를 먹었던 아기들은 나중에 비만이 될 가능성이 적다.

38. 모유를 먹는 아기들은 수유 동안 심폐(cardiopulmonary)부담이 적다.

39. 모유를 먹었던 아기들은 궤양성 대장염의 위험률을 감소시킨다.

40. 모유는 아기의 출혈성 감염(hemophilus infections)을 예방한다.

41. 모유를 먹는 아기들은 수술 전후 금식을 더 짧게 필요로 한다.
    (모유는 수술과 관련하여 기도로 흡입되도 아기에게 폐렴을 덜일으킴)

42. 모유수유를 하면 아기의 아픈 날이 더 적다.

43. 모유수유는 아기의 예방접종의 효과를 증가시킨다.

44. 모유를먹는 아기들은 necrotizing enterocoitis의 위험이 감소된다.

45. 모유수유는 임신되는 것을 지연시켜준다.

46. 모유수유는 분유수유보다 쉽다.

47. 모유는 공짜(free)이다.

48. 분유는 비싸다.

49. 분유는 수백만 달러의 세금을 지출하게 한다.

50. 모유는 항상 아기에게 적절한 온도를 유지한다.

51. 모유는 항상 적절한 지방, 탄수화물과 단백질을 함유한다.

52. 모유는 아기들이 더 만족스럽게 되도록 한다.

53. 모유수유는 엄마도 더 행복하게 만든다.

54. 모유는 분유보다 더 맛이 좋다.

55. 모유를 먹는 아기들은 더 건강하다.

56. 모유를 먹었던 아기들은 3세 되기 전의 사망 위험이 더 적다.

57. 모유를 먹는 아기들은 의사를 덜 찾게 된다.

58. 모유수유하는 엄마는 의사를 방문하면서 버리는 시간과 돈이 더 적다.

59. 모유를 먹는 아이들은 어떠한 쓰레기도 뒤에 남기지 않는다.

60. 모유수유를 하면 병을 휴대할 필요가 없다.

61. 모유수유는 소가 더 적은 온실 가스를 만들게 한다.

62. 모유는 얼릴(refrigerated) 필요가 없다.

63. 우유는 송아지를 위해 고안되었다.

64. 인간의 모유는 인간의 아기를 위해 고안되었다.

65. 모유는 아기에게 자주 발생하는 통증을 감소시켜준다.

66. 모유는 아픈 아기를 위해 완전한 음식을 제공한다.

67. 모유는 아기가 더 잘 자게 한다.

68. 모유는 엄마가 더 잘 자게 한다.

69. 모유는 아빠가 더 잘 자게 한다.

70. 모유수유는 사야 될 장비가 더 적게 한다.

71. 모유수유는 유지하고 보관해야 될 장비를 더 적게 한다.

72. 모유는 결코 반품(recall)된 적이 없다.

73. 모유수유를 하는 경우 세균에 감염될 걱정을 할 필요가 없다.

74. 모유수유를 하는 경우 어느제품이 더 좋은지 걱정할 필요가 없다.

75. 모유수유를 하는 경우 오염된 물 사용에 관하여 걱정할 필요가 없다.

76. 모유수유는 농장의 동물학대 감소를 돕는다.

77. 모유수유는 아기의 치아와 턱의 발달을 촉진한다.

78. 모유를 먹는 아이들은 충치 발생이 더 적다.

79. 모유수유는 치아교정에 쓰이는 돈의 비용을 줄인다.

80. 모유수유는 말하는 능력의 발달을 돕는다.

81. 모유수유는 아기가 습진에 덜 걸리게 한다.

82. 모유를 먹는 아이들은 좋은 피부(great skin)를 갖는다.

83. 모유를 먹는 아이들은 덜 흘린다.

84. 흘린 모유는 분유보다 닦기가 더 쉽다.

85. 모유는 유전공학으로 만들어진 물질을 함유하고 있지 않다.

86. 모유는 인공으로 만든 성장 호르몬(growth hormone)을 함유하고 있지 않다.

87. 모유수유는 다발성 경화증(multiple sclerosis)의 위험을 감소시킨다.

88. 모유수유는 서혜부 탈장(inguinal hernia)의 위험을 감소시킨다.

89. 모유수유는 아기의 인지능력의 발달을 돕는다.

90. 모유수유는 아기의 사회적 적응능력의 발달을 돕는다.

91. 모유수유는 아기의 요로 감염의 위험을 감소 시킨다.

92. 아기가 젖을 빠는 것은 아기의 손과 눈의 협동을 돕는다.

93. 모유수유는 아기의 철분 결핍을 예방한다.

94. 모유수유 엄마 생리(menstrual)에 따른 비용이 덜 든다.

95. 모유수유는 엄마에게 자신감을 심어준다.

96. 모유는 아기의 눈 감염의 위험을 줄인다.

97. 모유는 아기의 상처를 위한 좋은 천연 항생제이다.

98. 모유수유는 분유에 첨가되는 물질에 관해 걱정할 필요 없다.

99. 모유수유 아기 기저귀는 훨씬 더 단 냄새가 난다.

100. 모유를 먹는 아기들의 냄새는 환상적이다.

101. 모유수유는 유방이 왜 고안되었는지를 알게 한다.

3) 성공적인 엄마 젖 먹이기 10단계

WHO와 UNICEF가 주창한 아기에게 친근한 병원 만들기 운동(BFHI: Baby Friendly Hospital Initiative)은 모유수유를 권장하는 병/의원과 조산원를 격려하고 인정하는 세계적인 프로그램으로 아기에게 친근한 병원 만들기 운동은 병원들로 하여금 '성공적인 엄마 젖 먹이기 10단계'를 실행하도록 권장하여 모유수유를 지지하고 보호하며 지원한다.

성공적인 엄마 젖 먹이기 10단계

1단계: 병원은 의료요원을 위한 모유수유 정책을 문서화 한다.

보건기관은 엄마젖 먹이기 10단계를 포함하고 모유수유를 권고하는 명문화된 모유수유 정책을 갖고 있어야 합니다.

2단계: 이 정책을 실행하기 위하여 모든 의료요원에게 모유수유 기술을 훈련시킨다.

간호과 간부는 어머니, 영아, 어린이와 접촉하는 의료요원을 모두 모유수유 정책의 실행에 관하여 교육했다고 보고할 수 있어야 하고 그 교육 방법에 대하여 말할 수 있어야 합니다.

3단계: 엄마젖의 장점과 젖먹이는 방법을 임산부에게 교육시킨다.

병원에 속한 산전 관리 클리닉이나 병동의 경우 간호과 책임자는 이러한 기관을 이용하는 임산부에게 상담을 해주어야 합니다.

4단계: 출생 후 30분 이내에 엄마젖을 빨리기 시작한다

자연 분만을 한 산과 병동의 산모 중 무작위로 10명 선출하여 그 중 80%가 출산 후 30분 이내에 적어도 30분 간 피부를 맞대고 아기를 안고 있었고 모유수유를 시작할 수 있도록 도움을 받았다고 해야 합니다.

5단계: 임산부에게 엄마젖을 먹이는 방법과 아기와 떨어져 있을 때 젖분비를 유지하는 방법을 자세히 가르친다.

무작위로 선택한 산모(제왕절개 포함) 15명 중 적어도 80%가 출산 후 6시간 이내에 간호사로부터 모유수유에 관한 도움을 받고, 젖을 짜내는 방법을 배웠거나 젖 짜는 방법이 명문화된 자료를 받았으며, 필요할 때에 어떻게 도움을 받을 수 있는지 들었다고 말할 수 있어야 합니다.

6단계: 갓난 아기에게 엄마젖 이외의 다른 음식물을 주지 않는다.

적어도 2시간 동안 산과 병동에서 산모와 아기를 관찰합니다. 엄마젖 이외의 음식을 먹고 있는 아기가 있으면 산모에게 모유수유를 하지 않는지 묻습니다.

7단계: 엄마와 아기는 하루 24시간 같을 방을 쓴다.

건강한 아기를 낳은 산모 중 무작위로 선택한 15명(제왕절개 포함)의 산모 중 적어도 80%가 출산 후 자신의 입원실로 돌아온 후부터(제왕절개의 경우에는 의식이 돌아온 후부터) 진료를 위한 1시간 이하의 분리 기간을 제외하고는 밤낮으로 아기가 산모와 함께 있었다고 보고합니다.

8단계: 엄마젖은 아기가 원할 때마다 먹인다.

정상 아기를 출산한 산모 중 무작위로 선택된 산모15명(제왕절개 5명 포함)중 모유수유 하는 산모 80%가 모유수유의 빈도나 기간에 아무런 제한을 받지 않았다고 보고합니다.

9단계: 아기에게 인공 젖꼭지나 노리개 젖꼭지를 물리지 않는다.

무작위로 선택한 15명(제왕절개 5명 포함)중 모유수유 하는 산모는 적어도 80%가 우유병이나 빈 젖꼭지를 아기에게 주지 않았다고 보고합니다.

10단계: 엄마젖 먹이는 모임을 만들도록 도와주고 퇴원 후 모임에 참여하도록 해준다.

무작위로 선택한 15명의 젖먹이는 산모(제왕절개 5명 포함) 중 80%가 병원에서 퇴원한 후에도 모유수유를 계속할 계획임을 확인합니다.

▶ **참고문헌**

1. 이소영, 김은정, 박종서, 변수정 오미애, 이상림 등. 2018년 전국 출산력 및 가족보건복지 실태조사. 세종, 한국보건사회연구원, 2018

2. Berseth CL, Michener SR, Nordyke CK, Go VL. Postpartum changes in pattern of gastro-intestinal regulatory peptides in human milk. Am J Clin Nutr 1990; 51:985.

3. Billeaud C, Guillet J, Sandler B. Gastric emptying in infants with or without gastro-oe-sophageal reflux according to the type of milk. Eur J Clin Nutr 1990; 44:577.

4. Bowatte G, Tham R, Allen KJ, et al. Breastfeeding and childhood acute otitis media: a systematic review and meta-analysis. Acta Paediatr Suppl 2015; 104:85.

5. Burke V, Beilin LJ, Simmer K, et al. Breastfeeding and overweight: longitudinal analysis in an Australian birth cohort. J Pediatr 2005; 147:56.

6. Cavell B. Gastric emptying in infants fed human milk or infant formula. Acta Paediatr Scand 1981; 70:639.

7. Howie PW, Forsyth JS, Ogston SA, et al. Protective effect of breast feeding against infection. BMJ 1990; 300:11.

8. http://www.unicef.or.kr/involve/mommy/withus_hospital.asp

9. https://www.cdc.gov/breastfeeding/data/nis_data/results.html

10. Kovar MG, Serdula MK, Marks JS, Fraser DW. Review of the epidemiologic evidence for an association between infant feeding and infant health. Pediatrics 1984; 74:615.

11. Lucas A, Bloom SR, Aynsley-Green A. Gut hormones and 'minimal enteral feeding'. Acta Paediatr Scand 1986; 75:719.

12. Pisacane A, Graziano L, Mazzarella G, et al. Breast-feeding and urinary tract infection. J Pediatr 1992; 120:87.

13. Rodriguez-Palmero M, Koletzko B, Kunz C, Jensen R. Nutritional and biochemical properties of human milk: II. Lipids, micronutrients, and bioactive factors. Clin Perinatol 1999; 26:335.

14. Russo, J, Russo, IH. In: The Mammary Gland, Neville, MC, Daniel, CW, (Eds), Plenum Publishing Corporation, New York 1987. p.67.

15. Sadeharju K, Knip M, Virtanen SM, et al. Maternal antibodies in breast milk protect the child from enterovirus infections. Pediatrics 2007; 119:941.

16. Wright AL, Holberg CJ, Martinez FD, et al. Breast feeding and lower respiratory tract illness in the first year of life. Group Health Medical Associates. BMJ 1989; 299:946.

17. www.ahrq.gov/downloads/pub/evidence/pdf/brfout/brfout.pdf (Accessed on October 02, 2008).

모유수유 중 약물 및 케미칼

안현경, 한정열, 김연희

1 약물 노출에 따른 수유부가 느끼는 우려의 정도

한국마더리스크프로그램에서는 수유부에서 약물 노출의 종류와 빈도 및 이들 약물에 노출 시 수유아에 미치는 우려의 정도가 수유율에 영향을 미치는지 평가하였다.

산부인과 외래에 출산 후 8주에 내원한 산모 중 설문에 답했던 91례를 대상으로 하여 평가하 였으며, 설문은 출산력, 분만방법, 모유수유여부, 약물 노출의 빈도와 종류를 포함하고 있으며, Visual analogue scale(그림 6-2-1)를 이용하여 수유부가 복용했던 약물에 의해 영아에 미치는 영향에 대한 우려정도를 측정하였다. 연구 대상자에서 출산은 자연 진통에 의한 정상 질식분만 수가 39례(42.9%), 유도분만에 의한 질식분만 20례(22.0%), 그리고 제왕절개술에 의한 분만은 32례(35.1%)이었다. 출산 후 8주에 수유율은 65.9%(60/91)이었다. 수유 중 약물 사용률은 50%(30/60)이었으며, 복용한 약물의 종류는 그림 6-2-2에서와 같이 단일 노출로는 한약이 가장

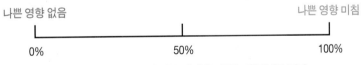

그림 6-2-1. **수유시 복용한 약물에 따른 아기에 미치는 우려정도 평가**

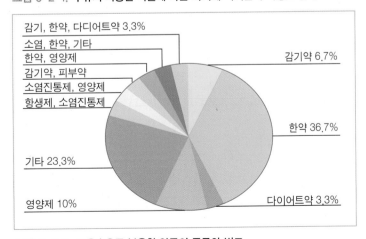

그림 6-2-2. **모유수유중 복용한 약물의 종류와 빈도**

많아 36.7%(11/30) 이었으며, 영양제 10%(3/30), 감기약 6.7%(2/30)순이었다. 복합적으로 처방받은 예를 포함 시 한약은 46.7%에 이른다.

수유 중 약물 노출 후 수유부가 느끼는 영아에 미치는 나쁜 영향의 우려정도는 평균 49%였으며 출산방법에 따라서 산모의 걱정정도는 다르게 나타났다. 자연진통 발생에 의한 질식분만 시 46.5±6.6%, 유도분만 48.9±8.6%, 그리고 제왕절개술 51.2±8.2%로 분만과정에서 중재가 심할수록 산모가 느끼는 약물이 신생아에 미치는 우려의 정도가 크게 나타 났으며, 반면 모유수유율은 출산 과정 중 중재가 클수록 낮았다. 출산방법에 따른 모유수유율은 정상 질식분만한 경우는 76.9%(30/39), 유도분만에 따른 질식분만 70.0%(14/20), 그리고 제왕절개술 50%(16/32)로 나타났다. 수유 중 약물노출이 직접적으로 모유수유율에 영향을 미친다고 평가하기는 어렵지만, 출산 시 중재가 심할수록 약물노출의 빈도가 많아지며 수유부가 느끼는 약물에 대한 우려도 더 민감해져서 모유수유율의 감소와 관련되는 것 같다. 외국문헌에서도 약제를 복용 중인 수유모의 54% 가 모유 내 약제가 아기에게 미칠 영향에 대하여 걱정하였으며, 제왕절개분만을 한 임산부에서 질식분만을 한 산모에 비교하여 모유수유율이 더 낮게 보고 되었다. 실제로 분만과정에서 노출되는 약제들 중 수유에 부적합한 경우는 극히 제한적이다. 따라서 수유모를 진찰하는 의료인들은 수유 중 약제에 대한 적극적인 상담과 관리를 통하여 불필요한 수유 중단을 피하고 모유수유에 따른 수유부와 아기 측의 장점을 취할 수 있도록 의료인들의 노력이 필요하겠다.

2 모유수유 시 약물의 안전성과 위험성 평가

1) 모유로 약물의 통과

모유로 약물이 통과하는데 관련된 요인들은 모유, 수유부, 아이 그리고 약물을 들 수 있다.

표 6-2-1. **모유수유 시 사용된 약물의 안전성을 결정하는 요인들**

모유요인	수유부요인	영아요인	약물요인
모유의 구성성분 (지질과 단백질 농도) : 초유 또는 성숙유, 전유 또는 후유	신장과 간으로의 배설, 치료량과 기간, 투입 경로	나이, 약물의 흡수, 신장과 간으로 배설, 모유 흡수량, 영아에 대한 약물의 안전성	pKa 친수성, 친지질성, 분자량, 경구 흡수율, 약물의 독성, 모유생산에 관한 억제효과, 긴 시간 작용 약물, 짧은 시간 작용 약물

(1) 모유요인

모유는 수유단계(초유 또는 성숙유)에 따라서, 그리고 전유(foremilk)냐 후유(hindmilk)이냐에 따라서 lipid와 단백질의 농도가 달라진다. 모유의 이러한 변화는 약물이 수유부의 혈액으로부터 모유로 전달되는 약물의 양과 농도에 영향을 미친다. 예를들면 후유에는 전유보다 lipid가 많아 약물이 모체로부터 모유로 더 높은 농도의 약물이 넘어가게 된다.

(2) 수유부요인

수유 시작 하여 초유가 나오는 처음 며칠 동안은 꽈리(alveoli) 세포는 작고, 세포간 간격은 커서 약물, lymphocytes, 면역글로블린, 단백질을 포함한 수유부가 혈액에 가지고 있는 물질들이 모유로 더 쉽게 넘어간다. 출산 후 시간이 지나가면서 프로게스테론 수준이 낮아지면서 꽈리 세포가 커지고 세포간 간격은 좁아져서 약물과 다른 물질들이 적게 넘어가게 된다(그림 6-2-3). 그러나 갓 태어난 영아가 섭취하는 초유의 양은 하루에 50-60 ml로 많지 않다. 결과적으로 이 시기에 아기에게 가는 약물의 절대적 양은 많지 않아 임상적으로 거의 의미가 없다.

약물을 대사하고 배설하는 수유부의 능력을 저해하는 요인들은 약물에 영아의 노출을 증가시킬 것이다. 따라서 수유부의 간질환과 신장질환으로 인해 모체에서 약물의 농도가 증가할 수 있어서 이때 약물을 처방할 때 세심한 주의가 필요하다.

또한, 약물의 투입경로 또한 매우 중요하다. 국소적으로 또는 흡입제로 사용되는 약물들은 수유부의 혈액 내에서 임상적으로 의미 있는 농도에 미치지 못하며, 또한 모유로 가는 양도 의미가 거의 없다. 국소적으로 사용되는 항생제, 코르티코스테로이드 그리고 레티노이드도 피부를 통해 잘 흡수되지 않으며, 실제로 혈장에서 잘 검출되지 않는다.

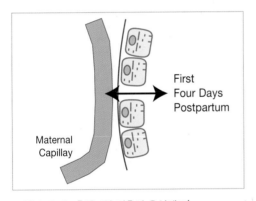
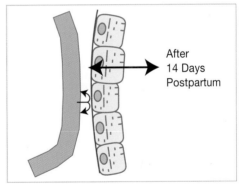

그림 6-2-3. **출산 4일 전후의 유선세포(mammary alveolar cells)의 변화**

(3) 영아요인

영아의 나이는 모유수유중 약물 사용에 따른 영향을 평가할 때 반드시 고려되어야 한다. 출생 후 영아는 성장과 함께 약물이 대사되고 배설되는 간과 신장의 기능도 점차 성숙하게 된다. 따라서 신생아에서 노출된 약물의 효과는 더 큰 영아보다 강하게 나타난다. 모유수유아에서 보고된 약물 부작용의 약 3분의 2는 생후 첫 달에 발생하였고, 약 4분의 3 이상은 생후 2개월 이내에 발생하는 것으로 나타났다. 이러한 효과는 특히 조산아의 경우 미성숙으로 인해 약물의 반감기가 더 길어지고 결과적으로 반복 투여 시 아이 체내에 약물이 축적되게 된다. 따라서, 영아를 그들의 나이에 따라서 저위험군(6-18개월), 중위험군(6개월 미만) 그리고 고위험군(조산아, 신생아, 임상적으로 불안정한 영아, 신장기능이 좋지 않은 영아)으로 분류하여 모유수유 중 약물 사용에 주의를 기울이기도 한다. 한편, 모유를 보다 자주 또는 많은 양을 먹는 영아들은 모유를 덜 먹는 영아보다 수유부가 노출되는 약물에 더 쉽게 노출될 수 있다.

(4) 약물요인

약물의 약동학적 특성을 아는 것은 수유 중 약물 사용의 위험도를 아는데 유용하다. 약물의 약동학은 모유의 성질이나 수유부위 요인에 따라 다양하다. 모유에서 약물의 농도는 이온화 정도, 지질용해성, 단백결합과 분자량 등에 의해서 영향을 받는다.

표 6-2-2. **모유수유 시 약물의 안전과 관련된 약물약동학적 요인들**

경구생체이용률 (Oral bioavailability)	경구 투여 후 전신 순환계에 도달하는 약물의 경구 생체이용률과 낮은 흡수율을 갖는 약물이 모유수유 중 더 안전하게 사용될 수 있나. 예) sumatriptan (15%경구흡수율), rizatriptan (45%이상의 경구흡수율)
분자량 (MW)	분자량이 낮은 약물은 더 쉽게 모유에 도달한다. 세포막 구멍(membrane pores)을 통해 200 daltons 미만의 약물은 쉽게 통과할 수 있다. 에탄올 같은 작은 분자는 수유부의 모세혈관 내막세포와 폐포세포 사이에 수동적 확산을 통해 전달된다.
단백결합 (Protein binding)	수유부의 혈장 내 단백질에 낮은 결합력을 가지는 경우 쉽게 모유로 전달된다. 예) 다이아제팜
지질용해도 (Lipid solubility)	지용성 약물은 지질과 단백질세포막을 더 쉽게 통과하여 모유로 이동한다. 성숙유에는 더 높은 농도의 지질이 포함되므로 더 많은 양의 약물이 발견된다. 예) 설폰아마이드, 클로람페니콜
반감기 (half-life)	long acting drugs들은 수유부의 혈류에 더 오랜 기간 동안 더 높은 수준이 유지되고, 결과적으로 모유에도 마찬가지로 높은 농도가 된다.
소아혈장반감기 (PHL)	Pediatric half life로 긴 반감기(12시간 이상)라면 영아의 혈장에 높은 농도로 축적되기 쉽다.
최고혈장농도 (Cmax)	수유부의 혈장에서 약물의 최고 농도는 모유에서의 최고농도와 일치한다. 따라서 약물 투약은 모유수유 직후에 하는 것이 좋다.
pKa	약물의 이온화와 비 이온화가 평행 상태인 pH로, 모유에서 보다 더 이온화된 약물은 모유로부터 모체의 혈장으로 다시 잘 되돌아가지 못하고 모유에 갇히게 됨 (ion trapping). 7.2이상의 pKa를 갖는 약물은 낮은 pKa를 갖는 약물보다 약간 더 높게 모유에 잡히게 되며 높은 pKa를 갖는 약은 일반적으로 더 높은 M/P를 보인다. 따라서 더 낮은 pKa의 약물을 선택하라. (혈장의 pH=7.4, 모유의 pH=7.1)
분포용적 (Vd)	Volume of distribution으로 약물이 얼마나 체내에 분포되는지 기술하며, 높은 Vd을 갖는 약물은 혈액 내 보다 체내의 remote compartment에 더 축적이 잘 됨. 예) digoxin은 빠르게 심장과 골격계 근육에서 농축됨.

2) 영아의 약물 노출을 평가하는 방법

모유 대 혈장 비(milk-to-plasma ratio; M/P ratio), 영아에서 절대적 농도(absolute infant dose)와 상대적 농도(relatively infant dose)가 영아에서 약물 노출을 평가하기 위해 널리 쓰이는 방법들이다(그림 6-2-4).

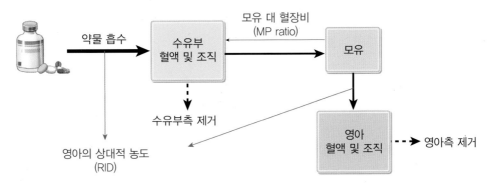

그림 6-2-4. **모유로 약물전달에 관한 두 구획 모델(two-compartment model)**

(1) 모유 대 혈장 비(Milk-to-plasma ratio)

모유(milk) 와 혈장(plasma) 내 약물 농도의 비를 의미하며 모유로 약물이 전달되는 약물의 양을 평가하기 위해 자주 사용된다. M/P ratio가 1을 이상으로 높다면 모유에 높은 농도로 약물이 존재할 수 있다는 의미이다. 반대로, 1 미만의 M/P ratio를 보이는 약제는 수유 중 안전한 약제로 고려될 수 있다. 낮은 M/P ratio를 갖는 약제를 선택하는 것이 최선이지만, 모유로 전달되는 양은 수유부의 혈장내 약물의 농도에 크게 의존한다. 따라서, 높은 M/P ratio라도 낮은 혈장농도 라면 모유로 전달되는 양은 적다. 또한 약물이 세포막 내 특정 수용체에 결합하여 모유로 능동적으로 전달되는 약물은 M/P ratio를 적용하기에 제한적이다(예: acyclovir, cimetidine, nifedipine, nitrofurantoin, methotrexate 등).

(2) 영아에서 절대적 농도(Absolute infant dose)

영아에서의 절대적 농도는 모유에서의 약물의 농도와 영아가 먹은 모유의 양을 이용하여 계산할 수 있다.

영아에서의 절대적 농도= 모유에서의 약물의 농도 × 영아가 먹은 모유의 양

영아가 먹은 모유양을 대략 150 mL/kg/day로 추정하고 있지만 영아별 차이가 있고, 모유에서 약물의 농도를 측정하는 방법에 있어서 모유를 모으는 시기에 따라서 농도의 차이가 있다. 또한 일부 약물들에 대한 모유내 농도 정보가 없으며 혼합수유를 하는 경우는 절대적 농도가 감소한다.

(3) 영아의 상대적 농도(Relative infant dose or percentage of maternal dose, RID)

상대적 농도의 추정은 모유수유 중 약물의 안전성을 평가하기 위해 자주 사용된다.

$$RID = \frac{\text{Infant dose(mg/kg/day)}}{\text{Maternal dose(mg/kg/day)}}$$

WHO 에서는 RID 가 10% 미만인 약제는 수유 중 영아에게 안전하며, 반대로 25% 이상인 약제는 수유 중 피해야 한다고 권고한다. 하지만, 수유부와 영아에서 약물의 흡수, 대사 그리고 배설의 능력이 같지 않기 때문에 이러한 방법을 이용하여 약물의 안전성을 평가하는 것은 한계가 있다.

3) 모유수유 시 약물의 위험 평가하는 분류: Lactation Risk Category

L1: Safest

영아에서 어떠한 부작용 없이 많은 수의 수유부가 사용했던 약물로 대조군 연구에서 영아에 대한 위험이 있다는 것을 밝히는데 실패하였고, 영아를 해롭게 할 가능성이 없거나 약물이 영아의 경구로 생체 이용(Oral bioavailable) 되지 않는 경우

L2: Safer

영아에서 어떠한 부작용 없이 제한된 수의 모유수유부에서 연구되었던 약물로, 모유수유부에서 이러한 약물의 사용에 따른 알려진 위험이 거의 없는 경우

L3: Moderately Safe

모유수유부에서 Controlled studies가 없으며, 영아에서 부작용의 가능성이 있으나 단지 사소하고 생명에 위협을 줄만한 부작용이 나타나지 않는 경우이다. 약물은 영아에 대한 가능한 위험을 정당화 할만한 이익이 있을 때만 처방되어야 한다.

L4: Possibly Hazardous

영아에 대한 위험의 증거가 있거나 모유량 감소에 대한 위험이 있는 약으로, 하지만 수유부에서 사용시의 이익은 영아에 대한 위험에도 불구하고 받아들여질 만한 경우

L5: Contraindicted

수유부의 연구에서 영아에 심각한 위험이 있는 약물이거나 영아에 대한 심각한 손상을 줄 수 있는 약물임. 수유부에서 이 약물의 사용시의 위험이 얻는 이득보다 현저하게 커서 모유수유부에서 금기이다.

4) 모유수유부의 약물 처방 시 임상의사들을 위한 지침

(1) 약물 치료가 필요한지 평가하라. 소아과 의사, 산부인과 의사 또는 다른 임상 의사간에 consultation은 매우 유용하다. 처방된 약물은 적응증이 되는 상황에 이득이 충분해야 한다.

(2) 영아에 안전하고 모유로 분비가 거의 없다고 연구가 되어져 있는 약을 선택하라. 예) quinolones보다는 Penicillins

(3) 신생아나 수유아에서 사용이 이미 인정되어진 약물을 선택하라.

(4) 가능하면 경구나 주사보다는 국소적으로 사용되는 약물을 선택하라.

(5) 복합제 성분 약보다는 단일성분의 약을 선택하라. 예) paracetamol, ASA, caffeine이 포함된 복합 약보다는 단지 paracetamol만 있는 단일제를 사용.

(6) 모유로 적게 분비되는 약물을 선택하라. 예) Sertraline과 paroxetine은 fluoxetine보다 적게 모유로 전달된다.

(7) Blood-brain barrier를 잘 통과하지 않는 약물을 선택하라.

(8) 고 분자량의 약물을 선택하라. 모유로 훨씬 적게 분비된다. 예) heparin

(9) 신경성 약물들은 주의가 필요하다.
항상은 아니지만 일반적으로 신경성 약물들은 흔히 물리화학적 성질 때문에 고농도로 모유에 도달한다. 만약, 처방된 약물이 수유부에게 sedation, depression 또는 다른 신경안정적인 상황을 초래한다면, 모유로 전달되어 아기에게 유사한 효과를 나타낼 가능성이 높다.

(10) 조산아나 저 체중아에게는 보다 많은 주의를 기울여라.

(11) 수유부에게 약물 투여 스케줄을 계획하도록 한다. 모유수유중의 수유부의 혈액과 모유에서의 최고 농도를 피할 수 있다. 일반적으로 만약 모유수유 바로 직전이나 직후에 약물 복용 시 영아의 약물 노출이 크게 감소한다.

(12) long-acting drugs을 피하라. 이 약물들은 영아가 잘 배설하지 못한다. 예) Diazepam 대신에 Midazolam을 사용하라.

(13) Herbal drugs을 주의하라.
Herbal drug에는 영아에 위험한 많은 화학물질들을 포함할 수 있다. 약물을 사용하기

전에 전문가에게 상의하고, 표준 권고량을 초과하지 않도록 하라. 가능하면, 최소한의 용량에서 그리고 단일제제로만 사용하라.

(14) 방사성 물질을 포함한 약물들은 몇 시간/며칠 동안 수유를 중단하기 위해 반감기를 점검 하라. 예) Ga-67: 3.26days

(15) 약물 때문에 수유를 일시적으로 중단해야 하는 경우는 미리 젖을 짜서 비축하고, 모유수유를 계속할 수 있게 정기적으로 젖을 짜도록 시켜라.

(16) 수유 중 약물 복용 시 아기가 먹는 행동, 수면 양상에 변화가 있는지, 아기 상태가 흥분되어 있는지, 긴장되어 있는지 또는 위장관 질환과 같은 부작용이 나타나는지 아기를 잘 관찰하게 하라.

(17) 대부분의 약물은 수유부에게 안전하고, 수유에 의한 이득은 영아에게서 발생할 수 있는 위험을 상회한다.

3 수유부에서 안전한 약물의 사용

1) 치과에서 흔히 사용되는 약물과 수유부에서의 안전성

임신과 관련된 구강 내 변화는 결과적으로 수유부가 치과에서 치료를 받고 관리가 필요한 상황이 많이 발생하게 한다. 하지만, 이러한 상황에서 수유부는 치료 시 사용되는 약물들에 지나치게 걱정하여 치과치료를 포기하거나 아니면 수유를 중단하기도 한다. 반대로 치과의사도 수유부에서 약물 사용에 지나치게 조심하여 충분한 치료를 하지 못하게 되거나 아니면 치료 동안 일시적이나마 수유를 권하고 있다. 치과에서 많이 사용되는 약제들에 대한 수유 중 안정성은 표 6-2-3과 같다.

표 6-2-3. 치과에서 자주 사용되는 약물들의 모유수유 시 안전성

약물	Lactaion Category	수유부 적합성	독성효과 또는 부작용
소염진통제			
Acetaminophen	L1	적합	설사, 복통
Aspirin	L2	적합	Reye's 증후군 위험
Ibuprofen	L1	적합	구토, 설사
Naproxen	L3	주의필요	만성적사용; 출혈, 빈혈
Codeine	L3	주의필요	무호흡, 창백, 변비
Oxycodone	L3	주의필요	창백, 수유곤란, 변비
Hydrocodone	L3	주의필요	진정, 무호흡 위험
Morphine	L4	부적합	호흡속도저하, 창백, 변비

(계속)

약물	Lactaion Category	수유부 적합성	독성효과 또는 부작용
Propoxyphene	L2	적합	–
Meperidine	L4	부적합	진정, 무호흡, 창백, 변비,
Pentazocine	L3	주의필요	무호흡, 창백, 변비, 졸림
항생제			
Amoxicillin	L1	적합	구토, 설사, 발진
Metronidazole	L2	적합	증례: 설사
Erythromycin	L3	주의필요	증례: 위의 유문근협착, 설사, 발진
Penicillin V	L1	적합	구토, 설사, 발진
Cephalosporins	L1	적합	–
Gentamicin	L2	적합	구토, 설사, 발진
Clindamycin	L2	적합	증례: Pseudomambranous colitis
Tetracycline	L3	주의필요	장기사용피하라; dental staining, bone growth 감소 위험
Chloramphenicol	L4	부적합	부적합-모유에서 소량, 신생아에서 안전성 알려져 있지 않음, 설사 일으킴
Chlorhexidine	L4	부적합	모유수유 순응도 높고 외상 불편감 낮춤, 위장관 흡수 잘 안 됨, /완전배출 곱하기 5배
항진균제			
Nystatin	L1	적합	구토, 설사
Clotrimazole	L2	적합	구토, 설사
Fluconazole	L2	적합	구토, 설사, 복통, skin rash
Ketoconazole	L2	적합	구토, 설사
국소마취제			
Lidocaine	L2	적합	–
Mepivacaine	L3	주의필요	증례; 신생아 경련
Bupivacaine	L2	적합	증례: 신생아 경련 위험
코르티코스테로이드			
Prednisolone	L2	적합	장기사용은 피하고 국소적으로 사용하라. 성장지연
진정제			
Barbiturate계열	L3	주의필요	조산아에서 100–500시간의 반감기. 심한 진정효과, 금단증상 (내용 없음)
Benzodiazepine계열	L3	주의필요	Lethargy, 진정효과, 젖 잘 안 빰.(내용 없음)

2) 마취과에서 흔히 사용되는 약물의 안전성

출산을 위한 무통분만이나 제왕절개술시 사용되는 마취약제와 그리고 무통을 위한 진통제 및 근육이완제약물들의 안전성에 관하여 출산을 앞둔 산모들과 바로 출산한 수유부들 그리고 시술을 하는 마취과 의사들 모두 궁금해한다. 다행스럽게도 대부분의의 약제가 들이 수유부를 안심시키고 모유수유를 적극 권할 만하다. 다만 마취를 이용한 시술이나 처치 후 수유를 바로 시작하려면 약제의 반감기가 짧은 약제를 처방하는 것이 좋겠다(예: benzodiazepines 계열 약제로 미다졸람이 발륨(valium) 보다 안전함). 그러나, 코데인(codein)과 트라마돌(tramadol)은 수유부의 간에서 cytochrome p450 hepatic enzyme system 중 CYP2PD6 효소에 의해 대사되어 모르핀으로 변환되고 강력한 진통 효과를 갖게 된다. 그런데 이 효소는 개인별 유전적 다형증(genetic polymorphism)이 커서 이 효소의 대사율이 빠른 수유모라면 모유 내 모르핀의 농도가 높아 수유를 하는 영아에서 치명적인 효과를 낼 수 있다. 따라서 2017년 미국 FDA에서는 코데인과 트라마돌 모두를 수유 중 처방을 금지하였고 European Medicines Agency는 코데인 처방을 금지하였고 트라마돌 복용 시 수유 중 아기 상태에 대하여 주의할 것을 권고하였다. 이에 대하여 2017년 미국 FDA advisory에서 진통제와 마취약제에 대한 수유 중 안전성에 대한 주의사항을 변경하였으며 이는 두 약제의 수유부 체내에서 대사시 CYP2Pd 미국 마취과학회에서도 권고사항으로 마취와 관련된 대부분의 약제들이 수유 중 안전하며 트라마돌과 옥시코돈(oxycodone)의 경우 주의가 필요하며, 코데인과 아스피린은 수유 중 처방을 금지하였다(표 6-2-4).

표 6-2-4. 마취과에서 자주 사용되는 약물들의 모유수유 시 안전성

약물	$t_{1/2}$ (hr)	M/P	Lactation risk	적합성	부작용
Atropine	4.3	–	L3	적합	
Dexamethasone	3.3	–	L3	적합	
Midazolam (Dormicum)	2–5	0.15	L2	적합	진정효과 호흡억제
Enflurane	very short	–	–	적합	
Ephedrine	3–5	–	L4	부적합	안절부절 흥분
Fentanyl	2–4	–	L2	적합	
Ketorolac	2–8	0.015	L2	적합	
lidocaine	1.8	0.4	L2	적합	
Bupivacaine (Marcaine)	2.7	–	L2	적합	
Methylergonovine (Methergine)	0.5	0.3	L2	적합	구토, 설사
Metoclopromide	5–6	0.5	L2	주의필요	수유부의 심한 우울증
Morphine	2	1.1–3.6	L3	주의필요	고용량에서 진정효과
Neostigmine	very short	–	–	적합	
Ondansetron	3.6	–	L2	적합	진정효과, 설사
Thiopental N (Pentothal)	3–8	1.4	L3	주의필요	진정효과, 무기력
Phenylephrine	2–3	–	L3	주의필요	흥분, 떨림
Rocuronium	2.4	–	–	적합	
Ropivacaine	4.2	–	L2	적합	
Sevoflurane	1.8–3.8	–	L3	주의필요	진정효과, 불안정
Succinylcholine	very short	–	–	적합	
Meperidine (Demerol)	3.2	1.1	L4	부적합	진정효과, 젖 잘못 빰, 신경행동지연

3) 질병과 관련하여 사용되는 약물

(1) 감기(Common cold)

엄마가 감기에 걸려 감기약을 복용 중일 때도 모유수유는 가능하다. 모유수유 시 감기에 걸려 있는 엄마로부터 항체를 받게 된 아기는 감기에 면역력을 갖게 되며, 감기 시 복용하는 약들인 진통소염제(NSAIDs) NSAIDs, 항히스타민제, 기침약, 충혈제거제(decongestants) Antihistamine, 그리고 Codeine은 모유로 아주 소량만 배출되며 모유수유 아기에게 영향을 미치지 않는다. 항히스타민제제 중 diphenhydramine이나 cetirizine, 클레마스틴(clemastine)은 아기에게 졸림과 항콜린 효과(anticholinergic effect)가 있으므로 수유 중 아기를 잘 관찰해야 하며 졸리지 않은 항히스타민제제에서 수유 중 이상반응은 보고되지 않았다.

충혈제거제로 많이 사용되는 pseudouedoephedrine은 모유량을 감소시킬 수 있다. 특히 적은 용량의 단기간 사용은 수유 시 문제가 없으나 1회에 60 mg 이상의 고용량 복용 시 수유량을 급격하고 유의하게 줄일 수 있다. 대신, 비강 내 분사하는 코 분무기(nasal spray)로는 phenylephrine이나 oxymetazoline nasal spray를 충혈제거제로 수유 중에 안전하게 사용할 수 있다. 하지만, 오랜 시간 작용하는 항히스타민제 클레마스틴을 복용한 아기에서 졸림과 안절부절 증상이 보고되었던 경우가 있다. 항히스타민제 사용 시 특히 아기는 잘 관찰되어야 한다.

(2) 성병(Sexually transmitted disease)

일반적으로 성병이라고 하면 사람면역결핍바이러스(human immunodeficiency virus, HIV) 감염, 클라미디아, 매독, 헤르페스, 임질, 사람유두종바이러스(human papilloma virus, HPV) 감염에 의한 콘딜로마가 포함된다. 세계보건기구에서는 엄마가 HIV 감염 시 일반적으로 모유수유를 금기하고 있으며, 깨끗한 물을 구할 수 있다면 분유 수유를 권장한다.

① 트리코모나스(Trichomonas vaginalis): 치료약인 Metronidazole (MP ratio, 1; RID, 20%)로 아기에게 설사와 락토스 과민반응을 일으켰던 증례 보고가 있다. 미국 소아과 학회에서는 수유모가 메트로니다졸 2 g 단일 경구요법으로 치료 시 12–24시간 후 모유수유 할 것을 권고하였다. 그러나 수유 중 metronidazole 질좌제나 국소제형은 수유아에게 유해한 영향이 없어 보인다.

② 매독(Syphilis)과 헤르페스(herpes): 모두 유두 주변에 유방으로 감염이 번질 수 있으므로 아기 신체나 유축기가 감염부위에 접촉되지 않도록 주의하며 모유수유가 가능하다. 감염 치료제인 Penicillin(매독)과 acyclovir(헤르페스)은 모두 모유수유에 적합한 약제이다.

③ 임질(Gonorrhea): Cefixime이나 Ceftriaxone, Azithromycin으로 치료하면서 모유수유를 할 수 있다.

④ 클라미디아(Chlamydia) 감염: Tetracycline이나 doxycycline (MP ratio, 0.4)은 이론적으로 치아 착색과 뼈 성장제한과 관련될 수 있지만 실제로 유아의 혈청 수준이 검출되기 어려울 정도로 낮은 수준이라 가능성이 희박하다. 두 가지 약물 모두 수유 중 사용이 가능한 약물(compatible, 미국소아과학회)로 분류되므로 수유모가 치료를 하면서 모유수유를 지속할 수 있다.

(3) 천식(Asthma)

코르티코스테로이드 흡입제는 수유 중 안전하게 사용할 수 있으며, 간혹 천식악화 시 사용되는 경구용 코르티코스테로이드도 수유 중 영아에게 안전하며, 다만 주사제형의 경우 낮은 용량으로 사용 시 수유를 지속할 수 있다. 기관지 확장제로 사용되는 베타아드레날린성 흡입제(albuterol, salmutamol 등)와 항콜린성 약물(ipratropium, tiotropium 등) 모두 수유 중 사용 시 모유로 배출되는 양이 미미하여 안전하게 사용할 수 있다. 다만, theophylline은 영아에서 흥분(irritability), 짜증, 수면장애 등을 일으킬 수 있고 체내 머무르는 시간이 길어서 특히 미숙아의 수유 시 주의가 필요하다. Montelukast는 leukotriene receptor antagonist로서 천식 악화를 예방하는 약제이다. 수유와 관련된 연구에서 MP ratio 가 1 미만으로 모유수유 중 사용이 가능하다. Monoclonal antibodies 약제들은 아직 수유와 관련된 보고나 연구가 부족하다.

(4) 결핵(Tuberculosis)

결핵 치료 중이라도 엄마가 2주 이상 약물치료를 받아서, 아기와 같이 있을 수 있다면 모유수유가 가능하다. 하지만, 약물사용에 따른 아기의 주의 깊은 관찰이 요구된다.

사용되는 약물 중 아이나(INH, Isoniazid)는 엄마 용량의 약 2%가 모유로 분비된다. 아기에서 문제가 발생되었던 경우는 보고된바 없으나, 간염과 신경염증을 일으킬 수 있어서 아기를 잘 관찰해야 한다.

또한, 에탐부톨(Ethambutol)은 모유로 분비되는 양은 소량이고, 보고된 문제아는 없으나, 주의가 요구된다. 그리고 리팜피신(Rifampin)은 엄마용량의 0.05%만 모유에서 측정되며, 아기의 문제가 발생했던 예의 보고는 없다.

(5) 고혈압(Hypertension)

고혈압 약을 복용중이라도 모유수유가 가능하다. 모유수유 시 프로락틴은 산모를 이완시킴으로써 고혈압환자를 편하게 한다. 하지만, 약의 종류에 따라서 아기에게 미치는 영향은 다르다.

표 6-2-5. **모유수유시 고혈압 약물의 안정성**

약물	$t_{1/2}$ (hr)	M/P	Lactation risk	적합성	부작용
Propranolol	3–5	0.5	L2	적합	무기력, 창백함, 잘못빰
Metoprolol	3–7	3	L2	적합	무기력, 창백함, 잘못빰
Sotalol	12	5.4	L4	부적합	무기력, 창백함, 잘못빰
Nifedifine	1.8–7	1.0	L2	적합	무기력, 창백함, 잘못빰
Methyldopa	105mins	0.19–0.34	L2	적합	증례: 유방비대증, 유루증
Spironolactone	10–35	0.51–0.72	L2	적합	무기력
Hydrochlorothiazide	5.6–14.8	0.25	L2	적합	젖양감소, 무기력, 탈수증
Atenolol	6–7	1.5–6.8	L3	주의필요	서맥, 저혈압, 청색증
Enalapril	35(대사물)	0.013	L2	적합	무기력, 창백함, 잘못빰

(6) 당뇨병(Diabetes Mellitus)

당뇨병 때문에 인슐린이나 경구용 혈당 강하제를 사용하는 경우 모유수유가 가능하다. 인슐린은 모유로 분비 될 수 없을 정도로 큰 분자량를 가졌고, 비록 분비된다 하더라도 아기의 위장관 내에서 파괴되어 거의 아기의 혈액 내로 흡수되지 않는다. 다만 인슐린 사용에 따른 산모의 저혈당증을 주의해야 한다. 경구용 혈당강하제인 Metformin(Laction risk: L1)이나 Glyburide(Lactation risk: L3)는 제2형당뇨병의 치료에 사용되며, 모유수유가 가능하다. 또한 모유수유는 아기의 당뇨병에 걸릴 확률을 감소 시키고, 수유부의 혈당조절이 쉬워지고 인슐린 주사의 필요량을 줄일 수 있다. 장기적으로 당을 더욱 잘 조절할 수 있게 하는 것으로 알려져 있다.

임신성 당뇨병 여성이 출산 후 모유수유를 적극적으로 시행한 경우 혈액내 lipid profile 이 호전되고 췌장의 베타 세포기능이 향상되어 향후 제 2형 당뇨병 관련 합병증의 위험이 감소하는 것으로 보인다.

(7) 갑상선질환(Thyroid disease)

갑상선항진증의 치료제인 Propylthiouracil (Lactation risk: L2, 임신 중 선호됨)과 Methimazole (Lactation risk: L3)은 모두 무유수유 중 복용이 가능하다. 또한 갑상선 기능저하증의 치료가 적절하게 되어야 모유량이 유지되며, 치료제인 레보타이록신(Levotyroxin, Lactation risk: L1)은 모유수유 중 안전하게 복용이 가능하다.

(8) 우울증(Depression)

산후우울증의 유병률은 국내에서도 점차 증가하고 있고 미국에서는 출산 후 여성의 10-15%에서 보고되고 있어 비교적 흔하게 발생한다. 심리상담을 통한 치료가 효과적이지 않은 경우 약물치료가 필요하다. 일반적으로 RID가 10% 미만인 경우 수유 중 치료가 가능한 약으로 고려되지만 정신과적 약물의 경우 5% 미만으로 고려될 정도로 항 우울증 치료제는 주의 깊게 사용되어야 하고 수유 중 영아를 잘 관찰해야 한다. 선택세로토닌재흡수억제제(selective serotonin reuptake inhibitor, SSRI) 중 Sertraline과 paroxetine은 수유 중 안전하게 사용이 가능하나, fluoxetine은 주요 대사물의 반감기가 9.7일로 수유방법에 따라서는 영아에서 약제의 혈청 농도가 모체의 59%까지 증가할 수 있어서 수유 중 다른 약제로 처방하는 것이 권고된다. 세토로닌노르에피네프린재흡수억제제(serotonin norepinephrine reuptake) 중 venlafaxine은 수유에 대한 정보가 많고 비교적 안전하게 사용이 가능하다. 그러나 삼환계 항우울제는 부작용이 심하여 수유 중 권고되지 않는다.

표 6-2-6. 모유수유시 항우울증 약물들의 안전성

약물	t$_{1/2}$ (hr)	M/P	Lactation risk	적합성	부작용
Sertraline(Zoloft)	26	0.89	L2	적합	증례: 수면증
Paroxetine(Paxil)	21	0.06–1.3	L2	적합	안절부절수면증,체중감소
Citalopram(Celexa)	36	1.16–3	L2	적합	혼몽증, 체중감소
Venlafaxin(Effexor)	5	–	L2	부적합	안절부절수면증,체중감소
Fluoxetine(Prozac)	2–3days	0.29–0.67	L2	부적합	심한복통, 칭얼거림, 진정 또는 과민성

(9) 간질(Epilepsy)

간질로 항전간제를 복용하는 경우에도 단일요법으로 치료하면서 모유수유가 가능하다. 또한 장기적인 예후에 있어서도 출산 후 단일요법으로 항경련제로 치료하는 여성에서 모유수유를 한 여성의 아이들이 모유수유를 하지 않았던 여성의 아이들에 비교하여 생후 6년에 더 높은 IQ와 더 높은 언어능력을 보였다. 그러나 대부분의 항경련제는 급성 부작용이 나타날 수 있으므로 수유 시 영아에 대한 주의 관찰이 필요하다. 특히 lamotrigine은 임신 중 약제의 대사속도가 빨라서 임신 중 복용량을 늘린 경우에 분만 후 약 용량을 줄여야 하며 신생아에서 수유 중단 후 약제에 대한 금단증상이 나타날 수 있다. 또한 Ethosuximide (RID, 25%)는 수유 중 권고되지 않으며 zonisamide (RID, 17–38%)는 영아에서 반감기가 100시간으로 주의 관찰이 필요하다.

표 6-2-7. 모유수유시 항경련제의 안전성

약물	t$_{1/2}$ (hr)	M/P	Lactation risk	적합성	부작용
Lamotrigine	29	0.562	L2	적합	엄마 복용 용량의 1%정도가 모유를 통해 아기에게 전달, 하지만 아기에게 부작용 보고 없음
Gabapentin	5–7	–	L2	적합	엄마용량의 5%정도가 아기에 전달. 아기에서 부작용 보고 없음.
Carbamazepin	15min	0.69	L2	적합	졸음, 젖을 잘 빨지 않음, 스티븐 존슨 증후군 (Steven–Johnson syndrome)

약물	$t_{1/2}$ (hr)	M/P	Lactation risk	적합성	부작용
Phenytoin	6–24	0.18–0.45	L2	적합	졸음증, 젖을 잘 빨지 않음, 금단증상(이유 후)
Valproic acid	14	0.42	L4	부적합	간 기능과 혈소판수치의
Phenobarbital	53–140	0.4–0.6	L4	부적합	엄마용량의 1–2% 전달, 주의필요 미숙아에서는 무려 100–500시간, 불안, 안절부절, 불면, 떨림증의 금단증상.

(10) 암(Cancer)

암을 위한 진단검사 기간 중에는 모유수유가 가능하다, 하지만 방사능 물질이 진단에 사용된다면 일시적으로 수유를 중단하는 것이 좋다. 하지만, 항암제 치료 중 모유수유는 금지된다.

4) 모유수유 중 예방접종

수유부가 예방접종 시 모유수유 가능하다. Rubella, Varicella vaccine을 포함하는 생백신과 사백신의 예방접종은 수유 중 아기에게 안전하다.

5) 수유 중 피임

수유 중에도 피임은 필요하다.

(1) LAM (Lactation Amenorrhea Method): 수유 중 피임과 관련하여 알려진 바로는 임신 6개월 이내에는 LAM을 적용하면 98%이상 피임이 가능하다. 하지만, 다음의 3가지 기준이 모두 만족하는 경우로 제한된다. ① 월경을 하지 않는다. ② 아기가 6개월 미만이다. ③ 보충식을 주지 않고, 낮에는 수유간 간격이 4시간, 밤에는 6시간을 넘지 않는다. 하지만, 한 가지라도 위의 조건이 맞지 않는다면 임신이 되기 쉬워 이 LAM 방법을 적용하는 것은 바람직하지 않다.

(2) 자궁 내 장치(intrauterine device, loop): 비 호르몬성 자궁내장치(루프: Copper)는 임신을 예방하는데 효과가 높으며 모유수유와 병행할 수 있다.

프로게스테론 함유 미니필이나 미레나 같은 푸로게스테론–자궁내 장치는 출산 후 초기에는 모유분비를 억제하는 효과가 있어서 출산 후 6주 이전에는 사용하지 않는 것이 바람직 하다.

(3) 경구용 피임약 : 프로제스테론 단일제제로 된 경구용 피임약은 출산 후 6주 이후 모유수유 시 사용이 가능하다. 복합 경구용 피임약(combined oral contraceptives)은 성분 중 에스트로겐이 포함되어 있어 젖분비를 감소시킬 수 있으므로 세계보건기구(WHO)에서는 출산 후 6개월 후로 사용을 권고하고 있다.

6) 최유제(Galactogogues)

최유제란 젖 생성을 유도, 유지 및 촉진하는 약물이나 기타 물질들이다. 특히 조산, 수유부나 영아가 질병이 있을 때, 입양이나 대리모인 경우에 유용하다. 모유의 생성과 분비과정에서 수유모의 신체적 정서적인 요인과 여러 호르몬이 관여한다. 그 중 프로락틴의 분비가 모유생성에 가장 중요하여 생리적으로 도파민에 의한 프로락틴 분비의 음성 되먹임(negative feedback)에 의해 조절된다. 따라서 도파민 길항제가 프로락틴 분비를 증가시켜 모유 생성량을 증가시키는 것이 최유제의 기전이며, 돔페리돈(domperidone)과 메토클로프라미드(metoclopramide)가 현재 가장 너리 사용되는 최유 약물이다. 이외에 설프라이드(sulpiride), 성장호르몬(growth hormones), 갑상선자극호르몬분비호르몬(Thyrotropin releasing hormone, TRH), 여러가지 허브(예, 호로파, 엉겅퀴 등), 음료 등이 있다.

돔페리돈(domperidone)은 여러 연구들에서 프로락틴 농도의 증가와 함께 젖양 증가에 효과적이며, 최근 질병에 걸린 영아나 조산한 수유모를 대상으로 한 전향적 대조군 연구들에서도 부작용 없이 수유량을 증가시킨다고 보고되었다. 그러나 잠재적 위험으로 수유모에서 QTc 간격을 증가시키고 심실성 부정맥과 갑작스런 심장관련 사망을 유발할 수 있으며, 특히 부정맥이나 심장질환에 대한 과거력이 있거나 고용량이나 정맥투여 시, CYP3A4 억제 약물과의 병용투여 시 위험할 수 있다. 산후 여성 225,532 명에서 실시한 대규모 연구에서 돔페리돈 복용 중 오직 1명에서 심실성 부정맥이 발생하였으며 그 여성은 과거 심실 부정맥의 기왕력이 있었다. 미식품의약국 (FDA)에서도 돔페리돈은 젖 생산증가를 위한 사용을 금지하였다.

따라서 수유모의 젖양에 대한 평가와 개선할 수 있는 원인들(수유방법의 문제, 의학적 요인 찾기)에 대한 개선을 먼저 시도하고, 최유제의 이점과 잠재적 위험성에 대하여 검토하여 처방하며 이 때 수유모에게 정확안 정보를 알려주고 결정하도록 한다. 만약 돔페리돈을 처방한다면 수유모의 과거력과 심전도, 병용약제 여부를 확인하여 적정한 용량을 처방하며 환자 상태와 수유량의 변화에 대하여 지속적으로 관리해야 한다.

표 6-2-8. 최유제나 젖량을 증가시키는 약물

약물	용량	부작용
Domperidone(모티리움)	10–30 mg, 하루 3회	설사
Metoclopramide(멕소롱)	10–15 mg, 하루 3회	설사, 진정, 운동곤란증
Sulpride	50 mg, 하루 2회	졸리움
Chlorpromazine	25–100 mg, 하루 3회	졸리움, 처짐
Natural products: Fenugreek, Herbal tea, Coconut milk	–	최근 카모마일에 대한 효과가 긍정적으로 보고되었으나 허브의 특성 상 오염이 없는 표준화된 제형에 대한 공급이 필요함.

BBB: Blood–Brain Barrier

7) 젖 분비를 억제하는 약(Lactation suppressants)

일부 약물들은 모유생산을 억제하는 것으로 알려져 있다. 영아의 성장은 모유 생성과 아기의 모유흡수에 직접 관련되어 있기 때문에, 이들 약물의 사용은 영아의 체중감소와 관련되어 진다. 따라서, 가능한 이들 약물의 사용을 지연해야 한다.

표 6-2-9. 젖량을 억제하는 약물

Estrogens	Prolactin 분비 억제, 첫 3개월
Bromocriptine	고혈압, 심근경색, 뇌출혈 위험
Cabergoline	부작용이 적어서 선호됨. 출산 후 수유억제 위해서는 1 mg 하루, 이미 수유 나오는 경우 0.25 mg 하루 2회 2일.
Ergotamine	편두통 치료에 쓰이는 약.
Ergometrine	출산 후 자궁수축제로 쓰이는 약.
Lisuride Levodopa	파킨슨 병에 쓰이는 약제, 도파민 작용제(agonist)
Pseudoephedrine Alcohol	젖양 24% 감소
Nicotine Bupropion	Let-down reflex 감소, 20% 정도 젖양 감소
Diuretics Testosterone	젖양 감소, 조기 이유(early weaning)

4 수유 중 기호품 사용

1) 수유 중 커피(Caffeine)

카페인은 모유 내 분비되며 모유 대 혈청비는 약 0.7 정도로 하루 300 mg 미만의 카페인 섭취는 수유 중 가능하다. 이러한 카페인은 커피, 콜라, 녹차와 같은 음료 뿐만 아니라 일부 감기약, 이뇨제, 체중조절 약 등 그리고 일부 음식물에도 포함되어 있다. 일반적으로 커피 한잔에는 100-150 mg의 카페인이 포함되어 있다. 커피를 좋아하는 여성이라면 수유 중 아기가 카페인에 민감하게 반응하여 안절부절 못하거나 수면에 문제가 생기는 지 살펴야 한다. 어른에서 카페인의 반감기는 약 5시간이며, 신생아에서는 약 100시간, 그리고 5개월 미만 영아에서는 14시간 정도로 알려져 있다. 커피 섭취가 모유의 철분 함량을 낮추고, 아기가 더 보채거나 불면증을 유발할 수 있다는 일으킬 수 있으므로 과다한 카페인 섭취는 피하는 것이 좋겠다. 하지만 하루 5잔 이하의 커피는 엄마와 아기에게 큰 이상이 발생하지 않았으며 2001년 미국 소아과학회에서도 일반적인 카페인 음료제품은 모유수유가 가능한 것으로 분류하고 있다.

2) 수유 중 음주(Ethanol)

Q 엄마의 몸무게는 65 kg, 아기는 5개월이고 6.5 kg되는 완전 모유수유중입니다. 저녁에 모임 있어서 음주를 할 것 같은데 어떻게 해야 하나요?

우선은 아기를 위해서 미리 젖을 적당히 유축하는 것이 좋겠다. 그리고, 불가피하게 맥주

2-3잔을 마셨다면 표 6-2-10에서처럼 6시간 정도 지나서 모유수유를 다시 시작하면 안전하다. 음주 후 모유수유를 잠시 중단해야 하는 이유는 수유를 통한 알코올 섭취로 인해 아기의 신경발달에 장애가 발생할 수 있기 때문이다. 그리고 알코올의 특성은 여과 없이 모유로 통과되며 또한, 일정 시간이 지나야만 몸에서 제거되는 것으로 알려져 있다. 하지만 현재까지 연구로는 영아에 안전한 알코올 양에 관하여 알려진 바 없다. 따라서 모유에서 측정되지 않을 정도까지는 기다려야 합니다. 표 6-2-10은 토론토 대학의 마더리스크프로그램에서 책자를 통해서 발표한 자료를 참고한 것이다.

표 6-2-10. 음주 시작부터 모유에서 알코올 제거까지 소요된 시간

Mother's weight (Kg)	NO. of Drinks*(Hours: Minutes)										
	1	2	3	4	5	6	7	8	9	10	11
40.8	2:50	5:40	8:30	11:20	14:10	17:00	19:51	22:41			
45.4	2:42	5:25	8:08	10:51	13:34	16:17	19:00	21:43			
49.9	2:36	5:12	7:49	10:25	13:01	15:38	18:14	20:50	23:27		
54.4	2:30	5:00	7:30	10:00	12:31	15:01	17:31	20:01	22:32		
59.0	2:24	4:49	7:13	9:38	12:03	14:27	16:52	19:16	21:41		
63.5	2:19	4:38	6:58	9:17	11:37	13:56	16:15	18:35	20:54	23:14	
68.0	2:14	4:29	6:43	8:58	11:12	13:27	15:41	17:56	20:10	22:25	
72.6	2:10	4:20	6:30	8:40	10:50	13:00	15:10	17:20	19:30	21:40	23:50
74.8	2:07	4:15	6:23	8:31	10:39	12:47	14:54	17:02	19:10	21:18	23:50
77.1	2:05	4:11	6:17	8:23	10:28	12:34	14:40	16:46	18:51	20:57	23:03
81.6	2:01	4:03	6:05	8:07	10:08	12:10	14:12	16:14	18:15	20:17	22:19
83.9	1:59	3:59	5:59	7:59	9:59	11:59	13:59	15:59	17:58	19:58	21:58
86.2	1:58	3:56	5:54	7:52	9:50	11:48	13:46	15:44	17:42	19:40	21:38
90.7	1:54	3:49	5:43	7:38	9:32	11:27	13:21	15:16	17:10	19:05	20:59
93.0	1:52	3:45	5:38	7:31	9:24	11:17	13:09	15:02	16:55	18:48	20:41
95.3	1:51	3:42	5:33	7:24	9:16	11:07	12:58	14:49	16:41	18:32	20:23

* 1잔(drink): 맥주, 소주, 와인, 양주, 막걸리를 위한 잔 각각은 대략적으로 같은 알코올 양으로 평가됨.

3) 수유 중 흡연(Cigarette smoking)

Q 수유 중 흡연을 중단할 수가 없어요. 모유수유와 아기에게는 어떤 나쁜 영향을 미칠 수 있나요?

원칙적으로 수유 중 금연을 권한다. 흡연은 젖 생성을 하도록 하는 호르몬인 프로락틴 수치를 낮춤으로써 젖 분비를 줄이고, 젖의 사출과 배출반사에 문제를 일으켜 모유를 중단하게 한다. 그리고 엄마가 모유수유 중 흡연을 함으로써 아기의 폐렴, 기관지염, 그리고 영아 돌연사가 증가한 것으로 알려졌다. 만약, 금연이 힘들다면 최대한 피우는 개수나 횟수를 줄이도록 노력하고 또한, 아기가 간접 흡연되지 않도록 하여야 하며, 수유 후 바로 흡연 시 아

기에게 전달되는 니코틴의 양은 반으로 줄일 수 있다.

5 모유수유와 약물의 안전성 평가(미국 소아과학회)

표 6-2-11. 모유수유 시 부적합 약물(마더리스크프로그램)

Cyclophosphamide	Amphetamine	Cycloserine	Cocaine
Doxorubicin	Heroine	Methotrexate	marijuana
Cisapride	Phencyclidine	Nadolol	Cycloserine
Iodide	Iodine	povidone-iodine	Dapson
Bendroflumethiazide	Bromide	Valproic acid	Medroxy-
Levonorgestrel(23-49h)	Meperidine	Pyrimethamine	Fluorescein
Chlorthalidone	Clemastine	Phenobarbital	Ergotamine
Primidone	Bromocriptine	Lithium	

표 6-2-12. 일시적으로 모유수유의 중단이 필요한 약물

Copper 64 (Cu 64)	Iodine 125 (I 125)
Gallium 67 (Ga 67)	Iodine 131 (I 131)
Indium 111 (In 111)	Technetium 99 (Tc 99)
Iodine 123 (I 123)	Radioactive sodium

표 6-2-13. 수유아에 미치는 영향이 알려져 있지는 않지만 주의가 필요한 약물

Anit-anxiety	Anti-depressants	Antipsychotics	others
Alprazolam	Bupropion	Chlorpromazine	Amiodarone (L5)
Diazepam	Doxepin (L5)	Chlorprothixene	Chloramphenicol (L4)
Lorazepam		Clozapine	Clofazimine
Temazepam		Haloperidol	Tinidazole
Perphenazine		Mesoridazine (L4)	
Prazepam		Trifluoperazine	

표 6-2-14. 수유 중 금기이거나 수유아에서 심각한 영향이 보고 된 약제(영아의 혈액 내 약물의 농도가 중요한 약제)

Acebutolol (L3)	Atenolol (L3)	Phenindione
5-Aminosalicylic acid (L3)	Sulfasalazine (L3)	

표 6-2-15. 모유수유 시 적합한 약물

Acetaminophen	Ciprofloxacin	Halothane	Metrizoate	Secobarbital
Acetazolamide	Cisapride	hydralazine	Mexiletine	Senna
Acyclovir	Clindamycin	Hydrochloro-	Minoxidil	Sotalol
Allopurinol	Clogestone	thiazide	Morphine	Spironolactone

표 6-2-15. **모유수유 시 적합한 약물** (계속)

Amoxicillin	Codeine	Hydroxy–	Moxalactam	Streptomycin
Antimony	Colchicine	chloroquine	Nadolol	Sulbactam
Atropine	Oral–	Ibuprofen	Nalidixic acid	Sulfapyridine
Azapropazone	contraceptive	Indomethacin	Naproxen	Sulfisoxazole
Aztreonam	Cycloserine	Iodides	Nefopam	Sumatriptan
Vitamin B1	Vitamin D	Iodine	Nifedipine	Suprofen
Vitamin B6	Danthron	povidone–iodine	Nitrofurantoin	Terbutaline
Vitamin B12	Dapson	Iohexel	Norethidrel	Terfenadine
Baclofen	Dexbromphen–ira	Isoniazid	Norsteroids	Tetracycline
Bendrofliumeth	min maleate	Interferon–	Noscapine	Theopylline
–iazide	Diatrizoate	Ivermectin	Ofloxacin	Thiopental
Dicumarol	Digoxin	Vitamin K1	Oxprenolol	Thiouracil
Bromide	Diltiazem	Kanamycin	Phenyl–	Ticarcillin
butorphanol	Dipyrone	Ketoconazole	butazone	Timolol
Caffeine	Disopyramide	Ketorolac	Pheytoin	Tolbutamide
Captopril	Domperidone	Labetalol	Piroxicam	Tolmetin
Carbamazepine	Dyphylline	Levonorgetrel	Prednisolone	Trimethoprim/
Carbetocin	Enalapril	Levothyroxine	Prednisone	Sulfamethoxazole
Carbimazole	Erythormycin	Lidocaine	Procainamide	Triprolidine
Cascara	Estradiol	Loperamide	Progesterone	Valproic acid
Cefadroxil	Erythormycin	Loratadine	Propoxyphene	Verapamil
Cefazolin	Ethambutol	Magnesium sulfate	Propranolol	Warfarin
Cefotaxime	Fentanyl	Medroxy–	Propyl–	Zolpidem
Cefoxitin	Fexofenadine	progesterone	thiouracil	Cefprozil
Flecainide	Mefenamic acid	Pseudo–ephedr	Ceftazidime	Fleroxacin
Meperidine	ine	Ceftriaxone	Fluconazole	Methadone
Pyridostigmine	Chloral– hydrate	Flufenamic acid	Methimazole	Pyrimethamine
Chloroform	Fluorescein	Methohexital	Quinidine	
Chloroquine	Folic acid	Methyldopa	Quinine	
Chlorothiazide	Gadolinium	Cimetidine	Riboflavin	
Cimetidine	Gentamicin	Metoprolol	Rifampin	
	Gold salts	Metrizamide	Cimetidine	

표 6-2-16. **모유수유 시 추천되는 안전한 약물과 주의가 필요한 약물**

약물의 종류	추천되는 약물	주의가 필요한 약물
Anticonvulsants	Lorazepam, Diazepam	Alprazolam
Neuroleptics	Amisulpride	Chlorpromazine, Clozapine Haloperidol
Antidepressive	Sertraline, Paroxetine Citalopram	Fluoxetine, Bupropion, Lithium, Moclobemide

(계속)

약물의 종류	추천되는 약물	주의가 필요한 약물
Antiseizure	Phenytoin, Carbamazepine	Ethosuximide, Phenobarbital Primidone, Valproic acid
Opioids	Codeine, Propoxyphe, Morphine, Methadone	Meperidine
Analgesics & NSAIDs	Paracetamol, Ibuprofen Ketorolac, Celecoxib	Naproxen, Acetylsalicylic acid
Corticosteroid	Prednisone, Hydrocortisone Dexamethasone	
Antihistamines	Loratadine, Fexofenadine	Clemastine
Bronchodilators	Theophylline, Salbutamol	Aminophylline
Antihypertensive drugs	Nifedipine, Nimodipine, Methyldopa Captopril, Enalapril, Propranolol Hydralazine	
Antiarrhythmics	Digoxin, Verapamil, Procainamide, Quinidine	Amiodarone
Antacid	Aluminum hydroxide, Mg hydroxide Cimetidine	Sodium bicarbonate
Antiemetics	Domperidone, Dimenhydrinate Metoclopramide	
Antiparasitic	Albendazole, Praziquantel	Flubendazole
Antibiotics & antifungal	Beta-lactam계열, Clindamycin Aminoglycosides, Sulfonamides Metronidazole, Nystatin	Fluoroquinolones, Tetracyclines, Chloramphenicol, Amphotericin b, Griseofulvin
Antituberculosis	Isoniazid, Rifampin, Ethambutol	Pyrazinamide, Streptomycin
Antiviral drugs	Acyclovir	Famciclovir, Ganciclovir
Antidiabetics	Insulin, Glibenclamide, Metformin	
Hormonal		Ethinyl estradiol, Medroxyprogesterone
contraceptives		Norethisterone, Levonorgestrel
Anticoagulants	Heparin, Warfarin	
Immune		Azathioprine, Cyclosporin

표 6-2-17. 수유부가 상담 받았던 약물의 안전성 (마더세이프전문상담센터)

약물	상품명	적응증	Lactation category 혹은 반감기	수유 시 안전성	부작용 및 주의사항
Acetaminophen	타이레놀, 아세트아미노펜, 트라몰	해열, 진통	L1	적합	
Acetyl salicylic acid	아스피린, 아스테린, 알타질	NSAIDs, 항혈전, 혈소판응집억제제	L2	주의 필요	드물게 피부에 멍, 소변이나 대변에 혈액
Acyclovir	아시클로버, 바크락스, 조이렉스	항바이러스, 헤르페스	L2	적합	구토,설사

표 6-2-17. 수유부가 상담 받았던 약물의 안전성 (마더세이프전문상담센터) (계속)

약물	상품명	적응증	Lactation category 혹은 반감기	수유 시 안전성	부작용 및 주의사항
Albendazole	알벤다졸, 알벤정, 제니텔정	구충제	L2	거의 적합	
Alprazolam	자낙스, 알프라졸람, 자나팜	항우울제	L3	주의 필요	진정효과, 호흡억제
Amikacin	아미카신, 아디칸, 아스카신	항생제	L2	적합	구토, 설사
Amitriptyline	아미트리프틸린, 에나폰, 에트라빌	항우울제	L2	적합	진정 or 과민성, 구강건조, 수유에 깨어나지 않음, 변비, 요폐, 체중증가
amlodipine	노바스크, 아모디핀, 애니디핀	혈압강하제	L3	주의 필요	진정, 기면, 불량한 수유와 체중증가
amoxicillin	아목시실린, 파목신, 곰실린	페니실린계 항생제	L1	적합	구토, 설사, 발진
Ampicillin	앰씰린, 펜브렉스, 암박탐	페니실린계 항생제	L1	적합	구토, 설사, 발진
Ascorbic acid	비타민 C, 아스코르브산, 시코빈	비타민 C	L1	적합	
Atenolol	테놀민, 아테놀올, 아놀정	혈압강하제	L3	주의 필요	서맥, 저체온, 저혈압 보고
Atorvastatin calcium	리피토,아토르틴, 아리토정	항고지혈증	L3	주의 필요	체중증가 관찰
Atropine	아트로핀, 마이오가드	소화성궤양용제	L3	주의 필요	졸음 or 불면, 피부건조, 구강건조, 심박수증가, 변비, 요폐
Azathioprine	이뮤란, 아자티오프린정, 아자티맥	면역억제제	L3	주의 필요	−면역억제제나 빈혈 증상 시 전혈검사, 황달 보이면 간기능 검사
Azelastine	아라스틴, 메가젤틴, 아젭틴	항히스타민제 & 항알러지약	L3	주의필요	모유 맛 변화
Azithromycin	지스로맥스, 아지트로마이신, 아지탑스	마크로라이드계 항생제	L2	적합	구토,설사,위장세균총의 변화, 발진
Baclofen	바클로펜, 바크론, 치노펜	근육이완제	L2	적합	졸음, 구강건조, 떨림, 경직, 눈동자확장
Barium	바리탑에치디, 이지-에이취디	방사선조영제	L1		−
Betamethasone	베타메타손, 에몰, 타메존	코르티코스테로이드	L3	주의 필요	수유, 성장, 체중증가
Betaxolol	켈론, 베탁, 베톱틱	녹내장, 혈압강하제	L3	주의 필요	졸음, 혼수, 창백, 영양부족, 체중증가
Bisacodyl	비사코딜,둘코락스, 비코에네마	하제, 완장제	L2	적합	설사
Bismuth subsalicylate	데놀	소화성궤양용제	L3	주의 필요	−

표 6-2-17. **수유부가 상담 받았던 약물의 안전성 (마더세이프전문상담센터)**　　　　(계속)

약물	상품명	적응증	Lactation category 혹은 반감기	수유 시 안전성	부작용 및 주의사항
Bisoprolol	베타프롤, 콩크린, 비소폴	혈압강하제	L3	주의 필요	졸음, 혼수, 창백, 영양부족, 체중증가
Bleomycin	브레오신	항암제	L4	부적합	신기능이 좋지 않은 산모는 최소 24h 이상 이후 수유
Botulinum	보톡스, 디스포트, 리즈톡	국소적 성형제	L3	주의 필요	쇠약, 호흡곤란, 위장장애
Bromhexine	브롬헥신, 뮤코졸	거담제	12h	주의필요	–
Bromocriptine mesylate	팔로델	항푸로락틴제	L5	금기	모유감소
Brompheniramine		항히스타민제	L3	주의 필요	졸음 or 과민성, 수면장애, 구강건조
Budesonide	제크, 풀미코트터부헬러, 데소나비	코르티코스테로이드	L1	적합	수유불량, 성장, 체중증가
Bupivacaine	부피바카인, 마케인헤비, 푸카인	국소마취제	L2		–
Bupropion	웰트론, 부프론, 파피온	항우울제	L3	주의 필요	진정 or 과민성, 발작, 수유불량, 체중증가
Buspirone	부스피론, 부스론, 부스타	항불안제	L3	주의 필요	행동변화, 수유문제, 체중증가
Butorphanol	부토판	마약성 진통제	L2	적합	진정, 느린호흡속도, 무호흡, 창백, 변비, 졸림으로 수유불량
Caffeine	커피	중추신경 자극제	L2	적합	과민성, 수면장애, 심박수 상승, 떨림
Calcipotriol	다이보넥스	비타민 D3	L3	주의 필요	–
Calcitonin		칼슘대사제	L3	주의필요	–
Calcitriol	네오본, 로이칼, 본키	비타민 D	L3	주의 필요	쇠약, 구강건조, 변비
Captopril	카프릴	혈압강하제	L2	적합	졸음, 혼수, 창백, 영양부족, 체중증가
Chlorpheniramine	클로르페니라민말레산염, 페니라민, 페닐	항히스타민 & 항알러지약	L3	주의 필요	진정, 수유변화
Chlorpromazine	클로르프로마진염, 네오마찐	항정신병약물, 트란퀼라이저	L3	주의 필요	진정혹은 과민, 무호흡, 졸음으로 수유불량, 구강건조, 변비, 체중증가 및 추체외로 증상
Cholestyramine	퀘스트란	항고지혈증제	L2	적합	–
Chromium		영양보조제	L3	주의 필요	과사용 시 중독
Ciclopirox olamine	씨클로덤, 네일스타네일라카, 사이프록실	항진균제	L3	적합	–

표 6-2-17. 수유부가 상담 받았던 약물의 안전성 (마더세이프전문상담센터) (계속)

약물	상품명	적응증	Lactation category 혹은 반감기	수유 시 안전성	부작용 및 주의사항
Cimetidine	시메티딘, 씨메론, 에취투	소화성궤양용제	L1	적합	–
Ciprofloxacin	시프로플록사신, 사이톱신, 씨에프	퀴놀론계 항생제	L3	주의 필요	구토, 설사, 위장 세균 총의 변화, 발진
Cisapride		소화성궤양용제	L4	부적합	–
Cisplatin	씨스푸란, 유니스틴	항암제	L5	금기	수유 권장 안함; 마지막 투약 후 3~5일 이후 수유재개, 삼킴곤란, 역류, 구토, 설사, 변비; 간이나 신장기능장애, 빈혈, 혈소판 감소
Citalopram	시탈로프람, 렉사프로, 뉴프람	항우울제	L2	적합	진정 or 과민성, 수유 시 깨지 않음, 수유불량, 체중증가
Clarithromycin	클래리트로마이신, 클라리스, 클래리	마크로라이드계 항생제	L1	적합	구토, 설사, 위장 세균 총의 변화, 발진
Clemastine	클레틴, 마스질	항히스타민 & 항알러지약	L4	부적합	졸음 or 과민성, 수유의 변화
Clindamycin	크레오신질,클리마이신, 네오타신	항생제	L2	적합	구토, 설사, 위장 세균 총의 변화, 발진
Clomiphene	클로미펜시트르산염	성호르몬제	L4	부적합	수유 억제
Clonazepam	리보트릴, 클로나제팜	항경련제	L3	주의 필요	진정, 느린 호흡속도, 수유-깨어나지 않음, 수유불량,체중 증가
Clotrimazole	카마졸, 클리마졸, 칸디	항진균제	L2	적합	구토,설사
Codeine	인산코데인, 데코인	마약성진통제	L3	주의필요	수유 피하기(무호흡, 서맥, 청색증, 신생아 사망보고)
Colchicine	콜키닌, 콜킨	통풍치료제	L3	주의 필요	구토,설사
Corticotropin		코르티솔분비자극제	L3	주의필요	감염 위험성 증가
Cycloserine	크로세린	항결핵제	L4	부적합	졸음, 혼수, 영양부족, 체중증가
Cyclosporine	사이폴, 클레이셔, 드라이프리	면역억제제	L3	주의 필요	구토, 설사, 체중증가, 황달 소견이 보이면 간효소와 빌리루빈 수치확인
Desogestrel+ethinyl Estradiol	머시론, 센스데이, 보니타	피임약	L3	주의 필요	모유 감소,남아: 여성형 유방 + 여성화 효과 드물게 보고 여아: 질 출혈 보고
Dexamethasone	덱사메타손, 덱사신, 덱사코티실	코르티코스테로이드	L3	주의 필요	수유, 성장 및 체중 증가
Dextromethorphan		기침억제제	L3	주의 필요	진정
Diazepam	디아제팜, 바리움	최면진정제	L3	주의 필요	진정, 느린호흡, 수유-깨어나지 않음, 수유불량, 체중증가
Dibucaine		국소마취제	L3	주의 필요	가슴부위 사용피하기(연고)

표 6-2-17. 수유부가 상담 받았던 약물의 안전성 (마더세이프전문상담센터) (계속)

약물	상품명	적응증	Lactation category 혹은 반감기	수유 시 안전성	부작용 및 주의사항
Diclofenac	디클로페낙, 디페인, 메파렌	NSAIDs	L2	적합	구토, 설사
Dicyclomine	이지, 스파토민	소화성궤양용제	L4	부적합	진정 or 과민성, 구강 및 안구 건조, 요폐, 변비
Digoxin	디고신, 카데프엘릭, 디곡신	심부전치료제	L2	적합	졸음, 혼수, 부정맥, 창백, 영양부족, 체중증가
Dimenhydrinate	보나링에이	진토제	L2	적합	진정제, 구강건조
Dinoprostone	프로페스질	자궁수축제	L3	주의 필요	구토, 설사, 홍조
Diphenhydramine	코니자, 자미아, 제로민	최면진정제	L2	적합	진정, 구간건조, 변비
Docusate		하제	L2	적합	설사
Domperidone	돔페리돈, 페리돔, 모렘	소화성궤양용제	L3	주의 필요	설사
Dopamine	도파민, 이노판, 트로핀	중추신경계제	L2	적합	과민성, 수유불량, 떨림, 수유-깨어나지않음
Dorzolamide	트루솝	녹내장치료제	L3	주의 필요	-
Doxycycline	독시사이클린, 모노신, 독시메디	테트라싸이클린계 항생제	L3	주의 필요	구토, 설사, 위장 세균 총의 변화, 발진 * 장기노출: 치아착색, 뼈성장저해
Doxylamine	아론, 아졸, 잠피아	최면진정제	L3	주의 필요	진정 or 과민성, 무호흡, 요폐, 변비
Econazole	소프덤, 시올론, 에코라	항진균제	L3	주의 필요	구토, 설사
Enalapril Maleate	에날라프릴, 프릴, 에이린	혈압강화제	L2	적합	-
Enflurane		전신마취제	-	적합	-
Ephedrine	에페드린	기관지확장제	L4	부적합	과민성, 불면, 수유변화, 체중증가불량, 떨림
Epinephrine	에피네프린	아드레날린자극제	L2	적합	흥분, 수면장애. 떨림
Ergotamine tartrate		편두통치료제	L4	부적합	-
Erythromycin	아이로손, 에이신에스, 에릭	마크로라이드계 항생제	L3	주의 필요	구토, 설사, 위장 세균 총의 변화, 발진
Esomeprazole	넥시움, 에소프라졸, 에소메프라졸	소화성궤양용제	L2	적합	산의 불안정성으로 인해 우유에 용해되어 있는 동안 흡수되지 않음
Estrogen-Estradiol	프레미나	여성호르몬제	L3	주의 필요	모유에 적은양 존재 모유생산억제제
Ethambutol	에탐부톨, 탐부톨	항결핵제	L3	주의 필요	졸림, 무기력, 구토 황달-간기능체크

표 6-2-17. 수유부가 상담 받았던 약물의 안전성 (마더세이프전문상담센터)   (계속)

약물	상품명	적응증	Lactation category 혹은 반감기	수유 시 안전성	부작용 및 주의사항
Ethanol	알코올	중추신경억제제	L4	부적합	주의관찰, 비추천, 진정, 수유불량, 모유감소, 맛변화
Ethinyl estradiol–Etonogestrel	센스데이, 야즈	피임제	L3	주의 필요	모유에 적은양 존재 모유생산억제제
Etretinate		항건선제, 레티노이드	L5	부적합	조기 골성장판
Famciclovir	팜비어, 팜빅스, 팜크로바	항바이러스제	L3	주의 필요	구토,설사,체중
Famotidine	가스터, 파모티딘	소화성궤양용제	L1	적합	–
Fenofibrate	페노피브정	항고지혈증제	L3	주의 필요	체중,성장
Fenoprofen	날페놀	소염진통제 NSAIDs	L2	적합	–
Fenoterol	코딜라트,	기관지확장제	6.5h	주희 필요	사용시 주의: 맥박, 혈압관찰
Fentanyl	펜타닐	마약성진통제	L2	적합	진정, 호흡억제, 무호흡, 저혈압, 서맥, 구역, 구토, 변비
Fexofenadine	알레그라	항히스타민제	L2	적합	졸림, 피로
Flavoxate	스파게린정	비뇨생식계 이완제	L3	주의 필요	졸림, 구강건조, 구토
Flubendazole	플루벤다졸, 젤콤	구충제	–	거의 적합	–
Fluconazole	플루코나졸, 디푸루칸, 푸루나졸	항진균제	L2	적합	구토, 설사
Flunarizine	나리펜, 싸리움	혈압강하제	L4	부적합	졸림, 무기력, 창백, 수유불량, 체중
Fluorouracil	플루오로우라실, 유토랄	항암제	L4	부적합	위험 감소를 위해 24시간이상 대기
Fluoxetine	푸로작	항우울제	L2	적합	진정 또는 과민, 수유불량, 체중
Flurazepam	달마돔	최면진정제	L4	부적합	진정,호흡억제
Fluticasone	세레타이드,렐바	항천식제	L3	주의 필요	수유,성장,체중
Folic acid	엽산	비타민 B9	L1	적합	–
Formaldehyde		방부제	L4	부적합	극소량이 문제된다는 증거는 없음
Formoterol fumarate	아토크정, 포스터넥스트할러	진해거담제	L3	주의 필요	과민, 불면증, 부정맥, 체중감소, 떨림
Fosfomycin trometamol	포스포마이신, 모누롤산	항생제	L3	주의 필요	구토,설사
Furosemide	푸로세미드, 라식 스	이뇨제	L3	주의 필요	무기력, 탈수증
Gabapentin	가바틴, 가바펜틴, 뉴론틴	항경련제	L2	적합	문제 발생 보고는 없었음
Gentamicin	겐타렉스, 겐타신, 겐타마이신	아미노글리코사이드계 항생제	L2	적합	구토, 설사

표 6-2-17. **수유부가 상담 받았던 약물의 안전성 (마더세이프전문상담센터)** (계속)

약물	상품명	적응증	Lactation category 혹은 반감기	수유 시 안전성	부작용 및 주의사항
Gentian violet	–	항진균제	L2	적합	점막궤양, 구토, 설사
Ginger	한약: 생강		L3	주의 필요	–
Ginkgo biloba	기넥신-에프, 긴코센	한약계 황산화제: 은행	1~11h	주의 필요	–
Ginseng	진사나	한약계 강장제: 인삼	L3	주의 필요	–
Glimepiride	글리메피리드, 글라디엠, 글리멜	경구 혈당강하제	L4	부적합	저혈당
Glucosamine	글루코사민, 류마리스	항관절염제	L3	주의 필요	–
Glyburide	–	경구 혈당강하제	L2	적합	구토, 설사, 저혈당
Glycopyrrolate	글리코피롤레이트정, 모비눌주	소화성궤양용제	L3	주의 필요	구강건조, 요정체
Gold compounds	–	항관절염제	L5	부적합	안면부종
Goserelin acetate	졸라덱스	항암제	L3	주의 필요	모유생산억제 가능성
Guaifenesin	후스토실	진해거담제	L3	주의 필요	진정
Haloperidol	할로페리돌, 세레네이스	항정신질환제	L3	주의 필요	진정, 무호흡, 추체외로증상
Halothane	할로탄	전신마취제	L2	적합	혈뇨, 혈토, 혈변
Heparin	헤파린나트륨, 헬핀	항응고제	L2	적합	–
Hepatitis A vaccine	보령A형간염백신 프리필드시린지주	백신제	L3	주의 필요	–
Hepatitis B Immune Globulin	정주용헤파빅주	항 B형간염 면역 글로블린제	L2	적합	–
Hepatitis B vaccine	유박스비, 헤파뮨	백신제	L2	적합	
Hepatitis B infection		간염 노출	L4	부적합	
Hepatitis C infection		간염 노출	L3	주의 필요	–
Herbal tea		한약계 차	–	부적합	독성 가능성
Herpes simplex infections		헤르페스 I, II 형	L4	부적합	* 활성기 병변을 잘 덮는다면 모유수유 가능함
HIV infection		에이즈	L5	금기	모유통한 감염가능성
Hydralazine	염산히드랄라진, 안푸라솔	혈압강하제	L2	적합	저혈압, 진정
Hydrochlorothiazide	다이크로짇,	이뇨제	L2	적합	탈수, 무기력, 모유량감소
Hydrocortisone	히드로코르티손, 더모케어, 락티손	코르티코스테로이드	L3	주의 필요	모유에서 소량만 검출: 임상적 의미 거의 없음
Hydroquinone	네오퀸, 도미나	외피용약	L3	주의 필요	크게 위험하지 않지만 모유수유 시 권하지 않음
Hydroxychloroquine	옥시크로린	항말라리아제	L2	적합	예민, 불면증, 구토, 설사

표 6-2-17. 수유부가 상담 받았던 약물의 안전성 (마더세이프전문상담센터) (계속)

약물	상품명	적응증	Lactation category 혹은 반감기	수유 시 안전성	부작용 및 주의사항
Hydroxyurea	하이드린	항암제	L4	부적합	
Hydroxyzine	염산히드록시진, 유시락스, 아디팜	항히스타민제	L2	적합	진정, 구강건조, 변비, 요폐
I-125, I-131, I-123		방사성동위원소	L5	금기	갑상선 손상
Ibuprofen	이부프로펜, 나르펜	소염진통제 NSAIDs	L1	적합	
Imipramine	이미프라민	항우울제	L2	적합	진정, 구강 건조
Indapamide	나트릭스, 다피드, 후루덱스	당뇨병용제	L3	주의 필요	탈수, 모유량 감소
Indomethacin	인도메타신, 인테 반, 인도팝	소염진통제 NSAIDs	L3	주의 필요	구토,설사
Influenza vaccine Influenza infection	인플루엔자	백신세	L1 L2	적합	–
Insulin	노보래피드, 비오 휼린, 휴물린	당뇨병용제	L2	적합	저혈당증상
Interferon alfa-N3	인터페론, 레아페론, 휴미론알파	항암제	L3 (alfa-2b)/ L2(나머지)	적합	구토, 설사, 구강건조
Iopamidol	이오파미로, 레디센스	방사선조영제	L3	적합	–
Irbesartan	아프로벨	혈압강하제	L3	주의 필요	졸음, 무기력
Iron	헤모큐	영양보조제	L1	적합	–
Isoflurane	아이프란액	전신마취제	–	거의 적합	중추신경계 억제
Isoniazid	유한짓정	항결핵제	L3	주의필요	졸음, 구토, 황달–간기능 검사
Isotretinoin	로아큐탄, 트레틴	여드름치료제	L5	금기	–
Itraconazole	스포라녹스, 이트라, 코니트라	항진균제	L3	적합	구토, 설사
kanamycin	카나마이신	아미노글리코사이드계 항생제	L2	적합	–
Ketamine	케타민	전신마취제	L3	주의 필요	수유불량, 진정
Ketoconazol	케토코나졸, 니조 랄	항진균제	L2	적합	구토, 설사
Ketoprofen	케토프로펜, 겟투겔	소염진통제 NSAIDs	2~4h	주의 필요	–
Ketorolac	케토락, 트롤락	소염진통제 NSAIDs	L2	적합	구토, 설사
Labetalol	라베신, 베타신,	혈압강하제	L2	적합	졸음, 무기력, 창백, 수유불량
Lamivudine	제픽스	항바이러스제	L5	금기	졸음, 구토, 설사, 쇠약(HIV– 수유권하지않음)
Lamotrigine	라믹탈	항경련제	L2	적합	진정, 과민, 수유불량, 발진, 임상증상–간수치, 혈액검사모니터

표 6-2-17. **수유부가 상담 받았던 약물의 안전성 (마더세이프전문상담센터)**　　　　　　　(계속)

약물	상품명	적응증	Lactation category 혹은 반감기	수유 시 안전성	부작용 및 주의사항
Lansoprazole	란소프라졸, 란소졸	소화성궤양용제	L2	적합	거의 흡수되지 않음
Lead		환경오염물	L5	금기	
Leuprolide acetat	로렐린데포, 루피어데포	항암제	L5	금기	모유량감소
Levocabastine	–	항히스타민제	L3	주의 필요	구강건조, 진정
Levofloxacin	레보플록사신, 레보카신, 크라비트	퀴놀론계 항생제	L2	적합	구토, 설사, 위장 세균 총의 변화, 발진
Levonorgestrel	노레보, 퍼스트렐, 미레나	여성호르몬제	23–49h	주의 필요	적은양 모유에 존재할 수 있음
Levothyroxine	씬지로이드	갑상선호르몬제	L1	적합	–
Lidocaine	리도카인, 듀베	국소 마취제	L2	적합	–
Lincomycin	린코마이신,	항생제	4.4–6.4h	주의 필요	–
Lindane	감마린,	이 살충제	L4	부적합	발작, 불면증
Lithium carbonate	리단, 리튬	정신신경용제	L4	부적합	신경행동발달, 졸음, 과민, 구강건조, 타액과다분비, 갑상선기능
Lomefloxacin	로맥사신, 로메프론	퀴놀론계 항생제	L3	주의 필요	구토, 설사, 위장 세균 총의 변화, 발진
Loperamide	로페라미드, 로프민	지사제	L2	적합	구강건조, 졸음, 구토, 변비
Loracarbef	–	페니실린계 항생제	L2	적합	–
Loratadine	로라타딘, 클라리틴	항히스타민제	L1	적합	진정,입마름
Lorazepam	스리반, 아티반	정신신경용제	L3	주의 필요	진정, 수유불량
Losartan	코자	혈압강하제	L3	주의 필요	졸음, 무기력
Lovastatin	로바스타틴	동맥경화용제	L3	주의 필요	체중감소
Lysine	글루콤	아미노산 보조제	–	적합	–
Magnesium hydroxide	마그밀,	제산제	L1	적합	–
Magnesium sulfate	황산마그네슘, 마구내신	항경련제	L1	적합	설사, 이뇨로 인한 모유감소
Mannitol	만니톨	이뇨제	L3	주의 필요	탈수, 무기력
Mebendazole	–	구충제	L3	주의 필요	
Meclizine	메클리진	진토제	L3	주의 필요	진정, 구강건조
Medroxyprogesterone	테포테론, 메노포제, 프로게론	여성호르몬제 항암제	L4	부적합	출산후 모유생산 억제가능성
Mefenamic acid	폰탈	소염진통제 NSAIDs	2h	거의적합	–
Mefloquine	라리암	항말라리아제	L2	적합	과민, 불면, 구토, 설사
Melatonin	멜라토닌	수면진정제	L3	주의 필요	졸음, 피로

표 6-2-17. 수유부가 상담 받았던 약물의 안전성 (마더세이프전문상담센터) (계속)

약물	상품명	적응증	Lactation category 혹은 반감기	수유 시 안전성	부작용 및 주의사항
Meloxicam	뉴시캄, 멜록시캄	소염진통제 NSAIDs	L3	주의 필요	설사, 구토
Menotrophin	메노푸어	호르몬제	L3	주의 필요	
Meperidine-Pethidine	염산페치딘	마약성 진통제	L4	부적합	진정, 낮은 호흡수 , 무호흡, 창백, 변비, 수유불량
Mepivacaine	메피바카인	국소마취제	L3	주의 필요	증례: 신생아 경련
Mercaptopurine	푸리네톤	항암제	L3	주의 필요	면역쇠퇴, 빈혈, 황달-혈액검사로 면역, 빈혈, 간기능 체크
Mercury		환경오염물	L5	금기	신경발달
Mesalamine-Mesalazine	아사콜	소화성궤양용제	L3	주의 필요	구토, 묽은설사
Metformin	메쏘빈, 글루코닐	당뇨병용제	L1	적합	구토, 설사, 저혈당증상
Methicillin	-	페니실린계항생제	L3	주의 필요	-
Methimazole	메티마졸	항갑상선제	L2	적합	갑상선기능저하, 수유시 프로필티오우라실 추천됨
Methocarbamol	메토카르바몰	근이완제	L3	주의 필요	진정, 구토
Methotrexate	메토트렉세이트	항암제	L4	부적합	24시간이상 수유금지
Methyldopa	-	혈압강하제	L2	적합	무기력, 창백
Methylprednisolone	메칠프레드니솔론, 메드롤, 피디	스테로이드	L2	적합	성장지연 가능한 단기간 사용권고
Metoclopramide	메토클로프라미드, 맥페란	소화성궤양용제	L2	적합	졸음, 설사, 추체외로 증상 푸로락틴 촉진제로는 Domperidone 추천
Metoprolol	베타록, 푸로롤	혈압강하제	L2	적합	무기력, 졸음
Metronidazole	메트로니다졸, 로섹스, 후라시닐	항원충제	L2	적합	설사, 구토, 구강건조, 갈색뇨, 발진
Miconazole	토오졸	항진균제	L2	적합	-
Midazolam	미다졸람, 바스캄	진정제	L2	적합	진정, 낮은 호흡수, 수유불량
Minocycline	미노씬, 미노클린	테트라사이클린계 항생제	L3	주의 필요	구토, 설사, 위장 세균 총의 변화, 발진 ; 만성적 사용시 부적합: 치아 착색, 골성장 감소
Minoxidil	마이녹실,	혈압강하제	L3	주의 필요	졸음, 무기력, 창백, 수유불량
Misoprostol	미소프로스톨, 알소벤, 싸이토텍	소화성궤양용제	L2	적합	구토, 설사
MMR vaccine	엠엠알주	백신제	L3	주의 필요	면역력 약한 아기 수유금지
Mometasone	모메타손, 에로콤, 테리손	코르티코 스테이드	L3	주의 필요	성장지연
Montelukast sodium	싱귤레어	항천식제	L4	부적합	과민, 졸음, 설사
Morphine	모르핀, 엠에스알	마약성진통제	L3	주의 필요	진정, 낮은 호흡수, 구역, 구토, 체중증가

표 6-2-17. 수유부가 상담 받았던 약물의 안전성 (마더세이프전문상담센터)　　　　　(계속)

약물	상품명	적응증	Lactation category 혹은 반감기	수유 시 안전성	부작용 및 주의사항
Mupirocin ointment	뮤로신,	외용항균제	L1	적합	발진
Nabumetone	나메톤, 유니메톤, 프로닥	관절염치료제 NSAIDs	L3	주의 필요	설사, 구토
Nalbuphine	날페인, 날부핀,	마약성진통제	L2	적합	무호흡, 진정, 창백, 변비, 체중증가
Naproxen	나프록센, 아나프록스	소염진통제 NSAIDs	L3	주의 필요	단기간 사용을 권장; 구토, 설사; 출혈, 빈혈(신생아)
Neomycin	네오덱스, 더마스톤지	아미노글리코사이드계 항생제	L3	주의 필요	구토, 설사, 위장세균총의 변화, 발진
Neostigmin	네오스티그민,	자율신경제	–	적합	–
Netilmicin	황산네틸마이신, 네소미신, 유니네틸	아미노글리 코사이드계 항생제	L3	주의 필요	구토, 설사, 위장 세균 총의 변화, 발진
Nicotine patches or gum	니코덤, 니코틴엘 니코레트	니코틴치료제	L3	주의 필요	설사, 구토, 빈맥, 젖생산감소, 성장 느림
Nicotinic acid		비타민 B3	L3	주의 필요	구토, 홍조
Nifedipine	니페론씨알, 아다핀오스모, 아달라트오로스	혈압강하제	L2	적합	무기력, 졸음, 창백, 메스꺼움
Nizatidine	니자티딘, 액사틴, 자딘정, 자니틴정	소화성궤양용제	L2	적합	구토,
Norfloxacin	뉴사달, 노르플록 사신, 노프록정	퀴놀론계 항생제	3–4h	주의 필요	구토, 설사
Nortriptyline	센시발정	항우울제	L2	적합	입마름, 메스꺼움, 진정, 축처짐
Nystatin	타로니스타틴, 에스니스타틴	항진균제	L1	적합	구토, 설사
Ofloxacin	오플록사신, 오푸스, 퀴노비드	퀴놀론계 항생제	L2	적합	구토, 설사,
Olanzapine	올란자핀, 자이프 렉사, 올라핀	항정신병, Major 트란퀼라이저	L2	적합	무기력, 수면장애, 추체외로 증상, 진전, 체중증가
Omeprazole	오메프라졸, 라메졸 애니시드	소화성궤양용제	L2	적합	불안정한 산성으로 인해 우유에 용해되는 동안 흡수되지 않음
Ondansetron	돈단세트론, 조프 란, 온세란	진토제	L2	적합	무기력, 짜증, 과민성, 소변이 잘 안나옴
Orphenadrine	스락신, 스코드린, 올페드린	근육이완제	L3	주의 필요	졸림, 구토, 입마름, 불안, 떨림
Oxcarbazepine	옥사제핀, 트리렙 탈필름	항경련제	L3	주의 필요	진정효과, 수유불량, 체중증가 문제
Oxytocin	옥시토신, 옥시톤	자궁수축제	L2	적합	
Paclitaxel	팍셀,솔피엠, 파덱솔, 테오탁스	항암제	L5	금기	치료 후 최소 6~10일동안 모유 수유 중단

표 6-2-17. 수유부가 상담 받았던 약물의 안전성 (마더세이프전문상담센터)　　　(계속)

약물	상품명	적응증	Lactation category 혹은 반감기	수유 시 안전성	부작용 및 주의사항
Pancuronium	마이오부락, 유나크론, 판슬란	근육이완제	–	거의 적합	없음
Pantoprazole	판토프라졸,판토라인,틱스트림	소화성궤양용제	L1	적합	–
Paroxetine	세로자트, 파록세틴, 팍세틸	항우울제	L2	적합	졸음, 과민, 수유불량, 체중증가
Penicillin G	페니실린지나트륨	항생제	L1	적합	구토, 설사, 발진
Pentazocine	펜타조신, 지메곤, 펜탈	진통제	L3	주의 필요	진정효과, 메스꺼움, 호흡억제, 축처짐
Pentobarbital	엔토발	진정제	–	적합	진정,
Phenobarbital	페노바르비탈,	최면진정제	L4	부적합	무기력, 축처짐, 무호흡, 모유에시 다량 검출, 미숙아에서 반감기 500시간
Phentermine	펜터미, 휴터민, 푸리민, 아디펙스	식욕억제제	L4	부적합	성장지연 가능성, 수유 중 권하지 않음.
Phenylephrine	파마페닐레프린, 페닐린	코 울혈제거제	L3	주의 필요	떨림, 깊은잠, 흥분
Phenylpropanolamine		항히스타민제	L2	적합	–
Phenytoin	페니토인, 히단토인, 쎄레빅스	항경련제	L2	적합	무기력, 축처짐, 졸림; 필요시 phenytoin 체내 농도 간기능 전 혈검사 시행
Pimecrolimus	엘리델	아토피치료제	L2	적합	유두에 바를시 부적합.
Piroxicam	피록시캄, 로감, 로시덴,	관절염치료제	L2	적합	구토, 설사
Polymyxin B sulfate		항생제	L2	적합	–
Potassium Iodide		항갑상선제	L4	부적합	갑상선 억제
Povidone Iodide	포비돈요오드, 포비딘, 베타딘	살균소독제	L4	부적합	갑상선 억제
Pravastatin	프리스탄, 메바로친	항고질혈증	L3	주의 필요	–
Prednicarbate	티티베, 프레카, 프레벨, 도마톱	스테로이드제	L3	주의 필요	성장지연
Prednisone–		스테로이드제	L2	적합	성장지연
prednisolone	보송, 베로아, 소론도, 프레드니론	스테로이드	L2	적합	성장지연
Primidone	프리미돈	항경련제	L4	부적합	무기력, 축처짐, 성장지연, 간효소 모니터링 필요
Procainamide		항부정맥제	L3	주의 필요	무기력, 부정맥
Procaine HCl	프로카인	국소 마취제	L3	주의 필요	
Progesterone	예나트론, 유트로게스탄	성호르몬	L3	주의 필요	가능한 모유기간 읽찍 중단
Propofol	프로포폴, 아네폴, 포폴	수면마취제	L2	적합	진정효과 느린호흡, 축처짐

표 6-2-17. 수유부가 상담 받았던 약물의 안전성 (마더세이프전문상담센터) (계속)

약물	상품명	적응증	Lactation category 혹은 반감기	수유 시 안전성	부작용 및 주의사항
Propranolol	인데랄, 포베린, 프로닐	항고혈압제	L2	적합	졸림, 무기력, 창백, 젖을 잘 못 빠는 것
Propylthiouracil	프로필치오우라실, 안티로이드,	항갑상선제	L2	적합	갑상선관찰필요
Pseudoephedrine	슈도에페드린, 슈다페드	코 울혈제거제	L3	주의 필요	만성적 사용시 부적합: 젖양 감소, 떨림, 성장지연, 저기압
Pyrazinamide	피라진아마이드	항결핵제	L3	주의 필요	무기력, 졸음, 구토
Pyridostigmine	브롬피리도스티그민, 피리놀, 메스티논	자율신경제	L2	적합	불안, 구토, 설사, 수면장애
Pyridoxine	피리독신, 비파비식스	비타민 B6	L2	적합	고용량시 부적합: 진정, 근력저하, 구토
Rabeprazole	파리에트	소화성궤양용제	L3	주의 필요	–
Rabies vaccine	캄랍주	면역글로불린제	L3	주의 필요	–
Radiopaque agents		방사선조영제	L2	적합	–
Ramipril	제니프릴, 트리테이트, 하트프릴	혈압강화제	L3	주의 필요	저혈압, 무기력, 창백
Ranitidine	가딘, 라니티딘, 잔탁	위산분비억제제	L2	적합	–
Rh0(D) immune globulin	윈로에스디에프,	면역글로블린제	L2	적합	–
Ribavirin	트리비린, 바이라미드	항바이러스제	L4	부적합	만성 노출 권장하지 않음
Riboflavin		비타민 B2	L1	적합	노란색 소변
Rifampicin(rifapin)	리팜핀,리포덱스	항결핵제	L2	적합	졸림, 구토, 설사
Risperidone	리스페리돈, 리페리돈, 리스돈	항정신병약물, Major 트란퀼라이저	L2	적합	무호흡, 무기력, 축처짐,
Ritodrine	라보파	자궁수축억제제	L3	주의필요	수면장애, 떨림
Rosiglitazone		혈당강하제	L3	주희 필요	저혈당 증상, 졸림, 기면,창백, 발한, 진전
Rubella virus vaccine	MMR로 같이 접종	백신제	L2	적합	–
Salmeterol		기관지 확장제	L2	적합	떨림, 과민성, 수면장애
Scopolamine	히스판, 부스파스케이, 부스코판당의정	소화성궤양용제	L3	주의 필요	진정,과민성,구강 또는 안구건조, 소변정체, 변비
Selenium sulfide	지씨웰빙셀레늄구강용해필름	셀레늄	L3	적합	직접 유두에 바르지 않음
Senna laxatives	본초센나, 센메이트산	하제	L3	주의 필요	설사
Sertraline	설트랄린, 졸로푸트, 트라린정	항우울제	L2	적합	지정, 과민성, 축처짐, 젖을잘 못빰,

표 6-2-17. 수유부가 상담 받았던 약물의 안전성 (마더세이프전문상담센터)　　　　　　(계속)

약물	상품명	적응증	Lactation category 혹은 반감기	수유 시 안전성	부작용 및 주의사항
Sibutramine	실루민	식욕억제제	L4	부적합	고용량이 모유에 함유 될 가능
Sildenafil	실데나필, 자이그라, 푸로그라	발기부전치료제	L3	주의 필요	졸림, 무기력, 홍조, 젖을잘빰
Silicone breast implants		유방보형제	L3	적합	–
Simethicone	가소콜, 시메티콘, 엔디현탁	장가스제거세	L3	적합	–
Simvastatin	심바스타틴, 조바코, 조코,	항고지혈증제	L3	주의 필요	성장지연,
Spiramycin		항생제	–	거의 적합	
Spironolactone	알닥톤필름, 스피락톤, 스피로닥토	이뇨제	L2	적합	무기력, 탈수
Streptokinase		혈전용해제	20min	거의 적합	
Streptomycin	스트렙토마이신	항생제	L3	주의 필요	구토, 설사, 발진
Succinylcholine	석시콜린	근육이완제	–	적합	–
Sucralfate	에이치브이엘에스 수크랄페이트	소화성궤양용제	L1	적합	–
Sulbactam		항생제	L1	적합	–
Sulfamethoxazole		항생제	L3	주의 필요	황달 시 고빌리루빈증 검사, G6PD 를 앓고 있는 신생아는 전혈검사
Sulfasalazine	조피린장용	항염증제	L3	주의 필요	구토, 설사, 혈변
Sulindac	크리톨	NSAIDs	L3	주의 필요	가능하면 Ibuprofen, diclofenac 추천
Sumatriptan succinate	이미그란, 수마트란	편두통치료제	L3	주의 필요	구토, 졸림, 젖을 잘못빰
Tacrolimus	타크로라, 셀로그라, 타크로벨	면역억제제	L3	주의 필요	구토, 설사, 성장저해, 수면변화
Tamoxifen	타목시펜, 놀바덱스, 타모프렉스	항암제	L5	금기	젖 분비 억제
Technetium TC 99M	에이알아이몰리부덴테크네튬제너레이터, 유니텍과테크네튬산	방사성진단시약	L3	주의 필요	짧은 반감기 (3–6시간 미만)로 비교적 안전함.
Temazepam		최면진정제	L3	주의 필요	진정, 느린 호흡수, 젖을 잘암빰
Terbinafine	나니실, 라미실, 터비나	항진균제	L3	주의 필요	유아의 수치가 심각할 수 있으므로 주의
Terbutaline		기관지 확장제	L2	적합	과민성, 수면장애, 떨림, 부정맥
Testosterone	마테스토스테론에난테이트, 예나스테론, 나테스토나잘	호르몬제	L4	부적합	생식기의 여성화, 다모증

표 6-2-17. 수유부가 상담 받았던 약물의 안전성 (마더세이프전문상담센터)　　　　　(계속)

약물	상품명	적응증	Lactation category 혹은 반감기	수유 시 안전성	부작용 및 주의사항
Tetanus toxoid	테타 박스	백신제	L1	적합	–
Tetracycline	테라싸이클린, 센시디스크테트라싸이클린	항생제	L3	주의 필요	장기간 사용을 피하라
Thalidomide	탈라이드,탈리그로브,세엘진탈리도마이드	항암제	L4	부적합	유해 가능성
Theophylline	아미노필린, 유니필서방, 테올란비서방	기관지 확장제	L3	주의 필요	과민성, 불면증, 구토, 떨림
Thiopental sodium	펜토탈소디움	전신마취제	L3	주의 필요	무기력, 과민성, 젖을잘못빰, 체중저하
Thyroid scan		갑상선의 방사성 검사	L5	금기	–
Timolol	티모베타롤엘에이, 티모프틱엑스이	녹내장치료제	L2	적합	졸음, 무기력, 창백
Tizanidine	티자리드,솝튼정	근육이완제	L4	부적합	강한 진정효과
Tobramycin	토브라마이신, 토아이신, 토마신	아미노글리 코사이드계 항생제	L2	적합	구토, 설사, 위장 세균 총의 변화, 발진
Tolterodine	바이넥스톨터로딘, 유로트롤	요실금치료제	L3	주의 필요	입마름, 변비
Topiramate	토파맥스, 토맥, 토파씬, 토피라메이트	항경련제	L3	주의 필요	과민증, 진정, 축처짐, 젖을 잘못 빰, 설사
Torsemide	토르세미정	이뇨제	L3	주의 필요	탈수, 무기력
Tramadol HCl	트라마돌, 타마돌, 페니마돌	진통제	L3	주의 필요	창백, 축처짐, 무호흡, 진정효과, 호흡억제
Trazodone	트라조돈, 트리티코	항우울제	L2	적합	과민성, 축처짐, 진정
Tretinoin	투앤티, 스티바에이, 베사노이드	여드름치료제	L3	주의 필요	설사, 체중저하
Triamcinolone acetonide	트리나, 트리암시놀론, 트리코트	스테로이드	L3	주의 필요	체중 증가
Trimethoprim		항생제	L2	적합	–
Triprolidine		항히스타민제	L1	적합	졸림, 입마름, 변비
Tuberculin Purified	튜베르쿨린피피디	결핵진단시약	L1	적합	–
Valacyclovir (Valaciclovir)	발타빅스, 발트렉스, 발시버정	항바이러스제	L2	적합	구토, 설사
Valproic acid	발핀연질, 바로인에이,	항경련제	L4	부적합	졸림, 과민성, 축처짐,
Valsartan	발사르탄, 디오탄, 디오반	혈압강화제	L3	주의 필요	졸림, 무기력, 창백, 체중증가

표 6-2-17. **수유부가 상담 받았던 약물의 안전성 (마더세이프전문상담센터)** (계속)

약물	상품명	적응증	Lactation category 혹은 반감기	수유 시 안전성	부작용 및 주의사항
Vancomycin	반코마이신, 반코진, 바이신	항생제	L1	적합	구토, 설사,
Varicella virus vaccine		백신제	L2	적합	–
Varicella–Zoster Vaccines	조스타	백신제	L2	적합	–
Vasopressin	바소프레신	호르몬제	L3	적합	
Venlafaxine	펜라팍신, 메넉사 엑스알, 이팩사	항우울제	L2	적합	진정, 과민성, 축처짐
Verapamil	이솝틴	혈압강화제	L2	적합	졸림, 무기력, 창백
Vigabatrin	사브릴	항경련제	L3	주의 필요	진정, 과민성, 축처짐
Vitamin A	레티놀, 비타민 A	비타민 A	L3	적합	–
Vitamin E		비타민 E	L2	적합	–
Vitamin D	비타민D3비오엔주	비타민 D	L1	적합	–
Vitamin B12		비타민 B12	L1	적합	–
Warfarin	와파린, 쿠파린, 와르파린	항응고제	L2	적합	
zinc salts		금속	L2	적합	과용량은 피하는게 좋음: 위염
Zolpidem tartrate	졸피뎀, 졸피드 스틸녹스	최면진정제	L3	주의 필요	진정, 느린호흡, 입마름, 축처짐
Zonisamide	엑세그란	항경련제	L4	부적합	진정, 과민성, 불안, 메스꺼움
Zopiclone		최면진정제	L2	적합	느린호흡, 진정, 축처짐

▶ **참고문헌**

1. 김혜숙 역 모유수유를 위한 지침서 2001.

2. 차선화·한정열·박수현·김해숙·전선영·허윤희·이경자·안현경·최준식·김경아·신손문. 수유중 약물 복용에 따른 불안과 수유율. 대한주산의학회지. 2003;14:3: 290-5.

3. American Academy of Pediatrics Committee on Drugs. Transfer of drugs and other chemicals into human milk. Pediatrics. 2001 Sep;108(3):776-89

4. Al-Sawalha N, Tahaineh L, Sawalha A, Almomani B. Medication Use in Breastfeeding Women: A National Study. Breastfeed Med. 2016 09;11:386–91.

5. American Academy of Pediatrics. Working group on breastfeeding. Breastfeeding and the use of human milk. Pediatrics 1997; 100: 1035-39.

6. Anderson P. Drugs in Lactation. Pharm Res. 2018 Feb 6;35(3):45.

7. Anderson P, Momper J. Clinical lactation studies and the role of pharmacokinetic modeling and simulation in predicting drug exposures in breastfed infants. J Pharmacokinet Pharmacodyn. 2020 08;47(4):295–304.

8. Anderson P. Antiepileptic Drugs During Breastfeeding. Breastfeed Med. 2020 01;15(1):2–4.

9. Birnbaum A, Meador K, Karanam A, Brown C, May R, Gerard E, et al. Antiepileptic Drug Exposure in Infants of Breastfeeding Mothers With Epilepsy. JAMA Neurol. 2020 04 01;77(4):441–50.

10. Briggs GG, Freeman RK, Yaffe SJ. Drugs in pregnancy and lactation. 7th ed. USA, Philadelphia, Lippincott Williams & Wilkins. 2005.

11. Brodribb W. ABM Clinical Protocol #9: Use of Galactogogues in Initiating or Augmenting Maternal Milk Production, Second Revision 2018. Breastfeed Med. 2018 06;13(5):307–14.

12. Chaves RG, Lamounier JA. Breastfeeding and maternal medications. J Pediatr. 2004;80:S189-98.

13. Committee on Drugs; The Transfer of Drugs and Other Chemicals Into Human Milk. Pediatrics September 2001; 108 (3): 776–789. 10.1542/peds.108.3.776

14. Dillon AE, Wagner CL, Wiest D, Newman RB. Drug therapy in the nursing mother. Obstet Gynecol Clin North Am 1997; 24: 675-96.

15. Forman MR. Review of research on the factors associated with choice and duration of infant feeding in less-developed countries. Pediatrics. 1984 ; 74: 667-94.

16. Gideon Koren. Medication safety in pregnancy and breastfeeding. USA: McGraw-Hill 2007.

17. Grzeskowiak L. Domperidone for Lactation: What Health Care Providers Really Should Know. Obstet Gynecol. 2017 10;130(4):913.

18. https://www.fda.gov/drugs/information-drug-class/fda-talk-paper-fda-warns-against-women-using-unapproved-drug-domperidone-increase-milk-production (assessed on 12th, Dec. 2021)

19. Ito S, Blajchman A, Stephenson M, Eliopoulos C, Koren G. Prospective follow-up of adverse reactions in breast-fed infants exposed to maternal medication. Am J Obstet Gynecol 1993; 168: 1393-99.

20. Khorana M, Wongsin P, Torbunsupachai R, Kanjanapattanakul W. Effect of Domperidone on Breast Milk Production in Mothers of Sick Neonates: A Randomized, Double-Blinded, Placebo-Controlled Trial. Breastfeed Med. 2021 03;16(3):245–50.

21. Koren G. Maternal-Fetal Toxicology. A clinician's guide. 3rd ed. In: Anna Taddio, Shinya Ito. Drugs and breast-feeding. 177-232. USA, NY. Marcell Dekker, Inc. 2001.

22. Lakshmanan Suresh, Lida Radfar. Pregnancy and lactation Oral Surg Oral Med Oral Pathol Oral Radiol Endod 2004;97:672-82.

23. Lamounier JA, Doria EGC, Bagatin AC, Vieira GO, Serva VMB, Brito LMO. Medicamentos e amamentacao. Revista Med Minas Gerais 2000; 10: 101-11.

24. Larsen E, Damkier P, Pedersen L, Fenger-Gron J, Mikkelsen R, Nielsen R, et al. Use of psychotropic drugs during pregnancy and breast-feeding. Acta Psychiatr Scand Suppl. 2015;445:1–28.

25. Lawrence RA. Breastfeeding. 5th ed. St.Louis(MO): CV Mosby; 1999.

26. Matheson I. Drugs taken by mothers in the puerperium. Br Med J(Clin Res Ed). 1985;25;290 (6481):1588-9.

27. Meador K, Baker G, Browning N, Cohen M, Bromley R, Clayton-Smith J, et al. Breast-feeding in children of women taking antiepileptic drugs: cognitive outcomes at age 6 years. JAMA Pediatr. 2014 Aug;168(8):729–36.

28. Mitchell J, Jones W, Winkley E, Kinsella S. Guideline on anaesthesia and sedation in breastfeeding women 2020: Guideline from the Association of Anaesthetists. Anaesthesia. 2020 11;75(11):1482–93.

29. Powers NG, Slusser W. Breastfeeding update 2: Clinical lactation management. Pediatr Rev 1997; 18: 147-61.

30. Silva VG, Almeida JAG, Novak FR, Carvalho NV, Silva LGP. O uso de drogas e o aleitamento materno. J Bras Ginec 1997; 107: 171-88.

31. Thomas W. Hale Medications and mother's milk 11th ed. Texas: Pharmasoft 2004.

32. Theurich MA, Davanzo R, Busck-Rasmussen M, Díaz-Gómez NM, Brennan C, Kylberg E, Bærug A, McHugh L, Weikert C, Abraham K, Koletzko B. Breastfeeding Rates and Programs in Europe: A Survey of 11 National Breastfeeding Committees and Representatives. J Pediatr Gastroenterol Nutr. 2019 Mar;68(3):400-407

33. Wada Y, Suyama F, Sasaki A, Saito J, Shimizu Y, Amari S, et al. Effects of Domperidone in Increasing Milk Production in Mothers with Insufficient Lactation for Infants in the Neonatal Intensive Care Unit. Breastfeed Med. 2019 12;14(10):744–7.

모유수유 중 질환

◦ 김경아

모유수유는 엄마가 아기에게 줄 수 있는 가장 소중한 선물이다. 최근 모유의 중요성에 대해 인식하면서 모유수유율이 증가하고 있으며, 모유가 사람의 아기를 키우는데 가장 적합하고 완전한 식품이라는 데에는 더 이상 반론의 여지가 없다. 우리나라의 모유수유율은 1982년 68.9%, 85년 59%, 88년 48.1%, 94년 11.4%, 2000년 10.2%까지 감소하였다가 2003년 29.5%, 2009년 36.2%, 2012년 36.2%, 2014년 36%로 다소 상승하고 있는 추세이다.

모유 영양이 호흡기 감염, 중이염, 장염 등의 각종 감염을 줄여주며, 알레르기 감소, 신경발달과 인지능력 향상에 도움을 주고 안정된 유대감 형성에도 도움을 준다는 것은 오래전부터 증명되었다. 그 결과 병원비가 절감되고, 부수적으로 부모의 직장 결근일도 감소하여 근무처의 생산성이 향상될 것이며 더 나아가 모아의 신체적 접촉으로 정신적으로 편안한 인격이 형성되어 범죄가 줄어들고 더 건전하고 명랑한 사회가 될 것이다. 분유를 구입하는 비용이 절약되고, 분유병이나 고무젖꼭지 등 환경 유해 물질들로부터 아기를 보호할 수 있으며 부수적인 폐기물들을 줄여 환경오염을 예방할 수 있을 것이다.

모유수유에 성공하려면 무엇보다 모유를 권장하고 모자동실을 실시하는 병원을 선택하는 것이 좋으며 젖을 먹이고자 하는 엄마들을 위해 유니세프 한국위원회에서는 '아기에게 친근한 병원'을 지정하고 있다. 아기에게 어떤 수유 방법을 할 것인지는 대부분 임신 후반기에 결정하게 되므로 산전 교육을 통해 모유수유의 장점과 실질적인 수유방법에 대해 교육하고, 모유 영양에 대해 흔히 가질 수 있는 오해나 편견 등을 없애주며, 출산 직후 모유수유를 지속할 수 있도록 도와주고 모유수유 시 아기나 엄마에게 문제가 생겼을 때 문제를 해결해 줌으로써 점차적으로 모유수유를 증진시킬 수 있을 것이다.

1 아기의 수유량이 충분한지 확인하기

분유와는 달리 모유는 아기가 정확히 얼마를 수유했는지를 알 수 없기 때문에 수유모가 불안해할 수 있으므로 아기가 충분히 수유하고 있는지를 객관적으로 알아야 한다.

1) 체중증가

아기가 생후 3-4일 동안 체중이 출생 시 체중의 5-7% 감소하는 것은 정상이며 생후 2-3주 이내에는 출생 시 몸무게를 회복한다. 모유수유를 하는 경우 첫 3개월간 아기가 급속한 성장을 하며 보통 4-12개월 사이에는 성장속도가 느려진다.

생후 3-4개월 동안 전형적인 체중증가는 1주일에 170 gm, 4-6개월까지는 1주일에 113-142 gm 정도 늘며, 6-12개월 사이에는 1주일에 57-113 gm 정도 체중이 증가한다. 생후 5-6개월 사이에 출생 시 몸무게의 2배가 되고 1년에는 2.5배가 된다.

아기의 성장 급증은 출생 2-3주째, 6주, 3개월에 일어나며 이 시기에 아기가 더 자주 젖을 먹으려고 하며 이 때 젖을 자주 물려주면 젖량이 늘어나게 된다.

2) 소변

소변은 초유를 먹는 2-3일 동안은 하루에 1-2번 정도만 기저귀를 적시고 3-4일째부터 모유의 양이 늘어나기 시작하면 적어도 5-6개(천 기저귀인 경우 6-8개) 정도를 적시며, 6주 후에는 아기의 방광저장 능력이 커져서 4-5개(천 기저귀인 경우 5-6)정도를 적신다.

3) 대변

1-2일째 하루에 1-2회의 대변을 보는데 검고 타르 같은 끈적끈적한 변을 본다.

3-4일째 2회 이상의 변을 보고 녹색에서 노란색 변이 나타나기 시작한다(이행변).

5-7일째는 변이 노랗고 하루에 적어도 3-4회의 변을 본다.

한 달 정도까지는 잦은 변을 보기도 한다. 하지만 모유를 먹는 아기들의 변의 횟수는 다양해서 하루에 수차례의 변을 보기도 하고 어떤 아기는 수일에 한 번 보는 경우도 있다.

2 수유 시 아기의 문제점 및 질환

모유수유를 시작한 지 5분 이내에 보채는 경우 잘못된 자세, 유두 혼동, 늦어진 사출, 빠는 힘이 약하거나 편평 유두, 함몰 유두인 경우이며 젖이 나오기 시작한 후 보채는 아이는 젖의 양이 너무 많은 경우이다. 아기가 생후 1주일 이내에 모유수유를 거부하는 원인에는 잘못된 자세, 울혈, 늦어진 사출, 출생 시 손상 등이 원인이고, 그 이후에는 유두 혼동이 있는 경우, 생치, 아구창, 감기 등으로 거부할 수 있다. 또 수유모가 유선염에 걸렸거나, 유방에 로션이나 크림을 발랐을 때, 엄마의 스트레스가 아기에게 전달되어 불안정할 때 거부한다.

신생아 관련 질환으로 저혈당증, 황달, 신생아 가사 및 저산소증, 미숙아 등이 있고 급성질환으로는 호흡기 질환, 중이염, 위장관 질환 등이 있다. 만성 질환으로는 대사이상질환(갈락토스혈증,

페닐케톤뇨증 등), 선천성 기형(다운증후군, 심장질환, 구순열, 구개열 등), 신경학적 이상이 있는 경우이고 입원이나 수술이 필요한 경우에도 모유수유에 대한 조언이 필요하다.

1) 저혈당증

정상만삭 신생아의 정상 혈당치는 생후 1-3시간 사이 35 mg/dL, 생후 3-24시간 사이에는 40 mg/dL, 24시간 이후에는 45 mg/dL이며 정상 신생아 1,000명중 1-3명, 자궁내성장지연아의 5-15%에서 증상이 나타날 수 있다. 과민성, 진전, 고음의 울음, 경련, 기면, 저긴장, 혼수, 청색증, 무호흡, 빈맥 등의 증상이 나타날 수 있으며 증상이 있거나 혈당이 20-25 mg/dL 이하인 경우 10% 포도당을 정맥주사하면서 지속적으로 모유수유를 하면서 혈당 측정을 해야 한다.

2) 황달

모유수유 시 나타나는 황달은 출생 3-4일에 나타나는 조기 모유수유황달(breast feeding jaundice)과 출생 7일 이후에 나타나는 후기 모유황달로 구분할 수 있고 병적 황달과 감별해야 한다.

조기 모유수유황달은 모유수유가 충분치 않아 동반된 탈수나 칼로리 섭취의 감소 때문에 발생하며, 모유수유를 자주하게 되면 장운동의 증가로 빌리루빈의 장간 순환이 감소하여 빌리루빈의 장내 흡수가 감소하게 된다. 모유수유아에게 물이나 포도당액을 보충하면 오히려 모유 섭취를 감소시켜 빌리루빈치를 높인다. 생후 되도록 빨리 모유수유를 시작하고 하루 10회 이상 수유를 하며 모자가 함께 잠으로써 밤중 수유를 시키는 것이 조기모유 황달을 줄이는데 도움을 줄 수 있고, 수유 후에는 모유량을 증가시키기 위해 손이나 기계로 젖을 짜낸다.

후기 모유황달은 생후 7일경부터 불포합 빌리루빈이 상승하여 2-3주째 최고치(10-30 mg/dL)에 달하게 되는데, 계속 모유수유를 할 경우 서서히 빌리루빈치는 감소하여 3-10주 동안

표 6-3-1. 조기 모유수유황달과 후기 모유황달의 비교

Lawrence Breastfeeding 6ᵗʰ ed

Early jaundice	Late jaundice
• 2~5 days of age	• 5~10 days of age
• Transient: 10 days	• Psrsist 〉 1 Mon
• Infrequent feeds	
• Stool delayed, infrequent	• Nomal etooling
• Water or Dextrose 보충함	
• 대부분 15mg/dL 이하	• No supplement
• TX; none or Photo TX	• 20mg/dL이상 되면
	• TX; photo TX, 모유수유 잠시 중단 드물게 교환수혈

낮은 농도에서 지속된다. 혈청 빌리루빈이 17–20 mg/dL이면 1–2일정도 모유수유를 중단하고 조제분유를 먹이면 혈청 빌리루빈이 급격히 감소하며 다시 모유수유를 재개하여도 고빌리루빈혈증이 재발하지 않는다. 모유수유를 중단한 동안 손이나 기계로 젖을 짜낸다.

3) 신생아 가사 및 저산소증

신경학적 이상이 있는 아기와 수유 방법은 비슷하며 옆구리에 끼고 먹이는 자세가 용이하고, Dancer hold 수유법이 유용하다. 구강 주위를 자주 자극해주는 것이 좋다.

그림 6-3-1. Dancer hold 수유법   그림 6-3-2. 옆구리에 끼고 먹이는 자세

4) 아기의 급성 질환

아기가 급성질환으로 인해 아플 때에도 영양과 면역 성분의 섭취를 위해 모유수유를 지속해야 하며 분유병 수유보다 직접수유가 훨씬 편하다. 모유수유를 함으로써 항체와 면역 물질의 섭취를 통해 방어기능이 향상되고 무엇보다 정서적으로 안정된다.

(1) 호흡기 질환과 중이염

모유수유 시도 시 upright position을 취하고 짧게 자주 먹인다. 중이염이 생겼을 경우 빨 때 귀 속 압력이 증가하여 아파할 수 있으므로 먹기를 거부하면 모유를 짜서 스푼이나 컵으로 먹인다.

(2) 설사, 장염

설사는 냄새가 불쾌하고 물 같은 변을 하루에 12회 이상 보는 것을 말한다. 그러므로 아기의 변이 묽을 때는 모유를 먹는 아기들에게서 있을 수 있는 정상적인 묽은 변의 양상은 아닌지 잘 확인하는 것이 중요하다. 만약 아기에게 열이 없고 다른 질병의 증상이 없다면 설사 때문에 일시적으로 젖을 떼는 것은 아기에게 아무런 도움이 되지 않는다.

간혹 초록색의 물 같은 변을 보는 경우에 아기에게 질병의 증상이 없다면 전유와 후유를 불균형하게 섭취한 경우인 '과잉공급 증후군' 즉, 젖을 너무 빨리 바꿔 물려서 아기가 유당이 풍부한 물 같은 전유는 많이 먹고 지방이 많은 고칼로리 후유는 충분히 먹지 못한 경우일 수 있다. 이때는 가능하면 한 번에 한쪽 젖을 충분히 먹을 수 있도록 해주는 것이 도움이 될 수 있다. 수유 전에 마사지를 충분히 하고 수유하는 것도 도움이 될 수 있다.

설사는 탈수 때문에 위험하다. 그러므로 엄마는 탈수의 증상을 알아두어 아기에게 이런 증상이 없는지, 그리고 그 예방법을 안다면 자신감을 가지고 수유 할 수 있다.

탈수를 의심해야 하는 증상

- 아기가 무기력해 보이고, 잠을 많이 잔다.
- 울음소리가 약하다.
- 피부의 탄력이 없어졌다. (살짝 꼬집었을 때 그 상태로 남아 있다)
- 입과 눈이 건조하다.
- 하루 동안 소변을 2번 이하로 본다.
- 아기 머리 위의 숨구멍(대천문)이 움푹 들어가 있다.
- 열이 난다.

아기에게 탈수증상이 있다면 즉시 병원을 방문 하도록 한다. 탈수를 예방하기 위한 가장 최선의 방법은 아기에게 수분 섭취를 충분히 해 주는 것. 즉, 아기에게 젖을 자주 주는 것이다. 설사가 시작되더라고 모유수유를 지속하는 경우 급성 설사의 기간 및 심한 정도를 줄여줄 수 있으므로 모유수유를 지속하고, 탈수증상이 있는 경우에는 수액 치료를 병행하면서 모유수유를 지속하도록 한다.

5) 대사이상질환

갈락토스혈증 이외에는 대부분 모유수유 가능하며 소아 내분비 전문의, 영양사와 협진 하에 식이를 결정한다.

(1) 갈락토스혈증

Galactose-1-phosphate uridyltransferase 부족으로 인한 갈락토오스 대사 장애로 심한 황달이 지속되고, 구토, 설사, 전해질불균형, 중추신경계 증상, 체중감소, 심한 경우 조기 사망에 이를 수 있다. 신생아 대사 이상 검사로 진단된 경우 갈락토오스가 함유되지 않은 특수 분유를 먹여야 하며 이유 이후에도 무유당 식이(lactose free diet)를 해야 한다.

(2) 페닐케톤뇨증(PKU)

간의 phenylalanine hydroxylase 결핍으로 발생하며 혈중 페닐알라닌 농도를 2~6 mg/dL 로 유지해야 하며 페닐알라닌 농도를 측정하면서 수유양의 반 이상을 모유수유로 병행할 수도 있다. 모유는 페닐알라닌이 낮으므로 모유를 조금씩 먹이면서 특수 분유를 페닐알라닌 농도를 측정하면서 먹인다.

6) 특수한 경우의 모유수유

(1) 미숙아

보통 분만예정일 보다 3주 이상 일찍 태어난 아기를 미숙아라고 한다. 미숙아를 분만한 엄마들의 감정은 정상적인 임신기간을 갖지 못하고, 건강한 아기를 낳지 못했다는 것 때문에 놀라움, 부정, 분노, 타협, 우울, 슬픔 등으로 표현된다. 하지만 이런 슬픔이나 상실의 감정들은 젖을 먹이는데 좋지 않은 영향을 줄 수 있으므로 가능하면 긍정적으로 생각하고, 아기와 자주 만날 수 있는 방법에 대해 의료진과 충분히 상의하는 것이 중요하다. 모유는 미숙아에게 소화하기도 쉽고, 먹기도 좋다. 그리고 아기가 유지방을 더 효과적으로 흡수 하는데 도움을 주는 리파제가 포함되어있다. 모유에는 항체와 그밖에 다른 효소들이 들어있어 미숙아가 박테리아에 감염되는 것을 막아준다. 그리고 미숙아에게 젖을 먹이는 경우 망막 발달을 촉진하여 시각발달을 돕는다. 무엇보다 아기와 엄마를 더 친밀하게 만들어주므로 모유수유를 하는 것이 아기와 엄마 모두에게 좋다.

• 캥거루케어

피부와 피부(skin-to-skin)의 접촉은 캥거루케어라고도 불리는데, 이것은 캥거루의 주머니와 비슷하다고 해서 붙여진 이름이다. 기저귀만 찬 아기들은 엄마의 유방 사이에서 엄마에게 기대어 피부와 피부가 접촉할 수 있게 해주거나, 블라우스나 셔츠를 느슨하게 해서 아기가 그 안에서 엄마의 유방에 기대게 하여 아기를 달랠 수 있다. 미숙아에게 잘 일어나는 체온 손실의 문제도 엄마의 옷 안에서 아기를 잘 감싸주고 만져줌으로써 방지할 수 있다.

아기와 엄마의 피부 접촉을 통해 아기에게 따뜻함과 편안함을 주는 방법이다. 캥거루케어를 하는 엄마는 더 오래, 더 자주 모유수유를 하는 경향이 있다.

아기의 머리를 지지해줄 필요가 있을 때는 팔 바꿔 안고 먹이는 자세(cross-cradle법)나 옆구리에 끼고 먹이는 자세(football hold법)가 미숙아에게 수유할 때 좋은 자세이다. 이 자세를 취하면 아기의 얼굴을 잘 볼 수 있고, 아기 머리도 잘 받쳐줄 수 있다.

(2) 쌍둥이

　쌍둥이를 가진 엄마는 한 아기만 출산한 엄마보다 자궁이 더 많이 늘어나있기 때문에 모유수유가 자궁을 수축 시키는데 큰 도움이 될 수 있다. 그리고 모유의 양은 아기들의 필요량에 따라 만들어지기 때문에 세쌍둥이, 네쌍둥이의 경우에도 모유수유만으로 키울 수 있다고 보고되었다. 쌍둥이의 모유수유 시 장점은 1주일에 8-10시간 절약 되고, 경제적으로도 도움이 된다.

　쌍둥이 수유 시 엄마가 취할 수 있는 수유자세는 ① 안고먹이는 자세(cradle hold)와 옆구리에 끼고 먹이는 자세(football hold)를 결합한 자세 - 한 아기는 안고먹이는 자세로 안고, 다른 아기는 머리가 쌍둥이 형제의 배 위에 오게 해서 옆구리에 끼고 먹이는 자세로 안는다. 이 자세는 집 밖에서 수유할 때, 가장 주위 시선에 두드러지지 않고, 아기가 젖을 잘 물지 못할 때 가장 쉽게 익힐 수 있는 방법이다. ② 두 아기를 안고 먹이는 자세로 안고, 엄마의 허벅지 위에서 아기들이 열십자 모양으로 서로 엇갈리게 한다. 이 자세는 베개를 받혀준다면 더 편안하게 할 수 있다. ③ 엄마의 양옆을 베개로 받친 뒤 두 아기를 양쪽 옆구리에 끼고 먹이면서, 발 받침대나 의자, 낮은 탁자에 발을 올려놓으면 엄마가 더 편안함을 느낄 수 있다. 이 자세는 수술 부위에 아기의 체중이 가해지지 않기 때문에 제왕절개를 한 엄마에게 특히 좋다.

　엄마의 관리는 목이 마를 때 물을 마시고, 음식은 영양가 있는 것을 먹고, 아기가 잘 때는 같이 자는 것이 좋다. 얼마간은 가사에 있어 가족의 도움을 받는 것이 중요하므로 주위 사람들에게 엄마가 모유수유를 한다는 것을 알리고 적절한 도움을 요청하는 것도 지혜로운 방법이다.

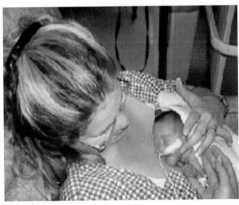

그림 6-3-3. **캥거루케어**

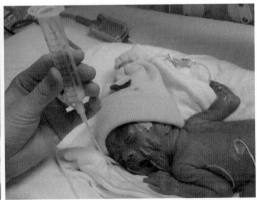

그림 6-3-4. **미숙아 모유 먹이기**

(3) 구순열, 구개열

구순열과 구개열은 젖을 먹일 수 없다고 생각하는 경우가 많다. 그런데 결론은 '그렇지 않다' 이다. 아기에 따라서는 구순열, 구개열이 있다고 해도 아주 잘 먹는다. 구순열이 있을 경우 생후 수 주 내에 수술하며, 구개열은 생후 9-12개월경에 수술을 하게 된다. 구개열을 가진 많은 아기는 젖 물리기가 어려운 경우가 있을 수 있다. 그러므로 상악골에 보조 장치를 장착하여 모유수유를 시도해 볼 수 있고, 잘 빨지 못한다면 유축한 젖을 특수 우유병을 이용하여 먹인다. 만약 아기에게 젖을 먹여야하는데 젖 물리기가 어렵다면 컵을 사용 할 수도 있다.

모유수유동안 사용되는 근육은 얼굴에 있는 정상적인 근육형성에 도움을 주어 아기가 성장할수록 발음과 언어 발달에 도움을 준다. 다만 처음 몇 주 동안에는 수유로 인해 많은 시간이 걸릴 수 있으므로 엄마가 인내심을 가지고 아기와 엄마 모두에게 가장 좋은 방법을 찾도록 연습을 하는 것이 중요하다. 수유에 도움이 되는 자세로는 수정된 옆구리에 끼고 먹이는 자세(엄마의 옆구리에 아기를 바로 세우고 서로 마주 보면서 앉아 먹이는 자세)이다. 아기의 다리는 엄마의 겨드랑이 아래에 두고 발은 등 쪽에 두게 한다. 반대쪽 손은 엄지손가락은 젖꼭지 위에 두고 나머지 손가락들은 아래로 적당히 두는 C-hold 방법으로 잡는다. 만약 아기의 체중이 잘 늘지 않으면 아기에게 젖을 먹인 후 칼로리가 많은 후유를 짜서 보충해 줄 수 있다. 아기의 체중 증가, 빠는 정도, 체력에 따라 보충 횟수를 매 수유시마다 또는 하루에 2~3회 정도 짜놓은 후유를 보충해 줄 수 있다.

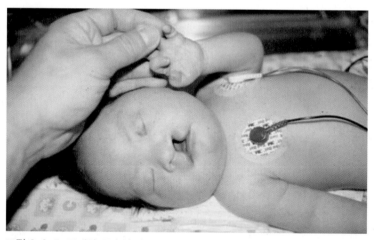

그림 6-3-5. **구개열, 구순열**

(4) 아기의 입원

심하게 아픈 아기에게 엄마젖을 주는 것은 중요한 이점이 있다. 젖은 소화하기 쉽고, 질병과 싸우는 것을 돕는 면역체 제공, 그리고 아기에게 위안을 주게 되므로 아기의 빠른 회복을 위해서는 엄마젖을 먹이는 것이 당연하다. 입원 기간이 짧은 경우라면 젖이 심하게 붙는 것을 예방하기 위해 자주 짜 주어야 한다. 마사지와 젖을 자주 비워 준다면 아기가 퇴원한 후 젖 먹이기가 어렵지 않게 진행 될 수 있다. 하지만 아기의 입원 기간이 길어진다면 엄마가 짜서 보관한 젖을 먹여 줄 수 있는지 병원에 확인하고 가능하다면 하루 동안 짠 젖을 보관했다가 아기에게 먹이도록 병원에 갖다 주는 것에 대해 병원 관계자와 충분히 상의해 두는 것이 좋다. 그리고 그러기 위해서는 엄마젖을 짜고, 보관, 관리 하는 것에 대한 지침, 박테리아 감염을 최소화하고, 효율적으로 젖을 짤 수 있는 방법, 병원의 지침에 대해 잘 알아두는 것이 좋다.

• 유축한 젖의 보관, 관리

- 모유를 짜서 아기가 한 번에 먹을 만큼의 분량으로 모음팩에 담는다.
- 모음팩 마다 아기이름(엄마이름), 짠 날짜, 양을 기록한다.
- 유축한 젖은 즉시 냉장, 냉동 보관 한다.
- 가능하면 바로 얼려서 아이스박스나, 얼음을 담은 봉지에 넣어 입원한 병원으로 안전하게 운반한다.

7) Nipple confusion(유두 혼동)

생후 3-4주 이전에 분유병이나 노리개 젖꼭지를 사용하면 유두 혼동이 생길 수 있다. 이것은 고무젖꼭지와 유두가 모양, 냄새가 다르고 무엇보다 빠는 기전이 다르기 때문이다. 모유를 빨 때는 유두를 깊숙이 입속에 넣어 혀로 유륜 부위를 누르고 경구개와 혀로 진공상태를 만들면서 입 근육을 사용하여 젖을 빨며, 고무젖꼭지는 입술과 잇몸으로 고무젖꼭지를 눌러 젖이 나오게 하며 세게 빨지 않아도 젖이 흐른다. 모유를 짜서 먹여야 하는 경우에는 유두혼동의 예방을 위해 컵이나 스푼, 모유수유생성기(supplementer)를 사용하여 수유를 하는 것이 좋다.

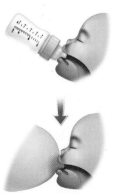

〈 바른자세 〉　　　　　　　　〈 유두혼동 〉

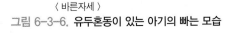

그림 6-3-6. 유두혼동이 있는 아기의 빠는 모습

3 수유시 엄마 문제

엄마의 의학적 문제로 모유수유를 지속하지 못하는 이유로는 크게 유방의 문제(유방의 크기, 유방의 수술 및 손상, 통증, 편평 함몰 유두, 유방울혈, 유선염 등), 감염성 질환(바이러스, 세균, 곰팡이 감염 등)과 비감염성 질환(내분비, 결체조직, 정신과, 수술, 치과 치료 등)으로 나눌 수 있다.

1) 유방의 문제

(1) 유방의 크기

유방의 크기는 성공적인 모유수유의 지표가 되지 않는다. 유방 부피를 차지하는 대부분이 지방조직이고, 유방의 크기가 작다 하더라도 충분한 양의 모유를 생산할 수 있는 유선 조직이 있고, 임신을 하게 되면 유선 조직이 발달하게 된다.

(2) 유방의 저형성증/관모양 유방

드물지만 유방의 이상 발육증으로 간혹 관모양의 유방(tubular breast)이 있을 수 있는데, 이런 경우 모유생산량이 제한적일 수 있다.

(3) 임신 기간 동안의 유방

임신 기간 동안 유방의 크기는 일시적으로 커지는데, 이러한 과정은 모유수유 성공에 중요한 인자가 된다. 만약, 이러한 과정이 임신 기간 동안 일어나지 않는다면 호르몬이나 해부학적 문제에 의한 것으로 생각할 수 있다.

(4) 유방 손상과 유방 수술

유방 확대성형술, 축소성형술, 혹은 종괴로 인한 수술이나 외상으로 수술을 받은 경우 모유수유에 어려움을 가지게 될 수도 있다. 이런 경우 모유수유를 격려하며 수술 부위 등을 모니터하고 아기의 몸무게 증가 등도 유심히 관찰해야 한다.

① 유방 축소성형술

유방 축소성형술을 받으면서 유두와 유륜 위치를 재설정한 경우 충분한 모유를 만들어내는 데 어려움이 있을 수 있다. 유륜 부위를 절개하는 과정에서 유두관을 통한 모유의 흐름을 막을 수도 있다. 대체적으로 재관류의 과정이 일어나서 어느 정도 모유수유가 가능하지만, 완전모유수유가 힘들 수 있다. 수술 과정에서 유두와 유륜을 유선 뿌리에 남겨 놓으면 좋은 효과를 볼 수 있다.

② 유방 확대수술

단순한 미용 목적을 위해 보형물을 대흉근 후방에 위치하게 하였을 때, 모유수유가 가능하다. 하지만 과도하게 큰 보형물을 넣었을 경우 수유 기간 동안 유방이 확장되는 것을 방해함으로써 모유를 저장하는 데 불리하고, 충분한 혈류가 유선조직에 공급되는 것을 방해할 수 있어 모유 생산에 어려움이 있을 수 있다.

③ 종괴 절제술

유방의 종괴를 수술하는 경우 신경과 유선관의 손상 또는 제거 여부에 따라 모유수유에 영향을 미칠 수 있다. 모유 생산량과 아기의 체중 증가를 잘 모니터 해야 한다.

④ 유방암 치료

유방암 치료 후에 임신을 하게 되면 유방암의 재발율을 떨어뜨리고 생존율에도 도움이 되기도 한다. 유방암을 치료한 후에 5년이 지나서 임신을 권장하고 있다. 더 일찍 임신이 되는 경우 유방암이 아닌 다른 쪽으로 모유수유가 가능하다. 종괴절제술 후 방사선 치료를 병행할 경우 그쪽 유방으로의 수유는 제한적일 수 있다.

⑤ 외상과 화상

외상과 화상이 수유 능력에 미치는 정도는 유선조직과 유선관이 얼마나 손상되었느냐에 달려 있다.

(5) 유두 동통(Sore Nipples)

모유수유를 할 경우 첫 수일 동안은 수유를 시작하고 가벼운 동통을 경험하게 된다. 비어 있는 유선관에 젖 빨기를 시작하면서 음압이 걸려 통증이 생기게 되며 젖 사출이 일어나면서 통증이 감소하게 된다.

수유 시 계속되는 동통은 잘못된 수유 자세와 젖 물리기, 아기가 젖을 잘 빨지 못하는 것 등으로 유두의 균열, 멍이 생기게 되고, 설소대나 아구창, 또는 세균감염에 의해서도 발생할 수 있다. 유두 동통을 예방하기 위해서는 올바른 수유자세와 젖물리기를 해야 하며 수유 후에는 모유를 조금 짜서 유두와 유륜부위에 발라주고 공기 중에 노출시켜 건조시킨다. 샤워나 목욕 시 비누나 알코올로 닦지 말고, 연고 등은 오히려 상처를 악화시킬 수 있다. 수유 시 상처가 없거나 유두 동통이 덜한 유방부터 수유를 하여 사출반사를 유도한 뒤 통증이 심한 쪽을 짧게 빨린다.

(6) 편평 유두와 함몰 유두(Flat and inverted Nipples)

유두를 잡으려 하거나 유륜 부위를 누를 때 유두가 유륜 속으로 들어가게 되면 함몰 유두이고 유두가 돌출되지 않으면 편평 유두이다. 우리나라 여성의 80% 이상은 정상 유두이며

20%정도만이 편평 유두 또는 함몰 유두이다. 또한 임신을 하면 대부분 유방이 커지므로 대부분 문제가 해결된다. 가성 함몰 유두란 유두의 중앙부위가 들어가 있으나 유두 주위를 눌렀을 때 유두가 들어가지 않는다. 유두 돌리기와 호프만식 운동(유두를 잡아 빼어 늘리는 운동)은 임신 하반기에는 자궁수축을 유발할 수 있으므로 조심해야 한다. 수유 전에 유축기를 사용하여 몇 분간 젖을 짜주면 사출 반사가 일어나고 유두가 돌출되어 젖을 빨기가 용이해지고, 일회용 주사기(10cc 또는 20cc)의 피스톤을 이용하여 수유 직전 유두를 조금 당겨내는 것도 도움을 줄 수 있다.

(7) 유방 울혈(Engorgement)

출산 후 초기에 유즙이 분비되는 시기에 혈류와 림프액이 증가하기 시작하여 유방이 풍만해지고 꽉 찬 느낌이 들게 되는데, 대개 3-5일 사이에 발생하고 유방을 잘 비워 주지 않거나 자주 빨리지 않는다면, 유방울혈이 생겨 유방이 단단해지고 아프며 열감이 느껴지게 된다. 울혈을 감소시키기 위해서는 하루에 8-12회 정도로 자주 수유하여 양쪽 유방이 부드러워졌는지 확인하고, 마사지를 하고, 따뜻한 물로 샤워를 하거나 온습 찜질을 한 후 손으로 약간의 젖을 짜주면 아기가 좀 더 쉽게 수유할 수 있다. 수유 후에는 냉찜질을 하여 불편함을 해소하고 울혈을 줄일 수 있다.

(8) 유관 막힘(Plugged Ducts)

유선관이 막히면 모유가 정체되어 덩어리(lump)가 생기게 되고 주위조직이 압박을 받아 국소적으로 울혈이 생기게 된다. 유선염과 달리 전신 발열 증상이 없고 막힌 부위에 단단한 덩어리가 만져지고 만지면 아프다. 치료는 2-3시간 간격으로 지속적으로 수유하거나 손이나 유축기로 유방을 완전히 비워주고 유선이 막힌 쪽 유방을 먼저 수유한다. 유선염으로 진행가능성이 있어 관찰과 치료가 필요하다.

표 6-3-2. 조기 모유수유황달과 후기 모유황달의 비교

임상특징	유방울혈	유관막힘	유선염
시작시점	점차적, 분만 직후	점차적, 수유직후	갑작스럽게, 10일이후
부위	양쪽	한쪽	주로 한쪽
부종과 열감	전체적으로	부분적	부분적, 열감, 발적
아픈곳	전체적으로	부분적	부분적으로 심하게
체온	〈 38.4℃	〈 38.4℃	〉38.4℃
전신증상	양호	양호	감기증상

(9) Mastitis(유선염)

유선염은 유방의 압통, 발적, 열감 등 국소적 증상과 함께 열이 나고 구토, 유행성 감기와 같은 전신적인 증상을 동반한다. 흔한 원인균은 포도상구균(50%)과 대장균이고, 연쇄상구균과 결핵성 유선염은 드물다. 치료는 젖을 자주 물려 젖을 완전히 비우고 항생제 치료를 한다. 엄마와 아이에게 안전한 항생제로 초기에는 1세대 cephalosporins이나 Dicloxacillin/oxacillin으로 치료하고 그람 음성균이 의심되면 1세대 cephalosporins이나 amoxacillin/clavulanate(Augmentin)을 사용한다. 포도상 구균이 동정되면 amoxacillin, dicloxacillin, nafcillin을 투여한다. 수유 시작 전엔 따뜻한 찜질을 하고 수유 사이에는 냉찜질과 더운찜질을 번갈아 하며 대부분의 경우에는 모유수유를 지속할 수 있다. 유선염을 치료하지 않으면 유방농양의 원인이 될 수 있다.

(10) 모유가 부족한 경우

① 일차성 모유부족(Primary insufficient lactation): 태반이 남아있거나, 유선의 발달 부진, 유방확대 및 유방축소 수술(특히 유륜 부위의 수술이나 신경 손상이 있을 때) 등에 의해 젖양이 부족할 때 보충식이를 해야 하며, 노력을 해도 모유를 충분히 먹일 수 없다. 보충식이가 필요하다.

② 이차성 모유부족(Secondary insufficient lactation): 우리나라의 모유수유 실패 원인의 대부분을 차지하며 모유수유 외에 보충식을 먹이는 것이 원인이 될 수 있다. 보충식을 먹게 되면 아기는 젖을 덜 빨게 되고 잠자는 시간이 많아지게 되며 유방에 남아 있는 모유가 많아지고 비워지지 않아 주위조직을 눌러 유선조직의 퇴화를 유발한다.

• **보충식이 필요한 경우**
  〈아기의 적응증〉
    – 충분히 수유 후에도 저혈당증이 피검사로 확인이 될 때
    – 심한 탈수
    – 출생 5일이상이 되었는데도 젖량이 충분치 않아 체중소실이 8–10% 이상일 때
    – 출생 5일째에도 대변을 잘 못보거나 검은 변을 볼 때
    – 모유량이 충분하나 잘 빨지 못할 때
    – 칼로리가 필요한 미숙아나 저출생체중아이지만 산모가 충분한 모유를 공급하지 못할 때
    – 대사성 질환(galactosemia, phenylketonuria, marple syrup urine disease)
  〈산모의 적응증〉
    – 아기에게 문제가 있고 5일 이상이 되었지만 젖이 제대로 나오지 않을 때

- 모유가 잘 나오지 않아 아기가 계속 배고파할 때
- 수유시 통증이 심할 때
- 산모가 심하게 아프거나 아기와 떨어져 있을 때(psychosis, eclampsia, shock)
- 일차성 모유부족 (Primary insufficient lactation)
- 잔류태반으로 모유생성(lactogenesis)이 지연될 때
- 산모가 금기의 약을 복용하고 있을 때

〈보충식이를 먹이는 방법〉

유두 혼동을 예방하기 위해 수유보충기를 가슴에 부착해서 수유한다. 또는 컵이나 스푼을 이용해서 수유를 할 수 있다.

(11) 임신 중 수유

임신 중의 모유수유는 엄마가 잘 먹는다면 태아에게 필요한 영양분은 뺏기지 않는 것으로 알려져 있다. 모유수유를 하는 동안 자궁수축의 경험이 있더라도 그것은 임신의 일반적인 징후이므로 태아에게 대체적으로 위험하지 않다. 하지만 조산이나 유산의 경험이 있거나 반복적으로 자궁수축이 느껴진다면 진료를 받고 모유수유를 중단해야 하는 경우도 간혹 있다. 두 아이에게 수유를 하면 유방울혈을 최소화할 수 있고, 젖의 공급도 풍부해 진다. 출산 이후 초유를 신생아에게 우선적으로 먹인다.

2) 엄마의 감염성 질환

태반을 통해 받은 IgG와 모유를 통해 받은 면역인자는 면역학적 인자를 제공하게 되므로 일반적으로 산모가 질병이 있더라도 모유수유는 지속되어야 한다.

(1) HIV 및 T 림프구 바이러스

임신 시에 HIV에 대한 항체가 양성일 때 수유에 의한 전파율은 불분명하지만 모유에서 HIV가 발견되므로 미국 등 선진국에서는 모유수유는 금기이다. 미국의 CDCP 에서는 HIV 감염치료를 위한 항바이러스치료를 받고 있는 경우 모유수유를 하지 않도록 권장하고 있다. 그러나 개발도상국에서는 HIV의 전파위험보다는 분유가 없거나, 가난하여 모유를 먹이지 않으면 영양실조와 감염으로 이환율과 사망률이 높아질 수 있으므로 모유를 먹일 수도 있다.

2010년 WHO 권장사항으로는, 감염자의 경우 모유수유를 회피하게 하거나, 항바이러스 치료를 하면서 모유수유를 지속할 것을 권장한다. 설사 항바이러스제를 사용할 수 없는 상황이라도, 모유수유를 대체할 사회적 환경이 받쳐주지 않는 경우 모유수유를 할 수 밖에

없다.

Human T-cell leukemia virus 감염인 경우 모유수유 금기이다.

(2) 결핵(Tuberculosis)

결핵은 긴밀한 접촉을 통해서 전파될 수 있으므로 활동성 결핵인 경우 출산 후 산모와 아기를 격리한다. 그러나 결핵균은 모유를 통해 전파되지 않으며 호흡기 전염이 문제이므로 젖을 짜서 먹일 수 있다. 수유모가 적절한 항결핵제 치료를 시작하고 2주가 경과하여 더 이상의 전염성이 없고, 아기는 예방적 INH 복용을 시작했다면 직접 모유수유가 가능하다. 결핵 약을 먹는 것은 젖을 먹이는데 문제가 없으므로 계속 젖을 먹여도 상관없다.

(3) 거대세포바이러스(CMV)

거대세포 바이러스에 대해 혈청검사가 양성인 수유모의 모유에서 거대세포 바이러스가 검출 될 수 있다. 건강한 만삭아에서는 모유를 통해 거대세포 바이러스의 감염병의 증상을 보이는 경우는 드물다. 미숙아의 경우 증상 발현으로 이어질 위험이 높고, 이러한 경우 패혈증과 유사한 증상으로 나타난다. 모유를 섭씨 -20도까지 얼리는 것이 거대세포 바이러스의 감염성을 낮추는 효과가 있다. 미숙아에게 모유를 공급할 경우, 임상적으로 이득이 클지 거대세포 바이러스 감염에 대한 위험이 클지는 잘 판단해야 한다.

(4) 단순포진바이러스(Herpes simplex virus)

유방에 단순포진 병변이 있는 경우 병변이 있는 쪽의 유방으로의 수유를 금하고, 아기와 접촉되지 않도록 덮어 둔다. 그러나 회음부나 구강에 병변이 있는 경우 모유수유가 가능하며 이때에는 손 위생을 철저히 지켜야 한다.

(5) 풍진(Rubella virus)

수유모가 풍진에 감염되었거나 풍진 예방접종을 받은 경우 모유 속에 바이러스가 검출될 수 있다. 하지만 풍진 바이러스에 대항하는 IgA 항체와 면역세포들이 함께 모유속에 존재하고 아기에게 거의 영향을 미치지 않으므로 모유수유를 할 수 있다.

(6) 수두바이러스(Varicella-Zoster virus)

산모가 출산 전 5일부터 출산 후 2일 안에 수두가 발생하였다면 신생아는 수유모와 격리시키고 아기에게 수두 특이항체 주사(VAIG)를 근주하고 모유를 짜서 먹인다. 수유모의 피부병변에 가피가 발생하면 피부접촉으로 발생하지 않으므로 모유수유를 해도 된다.

(7) 성병(Sexually transmitted disease)

수유모가 매독, 임질, 클라미디아, 트리코모나스 등의 성병에 걸렸을 때에도 모유수유는 가능하며 트리코모나스 치료약인 메트로니다졸 복용시 12-24시간이 지난 후에 수유가 가능하다.

(8) 매독(Syphilis)

아기와 환부가 접촉되지 않는 상황에서 모유수유가 가능하며 치료제로 사용하는 Penicillin은 모유수유에 적합하다.

(9) 임질(Gonorrhea)

치료를 위해 Cefixime, Ceftriaxone, Azithromycin을 사용하는 경우 모유수유 가능하다.

(10) 클라미디아(Chlamydia)

Tetracycline이나 Erythromycin으로 치료하는 경우 모유수유 가능하다.

(11) 트리코모나스(Trichomonas vaginalis)

모유수유하는 아기에게 위험하지 않다. Metronidazole(Lactation risk: L2)을 복용하면서 아기에게 설사 등의 증상이 있는지를 관찰하면서 모유수유 할 수 있다.

(12) B형 간염 보균자

엄마가 B형 간염 보균자인 경우에도 젖은 먹일 수 있다. 아기가 출생하면 병원에서는 생후 12시간이내에 B형간염 예방주사와 함께 B형 간염 면역글로블린이라는 주사를 놓는다. 이렇게 예방적인 조치를 한다면 엄마 젖은 먹여도 괜찮다는 것이다. 더구나 엄마가 e항원도 양성이면 전염력이 강하다고 금하는 경우들이 많이 있으나 젖을 먹인 경우와 안 먹인 경우에서 엄마의 B형 간염이 전해지는 전파율이 차이가 없다고 보고되었으므로 젖을 먹여도 무방하다.

(13) C형 간염

C형 간염 바이러스와 항체 모두 모유에서 검출된다. 그러나, 현재까지 모유를 통한 C형 간염의 이환의 보고는 없으며, 산모가 C형 간염에 감염된 것이 모유수유의 금기에 해당되지 않는다.

(14) 인플루엔자 H1N1

인플루엔자 H1N1 바이러스에 대해서 미국 CDC 에서는, 감염된 수유모의 무유를 유축해서 감염되지 않은 건강한 사람이 아기에게 먹이도록 권장하고 있다. 항바이러스제를 먹고 있는 수유모는 안전하게 모유수유를 할 수 있다. 조류독감 바이러스에 노출되어 감염을 예방하기 위해 항바이러스제를 복용중인 수유모도 현재 발열, 기침 혹은 인후통 등의 증상이 없다면 모유수유를 지속하도록 권장한다.

(15) 감기

만약 엄마가 감기에 걸리면 엄마의 몸에서는 바이러스에 대한 항체를 급속히 생성하기 시작한다. 그러므로 젖을 먹이는 것은 아기에게도 감기바이러스에 대한 항체를 전해줄 수 있는 통로가 된다. 감기는 공기를 통해서 전해지므로 감기 증세를 느낄 때에는 엄마가 일시적으로 마스크를 착용하고 손위생을 철저히 하는 것이 아기에게 감기를 옮기지 않는 방법이 될 수 있다.

감기에 사용하는 소염진통제와 항히스타민제 등은 젖 먹는 아기에게 영향을 미치지 않아 젖 먹이는 동안에도 사용할 수 있다. 하지만, 오랜 시간 작용하는 항히스타민제를 복용한 아기가 졸리움과 안절부절 증상이 보이기도 하고 또한, 엄마의 젖양을 줄일 수 있으므로 복용 시 주의하여야 한다.

(16) 천식(Asthma)

천식 치료를 위해 흡입용 코르티코스테로이드를 사용 중인 경우에도 모유수유 가능하다. 흡입용으로 사용되는 코르티코스테로이드 용량은 극히 적은 양이 아기에게 전달된다. 하지만 경구로 장기간 스테로이드를 복용하는 경우 아기의 뼈 성장을 방해하고, 아기에게 위궤양을 일으킬 수도 있다.

(17) 수유 시 예방접종

젖을 먹이는 엄마가 황열 예방접종을 제외한 예방접종(생백신, 사백신)을 한 뒤 젖을 먹이는 것이 가능하다. 젖을 통해 나오는 것으로 확인된 바이러스는 풍진 백신 바이러스뿐이며, 풍진 접종 후에도 아기에게 영향을 미치지 않는 것으로 알려져 있다.

3) 엄마의 비감염성 질환

(1) 갑상선질환

분만 후 약 17%의 산모들이 갑상선 기능이상 증상을 가질 수 있다. 갑상선항진증으로 약물 복용 시 모유수유 가능하다. PTU(Propylthiouracil, Lactation risk: L2, 임신 중 선호됨) 사용 시 모유수유 가능하다. 하지만 투약하면서 모유수유를 하는 동안 아기의 갑상선 기능(혈청 T4, TSH 농도) 검사를 모유수유 시작 3-4주 후에 시행하고 이후 아기의 정상적인 신체 및 지적 발달을 위해 주기적으로 모니터해야한다. 또한 갑상선기능저하증으로 레보타이록신(Levothyroxine, Lactation risk: L1)을 복용하면서도 모유수유 가능하다. 또한 치료기간 동안 아기의 갑상선 기능(혈청 T4, TSH 농도) 검사를 주기적으로 시행하여야 한다.

(2) 당뇨

임신부 중 4%에서 임신성 당뇨를 경험하게 된다. 당뇨병 때문에 인슐린이나 경구용 혈당강하제를 사용하는 경우 모유수유 가능하다. 모유수유는 당뇨를 악화 시킬 수 있는 스트레스를 감소시키고, 수유 중 분비되는 호르몬은 엄마를 이완 시킨다. 모유를 먹은 아기는 출생후 당뇨병에 걸릴 확률이 감소되고, 엄마의 인슐린 요구치를 감소시킨다. 엄마가 복용하는 인슐린은 모유수유에 적합한 것으로 간주 된다. 간혹 당뇨병 엄마는 유방염증이나 유방감염에 걸리기 쉬우므로 젖꼭지를 깨끗하고, 마른 상태로 유지하고, 손씻기와 같은 좋은 위생 상태를 유지하는 것도 필요 하다. 다만 인슐린 사용에 따른 산모의 저혈당증을 주의해야 한다. 경구용 혈당강하제인 Metformin(Latation risk: L1)이나 Glyburide(Latation risk: L3)는 제 2형 당뇨병의 치료에 사용되며, 모유수유 가능하다.

(3) 고혈압(Hypertension)

고혈압 약을 복용중이더라도 모유수유가 가능하다. 모유수유 시 프로락틴은 산모를 이완시켜 편안하게 해 준다. Propranolol, nifedifine, methyldopa, spironolactone, hydro-chlorothiazide, enalapril 등은 L2(Lactation risk)로 비교적 안전하며, metoprolol, sotalol 등도 L3(Lactation risk)로 비교적 적합하다. Atenolol은 L3이나 서맥, 저혈압, 청색증 등의 부작용이 있어 주의가 필요하다.

(4) 산후 우울증

우울증으로 고생하는 산모도 모유수유가 가능하다. 하지만 항우울제 치료는 주의 깊게 사용되어야 하고 아기는 잘 관찰되어야 한다(Part6-2장 참조).

(5) 간질

간질로 약물을 복용하는 경우에도 모유수유 가능하다.(Part6-2장 참조)

(6) 암(Cancer)

암에 걸려 있을 때에도 모유수유가 가능하다. 하지만, 항암제 치료를 하고 있을 때에는 모유수유를 해서는 안 된다. 방사능 물질을 사용하여 진단을 할 때에는 반감기를 고려하여 일시적으로 모유수유를 중단하는 것이 좋다.

▶ 참고문헌

1. American Academy of Pediatrics. Red Book: 2012 Report of the committee on Infectious Disease. 29th ed. Picering LK, ed. Elk Grove Village, IL: American Academy of Pediatrics;2012.

2. American Collage of Obstetricians and Gynecologists. ACOG practice bulletin: Clinical management guidelines for obstetrician-gynecologists number 87, November 2008. Use of psychiatric medications during pregnancy and lactation. Obstet Gynecol 2008;111(4)1001-20

3. Breastfeeding handbook for physicians. Second ed. American academy of pediatrics department of marketing and publications, 2013

4. Briggs GG, Freeman RK, Yaffe SJ. Drugs in pregnancy and lactation. 9th ed. USA, Philadelphia, Lippincott Williams & Wilkins. 2011

5. Chaves RG, Lamounier JA. Breastfeeding and maternal medications. J Pediatr. 2004;80:S189-98

6. Gideon Koren. Medication safety in pregnancy and breastfeeding. USA: McGraw-Hill 2007.

7. Hale TW, Rowe HE. Medications and mother's milk 16th ed. Texas: Pharmasoft 2014

8. Koren G. Maternal-Fetal Toxicology. A clinician's guide. 3rd ed. In: Anna Taddio, Shinya Ito. Drugs and breast-feeding. 177-232. USA, NY. Marcell Dekker, Inc. 2001.

9. Lakshmanan Suresh, Lida Radfar. Pregnancy and lactation Oral Surg Oral Med Oral Pathol Oral Radiol Endod 2004;97:672-82.

10. Lawrence RA, Lawrence RM. Breastfeeding: A guide for the Medical Profession. 7th ed. Philadelphia, PA: Mosby-Elsevier;2010

11. Lawrence RA, Lawrence RM. Given the benefits of breastfeeding, what contraindications exist? Pediatr Clin North Am 2001;48:235-51

12. Lawtence RM. Circumstances when breastfeeding is contraindicated. Pediatr Clin North Am. 2013;60:295-318

13. World Health Organization. Guidelines on HIV and Infant Feeding 2010. Principles and Recommendations for Infant Feeding in the Context of HIV and a Summary of Evidence. Geneva, Switzerland; World Health organization;2010

기형유발물질정보서비스 - 한국마더세이프전문상담센터

기형유발물질정보서비스
한국마더세이프전문상담센터

○ 한정열

1 기형유발물질정보서비스의 역사

1) 기형유발물질정보서비스의 필요

20세기 전에는 선천성기형은 유전적 원인에 의해서만 발생한다고 믿었다. 하지만 20세기 초반에 동물실험을 통해서 선천성기형이 환경적 노출에 의해서 발생되는 것을 알게 되었다. 예를 들면 1922년 Bragg는 방사선에 노출된 쥐의 태자에서 눈에 기형이 발생함을 관찰하였다. 그리고 Beck은 비타민 A 결핍 시 단안증(cyclopia)이 pigs에서 발생함을 보고하였다. 사람에서는 1941년 Gregg가 임신 중 풍진 바이러스 감염이 기형의 원인이 됨을 보고하였다. 이후 1952년 aminopterin에 의해서 기형이 발생함을 알 수 있었다. 1952~1960년대 초에 탈리도마이드에 의한 phocomelia 보고가 있었고 이러한 물질은 teratogen으로 알려지게 되었다. 이러한 사실에 의해 임신 중 모체의 노출에 관한 의문이 생기게 되었다.

임신부의 60% 이상은 임신 초기에 처방약이나 비처방약에 노출되고 이들 약물이 태아에 영향을 미치지는 않는지 궁금해한다. 하지만 노출에 대한 정보들은 종종 접근이 어렵고, 부정확하며 해석이 어렵거나 최근의 자료가 아닌 경우가 많다.

임신부의 약물에 대한 오해는 입덧약 벤덱틴이 대표적이다. 이는 기형발생과 상관없음에도 오비이락으로 발생하는 기형 때문에 litigation이 되어 시장에서 퇴출되었다. 이는 모든 약물은 기형유발의 원인이라는 가정하에 소송이 진행된 결과였다. 하지만 아이러니하게도 이 약물은 다시 2013년에 미국 FDA에 의해서 안전하고 효과가 좋은 입덧 약으로 재승인된 바 있다.

이렇게 임신부에서 약물에 대한 제한된 정보, 복잡한 자료, 약물에 대한 소송 등은 임신부 및 의료인들을 위한 기형유발물질정보서비스를 필요로 하게 되었다.

2) 기형유발물질정보서비스의 시작

1979년 미국 샌디에고에 근거한 'The California Teratology Registry'가 북미에 처음 만들어진 기형유발물질정보서비스가 되었다. 이 서비스는 전향적인 연구로 임신결과를 파악하기 위한 것이었다. 하지만 대중들은 이러한 연구보다는 정보서비스에 더 관심을 가졌다.

1980년대에 본격적으로 미국과 캐나다에서 기형유발물질정보서비스의 숫자가 늘어났다. 이때 생식발생독성정보 DB가 개발되었다. 미국 워싱턴 DC에 있는 Reproductive Toxicology Center에서 Reprotox와 시애틀에 근거한 TERIS(Teratology Information System)가 대표적이다.

이후 각 기형유발물질정보서비스간 프로그램 운영과 연구에 대한 정보교환의 필요성이 대두되었고, 1985년 필라델피아에서 Dr.Barbara Vogt에 의해서 주도된 첫 번째 네트워킹 미팅이 열렸다. 이때 기형유발물질정보서비스가 연구 또는 서비스를 중심으로 할 것인지에 대한 이슈가 있었고, 연구에 필요한 샘플 바이어스, data consistency, 적절한 대조군에 대한 논의가 있었다. 프로그램에서의 정보, 상담, 추천, 위험률 평가 제공이 중요하게 다루어졌다.

3) OTIS의 출현

1990년에 미국 Utah의 Park City에서 세 번째 국제기형유발물질정보서비스의 학술대회가 열리는 동안 OTIS (Organization of Teratology Information Services)가 창립되었다. 이때 OTIS는 임상기형학(clinical teratology)에 관한 정보제공과 교육을 하는 국제적 기관으로 규정되었다. 이러한 연합은 각 서비스 프로그램의 역량 강화를 통해 임신부의 노출에 관한 정확하고 적절한 시기에 정보 제공이 가능하게 하였다. 또한, 임신부의 노출자료를 바탕으로 전향적인 과학적 방법으로 임신결과에 대한 연구를 용이하게 만들었다. 그리고 CORN (Council of Regional Networks for Genetic Services)과 collaboration을 통해 TIS (Teratology Information Services)의 프로그램 스태프, 트레이닝과 교육, 연구, funding, 법률, 윤리적 문제, 공동체에 대한 접근 등에 관한 가이드라인을 만들게 되었다. 이 가이드라인은 OTIS의 quality assurance에 기여하게 되었고, ENTIS (European Network of Teratology Information Services)와 연결되게 되었다. 이는 정보의 교류뿐만 아니라 추가적인 collaboration이 가능하게 해주었다.

4) TIS의 Framework

TIS의 quality assurance를 위한 CORN과 함께 만든 가이드라인

(1) 조직(organization)

① 지역과 네트워킹

TIS는 지역화되어야 하고 기존에 소외된 지역에 있어야 한다.

각 TIS는 CORN에 의해서 제안된 지역과 관련되어야 한다.

TIS모델은 3개의 수준으로 센터를 정의한다. Level 3 센터는 중심역할 및 교육과 일차적 위험평가를 제공해야 한다. Level 2 센터는 제한된 자원을 가지고 있는 보다 작은

센터이다. 교육과 정보지원을 위해 Level 3 센터를 활용해야 한다. Level 1 센터는 그들의 환자에게 직접정보를 제공하는 일차적 정보제공자이다.

② 스태프

TIS의 스태프는 프로그램을 책임지고 상담원들을 교육하는 프로그램 director, 프로그램 상담원들 관리, 상담원 교육, 프로그램 디자인과 행정, 자료 수집, 연구프로젝트, 내부적 quality assurance를 담당하는 프로그램 coordinator, TIS specialist로 이들은 TIS의 정보를 바탕으로 정보제공, 연구 등을 담당한다.

③ 훈련과 교육

스태프의 background :

- Principles of Teratology

- Interpreting Scientific Literature

- Known and Suspected Teratogenic Exposures

- Exposures Known Not to Pose a Significant Teratogenic Risk

- Teratogen Counseling

- Epidemiology

- Risk Assessment

- Basic Principles of Genetics

- Prenatal Diagnosis

- Embryology

기형학 분야는 계속 변화하기 때문에 지속적 교육이 필수적이다.

새로운 문헌에 대한 토론, 문제 증례들의 토론과 관련 미팅 참석이 필요하다.

④ TIS에 대한 접근

TIS는 환자와 그들의 의료인들에 의해서 이용된다. 접근은 전화, 우편, 이메일, 외래 방문을 통해서 가능하다. 임산부와 가족, 그들의 의료인 모두에게 가능해야 한다.

⑤ 정보원(Sources of information)

TIS는 최신의 정보를 가지고 있어야 한다.

이들 정보의 예:

- The scientific literature and reference books

- An on-line teratology-related database

- Consultants in teratology-related fields such as: toxicology/pharmacology, occupational health, genetics, radiation biology, Infectious disease, perinatology, and epidemiology

⑥ 위험률 평가(Risk assessment)

TIS는 노출에 대한 위험률 평가를 위해 Data set를 구축해야 한다.

Data set에 포함되어야 할 내용:

- Intake date
- Agent(s) of primary concern
- Dose of agent
- Route of exposure
- Timing of exposure
- Reason for exposure
- Maternal symptoms from exposure
- Pregnancy dating (LMP, EDC, or other)
- Maternal illness or fever during pregnancy
- Exposure to other drugs, chemicals, and/or environmental agents
- Use of tobacco or alcohol
- Complications with pregnancy
- Maternal age
- Family history of pregnancy loss, birth defects, mental retardation
- Identity of caller-Are you a physician?
- Caller's name
- Caller's address
- Caller's work/home phone
- Health professional name
- Health professional address
- Health professional phone
- Maternal race or ethnicity
- Maternal educational level
- Maternal occupation

(2) Quality Assurance(QA)

각 TIS의 quality는 내, 외부의 모니터를 통해서 보장되어야 한다.

① 내부의 QA

프로그램 Director는 Part I 조직에서 제시된 가이드라인을 충족시키기 위해 내부의 QA프로그램을 개발하고 유지해야 한다. 추가로 정기적인 스태프의 감독, 프로그램 운영 평가, 기록 유지가 포함되어야 한다.

② 외부의 QA

TIS는 외부의 QA에 관한 표준지침을 가져야 한다.

이들 표준지침을 유지하기 위해 포함되어야 할 내용:

- 증례 연구들을 이용한 문서화된 자가-평가

- 현장방문

- 스태프의 지속적 교육(전문가회의: OTIS, Teratology Society)

(3) Research

TIS는 임신 중 특정 노출에 대하여 전향적으로 임신결과를 파악할 수 있다.

여러 TIS와 공동연구를 통해서 많은 evidence를 만들어 낼 수 있고, 새로이 시장에서 판매되는 약물을 모니터할 수 있다.

(4) Funding

Funding source는 다양하며 민간, 주 또는 지방 정부, 연방정부(NIH, MCH), 병원, 대학, fee-for service, 연구기금, 제약회사 등이 포함된다.

(5) Legal consideration

TIS의 법률적 책임의 위험을 최소화하기 위해서는 QA프로그램 유지와 record 보관에 의해서 가능하다. 각 프로그램은 법률적 책임, 비밀, record를 얼마나 보관해야 하는지에 관한 주정부의 법을 파악해야 한다.

2 European Network of Teratology Information Services(ENTIS)

유럽에서 기형유발물질정보서비스(TIS)는 프랑스의 Lyon과 네덜란드의 Bilthoven에서 처음 시작되었다. Lyon은1980년에 private fund에 의해서 서비스를 시작했다. 이때 상담건수는 빠르게 증가했다. 네덜란드의 서비스는 1978년에 정부 지원에 의해서 시작되었다. 이는 미국에서의 1979년보다 1년 빠르다. Lyon과 마찬가지로 상담건수는 빠르게 증가했다. 이후 1990년에 13개의 유럽의 프로그램이 이탈리아의 밀라노에 모여서 ENTIS를 창립하게 되었다. 2002년에는 28개의 프로그램이 참여하고 있다(표 7-1-1).

표 7-1-1. Members of ENTIS in alphabetical order by country(currently 28 TIS)

Country	TIS
Argentina	Centro de Informacion sobre Agentes Teratogenicos, Hospital Italiano, Buenos Aires
Austria	TIS, Landesfrauenklinik, Linz
Brazil	Sistema de Informato sobre agentes Teratogenicos, Servico de Genetica Medica, Hospital de Cinicas Porto Alegro, Porto Alegre Servicio e Registro de Informatio Teratogenica do Rio de Janeiro, Dept. de Genetica, Universidade Federal, Rio de Janeiro
Czech Republic	CZTIS, Institute of Histology and Embryology, 3rd Faculty of Medicine, Prague The Family Federation, Helsinki
France	Centre anti Poisons/Info Agents Teraogenes, Centre Hospitalier Regional Universitaire, Lille TIS-Lyon, Institut Europeen des Genomutations,Lyon TIS-Lyon2, Centre Anti Poison/Centre de Pharmacovigilance, Hopital Herriot, Lyon Centre Renseignement sur les Agents Teratogences, CHU Saint Antoine, Paris Centre de Pharmacovigilance, Hopital Saint Vincent de Paul, Paris Service de Genetique Medicale, Hopital de Hautepierre, Strasbourg
Germany	Beratungsstelle fur Embryonaltoxikologie, Berlin Universitatsfrauenklinik, Jena Beratungszentrum fur Reproduktionstoxikologic, Roggenburg
Greece	Teratology Information Service, Children's Hospital, Athens
Italy	Tossicologia Perinatale, Ospedale Careggi, Firenze Telefono ASM, Ospedale S. Paolo, Milano Servizio Informazione Teratologica (SIT), Genetica Clinica, Universita, Padova Telefono Rosso, Clinica Ostetrica, Universita Cattolica, Roma
Israel	Israel Teratogen Information Service, Jerusalem Child Development Center, Jerusalem Beilinson Teratology Informations Service(BELTIS), Petah Tikva, Tel aviv Drug Information Service, RIVM, Bilthoven
Lithuania	Informacija apie Teratogenus/INFOTERA, University Hospita Vilnius, Vilnius
The Netherlands	Teratology Information Service, RIVM, Bilthoven
Spain	SITTE, Faculdad de Medicina, Madrid
Switzerland	Swiss Teratogen Information Service, CHUV, Lausanne
United Kingdom	The National Teratology Information Service, Newcastle

Telephone, fax numbers and e-mail addresses are available from www.entisog.com

ENTIS의 주요 목표와 기능은 다음과 같다.

1) 임신부에게 위험성 평가에 대한 상담

2) 선천성기형을 예방하기 위한 위험요인파악

3) 경험의 교환과 상담교육과정을 제공함으로써 지식의 증가

3 기형유발물질정보서비스의 역할

TIS로부터 전달되는 정보는 선천성기형, 불필요한 인공임신중절, 작업장 내 위험을 예방한다. 또한, 임신부에게 최적의 영양제 공급, 임신부 및 모유수유부에게 최적의 약물치료를 제공한다.

1) 선천성기형 예방

선천성기형은 영아사망의 주요 원인으로 사망한 영아의 5명 중 1명이 선천성기형이 원인이다.

선천성기형의 예방은 TIS의 주요 목표이다. 기형유발물질(예, 이소트레티노인, ACE 억제제, 알코올)에 노출된 임신부들에게 이들의 영향에 관하여 충고함으로써 기형을 예방할 수 있다.

기형 예방은 일차 예방으로 임신 전, 임신 중 중재를 통하여 기형이 발생하기 전에 예방한다. 이차 예방으로는 기형이 발생한 후에 산전 진단 또는 외과적 교정에 따라서 임신 중재를 통해 가능하다.

2) 불필요한 임신중절 예방

많은 여성이 임신 중 태아에 영향을 줄 가능성이 낮은 약물인 acetaminophen, 항생제, 항히스타민제나 진단적 목적의 방사선 노출에도 잘못된 충고로 임신중절이라는 잘못된 결정을 한다.

3) 아이의 건강을 향상시키기 위한 적정 엽산과 비타민 공급

수정 전 엽산의 복용은 신경관결손증 발생률을 낮춘다. 특히 비만, 당뇨병, 척추이분증의 가족력이 있는 고위험 여성의 경우나 엽산길항제인 발프로익산, 카바마제핀을 복용하는 경우에는 엽산 5 mg/day를 추천한다.

하지만 불행하게도 많은 여성은 엽산과 비타민이 임신부 자신과 태아에 미치는 영향을 잘 알지 못해서 섭취하지 않는다.

4) 임신 중 적정 약물 치료 지원

많은 여성은 우울증, 당뇨병, 고혈압, 천식 같은 만성질환으로 약물 치료가 필요하다. 하지만 많은 임신부는 약물이 태아에 미치는 영향에 대한 잘못된 오해로 임의적으로 약물치료를 중

단한다.

치료되지 않은 임신부의 경우 선천성기형, 자궁 내 성장지연, 사산 같은 태아의 위험을 증가시킨다. 예로서 천식이 치료되지 않은 경우 저체중아를 낳을 위험이 증가한다.

5) 작업장 내 위험 예방

가임 여성의 약 50%는 직장근무를 한다. 많은 여성이 작업장 내에서 독성 화학물에 노출된다. 예를 들면 유기용제에 노출된 임신부는 기형발생과 자연유산의 위험이 증가한다. 미국에서는 3백만 명의 여성들과 6백만 명의 남성들이 직장에서 유기용제에 노출된다. TIS는 여성들에게 작업장 내 안전과 위험한 작업에 대한 정보를 제공한다. 이러한 정보는 여성들의 수정능력을 유지하게 하고 태아의 위험을 예방하게 한다.

6) 모유수유 지지

WHO와 UNICEF에서는 생후 첫 6개월 동안 완전 모유수유를 권장하며 24개월 동안 또는 원한다면 그 이상도 영양의 보조적 소스로 권장하고 있다.

하지만 모유수유 중 사용되는 약물 대부분이 수유아에게 안전함에도 불구하고 위험에 대한 잘못된 이해로 모유수유를 중단하거나 약물 사용을 중단하여 병을 더 악화시킨다.

4 국제기형유발물질정보서비스(International TIS)

그림 7-1-1. Website of MotherToBaby

국제적으로 기형유발물질정보서비스(TIS)는 북미(미국, 캐나다), 유럽, 남미, 호주, 아시아(한국, 일본) 등에서 활동하고 있다.

대표적 네트워크 TIS는 북미의 MotherToBaby(http://mothertobaby.org/)이다(그림 7-1-1). 그리고 유럽의 ENTIS(http://www.entis-org.eu/)가 있다(그림 7-1-2).

그림 7-1-2. Website of ENTIS

5 한국마더리스크프로그램(Korean Motherisk Program)

1) 한국마더리스크프로그램의 역사

(1) 자생적 기형유발물질정보서비스

기형유발물질정보서비스인 한국마더리스크프로그램은 1999년부터 산부인과 전문병원인 성균관의대 제일병원 삼성제일병원에서 자생적으로 임신부에게 약물에 대한 정보제공을 위해 시작되었다. 당시 국내에서 임신부의 약물 노출에 관해 개별적으로 관심 있는 의사들이 있기는 했지만, 교과서에 나와 있는 내용 이상의 정보 외 보다 정확하고 informative한 정보를 제공하지 못하였다. 계획되지 않은 임신이 50% 이상으로 임신인지 모르고 약물에 노출된 임신부들이 많았고 이들은 임신유지 여부를 결정하기 위한 정확한 정보와 전문적 상담이 필요했다. 또한, 많은 임신부는 고혈압, 천식 같은 만성질환을 앓고 있어 보다 안전한 약물의 처방이 필요하였다.

당시 삼성제일병원은 월 분만이 800건 이상인 산과전문병원이었으며 많은 교수가 산과 진료 및 연구에 특화되어 있었고, 초음파, 유전학에 이어 약물학이 산과의 한 부분으로 특화되었다. 이때 약물상담클리닉이 외래에 생겨 한정열 교수가 국내 최초로 원내, 원외 임신부의 약물의뢰 관련 상담을 시작하였다.

(2) 한국마더리스크프로그램의 설립

이후 2002~2003년 캐나다 마더리스크프로그램(토론토대학 소아아동병원)에서 Koren 교수님 수하에 한정열 교수가 연수 후 새롭게 토론토의 프로토콜과 임신부의 생식발생독성 정보를 도입하고 활용하면서 한국마더리스크프로그램을 본격적으로 시작하였다. 이때 제일 병원 산과의 안현경 교수와 최준식 교수가 참여하게 되었다. 각자 역할을 나누어서 한국마 더리스크프로그램을 이끌어 오고 있다. 이후 2009년 북미의 MothrToBaby(http://www. mothertobaby.org)에 한국에 있는 기형유발물질정보서비스의 하나로 한국마더리스크프로 그램(http://www.mothersafe.or.kr/)이 처음 소개된 후 계속 이어지고 있다(그림 7-1-3).

그림 7-1-3. Website of Korean MotherSafe center

2) 한국마더세이프전문상담센터

2010년에는 의료계 내에서 낙태반대(pro-life)와 낙태찬성(pro-choice)을 지지하는 그룹 간 충돌이 있었고, 저출산 환경에서 낙태예방과 관련하여 임신 중 약물 노출로 인한 낙태를 예 방하기 위하여 한국마더세이프전문상담센터가 보건복지부 지원하에 설립되었다. 당시 보건복 지부 자료에 의하면 임신부의 약물 노출로 인해 연간 4만 건 이상이 낙태를 선택하는 것으로 추 산되었다.

한국마더세이프전문상담센터가 보건복지부 지원하의 사업이 된 계기는 2009년에 방영된 KBS 시사 기획 쌈 – '낙태, 강요된 선택'에 한국마더리스크프로그램의 역할이 소개되면서 시 작되었고 한국마더리스크프로그램인 한국마더세이프전문상담센터가 된 것은 마더리스크보다 는 마더세이프가 조금 더 긍정적인 어감으로 받아들여져서 보건복지부 관계자들의 결정에 따른 것이다. 한국마더세이프전문상담센터는 2021년 현재 서울에 중앙센터(국립중앙의료원)와 지역 거점센 터 5곳으로 부산(화명일신기독병원, 이소영 과장), 광주(전남대학교병원, 김윤하 교수), 대전(미즈여성병원, 홍달수 원장), 대구(가톨릭대학병원, 홍성연 교수), 울산(맘스여성병원, 윤 정섭 원장)이 네트 워크화 되어 있다.

상담건수는 꾸준히 증가하여 콜센터와 클리닉을 통해서 2010년 3천 5백건이었던 것이 2015년에 1만건을 넘었고, 2019년 이후 1만5천건을 넘겼다. 2020년까지 누적 상담건수는 총 11만 5천건을 넘겼다. 한편, 2021년에는 1만 8천건 이상을 예상하고 있다.

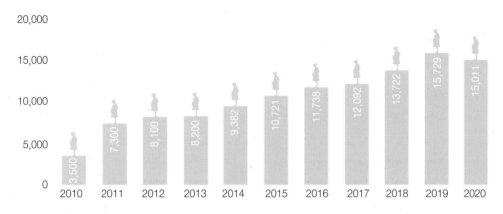

그림 7-1-4. Annual Number of Counselling in Korean Mother Safe Center

3) 비영리기관 (사단법인)임산부약물정보센터

비영리법인 임산부약물정보센터가 보건복지부로부터 2017년 7월 승인되었다. 이는 승인되기 전 5년간 보건복지부의 출산정책과와 줄다리기 끝에 얻어낸 성과였다. 이는 북미의 MotherToBaby가 비영리기관으로서 북미뿐만 아니라 전세계의 임신부에게 유해물질에 대한 정보제공과 연구를 하는 것처럼 (사단법인)임산부약물정보센터가 우리나라뿐만 아니라 전세계의 임신부들에게 정확하고 도움이 되는 정보제공과 관련 연구를 지속할 수 있으리라 믿는다.

(1) 역할

우리나라의 예비임신부, 임신부 및 수유부들이 유해물질로부터 안전하게 임신하고 건강한 출산을 할 수 있도록 정보제공과 상담 및 연구에 그 역할이 있다.

① 예비임신부
- 위해 인자 파악 및 상담: 임신을 계획하는 가임 여성뿐만 아니라 그 배우자의 건강한 임신을 위한 위해 인자를 파악하고 이를 교정할 수 있도록 상담.
- 엽산 복용 권유: 신경관결손증 및 기형아 예방
- 금주캠페인: 가임 여성에게 금주캠페인을 시행하여 태아알코올증후군 100% 예방

② 임신부
- 임신인지 모르고 약물 등의 유해물질에 노출된 임신부에게 적절한 정보제공을 통해

불필요한 인공임신중절 예방

– 만성질환이 있는 임신부들에게 안전한 약물 추천 및 처방

③ 모유수유부

– 모유수유의 장점 홍보

– 모유수유부의 약물 노출 등에 관한 상담을 통해 수유중단 예방

(2) 활동

① 한국마더세이프전문상담센터 콜센터

서울뿐만 아니라 전국 5개의 거점지역센터를 두고 ☎1588−7309를 통해 전국의 임신부와 가족들, 의료인들에게 약물, 방사선, 알코올, 흡연 등에 관한 정보제공과 상담

② 한국마더세이프 데이터베이스 구축

– 마더세이프전문상담센터와 클리닉에서 상담한 약물 등의 정보와 임신결과를 파악하여 데이터베이스 구축

– 상담을 위한 근거자료와 연구 논문을 위한 자료로 활용

– 다빈도 노출 약물과 임신결과에 대한 실시간 정보제공을 위한 시스템 구축에 사용

③ 연구

– 국책연구 및 사업

한국마더세이프전문상담센터사업	보건복지부 2010~2015
담배에 의한 후세대 영향 및 행동학적 기전 연구	식품의약품안전처 2013~2014
선천성알코올 노출에 의한 후세대 영향 및 기전 연구	식품의약품안전처 2011~2012
임신 중 유해물질 노출에 의한 후세대 영향 연구	식품의약품안전청 2009~2010
2009~2010 생식발생독성정보 활용화 방안연구	식품의약품안전청 2009
서울시남녀임신준비지원사업 모니터링	서울시청 2017~2021

– 기형유발물질관련 국제적 협력 연구

본 센터는 국제적 협력 연구로서 토론토 마더리스크프로그램과 꾸준히 공동으로 기형유발물질에 따른 임신결과에 대한 연구를 진행하고 있다.

■ 알코올노출 평가를 위한 바이오마커(phosphatidylethanol, FAEEs) 연구

■ 임신부의 알코올 노출에 의한 후성학적 기전평가를 위한 DAT, SERT, MeCP2 유전자의 메칠화 변화 관련 연구

■ 임신부의 알코올 노출 후의 임신결과 연구

■ 임신부에서 아토피와 filagrin유전자 변이 연구

■ 감초(Glycyrrhiza uralensis)에 노출 후 임신결과 연구

- Accutan(isotretinoin)노출 후 임신결과 연구
- 항생제(ribostamycin, roxithromycin) 약물 노출 후 임신결과 연구
- 엽산 복용에 관한 연구
- 골다공증약물(Bisphosphates) 노출 후 임신결과 연구
- 항고혈압약물(amlodipine, ARB) 노출 후 임신결과 연구
- 당뇨병약(rosiglitazone) 노출 후의 임신결과 연구
- 경구용피임약 노출 후의 임신결과 연구
- 계획임신관련 연구– 미국 CDC관계자와 공동연구

④ 교육 및 홍보
- 심포지엄
– 2006년부터 2015년까지 생식발생독성연구 및 마더리스크 프로그램 최신경향 심포지엄 진행
– 매년 1회 심포지엄을 진행하고 있으며 주 내용은 임신부의 유해물질에 대한 정보전달 및 토론,
– 매년 진행된 연구결과 발표, 매회 의료인 약 200명 참여

- 약물상담전문가과정
– 의료인을 위한 임산부 약물상담 전문가 과정
– 1일 코스로 오전에는 상담을 위한 기본원칙으로 배아의 발생, 역학, 기형학의 원칙을, 오후에는 모유수유부의 약물 관련 내용을 진행하며 끝으로 그룹토론 후 수료증 제공
– 2012년에 시작하여 연간 2~3회 진행
– 2015년까지 12기 배출, 1기 당 50명 정도 참여

- KOICA를 통한 국제적 홍보
– KOICA를 통해서 초청되는 외국인(네팔, 방글라데시, 미얀마, 세네갈 등)에게 모성보건 관련 선진화된 서비스로서 한국마더세이프전문상담센터 소개
– 한국마더세이프 웹이 북미의 MotherToBaby에 링크되어 있어서 Korea에서도 기형유발물질정보서비스로써 활동함을 소개

- 임산부 TV
– 유튜브를 통해서 임신부들이 궁금해 할만한 내용 중심으로 홍보하고 있음.
– 내용으로는 공황장애에서 알프라졸람, 코로나 19백신, 음주, 흡연 등이 포함되어 있다.

그림 7-1-5. 임산부 TV 소개

■ Two safe 사업
- 임산부들이 안전하게 사용할 수 있는 제품 평가하여 Two Safe 상표인증(특허청)을 제공함.
- 사례로, 아로마금연파이프, 건강기능식품, 화장품 등이 있음.

그림 7-1-6. Two Safe 상표인증마크(특허청)

▶ 참고문헌

1. A committee of CORN and OTIS. Framework for provision of Teratology Information Services. Reprod Toxicol 1994;8(5):439-42.

2. Beck F. Model systems in teratology. Br Med Bull 1976;32(1):53-8.

3. Chernoff GF, Jones KL, Kelley C. The California teratogen registry: five and one-half years of operational experience. J Perinatol 1986;6:44–7.

4. FDA. [Cited January 11, 2016] Available from: http://www.fda.gov/NewsEvents/Newsroom/PressAnnouncements/ucm347087.htm

5. Garbis JM, Robert E, Peters PW. Experience of two teratology information services in Europe. Teratology 1990;42(6):629–34.

6. Hanson JW. Teratogen information services: developmental, clinical, and public health aspects. Developmental toxicology: mechanisms and risk. Banbury Rep 1987;26:347–55.

7. Janke JR. The incidence, benefits and variables associated with breastfeeding: implications for practice. Nurse Pract 1993;18(6):22-3, 28, 31-2.

8. Khattak S, K-Moghtader G, McMartin K, et al. Pregnancy outcome following gestational exposure to organic solvents: a prospective controlled study. JAMA 1999;281(12):1106–9.

9. Koren G, Pastuszak A. Maternal–fetal toxicology: a clinician's guide. 2nd Edition. New York: Marcel Dekker. p. 683–705, 1994.

10. Koren G, Pastuszak A. Prevention of unnecessary pregnancy terminations by counseling women on drug, chemical, and radiation exposure during the first trimester. Teratology 1990;41(6):657–61.

11. Koren G, Piwko C, Ahn E, et al. Validation studies of the Pregnancy Unique-Quantification of Emesis (PUQE) scores. J Obstet Gynaecol 2005;25(3):241–4.

12. Murphy VE, Clifton VL, Gibson PG. Asthma exacerbations during pregnancy: incidence and association with adverse pregnancy outcomes. Thorax 2006;61(2):169–76.

13. Nelson K, Holmes LB. Malformations due to presumed spontaneous mutations in newborn infants. N Engl J Med 1989;320(1):19-23.

14. O'Brien J, Conover B, Frias J, et al. Formation of the Organization of Teratology Information Services (OTIS). The OTIS Executive Committee. Reprod Toxicol 1991;5(5):463.

15. Pertrini J, Damus K, Johnston RB Jr. An overview of infant mortality and birth defects in the United States. Teratology 1997;56(1-2):8-10.

16. The Motherisk Program. [Cited July 5, 2006] Available from: http://www.motherisk.org/prof/occ env exposures.jsp.

02

chapter

인공임신중절예방을 위한 한국마더세이프전문상담센터 운영에 따른 비용-편익

○ 한정열

(본 내용은 저자가 발표한 한국모자보건학회지 제19권 2호의 내용을 정리하였음)

임상증례:

임신 초기 약물에 노출된 임신부의 인공유산 예방을 위한 기형유발물질정보 정보 서비스(Teratogen Information Service)의 하나인 한국마더세이프전문상담센터의 비용-편익(Cost-Benefit)은 어느 정도인가요?

1 서론

1970년부터 시작된 기형유발물질 정보 서비스(Teratology Information Service)는 현재 미국, 캐나다 등 유럽의 여러 나라와 아시아에서 일본, 한국에서 운영되고 있다. 이 서비스에서는 임신 중, 모유수유 중 약물 및 다른 환경물질의 안전성에 관한 근거 중심적 정보를 임산부뿐만 아니라 의료인들에게 제공하고 있다(Addis 등, 2004; Organization of Teratology Specialists, 2015).

이 서비스는 우리나라에서는 한국마더세이프전문상담센터가 2010년 4월부터 보건복지부의 지원하에 임신부의 약물 등 유해물질 노출에 의한 불안을 줄이고 인공임신중절을 예방하기 위해서 운영되고 있다(Korean Motherisk Program, 2015). 한 보고에 의하면 약물 노출에 의한 인공임신중절률은 전체 인공임신중절 중 12.6%이다(Ministry Health & Welfare, 2005). 달리 이야기하면 임신 중 약물 등의 노출에 의해서 연간 4만 건 이상의 인공임신중절이 이루어지는 것으로 추정된다. 하지만 대부분의 약물은 기형발생과 관련되지 않고 전체 기형발생 중 1% 정도만이 약물에 의해서 기형이 발생할 수 있어서 임신부가 약물의 기형발생에 관한 정확한 정보를 얻은 후 임신 유지 또는 중절 결정을 하는 것은 매우 중요하다. 하지만 대부분의 의료인들은 임신부의 약물 사용에 관한 정확한 정보를 가지고 있지 않아서 본 센터의 서비스는 임신부가 약물 등 노출에 의한 불안을 줄이고 불필요한 인공임신중절을 예방하기 위해서 반드시 필요하다. 본 센터에서 상담받는 임산부는 2010년 이후 꾸준히 증가해서 2014년에는 9,384건이었다(Ministry Health & Welfare, 2014). 한편 본 센터뿐만 아니라 국제적으로도 이러한 서비스의 운영이 비용 대비 얼마나 이익이 있는지에 대한 관심이 높아지고 있다. 최근 캐나다 토론토 대학 마더리스크프로그램에서 이 서비스 운영 관련하여 비용–효과와 관련하여 보고서를 낸 바 있다(Koren & Bozzo, 2014).

2 연구목적

본 센터에서도 다른 유사기관과 마찬가지로 정부의 운영비 지원에 의해서 이루어지고 있으므로 본 사업의 지속 및 확대 여부를 위해서 비용 대비 편익이 어느 정도인지 평가할 필요가 있다. 따라서 본 연구의 목표는 임신부의 약물 등의 노출에 의한 인공임신중절 예방을 위해서 운영하고 있는 한국마더세이프전문상담센터의 비용–편익을 평가하고자 한다.

3 연구대상 및 방법

1) 연구대상

2010년 4월부터 2014년 12월까지 한국마더세이프전문상담센터에서 임신 중 약물 등의 유해물질 노출 후 노출물질의 기형발생위험성에 관해 전화, 인터넷 및 대면 상담을 통해 근거–중심적 정보를 제공한 임신부 24,807례(콜센터(☎1588–7309): 22,758례, 클리닉(단국대 제일병원 약물상담클리닉): 2,049례)를 대상으로 한다.

2) 상담 후 출산율 및 인공임신중절 예방률 평가

(1) 출산율

2012년 1월부터 2012년 3월까지 본 콜 센터에서 상담했던 임신부 857례 중 추적 실패를 제외하고 임신결과를 알 수 있었던 382례 중 인공임신중절례와 자연유산 및 사산례를 제외하고 출산율 산출하였다.

(2) 인공임신중절 예방률

① 클리닉: 2010–2014년 상담자 중 상담 전후 인공임신중절 경향을 묻는 10 cm–Visual analogue scale (VAS)(그림 7–2–1)에 답 했던 1,399례를 대상으로 하였음.

VAS에서 상담 전 인공임신중절 경향 5점이상 647례(46.2%)중 상담 후 483례(74.6%)가 인공임신중절 경향 5점미만으로 전환되었다.

따라서, 클리닉에서 인공임신중절 예방률 = 0.462 × 0.746 =0.345

② 콜 센터: 콜센터에서는 상담 전후 인공임신중절경향을 묻는 VAS를 적용하지 않았기 때문에 클리닉의 인공임신중절 예방률에 근거해서 콜 센터의 인공임신중절률 예방률을 클리닉의 인공임신중절 예방률의 100%, 70%, 50%, 30%로 가정하여

산출하였다.

그림 7-2-1. 10-cm VAS for feeling toward termination of pregnancy

(3) 인공임신중절예방사업에 따른 효과산출은 인공임신중절에 따른 모성사망, 신체적, 정신적 후 유증(Rashbaum, 1977)은 제외하고 산출하였다.

    ① 일차적 효과로는 인공임신중절시술에 따른 비용절감을 평가하였다.

        – 건당 50만원–100만원(Naver, 2015)

    ② 이차적 효과로는 김현숙 등(Ministry Health & Welfare, 2009)이 한 아이의 탄생 후 80세까지 생존에 따른 생애주기별 생산유발과 일자리 창출효과를 근거로 평가하였다.

        – 생산유발효과: 12억 2천만 원

        – 일자리창출효과: 1.15(순일자리창출효과: 0.53)

(4) 사업비지원금(보건복지부)

    총 12억2천6백만 원(2010년 1억7천2백만 원, 2011년 2억6천만 원, 2012년 2억6천만 원, 2013년 2억6천7백만 원, 2014년 2억6천7백만 원)

4 연구결과

임신부 857례의 추적 결과 임신 경과를 알 수 있었던 경우는 382례(45%)였으며 이들 중 인공임신 중 절례 18례(4.7%), 자연유산 및 사산례 48건(12.6%)이었다. 그리고 출산한 경우는 316례(82.7%)이었다. 인공임신중절례의 약물 노출 중 주요 기형유발물질은 7례(38.9%)이며 비 주요 기형유발물질 11례(61.1%)로 나타났다(표 7-2-1).

표 7-2-1. Drug exposure of women selected voluntary pregnancy termination

	Frequency(%)	Medications
Major teratogen	7(38.9%)	isotretinoin(6), tretinoin(1), methotrexate(1)
Not major teratogen	11(61.1%)	drug for depression(2), common cold(3), chronic urticaria(1), diet(1), foot skin disease(1), alcohol(1) and drug exposure of part-ner(2)
Total	18(100.0%)	

산출된 출산율에 근거하면 전체 상담 임신부 24,807례 중 20,515례가 출산한 것으로 추정되었으며, 상담에 의한 인공임신중절 예방률은 클리닉의 경우 34.5%이었다. 따라서 클리닉의 경우 본 사업에 따른 인공임신중절예방은 2,049 × 0.345=707례이었다. 그리고 콜 센터의 경우 클리닉의 인공임신중절 예방률에 근거하여 100%, 70%, 50%, 30%로 하였을 경우 각각 7,852례, 5,496례, 3,926례 그리고 2,356례이었다. 본 사업에 따른 비용 편익의 산출결과로 클리닉과 콜센터의 인공임신중절률을 동일하다고 가정하였을 때 일차적 효과로 인공임신중절 시술비 절감효과 8,559례 × 75만 원(시술비 평균)=64억1천9백2십5만 원, 이차적 효과로 출산에 따른 생산유발효과 7,078례 × 12억2천만 원=8조6천3백5십1억6천만 원이었다. 비용 편익으로는 인공임신중절 시술비는 비용대비 5.2배의 절감효과가 있었고, 출산으로 인한 생산유발효과는 7,043배이었다. 그리고 일자리 창출효과는 7,078례 × 1.15=8,140개이었고 순 일자리 창출효과는 7,078례 × 0.53 = 3,751개이었다.

한편 콜센터의 인공임신중절률을 30%로 하였을 때 일차적 효과로 인공임신중절 시술비 절감효과 3,063례 × 75만원(시술비 평균)=22억9천7백2십5만 원, 이차적 효과로 출산에 따른 생산유발효과 2,533례 × 12억2천만 원=3조9백2억6천만 원이었다. 비용편익으로는 인공임신중절 시술비는 비용대비 1.9배의 절감효과가 있었고, 출산으로 인한 생산유발효과는 2,520배이었다. 그리고 일자리 창출효과는 2,533례 × 1.15=2,912개이었고 순 일자리 창출효과는 2,533례 × 0.53 = 1,342개이었다(표 7-2-2).

표 7-2-2. Cost-benefit of Korean Mother Safe counseling center for preventing voluntary pregnancy terminations within a period of 5 years

Effects	Cost-Benefit ratio: saving money money /intervention cost*								Number of job creation			
	100%**	70%	50%	30%	100%	70%	50%	30%	100%	70%	50%	30%
Primary effects:												
prevention of artificial abortion***	642	465	348	230	5.2	3.8	2.8	1.9				
Secondary effects:												
Production inducement****	863,516	625,738	467,382	309,026	7,043	5,103	3,812	2,520				
Job creation***** (number)									8,140	5,898	4,406	2,912
Net job creation****** (number)									3,751	2,718	2,030	1,342

*Intervention cost (2010.4~2014.12): 1,226,000,000won supported by Korean Health Ministry for 5 years.
**Babies born by intervention of call center counseling estimated by 100%, 70%, 50%, and 30% of the proportion of babies born by intervention of clinic counseling, which is 0.345(VAS 〈50% after counseling / VAS 〉= 50% before counseling about tendency of artificial abortion x100=483/647x100) + 707 babies born by intervention of clinic counseling.
***Number of baby born by intervention of teratogen counseling(100%, 70%, 50%, 30%) x 750,000won(average cost of artificial abortion)
****Production inducement effect by a baby from birth to 80years old
*****Job creation: number of job created from birth to 80 years old(1,146)
******Net job creation effect: Job creation(1,146) – job consumed by self for labor period(0,613)=0,533

5 고찰

본 연구에 의하면 한국마더세이프전문상담센터의 지난 5년간의 비용-편익효과는 인공임신중절에 의한 신체적합병증 및 정신적 후유증을 제외하고도 비용대비 엄청난 편익효과를 보여주고 있다.

기형유발물질정보서비스(Teratology Information Service) 운영의 비용-편익효과 평가는 처음으로 2014년 Koren 등이 캐나다의 마더리스크프로그램(Motherisk Program)의 운영에 따른 비용-편익산출을 보고하였다(Koren & Bozzo, 2014). 이 연구의 결과는 연간 $64,000(약 6억 4천만 원) 비용에 따른 $10million(약 100억 원)의 편익이 있는 것으로 보고하였다. 비용 편익의 효과는 156배이었다. 하지만 이 연구에서의 비용에 따른 효과는 이들 활동의 매우 제한된 범위로 인공임신중절 예방에 의한 비용 절감과 주요 기형(major birth defects)의 예방에 의한 효과만 산출하였다. 예를 들면 임신 1기 인공임신중절에 의한 주요 합병증(0.5%)과 모성사망(0.03%)은 (Rashbaum, 1977; Lawson 등, 1990) 제외하였다.

본 연구에서 기형유발물질 상담(teratogen counseling)에 의해서 클리닉 상담 임신부의 인공임신중절 예방률은 캐나다 마더리스크프로그램의 산출방식에 따랐고 34.5%이었다. 이는 캐나다의 18.7% 보다 거의 2배 높게 나타났다(Koren & Bozzo, 2014). 이 결과는 우리나라 임신부들이 사회적 안전장치의 부족으로 선천성기형에 대한 불안감이 크고 기형유발물질에 대한 정확한 정보 얻기가 쉽지 않은 결과로 사료된다. 그리고 캐나다 마더리스크프로그램은 전화에 의해서 하루에 대략 200례를 상담하고 있으며 전화상담에 의한 인공임신중절 예방효과는 보다 보수적인 인공임신중절 예방률로 10%에서 5%로 줄인다고 밝히며 결과적으로 연간 200예를 예방한다고 하였다. 하지만 이는 지나치게 보수적인 접근이다. 본 연구에서 콜센터 상담 예의 인공임신중절예방률은 클리닉에서의 34.5%에 근거하여 100%, 70%, 50% 그리고 30%를 적용하여 산출하였다. 하지만 콜 센터의 인공임신중절 예방률를 추산시 고려되어야 하는 점은 첫째, 클리닉에서 상담받는 임신부의 경우 콜 센터의 상담 임신부보다 노출 약물이 주요 기형유발물질의 빈도가 높을 수 있고 더 불안해할 수 있지만 콜 센터 상담임신부의 경우 표 7-2-1에서 보여주는 것처럼 약물에 의한 인공임신중절에서 주요기형유발물질(major teratogen)이 38.9%인 것에 비교해서 비주요기형물질(not major teratogen) 노출로 기형발생위험률이 1% 미만임에도 인공임신중절한 경우가 61.1%로 오히려 더 많다. 둘째는 클리닉의 경우 대부분의 노출이 비주요기형물질임에도 노출에 따른 임신부가 느끼는 기형발생 위험도가 탈리도마이드의 기형발생 위험률 25% 이상이 59.5%로 대략 5명 중 3명이었다. 이는 한국에서 약물에 노출된 임신부는 약물의 기형유발성에 상관없이 약물의 안전성 및 위험성에 대한 정보의 부족으로 매우 불안해 하고 잘못된 선택으로 인공임신중절을 선택할 가능성이 매우 높음을 알 수 있다. 셋째는 콜센터 상담의 경우 클리닉에서 대면하여 설명을 듣는 것보다 보다 짧은 시간에 충분하지 않은 정보를 얻을 수 있는 가능성도 있다.

캐나다 마더리스크프로그램의 비용편익은 본 연구와 비교해서 차가 매우 크다. 이유는 캐나다에서는 일차적 인공임신중절 시술비 외에 주요기형예방효과에 대한 편익을 산출하였지만 이는 계산이 복잡하고 모호하여 본 연구에서는 배제하였고 대신 국내의 저출산 환경에서 한 아이의 탄생부터 80세까지의 생존에 따른 생애 주기별 생산유발효과와 일자리 창출 효과를 적용한 결과이며, 순 일자리 창출 효과는 2009년 9월 기준으로 우리나라 전체 경제활동참가율이 61.3%이므로 한 사람이 탄생하여 자기 자신을 위한 일자리를 만드는 것은 0.613명이다. 따라서 전체 1.1467명 중 0.613명을 제외한 0.5337명이 한 사람의 출생으로 생애 주기 전체에 걸쳐 창출하는 다른 사람의 일자리가 된다(Ministry Health & Welfare, 2009).

한편 한국마더세이프전문상담센터에서는 임신부의 약물 등의 노출에 의한 상담 외에도 전체 상담자의 5%는 임신을 계획하는 예비 임신부로 사업기간 동안 1,838예에게 엽산 복용에 의한 무뇌아 등의 신경관결손증예방과 태아에게 안전한 약물에 관한 정보를 제공하였다. 마더리스크프로그램의 연구에 의하면 예비 임신부 상담을 통해 엽산 복용률이 드라마틱하게 증가됨을 보고하였다(Pastuszak 등, 1999). 또한 상담자의 27.5%는 약물복용이 필요한 모유수유부로 사업기간 동안 10,107명이었다. 마더리스크프로그램의 연구에 의하면 이들의 상당수는 모유수유 중단을 고려하고 있었다. 하지만 이들 약물의 대부분은 모유수유에 적합했다(Lee 등, 2000). 하지만 본 연구에서는 계획임신과 모유수유부 상담의 비용편익 효과는 포함하지 않았다. 그리고 이 외에도 한국마더세이프전문상담센터에서는 서울뿐만 아니라 지방에 부산, 광주, 대전, 대구, 울산에 거점지역센터가 협업하고 있어서 전국의 거점지역에서 약물 등의 노출에 의한 인공임신중절예방을 위한 교육활동과 홍보활동을 활발히 하고 있다.

이 연구의 한계로는 콜센터 상담임신부의 인공임신중절예방효과를 클리닉 방문 환자에 근거해서 산출할 수밖에 없는 어려움이 있었다. 그리고 콜센터 상담 임신부의 출산율 산출은 표본 중 임신 결과가 추적된 45%의 임신부를 근거로 하여 전체 임신부에 적용하는 한계가 있었다. 추적 실패했던 경우는 익명으로 상담을 원하여 전화번호를 등록하지 않는 경우, 전화번호가 바뀜, 전화를 3회 하여도 통화가 되지 않는 경우, 의료인의 대리 상담, 그리고 추적 상담에 거절하는 경우로 일부는 추적되지 않은 임신부들이 임신 유지를 덜 했을 가능성이 더 높을 가능성이 있다. 또한, 표 7-2-1에서 인공임신중절을 선택했던 임신부에서 major teratogen과 not major teratogen의 분포 및 빈도 역시 표본 중 임신결과가 추적된 45%의 임신부를 근거로 하여 전체 임신부에 적용하는 한계가 있었다. 그리고, 콜센터의 인공임신중절 예방률은 콜센터에서 VAS을 임신부에게 적용할 수 없어서 클리닉의 인공임신중절 예방률에 근거하여 산출할 수밖에 없는 구조적 한계가 있었다. 하지만, 이러한 한계에도 불구하고 기형유발물질정보센터는 약물 등의 유해물질 노출에 의한 불필요한 불안과 인공임신중절을 예방하였음을 알 수 있다.

6 요약 및 결론

지난 5년 동안 마더세이프전문상담센터에서 상담 임신부는 총 24,807례이었으며, 이들 중 실제 출산으로 이어진 경우는 20,515례로 추정됨.

클리닉 상담에 의해서 인공임신중절 예방률은 34.5%이었으며 707명의 아이 출산함.

콜 센터상담에 의한 인공임신중절 예방률은 클리닉의 100%, 70%, 50%, 30%로 하였을 경우 각각 7,852례, 5,496례, 3,926례 그리고 2,356례이었다.

본 사업에 따른 비용 편익의 산출결과로 클리닉과 콜센터의 인공임신중절률을 동일하다고 가정하였을 때 일차적 효과로 인공임신중절 시술비 절감효과는 64억1천9백2십5만원, 이차적 효과로 출산에 따른 생산유발효과 8조6천3백5십1억6천만원이었으며 비용편익으로는 인공임신중절 시술비는 비용 대비 5.1배의 절감 효과가 있었고, 출산으로 인한 생산유발효과는 7,043배이었다. 그리고 일자리 창출은 8,140개이었고 순 일자리 창출은 3,751개이었다.

한편 콜 센터의 인공임신중절률을 30%로 하였을 때 일차적 효과로 인공임신중절 시술비 절감효과 22억 9천7백2십5만 원, 이차적 효과로 출산에 따른 생산유발효과 3조 7천3백6십억6천만 원이었다. 비용편익으로는 인공임신중절 시술비는 비용대비 1.9배의 절감효과가 있었고, 출산으로 인한 생산유발효과는 2,520배이었다. 그리고 일자리 창출은 2,912개이었고 순 일자리 창출은 1,342개이었다.

따라서 본 연구의 결론은 임신부의 약물 노출에 의한 인공임신중절예방을 위한 한국마더세이프전문상담센터 운영사업은 비용대비 일차적 인공임신중절 시술비 절감효과 뿐만 아니라 이차적으로 출산아로 인한 생산유발효과 및 일자리 창출 효과가 매우 크다.

임상증례답변:

임신 초기 약물에 노출된 임신부의 인공유산 예방을 위한 기형유발정보 정보 서비스(Teratogen Information Service)의 하나인 한국마더세이프전문상담센터의 비용-편익(Cost-Benefit)평가는 지난 5년간 12억 2천6백만 원에 비용에 비교해서 클리닉과 콜 센터의 임신중절 예방률이 34.5%로 동일하다고 가정 시 일차적 편익으로 인공임신중절 예방에의한 시술비용 절감효과 5.2배이며 이차적 편익으로 생산유발효과 7,043배의 효과와 일자리 창출은 7,078개로 추산됩니다.

▶ 참고문헌

1. Addis A, Moretti ME, Schuller-Faccini L. Teratogen information services around the world. Birth defects research (Part A): Clinical and Molecular Teratology 2004;70:944-947.

2. Koren G, Bozzo P. J Cost effectiveness of teratology counseling - the Motherisk experience. Popul Ther Clin Pharmacol. 2014;21(2):e266-70.

3. Korean Motherisk Program. A service of MotherSafe Counseling Center. [Cited 2015. April 23] Available from: URL: http://www.mothersafe.or.kr/

4. Lawson HW, Atrash HK, Franks AL. Fatal pulmonary embolism during legal induced abortion in the United States from 1972 to 1985. Am J Obstet Gynecol 1990;162:986-990.

5. Lee A, Moretti ME, Collantes A, Chong D, Mazzotta P, Koren G, et al. Choice of breastfeeding and physicians' advice: A cohort study of women receiving propylthiouracil. Pediatrics 2000;106(1 pt):27-30.

6. Ministry Health & Welfare. A survey of artificial abortions and the comprehensive strategies for prevention of artificial abortion. 2005

7. Ministry Health & Welfare. Effects of job creation and production inducement by a baby birth, [Cited2015.April24]Availablefrom: http://academic.naver.com/view.nhn?dir_id=0&query=%EC%B6%9C%EC%82%B0%EC%9D%B4+%EC%9D%BC%EC%9E%90%EB%A6%AC+%EC%B0%BD%EC%B6%9C%EA%B3%BC+%EC%83%9D%EC%82%B0%EC%97%90+%EB%AF%B8%EC%B9%98%EB%8A%94+%EA%B2%BD%EC%A0%9C%EC%A0%81+%ED%9A%A8%EA%B3%BC&pa ge=0&doc_id=45374246&ndsCategoryId=203

8. Ministry Health & Welfare. The Services of the Korean Mothersafe Counseling Center. 2014

9. Naver. Naver QnA. [Cited 2015. April 23] Available from: http://kin.naver.com/qna/ detail.nhn?d1id=7&dirId=7011401&docId=219460183&qb=64KZ7YOc67mE7Jqp&enc=u tf8&section=kin&rank=3&search_sort=0&spq=0&pid=Sn2WaspySDGsstDG6m0ssssss tw-250757&sid=elOXZr78eoFasBQtrsZOZg%3D%3D)

10. Organization of Teratology Specialists. A service of the Organization of Teratology Specialists.[Cited 2015. April 23]. Available from: URL: http://www.mothertobaby.org/find-a-tis-s13040

11. Pastuszak A, Bhatia D, Okotore B, Koren G. Preconception counseling and women's compliance with folic acid supplementation. Can Fam Physician 1999;45:2053-7.

12. Rashbaum W. Complications of abortion. In: Hern WM, Andrikopoulos B, eds: Abortion in the Seventies. New York: National Abortion Federation, 1977, pp33-54.

김일동

chapter 03 중앙모자의료센터

I. 중앙모자의료센터

1 배경 및 필요성

1) 모자의료체계의 부재

지역내에서는 고위험 산모, 신생아를 신속하게 치료 할 수 있는 모자의료 지역화 및 단계화의 수직적 구축이 필요하며, 병원 내에서는 산부인과와 소아청소년과의 유기적인 통합 치료가 이루어질 수 있는 수평적 연계가 필요하다.

(1) 수도권 또는 대도시에 의료자원이 밀집함에 따라 지역에서는 의료자원이 의료수요를 수용하지 못 하는 불균형적이고 체계적이지 않은 모자의료체계가 형성되었다.

(2) 대도시에서는 의료수요 대비 의료자원의 과잉공급으로 병원 간 과도한 경쟁이 발생하여 불균형적인 의료서비스가 제공되고 있는 상황이고 경쟁이 아닌 적절한 규제 및 질 관리가 필요하다.

(3) 지역 내에 발생한 산모, 신생아 의료수요를 중증도에 따라 지역 내의 적절한 의료기관으로 배치할 수 있도록 모자의료 지역화, 단계화를 통하여 효율적으로 운영될 수 있는 모자의료체계 구축이 필요하다.

(4) 개별 병원내에서는 산과와 신생아과가 이원화되어 있어 임신, 출산, 태어난 신생아의 관리에 이르는 진료의 연속성이 유지되기 어려우므로 과 간 수평적이고 유기적인 통합치료 구축이 필요하다.

2) 통합조정 필요성

지역의료 격차 발생, 불균형적 의료자원 배치 등을 해소하기 위하여 중앙단위에서 통합적인 조정, 정책, 기획, 진단 등의 기능을 수행하는 전문적인 역량을 갖춘 중앙조직이 필요하다.

2 설치 목적 및 근거

1) 설치 목적

(1) 국가 차원의 촘촘한 모자의료 연계체계 구축을 통한 안전한 분만 환경을 조성 마련하여 지역 계층 분야에 관계없이 보편적인 의료이용을 보장하기 위함이다.

(2) 국민 누구나 어디에 살든지 차별없이 모자의료 서비스를 이용할 수 있도록 산모 신생아 관련 의료의 강화로 고위험 임산부의 안전한 출산과 고위험 신생아의 건강한 출생 및 성장 도모하기 위함이다.

2) 법적 설치 근거

(1) 모자보건법: 제 10조의 6 (중앙모자의료센터) (2018년 9월)

모자보건법 시행규칙: 제 7조의 3 (중앙모자의료보건센터의 지정 기준 절차 및 취소) (2018년 9월)

고위험 임산부 및 신생아 집중치료 시설 간의 연계 및 업무조정, 종사자에 대한 교육훈련 등을 위하여 공공보건의료기관 중에서 중앙모자의료센터를 지정 할 수 있도록 함

[국립중앙의료원의 설립 및 운영에 관한 법률] 제5조(사업)의 제 11호 신설 (2018년 3월) →
[모자보건법] 제 10조의 6에 따른 고위험 임산부 및 미숙아등의 의료지원에 필요한 각종 산업의 지원

(2) 공공보건의료 발전 종합대책 (2018년 10월 1일 발표)

공공보건의료 발전과제 체계도

(3) 모자의료체계(안)

중앙(연구, 교육지원), 권역(고위험 산모 치료), 지역모자의료센터(중위험 산모 치료), 출산연계지원센터(일반산모)로 이어지는 전달체계 구축

3 센터 연혁

2018	3월 [모자보건법 제10조의6(중앙모자의료센터)] 신설 [국립중앙의료원의 설립 및 운영에 관한 법률 제5조(사업)] 개정 9월 [모자보건법 시행규칙 제 7조의 3(중아모자의료센터의 지정 기준 절차 및 취소)] 신설 10월 [공공보건의료 발전 종합대책] 발표(2-2. 산모 어린이장애 등 건강취약계층 의료서비스 확대)]
2019	7월 국립중앙의료원을 중앙모자의료센터로 지정 공공보건의료지원센터 내 모자의료지원팀 신설 정원 : 정규직 3명(연구직2, 사무행정직1), 무기계약직 2명
2020	1월 공공보건의료본부 내 중앙모자의료센터 별도 설치(직제규정 개정)

4 역할과 기능

1) 싱크탱크로써의 기능으로 정책 기획 및 자원을 제공한다.

(1) 단순한 모자의료체계를 구축하고 통합 관리를 통해 산모 신생아에게 효과적인 의료가 제공될 수 있도록 정책기획을 한다.

(2) 모자의료체계 IT기반관리 및 연계방안기획을 세워서 환자 중증도에 따라 이송이 원활할 수 있도록 병원 시설 장비 인력 현황 실시간 확인 시스템 구축한다.

(3) 모자의료 관련 모자보건법등 법령 개정 검토하는 역할을 한다.

2) 컨트롤 타워로써 권역 지역센터 출산센터 총괄 조정 및 관리한다.

(1) 기술지원 및 평가를 해서 권역 지역 모자의료센터, 출산연계지원센터 지정 지원을 한다.

(2) 연계 및 업무조정을 통해 진료권 내 이송, 역이송 연계체계 활성화 시스템 구축한다.

(3) 의료진, 행정직 등 전문인력을 위한 세미나 등 개최해서 교육훈련을 시행한다.

(4) 모자의료 관련 연도별, 항목별 통계 자료 수집 및 분석과 센터별, 기간별 자료 수집 및 분석해서 사례 분석 및 통계를 작성한다.

3) 중앙모자의료센터의 역할에 따른 세부 기능

(1) 주요기능: 중앙모자의료센터는 중앙-권역-지역모자의료센터-출산연계지원센터로 이어지는 위험도별 모자의료전달체계를 구축하고, 사업수행 기관에 대한 기술지원, 평가, 교육, 정보연계 등의 역할을 수행을 한다.

(2) 세부기능

역할	기능
모자의료 전달체계 구축 (권역, 지역, 연계센터 지정)	– 모자의료체계 구축 계획 – 단계별 지정 기준 설정 (시설, 장비, 인력) – 지정 (사업전환) 기존 정부지원 사업을 재분류 및 조정하여 단순한 모자의료체계로 구성하기 위하여 센터 지정 (지정기간 확대) 기존 지원 사업 외 의료기간 중 지정기준 충족여부에 따라 지정기관 확대
기술지원 및 관리	– 센터별 운영기준 및 사업지침 개발 – 필수 시설, 장비, 인력 기준 준수 여부 모니터링
성가 평가 및 운영진단	– 센터별 성과지표 개발 (구조, 과정, 결과) – 성과평가 수행 (문제점 분석, 개선 계획서 작성)
교육훈련	– 권역별 세미나 계획 수립 및 개최 – 교육훈련 계획 수요 조사, 프로그램 개발
현황진단 및 통계	– 지정기관 현황진단 설정, 자료 수집 및 분석 – 센터별 기관별 현황 진단 결과 분석을 통하여 향후 정책 및 통계자료로 활용 – 모자의료 관련 데이터베이스(D/B) 구축

5 모자의료지원팀 주요사업

1) 고위험 산모 신생아 통합치료센터 지원사업 사업대상

상급종합병원, 대학병원급 어린이병원, 신생아 집중치료실(NICU) 20병상 이상 및 연간 분만실적 100건 이상 운영 병원이다. 지원범위는 시설 장비비로 10억원이고 운영비는 연간 3억원 (2차년도 이후)이다.

■ 설치기준

구분	필수인력기준	필수 주요 시설	필수주요시설 기준
산모–태아 치료부	산과 전문의 4명이상 – 산부인과 전문의 24시간 대기 상주 전공의(3–4년차) 또는 전문의 1명 이상 – 산부인과 고년차 전공의 또는 전문의 24시간 상주 마취과 전문의 24시간 On–call 대기 산모 태아 집중치료실은 병상수대 간호사의 기준을 1.5:1유지 (산부인과 및 분만장 이외의 별도 독립 인력, 예시) 6병상 4명	산모–태아 집중치료실(MFICU) 산모–태아 수술실 분만실	5병상 이상 1개실 이상 2개실 이상
신생아 치료부	신생아 세부전문의 2명 이상, 신생아 전공의 2명 이상 신생아 집중 치료실 간호등급 6등급 중 3등급 이하(1–3등급)	신생아집중 치료실(NICU) 신생아 소생실	1개실 (20병상) 이상 1개실 이상

2) 신생아 집중치료지역센터 지원사업 사업대상

5병상 이상 NICU를 운영 중인 병원 이상 전문병원(우선)이다. 지원범위는 시설 장비비가 10병상 설치에 15억원, 5병상 설치에 7.5억원이고, 운영비는 10병상이면 연간 0.8억원, 5병상이면 연간 0.4억원이다.

■ 설치기준

구분	필수 인력 기준	필수 주요 시설 장비 기준
신생아집중치료실	신생아 세부전문의 또는 소아청소년과 전문의 1인 이상의 전문 인력이 신생아 집중치료 지역센터에 근무할 수 있는 병원	5개 또는 10개 집중 치료병상을 추가 설치할 수 있는 공간을 확보한 병원(병상당 5m² 이상의 면적 확보) [의료법 시행규칙] 제 34조 의료기관의 시설기준 및 규격, [별표4] 의료기관의 시설규격 충족

3) 분만 취약지 지원 사업의 사업대상

분만 취약지로 선정된 지역 중 종합병원, 병원, 의원 및 보건 의료원 이다.

지원범위는 시설 장비비로 분만시에는 10억원, 외래 및 순환 진료에는 1억원이고 운영비로는 분만에서는 1차년도 2.5억원, 2차년도 이후 5억원이고, 외래 및 순회진료에서는 1차년도 1억원, 2차년도 이후 2억원이다. 지원조건은 국비 50%와 지방비 50%이다.

■ 설치기준

구분	필수 인력 기준
분만 산부인과	산부인과 전문의 2인, 소아청소년과 전문의 1인, 마취통증의학과 전문의 1인 간호인력 6인 이상(간호사 50%이상) 임상병리사(혈액교차검사 가능자), 영양사등
외래 산부인과	산부인과 전문의 1인 간호인력 2인(간호사 50%이상)
순회진료산부인과	산부인과 전문의 1인 간호사 1인 방사선사, 임상병리사, 운전사 등 필수 인력 구성

4) 의료취약지 지원 사업의 사업대상

소아청소년과 취약지에 운영 중인 병원급 이상 의료기관과 혈액투석 취약지 내 인공신장실을 기 운영중인 병원이다. 지원범위는 시설 장비비로 소아청소년과는 1.92억원이고 운영비는 소아청소년과에는 1차년도 1.25억원, 2차년도 이후 2.5억원이고, 인공신장실은 연간 2억원이다. 지원조건은 국비 50%, 지방비 50%이다.

■ 설치기준

구분	필수인력기준
소아청소년과	소아청소년과 전문의 1인 간호인력 5인 (외래 1인, 병동 4인) 외래 1인 인건비 자부담 임상병리사(혈액교차검사 가능자), 방사선사, 약사, 영양사 등
인공신장실	혈액투석을 전문으로 하는 내과, 소아청소년과, 가정의학과 전문의 중 1인 이상 혈액투석을 전담으로 하는 간호사 2인 이상(혈액투석 경력 2년 이상 간호사 1명 포함)

6 성과평가 및 운영진단

단계	주요내용
1단계: 측정영역 설정	– 자문단 구성 – 성과평가 사례 검토 – 성과지표와 관련된 문헌 검토 – 사업 목적 및 내용 분석
2단계: 성과지표(안) 개발	– 문헌 고찰 결과 및 사업 내용분석에 따라 설정된 영역 지표(안) 개발
3단계: 전무가 자문 및 사업기관 검토	– 전문가 자문회의 개최 – 성과 지표 및 지표별 점수 산정 보완
4단계: 지표 수정 및 최종(안) 선정	– 지표(안) 수정 및 변경 – 조사표 개발

II. 한국 마더세이프전문상담센터 사업 및 운영

임산부가 약물에 노출되는 경우 약물의 기형 유발성에 관한 근거 중심적 정보제공과 상담은 매우 중요 하고 필수적이다. 이와 관련하여 국제적으로 기형유발정보 서비스들이 활동을 하고 있다. 북미의 MotherToBaby, 유럽의 ENTIS, 호주의 MotherSafe, 일본의 Japanese Drug Information Institute 등이 그 예가 되겠다. 한편 국내에서도 Korean Motherisk Program이 2005년부터 활동을 해 왔다. 이들의 활동은 콜센터나 인터넷을 통하여 임신부, 모유수유부, 그리고 임신을 계획하는 남녀들과 연결되고 정보제공을 할 뿐만 아니라 클리닉을 통해서 대면 상담을 하고 있다. 또한, 이렇게 상담한 사례들을 데이터베이스에 구축하고 이들 자료를 활용하여 개별 기관 또는 다른 기관들과 공동연구를 통하여 새로운 약물 또는 이슈가 되는 약물에 관한 증거를 만들어 국내뿐만 아니라 국제적으로도 임신관련 약물 정보를 제공하고 있다. 국내의 경우 2010년 낙태에 관한 사회적 이슈가 있으면서 임신부의 약물 노출 시 불안에 따른 불필요한 임신중절을 예방하기 위해서 보건복지부의 지원사업의 하나로 마더세이프전문상담센터 운영사업이 만들어졌고(Han, 2010), 현재 2019년에 이르러 10주년이 되었다. 한편, 2019년 4월 11일 우리나라 헌법재판소는 형법상의 낙태죄에 관하여 헌법불합치판정을 내렸다(Nongaek.com, 2019). 이는 결국 여성들의 낙태가 합법화되면서 낙태가 개인의 문제가 아닌 국가가 공동으로 책임져야 하는 공중보건의 이슈가 될 것 같다. 따라서 국가에서는 안전한 낙태를 위한 정보와 피임방법 등 관련 다양한 정보를 제공해야 되게 되었다.

1 마더세이프전문상담센터 상담

마더세이프전문상담센터는 그림 7-3-1에서와 같이 중앙센터 뿐만 아니라 거점지역 센터로 부산(일신기독병원), 광주(전남대학교병원), 대전(미즈여성병원), 울산(맘스여성병원), 대구(대구가톨릭대학병원) 그리고 어린이와 여성건강을 위한 약사모임이 네트워크를 구성하여 임신부, 모유수유부 그리고 임신 준비하는 예비임신남녀에게 약물, 알코올, 흡연, 방사선 등에 관한 전화상담과 산부인과 의사 및 약사들에 의해서 대면 상담을 제공하고 있다.

1) 상담건수

2010년부터 2020년까지 115,495건의 임산부에게 약물, 알코올, 흡연 등 유해물질에 관한 정보를 제공하였고, 이들 중 60%(45,933건)는 임신 및 예비임신부이며 나머지 40%(30,622건)는 모유수유부였다(그림 7-3-2).

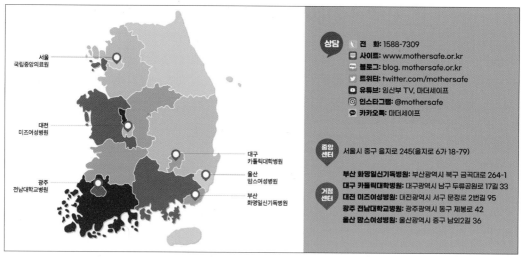

그림 7-3-1. 마더세이프 전문 상담 거점지역 센터

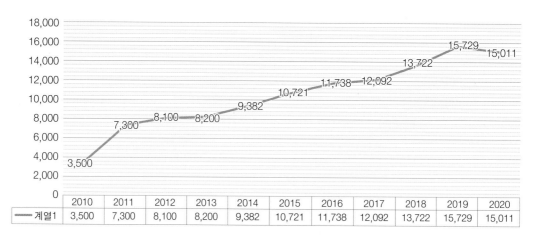

그림 7-3-2. 한국마데세이프 상담건수 추이

2) 상담 내용

임신부의 경우 노출의 대부분인 95% 이상이 급성 및 만성질환에 의한 약물과 알코올, 흡연, 방사선 노출이 같이 되었으며, 5% 정도는 약물을 제외한 알코올, 흡연, 방사선 등 이다.

3) 마더세이프 데이터베이스 – 임신부 약물 노출 등록부(Pregnancy Exposure Registry)

마더세이프전문상담센터에서 상담을 위해 환자로부터 전화를 받았을 때 환자가 노출된 또는 노출되기 전 약물에 관하여 임신부 노출 등록을 위하여 마더세이프시스템(Database of Moth-

그림 7-3-3. 마더세이프전문상담센터의 데이터베이스

ersafe Counseling Center)에 등록하여 관리하고 있다. 2010년 1월부터 2019년 3월까지 이 데이터베이스에 등록된 임신부, 예비임신부 및 모유수유부는 총 52,130건이다(그림 7-3-3).

2 마더세이프전문상담센터 운영의 비용 편익 연구

본 센터에 연결되어 정보제공을 받은 임신부들 중 2010–2014년까지 5년 동안 약물상담클리닉에서 대면상담 받은 임신부1,339례를 대상으로 정보제공 전 후에 10 scorevisual analogue scale (VAS)을 통해서 인공임신중절 경향을 평가하였다. VAS에서 0점은 임신유지 경향이 가장 높은 점수로 하고, 10점은 인공임신중절 경향이 가장 높은 점수로 하였을 때, 시소놀이처럼 정보제공 전 5점 이상으로 인공임신중절 경향이 높은 경향에 있는 647례(46.2%)중 에서 정보제공 후 임신 유지 경향이 높은 5점 미만으로 483 례(74.6%)가 전환되었다. 따라서 클리닉에서 인공임신중절 예방률은 34.5%(0.462×0.746=0.345)로 평가되었다. 표 7-3-1에 의하면 이렇게 산출된 인공 임신중절 예방률 을 동기간에 본 센터에 연결된 임신부를 대상으로 100% 동일하게 적용하는 경우 본 사업을 통해 8,559례의 인공임신중절을 예방하는 것으로 추산되었으며, 일차적인 효과로 건당 시술비를 75만원으로 하였을 때 약 64억원, 이차적효과로 출산에 따른 생산유발효과는 1명의 아이가 태어나서 80세 생존을 전제로 기저귀부터 관까지의 비용을 생산유발효과를 13억 원으로 하였을 때, 약 8조 6천억원이 넘었고 일자리창출효과는 8천개가 넘었다(Han et al., 2015). 한편, 이를 2019년까지 확대해서 적용한다면, 1만 6천명 이상의 임신부가 인공임신중절 경향에서 임신 유지 경향으로 바뀌어 출산할 것으로 추산된다. 따라서, 2010–2019년까지 본 사업에 의한 성과는

표 7-3-1. Cost-benefit of Korean Mother Safe Counseling Center for preventing voluntary pregnancy terminations within a period of 5 years

Effects	Saving money (10,000,000 KRW)				Cost-Benefit ratio-saving money/intervention cost*				No. of job creation			
	100%†	70%	50%	30%	100%	70%	50%	30%	100%	70%	50%	30%
Primary effects												
Prevention of artificial abortion†	642	465	348	230	5.2	3.8	2.8	1.9				
Secondary effects												
Production inducement§	863,516	652,738	467,382	309,036	7,043	5,103	3,812	2,520				
Job creation‖ (n)									8,140	5,898	4,406	2,912
Net job creation¶ (n)									3,751	2,718	2,030	1,342

KRW, Korean Won; VAS, visual analogue scale.
*Intervention cost (2010.4~2014.12): 1,226,000,000 KRW supported by Korean Health Ministry for 5 years. †Babies born by intervention of call center counseling estimated by 100%, 70%, 50%, and 30% of the proportion of babies born by intervention of clinic counseling, which is 0.345 (VAS(50% after counseling/VAS 50% before counseling about tendency of artificial abortionX100=483/647X100) +707 babies born by intervention of clinic counseling. ‡Number of baby born by intervention of teratogen counseling (100%, 70%, 50%, 30%) X 750,000 KRW (average cost of artificial abortion). §Production inducement effect by a baby form birth to 80 years old. ‖Job creation number of job created from birth to 80 years old (1.146). ¶Net job creation effect: job creation (1.146)-job consumed by self for labor period (0.613)=0.533.

1만 6천명 이상의 생명 살림과 직접적 인공임신중절 시술비의 절감 효과 외에도 이차적으로 20조 원 이상의 생산 유발 효과를 발생시킬 수 있는 것으로 추산된다.

3 모태독성학 교육프로그램(Education Course) 운영

마더세이프전문상담센터에서는 의료인들을 위한 모태독성학(maternal fetal toxicology) 관련 교육프로그램을 운영하였다. 임산부약물상담 전문가과정은 2015년부터 시작하여 2019년 4월까지 19기까지 마쳤다. 1기당 약 50명 정도가 참석하였다. 내용과 진행은 오전 세션에는 embryology, epidemiology, teratology 그리고 오후 세션에는 breast-feeding & medications에 관하여 발표하고 마지막으로 그룹 토론을 통해서 그룹별로 특정 증례에 관하여 토의 후 발표하는 형태이다. 그리고 임산부상담 전문약사과정은 2016년부터 시작하여 5기까지 마쳤다. 1기당 약사 100명 내외가 참석하였다. 이 프로그램은 약사단체인 어린 이와 여성건강을 위한 약사모임과 협력해서 임산부약물상담 전문가과정을 수정하여 일부는 약사모임에서 지역 약국에 적합한 내용의 교육을 추가하였다. 또한, 간호사를 위한 모유 수유약물상담 전문가 과정을 2017년부터 시작하여 4기를 마쳤다. 1기당 간호사 100명 정도가 참여하였다. 이 프로그램은 간호협회주관의 보수교육으로 자리 잡았다. 이러한 교육 프로그램은 국내의 의과대학, 약학대학 그리고 간호대학에서 커리큘럼에 없는 내용으로 모태독성학 기반으로 실제 임상 및 의료 현장에서 임신부 및 모유수유부들이 임신부 및 모유수유부 자신들 뿐만 아니라 태아 및 모유수유아의 건강을 우려하여 자주 질문되어지는 내용들이다. 이들에 적절한 정보가 제공되지 않는 경우, 임신부들은 지나치게 우려하여 임신중절을 선택하기도 하며 모유수유부유들도 모유수유를 중단 하거나 적절한 치료를 하지 않아 병을 키울 수 있다.

4 이소트레티노인 임신예방 프로그램 도입을 위한 역할

이소트레티노인(isotretinoin)은 결절성, 낭포성 여드름 치료를 위해 식품의약품안전처에서 승인되어 처방되는 약물이다. 이 약물은 미국 FDA에서 1982년에 승인되어 광범위하게 처방되고 있는 대표적 기형유발물질이다. 유발하는 기형은 두개안면, 심혈관, 신경 및 흉선기형 들이며 또한 30–60%는 신경인지장애(neurocognitive impairment)을 유발하는 것으로 알려져 있다(Lammer et al., 1985). 따라서 미국뿐만 아니라 유럽에서도 이소트레티노인 임신예방프로그램을 운영하고 있다. 미국의 임신예방프로그램으로 iPLEDGE 시스템을 운영하고 있다. 처방전에 필요조건으로 환자를 이 시스템에 등록하고, 환자가 이 약물이 기형물질이라는 것을 인지, 2가지 이상의 피임적용, 처방전 임신검사 음성이 포함된다(iPLEDGE, 2016). 국내에서는 연간 가임 여성들에게 40만 건 이상 처방되고 있으며, 임신 부들의 노출도 적지 않다. 한국마더세이프전문상담센터에 의하면 2010년부터 2018년까지 1,000건이 넘는 것으로 보고하고 있다(Kim et al., 2018). Kim 등(2018)에 의하면 마더세이프전문상담센터에서 이소트레티노인 복용으로 상담 받은 환자들의 임신 시기별 노출을 보면 약 80%는 복용을 금기하는 기간에 노출되었다. 그리고 임신 중 노출되는 경우 40–50%는 임신중절을 선택하는 것으로 나타나고 있다. 또한, 이 약물이 기형유발물질로 미국 FDA X등급이라는 각인 효과 때문에 안전한 시기인 약물 중단 후 30일 경과한 경우도 약 13%가 임신 중절한 것으로 나타나고 있다(표 7-3-2). 국내에서 2019년 6월부터 이소트레티노인 임신예방프로그램인 위해성관리계획(risk management plan)을 시 행하기로 되어 있다. 이 위해성관리계획이 도입되기 전에 (사)임산부약물정보센터 주관으로 2018. 4. 11 "이소트레티노인

표 7-3-2. Frequency of isotretinoin exposure according to period (stages) of pregnancy

Period	Frequency, n (%)	Exposure duration (day), median (range)	Termination rate of pregnancy,* n (%)
Before pregnancy			
>30 Days discontinuation	137 (21.1)	30 (1–4,231)	4/31 (12.9)
≤30 Days discontinuation	104 (16.0)	41 (1–3,226)	3/17 (17.6)
During pregnancy			
<4 Weeks	221 (34.0)	13 (1–3,653)	5/10 (50)
≤4 Weeks	188 (28.9)	21 (1–1,461)	4/10 (40)

*Yook et al. (2012).

등 기형유발약물 임신예방프로그램 도입 간담회: 저출산 시대, 임산부와 신생아 대상 약물 안전관리 강화" 제목으로 국회에서 기자간담회를 하였다(Han, 2018c). 이후 중앙약사심의위원회의 결정으로 이소트레티노인 임신예방프로그램이 국내에 도입되게 되었다. 향후에도 이 프로그램이 국내에 잘 정착될 수 있도록 지속적인 감시가 필요하다.

5 입덧 치료약 디클렉틴 국내 도입을 위한 임신부 안전성 및 유용성 정보제공

마더세이프전문상담센터에서는 이 약물이 주로 기형발생 관련하여 가장 민감한 시기인 임신 1분기에 사용되기 때문에 북미에서와 같은 불필요한 오해와 시행착오를 겪지 않도록 입덧 약 디클렉틴이 국내임신부에게 잘 적용될 수 있도록 국내 입덧 연구 발표와 이 약물의 안전성관련 홍보를 위하여 국제적 전문가인 Gideon Koren를 초청하여 발표회를 갖기도 하였다(Han, 2018b).

6 생식발생독성연구 심포지엄 개최

생식발생독성 연구 및 마더리스크 연구 최신경향심포지엄은 2006년부터 2018년까지 13회를 시행하였다. 이 심포지엄의 내용은 4개의 세션으로 첫 세션은 전임상(preclinical)연구로 동물실험에서 생식독성학 관련 연구 두 번 째 세션은 국내 및 국제적으로 이슈가 되는 연구들로 주로는 식품의약품안전처의 용역연구들로 임신 중 유해물질 노출로 약물, 알코올, 흡연, 환경호르몬등 연구. 세 번째 세션은 마더세이프상담관련 연구로 주로 임신 중, 모유수유 중 약물로 주로 마더세이프전문상담센터의 상담사례들에 대한 evidence를 발표. 그리고 마지막 네 번째 세션은 임신 전 관리(preconception care)에 관한 내용들로 엽산, 면역, 만성질병 등이 포함되었다.

7 국제적 센터로서의 역할

1) 북미의 MotherToBaby에 링크

마더세이프전문상담센터는 국제적 기형유발문질정보 서비스(Teratology Information Services)의 하나로 북미의 MotherToBaby의 웹사이트에 지역 서비스의 하나로 https://mothertobaby.org/locations/에 링크되어 있으며 극동 아시아에서는 일본의 Japnase Drug Information Institute와 함께 하고 있다. MotherToBaby는 북미의 관련 전문가단체로 구성되어 있으며 임신부 및 모유수유부의 약물의 안전성에 관한 fact sheet를 제공하고 있으며, 기형유발가능성 약물 등에 관한 임신부 약물 노출 등록부(Pregnancy Exposure Registry)를 구축하고 국제적 네트워크를 통해 약물의 증거에 관한 연구를 활발하게 진행하고 있다.

2) KOICA를 통한 동남아시아 보건 의료인 교육

KOICA에서 모자보건관련 교육을 위해 초청한 동남아 시아 보건의료인들을 위한 커리큘럼에 한국마더세이프전 문상담센터가 선진 모자보건의료 프로그램의 하나로 소개 되었다. 네팔, 방글라데시, 라오스, 세네갈 및 아프가니스탄 등의 모자보건의료인들에게 마더세이프사업의 목적과 성과에 관한 교육과 마더세이프 콜센터 방문하며 견학하게 하였다(Korean Mothersafe Professional Counseling Center, 2016).

8 서울시 남녀임신준비프로그램사업 구축 및 모니터

서울시, 한국모자보건학회 및 마더세이프전문상담센터가 공동으로 임신을 준비하는 여성과 남성들을 위한 임신 전 관리(preconception care)인 서울시 남녀 임신준비프 로그램을 2017년부터 2018년까지 2년 동안 4개의 지자체 보건소(중구, 성북구, 광진구, 양천구) 시범사업을 거쳐서 2019년 12개의 지자체에서 진행하고 있다. 이 프로그램의 내용은 일차 의료(primary health care)로 임신을 준비하는 남녀에게 초기 방문 시 엽산제 또는 임신부용 종합비타민을 제공하고 설문 통해 임신에 위해요인이 되는 위험 인자로 과체중, 습관적 음주, 흡연, 우울증 및 불안장애, 약물복용, 유전질환 병력, 불량한 임신력을 평가하고, 임상실험실(laboratory) 검사를 통해 빈혈, B형간염면역, 풍진면역, 간 기능, 신장 기능, 매독, human immunodeficiency virus, 갑상선 기능, 난소 기능, 흉부 X-ray에서 이상 여부를 평가하여 전문기관에 안내함으로써 임신 전 위험요인을 교정할 수 있도록 하고 있다. 이 프로그램은 기존에 지자체 보건소에서 진행해왔던 혼인 전 검사가 임상실험실(laboratory)검사하고 검사 결과만 제공하는 것에 비교해서 성인지적 관점(gender sensitive perspective)에서 남녀 모두 임신을 책임지는 자세로 함께 준비하며 남성의 참여율을 높이고 있으며 설문과 검사를 통해서 위험 요인에 관한 교정을 위한 설명과 안내를 통한 중재(intervention)가 포함되어 있어서 만족도 조사에서 이 프로그램이 건강한 아이의 출산 자신감과 다음 임신 준비에도 99%가 참여하겠다는 만족도를 보이고 있으며, 지자체 보건소 현장 모니터 시 이프로그램사업 담당 보건 요원들도 매우 만족하고 있었다.

Ⅲ. 난임 · 우울증상담센터 사업 소개

1 사업 목적 및 법적 근거

1) 사업 목적

난임 환자, 임산부 및 양육모(출산 후 3년 이내의 양육모. 단, 미혼모의 경우 출산 후 7년 이내까지 대상자로 등록 가능)를 대상으로 심리상담, 정서적 지지 및 정신건강 고위험군에 대한 의료적 개입 지원을 병행하는 서비스를 제공함으로써 정서적 · 심리적 문제를 완화하여 삶의 질을 향상시키기 위함이다.

2) 법적 근거

– 「모자보건법」 제10조의5 (사전. 사후 우울증 검사 등 지원)
– 「모자보건법」 제11조의4 (난임전문상담센터의 설치. 운영 등)
– 「모자보건법」 시행규칙 제12조의4 (난임전문상담센터의 설치 · 운영의 위탁)
– 「국립중앙의료원의 설립 및 운영에 관한 법률」 제5조 (사업)

2 난임·우울증상담센터 BI (Brand Identity)

'건강한 마음으로 행복한 가정을 이룬다.'는 상담센터가 지향하는 슬로건을 시각화.

심볼 형태는 동등한 인격체인 두 사람이 사랑으로 이루는 가정을 의미하고 다양한 컬러로 연결된 집 형태는 난임 부부와 임산부의 행복한 가정을 위해 다각적으로 지원하겠다는 난임 · 우울증상담센터의 의지를 내포하고 있다.

3 난임·우울증 상담센터 사업체계

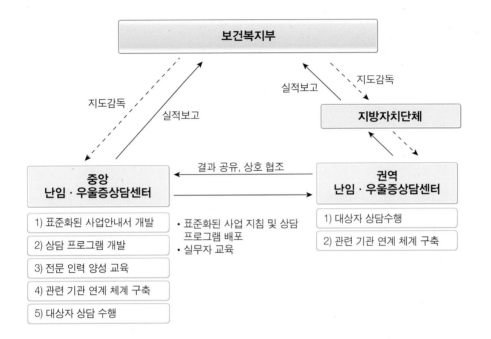

4 사업연혁

2018. 6. 중앙난임 · 우울증상담센터 개소

2018. 7. 사업 지침 및 사업안내서 개발

2018.11. 중앙난임 · 우울증상담센터 개소 기념 심포지엄

2018.11. 제1차 난임 및 임산부 정신건강전문가 양성교육

2018.12. 난임 환자를 위한 인지행동치료 상담 프로그램 개발

2018.12. 난임, 임신, 출산 부부를 위한 부부 상담 프로그램 개발

2018.12.~2019.2. 전남, 인천, 대구 권역센터 개소

2019. 5. 제2차 난임 및 임산부 정신건강전문가 양성교육

2019. 6. 중앙난임 · 우울증상담센터 1주년 심포지엄

2019.10. 제3차 난임 및 임산부 정신건강전문가 양성교육

2019.12. 유산 후 우울증에 대한 집단 대인관계 정신치료 상담 프로그램 개발

2020. 5. 오디오 방송 시작 [난임행복맘을 위한 맘안애]

2020.10. 제4차, 5차 난임 및 임산부 정신건강전문가 양성교육

2020.12. 유산 부부를 위한 심리 지원 프로그램 매뉴얼 개발

2020.12. 난임 치료 단계별 심리 지원 안내서 개발

2020.12. 난임 및 임산부 정신건강 전문가 양성 온라인 교육 프로그램 개발

2020.12. 난임 여성, 임산부를 위한 심리방역키트 제작

2021. 1. 사업 지침 및 사업 안내서 개정

2021. 2. 경기도 권역센터 개소

2021.10. 제6차 난임 및 임산부 정신건강전문가 양성교육

2021.10. 다문화 가정을 위한 심리방역키트 (몽골어, 일본어, 베트남어) 안내서 제작

2021.10. 경상북도 권역센터 개소

5 중앙난임·우울증상담센터 사업

1) 조직도

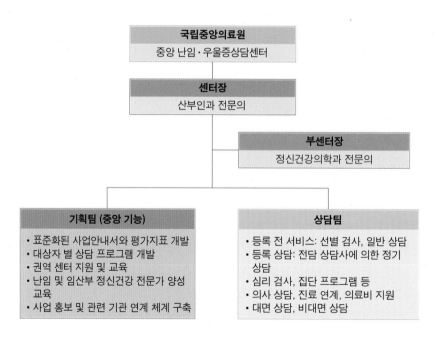

2) 사업 목표 및 추진 전략

비전	건강한 마음, 행복한 가정

미션	난임 부부, 임산부의 심리적 안정과 삶의 질 향상

사업 대상	[1차 표적인구] 중등도 이상 우울 고위험군	[2차 위험인구] 경도의 우울 위험군	[3차 일반인구] 전체 대상군
사업 목표	중증도별 상담 서비스 제공	위험군 조기 선별 및 개입	출산 친화환경 조성
핵심 전략	표준화된 사업운영을 통한 상담서비스 질 향상	[난임 및 임산부 정신건강전문가] 양성체계 구축	전국단위 인식개선 및 서비스 접근성 향상
6대 전략과제	권역센터 교육 및 지원으로 표준화된 사업운영	상담 프로그램 개발 및 전문가 양성	전국단위 지원체계 구축
	중등도 이상의 고위험군 등록 관리	자문단 구축 및 운영	대국민 인식개선 및 홍보활동

6 상담 사업

1) 사업대상

(1) 난임 환자 및 배우자 등

- 부부가 피임을 하지 않고 1년 이상 정기적인 성생활을 하여도 임신이 안 되는 경우
- 유산 및 사산 등으로 임신 유지관련 정서적 어려움을 호소하는 경우

(2) 임신부 및 배우자

    – 임신 중인 여성 및 배우자

(3) 산모 및 배우자

    – 출산 후 12주 이내의 산모 및 배우자

(4) 양육모 및 배우자

    – 출산 후 3년 이내의 양육모 및 배우자

    (단, 미혼모의 경우 출산 후 7년 이내까지 대상자로 등록 가능)

(5) 기타

    – 상담 대상자의 배우자를 제외한 가족 및 관련기관 실무자 등

2) 우울 중증도에 따른 단계별 상담 서비스

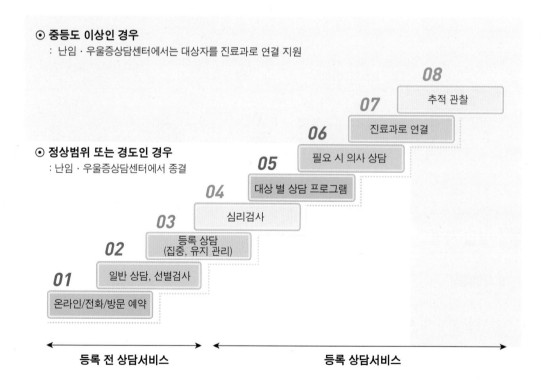

3) 상담 서비스 연계 체계

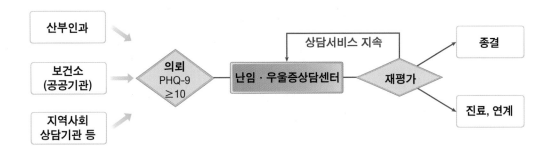

4) 상담 사업 실적

(1) 상담실적

구분	상담 실 인원(명)				총 상담 서비스(건)			
	난임 환자	임산부	기타	계	난임 환자	임산부	기타	계
중앙 센터	925 (50.4%)	798 (43.5%)	109 (5.9%)	1,832 (100%)	6,989 (57.7%)	4,958 (40.9%)	164 (1.3%)	12,111 (100%)
전체 센터	2,525 (21.1%)	9,126 (76.2%)	312 (2.6%)	11,963 (100%)	16,939 (27%)	45,148 (72.2%)	420 (0.6%)	62,507 (100%)

(2018.6.20.~2021.9.30.)

(2) 상담 만족도 (2021년 기준, 만점 5점)

- **대면 등록 상담 받은 대상자 전반적인 만족도 4.7점 (94%)**
  - 상담실 환경 및 신청 과정의 원활함 4.8점
  - 상담시, 상담사의 태도(따뜻함과 관심)에 대한 만족도 4.9점
  - 상담사의 전문성에 대한 만족도 4.5점
  - 향후 센터 추천 의사 4.9점

- **비대면 등록 상담 받은 대상자 전반적인 만족도 4.8점 (96%)**
  - 비대면 상담(전화, 영상, 온라인) 신청 과정의 원활함 4.7점
  - 상담시, 상담사의 태도(따뜻함과 관심)에 대한 만족도 4.9점
  - 상담사의 전문성에 대한 만족도 4.9점
  - 향후 센터 추천 의사 4.8점

7 사업 기대 효과

- 임신 준비기부터 임신, 산후 여성들의 정서적 안정에 기여하고, 난임 및 임산부 정신 건강 고 위험군의 조기 발견 및 조기 개입한다.
- 난임 부부와 임산부의 정서적 지지에 대한 사회적 관심 높이고 인식 개선하여출산 친화적 환 경 조성하고, 관련 기관과 연계 체계 통해 난임 및 임산부 정신 건강에 대한 효율적 지원 체 계 구축한다.

임신부 및 수유부의 다빈도 노출약물

◦ 최준식 · 안현경 · 한정열

대부분의 임신부 및 수유부는 급성 및 만성질환으로 약물에 노출되고 있다. 약물에 노출된 임신부의 80%는 임신을 알기 전 임신을 인식하지 못한 상태에서 노출된다. 하지만, 수유부의 경우는 수유 중 발생하는 감기나 근골격계질환 등의 급성질환으로 인해 노출된다. 임신부의 경우 약물에 노출되는 경우 심한 경우 임신중절을 선택하기도 한다. 그리고 수유부의 경우 약물을 사용해야되는 경우에도 약을 복용하지 않거나 수유를 중단하기도 한다. 하지만, 임신부 및 수유부가 다빈도로 노출되는 약물의 경우 기존의 외국연구들에 의하면 구체적인 기형유발물질이나 수유시 신생아에 영향을 미치는 약물은 거의 없는 것으로 보고하고 있다. 하지만, 이들 연구들도 대상참여수의 한계 그리고 일부 약물들은 전혀 human data가 없는 실정이다.

이 장에서는 임신부 및 수유부가 다빈도로 노출되는 약물들에 관하여 기존의 문헌에서 밝혀진 내용들을 기술하고 한국마더리스프로그램에서 1999년부터 구축해온 데이터베이스를 활용하여 임신결과 및 수유부에서 약물이 수유부의 젖량에 미치는 영향과 설사, 졸리움 등의 부작용에 미치는 영향에 관하여 정리하고자 한다. 이 정리에서 임신부에서 노출되는 약물의 위험성은 기존에 알려진 자연유산률 15%, 조산률 및 저체중아 출산률 7-10%, 그리고 주요기형발생률 3-5%에 비추어 비교하고자 한다. 주요기형의 정의는 발생된 기형이 생존에 영향을 주거나 surgical 치료가 필요하거나, neurologically, cosmetically 문제가 되는 경우로 하였다. 하지만, 이들 다빈도 노출약물 중에서도 위의 제시한 기준을 넘는 경우가 있지만 이들을 human teratogen이라고 정의하기 위해서는 action of mechanism, 다른 기존의 epidemiologic data등의 고려와 추가적인 연구가 필요하다 하겠다. 그럼에도 2015년 미국 FDA에서 약물의 등급을 없앤 New Labeling without Category를 발표한 상태를 고려한다면, 여기에 제시한 한국마더세이프전문상담센터의 임신결과와 모유수유부의 부작용결과는 기존의 관련 자료가 부족한 상태에서 관심약물의 human data를 파악해 볼 수 있다는 점에서 도움이 될 수 있을것 같다. 하지만, 1999년 이래 구축된 데이터베이스에 근거함으로 인한 여러 한계가 있다. 임신중 초음파에 의해서 발견된 기형의 경우에 출산 후 정확한 진단명의 기술이 없는 경우, 기형의 정확한 위치, 기형의 출산후 치료여부가 명확하지 않는 등이다.

그리고 Lactation category에서 제시한 등급은 Thomas W.H의 Medications Mother's Milk(2014)를 인용하였고 L1: Compatible(controlled studies), L2: Probably compatible(studies in limited number of breastfeeding women), L3: Probably compatible(no controlled studies), L4: Possibly hazardous, L5: Harzadous이다. 그리고 포함된 evidence들은 Micromedx®의 내용들들 참고하였다.

1 건조수산화알루미늄겔(Dried aluminum hydroxide gel)

1) 일반적 정보(General Information)

(1) 상품명

— 찾을 수 없음

상품명	제약회사	용량	상품모양
넥시드 에프 정	넥스팜코리아	–	–
한시드 에프 정	한불제약	–	–

(2) 성분: Dried aluminum hydroxide gel

- 분자식: $Al(OH)_3$

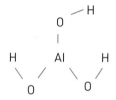

(3) 임상적 적응증(Clinical Indications)

- 위산과다증의 증상 완화(번열, 위식도역류, 속쓰림)
- 고인산혈증

(4) 작용기전(Mechanism of Action)

- 위산을 중화시켜 위 및 십이지장의 pH를 증가시킨다.
- 위의 pH가 4이상일 경우 펩신의 단백분해작용도 억제시킴
- 국소 수렴작용
- 위장관에서 인(phosphate) 및 담즙과 결합하여 혈중인 및 담즙산의 농도를 감소.

(5) 약물 역동학(Pharmacokinetics)

　① 경구 생체 이용률(Oral Bioavailabioity): –

　② 분자량(MW): 78.0 g/mol

　③ 단백질 결합(Protein binding): –

④ 혈중최고농도 도달시간(Tmax): −

⑤ 반감기(T1/2): −

(6) 약물 상호작용(Drug Interactions)

- 다음 약물의 효과/농도 감소: tetracycline, digoxin, indomethacin, 철분제제, isoniazid, allopurinol, benzodiazepin, corticosteroids, penicillamine, phenothiazines, ranitidine, ketoconazole, Itraconazole.

- 검사상 상호작용 감소: phosphorus(inorganic)농도 감소.

(7) Preganacy Risk Category: FDA Category−C

2) 기형 발생 정보(Teratogenicity Information)

(1) 동물 실험(Animal teratology studies)

쥐를 대상으로 한 동물실험에서 kg당 768 mg의 수산화알루미늄에 노출된 쥐에서 태자의 생존, 발달, 성장에 어떠한 부정적인 영향도 발견할 수 없었으나, 알루미늄의 흡수를 증진시키는 사이 트레이트를 함께 주입시 선천성 기형은 증가하진 않으나 발달 이상과 태자독성이 발견되었다고 보고하였다. 동물실험을 통해 알루미늄의 parenterally 주입이 태반을 통과하여 태자의 조직에 축 적됨을 밝혀냈고, 이것이 렛트실험에서 태자의 사망의 증가와 골격계 성장이상, 그리고 학습, 기 억, 신경운동학적 발달에 영향을 미친다고 보고하였다.

(2) 외국의 역학연구 정보(Epidemiologic Information)

임신기간중 매일 15,000 mg의 알루미늄 하이드록사이드를 복용한 산모에서 태어난 여자아이에서 심각한 정신지체와 경련, 사지 강직, 성장지연 등을 보인 증례보고에서 알루미늄 중독이 신경학적 장애의 원인이 되었음을 보고하였다.

(3) 한국마더세이프전문상담센터정보(The Korean MotherSafe Counselling Center Information)

수산화알루미늄되어 추적된 임신부는 총 206례이었으며 초기 노출 후 자연유산율은 5.3%(11/206)이었다. 임신 37주 이전의 조산률은 4.4%(8/183), 2,500 g 미만의 저체중증은 3.9%(7/179)이었다. 주요기형발생 1.1%(2/183): both fetal ankel deformity(1), Right kideney segmental cystic dysplasia(1)가 있었다.

3) 모유 수유시 독성 및 적합성 정보(Brestfeeding Compatibility Information)

- 관련 정보 찾을 수 없음.

- 한국마더세이프전문상담센터: 수유부와 수유아 4쌍 중 부작용 없었다.

2 겐타마이신(Gentamicin)

1) 일반적 정보(General Information)

(1) 상품명

— 찾을 수 없음

상품명	제약회사	용량	상품모양
경동 황산겐타마이신 주	경동제약	80 mg/2 mL	
공업국제 겐타마이신 주	국제약품	80 mg/2 mL	
근화 겐타마이신 주	근화제약	80 mg/2 mL	
동화 황산겐타마이신	동화약품공업	80 mg/2 mL	
세종 겐타마이신 주	세종제약	80 mg/2 mL	—
신풍 겐타마이신 주	신풍제약	80 mg/2 mL	
신풍 겐타마이신황산염 크림	신풍제약	1 mg/g	
안국 황산겐타마이신 크림	안국약품	1 mg/g, 450 g	—
제일 겐타마이신 주	제일제약	80 mg/2 mL, 2 mL	—
참 황산겐타마이신 점안액 0.3%	유니메드 제약	3 mg/mL, 10 mL	—

(2) 성분: Aminoglycosides

- 분자식: $C_{21}H_{43}N_5O_7$

(3) 임상적 적응증(Clinical indicatios)

- 세균성 심내막염

- 세균성 폐혈증(신생아의 세균성 폐혈증 포함)

- Klebsiella pneumoniae, Pseudomonas, Enterobacteriaceae, Escherichia coli, Serratia marcescens, Staphylococcal, Citrobacter, Proteus로 인한 세균성 감염

- 눈 감염, 골 감염

- 피부 및 피하조직 감염

- 뇌수막염

- 복막투석에 의한 복막염

- 복막염 및 기타 위장관 감염

- 호흡기 및 요로 감염

(4) 작용기전(Mechanism of Action)

- 박테리아의 30s, 50s 리보솜 소단위에 결합하여 단백질의 생합성을 억제함으로써 박테리아 세포막의 결함을 유도한다.

(5) 약물역동학(Pharmacokinetics)

① 경구 생체 이용률(Oral bioavailability): 〈 1%

② 분자량(MW): 477 g/mol

③ 친수성(hydrophilic): −

④ 단백질 결합: 〈 10−30%

⑤ 혈중최고농도 도달시간(Tmax): 30−90 minutes

⑥ 반감기(T1/2): 2−3시간

(6) 약물 상호작용(Drug Interaction)

- 효과/독성 증가

① Penicillins, cephalosporins, amphotericin B, Loop계 이뇨제와의 병용투여에 의해 신독성이 증가할 수 있다.

2) 기형 발생 정보(Teratogenicity Information)

(1) 동물 실험(Animal test)

임신기간 동안 쥐와 돼지에 고용량의 겐타마이신을 투여하였을 경우 태자에서 비정상적인 신장이 관찰되기도 하였다. 이 실험에서 돼지의 경우는 겐타마이신을 4 mg/kg 용량으로 투여

후 태자의 신장의 이상소견이 일시적으로 관찰되었다. 그러나 쥐에 75 mg/kg 용량을 준 후 태자에 더 심각한 신장 손상이 초래되었다.

(2) 외국의 역학연구 정보(Epidemiologic Information)

헝가리에서 시행된 환자–대조군 연구에 의하면 임신 기간 동안 겐타마이신을 비경구적으로 투여한 경우 기형 발생이 증가하지 않았다고 보고하였다. 임상적으로도 출생 전 겐타마이신에 노출되었던 46명의 아이들에서 심각한 부작용을 찾을 수 없었다.

인간에서 임신부에게 겐타마이신 치료 후 신생아에서 심각한 신장손상이 보고된 예는 아직까 지 없다. 출생 전 겐타마이신 240 mg을 한 번 투여 받았던 산모에게서 태어난 아이들의 겐타마이신의 용량을 조사해 본 결과 독성 수준으로 채취되었다. 이런 결과를 바탕으로 일부에서는 겐타마이신 용량을 더 낮추고 나누어서 사용할 것을 권하기도 하였다. 24시간마다 5.1 mg/kg 용량을 한 번 사용한 경우와 120 mg 투여 후 8시간마다 80 mg을 사용한 경우 태아 혈청 최고농도와 출생 예후를 조사해 본 결과 하루에 한 번 사용한 그룹이 적절한 신생아 농도에 근접한 결과를 보였다. 또한 고용량 치료로 인한 부작용은 보고되지 않았다.

이론상 태아 신독성 및 이독성의 가능성이 있으나, 임상적으로 확증되지 않았으므로 겐타마이신의 임신부 사용을 금하기도 하나, 겐타마이신의 분명한 적응증일 경우 투여를 금할 이유는 없다.

(3) 한국마더세이프전문상담센터정보(The Korean MotherSafe Counselling Center Information)

겐타마이신에 노출된 후 추적된 임신부는 총 123례이었으며 초기 노출 후 자연유산율은 5.3%(9/123)이었다. 임신 37주 이전의 조산률은 3.6%(4/111), 2,500 g 미만의 저체중증은 1.8(2/111)이었다. 주요기형발생은 2.7%(3/111): CCAM(1), ASD(1), Complex anomaly(1)가 있었다.

3) 모유 수유시 독성 및 적합성 정보

- Lactation Risk Category: L2
- 수유부에서 겐타마이신 노출 1시간 후 0.16–0.67 mcg/mL 용량이 모유에서 검출되었으며, 모유에서 겐타마이신은 노출 3시간 후 0.74 mcg/mL 수준의 최고농도에 도달하였고 모유:혈청비는 0.1 미만이었다. 또한 아이의 혈청농도는 엄마 농도보다 적어 독성을 일으키지 않을 것으로 예상된다. American Academy of Pediatrics은 겐타마이신을 모유수유에 적합하다고 분류하였다.
- 한국마더세이프전문상담센터: 수유부와 수유아 14쌍 중 젖량감소 1례 있었지만 부작용례는 없었다.

3 구아이페네신(Guaifenesin)

1) 일반적 정보(General Information)

(1) 상품명

상품명	제약회사	용량	상품모양
페나투신캅셀	대실양행	200 mg	
코대원정	대원제약	50 mg	
코데날정	삼아제약	50 mg	
코데닝정	종근당	50 mg	
코푸정	유한양행	50 mg	
판콜에이캅셀	동화약품공업	41.65 mg	
하디코프정	광동제약	200 mg	
화이투벤플러스캡슐	씨제이	40 mg	

(2) 성분: 3-(2-methoxyphenoxy)propane-1,2-diol

- 분자식: $C_{10}H_{14}O_4$

(3) 임상적 적응증

- 천식과 기침의 치료에 사용된다.

(4) 작용기전(Mechanism of Action)

- gastric mucosa를 자극하고 호흡기계 분비를 촉진한다.

(5) 약물 역동학(Pharmacokinetics)

　① 경구 생체 이용률(Oral Bioavailability): complete

　② 분자량(MW): 198.216 g/mol

　③ 단백질 결합(Protein binding): −

　④ 혈중최고농도 도달시간(Tmax): 20−50분

　⑤ 반감기(T1/2): 1시간

(6) 약물의 상호작용(Drug Interactions)

2) 기형 발생 정보(Teratogenicity Information)

(1) 동물 실험(Animal teratology studies)

　Guaifenesin과 관련된 동물에서의 기형발생관련 문헌은 보고된 바 없다.

(2) 외국의 역학연구 정보(Epidemiologic Information)

　한 연구에서 임신초기에 guaifenesin에 노출이 있을 때 서혜부 탈장의 증가를 보고 하였다. 하지만, 또 다른 연구에서는 임신초기 guaifenesin에 노출된 241명을 대상으로 했을 때 선천성 기형과의 연관성은 나타나지 않았다.

(3) 한국마더세이프전문상담센터정보(The Korean MotherSafe Counselling Center Information)

　구아이페네신에 노출된 후 추적된 임신부는 총 489례이었으며 초기 노출 후 자연유산율은 6.3%(31/489) 이었다. 임신 37주 이전의 조산률은 3.3%(15/449), 2,500g 미만의 저체중증은 2.7%(12/449)이었다.

　주요기형발생 1.8%(8/449): CHD로 2개월후사망(1), PDA(2), ASD with PDA(1), brain cyst(1), hydronephrosis(1), right fetal liver mass(1), Left dysplastic kidney with megaureter(1)가 있었다.

3) 모유 수유시 독성 및 적합성 정보(Brestfeeding Compatibility Information)(4)

- Lactation Risk Category: L3
- 한국마더세이프전문상담센터: 수유부−수유아 57쌍 중 12례의 젖량감소가 있었지만 부작용은 없었다.

4 나프록센(Naproxen)

1) 일반적 정보(General Information)

(1) 상품명

— 찾을 수 없음

상품명	제약회사	용량	상품모양
구주 나프록센나트륨 정	구주제약	275 mg	
금강 나프록센나트륨 정	미래제약	275 mg	
나록센 정	초당약품	275 mg	
나록스 정	보람제약	275 mg	
나폭센 정	(주)드림파마	275 mg	—
나폴론 정	서울제약	275 mg	
나프렉스 정	삼성정밀화학/의약사업부	275 mg	—
나프록스 정	영일제약	275 mg	
나프록신 정	인바이오넷	275 mg	
나프롱 정	신일제약	275 mg	—
나프린 캡셀	넥스팜코리아	275 mg	—
나프센 정	한국파마	275 mg	—
디스펜 정	신풍제약	275 mg	
락피나 캡슐	대한뉴팜	275 mg	—
리코락스 정	동국제약	275 mg	
모닝펜 정	한국유나이티드제약	275 mg	—
바이넥스 나프록센나트륨 주	바이넥스	275 mg/2.5 mL	—
삼천리 나프록센나트륨 정	삼천리제약	275 mg	
세록센 정	영풍제약	275 mg	
소폭센 정	한국이텍스	275 mg	—

— 찾을 수 없음

상품명	제약회사	용량	상품모양
스노핀 정	한국파비스바이오텍	275 mg	—
씨트리 나프록센 정	씨트리	275 mg	—
아나프 정	(주)피엠지바이오파밍	275 mg	—
아나프록스 정	종근당	275 mg	
아낙스 정	환인제약	275 mg	
아넥센 정	청계제약	275 mg	—
아멜 주	알파제약	275 mg/2.5 mL	—
알삭센 정	크라운제약	275 mg	—
에치록센 정	한불제약	275 mg	—
자이날 정	고려제약	275 mg	—
콜민 정	한국휴텍스제약(주)	275 mg	
태극 나렉신 정	태극제약	275 mg	
통키파에이 정	한국프라임제약	275 mg	—
폭센 정	명인제약	275 mg	
프로낙스 정	삼성제약공업	275 mg	—
프로트린 정	코오롱제약	275 mg	
프리나 정	스카이뉴팜	275 mg	—
하니파 주	하나제약	275 mg/2.5 mL	

(2) 성분
- 분자식: $C_{14}H_{14}O_3$

(3) 임상적 적응증(Clinical Indications)

- 연소성 류마티스 관절염 등 염증성 질환 및 류마티스성 질환
- 경중등도 통증, 발열
- 급성 통풍
- 월경불순
- 편두통

(4) 작용기전(Mechanism of Action)

- Cyclo-oxygenase의 활성을 감소시켜 prostaglandin의 합성을 차단함으로써 prostaglandin의 전구체 생성 감소.

(5) 약물 역동학(Pharmacokinetics)

① 경구 생체 이용률(Oral Bioavailabioity): 74-99%

② 분자량(MW): 230 g/mol

③ 단백질 결합(Protein binding): 99.7%

④ 혈중최고농도 도달시간(Tmax): 2-4시간

⑤ 반감기(T1/2): 12-15시간

(6) 약물 상호작용(Drus Interactions)

- 효과 감소: furosemide의 효과 감소
- 독성 증가:

① 나프록센은 단백결합률이 높은 다른 약물을 치환(경구용 항응고제, hydantoins, salicylates, sulfonamides, sulfonylureas)

② 와파린과 병용시 와파린의 유리(free)농도를 다소 증가시킬 수 있다.

③ Probenecid: 나프록센의 혈중 반감기를 증가

④ Methotrexate의 혈중농도를 심각하게 증가시켜 치명적일 수 있음.

2) 기형 발생 정보(Teratogenicity Information)

(1) 동물 실험(Animal teratology studies)

과거에 쥐, 토끼를 대상으로 한 동물실험에서는 선천성 기형을 일으키지 않는다는 연구들이 몇

몇 있었지만, 최근 연구에 따르면 임신한 쥐에게 사람에서 쓰이는 용량을 투여했을 때 구개열 과 태아사망을 일으켰다고 보고되었다. 또한 임신한 쥐에게 나프록센이나 다른 COX-1 억제제를 투여했을 때 심실중격결함과 복벽결손을 일으킨다고 보고한 연구가 있었다.

(2) 외국의 역학연구 정보(Epidemiologic Information)

12주 이전에 NSAID를 복용하는 경우 유산의 확률이 높아진다는 한 연구가 있었는데 이 연구는 나프록센이나 다른 NSAID의 사용에 초점을 둔 연구가 아니어서 NSAIDs와 유산과 의 연관성을 결론짓기에는 무리가 있다. 다른 한 연구에서는 1,055명의 산모를 조사하여 이 들 중 약 5%가 수정시기나 임신중에 NSAID에 노출된 것을 알아내고 임신중 수정시기근처에 NSAID를 사용하거나 일주일이상 사용하는 경우 유산과의 연관성이 높다고 보고하였다. 그러 나 아세트아미노펜은 수정시기나 사용기간에 상관없이 유산의 증가와 관련이 없다고 보고한 연 구도 있다.

나프록센이 태반을 통과한다는 것은 이미 보고된바 있고, 스웨덴에서는 임신중 NSAIDs의 사용이 경한 심장결함(심실벽결손과 심방벽결손)과 연관되어 있다고 보고(OR 3.34, 95% CI 1.87-5.98)하면서 나프록센은 특히 구개열과 관련있다고 발표하였다. 그러나 이는 다른 곳에 서 밝혀진 바 없고 case가 적었다는 한계점이 있다.

(3) 한국마더세이프전문상담센터정보(The Korean MotherSafe Counselling Center Information)

나프록센 노출된 후 추적된 임신부는 총 93례이었으며 초기 노출 후 자연유산율은 4.3%(4/93)이었다. 임신 37주 이전의 조산률은 1.2%(1/86), 2,500g 미만의 저체중증은 5.8%(5/86)이었다. 주요기형발생은 2.3%(2/86): necrotizing enterocolitis(1), PDA(1)가 있 었다.

3) 모유 수유시 독성 및 적합성 정보(Brestfeeding Compatibility Information)

- Lactation risk category: L3
- 한 연구에 따르면 하루에 두 번 나프록센 375 mg을 먹는 산모의 모유에서 측정된 약물 의 농도는 4시간동안 1.76-2.37 mg/L였고, 신생아 소변으로 배출된 약물의 총용량은 산모의 용량의 0.26%가 된다고 보고하였다. 모유를 통해 전달되는 나프록센 양은 적지 만 약물의 긴 반감기 때문에 신생아의 심혈관계, 콩팥, 위장관계에 영향을 미칠 수 있음 을 주의해야 한다는 보고가 있었지만, 나프록센을 분만 후 가끔 사용하는 것은 모유수유 와 상관없이 할 수 있다고 보고하였다. 한 조사에 따르면 나프록센을 복용한 산모의 7일 된 아기에서 출혈, 급성 빈혈을 보고한 바 있다.
- 한국마더세이프전문상담센터: 수유부와 수유아 27쌍 중 젖량감소 2례있었지만 부작용 례는 없었다.

5 덱사메타손(Dexamethasone)

1) 일반적 정보(General Information)

(1) 상품명

상품명	제약회사	용량	상품모양
덱사메타손정	신일제약	750 μg	
덱사소론정	태평양제약	750 μg	
넥스팜덱사메타손정	넥스팜코리아	500 μg	
대우덱사메타손정	대우약품공업	750 μg	
맥시덱스안연고	한국알콘	1 mg	
부광덱사메타손정	부광약품	750 μg	
유한메디카덱사메타손정	유한양행	500 μg	
크라운덱사메타손정	크라운제약	750 μg	

(2) 성분: (8S, 9R, 10S, 11S, 13S, 14S, 16R, 17R)-9-Fluoro-11, 17-dihydroxy-17-(2-hydroxyacetyl)-10, 13, 16-trimethyl-6, 7, 8, 9, 10, 11, 12, 13, 14, 15, 16, 17- dodecahydro-3H-cyclopenta[a]phenanthren-3-one

- 분자식: $C_{22}H_{29}FO_5$

(3) 임상적 적응증(Clinical indications)

- 내분비장애, 류마티스성 장애, 교원성 질환, 피부질환, 만성염증, 알러지성 질환, 혈액학적 질환, 염증성 안과 질환, 궤양성 대장염, 신증후군, 호즈킨병, 종양성 질환, 자가면역 질환, 뇌부종, 패혈증에 의한 쇼크

(4) 작용기전(Mechanism of Action)

- 단백질 합성 속도를 조절하고, 다형핵 백혈구와 섬유 아세포의 유주를 억제하고, 모세관 투과성을 감소시키고, 세포 수준에서 라이소좀을 안정화시켜 염증 반응을 억제한다.

(5) 약물역동학(Pharmacokinetics)

① 경구 생체 이용률(Oral bioavailability): 78%

② 분자량(MW): 392 g/mol

③ 단백질 결합: −

④ 혈중최고농도 도달시간(Tmax): 1–2시간

⑤ 반감기(T1/2): 3.3시간

(6) 약물 상호작용(Drug Interaction)

- 모든 글루코코르티코이드 제제는 전신적(systemic)으로 투여하는 경우에는 혈당을 상승시키므로, 당뇨병 환자에서 병용 시에는 혈당강하제의 용량을 조절하여야 한다.
- 코르티코스테로이드 제제를 전신적으로 투여하는 경우에는 면역 억제 효과가 있으므로 항암제와 병용 시에는 과도한 면역 억제로 인한 감염에 주의하여야 한다.
- 코르티코스테로이드의 대사가 갑상선 항진증에서는 증가하고, 저하증에서는 감소하므로 갑상선 기능에 따른 용량 조절이 필요하다.
- Barbiturate는 코르티코스테로이드의 대사를 증진시키므로 병용 시에는 용량 조절이 필요하다.
- 코르티코스테로이드의 potassium–washing effect가 이뇨제와 병용 시에는 증가하므로, 혈중 칼륨의 농도의 측정이 필요하다.

2) 기형 발생 정보(Teratogenicity Information)

(1) 동물 실험(Animal test)

글루코코르티코스테로이드의 투여와 연관된 대표적인 태자 기형으로는 구개열이 있으며, 원숭이에서의 고용량의 코르티코스테로이드 투여는 두부(cranial)의 기형을 보고한다. 또한 설치류에서도 글루코코르티코스테로이드와 구개열의 연관을 보고하였다. 이는 구개의 내측면을 형성하는 표피의 lysosome–mediated breakdown이 억제되고, palatal shelves의 상승이 지연되어서 발생하는 것으로 보고되고 있다.

(2) 외국의 역학연구 정보(Epidemiologic Information)

인간에서는 적은 수의 역학 연구에서는 임신 중 덱사메타손의 노출과 구개열 및 다른 기형의 연관성을 찾지 못하였다. 반면에 다른 역학 연구에서는 코르티코스테로이드의 임신 중 사용과 oral cleft의 연관성을 보고 한다. 결론적으로 인간에서의 독성 연구들을 검토한 결과 코르티코스테로이드가 다른 기형은 증가시키지 않으나, 구개열 및 자궁내 성장지연과의 연관성은 배제할 수 없다고 결론 짓고 있다.

대부분의 임신 중 데사메타손 노출은 임신 제 3 삼분기에 태아의 폐성숙 목적으로 투여 되었으 며, 신생아에서 혈소판 감소증의 치료에도 사용된다.

(3) 한국마더세이프전문상담센터정보(The Korean MotherSafe Counselling Center Information)

덱사메타손에 노출된 후 추적된 임신부는 총 72례이었으며 초기 노출 후 자연유산율은 2.8%(2/72)이었다. 임신 37주 이전의 조산률은 5.7%(4/69), 2,500g 미만의 저체중증은 2.9%(2/69)이었다. 기형발생은 소기형(minor anomaly)만 5.8%(4/69): club foot(1), nevus(2), single umbilical artery(1)만 있었다.

3) 모유 수유시 독성 및 적합성 정보

- Lactation Risk Category: L3
- 덱사메타손의 수유에 대한 자료는 없으나, 모유로는 코르티코스테로이드가 소량 배출되므로, American Academy of Pediatrics에서는 prednisone과 prednisolone은 수유 중에 사용하여도 적합할 것으로 규정지었으며, 일부 연구에서는 고용량의 코르티코스테로이드 사용은 수유 4시간 전에 할 것을 권고 한다.
- 한국마더세이프전문상담센터: 수유부-수유아 45쌍 중 젖량 감소 2례 있었지만 부작용 례는 없었다.

6 | 덱스트로메토르판(Dextromethorphan HBr)

1) 일반적 정보(General Information)

(1) 상품명

상품명	제약회사	용량	상품모양
러미라정	한국로슈	15 mg	
베리콜시럽	삼천당제약	100 mg	
아스마로캡슐	일양약품	10 mg	

상품명	제약회사	용량	상품모양
지미콜정	대웅제약μ	20 mg	
코코시럽	삼아제약	45 mg	
코푸시럽에스	유한양행	750 μg	
타이레놀콜드에스정	한국얀센	15 mg	

(2) 성분: ((+)–3–methoxy–17–methyl–(9α, 13α, 14α)–morphinan)

- 분자식: $C_{18}H_{25}NO$

(3) 임상적 적응증

- 기침

(4) 작용기전(Mechanism of Action)

- 코데인 congener로 뇌에서 cough threshold를 높임으로써 기침 억제함.

(5) 약물 역동학(Pharmacokinetics)

① 경구 생체 이용률(Oral Bioavailabioity): 11%

② 분자량(MW): 271.4 g/mol

③ 단백질 결합(Protein binding): –

④ 혈중최고농도 도달시간(Tmax): 1–2시간

⑤ 반감기(T1/2): 1.4–3.9시간

(6) 약물의 상호작용(Drug Interactions)

- MAO 억제제와 작용하여 저혈압, 고열, 구역, 혼수상태를 발생할 수 있음.

2) 기형 발생 정보(Teratogenicity Information)

(1) 동물 실험(Animal teratology studies)

닭의 배아(chicken embryos)에서 고용량 노출시 신경관결손증 등의 기형을 발생함.

(2) 외국의 역학연구 정보(Epidemiologic Information)

600명을 대상으로한 코호트 연구에서 임신 중 Dextromethorphan노출과 선천성기형 발생의 증가와 관련되지 않는 것으로 보고하고 있다.

(3) 한국마더세이프전문상담센터정보(The Korean MotherSafe Counselling Center Information)

덱시트로메토르판에 노출된 후 추적된 임신부는 총 233례이었으며 초기 노출 후 자연유산율은 5.6%(13/233)이었다. 임신 37주 이전의 조산률은 3.7%(8/214), 2,500g 미만의 저체중증은 3.2%(7/214)이었다. 주요기형발생은 1.4%(3/216: PDA(1), left dysplastic kidney(1), ASD(1)가 있었다.

3) 모유 수유시 독성 및 적합성 정보(Brestfeeding Compatibility Information)

- Lactation Risk Category: L3
- 한국마더세이프전문상담센터: 수유부–수유아 9쌍 중 부작용례는 없었다.

7 덱시부프로펜(Dexibuprofen((S)-ibuprofen))

1) 일반적 정보(General Information)

(1) 상품명

― 찾을 수 없음

상품명	제약회사	용량	상품모양
신일제약	그린펜–에스 정	300 mg	―
바이넥스	닥스펜 정	150, 300 mg	
제이알피	데코라펜 연질캡슐	300 mg	
한국유나이티드제약	덱스핀 정	300 mg	―
삼아제약	덱시브 정	150 mg	―
일동제약	디롤 정	400 mg	

— 찾을 수 없음

상품명	제약회사	용량	상품모양
일동제약	디캐롤 정	300 mg	
한국유니온제약	디프로펜 정	300 mg	
고려제약	쎄락틸 정	300 mg	
유영제약	에스프로펜 정	300 mg	
한국프라임제약	프리메 정	300 mg	

(2) 성분: (2S)–2–[4–(2–methylpropyl)phenyl]propanoic acid

- 분자식: $C_{13}H_{18}O_2$

(3) 임상적 적응증(Clinical indicatios)

- 치통
- 근골격계의 염증성 질환

(4) 작용기전(Mechanism of Action)

- Cyclooxygenase–1 및 2를 비선택적으로 억제하여, prostaglandin의 합성 및 thromboxanes 생성을 억제함.
- Ibuprofen의 S(+)(dextrorotatory)–enantiomer임. In vitro에서 dexibuprofen은 R(–)–enantiomer에 비해 prostaglandin 생합성 억제 효과가 100배 강력하였음.

(5) 약물역동학(Pharmacokinetics)

① 경구 생체 이용률(Oral bioavailability): 92%

② 분자량(MW): 206 g/mol

③ 친수성(hydrophilic): –

④ 단백질 결합: 99% 이상

⑤ 혈중최고농도 도달시간(Tmax): 1–3시간

⑥ 반감기(T1/2): –

(6) 약물 상호작용(Drug Interaction)

- 쿠마린계 항응혈제와 병용투여시 그 작용을 증강시킬 수 있으므로 신중투여함.
- 아스피린과 병용투여 시 본제 및 다른 NSAIDs의 작용을 저하시킬 수 있으므로 신중 투여함.
- 다른 NSAIDs 항염증약, 글루코코르티코이드, 알코올과 병용시 위장관 부작용 위험이 있으므로 신중 투여함.
- 메토트렉세이트와 병용투여 시 그 작용을 혈액학적 독성을 증강시킬 수 있으므로 병용 투여하지 않음.
- 푸로세이드와 병용투여 시 그 작용을 저하시킬 수 있으므로 신중 투여하고 신장애 증상에 주의함.
- 프로베네시드, 설핀피라존과 병용 투여 시 그 작용을 저하시키고 덱시부프로멘의 배설이 지연될 수 있으므로 신중 투여함.
- 본제는 혈청 리튬치를 증가시키고 청소율을 감소시키므로 리튬제제와 병용투여 시 리튬의 독성에 주의함.
- 디곡신, 페니토인과 병용투여 시 혈장농도를 증가시킬 수 있으므로 신중 투여함.
- 이뇨제, 항고혈압제와 병용투여 시 효력약화가 일어날 수 있으므로 신중 투여함.
- 설포닐 우레아제의 혈당강하작용 증가
- 항고혈압제의 효과 감소

2) 기형 발생 정보(Teratogenicity Information)

(1) 동물 실험(Animal test)

(2) 외국의 역학연구 정보(Epidemiologic Information)

dexibuprofen 내용을 따로 찾을 수는 없음. Ibuprofen 내용과 같을 것으로 고려됨.

(3) 한국마더세이프전문상담센터정보(The Korean MotherSafe Counselling Center Information)

덱스이부프로펜에 노출된 후 추적된 임신부는 총 176례이었으며 초기 노출 후 자연유산율은 7.4%(13/176)이었다. 임신 37주 이전의 조산률은 4.4%(7/154), 2,500g 미만의 저체중증은 1.9%(3/154)이었다. 주요기형발생은 3.8%(6/158): hydronephrosis(2), VSD(2), ASD(1), PDA(1) 가 있었다.

3) 모유 수유시 독성 및 적합성 정보

- 관련정보 찾을 수 없음.

- 한국마더세이프전문상담센터: 수유부와 수유아 67쌍 중 젖량 감소 11례 있었지만 부작용례는 없었다.

8 독시사이클린(Doxycycline)

1) 일반적 정보(General Information)

(1) 상품명

— 찾을 수 없음

상품명	제약회사	용량	상품모양
고려독시사이클린 하이클레이트캅셀	고려제약	100 mg	
제독시사이클린 하이클레이트캡슐	국제약품공업	100 mg	
금강 독시사이클린 하이클레이트캡슐	미래제약	100 mg	—
다림독시사이클린캅셀	다림바이오텍	100 mg	
대유독시사이클린 하이클레이트캅셀	대유신약	100 mg	—
대화독시사이클린 하이클레이트정	대화제약	100 mg	
덴타클린캅셀	동국제약	100 mg	
덴티스타캅셀	하나제약	100 mg	
독시린캅셀	한국유나이티드제약	100 mg	—
동성독시사이클린 하이클레이트캅셀	동광제약	100 mg	—
라피도신캅셀	신풍제약	100 mg	—
메디카옥시사이클린캅셀	메디카코리아	100 mg	—
명문독시사이클린 하이클레이트캅셀	명문제약	100 mg	—
명인독시사이클린정	명인제약	100 mg	—

— 찾을 수 없음

상품명	제약회사	용량	상품모양
모노신정	고려제약	100 mg	
보령독시사이클린 하이클레이트캅셀	보령제약	100 mg	—

(2) 성분: Doxycycline

- 분자식: $C_{22}H_{24}N_2O_8 \cdot 2O$

(3) 임상적 적응증(Clinical Indications)

- 감수성이 있는 그람 양성 및 음성균에 의한 감염 치료

- 감수성이 있는 Richettsia, Chlamydia, Mycoplasma에 의한 감염 치료

- 말라리아 예방에 mefloquine의 대체약물

(4) 작용기전(Mechanism of Action)

- 테트라사이클린계 항생제로 감수성이 있는 세균의 30S와 50S ribosome subunit에 결합하여 단백질 합성을 억제

(5) 약물 역동학(Pharmacokinetics)

① 경구 생체 이용률(Oral Bioavailabioity): 90-100%

② 분자량(MW): 462 g/mol

③ 단백질 결합(Protein binding): 90%

④ 혈중최고농도 도달시간(Tmax): 1.5-4시간

⑤ 반감기(T1/2): 12-15시간(반복투여시 22-24시간으로 증가, 말기 신부전 18-25시간)

(6) 약물 상호작용(Drus Interactions)

- 독성 증가: 와파린의 효과 증가

- 농도 감소:

① 알루미늄, 마그네슘, 칼슘 EH는 철분이 함유된제산제, bismuth subsalicylate 등은 독

시사이클린의 생체내이용률을 감소시킴

② Barbiturates, carbamazepine, phenytoin: 독시사이클린의 반감기 감소

2) 기형 발생 정보(Teratogenicity Information)

(1) 동물 실험(Animal teratology studies)

쥐, 토끼, 원숭이를 대상으로 한 동물실험에서 독시사이클린을 복용시킨 임신한 동물의 태자에서 선천성 기형의 증가는 발견할 수 없었다.

(2) 외국의 역학연구 정보(Epidemiologic Information)

자료는 없지만 독시사이클린도 다른 테트라사이클린 제제처럼 임신노출시 태아의 치아착색과 뼈성장의 저하를 일으킬 것으로 생각되어진다. 하지만 테트라사이클린의 주입을 중단하면 보상적으로 빠르게 뼈성장이 이루어진다고 보고되었다. 한 연구에선 임신 초기에 독시사이클린에 노출된 43명의 산모를 조사한 결과 어떠한 기형도 발견할 수 없었다. 헝가리에서 시행한 연구에서는 임신중 독시사이클린을 복용한 56명의 산모의 태아에서 기형을 보고하였으나 조사한 결과 약과 기형과의 관계는 유의성이 없다고 보고하였다. 테트라사이클린은 임신한 여성에서 사용시 간괴사를 일으킬 수 있는데 혈관내 주사로 사용시 드물지만 태아 간괴사도 일으킬 수 있다.

(3) 한국마더세이프전문상담센터정보(The Korean MotherSafe Counselling Center Information)

독시사이클린에 노출된 후 추적된 임신부는 총 71례이었으며 초기 노출 후 자연유산율은 8.5%(6/71)이었다. 임신 37주 이전의 조산률은 3.0%(2/62), 2,500g 미만의 저체중증은 1.5%(1/66)이었다. 주요기형발생은 3.0%(2/66): abdominal cyst(1), ASD(1)가 있었다.

3) 모유 수유시 독성 및 적합성 정보(Brestfeeding Compatibility Information

- Lactation Risk Category: L3
- 독시사이클린은 모유로 분비된다. 모유로 넘어가는 용량이 치아착색과 뼈성장 억제를 충분히 일으킬만 한지는 알려져 있지 않지만, 세계보건기구에서는 독시사이클린을 일주일정도 짧은 기간동안 사용하는 것은 안전하다고 보고하였다. 다른 테트라사이클린과는 달리 독시사이클린의 구강흡수는 음식이나 우유에 의해 방해되지 않으므로 모유에 분비된 테트라사이클린이 신생아 독성을 일으킬 수는 있다.
- 한국마더세이프전문상담센터: 수유부와 수유아 3쌍 중 부작용례는 없었다.

9 돔페리돈(Domperidone maleate)

1) 일반적 정보(General Information)

(1) 상품명

상품명	제약회사	용량	상품모양
근화말레인산돔페리돈정	근화제약	12.73 mg	
돔페린정	뉴젠팜	12.73 mg	
돔필정	신풍제약	12.73 mg	
모렘정	위더스제약	12.73 mg	
모티리움엠정	한국얀센	12.73 mg	
산페리돈정	진양제약	12.73 mg	
유니돈엠정	제이알피	12.73 mg	

(2) 성분: 5-chloro-1-(1-[3-(2-oxo-2,3-dihydro-1H-benzo[d]imidazol-1-yl)propyl] piperidin-4-yl)-1H-benzo[d]imidazol-2(3H)-one

- 분자식: $C_{22}H_{24}ClN_5O_2$

(3) 임상적 적응증

- 구역과 구토, 소화불량(dyspepsia), 위역류
- 최유제로 10-20 mg/day이 추천됨.

  * 이보다 많은 용량이 최유제로 더 효과적이라는 증거는 없는 반면 수유부 심장의 QTc prolongation의 위험을 극적으로 증가시킬 수 있음. 또한, 하루에 최유제로 90 mg을 초과하여 사용시 금단증상과 유사한 증상이 나타남. 불면증, 오한, 심한흥분, 공황발작의 증례가 보고되기도 함.

(4) 작용기전(Mechanism of Action)

- 돔페리돈은 위장벽의 도파민 수용체와 brain stem에 위치한 nausea center인 CTZ (Chemoreceptor trigger zone)을 블록한다. 따라서 이는 구토억제제로 사용된다. 한편, 도파민은 blood brain barrier를 통과하지 않아 중추신경계 관련 우울증같은 부작용이 작다.

(5) 약물 역동학(Pharmacokinetics

① 경구 생체 이용률(Oral Bioavailabioity): 13−17%

② 분자량(MW): 425.911 g/mol

③ 단백질 결합(Protein binding): 93%

④ 혈중최고농도 도달시간(Tmax): 30분

⑤ 반감기(T1/2): 7−14시간

(6) 약물의 상호작용(Drug Interactions)

시메티딘, 염산라니티딘, 파모티딘과 같은 제산제는 돔페리돈의 흡수를 억제한다.

2) 기형 발생 정보(Teratogenicity Information)

(1) 동물 실험(Animal teratology studies)

랫드에서 돔페리돈은 태반을 통과하며, 고용량에 노출시(200 mg/kg/d) 눈과 심혈관 기형을 증가시킨다.

(2) 외국의 역학연구 정보(Epidemiologic Information)

120명의 임신부를 대상의 한 연구에서 임신 중 돔페리돈 노출 후 태아에 특별한 영향을 미치지 않는 것으로 보고되고 있다.

(3) 한국마더세이프전문상담센터정보(The Korean MotherSafe Counselling Center Information)

돔페리돈에 노출된 후 추적된 임신부는 총 227례이었으며 초기 노출 후 자연유산율은 5.5%(17/227)이었다. 임신 37주 이전의 조산률은 3.9%(8/206), 2,500 g 미만의 저체중증은 3.4%(7/206)이었다. 주요기형발생은 1.5%(3/206): ASD(1), fetal hydrops(1), left ear anomaly(1)가 있었다.

3) 모유 수유시 독성 및 적합성 정보(Brestfeeding Compatibility Information)

- Lactation Risk Category: L3
- 한국마더세이프전문상담센터: 수유부−수유아 33쌍 중 젖량감소 2례 있었다. 하지만 1례의 수유부에서 젖량 늘어났으며 부작용 례는 없었다.

10 디아제팜(Diazepam)

1) 일반적 정보(General Information)
(1) 상품명

상품명	제약회사	용량	상품모양
메로드정	동화약품공업	3 mg	
대원디아제팜주사액	대원제약	10 mg	
바리움정	한국로슈	3 mg	
바리움정	한국로슈	5 mg	
삼진디아제팜정	삼진제약	3 mg	
명인디아제팜주	명인제약	10 mg	

(2) 성분: 7-chloro-1-methyl-5-phenyl-1, 3-dihydro-2H-1, 4-benzodiazepin-2-one
- 분자식: $C_{16}H_{13}ClN_2O$

(3) 임상적 적응증
- 불안, 공포, 초조증, 수면장애, 간질, 그리고 어지러움증

(4) 작용기전(Mechanism of Action)
- 다이아제팜은 벤조다이아제핀계 약물로 GABA 수용체의 특정 부위에 결합하여 신경의 활성을 감소시켜 불안을 제거하는 효과를 내며, 다른 다양한 기전에 의해서 다양한 효과를 낸다.

(5) 약물 역동학(Pharmacokinetics)
① 경구 생체 이용률(Oral Bioavailabioity): 93%

② 분자량(MW): 284.7 g/mol

③ 단백질 결합(Protein binding): 99%

④ 혈중최고농도 도달시간(Tmax): 1-2시간

⑤ 반감기(T1/2): 43시간

(6) 약물의 상호작용(Drug Interactions)

- 알코올과 수면제등과 같이 사용시 진정효과 증가됨, 시메티딘은 대사를 억제하고 청소
  율을 감소시킨다.

2) 기형 발생 정보(Teratogenicity Information)

(1) 동물 실험(Animal teratology studies)

Mice에서 다이아제팜에 임신중 노출시 구개열(facial clefts) 발생이 증가되었다.

(2) 외국의 역학연구 정보(Epidemiologic Information)

과거의 일부 연구에서는 임신중 다이아제팜에 노출시 구개열이 증가됨을 보고하였다. 그러
나 최근의 코호트 연구에서는 다이아제팜과 구개열과의 연관성을 밝히지 못하였다. 출생 시까
지 사용하여야 하는 경우에는 신생아에서 일시적인 금단증상이 있을 수 있다.

(3) 한국마더세이프전문상담센터정보(The Korean MotherSafe Counselling Center Information)

다이아제팜에 노출된 후 추적된 임신부는 총 204례이었으며 초기 노출 후 자연유산율은
6.9%(14/204)이었다. 임신 37주 이전의 조산률은 5.9%(11/186), 2,500g 미만의 저체중증은
3.2%(6/186)이었다. 주요기형발생은 2.7%(5/186): ASD(1) ASD with PDA(1), Ileal agenesis(1), polydactly, Left foot(1), left preaxial polydactly(1)가 있었다.

3) 모유 수유시 독성 및 적합성 정보(Brestfeeding Compatibility Information)(2)

- Lactation Risk Category: L3(probably compatible)
- 한국마더세이프전문상담센터: 수유부–수유아 1쌍 중 부작용례는 없었다.

11 디클로페낙(Diclofenac)

1) 일반적 정보(General Information)

(1) 상품명

상품명	제약회사	용량	상품모양
카덱신정	위더스제약	25 mg	
카타스정	하나제약	50 mg	
클린페낙정	영풍제약	25 mg	
크로바나주사액	코오롱제약	75 mg	
디페인주사	동광제약	75 mg	
디클로페낙100 스타다서방정	아림양행	100 mg	
넬슨디클로페낙나트륨정	한국넬슨제약	25 mg	

(2) 성분: 2-(2-(2,6-dichlorophenylamino)phenyl)acetic acid

- 분자식: $C_{14}H_{10}Cl_2NnaO_2$

(3) 임상적 적응증(Clinical indications)

- 류마티양 관절염, 골관절염, 강직성 척추염, 수술후 염증 및 동통, 요통, 치통
- 월경곤란증, 이비인후영역의 염증 및 동통, 견관절 주위염

(4) 작용기전(Mechanism of Action)

- Diclofenac은 arachidonate binding을 억제함으로써 cyclooxygenase(COX) isoenzyme인 COX-1과 COX-2를 경쟁적으로 방해하여, 진통, 해열, 및 소염 작용을 일으킨다.

(5) 약물역동학(Pharmacokinetics)

① 경구 생체 이용률(Oral bioavailability): 50-60%

② 분자량(MW): 318 g/mol

③ 단백질 결합: 99.7%

④ 혈중최고농도 도달시간(Tmax): 1hour

⑤ 반감기(T1/2): 1.1hours

(6) 약물상호작용(Drug Interaction)

- Diclofenac은 콩팥에서 프로스타글란딘을 억제함으로 신독성(nephrotoxicity)이 있는 아미노글라이코사이드계 약제와 병용 투여 시에는 신중을 기해야 한다.

- Diclofenca과 같은 비스테로이드성 소염진통제는 혈소판 응집을 방해하고, 출혈시간 (bleeding time)을 연장시킴으로 살리실산, 항응고제, 및 혈전 방지제의 혈소판 응집 방해를 증가시킨다.

- 비스테로이드성 소염진통제는 장기간 사용하는 경우에는 혈압 상승(약 5 mmHg)과 연관이 있으므로 항고혈압제를 복용하는 경우에는 비스테로이드성 소염진통제의 장기간 사용에는 유의하여야 한다.

- 전신적으로 스테로이드를 사용하는 경우에도 비스테로이드성 소염진통제와 병합할 때는 소화기 장애를 일으킬 수 있으므로 사용에 유의하여야 한다.

- 퀴놀론계 항생제도 비스테로이드성 소염진통제와 병합하는 경우, 중추신경계 흥분 및 경련을 일으킬 가능성이 있다.

2) 기형 발생 정보(Teratogenicity Information)

(1) 동물 실험(Animal test)

Diclofenac은 동물 실험에서 태반을 통과하는 것으로 밝혀졌으며, 인간에서도 제 1 삼분기에 태반을 통과하는 것으로 보고되고 있다. 모체나 태자에 독성을 일으킬 수 있는 고용량에서도 태자의 선천성 기형 증가는 없었다. 영장류를 대상으로한 연구에서는 임신 후반부에 diclofenac을 투여한 경우에 임파구(lymphocyte)의 감소를 보고하였다. 또한 Diclofenac은 모체의 자궁 수축력 감소 및 출산의 지연을 일으킨다.

(2) 외국의 역학연구 정보(Epidemiologic Information)

동물 실험이나, 인간에서의 보고 등에 의하면, diclofenac을 임신 제 3 삼분기에 투여하는 것은 동맥관의 조기 폐쇄 가능성이 있다.

(3) 한국마더세이프전문상담센터정보(The Korean MotherSafe Counselling Center Information)

디클로페낙에 노출된 후 추적된 임신부는 총 122례이었으며 초기 노출 후 자연유산율은 4.1%(5/122)이었다. 임신 37주 이전의 조산률은 3.5%(4/113), 2,500g 미만의 저체중증은 2.7%(3/113)이었다. 주요기형발생은 2.7%(3/113): neck mass(1), PDA(1), right radial nerve palsy(1)가 있었다.

3) 모유 수유시 독성 및 적합성 정보

- Lactation Risk Category: L2
- Diclofenac이 모유로 유출된다는 보고는 정립된 것이 없으나, 반감기가 상대적으로 짧으므로 수유부의 상태에 따라 수유 시에도 사용할 것을 권고하고 있다.
- 한국마더세이프전문상담센터: 수유부-수유아 4쌍 중 젖량 감소 1례가 있었다.

12 라니티딘(Ranitidine)

1) 일반적 정보(General Information)

* 라니티딘(Ranitidine)은 퇴출됨. Ranitidine 포함 의약품에서 기준치를 초과한 발암물질 NDMA(N-Nitrosodimethylamine) 발견됨.

(1) 상품명

— 찾을 수 없음

상품명	제약회사	용량	상품모양
잔시드현탁액	동구제약	4.3 mg	—
라니원현탁액	일동제약	63 mg	—
정우염산염산라니티딘정	정우약품	150 mg	—
쎄라티딘정	동신제약	150 mg	—
큐란정	일동제약	150 mg	

(2) 성분: Ranitidine HCl

- 분자식: $C_{13}H_{22}N_4O_3S.HCl$

$(CH_3)_2NCH_2$ — $CH_2SCH_2CH_2NH$ — $NHCH_3 \cdot CHl$
O
CHNO_2

(3) 임상적 적응증(Clinical indications)

- 위, 십이지장궤양
- 졸링거-엘리슨 증후군
- 수술후 궤양, 소화성 궤양, 스트레스성 궤양

(4) 작용기전(Mechanism of Action)

- 염산라니티딘은 히스타민의 H2 수용체에 히스타민의 작용에 대하여 경쟁적, 가역적인 억제제로 작용한다. 염산라니티딘은 고칼슘형증에서도 칼슘의 혈중 농도를 낮추지 않으며, 항 콜린작용약물이 아니다.

(5) 약물역동학(Pharmacokinetics)

① 경구 생체 이용률(Oral bioavailability): 50%

② 분자량(MW): 314 g/mol

③ 단백질 결합: −

④ 혈중최고농도 도달시간(Tmax): 1−3hours

⑤ 반감기(T1/2): 2−3시간

(6) Drug Interaction

- 염산라니티딘은 1일 2회 투여시에는 triazolam의 혈중 농도를 상승시킨다.
- 염산라니티딘은 procainamide의 신배출을 감소시키며, diazepam의 경구 흡수도 감소시킨다.
- 염산라니티딘은 glipizide 혹은 glyburide의 혈당 강하 작용을 증가시킨다.

2) 기형 발생 정보(Teratogenicity Information)

(1) 동물 실험(Animal test)

염산라니티딘은 여러 종류의 동물실험에서 기형을 증가시키지 않는 것으로 보고되고 있다.

(2) 외국의 역학연구 정보(Epidemiologic Information)

인간을 대상으로 한 연구에서는 142명을 대상으로 H2 수용체 길항제를 투여한 경우, 신생아에서 대기형의 증가는 보이지 않았으며, 염산라니티딘을 임신 제 1삼분기에 투여 받은 330명을 대상으로한 연구에서도 선천성 기형의 증가는 보이지 않았다. 또한 H2 수용체 길항제에 노출된 553명을 대상으로 한 연구(염산라니티딘 노출 113명 포함)에서도 대조군에 비하여 선천성 기형의 증가는 보이지 않았다.

(3) 한국마더세이프전문상담센터정보(The Korean MotherSafe Counselling Center Information)

염산라니티딘에 노출된 후 추적된 임신부는 총 257례이었으며 초기 노출 후 자연유산율은 8.63%(22/257)이었다. 임신 37주 이전의 조산률은 2.6%(6/229), 2,500 g 미만의 저체중증은 1.7%(4/229)이었다. 주요기형발생은 1.7%(4/229): facial dysmorphism(1), microtia(1), bilateral lacrimal duct cysts(1), undefined major anomaly(1)가 있었다.

3) 모유 수유시 독성 및 적합성 정보

- Lactation Risk Category: L2
- 염산라니티딘은 인간에서 모유로 분비되며 여성의 모유: 혈장 약물 농도는 0.6-24 정도이고, 약제를 복용한 수유부의 혈중 농도의 6-12%정도가 신생아에게 수유로 도달된다. 따라서 WHO Working Group on Human Lactation에서는 추가적인 자료의 축적이 있을 때까지는 수유 중 염산라니티딘의 복용은 권장하지 않는다.
- 한국마더세이프전문상담센터: 수유부-수유아 18쌍 중 젖양감소 2례있었다.

13 락토바실루스 아시도필루스(Lactobacillus acidophillus)

1) 일반적 정보(General Information)

(1) 상품명

— 찾을 수 없음

상품명	제약회사	용량	상품모양
넥타올과립	넥스팜코리아	300 mg	—
락토리스캅셀	동광제약	75 mg	—
락토맥스캅셀	명문제약	75 mg	—
베리락토캅셀	한불제약	300 mg	HB HB
비오락토캡슐	삼천당제약	150 mg, 300 mg	SCD BIO
아시도캅셀	광동제약	75 mg	—
아시토바과립	대한뉴팜	75 mg	
아시토바캅셀	대한뉴팜	75 mg, 300 mg	

— 찾을 수 없음

상품명	제약회사	용량	상품모양
안티바시캡슐	드림파마	300 mg	
안티비오과립	한화제약	75 mg, 300 mg	
안티비오캅셀	한화제약	75 mg, 300 mg	
앤디락에스산	일양약품	300 mg	
앤디락에스캅셀	일양약품	300 mg	
에이엔피캅셀	한국유나이티드제약	75 mg	—
토바롤과립	보람제약	75 mg, 300 mg	—
휴오비과립	휴온스	75 mg	—

(2) 성분: Lactobacillus acidophilus

- 분자식: 찾을 수 없음.

(3) 임상적 적응증(Clinical Indications)

- 급성설사
- 대장염, 기능적 결장질환에 의한 설사
- 항생제 치료로 인한 설사를 포함한 기저질환이 없는 설사의 치료

(4) 작용기전(Mechanism of Action)

- 경구항생제 사용 등으로 정상 장내 세균의 균형이 깨져 위장관 장애 및 설사가 발생시, 항생제에 저항성이 있는 lactobacillus의 투여로 이런 증상을 발생할 정도로 지나치게 자란 세균을 대체하여 균형된 정상 장내 균상(normal intestinal flora)으로 회복을 도움.
- 유산(lactic acid)를 생성하여 병원성 곰팡이 및 세균이 싫어하고 산뇨 균상(aciduric flora)들이 좋아하는 환경을 만들어, 병원성 균주의 성장을 억제하여 정상 장내 균상으로의 회복을 도움

(5) 약물 역동학(Pharmacokinetics)

① 경구 생체 이용률(Oral Bioavailabioity): 0%

② 분자량(MW): −

③ 단백질 결합(Protein binding): −

④ 혈중최고농도 도달시간(Tmax): −

⑤ 반감기(T1/2): −

− 주로 대장에만 국소적으로 분포

(6) 약물의 상호작용(Drug Interactions)

- 자료 찾을 수 없음.

2) 기형 발생 정보(Teratogenicity Information)

(1) 동물 실험(Animal teratology studies)

관련 정보 찾을 수 없음.

(2) 외국의 역학연구 정보(Epidemiologic Information)

임신 제 1삼분기에 Lactobacillus acidophilus를 섭취한 127명의 산모를 대상으로 한 연구에서 선천성 기형을 발견할 수 없음.

(3) 한국마더세이프전문상담센터정보(The Korean MotherSafe Counselling Center Information)

락토바실러스에 노출된 후 추적된 임신부는 총 38례이었으며 초기 노출 후 자연유산율은 10.5%(4/38)이었다. 임신 37주 이전의 조산률은 6.5%(2/31), 2,500g 미만의 저체중증은 0.0% 이었다. 주요기형발생은 6.5%(2/31): Brain anomaly with seizure(1), Left ear anomaly(1)가 있었다.

3) 모유 수유시 독성 및 적합성 정보(Brestfeeding Compatibility Information)

- 관련 정보 찾을 수 없음.
- 한국마더세이프전문상담센터: 수유부와 수유아 7쌍 중 부작용 없었다.

14 레바미피드(Rebamipide)

1) 일반적 정보(General Information)

(1) 상품명

− 찾을 수 없음

상품명	제약회사	용량	상품모양
무코스타 정	한국오츠카제약	100 mg	

— 찾을 수 없음

상품명	제약회사	용량	상품모양
가스파민 정	아주약품공업	100 mg	
근화 레바미피드 정	근화제약	100 mg	
라피드 정	수도약품공업	100 mg	—
레바드린 정	신일제약	100 mg	—
레바라틴 정	종근당	100 mg	
레바미드 정	경동제약	100 mg	
레바신 정	에스케이케미칼 생명과학부문	100 mg	—
레바큐어 정	중외신약	100 mg	—
레코미드 정	유한양행	100 mg	
레코스타 정	명문제약	100 mg	
뮤코트라 정	대웅제약	100 mg	—
레바미피드 정	태준제약	100 mg	

(2) 성분: 2-[(4-Chlorobenzoyl)amino]-3-(2-oxo-1H-quinolin-4-yl)propanoic acid

- 분자식: $C_{19}H_{15}Cl_2O4$

(3) 임상적 적응증(Clinical indicatios)

- 위궤양

- 다음 질환의 위점막 병변(미란, 출혈, 발적, 부종) 개선: 급성위염, 만성위염의 급성 악화기

(4) 작용기전(Mechanism of Action)

- H.pylori에 의해 생성되는 산화성 스트레스와 cytokine 농도 감소, 점액 합성 증가, 염증성 세포반응 억제, H.pylori의 위상피세포 부작 방지, 병용하는 항생제 효과 상승 등을 통해 H.pylori 감염에 효과를 나타낸다.

(5) 약물역동학(Pharmacokinetics)

① 경구 생체 이용률(Oral bioavailability): 97.6%

② 분자량(MW): g/mol

③ 단백질 결합: 98.6%

④ 혈중최고농도 도달시간(Tmax): 0.5−1시간

⑤ 반감기(T1/2): 2시간

(6) 약물 상호작용(Drug Interaction)

- 찾을 수 없음.

2) 기형 발생 정보(Teratogenicity Information)

(1) 동물 실험(Animal test)

위궤양 제제를 기관 형성시기에 쥐에게 1,000 mg/kg 용량까지 증량하여 경구투여 하였을 때, 모든 용량에서 기형이 발생되지 않았으며 출생 후 발달도 정상이었다.

(2) 외국의 역학연구 정보(Epidemiologic Information)

찾을 수 없음.

(3) 한국마더세이프전문상담센터정보(The Korean MotherSafe Counselling Center Information)

레바미피드에 노출된 후 추적된 임신부는 총 152례이었으며 초기 노출 후 자연유산율은 6.6%(10/152)이었다. 임신 37주 이전의 조산률은 5.8%(8/139), 2,500 g 미만의 저체중증은 3.7%(5/134)이었다. 주요기형발생은 3.0%(4/134): Polydactly(1), unilateral cleft lip(1), small ASD with small PDA(1), Left ear anomaly(1)가 있었다.

3) 모유 수유시 독성 및 적합성 정보

- Lactation Risk Category: 찾을 수 없음.
- 한국마더세이프전문상담센터: 수유부와 수유아 14쌍 중 젖량 감소 1례 있었다.

15 레보노르게스트렐(Levonorgestrel)

1) 일반적 정보(General Information)
(1) 상품명

— 찾을 수 없음

상품명	제약회사	용량	상품모양
노레보원 정	현대약품	1.5 mg	—
레보니아 정	명문제약	0.75 mg	
미레나	바이엘 코리아	53 mg	
쎄스콘 원앤원 정	크라운제약	0.75 mg	
엠에스필 정	태극제약	0.75 mg	—
퍼스트렐 정	삼일제약	0.75 mg	
포스티노–1 정	바이엘 코리아	1.5 mg	—

(2) 성분: Progestin
- 분자식: $C_{21}H_{28}O_2$

(3) 임상적 적응증(Clinical indicatios)
- 여성 피임
- 성교후 응급 피임

(4) 작용기전(Mechanism of Action)
- Levononorgestrel은 norgestrel의 활성형 이성체로서, 경구용 피임제로서의 작용기전은 밝혀져 있지 않으나 주로 자궁 경부의 점막을 변화시켜 정자가 자궁내로 유입되는 것을 억제 한다고 여겨지고 있다. 또한 자궁내막에서 황체기 변화를 일으켜 난자의 자궁착란을 억제 할 것으로 추측된다.

- 시상 하부를 통한 negative feedback 작용으로 배란을 억제시켜 난포 자극 호르몬과 황체 형성 호르몬의 분비를 감소시킨다.

(5) 약물역동학(Pharmacokinetics)

① 경구 생체 이용률(Oral bioavailability): complete

② 분자량(MW): 312 g/mol

③ 단백질 결합: 55%

④ 혈중최고농도 도달시간(Tmax):

⑤ 반감기(T1/2): 11−45시간

(6) 약물 상호작용(Drug Interaction)

- 본제 농도/효과 감소

① aminoglutethimide, carbamazepine, nafcillin, nevirapine, phenobarbital, phenytoin, rifamycin

2) 기형 발생 정보(Teratogenicity Information)

(1) 동물 실험(Animal test)

노르게스트렐과 관련된 동물 실험은 찾을 수 없었다.

(2) 외국의 역학연구 정보(Epidemiologic Information)

노르게스트렐은 피임약에 함유되어 있는 프로게스틴이다. 피임약 사용과 관련된 여러 결과들을 고려하여 보았을 때, 임신 시 노르게스트렐에 노출 시 생식기 이외의 기형 증가는 기대 되지 않는다. 태아 체중 감소 가능성은 메드록시프로게스테론 같은 다른 프로게스틴과 관련된 연구에서 보고되었다. 일부에서는 레보놀게스트렐을 함유하는 제품에 노출되었던 경우 정상임신을 보고 하기도 하였다.

(3) 한국마더세이프전문상담센터정보(The Korean MotherSafe Counselling Center Information)

레보노르게스트렐에 노출된 후 추적된 임신부는 총 95례이었으며 초기 노출 후 자연유산율은 9.5%(9/95)이었다. 임신 37주 이전의 조산률은 3.7%(3/81), 2,500 g 미만의 저체중증은 3.7%(3/81)이었다. 주요기형발생은 1.2%(1/81): difference of testis size(1)있었다.

3) 모유 수유시 독성 및 적합성 정보

- 관련 정보 찾을 수 없음.
- 한국마더세이프전문상담센터: 수유부와 수유아 5쌍 중 부작용례는 없었다.

16 레보설피리드(Levosulpiride)

1) 일반적 정보(General Information)

(1) 상품명

상품명	제약회사	용량	상품모양
경보레보설피리드정	경보제약	25 mg	
네오시드정	드림파마	25 mg	
뉴레보정	유한메디카	25 mg	
도마틸정	대우약품공업	25 mg	
동광레보설피리드정	동광제약	25 mg	
레보딘정	명인제약	25 mg	
레보탈정	국제약품공업	25 mg	
설프라이드정	한미약품	25 mg	

(2) 성분: Levosulpiride

- 분자식: $C_{15}H_{23}N_3O_4S$

(3) 임상 적응증(Clinical indications)

- 기능성 소화불량으로 인한 복부팽만감, 상복부 불쾌감, 속쓰림, 트림, 구토의 완화

(4) 작용기전(Mechanism of Action)

- 레보설피리드는 위장관 조절제로 정확한 약물 작용에 관한 연구는 미비하다.

(5) 약물역동학(Pharmacokinetics)

① 경구 생체 이용률(Oral bioavailability): –

② 분자량(MW): 341.43

③ 단백질 결합: −

④ 혈중최고농도 도달시간(Tmax): −

⑤ 반감기(T1/2): −

(6) 약물 상호작용(Drug Interaction)

- 찾을 수 없음.

2) 기형 발생 정보(Teratogenicity Information)

(1) 동물 실험(Animal test)

찾을 수 없음.

(2) 외국의 역학연구 정보(Epidemiologic Information)

찾을 수 없음.

(3) 한국마더세이프전문상담센터정보(The Korean MotherSafe Counselling Center Information)

레보설피리드에 노출된 후 추적된 임신부는 총 251례이었으며 초기 노출 후 자연유산율은 7.6%(19/251)이었다. 임신 37주 이전의 조산률은 3.6%(8/224), 2,500 g 미만의 저체중증은 3.6%(8/225)이었다. 주요기형발생은 1.8%(4/225): PDA(1), right hip mass(1), hydronephrosis(1), congenital heart defect(1)가 있었다.

3) 모유 수유시 독성 및 적합성 정보

- 관련 정보 찾을 수 없음.
- 한국마더세이프전문상담센터: 수유부−수유아 24쌍 중 젖양변화 2례 있었다.

17 로라타딘(Loratadine)

1) 일반적 정보(General Information)

(1) 상품명

상품명	제약회사	용량	상품모양
중외신약	알러타딘정	10 mg	
보람제약	에쟈스민정	10 mg	

상품명	제약회사	용량	상품모양
위더스제약	히스타딘시럽	1 mg	
제이알피	제이타딘정	10 mg	
동성제약	로다인정	10 mg	
유영제약	로라닐정	10 mg	
바이넥스	바이넥스 로라타딘정	10 mg	
구주제약	구주로라타딘정	10 mg	
국제약품	공업국제 로라타딘정	10 mg	
한국유나이티드제약	로라타인정	10 mg	
하원제약	로라진정	10 mg	
이텍스제약	로리딘정	10 mg	
휴온스	네이절시럽	1 mg	
한국유니온제약	뉴로딘시럽	1 mg	
신풍제약	노라틴정	10 mg	
안국약품	노타민정	10 mg	
삼익제약	새로딘시럽	1 mg	

(2) 성분: 4-(8-chloro-5, 6-dihydro-11H-benzo[5, 6]cyclohepta[1, 2-b]pyridin-11-ylidene)-1-piperidinecarboxylic acid ethyl ester

- 분자식: $C_{22}H_{23}ClN_2O_2$

(3) 임상적 적응증(Clinical indicatios)

- 계절성 알레르기성 비염의 증상 경감
- 2세 이상의 만성 특발성 두드러기의 치료

(4) 작용기전(Mechanism of Action)

- 선택적으로 말초 H1-수용체를 길항하는 장시간 지속형 tricyclic 항히스타민제.

(5) 약물 역동학(Pharmacokinetics)

① 경구 생체 이용률(Oral bioavailability): complete

② 분자량(MW): 383 g/mol

③ 친지질성(Lipophilic):

④ 단백질 결합: 97%

⑤ 혈중최고농도 도달시간(Tmax): 1.5시간

⑥ 반감기(T1/2): 8.4-28시간

(6) 약물상호작용(Drug Interaction)

- 케토코나졸(ketoconazole) 또는 에리스로마이신(erythromycin)과 같은 macrolide 항생제를 병용 투여시 loratadine과 활성형 대사체의 혈중농도가 상승

2) 기형 발생 정보(Teratogenicity Information)

(1) 동물 실험(Animal test)

　임신한 쥐와 토끼에게 투여하였을 때, 어미 농도의 96 mg/kg/d까지 선천성 기형이 발생되지 않았다(Schering Corporation, Kenilworth NJ). 이 용량은 사람 용량의 75-150배 정도이다. 수컷 쥐는 64 mg/kg/d에서 불임의 소견이 보였으나 24 mg/kg/d에서는 특별한 영향이 없었다. 암컷의 생식력은 유지되었다.

임신한 쥐에서 24 mg/kg/d의 용량을 투여하였는데(사람 용량의 26배) 배아 발생에 영향을 주지 않았다. 이 연구에서는 종간 특이성에 관한 관찰이 더 요구될 것이라 추측된다.

(2) 외국의 역학연구 정보(Epidemiologic Information)

스웨덴의 한 연구에서는 로라타딘을 복용한 군에서 출산한 남아에서 일반 산모보다 약 2배 가량 요도하열의 빈도가 증가한다고 보고하였다. 하지만 요도하열의 가족력을 보정하지 않았던 한계가 있었다. 임신 중 로라타딘에 노출되었던 142명의 산모를 대상으로 한 전향적 연구가 있었다. 출생한 신생아중 5명에서 주기형이 태어났는데 요도하열은 없었다. 미국질병통제예방센터(The Centers for Disease Control)에서 시행한 연구에서 563명 요도하열을 가진 남자 신생아를 분석하였으며, 1,444명의 정상 남아를 대조군으로 선정하였다. 로라타딘의 사용은 전 연구대상의 단지 1.7%에서만 사용되었고, 이 연구에서 요도하열과의 연관성은 통계학적으로 의미있다고 나타나지 않았다. 로라타딘에 노출되었던 210명의 임신부를 연구한 기형정보서비스(teratology information service)에서 4명의 선천성 기형이 발견되었다. 한 명은 뚜렛증후군(Tourette syndrome), 안면혈관종(facial hemangiomas), 그리고 잠복고환(undescended testes)을 가지고 있었다. 마지막으로 심장의 심실 중격 결손을 가진 환아가 4명이었다. 유산은 11.4%에서 나타났는데, 이 비율은 다른 항히스타민에 노출된 대조군의 여성보다 높은 비율이었지만, 로라타딘에 임신 중에 노출된 군이 나이가 더 많은 차이점이 있었다. 결론적으로 동물실험과 사람연구에서 로라타딘은 임신 중 사용이 위험성을 증가시키지 않는다.

(3) 한국마더세이프전문상담센터정보(The Korean MotherSafe Counselling Center Information)

로라타딘에 노출된 후 추적된 임신부는 총 86례이었으며 초기 노출 후 자연유산율은 4.7%(4/86)이었다. 임신 37주 이전의 조산률은 3.7%(3/82), 2,500 g 미만의 저체중증은 3.7%(3/82)이었다. 주요기형발생은 2.4%(2/82): Dysplastic kidney left with megaureter(1), Preaxial polydactyly, left hand(1)가 있었다.

3) 모유 수유시 독성 및 적합성 정보(Breastfeeding Compatibility Information)

- Lactation Risk Category: L1
- 수유하는 신생아는 산모 농도의 0.46%(on amg/kg basis)를 가지는 것으로 나타났다. 계절성 알레르기나 감기로 로라타딘을 복용하는 수유부 신생아의 9.4−22.6%에서 흥분(irritability), 기면(drowsiness), 또는 수면의 감소증상이 나타났다. 치료를 받아야 할 만한 심각한 정도의 부작용은 나타나지 않았다. 항콜린작용 때문에 항히스타민은 이론적으로 수유의 생성을 감소시킨다. 하지만 이론적인 우려에도 불구하고 로라타딘의 사용은 일반적으로 사용이 가능하다고 공식적으로 발표하고 있다. 또한 젖에서 로라타딘이나 다른 항히스타민이 비교적 낮게 검출되었다. 만약 항콜린 효과가 수유를 감소시킨다면 약 중단을 하는 경우에 다시 증가될 수 있다고 조언할 수 있다. 만약 모유를 먹는

신생아에서 안절부절(jitteriness)증상 또는 수유양상에 문제가 생긴 경우에 약을 중단하거나 분유수유를 해서 신생아의 증상이 좋아지는 지를 확인하여야 한다. 그러나 이러한 증상과 항히스타민제 노출과의 관련성은 확실하지 않다.

- 한국마더세이프전문상담센터: 수유부와 수유아 4쌍 중 젖양감소 2례 있었다.

18 록소프로펜(Loxoprofen Sodium)

1) 일반적 정보(General Information)
(1) 상품명

— 찾을 수 없음

상품명	제약회사	용량	상품모양
록프렌 정	대원제약	60 mg	
동광 록소프로펜나트륨 정	동광제약	60 mg	
레녹스 정	일동제약	60 mg	
로바펜 정	일양약품	60 mg	
로프로펜 정	에스케이케미칼 생명과학부문	60 mg	—
록소큐 정	한국파마	60 mg	
록소펜 정	삼천당 제약	68.1 mg	
록스펜 정	신풍제약	60 mg	
록펜 정	메디카코리아	60 mg	—
아나록소 정	국제약품공업	60 mg	

(2) 성분: Non-steroidal anti-inflammatory drug

- 분자식: $C_{15}H_{18}O_3$

(3) Clinical indications

- 만성관절류마티스, 변형성 관절증, 요통, 견관절 주위염, 경견완증후군, 급성상기도염의 소 염, 진통
- 수술 후, 외상 후 및 발치 후의 소염, 진통

(4) 작용기전(Mechanism of Action)

- Cyclooxygenase 효소의 활성을 저해하여 prostaglandin 전구체의 형성을 감소시켜 prostaglandin의 합성을 저해함.

(5) 약물역동학(Pharmacokinetics)

① 경구 생체 이용률(Oral bioavailability): −

② 분자량(MW): 246 g/mol

③ 친수성(hydrophilic): −

④ 단백질 결합: 97%

⑤ 혈중최고농도 도달시간(Tmax): 30−60분

⑥ 반감기(T1/2): 75분

(6) Drug Interaction

- 효과/독성 증가 Coumarin계 항응혈제(Warfarin 등), Sulfonylurea계 혈당강하제(tolbutamide 등)의 병용투여에 의해 록소프로펜의 독성이 증가할 수 있다.

2) 기형 발생 정보(Teratogenicity Information)

(1) 동물 실험(Animal test)

찾을 수 없음.

(2) 외국의 역학연구 정보(Epidemiologic Information)

찾을 수 없음.

(3) 한국마더세이프전문상담센터정보(The Korean MotherSafe Counselling Center Information)

록소프로펜에 노출된 후 추적된 임신부는 총 251례이었으며 초기 노출 후 자연유산율은 6.8%(17/251)이었다. 임신 37주 이전의 조산률은 4.0%(7/227), 2,500g 미만의 저체중증은 3.1%(7/224) 이었다. 주요기형발생은 3.1%(7/227): right microtia with invisible external orifice(1), ASD with small PDA (2), persistent fetal circulation/unspecified seizure/right cleft palate/preaxial polydactyly/ptosis of eyelid& left eye(1), VSD(1), PDA(1), hydronephrosis of both kidneys(1)가 있었다.

3) 모유 수유시 독성 및 적합성 정보

- Lactation Risk Category: 찾을 수 없음.
- 한국마더세이프전문상담센터: 수유부–수유아 16쌍 중 아기에게서 졸리움 증상 1례, 젖 양감소 1례가 있었다.

19 록시스로마이신(Roxithromycin)

1) 일반적 정보(General Information)

(1) 상품명

— 찾을 수 없음

상품명	제약회사	용량	상품모양
록씨 현탁액	대원제약	10 mg/ml, 500 mL	
광동 록시스로마이신 정	광동제약	150 mg	—
뉴록시 정	한국약품	150 mg	—
동광 록시스로마이신정	동광제약	150 mg	
로큐신 정	신일제약	150 mg	—
록사민 정	한국파비스바이오텍	150 mg	—
록시마이신 과립	동화약품공업	50 mg/g, 100g	
마크로신 정	진양제약	150 mg	
일동 록시스로마이신 정	일동제약	150 mg	
한올 록시스로마이신 정	한올제약	150 mg	

(2) 성분: Macrolide

- 분자식: $C_{41}H_{76}N_2O_{15}$

(3) 임상적 적응증(Clinical indications)

- 인두염, 중이염, 부비강염, 편도염 등 상기도 감염증
- 급성 기관지염, 세균성폐렴, 마이코플라스마 폐렴 등 호흡기 감염증
- 모낭염, 부스럼증, 옹종, 봉소염, 화농성조위염, 피하농양, 집족성여드름 등 피부 및 연조직 감염증
- 임균에 의한 감염을 제외한 비뇨생식기 감염증 및 성병
- 치관주위염, 치주조직염, 수막염균성 수막염 환자와 접촉한 경우 감염 예방 목적

(4) 작용기전(Mechanism of Action)

- 세균 리보솜의 50s 소단위에 비가역적으로 결합하여 사슬 여장 단계에서 Rna의존성 단백질 합성을 억제

(5) 약물역동학(Pharmacokinetics)

① 경구 생체 이용률(Oral bioavailability): 신속하게 흡수됨.

② 분자량(MW): 837.047 g/mol

③ 단백질 결합: 85−96%

④ 혈중최고농도 도달시간(Tmax): 1−2시간

⑤ 반감기(T1/2): 12시간

(6) 약물상호작용(Drug Interaction)

- 심장 독성 증가Astemizole,Dofetilide, Pimozide, Thioridazine
- 맥각중독 증가(오심, 구토, 허혈성 혈관 경축) – 금기Dihydroergotamine, Ergoloid Mesylates, Ergonovine, Ergotamine, Methylergonovine, Methysergide

2) 기형 발생 정보(Teratogenicity Information)

(1) 동물 실험(Animal test)
록시스로마이신에 대한 동물 실험은 찾을 수 없었다.

(2) 외국의 역학연구 정보(Epidemiologic Information)
록시스로마이신은 반합성 마크로라이드 계열의 항생제로서, 록시스로마이신과 다른 마크로라이드 계열의 항생제에 관한 헝가리의 환자대조군 연구 9 cases에서 선천성 기형이 증가하지 않음을 보고하였다. 이탈리아에서 54명의 임산부를 대상으로 한 연구에서도 같은 결과를 보였다. 임신 제 1삼분기때 록시스로마이신에 노출되었던 경우에 발달이상에도 영향을 미치지 않는다고 보고하였다.

(3) 한국마더세이프전문상담센터정보(The Korean MotherSafe Counselling Center Information)
록시스로마이신에 노출된 후 추적된 임신부는 총 81례이었으며 초기 노출 후 자연유산율은 12.5%(10/81)이었다. 임신 37주 이전의 조산률은 7.2%(5/69), 2,500 g 미만의 저체중증은 5.9%(4/68) 이었다. 주요기형발생은 11.6%(8/69): Postaxial polydactyly of left foot(1), Dysplastic kidney left with megaureter(1), renal mass (1), imperforate anus(1), hydronephrosis(1), bilateral club foot(equinovarus) with knee rigidity(1), ASD with small PDA(1), congenital heart anomaly(1)가 있었다.

3) 모유 수유시 독성 및 적합성 정보
- Lactation Risk Category: 찾을 수 없음.
- 록시스로마이신은 모유에 매우 작은 양이 분비되어 투여양의 0.05%미만정도가 모유에서 검출된다.
- 한국마더세이프전문상담센터: 수유부와 수유아 2쌍 중 부작용례는 없었다.

20 리도카인(Lidocaine)

1) 일반적 정보(General Information)
(1) 상품명

— 찾을 수 없음

상품명	제약회사	용량	상품모양
구주 제이액	구주제약	96 mg/mL 5 mL	

— 찾을 수 없음

상품명	제약회사	용량	상품모양
듀베 액	고려제약	96 mg/mL	—
로키 겔	태극제약	96 mg/g	
리도탑 패취	에스케이케미칼 생명과학부문	700 mg	
베라카인 스프레이	성광제약	0.1 g/mL 50 mL/V	—
비엠 겔	중외신약	96 mg/g 2 g	
사노바 스프레이	성광제약	96 mg/g 12 g	
실론닙사 스프레이	한국호넥스㈜	100 mg/mL 50 mL	
싸이로카인 스프레이	한국아스트라제네카	100 mg/mL 50 mL	
애니맨 겔	동구제약	96 mg/g 2 g	—
에스엠 겔	한국웨일즈제약	96 mg/g 3 g	—
유패치 플라스타	엘디에스약품	18 mg	—
제이카 액	하나제약	96 mg/mL	—
제이카인 연고	제이알피	50 mg/g	—
캐프롱 겔	대화제약	96 mg/g 2 g	—
컨트롤 겔	대우약품공업	96 mg/g 3 g	—
티스톤 액	안국약품	96 mg/mL 5 mL	—
파워 겔	한미약품	96 mg/g	—
프카인 플러스 크림	휴온스㈜	96 mg	—

(2) 성분: 2–(diethylamino)–N–(2,6–dimethylphenyl)acetamide

- 분자식: $C_{14}H_{22}N_2O$

(3) 임상적 적응증(Clinical Indications)

- 마취: 경막외마취, 전달마취, 침윤마취, 포면마취
- 내과적 사용: 심실성 부정맥
- 그 외 국소마취, 대상포진후신경통, 경추 교감신경 차단, 비뇨기 수술

(4) 작용기전(Mechanism of Action)

- Class Ib 항부정맥제로 심실 His-Purkinje계의 전기자극역치를 높이고, 조직에 직접 작용하여 확장기 심실의 자발적인 탈분극을 증가시켜 전도조직의 자율성 억제
- 나트륨이온에 대한 신경막 투과성을 저하시켜 신경충동의 개시와 전도를 차단하여 탈분극이 억제됨으로써 전도 차단됨.

(5) 약물 역동학(Pharmacokinetics)

① 경구 생체 이용률(Oral Bioavailabioity): 35%

② 분자량(MW): 234

③ 단백질 결합(Protein binding): 33-80%

④ 혈중최고농도 도달시간(Tmax): 근육주사(30분-2시간), 후두-기관내삽관(5-10분) 자궁경관 (10분)

⑤ 반감기(T1/2): 성인(1.8시간, 정맥주사시), 노인(2.5시간, 정맥주시시)

(6) 약물 상호작용(Drug Interactions)

- Cytochrorme P450영향.

① 기질: CYP1A2(minor), 2A6(minor), 2B6(minor), 2C8/9(minor), 2D6(major), 3A4(major).

② 저해: CYP1A2(strong), 2D6(moderate), 3A4(moderate).

- 효과/독성 증가

① Amphetamine, amiodarone, azole계 항진균제, 베타 차단제, chlorpromazine, diclofenac, doxycycline, erythromycin, fluoxetine, imatinib, isoniazid, miconazole, nefazodone, nicardipine, paroxetine, quinidine, verapamil에 의해 효과/독성 증가

② Cimetidine, propranolol과 병용시 lidocaine의 혈중농도 상승

③ Aminophyline, 선택적 베타 차단제, benzodiazepine계, 칼슘채널 차단제, cyclosporin, fluoxetine, miirtazapine, risperidone, tacrolimus, theophyline의 혈중 농도를 lidocaine이 증가시킨다.

- 효과감소

① Aminoglutethimide, carbamazepine, nafcillin, phenobarbital, phenytoin 등의 CYP3A4 유도제의 효과를 감소시킨다.

② CYP2D6기질의 효과를 감소시킨다.

2.) 기형 발생 정보(Teratogenicity Information)

(1) 동물 실험(Animal teratology studies)

임신한 쥐를 대상으로 매일 kg당 73 mg, 100에서 200 mg의 리도카인을 장기간 노출시킨 기형의 증가는 발견되지 않았으나, 제태연령 6일에 kg당 6 mg을 노출시킨 쥐에서 이상한 행동 변화를 보였다는 보고가 있다. 양을 대상으로 한 실험에서는 리도카인 이 태자가 조산아일 때 질식에 대한 심혈관계 반응을 저하시켰다는 보고가 있었고, 다른 동물실험에서 자궁혈류를 변화와 태아의 경련을 일으켰다는 보고가 있었다.

(2) 외국의 역학연구 정보(Epidemiologic Information)

리도카인은 다른 국소 마취제처럼 태반을 통과한다. 산전의 리도카인의 노출이 청각신경반응을 변화시키는지에 대한 시도가 있었으나 결론을 얻지 못했고, 임신 초기 4개월에 리도카인에 노출되었던 293명의 산모와 임신기간 어느 기간이나 노출된 기왕력이 있었던 947명의 산모를 조사한 결과 선천성 기형은 증가되지 않았다고 보고하였다. 진통중에 리도카인 척추마취를 한 산모의 태아에서 체온조절이 안되어 체온이 올라가는 것이 보고된 바 있다.

(3) 한국마더세이프전문상담센터정보(The Korean MotherSafe Counselling Center Information)

리도카인에 노출된 후 추적된 임신부는 총 147례이었으며 초기 노출 후 자연유산율은 9.5%(14/147)이었다. 임신 37주 이전의 조산률은 5.5%(7/128), 2,500 g 미만의 저체중증은 2.4%(3/124)이었다. 주요기형발생은 5.7%(7/124): facial dysmorphism(1), right hip mass(1),bilateral inguinal hernia(1), right renal cyst(1), renal mass(1), ASD(1), VSD with PS(1)가 있었다.

3) 모유 수유시 독성 및 적합성 정보(Brestfeeding Compatibility Information)

- Lactation risk category: L2
- 리도카인은 모유로 분비된다. 27명의 수유부를 대상으로 한 조사에서 모유 대 혈장비는 1.07±0.82였고, 알러지반응의 가능성을 배제하고는 모유로 분비된 소량의 리도카인이 신생아에 미치는 영향은 거의 없다고 보고하였다. 미국 소아과학회에서는 리도카인을 모유수유중 사용할 수 있는 약이라고 분류하였다.
- 한국마더세이프전문상담센터: 수유부와 수유아 9쌍 중 부작용례는 없었다.

21 리보스타마이신(Ribostamycin)

1) 일반적 정보(General Information)

(1) 상품명: 리보스타마이신

상품명	제약회사	용량	상품모양
근화황산리보스타마이신주	근화제약	0.5 g/1 g	
리오마이신주사	삼진제약	0.5 g/1 g	
비스타마이신주	동아제약	0.5 g/1 g	
신일리보스타마이신주사액	신일제약	0.5 g/1 g	
종근당황산리보스 타마이신주	종근당	0.5 g/1 g	
동광리보스타마이신주	동광제약	0.5 g/1 g	
이연리보스타마이신주사액	이연제약	1.5 mL/3 mL	―

(2) 성분: Ribostamycin

- 분자식: $C_{17}H_{34}N_4O_{10}$

(3) 임상 적응증(Clinical indications)

- 임균성요도염, 신우신염, 방광염, 담낭염, 복막염, 편도염, 임두염, 기관지염, 폐렴, 종

기, 농 양, 연조직염, 중이염, 부비동염, 누낭염, 림프관염, 골수염

(4) 작용기전(Mechanism of Action)

- 리보스타마이신은 아미노글리코사이드계 제제로 정확한 약물 작용에 관한 연구는 미비하다.

(5) 약물역동학(Pharmacokinetics)

① 경구 생체 이용률(Oral bioavailability): −

② 분자량(MW): 454.47266 g/mol

③ 단백질 결합: −

④ 혈중최고농도 도달시간(Tmax): −

⑤ 반감기(T1/2): −

(6) 약물 상호작용(Drug Interaction): 관련정보 찾을 수 없음.

2) 기형 발생 정보(Teratogenicity Information)

(1) 동물 실험(Animal test): 관련정보 찾을 수 없음.

(2) 외국의 역학연구 정보(Epidemiologic Information):

85명의 임신 제 1삼분기에 노출된 임신부의 연구에서는 대조군에 비하여 리보스타마이신에 노출된 임신부의 기형발생 위험율이 증가하지 않았다.

(3) 한국마더세이프전문상담센터정보(The Korean MotherSafe Counselling Center Information)

리보스타마이신에 노출된 후 추적된 임신부는 총 120례이었으며 초기 노출 후 자연유산율은 6.7%(8/120)이었다. 임신 37주 이전의 조산률은 6.5%(7/107), 2,500 g 미만의 저체중증은 3.7%(4/107)이었다. 주요기형발생은 3.7%(4/107): right ureteropelvic junction stenosis with right scrotal hydrocele(1), renal mass(1), unspecified seizure/right paramedian cleft palate/Preaxial polydactyly of hand(1), congenital heart defect(1)가 있었다.

3) 모유 수유시 독성 및 적합성 정보

- 관련정보 찾을 수 없음.
- 한국마더세이프전문상담센터: 수유부와 수유아 1쌍 중 부작용 없었다.

22 리소짐(Lysozyme)

1) 일반적 정보(General Information)

(1) 상품명

— 찾을 수 없음

상품명	제약회사	용량	상품모양
강남염화리소짐정	강남제약	30 mg	—
계명염화리소짐정	보람제약	90 mg	—
나이짐정	바이넥스	90 mg	—
넥스팜염화리소짐정	넥스팜코리아	90 mg	—
노이짐정	한일약품공업	30 mg, 90 mg	—
다림염화리소짐정	다림양행	30 mg	—
다코짐정	천혜당제약	90 mg	—
대웅염화리소짐정	대웅제약	90 mg	—
대정염화리소짐정	대정제약	90 mg	—
동일염화리소짐정	메디카코리아	30 mg, 90 mg	—
라리짐정	쎌라트팜코리아	90 mg	(상품모양 이미지)
라이짐정	신풍제약	30 mg	(상품모양 이미지)
리소날정	동양제약	90 mg	—
리소지마에스정	동신제약	30 mg	—
리소지마정	동신제약	90 mg	—
리소지마캅셀	동신제약	90 mg	—
리소짐에스정	한국프라임제약	90 mg	—

(2) 성분

- 분자식: $C_{36}H_{61}N_7O_{19}$

(3) 임상적 적응증(Clinical Indications)

- 객담, 객출곤란, 만성 부비동염, 소수술중 또는 후의 출혈

(4) 작용기전(Mechanism of Action)

- Antiinflammatory agents
- Lysozyme은 뮤코다당체 대사촉진효소로 생체내 mucopolysaccharide의 생합성과 대사에 관여

(5) 약물 역동학(Pharmacokinetics)

① 경구 생체 이용률(Oral Bioavailabioity): −

② 분자량(MW): 895.9134 g/mol

③ 단백질 결합(Protein binding): −

④ 혈중최고농도 도달시간(Tmax): −

⑤ 반감기(T1/2): −

(6) 약물 상호작용(Drug Interactions)

- 관련정보 찾을 수 없음.

2) 기형 발생 정보(Teratogenicity Information)

(1) 동물 실험(Animal teratology studies)
관련정보 찾을 수 없음.

(2) 외국의 역학연구 정보(Epidemiologic Information)
관련정보 찾을 수 없음.

(3) 한국마더세이프전문상담센터정보(The Korean MotherSafe Counselling Center Information)

라이소짐에 노출된 후 추적된 임신부는 총 146례이었으며 초기 노출 후 자연유산율은 5.5%(8/146)이었다. 임신 37주 이전의 조산률은 5.9%(8/135), 2,500 g 미만의 저체중증은 2.2%(3/135)이었다. 주요기형발생률은 2.2%(3/135): dysplastic kidney left with megaureter(1), ASD(1),facial dysmorphism(1)가 있었다.

3) 모유 수유시 독성 및 적합성 정보(Brestfeeding Compatibility Information)

- 관련정보 찾을 수 없음.
- 한국마더세이프전문상담센터: 수유부와 수유아 1쌍 중 부작용 없었다.

23 린코마이신(Lincomycin)

1) 일반적 정보(General Information)
(1) 상품명

— 찾을 수 없음

상품명	제약회사	용량	상품모양
경동 염산린코마이신 주	경동제약	600 mg/2 mL	—
국제 염산린코마이신 주	국제약품공업	3 g/10 mL, 600 mg/2 mL	
젠팜 염산린코마이신 캡슐	뉴젠팜	250 mg, 500 mg	—
동광 염산린코마이신 주	동광제약	600 mg/2 mL	
동구 염산린코마이신 캅셀	동구제약	500 mg	
동화 염산린코마이신 주	동화약품공업	600 mg/2 mL	
세종 린코마이신 주	세종제약	300 mg/mL, 600 mg/2 mL	—
신풍 린코마이신 주	신풍제약	600 mg/2 mL	
웰화이드 린코마이신 캅셀	웰화이드코리아(주)	250 mg, 500 mg	—
유니온 린코마이신 주	한국유니온제약	300 mg/mL, 600 mg/2 mL	
유유 린코신 주	유유제약	600 mg/2 mL	—
유 린코신 캡슐	유유제약	250 mg, 500 mg	—
이텍스 엠산린코마이신 캅셀	(주)이텍스제약	250 mg	—
인바이오넷 린코마이신 주	인바이오넷	300 mg/mL, 600 mg/2 mL	—
제일제약 염산린코마이신 주	제일제약	300 mg/mL, 600 mg/2 mL	—

— 찾을 수 없음

상품명	제약회사	용량	상품모양
코마신 주	대우약품공업	300 mg/mL	
휴온스 린코마이신주	휴온스(주)	600 mg/2 mL	

(2) 성분

- 분자식: $C_{18}H_{34}N_2O_6S \cdot HCl \cdot H_2O$

(3) 임상적 적응증(Clinical Indications)

- 포도구균, 연쇄구균(장내구균 제외), 폐렴구균, 이질균 등에 의한 부스럼, 봉소염, 표저, 단 독, 기관지염, 농가진, 폐렴, 유선염, 중이염, 림프절염, 부비강염, 편도염, 인두염
- 골수염, 관절염, 세균성 이질, 세균성 심내막염, 패혈증, 성홍열 등

(4) 작용기전(Mechanism of Action)

- Streptomyces lincolnensis균주에서 분리된 lincosamide계 항생제
- 농도에 EK라 정균 또는 살균작용을 나타낸다.
- 세균의 리보솜 50s 소단위에 결합하여 단백 합성 과정 중 특이적으로 펩타이드 결합을 억제하므로써 단백질 합성을 억제

(5) 약물 역동학(Pharmacokinetics)

① 경구 생체 이용률(Oral Bioavailabioity): 20–30%

② 분자량(MW): 461.01 g/mol

③ 단백질 결합(Protein binding): 72%

④ 혈중최고농도 도달시간(Tmax): 경구투여(2–4시간), 정맥주사(15분), 근육주사(30–60분)

⑤ 반감기(T1/2): 5.4시간, 중증 신장애 환자(10–13시간), 간장애 환자(9시간)

(6) 약물 상호작용(Drug Interactions)

- 린코마이신과 신경근 결합부 차단작용이 있는 다른 항생물질(콜리스틴, 스트렙토마이신, 디히드로스트렙토마이신, 네오마이신, 폴리믹신, 그라미시딘, 노보비오신, 카나마이신, 파로모마이신, 비오마이신 등) 및 염화튜보쿠라린, 염화석사메토늄 등의 약물과 병용투여는 신경근마비로 인한 호흡마비를 초래할 수 있음.
- 린코마이신과 에리스로망신은 항균작용에 있어 서로 길항하므로 병용투여하지 않음.
- 카오린에 의해 린코마이신의 흡수 저해

2) 기형 발생 정보(Teratogenicity Information)

(1) 동물 실험(Animal teratology studies)

렛트와 개, 원숭이를 대상으로 한 동물실험에서 린코마이신은 선천성 기형을 증가시키진 않았으나, 고용량을 주입한 렛트와 닭 실험에서는 embryotoxicity를 나타냈다.

(2) 외국의 역학연구 정보(Epidemiologic Information)

린코마이신은 사람의 태반을 임신 말기에 통과함이 밝혀졌으나, 제대혈과 양수에서 그 농도는 산모의 혈중 농도에 비해 낮았다. 임신 중 린코마이신에 노출되었던 302명의 산모를 대상으로 조사한 결과 선천성 기형이나 발달 장애는 보이지 않았고, 추적관찰한 8명의 아이에서도 발달 장애는 없었다고 보고하였다.

(3) 한국마더세이프전문상담센터정보(The Korean MotherSafe Counselling Center Information)

린코마이신에 노출된 후 추적된 임신부는 총 95례 이었으며 초기 노출 후 자연유산율은 3.2%(3/95)이었다. 임신 37주 이전의 조산률은 4.4%(4/91), 2,500 g 미만의 저체중증은 2.2%(2/90)이었다. 주요기형발생은 4.4%(4/90): PDA(2), right liver mass(1), ileal agenesis(1)가 있었다.

3) 모유 수유시 독성 및 적합성 정보(Brestfeeding Compatibility Information)

- 관련 정보 찾을 수 없음.
- 린코마이신은 모유를 통해 분비되고 그 농도는 산모의 혈장 농도와 유사하나, 수유를 하는 아기에서 발견되는 린코마이신의 양은 매우 적다. 그러나 이론적으로 아기가 항생제에 노출시 장내 세균총의 변화를 가져올 수 있어서 WHO에서는 모유수유시 린코마이신의 사용을 권장하지 않는다.
- 한국마더세이프전문상담센터: 수유부와 수유아 22쌍 중 부작용례는 없었다.

24 마그네슘 카보네이트(Magnesium Carbonate)

1) 일반적 정보(General Information)

(1) 상품명

상품명	제약회사	용량	상품모양
그랑파제삼중정	안국약품	65 mg	
듀오탈정	삼익제약	240 mg	
레오시드정	한서제약	120 mg	
레노말정	태평양제약	160 mg	
씨롱정	한국슈넬제약	80 mg	
알루민정	쎌라트팜코리아	160 mg	
알마탄정	뉴젠팜	160 mg	
일양암포제에스정	일양약품	160 mg	
포스겔정	보령제약	160 mg	
하나시드정	하나제약	120 mg	

(2) 성분: Magnesium Carbonate

- 분자식: $MgCO_3$

$$^-O-\overset{\overset{\displaystyle O}{\|}}{C}-O^- \; Mg^{2+}$$

(3) 임상적 적응증

- 임상적으로는 위궤양, 식도역류가 있을때 제산제(antacid)로 사용된다.

(4) 작용기전(Mechanism of Action)

- 탄산마그네슘은 제산제로서 염기나 염기염으로서 위의 산을 중화시키는 작용을 한다.

(5) 약물 역동학(Pharmacokinetics)

① 경구 생체 이용률(Oral Bioavailabioity): poor

② 분자량(MW): 84.32 g/mol

③ 단백질 결합(Protein binding): -

④ 혈중최고농도 도달시간(Tmax): -

⑤ 반감기(T1/2): -

(6) 약물의 상호작용(Drug Interactions)

2) 기형 발생 정보(Teratogenicity Information)

(1) 동물 실험(Animal teratology studies)

동물에서의 기형 발생 시험에 관한 자료 찾지 못함.

(2) 외국의 역학연구 정보(Epidemiologic Information)

탄산마그네슘은 수산화알루미늄(aluminum hydroxide)와 함께 경구용 제산제로 사용됨. 하지만, Reprotox에는 특별한 생식발생독성정보관련 자료 없음. 하지만, 마그네시움은 체내에서 대량으로 발견되서 기형발생 가능성은 낮아 보임. 대량으로 복용시도 건강한 성인에서는 hypermagnesemia를 발생하지 않았다.

(3) 한국마더세이프전문상담센터정보(The Korean MotherSafe Counselling Center Information)

탄산마그네슘 노출된 후 추적된 임신부는 총 211례이었으며 초기 노출 후 자연유산율은 3.3%(7/211)이었다. 임신 37주 이전의 조산률은 2.6%(5/191), 2,500 g 미만의 저체중증은 2.7%(5/187)이었다. 주요기형 발생은 2.1%(4/187): right hip mass(1), right ureteropelvic junction stenosis with right scrotal hydrocele(1), VSD(1), 가 있었다.

3) 모유 수유시 독성 및 적합성 정보(Brestfeeding Compatibility Information)

- Lactation Risk Category: 분류되어 있지 않음. 하지만, 경구 생체이용률이 낮아 모유수유에 따른 합병증 가능성은 낮아 보임.
- 한국마더세이프전문상담센터: 수유부-수유아 22쌍 중 부작용례는 없었다.

25 메칠에페드린(Methylephedrine)

1) 일반적 정보(General Information)

(1) 상품명

— 찾을 수 없음

상품명	제약회사	용량	상품모양
신코프캅셀	디에스앤지	8 mgl	

— 찾을 수 없음

상품명	제약회사	용량	상품모양
씨콜드정	대웅제약	10 mg	—
코푸정에스	유한양행	26.3 mg	—
콜디캅셀	삼일제약	8.75 mg	
판콜에이캅셀	동화약품공업	8.75 mg	
판피린에프액	동아제약	20 mg	
화이투벤플러스캡슐	씨제이	6.25 mg	

(2) 성분: DL–Methylephedrine hydrochloride

- 분자식: $C_{11}H_{17}NO \cdot HCl$; $C_{11}H_{18}ClNO$

(3) 임상적 적응증

- 감기약의 복합성분으로 코울혈(nasal congestion)을 개선하기 위해 사용됨.

(4) 작용기전(Mechanism of Action)

- 기본적으로 에페드린(ephedrine)으로 amine위의 2번째 메칠을 가지고 있다. ephedrine 보다는 약동성이 떨어짐.

(5) 약물 역동학(Pharmacokinetics)

① 경구 생체 이용률(Oral Bioavailabioity): −

② 분자량(MW): 215.72 g/mol

③ 단백질 결합(Protein binding): −

④ 혈중최고농도 도달시간(Tmax): 30분

⑤ 반감기(T1/2): 2.1시간

(6) 약물의 상호작용(Drug Interactions)

2) 기형 발생 정보(Teratogenicity Information)

(1) 동물 실험(Animal teratology studies)

관련성 있는 약물은 ephedrine로 동물실험에서 Chick에서 심혈관계 기형을 발생하였다.

(2) 외국의 역학연구 정보(Epidemiologic Information)

282명의 임신 제 1삼분기에 노출된 임신부에 대한 연구에서 대조군에 비하여 기형 증가를 발견할 수 없었다.

(3) 한국마더세이프전문상담센터정보(The Korean MotherSafe Counselling Center Information)

메칠에페드린에 노출된 후 추적된 임신부는 총 721례이었으며 초기 노출 후 자연유산율은 6.1%(44/721)이었다. 임신 37주 이전의 조산률은 3.5%(23/657), 2,500 g 미만의 저체중증은 2.4%(16/655)이었다. 주요기형발생은 2.7%(18/655): PDA(2), bilateral inguinal hernia(1), cyst in caudothalamic groove(1), dysplastic kidney left with megaureter(1), lacrimal duct obstruction with ptosis(2), hydronephrosis(2), upper gingival cyst(1), multicystic dysplastic kidney(1), right liver mass (1), ASD with small PDA(1), right ventricular hypertrophy of heart(1), facial dysmorphism(1), right inguinal hernia(1), cleft palate (1), right hydronephrosis(1)이 있었다.

3) 모유 수유시 독성 및 적합성 정보(Brestfeeding Compatibility Information)

- Lactation Risk Category: 분류되어 있지 않다. 그러나, ephedrine의 경우 L4로 신생아에서 식욕결핍, 울음, 수면장애, 흥분을 발생시킬 수 있다.
- 한국마더세이프전문상담센터: 수유부-수유아 14쌍 중 부작용 례는 없었다.

26 메칠프레드니솔론(Methylprednisolone)

1) 일반적 정보(General Information)

(1) 상품명

— 찾을 수 없음

상품명	제약회사	용량	상품모양
메칠프레드니솔론정	롯데제약	4 mg	—
매프론정	미래제약	4 mg	—
메니솔론정	청계제약	4 mg	—
메드롤정	한국화이자제약	4 mg, 16 mg	—

— 찾을 수 없음

상품명	제약회사	용량	상품모양
메솔론정	동광제약	4 mg	
메치론정	근화제약	4 mg	
메치솔주	근화제약	125 mg, 500 mg	
메치솔론정	삼성제약공업	4 mg	—
메프솔론주	건일제약	125 mg, 500 mg	—
살론주	한림제약	125 mg, 500 mg	
소메론정	비씨월드제약	3 mg, 4 mg	—
솔로젠정	뉴젠팜	4 mg	
솔루–메드롤주	제일약품	125 mg, 500 mg	
예나팜 메칠프레드니 솔론정	제이텍 코리아(주)	4 mg	
위더스 메치본정	위더스제약(주)	4 mg	—
제이솔론정	제이알피	4 mg	—
프레나	태극제약	4 mg	—
프레디솔주	이연제약	125 mg, 500 mg	
프론드정	동성제약	4 mg	
피디정	중외신약	4 mg	

(2) 성분: (6α, 11β)−11, 17, 21−trihydroxy−6−methyl−pregna−1, 4−diene−3, 20−dione

- 분자식: $C_{22}H_{30}O_5$

(3) 임상적 적응증(Clinical indicatios)

- 내분비 장애, 선천성 부신이상 증식, 악성종양에 수반된 고칼슘혈증, 비화농성 갑상선염, 피부질환, 교원성 질환, 류마티스성 장애, 안과질환, 호흡기계 질환, 위장관계 질환, 혈액 질환, 악성종양성 질환, 부종성 질환, 신경계 질환, 골수 이식 후 graft−versus−host의 예방 및 치료

(4) 작용기전(Mechanism of Action)

- 합성 글루코코르티코이드로서 항염증 효과와 면역억제 효과가 있는 약물이며, 다형핵 백혈구의 유주를 억제하고, 증가된 모세혈관 투과성을 감소시켜 염증 반응을 감소시킨다.

(5) 약물 역동학(Pharmacokinetics)

① 경구 생체 이용률(Oral Bioavailability): 완전(complete)

② 분자량(MW): 374 g/mol

③ 친지질성(Lipophilic): −

④ 단백질 결합(Protein binding): 78%

⑤ 혈중최고농도 도달시간(Tmax): −

⑥ 반감기(T1/2): 2.8시간

(6) 약물 상호작용(Drug Interactions)

① 본제는 혈당 수치를 증가시키므로 인슐린과 경구 혈당저하제의 용량을 조정해야함. 본제는 cyclosporine과 tacrolimus의 혈중 농도를 증가시킨다.

② 효과 저하—phenytoin, phenobarbital, rifampin과 병용시 본제의 청소율을 증가시킨다.

③ 독성 증가—Itraconazole과 병용 시 코티코스테로이드의 혈중 농도를 증가시킨다.

2) 기형 발생 정보(Teratogenicity Information)

(1) 동물 실험(Animal teratology studies)

일부 동물 실험에서 고용량의 메칠프레드니솔론을 쥐, 토끼에게 주입하였더니 구개열이 발생하는 것을 관찰할 수 있었다. 동물실험과 임상연구에서 산전 메칠프레드니솔론의 노풀은 태아의 성장을 저해하여 저체중의 빈도를 증가시킬 수 있다고 제시하였다. 하지만 태아의 자궁내 성장제한은 메칠프레드니솔론이 투입된 기저 질환(신장이식후, 면역질환 등)에 기인하여 발생한 경우를 종종 관찰할 수 있었다.

(2) 외국의 역학연구 정보(Epidemiologic Information)

사람에서의 기형 발생 정보들을 종합하였을 때 코르티코스테로이드(corticosteroid)는 사람에서 기형을 일으키지는 않으나, 구개열과의 연관성은 배제할 수 없다는 결론을 내릴 수 있었다. 사람에서의 임상연구에서는 임신 중 메칠프레드니솔론에 노출된 경우 태아의 성장을 저해하여 저 체중아의 빈도의 증가와 연관이 있음을 관찰 할 수 있었다. 하지만 특별한 기저질환이 없는 정상 환자군에서 대사장애를 동반한 입덧이 있을 때 메칠프레드리솔론을 투여했던 경우 태아의 성장 제한과 연관이 없는 것을 관찰할 수 있었다.

(3) 한국마더세이프전문상담센터정보(The Korean MotherSafe Counselling Center Information)

메틸프레드니솔론에 노출된 후 추적된 임신부는 총 181례이었으며 초기 노출 후 자연유산율은 8.8%(16/181)이었다. 임신 37주 이전의 조산률은 8.6%(14/163), 2,500 g 미만의 저체중증은 6.2%(10/162)이었다. 주요기형발생은 4.3%(7/162): right toe overlapping(2,4th) with right club foot(1), left CCAM(1), scalp mass with left ear skin tag with anal dimpling(1), imperforate anus(1), ASD with small PDA(1), small anterio fontanelle with nevus(buttock) and coccyx dimple(1), right microtia with invisible external ear orifice(1)가 있었다.

3) 모유 수유시 독성 및 적합성 정보(Breastfeeding Compatibility Information)

- Lactation Risk Category: L2
- 수유부에게 투여 시 소량의 메칠프레드니솔론이 신생아에게 전달될 수 있다. 하루에 20 mg 이상 투여를 해야하는 경우 4시간 정도 경과한 후 수유하는 것이 권장된다.
- 한국마더세이프전문상담센터: 수유부–수유아 19쌍 중 젖양감소 3례 있었다.

27 메퀴타진(Mequitazine)

1) 일반적 정보(General Information)

(1) 상품명

— 찾을 수 없음

상품명	제약회사	용량	상품모양
히스타진정	명인제약	5 mg	—
에이치팜 메퀴타진정	뉴젠팜	5 mg	—
아니스틴정	환인제약	5 mg	
본초메퀴타진정	본초제약	5 mg	—
다림메퀴타진정	한국웨일즈제약	5 mg	—
휴온스메퀴타진정	휴온스	5 mg	—
메키진정	셀라트팜코리아	5 mg	—
프리마란정	부광약품	5 mg	—
수도메퀴타진정	수도약품공업	5 mg	—
슈넬메퀴타진시럽	한국슈넬제약	500 mcg	—
멕타진시럽	동구제약	500 mcg	
소아용프리마란시럽	부광약품	500 mcg	

(2) 성분: 10-(4-azabicyclo[2.2.2] oct-7-ylmethyl) phenothiazine

- 분자식: $C_{20}H_{22}N_2S$

(3) 임상적 적응증(Clinical indications)

- 비염, 담마진, 소양감 등의 알러지 제증상의 경감 목적으로 사용
- 건초열

- 곤충에 물려서 생긴 알러지

(4) 작용기전(Mechanism of Action)

- Phenothiazine 계열 항히스타민제

- H1 수용체에 히스타민을 상경적으로 길항한다.

- 고용량에서 항콜린 작용이 나타날 수 있다.

(5) 약물 역동학(Pharmacokinetics)

① 경구 생체 이용률(Oral bioavailability): 70%

② 분자량(MW): 322.468 g/mol

③ 친지질성(Lipophilic): −

④ 단백질 결합: 90%

⑤ 혈중최고농도 도달시간(Tmax): 5 7시간(공복 투여시)

⑥ 반감기(T1/2): 40시간

(6) 약물상호작용(Drug Interaction)

- 중추신경 억제제나 알콜과 병용 투여시 중추신경계를 과다하게 억제할 수 있다.

2) 기형 발생 정보(Teratogenicity Information)

(1) 동물 실험(Animal test)

랫트에게 임신 전과 임신 중에 1.25, 5 그리고 20 mg/kg의 약을 경구 투여하였다. 가장 높은 용량에서 모체의 체중이 감소하였으나 태자에 대한 해로운 영향은 없었다. 노출된 태자에서의 행동과 수태능에 대해 연구하였으나 대조군과 비교하여 특별한 차이는 보이지 않았다. 토끼에서도 125 mg/kg을 투여하였으나 태자에서 기형이 증가하지는 않았다.

(2) 외국의 역학연구 정보(Epidemiologic Information)

찾을 수 없음.

(3) 한국마더세이프전문상담센터정보(The Korean MotherSafe Counselling Center Information)

메쿠이타진에 노출된 후 추적된 임신부는 총 105례이었으며 초기 노출 후 자연유산율은 7.6%(8/105)이었다. 임신 37주 이전의 조산률은 3.3%(3/92), 2,500 g 미만의 저체중증은 3.3%(3/91)이었다. 주요기형발생은 2.2%(2/91): anal dimpling/skin fold at right chest(1), both hand polydactyly(1)가 있었다.

3) 모유 수유시 독성 및 적합성 정보(Breastfeeding Compatibility Information)

- 찾을 수 없음.

- 한국마더세이프전문상담센터: 수유부와 수유아 8쌍 중 무른 변 1례 있었다.

28 메토클로프라미드(Metoclopramide)

1) 일반적 정보(General Information)

(1) 상품명

— 찾을 수 없음

상품명	제약회사	용량	상품모양
가스로비 서방정	먼디파마	15 mg	—
맥페란정	동화약품공업	3.84 mg	● ●
맥페란주	동화약품공업	8.46 mg/2 mL	
메토프렌주	경동제약	7.67 mg/2 mL	—
멕소롱정	동아제약	3.84 mg	
멕쿨주	제일제약	8.46 mg/2 mL	

(2) 성분: 4-amino-5-chloro-N-(2-(diethylamino)ethyl)-2-methoxybenzamide

- 분자식: $C_{14}H_{22}ClN_3O_2 \cdot HCl;C_{14}H_{23}Cl_2N_3O_2$

(3) 임상적 적응증(Clinical Indications)

- 화학요법 치료 후 오심/구토 예방, 당뇨성 위무력증, 역류성 식도염, 소장 삽관, 수술 후 오심/구토, 위장관 방사선 촬영 보조

(4) 작용기전(Mechanism of Action)

- 중추와 말초의 도파민 수용체를 봉쇄하고 위와 상부 장관에서 아세틸콜린의 효과를 증가시켜서 위 장관 운동을 촉진시킨다. 또한 하부 식도 괄약근의 압력을 증가시켜서 식도

역류를 막음. 중추에서의 도파민 억제는 오심과 구토를 억제함. 프로락틴 농도가 증가하고, 추체외로 부작용이 나타날 수 있음.

(5) 약물 역동학(Pharmacokinetics)

① 경구 생체 이용률(Oral Bioavailability): 30-100%

② 분자량(MW): 300 g/mol

③ 친지질성(Lipophilic): -

④ 단백질 결합(Protein binding): 30%

⑤ 혈중최고농도 도달시간(Tmax): 1-2간(경구)

⑥ 반감기(T1/2): 5-6시간

(6) 약물 상호작용(Drug Interactions)

① 독성 증가-마약성 진통제는 중추 신경계 억제 효과 증가. -항콜린제와 병용시 추체외로 증후군 증가. -cyclosporin의 혈중 농도를 증가시킨다.

② 효과 감소-항콜린제는 메토클로프라마이드의 작용을 길항함.

2) 기형 발생 정보(Teratogenicity Information)

(1) 동물 실험(Animal teratology studies)

메토클로프라마이드에 대한 쥐, 토끼 등을 이용한 동물 실험에서 현재까지 기형 발생에 대한 보고는 없다.

(2) 외국의 역학연구 정보(Epidemiologic Information)

임신 제 1분기에 메토클로프라마이드를 복용한 126명의 임신부에서 9명의 선택적 유산, 5명의 조산, 5명의 선천성 기형이 발견되었지만 이 비율은 약물에 노출되지 않은 일반군과 비교하였을 때 큰 차이가 없었다. 선천성 기형으로는 2명의 동맥관개존증(patent ductus arteriosus), 2명의 심실중격결손(ventricular septal defect), 그리고 한명의 잠복고환이 포함되어 있었다. Scandinavian Prescription database 정보를 이용한 결과를 통해, 임신 중 메토클로프라마이드에 노출된 309명의 여성들을 발견할 수 있었고, 이 환자군을 13,000명의 노출되지 않은 군과 비교했을 때, 선천성 기형의 발생률, 저체중아 그리고 조산의 비율에서 의미있는 차이를 보이지 않았다.

(3) 한국마더세이프전문상담센터정보(The Korean MotherSafe Counselling Center Information)

메토클로프라미드에 노출된 후 추적된 임신부는 총 161례이었으며 초기 노출 후 자연유산율은 5.0%(8/161)이었다. 임신 37주 이전의 조산률은 3.4%(5/145), 2,500g 미만의 저체중증은 1.4%(2/141)이었다. 주요기형발생은 0.7%(1/141): renal mass(1)가 있었다.

3) 모유 수유시 독성 및 적합성 정보(Breastfeeding Compatibility Information)

- Lactation Risk Category: L2
- 메토클로프라미드를 복용하면 모유의 양을 증가시킬 수 있다. 하지만 이 약은 모유를 통해 상당량이 신생아에게 전달될 수 있고, milk:plasma 비가 약 2.0이다. 현재까지 모유 수유중 이 약제에 노출된 경우 두 케이스에서 경도의 장 불편감 정도가 보고되고 있다. 이 약제를 장기 복용했을 때의 효과에 대해서는 현재까지 연구된 바가 없고, 일부 연구에서 신생아의 프로락틴 수치를 증가시킬 수 있다는 보고가 있다.
- 한국마더세이프전문상담센터: 수유부-수유아 4쌍 중 부작용례는 없었다.

29 메트로니다졸(Metronidazole)

1) 일반적 정보(General Information)

(1) 상품명

— 찾을 수 없음

상품명	제약회사	용량	상품모양
로섹스 겔 0.75% 7.5 mg/g	갈더마코리아	15 g, 30 g	
메로겔 7.5 mg/g	비씨월드 제약	10 g	
메트로졸 겔 7.5 mg/g	나노팜	15 g	—
메트리날 주	대한약품공업	100 mL	—
박스터 메토르니다졸 주사	일양약품	100 mL/Bag	
삼협 메트로니다졸 정	본초제약	250 mg	—
씨제이 메트로니다졸 주	CJ 제약사업본부	100 mL	—
씨제이 후라시닐 정	CJ 제약사업본부	250 mg	
트로날 주	한국유니온제약	500 mg/V	
트리젤 주	중외제약	500 mg / 100 mL	

상품명	제약회사	용량	상품모양
후라질 주 0.5g/100mL	근화제약	100 mL	

(2) 성분: Nitroimidazole

- 분자식: $C_6H_9N_3O_3$

(3) 임상적 적응증(Clinical Indications)

- 트리코모나스증

- 아메바증

- 혐기성균 감염

(4) 작용기전(Mechanism of Action)

- 나선형 Dna 구조를 파괴하여 단백질 합성을 저해하고 감수성 균주 세포를 파괴한다.

(5) 약물역동학(Pharmacokinetics)

① 경구 생체 이용률(Oral bioavailability): 100%

② 분자량(MW): 171 g/mol

③ 친수성(hydrophilic): −

④ 단백질 결합: 10%

⑤ 혈중최고농도 도달시간(Tmax): 2−4시간

⑥ 반감기(T1/2): 8.5시간

(6) 약물상호작용(Drug Interaction)

- 효과/독성 증가

① 알코올은 디설피람과 같은 반응을 발생함.

② warfarin과의 병용은 출혈을 증가시킬 수 있음.

③ cimetidine은 본제의 효과를 증가시킴.

④ lithium의 효과와 독성을 증가시킴.

⑤ bezodiazepines, calcium channel blockers, cyclosporine, 맥각 유도체, HMG–CoA reductase inhibitors, mitrazapine, nateglinide, nefazodone, sildenafil, tacrolimus, venlafaxine, 다른 CYP3A4 기질의 효능을 증가시킴.

- 효과 감소

① phenytoin, phenobarbital은 본제의 반감기와 효과를 감소시킨다.

2) 기형 발생 정보(Teratogenicity Information)

(1) 동물 실험(Animal test)

메트로니다졸은 일부 박테리아 실험에서 돌연변이를 발생하였고, 동물실험에서는 발암작용을 일으켰다. 그러나 메트로니다졸이 선천성 기형을 증가시킨다는 동물 실험 결과는 거의 없었다. 메트로니다졸의 배아독성과 기형발생에 관해 여러 종류의 동물을 대상으로 실험을 하였다. 한 연구에서 쥐와 기니픽에서 기형을 보고하였으나, 다른 연구들에서는 이를 확인할 수 없었다. 토끼와 햄스터 실험에서도 기형을 발생하지 않았다.

(2) 외국의 역학연구 정보(Epidemiologic Information)

메트로니다졸은 항균제로서 트리코모나스증이나 아메바증같은 원충성 감염이나 혐기성균 감염치료에 사용되고 있다. 메트로니다졸과 발생독성에 관한 많은 증거는 없으나, 임상에서는 메트로니다졸을 임신 제1분기 때 투여하지 말고 가능한 임신 후반기 때까지 사용을 늦추거나 아니면 사용하지 말 것을 권하고 있다. 임신 기간동안 메트로니다졸은 세균성 질염치료로 사용되는데, 최근 여러 연구에서 이러한 사용이 조기분만을 유의하게 낮추지는 못했다고 보고하였다. 메트로니다졸이 인간에서 태아에 정중선 얼굴 결손 및 신경모세포종을 발생하였다는 보고가 있었으나, 대부분의 연구 결과 메트로니다졸은 태아기형을 증가시키지 않았다. 뿐만 아니라 저체중아의 빈도도 더 증가시키지 않았으며 임신 제 1분기 때 사용한 경우에도 같은 결과를 보였다. 메트로니다졸이 발암물질로 작용하는지에 관한 연구에서 5살까지 아이들의 발생빈도를 살펴보았을 때 유의하게 증가하지 않았다.

(3) 한국마더세이프전문상담센터정보(The Korean MotherSafe Counselling Center Information)

메트로니다졸에 노출된 후 추적된 임신부는 총 81례이었으며 초기 노출 후 자연유산율은 4.9%(4/81)이었다. 임신 37주 이전의 조산률은 5.5%(4/73), 2,500 g 미만의 저체중증은 1.4%(1/72) 이었다. 주요기형발생은1.4%(1/72): two skin tags(5x1mm on right ear)/left ear deformity(1)가 있었다.

3) 모유 수유시 독성 및 적합성 정보

- Lactation Risk Category: L2

- 메트로니다졸에 노출된 아이에서 심각한 부작용이 보고되지 않았다. 그러나 모유로 상당히 많은 양이 분비되므로 WHO Working Group on drugs과 human lactation에서는 다졸을 반복해서 투약받는 수유부의 경우, 특히 조숙아에게 모유수유를 하고 있는 경우에 는 이를 중단할 것을 권하고 있다.
- 한국마더세이프전문상담센터: 수유부와 수유아 10쌍 중 설사 1례가 있었다.

30 메페나믹 산(Mefenamic acid)

1) 일반적 정보(General Information)

(1) 상품명

— 찾을 수 없음

상품명	제약회사	용량	상품모양
광동메페남산정	광동제약	500 mg	—
메가판캅셀	대웅제약	250 mg	◖◗
메나펜정	영풍제약	250 mg/500 mg	◠ ◠
메페나스정	디에스엔지	250 mg/500 mg	—
포리신정	신일제약	500 mg	◠ ◠

(2) 성분: 2-(2, 3-dimethylphenyl)aminobenzoic acid

- 분자식: $C_{15}H_{15}NO_2$

(3) 임상적 적용증

- 두통, 치통, 요통, 골관절염(퇴행성 관절질환), 외상후·수술후·분만후 염증 및 동통, 부비동염에 수반하는 동통, 월경통

(4) 작용기전(Mechanism of Action)
- Mefenamic acid는 비스테로이드성소염제로 프로스타글란딘 합성의 억제에 의해서 소염과 통증감소, 해열 그리고 자궁수축억제 효과를 낸다.

(5) 약물 역동학(Pharmacokinetics)
① 경구 생체 이용률(Oral Bioavailabioity): 90%

② 분자량(MW): 241.285 g/mol

③ 단백질 결합(Protein binding): 90 %

④ 혈중최고농도 도달시간(Tmax): −

⑤ 반감기(T1/2): 2시간

(6) 약물의 상호작용(Drug Interactions)

2) 기형 발생 정보(Teratogenicity Information)

(1) 동물 실험(Animal teratology studies)

Mefenamic acid는 랫드, 토끼 등에서 구개열(cleft plate)발생과 관련된다. 또한, 랫드에서는 임신말기에 사용 시 동맥관의 조기 폐쇄를 일으킨다.

(2) 외국의 역학연구 정보(Epidemiologic Information)

Mefenamic acid를 포함한 비스테로이드성 소염제는 자연유산 증가와 관련된다는 보고가 있다. 또한, 임신 말기에 사용시 다른 비스테로이드성 소염제처럼 동맥관의 조기폐쇄와 관련될 수 있다.

(3) 한국마더세이프전문상담센터정보(The Korean MotherSafe Counselling Center Information)

메페남산에 노출된 후 추적된 임신부는 총 181례이었으며 초기 노출 후 자연유산율은 9.9%(18/181)이었다. 임신 37주 이전의 조산률은 3.8%(6/160), 2,500 g 미만의 저체중증은 3.8%(6/159)이었다. 주요기형발생은 1.3%(2/159): congenital heart defect(1), hydronephrosis(1)가 있었다.

3) 모유 수유시 독성 및 적합성 정보(Brestfeeding Compatibility Information)

- Lactation Risk Category: 분류되지 않음. 하지만, 모유로 넘어가는 양은 극소량이며 신생아에 임상적 영향은 없음.
- 한국마더세이프전문상담센터: 수유부−수유아 7쌍 중 무른 변 1례, 젖량 감소 1례가 있었다.

31 멘톨(Menthol)

1) 일반적 정보(General Information)

(1) 상품명

– 찾을 수 없음

상품명	제약회사	용량	상품모양
알킨스크림	바이넥스	L-menthol 70 mg	—
안티푸라민에스로오숀	유한양행	menthol 60 mg	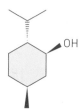
크렌발액	고려제약	menthol 10 mg	—
멘토파스로숀	경남제약	menthol 60 mg	—
물팜로오숀	현대약품	menthol 60 mg	—
피엠졸큐액	경남제약	menthol 10 mg	—
맨소래담로숀	보령제약	menthol 60 mg	—

(2) 성분

- 분자식: $C_{10}H_{20}O$

(3) 임상적 적응증(Clinical Indications)

- 복합성분 제제에 함유되어 사용됨

  ① 기관지염, 부비동염의 증상 완화

  ② 구풍제(carminatives)

  ③ 외용제로서 소양증, 두드러기, 진통, 진양, 수렴, 소염제

(4) 작용기전(Mechanism of Action)

- 천연에서는 박하(Mentha arvensis)의 전초로부터 추출, 혹은 합성으로도 생산

(5) 약물 역동학(Pharmacokinetics)

  ① 경구 생체 이용률(Oral Bioavailabioity): −

  ② 분자량(MW): 156.27 g/mol

  ③ 단백질 결합(Protein binding): −

  ④ 혈중최고농도 도달시간(Tmax): −

  ⑤ 반감기(T1/2): 소실 − 흡수된 약물은 glucuronide포합체로서 소변 및 담즙을 통해 배설

(6) 약물 상호작용(Drus Interactions)

  • Lack of information

2)기형 발생 정보(Teratogenicity Information)

(1) 동물 실험(Animal teratology studies)

 쥐를 대상으로 한 동물실험에서 간독성이 보고되었다는 연구가 있었고 다른 연구에서도 쥐와 햄스터, 토끼에서 임신중 멘톨에 노출시 기형을 발견할 수 없었다는 보고가 있었다. 멘톨을 먹인 애벌레의 성장이 감소되고 허물갈기의 이상을 보였다는 보고가 있다.

(2) 외국의 역학연구 정보(Epidemiologic Information)

 멘톨의 피부에의 노출은 전신흡수를 일으킨다. 한 연구에 따르면 glucose−6−phosphatase 결핍을 가지고 있는 아기에서 멘톨에 노출로 용혈과 핵황달을 보였다고 보고하였다.

(3) 한국마더세이프전문상담센터정보(The Korean MotherSafe Counselling Center Information)

 L−멘톨에 노출된 후 추적된 임신부는 총 161례이었으며 초기 노출 후 자연유산율은 7.5%(12/161)이었다. 임신 37주 이전의 조산률은 3.4%(5/146), 2,500 g 미만의 저체중증은 2.1%(3/145)이었다. 주요기형발생은 4.1%(6/145): necrotizing enterocolitis(1), polydactyly(1), paraurethral cyst(1), micro penis with small right testis(1), choledochal cyst(1), congenital heart defect(1)가 있었다.

3) 모유 수유시 독성 및 적합성 정보(Brestfeeding Compatibility Information)

  • Lactation risk category : L3

  • 한국마더세이프전문상담센터: 수유부와 수유아 2쌍 중 부작용 례는 없었다.

32 멜릴로투스 엑기스(Melilotus Extract)

1) 일반적 정보(General Information)

(1) 상품명

— 찾을 수 없음

상품명	제약회사	용량	상품모양
네스비론주	대한약품공업	100 mg	
마로리제캅셀	한국파비스바이오텍	250 mg	—
마로비벤주	삼진제약	100 mg, 300 mg	
마로비벤캅셀	삼진제약	250 mg	
마로투스주	신풍제약	100 mg, 300 mg	
마이벤타주	아주약품공업	100 mg	
메리로주사	휴온스	100 mg	
메리비신캅셀	경동제약	250 mg	—
멜로스캅셀	동인당제약	250 mg	—
멜빈주	세종제약	100 mg	—
멜빈캅셀	세종제약	250 mg	—
부민멜리로투스엑기스캅셀	한국마이팜	250 mg	—
에스베리벤캅셀	LG생명과학	250 mg	—
쿠마리벤캅셀	뉴젠팜	250 mg	
프로이벤캅셀	쎌라트팜코리아	250 mg	—

(2) 성분: melilotus extract

- 분자식: Lack of information

(3) 임상적 적응증(Clinical Indications)

- 외상(염좌, 골절, 타박, 좌상 등), 수술후의 연부종창으로 인한 염증의 완화
- 치질증상(출혈, 동통, 종창, 가려움)의 완화
- 정맥류

(4) 작용기전(Mechanism of Action)

- Melilotus officinalis L.의 화엽에서 추출한 제제로서 coumarin, flavonoid등을 함유
- 소염제로 사용되고 있는 의약품으로 melilotoside가 소염성분임.
- Azukisaponin V는 백혈구 유주 억제 작용(소염작용)이 있음
- 혈관순환 증가, 임파환류개선, 혈관투과성 개선, 조직 교질삼투압 상승 억제, 염증부위의 대 사기능 항진작용

(5) 약물 역동학(Pharmacokinetics) - (관련정보 찾을 수 없음).

① 경구 생체 이용률(Oral Bioavailabioity): -

② 분자량(MW): -

③ 단백질 결합(Protein binding): -

④ 혈중최고농도 도달시간(Tmax): -

⑤ 반감기(T1/2): -

(6) 약물 상호작용(Drug Interactions)

- 관련정보 찾을 수 없음.

2) 기형 발생 정보(Teratogenicity Information)

(1) 동물 실험(Animal teratology studies)

관련정보 찾을 수 없음.

(2) 외국의 역학연구 정보(Epidemiologic Information)

관련정보 찾을 수 없음.

(3) 한국마더세이프전문상담센터정보(The Korean MotherSafe Counselling Center Information)

멜릴로투스엑기스에 노출된 후 추적된 임신부는 총 65례이었으며 초기 노출 후 자연유산율은 7.8%(5/65)이었다. 임신 37주 이전의 조산률은 0.0%(0/59), 2,500 g 미만의 저체중증은

5.1%(3/59)이었다. 주요기형발생은 3.4%(2/59): right ureteropelvic junction stenosis with right scrotal hydrocele(1), VSD(1)가 있었다.

3) 모유 수유시 독성 및 적합성 정보(Brestfeeding Compatibility Information)
- 관련정보 찾을 수 없음.
- 한국마더세이프전문상담센터: 수유부와 수유아 쌍 중 노출된 례는 없었다.

33 모사프라이드(Mosapride)

1) 일반적 정보(General Information)
(1) 상품명

— 찾을 수 없음

상품명	제약회사	용량	상품모양
동광코데농정	동광제약	5 mgl	—
코데민정	성원애드콕제약	5 mg	D W

(2) 성분: 4-amino-5-chloro-2-ethoxy-N-[(4-[(4-fluorophenyl)methyl]morpholin-2-yl) methyl]benzamide
- 분자식: $C_{21}H_{25}ClFN_3O_3$

(3) 임상적 적응증(Clinical Indications)
- 기능성 소화불량(만성위염)에 수반하는 소화기능 이상

(4) 작용기전(Mechanism of Action)
- 아세틸콜린 유리를 증가시키는 5-HT4 수용체 효능제로 위장관 운동을 자극하고

5-HT3 길항효과도 나타낸다.

(5) 약물역동학(Pharmacokinetics)

① 경구 생체 이용률(Oral bioavailability): 7-47%

② 분자량(MW): 421.893 g/mol

③ 친수성(hydrophilic): -

④ 단백질 결합: 97%

⑤ 혈중최고농도 도달시간(Tmax): 0.5-1.4시간

⑥ 반감기(T1/2): 1.3-2시간

(6) 약물상호작용(Drug Interaction)

- 항콜린제와 병용 시 mosapride의 작용이 감소될 우려가 있으므로 복용간격을 두는 등의 주의가 필요하다.

2) 기형 발생 정보(Teratogenicity Information)

(1) 동물 실험(Animal test)

쥐에 수정전과 임신 첫 7일, 태아기관형성시기, 출생 전후 시기에 모사프라이드 싸이트레이트 300 mg/kg을 투여하였을 때 태아에 부작용이 나타나지 않았다. 그러나 최고 용량에서 모성독성과 태아체중 감소가 보고가 되었다. 출생 후 무게와 생존은 최고농도에서 감소하였으나 행동발달은 정상이었다. 또한 토끼에게 모사프라이드 싸이트레이트 125 mg/kg을 투여하였을 때에도 태아에 특별한 부작용이 보고되지 않았다.

(2) 외국의 역학연구 정보(Epidemiologic Information)

인간을 대상으로 한 모사프라이드 싸이트레이트 연구 결과를 찾을 수 없었다.

(3) 한국마더세이프전문상담센터정보(The Korean MotherSafe Counselling Center Information)

모사프라이드에 노출된 후 추적된 임신부는 총 132례이었으며 초기 노출 후 자연유산율은 6.1%(8/132)이었다. 임신 37주 이전의 조산률은 3.3%(4/120), 2,500 g 미만의 저체중증은 2.5%(3/121)이었다. 주요기형발생은 4.1% (5/121): Pulmonary artery stenosis(1), Imperforate anus(1), ASD with small PDA (1), VSD with aortic stenosis(1), nasolacrimal duct obstruction(1) 가 있었다.

3) 모유 수유시 독성 및 적합성 정보

- Lactation Risk Category: 찾을 수 없음.
- 한국마더세이프전문상담센터: 수유부와 수유아 19쌍 중 아기에게서 졸리움 증상 1례가 있었다.

34 미다졸람(Midazolam)

1) 일반적 정보(General Information)

(1) 상품명

— 찾을 수 없음

상품명	제약회사	용량	상품모양
도미컴주	한국로슈	5 mg / 5 mL, 15 mg / 3 mL	
도미컴정	한국로슈	7.5 mg	
미다컴주	명문제약	5 mg, 15 mg	
부광미다졸람주사	부광약품	3 mg, 5 mg/5 mL, 15 mg/3 mL	
대원미다졸람주	대원제약	5 mg/5 mL, 15 mg/3 mL	—
미졸람주	휴온스	5 mg/5 mL, 15 mg/3 mL	
바스캄주	하나제약	5 mg, 15 mg	—

(2) 성분

- 분자식: $C_{18}H_{13}ClFN_3$

(3) 임상적 적응증(Clinical Indications)

- 수술 전 진정(수면 또는 가면상태 유도 및 불안경감) 및 수술 전후의 기억력장애 목적으로 근육주사
- 기관지경 검사, 위경검사, 방광경 검사, 혈관 조영술 및 심장 카테터법과 같은 단시간 진단, 또는 내시경 검사전 의식하의 진정목적으로 단독 또는 마약성 진통제와 병용하여 정맥주사
- 다른 마취제 투여전 전신마취 유도목적으로 정맥주사 및 단시간 외과 처치시 N_2O/O_2(균형 마취)의 정맥용 보조제
- 중환자실 환자의 장기간 진정 목적으로 bolus 정맥주사 또는 지속적 정맥주입 등

(4) 작용기전(Mechanism of Action)

- 단시간 지속성 triazolobenzodiazepine계 약물로서, 염소이온의 세포막 투과성을증가시켜 신경흥분시 γ-aminobutyric acid(GABA)의 억제 효과를 촉진시켜 효과를나타낸다. 대뇌 변 연계와 망상체를 포함한 중추신경계를 모든 수준에서 억제한다.

(5) 약물 역동학(Pharmacokinetics)

① 경구 생체 이용률(Oral Bioavailabioity): 27-44%

② 분자량(MW): 326 g/mol

③ 단백질 결합(Protein binding): 97%

④ 혈중최고농도 도달시간(Tmax): 20-50분

⑤ 반감기(T1/2): 2-5시간(간경변, 울혈성심부전, 비만, 노인에서는 증가)

(6) 약물 상호작용(Drug Interactions)

- 효과 감소: theophylline 복용시 midazolam의 진정효과를 감소
- 독성 증가: 간효소(cytochrome P450 IIIA)를 저해하는 약물과 병용시 미다졸람의 진정 효과의 증가 및 연장을 유발. 이러한 약제로 시메티딘, 염산라니티딘, 에리스로마이신, 베라파 밀, 딜티아젬, 케토코나졸, 이트라코나졸등이 있음. 또한, 바르비탈계 약물 또는 다른 중추 신경억제제와 병용투여시 호흡저하 또는 무호흡 유발가능.

2) 기형 발생 정보(Teratogenicity Information)

(1) 동물 실험(Animal teratology studies)

미다졸람은 양과 사람의 태반을 빠르게 통과하는 약으로, 처음에 태아의 약물농도는 엄마의 약물농도보다 높아 제대정맥 대 모체정맥의 비율이 1에 이른다.

임신한 쥐에게 사람을 마취시킬 때 쓰는 미다졸람 농도의 4-8배되는 용량을 투여하였더니

태자에서 생후 체중증가의 저하, 행동장애를 보였으나, 동물실험에서 선천성기형을 일으키진 않았다.

(2) 외국의 역학연구 정보(Epidemiologic Information)

임신 중 미다졸람의 영향을 연구한 여러 사례가 보고되었는데, 제왕절개를 위한 척추마취전에 모체에게 미다졸람을 투여한 randomized controlled 연구에서 Apgar 점수의 저하나 신경 행동학적 이상은 대조군에 비해 증가하지 않았고, 다른 연구에서도 분만 중 진통을 치료하기 위해 펜타닐과 함께 척추내 미다졸람을 투여한 결과 대조군과 비교해서 신생아 결과에 차이가 없다고 보고하였다. 또한 임신 제 2삼분기 때 수술을 위해 미다졸람을 사용한 산모에서 태어난 두 명의 신생아에게 비정상 소견은 보이지 않았다.

그러나 한 연구에서 제왕절개 수술 직전에 미다졸람을 투여한 신생아에서 응급소생술이 필요할 정도의 호흡저하가 발견되었다고 보고하였다.

(3) 한국마더세이프전문상담센터정보(The Korean MotherSafe Counselling Center Information)

미다졸람에 노출된 후 추적된 임신부는 총 103례이었으며 초기 노출 후 자연유산율은 10.7%(11/103)이었다. 임신 37주 이전의 조산률은 4.6%(4/87), 2,500 g 미만의 저체중증은 3.4%(3/87)이었다. 주요기형발생은 3.4%(3/87): hirschsprung's disease(1), right hip mass(1), paraurethral cyst(1)가 있었다.

3) 모유 수유시 독성 및 적합성 정보(Brestfeeding Compatibility Information)

- Lactation Risk Category: L2
- 미다졸람은 모유로 분비 될 수 있는데, 보고된 모유 대 혈장비는 0.15로, 모유에서의 미다졸람 최고농도는 9ng/mL정도로 소량이고, 이는 주입한지 1–2시간안에 최고농도에 도달하며, 4시간이 지나면 미다졸람과 그 대사물질은 혈중에선 발견할 수 없다. 그러므로 산모에게 약을 주입한지 4시간 후에 모유를 먹일 경우에는 아기로 전달되는 미다졸람의 양은 극히 적어, 1998년 WHO에서는 수유중 미다졸람의 단기간 사용은 안전하다고 했다.
- 한국마더세이프전문상담센터: 수유부와 수유아 33쌍 중 젖량 감소 1례 있었다.

35 바실루스 서브틸리스(Bacillus subtilis)

1) 일반적 정보(General Information)
(1) 상품명

상품명	제약회사	용량	상품모양
메디락-베베 산	한미약품	0.25 × 108	
메디락-비타 산	한미약품	0.15 × 108	
메디락-에스 산	한미약품	0.25 × 108	
메디락-에스 장용캡슐	한미약품	0.5 × 108	
메디락-포포 산	한미약품	0.25 × 108	
비오비타 과립	일동제약	3 mg/1 g	
비오티스 정	일동제약	3 × 106, 3 mg	

(2) 성분: Bacillus subtilis

(3) 임상적 적응증(Clinical Indications)
- 정장(특히 인공영양아), 장내 이상발효, 묽은 변, 변비, 식욕부진, 영양장애(이유기, 현식아), 복부팽만감

(4) 작용기전(Mechanism of Action)
- 살아있는 생균으로 장내번식을 하여 유해한 균들의 증식을 억제함으로써 장내질병을 원인 치료하고 장을 튼튼하게 해주는 정장제

(5) 약물 역동학(Pharmacokinetics):
- 관련정보 찾을 수 없음.

(6) 약물 상호작용(Drug Interactions)

- 관련정보 찾을 수 없음.

2) 기형 발생 정보(Teratogenicity Information)

(1) 동물 실험(Animal teratology studies)

관련정보 찾을 수 없음.

(2) 외국의 역학연구 정보(Epidemiologic Information)

관련정보 찾을 수 없음.

(3) 한국마더세이프전문상담센터정보(The Korean MotherSafe Counselling Center Information)

바실러스에 노출된 후 추적된 임신부는 총 134례이었으며 초기 노출 후 자연유산율은 6.7%(9/134)이었다. 임신 37주 이전의 조산률은 5.9%(7/118), 2,500 g 미만의 저체중증은 3.4%(4/116)이었다. 주요기형발생은 1.7%(2/116): unilateral cleft lip with palate, bilateral clenched hands, ventricular septal defect(1), right microtia with invisible external orifice(1)가 있었다.

3) 모유 수유시 독성 및 적합성 정보(Brestfeeding Compatibility Information)

- 관련정보 찾을 수 없음.
- 한국마더세이프전문상담센터: 수유부와 수유아 8쌍 중 젖양변화 1례 있었다.

36 베타메타손(Betamethasone)

1) 일반적 정보(General Information)

(1) 상품명

상품명	제약회사	용량	상품모양
신일베타메타손 정	신일제약	0.5 mg	
베라마존정	삼천리제약	0.5 mg	—
베라손정	삼공제약	0.5 mg	
수도베타메타손 정	수도약품공업	0.5 mg	—

(2) 성분: glucocorticoid

- 분자식: $C_{22}H_{29}FO_5$

(3) 임상적 적응증(Clinical indicatios)

- 지루성 또는 아토피성 피부염, 신경성 피부염, 항문성기의 소양감, 건선, 염증 상태의 건피증 같은 염증성 피부병 치료

(4) 작용기전(Mechanism of Action)

- 단백질 합성 속도를 조절하고, 다형핵 백혈구와 섬유 아세포의 유주를 억제하고, 모세관 투과성을 감소시키고, 세포 수준에서 라이소좀을 안정화시켜 염증 반응을 억제한다.

(5) 약물역동학(Pharmacokinetics)

① 경구 생체 이용률(Oral bioavailability): complete

② 분자량(MW): 392 g/mol

③ 단백질 결합: 64%

④ 혈중최고농도 도달시간(Tmax): 10−36minutes

⑤ 반감기(T1/2): 5.6시간

(6) 약물 상호작용(Drug Interaction)

- 효과/독성 증가

① CYP3A4저해제(erthromycin, diltiazime, Itraconazole, ketoconazole, quinidine, verapamil) 은 betamethasone의 대사를 감소시킨다.

- 효과 감소

① Cytochrome P450 유도제(barbiturate, phenytoin, rifampin)는 betamethasone효과를 감소시 킨다.

② betamethasone과 병용시 살리실산염의 효과가 감소된다.

2) 기형 발생 정보(Teratogenicity Information)

(1) 동물 실험(Animal test)

베타메타손은 합성 글루코르티코이드로, 다른 글루코르티코이드처럼 쥐와 토끼에서 구개열 및 쥐에서 배꼽탈장의 증가와 관련이 있다.

(2) 외국의 역학연구 정보(Epidemiologic Information)

인간을 대상으로 한 역학연구에서도 임신 기간에 글루코르티코이드 노출과 구개열은 관련이 있는 것으로 보고되었으며, 여러 연구에서 교차비를 3–5 정도로 발표하였다. 또한 스테로이드에 국소적으로만 노출된 경우에도 구개열과 관련이 있다고 보고한 연구결과도 있다. 코르티코이드와 관련된 인간 연구에서, 이는 기형 증가와 관련된 증거가 없으나 구개열과의 연관성을 완전히 배제할 수는 없다고 결론지었다. 일부에서는 코르티코스테로이드와 구개열과의 연관성은 시간에 따라 약해지고 dioxin의 환경 노출이 보조인자로 작용할 수 있다고 하였다.

동물 실험과 임상관찰 결과 출생 전 코르티코스테로이드 노출 시 성장지연과 연관이 있으며 자손들 중 저체중아의 빈도 증가와 관련이 있다. 일부에서 이런 결과는 코르티코스테로이드를 투여하는 기저질환, 예를 들면 천식 자체로 인해 야기된다고 하였다. 드물지만 출생 전 베타메타손에 노출된 경우 백혈병양 반응과 연관이 있는 경우도 보고되었다.

베타메타손, 덱사메타손 및 다른 코르티코스테로이드 제제는 조기분만의 위험이 있는 산모에게 태아 폐 성숙을 위해 사용되고 있다. 두 개의 대규모 임상 연구에서 베타메타손으로 출생 전 치료받았던 조산아들에서 호흡곤란 증후군의 빈도가 감소함을 알 수 있었다. 후향 연구에서 베타메타손이 덱사메타손보다 조산아에서 periventricular leukomalacia를 예방하는 데 더 효과적이었다. 경구로 덱사메타손 투여 시 효과가 나타나지 않았고 오히려 신생아 패혈증과 뇌실내출혈의 증가를 보였다. 이러한 이유로 조기진통 시 덱사메타손 사용을 피할 것을 권한다. 조기진통 때문에 8주동안 7차례 베타메타손을 투여받았던 쿠싱양 모습을 가지고 태어난 신생아가 보고되었다. 이 아이는 출생 후 10개월 무렵 쿠싱양 모습이 완전히 사라지고 발달도 정상이었다. 이처럼 태아 부신이 억제되는 것을 피하기 위해 일부에서는 임신 29주 때까지 베타메타손을 최대 2차례 넘게는 사용하지 말 것을 권하고 있다. 베타메타손은 일시적으로 태아 심박동의 변이를 방해 할 수 있다. 이는 베타메타손이 자궁 수축을 유도할 수 있기 때문이지만, 소규모 연구에서는 진통 유발과 관련이 없다고 보고하기도 하였다.

출생 전에 코르티코스테로이드 치료를 받았던 아이들을 20세까지 추적 관찰한 연구가 있었고, 이 중 오직 2명만이 치료와 관련된 부작용을 보였다.

동맥관에 대한 베타메타손의 효과를 살펴보았을 때, 코르티코스테로이드를 처음 주입한 후 4–5시간 후에 일시적이고 경한 협착이 관찰 되었으며, 폐 성숙 강화를 위해 스테로이드 투여 후 태동이 감소됨이 보고되었다.

조기진통이 있는 산모에게 베타메타손을 일주일에 한 번 코스이상 사용 하는 경우, 출생 후 부정적인 영향을 미칠 것으로 우려되어 이에 대한 2개의 연구가 진행되었다. 2세 때까지 추적 관찰한 결과 신경학적으로 또는 다른 건강적인 문제에 있어서 횟수에 따른 차이는 없었다.

(3) 한국마더세이프전문상담센터정보(The Korean MotherSafe Counselling Center Information)

베타메타손에 노출된 후 추적된 임신부는 총 21례이었으며 초기 노출 후 자연유산율은

9.5%(2/21)이었다. 임신 37주 이전의 조산률은 0.0%(0/19), 2,500 g 미만의 저체중증은 5.3%(1/19)이었다. 주요기형발생은 없었으나 소기형이 nevus on right elbow(1), left club foot(1)으로 2예가 있었다.

3) 모유 수유시 독성 및 적합성 정보

- Lactation Risk Category: L3
- 수유 시 베타메타손 사용과 관련된 자료는 없으나, American Academy of Pediatrics 에서는 코르티코스테로이드, 프레드니손, 프레드니솔론을 모유 수유에 적합한 것으로 분류하였다.
- 한국마더세이프전문상담센터: 수유부와 수유아 6쌍 중 부작용 례는 없었다.

37 벤지다민(Benzydamine)

1) 일반적 정보(General Information)

(1) 상품명

— 찾을 수 없음

상품명	제약회사	용량	상품모양
벤나민정	한국슈넬제약	25 mg	
벤다액	한불제약	1.5 mg	
벤다졸정	한국웨일즈제약	25 mg	
벤톨액	태준제약	1.5 mg	
삼아탄툼액	삼아제약	1.5 mg	
안티스액	동인당제약	1.5 mg	
이텍스벤지다민액	이텍스제약	1.5 mg	

— 찾을 수 없음

상품명	제약회사	용량	상품모양
키목넥스정	목산약품	25 mg	—
탄툼베르데네뷸라이저	삼아제약	150 mg	

(2) 성분

- 분자식: $C_{19}N_3O$

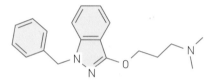

(3) 임상적 적응증(Clinical Indications)

- 해열, 진통, 소염제

(4) 작용기전(Mechanism of Action)

- Non-steroidal anti-inflammatory drugs(NSAIDs)로서 arachidonic acid에서 프로스타글란딘의 합성을 억제하여 진통, 항염증, 해열작용을 지니며, 기타 진해, 피부재생, 기관지수축 억제, 진경작용을 가짐.

(5) 약물 역동학(Pharmacokinetics)

① 경구 생체 이용률(Oral Bioavailabioity): −

② 분자량(MW): 309.405 g/mol

③ 단백질 결합(Protein binding): 〈 20%

④ 혈중최고농도 도달시간(Tmax): 4시간

⑤ 반감기(T1/2): 13 시간

(6) 약물 상호작용(Drug Interactions)

① 다른 소염진통제와 병용은 피하는 것이 바람직하다.

② 효과저하

− ACE 저해제의 항고혈압효과 감소

− 푸로세마이드(furosemide)의 나트륨 뇨배설 효과를 감소시켜 신부전 유발 가능성 증가

③ 독성증가

− 아스피린 병용시 중증의 위장관계 이상 반응의 발생 위험 증가

- 리튬: NSAIDs의 신장에서의 프로스타글란딘 합성 억제에 의해 혈청 리튬의 농도를 증가, 리튬의 신장배설 감소.
- 메토트렉세이트(methotraxate)의 독성을 증가시킨다.
- 와파린: 위장관계 출혈에 대하여 상승작용

2) 기형 발생 정보(Teratogenicity Information)

(1) 동물 실험(Animal teratology studies)

임신 초기의 쥐에게 벤지다민을 복용 또는 피하주사를 한 실험에서 몇몇 성장지연은 보였으나 태자의 기형은 발견할 수 없었다. 다른 연구에서는 임신 말기의 쥐를 대상으로 한 실험에서 태자 크기의 감소와 생존율의 감소를 보고하였으나, 태자크기의 감소는 모체 독성에 의한 이차적인 결과라고 추측하였다.

임신 후반기에 NSAIDs의 복용은 조기 동맥관 폐쇄의 일으킨다고 되어 있으나 쥐를 대상으로한 다른 연구에서는 100 mg/kg의 고용량에서도 이를 발견할 수 없었다.

(2) 외국의 역학연구 정보(Epidemiologic Information)

임신 제 1삼분기에 NSAIDs에 노출된 경우 유산의 증가를 보고한 두 연구가 있고, 사람에서 기형을 일으키진 않으나 임신후반기에 복용시 조기 동맥관 폐쇄를 일으켰다는 보고가 있다.

(3) 한국마더세이프전문상담센터정보(The Korean MotherSafe Counselling Center Information)

벤지다민에 노출된 후 추적된 임신부는 총 65례이었으며 초기 노출 후 자연유산율은 4.6%(3/65)이었다. 임신 37주 이전의 조산률은 1.6%(1/61) , 2,500 g 미만의 저체중증은 3.3%(2/61)이었다.

주요기형발생률은 1.6%(1/61): nasolacrimal duct obstruction with ptosis(1)가 있었다.

3) 모유 수유시 독성 및 적합성 정보(Brestfeeding Compatibility Information)

- 관련정보 찾을 수 없음.
- 한국마더세이프전문상담센터: 수유부와 수유아 쌍 중 노출된 례는 없었다.

38 브로멜라인(Bromelain)

1) 일반적 정보(General Information)

(1) 상품명

— 찾을 수 없음

상품명	제약회사	용량	상품모양
대원브로멜라인 장용정	대원제약	45 mg	
롬멜 장용정	한국웨일즈제약	100 mg	
멜라제 장용정	동광제약	45 mg	
벨라제 정	한국유니온제약	45 mg	
부로멜라 장용정	명문제약	45 mg, 100 mg	
브로라인 장용정	동구제약	100 mg	—
브로멜린 장용정	일동제약	45 mg	
브로자임 정	미래제약	45 mg	—
브로젠 정	대우약품공업	45 mg	—

(2) 성분: 찾을 수 없음.

(3) 임상적 적응증(Clinical indicatios)

- 소화제
- 연조직 염증과 부종의 보조 치료제
- 혈전 생성, 종양 성장을 억제시킨다.

(4) 작용기전(Mechanism of Action)

- 파인애플에서 유래된 단백분해효소 복합체로 주성분은 단백분해효소이나 소량의 acid phospahtase, peroxidase 와 몇가지 단백분해효소 억제제, 유기물에 결합된 칼슘이 함유되어 있다.

(5) 약물 역동학(Pharmacokinetics)

① 경구 생체 이용률(Oral bioavailability): 2-4%

② 분자량(MW): –

③ 단백질 결합: –

④ 혈중최고농도 도달시간(Tmax): 24-51시간

⑤ 반감기(T1/2): 6-9시간

(6) 약물상호작용(Drug Interaction)

- 항응고제, 저분자량 헤파린, 혈전 용해제와의 병용 투여시 출혈 위험이 증가할 수 있다.

2) 기형 발생 정보(Teratogenicity Information)

(1) 동물 실험(Animal test)

임신이나 수유 중 브로멜라인의 사용에 대한 연구는 아직 명확히 연구된 바 없다.

(2) 외국의 역학연구 정보(Epidemiologic Information)

이 제제는 항염증제제와 같은 단백분해 효소의 복합제제이다. 한 산전 연구에서 단백분해효소의 복용과 임신중 해로운 결과와는 연관되지 않은 것으로 나타났다.

1950년도에 브로멜라인은 자궁 방사선 검사에 필요한 점액용해제로 사용되었으며, 생리통 치료로 질에 삽입하는 약재로 사용되었다. 브로멜라인과 트립신이 혼합된 제제인 키모탭은 수유부에서 젖몸살을 치료하는데 위약에 비해 더 효과적이다. 임신이나 수유 중 브로멜라인의 사용에 대한 연구는 아직 명확히 연구된 바 없다.

(3) 한국마더세이프전문상담센터정보(The Korean MotherSafe Counselling Center Information)

브로멜라인에 임신 초기 노출 후 자연유산율은 2.9%이며, 인공유산은 8.6%이었다. 한편, 37주 이전의 조산률은 10.0%이며, 2,500g 미만의 저체중증은 1.7%이었으며, 기형아 발생률은 0%(0/60)이었다.

3) 모유 수유시 독성 및 적합성 정보(Breastfeeding Compatibility Information)

- 수유 중 보고된 자료 찾을 수 없음.
- 한국마더세이프전문상담센터: 수유부와 수유아 11쌍 중 설사 1례, 젖량 감소 1례 있었다.

39 브롬페니라민(Brompheniramine maleate)

1) 일반적 정보(General Information)

(1) 상품명

— 찾을 수 없음

상품명	제약회사	용량	상품모양
베아코에프 정	대웅제약	2 mg	D.W
콤비-코 정	신일제약	2 mg	—

(2) 성분

- 분자식: $C_{16}H_{19}BrN_2 \cdot 4H_4O_4$

(3) 임상적 적응증(Clinical Indications)

- Pseudoephedrine, acetaminophen과의 복합제: 감기의 제증상(콧물, 코막힘, 재채기, 인후 통, 기침, 오한, 발열, 두통, 관절통, 근육통)의 완화
- 알리지성 비염, 아나필락시스시 epinephrine의 보조요법, 두드러기, urticarial transfusion reation, 혈관운동성 비염

(4) 작용기전(Mechanism of Action)

- H1-수용체를 길항함으로써 히스타민에 의한 혈관 반응을 억제

(5) 약물 역동학(Pharmacokinetics)

① 경구 생체 이용률(Oral Bioavailabioity): complete

② 분자량(MW): 319.24 g/mol

③ 단백질 결합(Protein binding): -

④ 혈중최고농도 도달시간(Tmax): 3.1시간

⑤ 반감기(T1/2): 24.9 시간

(6) 약물 상호작용(Drug Interactions)

- 독성 증가(중추신경계 억제): 중추신경 억제제, MAOIs(monoamine oxidase inhibitors), 삼 환계 항우울제(TCA), 알코올

2) 기형 발생 정보(Teratogenicity Information)

(1) 동물 실험(Animal teratology studies)

관련정보 찾을 수 없음.

(2) 외국의 역학연구 정보(Epidemiologic Information)

Collaborative Perinatal Project에서 조사한 바에 따르면 브롬페니라민에 노출된 65명의 산모에서 10명의 신생아에서 기형이 보고되었는데, 3명에서 다지증이 발견되었다. 브롬페니라민

의 기형에 대한 상대적 위험도는 2.34로 5가지 다른 항히스타민제보다도(0.81-1.25) 더 높다고 하였다. 하지만 브롬페니라민이 기형의 원인물질이라고 단정짓기에는 환자의 수가 너무 적다고 지적하였고, 최근 연구에 의하면 임신 제 1삼분기에 브롬페니라민에 노출된 34명의 산모에서 중요기형이 증가되진 않았다고 보고하였다.

(3) 한국마더세이프전문상담센터정보(The Korean MotherSafe Counselling Center Information)

브롬페니라민에 임신 초기 노출 후 자연유산율은 8.3%이며, 인공유산은 6.7%이었다. 한편, 37 주 이전의 조산률은 2.0%이며, 2,500 g 미만의 저체중증은 15.5%이었으며, 기형아 발생률은 4.2% (1/48)이었다. 포함된 기형들은 PDA(1)가 있었다.

3) 모유 수유시 독성 및 적합성 정보(Brestfeeding Compatibility Information)

- Lactation Risk Category: L3
- 비록 모유로 분비되는 브롬페니라민의 양은 적으나 많은 연구에서 신생아의 irritability, excessive crying 그리고 sleep disturbance 등을 보고하였다. 또한 복합제제로 사용되는 성분인 pseudoephedrine은 모유의 양을 줄일 수 있으므로 주의해야 한다.
- 한국마더세이프전문상담센터: 수유부와 수유아 쌍 중 노출된 례는 없었다.

40 브롬헥신(Bromhexine)

1) 일반적 정보(General Information)

(1) 상품명

— 찾을 수 없음

상품명	제약회사	용량	상품모양
대웅 염산브롬헥신 정	대웅제약	8 mg	—
뮤코졸 정	부광약품	8 mg	
부리펜트 정	삼환제약	8 mg	—
비졸본 정	한국베링거인겔하임	8 mg	
비졸본 주	한국베링거인겔하임	4 mg/2 mL	
신일 브롬헥신염산염 정	신일제약	8 mg	

— 찾을 수 없음

상품명	제약회사	용량	상품모양
신풍 염산염산브롬헥신 주	신풍제약	4 mg/2 mL	
영풍 염산염산브롬헥신 정	영풍제약	8 mg	—
유니온 염산브롬헥신 주	한국유니온제약	4 mg/2 mL	
청계 부롬헥신 정	청계제약	16 mg	—

(2) 성분: 2,4−dibromo−6−{[cyclohexyl(methyl)amino]methyl}aniline

- 분자식: $C_{14}H_{20}Br_2N_2$

(3) 임상적 적응증(Clinical Indications)

- 급·만성 기관지염, 폐결핵, 진폐증, 수술 후, 기관지확장증에서의 객담배출 곤란

(4) 작용기전(Mechanism of Action)

- benzylamine 유도체로 담 용적을 증가시키고 기관지분비물의 점도를 감소시킨다.
- 당단백 섬유의 가수분해를 유도하며 섬모 상피세포의 활성을 촉진시킨다.

(5) 약물역동학(Pharmacokinetics)

① 경구 생체 이용률(Oral bioavailability): −

② 분자량(MW): 376.13 g/mol

③ 친수성(hydrophilic): −

④ 단백질 결합: 찾을 수 없음.

⑤ 혈중최고농도 도달시간(Tmax): 1시간

⑥ 반감기(T1/2): 6.5시간

(6) 약물상호작용(Drug Interaction)

- 찾을 수 없음.

2) 기형 발생 정보(Teratogenicity Information)

(1) 동물 실험(Animal test)

　쥐와 토끼에 염산암브록솔 을 고용량 투여하였을 때 생기는 기형유발과 생식계 독성을 평가한 결과 안심해도 된다고 보고하였다.

(2) 외국의 역학연구 정보(Epidemiologic Information)

　브롬헥신의 대사물인 염산암브록솔(ambroxol)은 조기분만 위험이 높은 산모들에게 태아 폐성숙유도체로 이용된다. 24주와 34주에 태어난 아이들 중 염산암브록솔 로 치료받은 42명과 치료받지 않은 46명 두군 사이의 유의한 차이는 없었다.

(3) 한국마더세이프전문상담센터정보(The Korean MotherSafe Counselling Center Information)

　브롬헥신에 노출된 후 추적된 임신부는 총 83례이었으며 초기 노출 후 자연유산율은 6.0%(5/83)이었다. 임신 37주 이전의 조산률은 3.9%(3/77), 2,500 g 미만의 저체중증은 1.3%(1/76)이었다. 주요기형발생은 2.6%(2/76): ASD with PDA(1), PDA(1)가 있었다.

3) 모유 수유시 독성 및 적합성 정보

- 관련정보 찾을 수 없음.
- 한국마더세이프전문상담센터: 수유부와 수유아 2쌍 중 부작용 례는 없었다.

41 비사코딜(Bisacodyl)

1) 일반적 정보(General Information)

(1) 상품명

— 찾을 수 없음

상품명	제약회사	용량	상품모양
한국베링거인겔하임	둘코락스좌약	10 mg	
태극제약	레오락스정	5 mg	—
신일제약	신일비사코딜정	5 mg	
쎌라트팜코리아	네리막스정	5 mg	
영일제약	듀오락스정	5 mg	

– 찾을 수 없음

상품명	제약회사	용량	상품모양
명인제약	메이킨에스정	4 mg	
비코그린정	코오롱제약	6 mg	
비코센정	바이넥스	5 mg	
세라실정	영일제약	5 mg	
센코딜정	광동제약	6 mg	
테노락스정	진양제약	4 mg	

(2) 성분: Bisacodyl

- 분자식: $C_{22}H_{19}NO_4$

(3) 임상적 적응증(Clinical Indications)

- 변비

(4) 작용기전(Mechanism of Action)

- 비사코딜은 자극성 하제이다. 전형적으로 변비를 해소하고, 신경성장기능이상을 개선한다.

(5) 약물역동학(Pharmacokinetics)

① 경구 생체 이용률(Oral bioavailability): 15%

② 분자량(MW): 361.391 g/mol

③ 단백질 결합: −

④ 혈중최고농도 도달시간(Tmax): −

⑤ 반감기(T1/2): 16시간

(6) 약물상호작용(Drug Interaction)

- 효과/독성 증가

- 효과 감소

  ① 진통 효과 감소

  ② 흡수 감소

2) 기형 발생 정보(Teratogenicity Information)

(1) 동물 실험(Animal test)

관련정보 찾을 수 없음.

(2) 외국의 역학연구 정보(Epidemiologic Information)

관련정보 찾을 수 없음.

(3) 한국마더세이프전문상담센터정보(The Korean MotherSafe Counselling Center Information)

비사코딜에 노출된 후 추적된 임신부는 총89례이었으며 초기 노출 후 자연유산율은 6.7%(6/89)이었다. 임신 37주 이전의 조산률은 4.9%(4/81), 2,500 g 미만의 저체중증은 2.5%(2/81)이었다. 주요기형발생은 1.2%(1/81): micro penis with small right testis(1)가 있었다.

3) 모유 수유시 독성 및 적합성 정보

- Lactation risk category: L2

- 한국마더세이프전문상담센터: 수유부와 수유아 2쌍 중 부작용례는 없었다.

42 비오디아스타제(Biodiastase, biotamylase)

1) 일반적 정보(General Information)

(1) 상품명: 단일제제 없음

상품명	제약회사	용량	상품모양
비오알정	유니메드제약	100 mg	
이알정	한림제약	100 mg	

(2) 성분: Biodiastase, biotamylase

(3) 임상적 적응증(Clinical indicatios)

- 지사제

- 정장제

(4) 작용기전(Mechanism of Action)

- 장내 세균으로 장의 운동과 소화작용을 도와준다.

(5) 약물 역동학(Pharmacokinetics)(찾을 수 없음)

① 경구 생체 이용률(Oral bioavailability): −

② 분자량(MW): −

③ 친지질성(Lipophilic): −

④ 단백질 결합: −

⑤ 혈중최고농도 도달시간(Tmax): −

⑥ 반감기(T1/2): −

(6) 약물상호작용(Drug Interaction)

- 찾을 수 없음.

2) 기형 발생 정보(Teratogenicity Information)

(1) 동물 실험(Animal test)

관련 정보 찾을 수없음.

(2) 외국의 역학연구 정보(Epidemiologic Information)

관련 정보 찾을 수 없음.

(3) 한국마더세이프전문상담센터정보(The Korean MotherSafe Counselling Center Information)

비오디아스타제에 노출된 후 추적된 임신부는 총149례이었으며 초기 노출 후 자연유산율은 10.1 %(15/149)이었다. 임신 37주 이전의 조산률은 6.4%(8/125), 2,500g 미만의 저체중증은 4.8%(6/126)이었다. 주요기형발생은 1.6%(2/126): Mega cisterna magna(13.6mm)(1), fetal hydrops(1)(출생후에도 있었는지 확인이 필요합니다.)가 있었다. 그리고 사산 2례가 있었다.

3) 모유 수유시 독성 및 적합성 정보(Breastfeeding Compatibility Information)

- 관련 정보 찾을 수 없음.

- 한국마더세이프전문상담센터: 수유부와 수유아 13쌍 중 부작용례는 없었다.

43 세라티오펩티다제(Serratiopeptidase)

1) 일반적 정보(General Information)

(1) 상품명

상품명	제약회사	용량	상품모양
다나진정	쎌라트팜코리아	5 mg	
디오다젠정	영풍제약	5 mg	
셀젠타정	보람제약	5 mg	
셀타제정	케이엠에스제약	5 mg	
아미타제정	동광제약	5 mg	
파마타제정	한국파마	10 mg	
펩티라제정	국제약품공업	5 mg	
프로라제정	한올제약	5 mg	
필라제정	일양약품	5 mg	

(2) 성분: 찾을 수 없음.

(3) 임상적 적응증

- 관절염, 근육손상, 부비동염, 기관지염, 유방의 통증을 동반한 울혈에 사용

(4) 작용기전(Mechanism of Action)

- 비병원성 장내세균인 Serratia E15에서 분리된 단백 분해 효소로 항염증 효과.

(5) 약물 역동학(Pharmacokinetics)(찾을 수 없음)

① 경구 생체 이용률(Oral Bioavailabioity): −

② 분자량(MW): −

③ 단백질 결합(Protein binding): −

④ 혈중최고농도 도달시간(Tmax): −

⑤ 반감기(T1/2): −

(6) 약물의 상호작용(Drug Interactions)

2) 기형 발생 정보(Teratogenicity Information)

(1) 동물 실험(Animal teratology studies)

　Serratiopeptidase의 기형발생관련 동물실험 보고 없음.

(2) 외국의 역학연구 정보(Epidemiologic Information)

　Serratiopeptidase의 기형발생관련 역학 연구 아직 보고 없음.

(3) 한국마더세이프전문상담센터정보(The Korean MotherSafe Counselling Center Information)

　쎄라티오펩티다제에 노출된 후 추적된 임신부는 총218례이었으며 초기 노출 후 자연유산율은 7.3%(16/218)이었다. 임신 37주 이전의 조산률은 0.0%(0/199), 2,500 g 미만의 저체중증은 3.6%(7/197)이었다. 주요기형발생은 1.0%(2/197): PDA(1), wrist drop left(1)가 있었다.

3) 모유 수유시 독성 및 적합성 정보(Brestfeeding Compatibility Information)

- Lactation Risk Category: 분류되어 있지 않음.
- 한국마더세이프전문상담센터: 수유부–수유아 13쌍 중 젖량 감소 1례 있었다.

44 세티리진(Cetirizine)

1) 일반적 정보(General Information)

(1) 상품명

상품명	제약회사	용량	상품모양
세티진정	삼남제약	10 mg	
신일세티리진정	신일제약	10 mg	
지르텍정	한국유씨비	10 mg	
알레리진정	이연제약	10 mg	

상품명	제약회사	용량	상품모양
알비텍정	아주약품공업	10 mg	
씨판정	한국프라임제약	5 mg	
카이진정	대우약품공업	10 mg	

(2) 성분: (±)-[2-[4-[(4-chlorophenyl)phenylmethyl]-1-piperazinyl] ethoxy]acetic acid, dihydrochloride

- 분자식: $C_{21}H_{25}ClN_2O_3$

(3) 임상적 적응증

- 알레르기, 꽃가루 알레르기, 두드러기

(4) 작용기전(Mechanism of Action)

- 염산세티리진은 매우 강한 항히스타민제인 hydroxyzine의 주요 대사물이다. 하지만 중추신경계로의 전달은 매우 적다.

(5) 약물 역동학(Pharmacokinetics)

① 경구 생체 이용률(Oral Bioavailabioity): 70%

② 분자량(MW): 388.89 g/mol

③ 단백질 결합(Protein binding): 93%

④ 혈중최고농도 도달시간(Tmax): 1.7시간

⑤ 반감기(T1/2): 8.3시간

(6) 약물의 상호작용(Drug Interactions)

- 알코올이나 중추신경계 진정제 사용 시 진정효과 증가

2) 기형 발생 정보(Teratogenicity Information)

(1) 동물 실험(Animal teratology studies)

랫드, 토끼와 같은 동물실험에서 human dose의 약 500배의 용량에서도 기형발생률은 증가되지 않는 것으로 보고 되어 있다.

(2) 외국의 역학연구 정보(Epidemiologic Information)

55명의 염산세티리진 노출군과 노출이 없었던 군 사이에 정상아 출산률, 자연유산 그리고 사산률에 있어서 차이가 없었으며, 한편 다른 연구에서도 기형발생률의 차이는 없는 것으로 나타났다.

(3) 한국마더세이프전문상담센터정보(The Korean MotherSafe Counselling Center Information)

염산세티리진 노출된 후 추적된 임신부는 총 210례이었으며 초기 노출 후 자연유산율은 2.9%(6/210)이었다. 임신 37주 이전의 조산률은 6.1%(12/196), 2,500 g 미만의 저체중증은 3.1%(6/196)이었다. 주요기형발생은 4.0%(8/196): PDA(2), right renal cysts(1), bilateral inguinal hernia(1), imperforate anus(1), liver mass(1), right radial nerve palsy with wrist and hand drop(1), knee rigidity(1)가 있었다. 그리고 사산 1례가 있었음.

3) 모유 수유시 독성 및 적합성 정보(Brestfeeding Compatibility Information)(2)

- Lactation Risk Category: L2
- 한국마더세이프전문상담센터: 수유부-수유아 7쌍 중 부작용례는 없었다.

45 세파드록실(Cefadroxil)

1) 일반적 정보(General Information)

(1) 상품명

— 찾을 수 없음

상품명	제약회사	용량	상품모양
광동세파드록실캅셀	광동제약	500 mg	
국제세파드록실캡슐	국제약품공업	500 mg	
근화 세파드록실캅셀	근화제약	500 mg	—
뉴젠팜세파드록실캅셀	뉴젠팜	250 mg, 500 mg	

— 찾을 수 없음

상품명	제약회사	용량	상품모양
뉴파드캡슐	에스피씨	500 mg	—
대웅세파록실캅셀	대웅제약	500 mg	CFR500
대화세파드록실캡슐	대화제약	500 mg	CFD500
데록실캡슐	한국웨일즈제약	500 mg	—
동성세파드록실500 mg캅셀	동성제약	500 mg	—
듀리세프캅셀500 mg	보령제약	500 mg	Duricef 556
드라실캅셀500 mg	삼진제약	500 mg	—
드로세프캅셀500 mg	대우약품공업	500 mg	
드로파캡슐	그린제약	500 mg	—
드로파캡슐	한국코아제약	500 mg	—
메디세파캅셀	보람제약	500 mg	BPH
명문세파드록실캅셀	명문제약	250 mg, 500 mg	—

(2) 성분

- 분자식: $C_{18}H_{18}N_6O_5S_2$

(3) 임상적 적응증(Clinical Indications)

- 신우신염, 방광염, 요도염, 피부 및 피부조직감염증, 인두염, 편도염

(4) 작용기전(Mechanism of Action)

- 제 1세대 cephalosporin계 항균제로서 세균의 세포벽합성을 차단하여 G(+) 및 일부 호

기성 G(-)에 살균 효과를 지님

(5) 약물 역동학(Pharmacokinetics)

① 경구 생체 이용률(Oral Bioavailabioity): 100%

② 분자량(MW): 381 g/mol

③ 단백질 결합(Protein binding): 20%

④ 혈중최고농도 도달시간(Tmax): 1-2시간

⑤ 반감기(T1/2): 1.5시간(신부전시 20-24시간)

(6) 약물 상호작용(Drus Interactions)

- Cefadroxil의 신독성 증가: Acetazolamide, altizide, amfomycin, amikacin, bacitracin, bekanamycin, bendroflumethiazide, benzylhydrochlorothiazide, bumetanide, butizide, carboplatin, chlorcothiazide, chlortalidone
- 약물 효과 감소: Chlorotrianisene, chlortetracycline, cisplatin

2) 기형 발생 정보(Teratogenicity Information)

(1) 동물 실험(Animal teratology studies)

세파드록실을 복용시킨 임신한 토끼와 쥐를 대상으로 한 실험에서 기형의 증가는 보이지 않았고, 사람용량의 11배까지 복용한 쥐를 대상으로 한 연구에서도 불임이나 임신에의 영향은 없었다고 보고하였다.

(2) 외국의 역학연구 정보(Epidemiologic Information)

세팔드록실을 산모가 복용할 경우 이는 태아에게 전달된다. 혈중 단백질결합이 높고 빌리루빈을 유리시키는 세파졸린과 같은 다른 세팔로스포린과는 달리 세파드록실은 20%만이 단백질에 결합하고, 따라서 신생아 핵황달의 위험은 거의 없다. 한 연구에서 임신중 세팔로스포린과 선천성기형은 연관이 없다고 보고하였다.

(3) 한국마더세이프전문상담센터정보(The Korean MotherSafe Counselling Center Information)

세파드록실에 노출된 후 추적된 임신부는 총 83례이었으며 초기 노출 후 자연유산율은 4.8%(4/83)이었다. 임신 37주 이전의 조산률은 6.8%(5/73), 2,500 g 미만의 저체중증은 4.1%(3/74)이었다. 주요기형발생은 2.7%(2/74): PDA(1), right renal cysts(1)가 있었다.

3) 모유 수유시 독성 및 적합성 정보(Brestfeeding Compatibility Information)

- Lactation Risk Category: L1
- 세파드록실의 일부는 모유에 분비된다. 모유수유중 이를 복용했을 때 신생아에게 생길

수 있는 문제는 장내세균총의 변화로 신생아가 열이 났을 때 균배양 해석을 방해할 수 있다고 보고한 연구가 있었다. 그러나 미국소아과학회와 WHO에서는 수유중 세파드록실의 사용이 가능하다고 명시하였다.

- 한국마더세이프전문상담센터: 수유부와 수유아 3쌍 중 부작용례는 없었다.

46 세파클러(Cefaclor)

1) 일반적 정보(General Information)

(1) 상품명

상품명	제약회사	용량	상품모양
광동세파클러캅셀	동광제약	250 mg	
근화세파클러캅셀	근화제약	250 mg	
넬슨세파클러캅셀	한국넬슨제약	250 mg / 500 mg	
뉴포린서방정	한국유나이티드제약	375 mg	
세파록스캅셀	한국휴텍스제약	250 mg	
신일세파클러건조시럽	신일제약	125 mg	
크로세프캅셀	한미약품	250 mg	

(2) 성분: (6R, 7R)-7-{[(2R)-2-amino-2-phenylacetyl]amino}-3-chloro-8-oxo-5-thia-1-azabicyclo[4.2.0]oct-2-ene-2-carboxylic acid

- 분자식: $C_{15}H_{14}ClN_3O_4S$

(3) 임상적 적응증

- 중이염, 신우신염, 폐렴, 모낭염, 창상감염 등

(4) 작용기전(Mechanism of Action)

- Cefaclor는 2세대 세팔로스포린계항생제로, 페니실린과 유사한 항균작용을 한다. 광범

위항생제로서 그람 양성, 그람 음성 균주에 효과적이다.

(5) 약물 역동학(Pharmacokinetics)

① 경구 생체 이용률(Oral Bioavailabioity): 100%

② 분자량(MW): 367.808 g/mol

③ 단백질 결합(Protein binding): 25%

④ 혈중최고농도 도달시간(Tmax): 0.5-1시간

⑤ 반감기(T1/2): 0.6-0.9 시간

(6) 약물의 상호작용(Drug Interactions)

- Probenecid는 신장배설을 감소시킴으로써 세팔로스포린계 약물의 농도를 높인다.

2) 기형 발생 정보(Teratogenicity Information)

(1) 동물 실험(Animal teratology studies)

Cefaclor의 랫드, 토끼에서의 기형발생 실험에서 기형을 유발하지 않는 것으로 나타났다.

(2) 외국의 역학연구 정보(Epidemiologic Information)

Czeizel등의 환자-대조군 연구에서 세팔로스포린계 항생제와 선천성기형발생과의 연관성은 나타나지 않았다.

(3) 한국마더세이프전문상담센터정보(The Korean MotherSafe Counselling Center Information)

세파클러에 노출된 후 추적된 임신부는 총 270례이었으며 초기 노출 후 자연유산율은 7.4%(20/270)이었다. 임신 37주 이전의 조산률은 4.6%(11/241), 2,500 g 미만의 저체중증은 4.2%(10/238)이었다. 주요기형발생은4.9%(/241): Pulmonary artery stenosis(1), dimpling/dolicocephaly/minimal pneumothorax or skin fold at right chest(1), ASD with small PDA(1), ASD(1) right ureteropelvic junction stenosis with right scrotal hydrocele(1), persistent fetal circulation/pneumothorax/unspecified seizure/right cleft palate unspecified/accessory thumb right/ptosis of left eye(1), fetal hydrops(1), nasolacrimal duct obstruction(1)가 있었다.

3) 모유 수유시 독성 및 적합성 정보(Brestfeeding Compatibility Information)

- Lactation Risk Category: L1
- 한국마더세이프전문상담센터: 수유부-수유아 23쌍 중 젖양감소 2례 있었다.

47 세프라딘(Cephradine)

1) 일반적 정보(General Information)

(1) 상품명

— 찾을 수 없음

상품명	제약회사	용량	상품모양
동광세프라딘캅셀	동광제약	500 mg	—
세딘캅셀	동성제약	250 mg/200 mg	—
원프라딘캅셀	대원제약	500 mg	—
브로드세프시럽	일성신약	125 mg/5 mL 250 mg/5 mL	
유니온세프라딘캡슐	한국유니온제약	500 mg	—
중외세프라딘주1g	중외제약	1 g	
라딘캡슐	티디에스팜	500 mg	—
트리세프주	국제약품공업	1 g	—

(2) 성분: Cephradine

- 분자식: $C_{16}H_{19}N_3OS$

(3) 임상 적응증(Clinical indications)

- 편도염, 인두염, 대염성 폐렴, 기관지염, 방광염, 신우신염, 요도염, 전립선염, 농양, 연조직염, 종기, 농가진, 중이염

(4) 작용기전(Mechanism of Action)

- 세프라딘은 박테리아의 세포벽에 존재하는 penicillin-binding proteins(PBPs)에 결합하여, 박테리아의 세포벽 형성의 3번째와 마지막 단계를 억제한다. 따라서 PBP-mediated cell wall synthesis를 억제하여 세포의 용해를 일으킨다.

(5) 약물역동학(Pharmacokinetics)

① 경구 생체 이용률(Oral bioavailability): complete

② 분자량(MW): 349

③ 단백질 결합: 8–17%

④ 혈중최고농도 도달시간(Tmax): 1시간

⑤ 반감기(T1/2): 0.7–2시간

(6) 약물 상호작용(Drug Interaction)

- 아미노글라이코사이드계 항생제, colistin, potent loop diuretics(e.g., furosemide, ethacrynic acid), polymyxin B, 혹은 vancomycin과 병용 시에 신독성(nephrotoxicity)을 일으킬 수 있으나, 기존의 세팔로스포린계 항생제들에 비하여서는 낮다.

- 항생제들을 병용하는 경우 길항작용을 일으킬 수 있으나, 세프라딘과 테트라싸이클린 간에는 길항작용이 나타나지 않는다.

2) 기형 발생 정보(Teratogenicity Information)

(1) 동물 실험(Animal test)

설치류의 실험에서 세프라딘은 생식독성을 일으키지 않았다.

(2) 외국의 역학연구 정보(Epidemiologic Information)

임신 제 1삼분기에 세프라딘에 노출된 54명을 대상으로 한 연구에서 태아 기형 발생 위험율을 증가시키지 않았다. 일반적으로 세팔로스포린계 항생제는 역학연구에서 태아 기형을 증가시키지 않는 것으로 보고되고 있다.

(3) 한국마더세이프전문상담센터정보(The Korean MotherSafe Counselling Center Information)

세프라딘에 노출된 후 추적된 임신부는 총 110례이었으며 초기 노출 후 자연유산율은 5.4%(6/110)이었다. 임신 37주 이전의 조산률은 5%(5/100), 2,500 g 미만의 저체중증은 3.1%(3/98)이었다. 주요기형발생은 없었다.

3) 모유 수유시 독성 및 적합성 정보

- Lactation Risk Category: 관련정보 찾을 수 없지만, 같은 계통의 약물 안전한 것으로 알려짐

- 세프라딘은 모유로 소량 배출되며, 현재까지는 수유 중 세프라딘 투여로 인한 신생아의 독성 반응에 대한 연구는 없다.

- 한국마더세이프전문상담센터: 수유부–수유아 10쌍 중 부작용례는 없었다.

48 소브레롤(Sobrerol)

1) 일반적 정보(General Information)
(1) 상품명

— 찾을 수 없음

상품명	제약회사	용량	상품모양
뉴젠팜소브레롤캡셀	뉴젠팜	200 mg	—
뮤드린캅셀	구주제약	100 mg	—
뮤코렉스캡셀	경인제약	100 mg	—
뮤코브론캡셀	영일제약	100 mg	
보넥실시럽	대우약품공업	8 mg	—
보넥실캅셀	대우약품공업	100 mg	—
부치놀캡셀	영풍제약	100 mg	
브레놀캡셀	글락소스미스클라인	100 mg	—
브렌트로캡셀	한불제약	100 mg, 200 mg	—
브론솔캡셀	서울제약	200 mg	—
브론테롤캡셀	한국유나이티드제약	100 mg, 200 mg	—
사부롤캡셀	중앙제약	200 mg	—
서구 소브레롤캡셀	넥스팜코리아	100 mg	—
소레톤캡셀	한국알리코팜	100 mg	—
소롤캡셀	한국파비스바이오텍	200 mg	—
소베린캡셀	동구제약	200 mg	—
소보렌캡셀	명인제약	200 mg	—
소부날캡셀	진양제약	100 mg, 200 mg	
소불캡셀	안국약품	100 mg	
소비투신캡셀	태창제약	100 mg	—

— 찾을 수 없음

상품명	제약회사	용량	상품모양
솔다린캅셀	미래제약	100 mg	—
솔비놀캅셀	보람제약	100 mg, 200 mg	
신일소브레롤캅셀	신일제약	100 mg, 200 mg	

(2) 성분

- 분자식: $C_{10}H_{18}O_2$

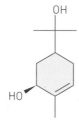

(3) 임상적 적응증(Clinical Indications)

- 분비기능이 항진된 급·만성 호흡기 장애: 급·만성 기관지염, 호흡장애를 수반한 기관지염, 비인두염, 후두기관지염

(4) 작용기전(Mechanism of Action)

- 기관지, 세기관지, 인후두부에 작용하여 점액의 점조도를 낮춤으로서 체외로의 배출을 용이.

(5) 약물 역동학(Pharmacokinetics)

① 경구 생체 이용률(Oral Bioavailabioity): －

② 분자량(MW): 170.249 g/mol

③ 단백질 결합(Protein binding): －

④ 혈중최고농도 도달시간(Tmax): －

⑤ 반감기(T1/2): －

(6) 약물 상호작용(Drug Interactions)

- 항생제, 기관지확장제, 천식치료제, 폐결핵치료제와 병용 가능

2) 기형 발생 정보(Teratogenicity Information)

(1) 동물 실험(Animal teratology studies)
관련정보 찾을 수 없음.

(2) 외국의 역학연구 정보(Epidemiologic Information)
관련정보 찾을 수 없음.

(3) 한국마더세이프전문상담센터정보(The Korean MotherSafe Counselling Center Information)

소브레롤에 노출된 후 추적된 임신부는 총80례이었으며 초기 노출 후 자연유산율은 1.2%(1/80)이었다. 임신 37주 이전의 조산률은 4%(3/75), 2,500 g 미만의 저체중증은 1.4%(1/74)이었다. 주요기형발생은 1.3%(1/75): ASD with small PDA(1)가 있었다.

3) 모유 수유시 독성 및 적합성 정보(Brestfeeding Compatibility Information)

- 관련정보 찾을 수 없음.
- 한국마더세이프전문상담센터: 수유부와 수유아 쌍 중 노출된 례는 없었다.

49 슈도에페드린(Pseudoephedrine)

1) 일반적 정보(General Information)
(1) 상품명

― 찾을 수 없음

상품명	제약회사	용량	상품모양
삼일제약	슈다페드 정	60 mg	
대우약품공업	대우 염산슈도에페드린정	30, 60 mg	―
삼아제약	슈다펜 정	60 mg	
뉴젠팜	슈페린 정	60 mg	
신일제약	신일 슈도에페드린 정	60 mg	―

— 찾을 수 없음

상품명	제약회사	용량	상품모양
코오롱제약	코슈 정	60 mg	
한국 파마	파마 염산슈도에페드린정	60 mg	
삼일제약	슈다페드 액	300 mg/100 mL, 500 mL	—

(2) 성분: (+)-(1S,2S)-2-methylamino-1-phenylpropan-1-ol

- 분자식: $C_{10}H_{15}N_5$

(3) 임상적 적응증(Clinical indications)

- 다음 질환에 의한 비충혈: 감기, 부비강염, 알레르기 등 상기도질환
- 다른 치료의 보조제: 알레르기성 비염, 크룹, 부비동염, 중이염, 급성기관지기관염
- 그 외: 지속발기증(Priapism)

(4) 작용기전(Mechanism of Action)

- 호흡기 점막의 α수용체에 대한 직접적인 흥분 작용으로 혈관 수축을 일으킨다. α수용체를 직접 자극하여 기관지 이완 작용, 심박동수 증가, 심근수축력 증가 효과를 나타낸다.

(5) 약물 역동학(Pharmacokinetics)

① 경구 생체 이용률(Oral bioavailability): 90%

② 분자량(MW): 165.2 g/mol

③ 친지질성(Lipophilic): −

④ 단백질 결합: −

⑤ 혈중최고농도 도달시간(Tmax): 0.5−1시간

⑥ 반감기(T1/2): 9−16시간

(6) 약물상호작용(Drug Interaction)

- 교감신경흥분약과 병용할 경우 이 약의 작용이 증강될 수 있으므로 감량하는 등 신중히

투여한다.

- 클로로포름, 시클로프로판, 할로탄 등 할로겐화 마취제와 병용할 경우 심실성 부정맥을 일으킬 수 있으므로 병용투여하지 않는다.
- 고혈압약, 삼환계 항우울약 등과 병용투여시에는 혈압을 관찰하면서 신중히 투여한다.

2) 기형 발생 정보(Teratogenicity Information)

(1) 동물 실험(Animal test)

동물 실험이 보고된 자료는 없다.

(2) 외국의 역학연구 정보(Epidemiologic Information)

슈도에페드린(Sudafed)는 교감신경흥분작용을 일으키는 약제로 미국에서 처방전 없이 사용되는(OTC) 감기 치료제의 일종인 충혈완화제이다. 임신 중 슈도에페드린이 포함된 시럽을 하루 480-840 mL 복용한 여성에 대한 한 증례가 있다. 그녀는 하루에 5 g의 슈도에페드린, 16.8 g guaifenesin, 1.68 g dextromethorphan, 그리고 79.8 mL의 ethanol을 복용하였다. 태아는 태아알코올 증후군의 모습을 나타내었으며 성급함(irritability), 전율(tremor), 그리고 과긴장증(hypertonicity)을 나타내었다.

슈도에페드린의 임신 중 사용과 태아 기형과의 연관관계는 아직 정립되지 않았다. 하이노넨 등은 임신 첫 4달 동안 슈도에페드린에 노출된 39명의 임산부를 대상으로 보고하였는데, 기형 발생의 증가는 없었다. 또한 복벽 결손을 가진 태아의 어머니 76명을 대상으로 임신 첫 삼분기 약 복용에 대한 후향성 회상을 통한 환자-대조군 연구가 있었는데, 이 연구에서 슈도에페드린을 복용한 산모에서 복벽 결손에 대한 상대적 위험도(relative risk)가 증가(3.2, 95% CI 1.3-7.7) 함을 알 수 있었다. 그러나 이 통계는 단지 9명의 산모에서 나온 것이며, 14개월 이전의 회상을 기초로 한 것이었다. 또한 연구자들은 슈도에페드린 뿐만 아니라 다른 약들의 사용량과 시간에 대한 정확한 정보를 얻을 수 없었다. 최근에 슈도에페드린(혹은 다른 혈관 수축제)의 사용과 복벽결손 간의 연관성에 대한 연구가 있었다. 이 연구는 슈도에페드린이 배아를 자라게 하는 혈관의 수축을 유발시켜 복벽 결손을 일으키는 위험도를 증가시킬 것이라 추정하였다. 9명의 환자-대조군을 비교하였는데, 상대적 위험도가 2.10(95% CI 0.80-5.49)으로 나왔다. 538명의 신경관 결손증을 가진 태아와 신생아를 대상으로 한 환자-대조군 연구에서는 임신 첫 삼분기에 슈도에페드린의 복용과의 관련성을 찾아내지 못했다. 또 전화 설문을 바탕으로 한 환자-대조군 연구에서는 임신 중 슈도에페드린, phenylpropanolamine, aspirin, or ibuprofen의 복용과 반안면 왜소증간의관 련성을 제시하였지만, 인과관계를 찾을 수 없었다.

건강한 임산부가 임신 제3삼분기에 60 mg의 슈도에페드린을 1회 복용했을 경우 자궁이나 태아로 가는 혈류의 속도를 변화시키지 않았으며 또한 혈압의 변화도 일으키지 않았다. 혈압을 변화시킬만한 슈도에페드린의 용량은 대략 치료농도의 4배를 복용했을 때이다. 이러한 치료 지수는 다른 OTC 충혈완화제보다 훨씬 더 높은 용량이다. 이러한 이유로 임상적 자료로 미루어 볼 때 슈도에페드린은 임신 중 선택할 수 있는 충혈완화제로 보인다.

비수축 검사 전 7일 동안 슈도에페드린 120 mg을 복용했던 여성에서 태아 기저 심박동수가 1분당 175-185회로 증가하면서 변이성도 감소하는 양상을 보인 한 증례보고가 있었다. 약 복용을 중단한 다음날 다시 검사하였는데 정상 태아 심박동 양상을 보였으며 임신의 결과에서도 해로운 영향을 미치지 않았다.

슈도에페드린은 혈관수축작용이 있으므로 이와 관련되어 복벽결손(gastroschisis), 반안면왜소증(hemifacial microsomia), 및 limb reduction anomaly의 태아 기형유발의 빈도를 약간 증가시킨다는 일부 연구가 있으므로 임신 중에 사용하는 것을 피하는 것이 권고 된다.

(3) 한국마더세이프전문상담센터정보(The Korean MotherSafe Counselling Center Information)

슈도에페드린에 노출된 후 추적된 임신부는 총 717례이었으며 초기 노출 후 자연유산율은 6.4%(46/717)이었다. 임신 37주 이전의 조산률은 0.2%(1/648), 2,500 g 미만의 저체중증은 3.4%(22/646)이었다. 주요기형발생은 2.3%(15/648): PDA(1), anal dimpling/dolicocephaly/minimal pneumothorax or skin fold at right chest(1), CCAM(1), bilateral inguinal hernia (1), ASD(3), cyst in caudothalamic groove(1), PDA(1), nasolacrimal duct obstruction with ptosis(1), cryptochidism with cystic dysplastic change of right kidney(1), imperforate anus(1), multicystic dysplastic kidney(1), liver mass(1) right hydronephrosis(1) 있었다.

3) 모유 수유시 독성 및 적합성 정보(Breastfeeding Compatibility Information)

- Lactation Risk Category: L3

- 슈도에페드린은 모유를 통해 배출된다. 수유기에 슈도에페드린의 사용이 노출된 신생아에게 해로운 영향을 준다는 보고는 없다. 60 mg 용량의 슈도에페드린을 복용하였던 8명의 수유부를 대상으로 한 위약-대조군 연구에서 24시간 동안 모유량의 약 24%가 감소됨을 알 수 있었다. 미국 소아과 학회(American Academy of Pediatrics)에서는 슈도에페드린을 모유수유 중에 사용할 수 있다고 발표하였으며, 세계보건기구(WHO) 의 모유수유 담당 부서에서는 슈도에페드린을 수유중 가끔씩 사용하는 경우에는 안전할 것이라고 결론 내렸다.

- 한국마더세이프전문상담센터: 수유부-수유아 22쌍 중 젖량감소 1례가 있었다.

50 슈크랄페이트(Sucralfate)

1) 일반적 정보(General Information)

(1) 상품명

— 찾을 수 없음

상품명	제약회사	용량	상품모양
수크레이트 겔	삼오제약	2000 mg/10 mL, 10 mL	—
슈트라 현탁액	휴온스	1000 mg/15 mL, 15 mL	—
아루사루민 정	중외제약	250 mg	
아루사루민 현탁액	중외제약	1 g/15 mL	

(2) 성분: Hexadeca-μ-hydroxytetracosahydroxy[μ8-[1,3,4,6-tetra-O-sulfo-β-Dfructofuranosyl-α-D-glucopyranoside etrakis(hydrogen sulfato)8-)]] hexadecaaluminum

- 분자식: $C_{12}H_{54}Al_{16}O_{75}S_8$

(3) 임상적 적응증(Clinical indications)

- 위궤양

(4) 작용기전(Mechanism of Action)

- 위산성에서 비흡수성 음이온이 되어 국소적으로 작용하며, 삼출물중 양성을 띤 단백질

과 복합체를 만들어 궤양부위에 부착되어 보호막을 형성하여 위산, 담즙, 펩신 등으로부터 궤양부위를 보호한다.

(5) 약물역동학(Pharmacokinetics)

① 경구 생체 이용률(Oral bioavailability): 〈 5%

② 분자량(MW): 2087 g/mol

③ 친수성(hydrophilic): −

④ 단백질 결합: −

⑤ 혈중최고농도 도달시간(Tmax): −

⑥ 반감기(T1/2): −

(6) 약물상호작용(Drug Interaction)

- Sucralfate의 효과/농도 감소: 제산제, H2 antagonist
- Sucralfate의 효과/독성 증가: antacid
- 다른 약물의 효과/농도 감소: Digoxin, Phenytoin, Warfarin, Quinidine, Ciprofloxacin, norfloxacin, Tetracycline, theophylline, Itraconazole, Ketoconazole

2) 기형 발생 정보(Teratogenicity Information)

(1) 동물 실험(Animal test)

쥐와 토끼에서 수크랄페이트의 독성학 연구에서 인간에서 사용하는 용량의 50배에서도 특별한 부작용을 보이지 않았고, 쥐에서 수정에 대한 연구에서도 38배의 용량에서도 역효과가 없었다. 쥐에서 산모에게 알루미늄을 투여한 경우 태반을 통과하여 태아 조직에 축적되어, 비정상적인 골격 성장과 학습과 기억 능력 저하 뿐만 아니라 태아 사망과 재흡수를 증가시켰다. 이러한 효과는 경구투여 후가 아니라, 비경구적으로 투여하였을 때 관찰되었다.

(2) 외국의 역학연구 정보(Epidemiologic Information)

수크랄페이트는 황산화자당의 알칼리 알루미늄 복합체로 구성된 궤양치료제로, 궤양 함몰부위를 코팅하여 상처치유를 촉진한다. 수크랄페이트는 질궤양이나 기저귀 피부염과 화상등에 국소적으로 사용할 수 있다. 국소적으로 사용한 수크랄페이트의 전신 흡수는 적을 것이라고 여겨지지만, 아직 이러한 것에 대한 보고를 찾을 수 없었다. 인간을 대상으로 제한적인 수에서의 임신 중 수크랄페이트 노출에 대한 연구에서 대조군에 비하여 통계적으로 유의한 기형 증가는 없었다.

(3) 한국마더세이프전문상담센터정보(The Korean MotherSafe Counselling Center Information)

슈크랄페이트에 노출된 후 추적된 임신부는 총 82례이었으며 초기 노출 후 자연유산율은

13.4%(11/82)이었다. 임신 37주 이전의 조산률은 1.4%(1/69), 2,500 g 미만의 저체중증은 1.5%(1/68)이었다. 주요기형발생은 없었다.

3) 모유 수유시 독성 및 적합성 정보

- Lactation Risk Category: L1
- 한국마더세이프전문상담센터: 수유부와 수유아 4쌍 중 젖양변화 1례 있었다.

51 스코폴라민(Scopolamine)

1) 일반적 정보(General Information)

(1) 상품명

— 찾을 수 없음

상품명	제약회사	용량	상품모양
명문제약	키미테 패취	0.75, 1.5 mg	—

(2) 성분: Anticholinergic agent

- 분자식: $C_{17}H_{21}NO_4$

(3) 임상적 적응증(Clinical indicatios)

- 멀미
- 수술 후 오심과 구토 예방

(4) 작용기전(Mechanism of Action)

- Atropine과는 달리 중추에 대한 효과를 나타내지 않고 무스카린 수용체를 봉쇄하여 평활근을 이완시키고 위장관 운동을 감소시킨다.

(5) 약물역동학(Pharmacokinetics)

① 경구 생체 이용률(Oral bioavailability): 27%

② 분자량(MW): 303 g/mol

③ 친수성(hydrophilic): −

④ 단백질 결합: −

⑤ 혈중최고농도 도달시간(Tmax): 1시간

⑥ 반감기(T1/2): 2.9시간

(6) 약물 상호작용(Drug Interaction)

- 효과/독성 증가

① 다른 항콜린작용약물 병용시 항콜린성부작용이 증가할 수 있음.

② 다른 중추신경 억제제의 진정작용이 증가할 수 있음.

- 효과 감소

① 왁스 제제에서 acetaminophen, levodopa, ketoconazole, digoxin, riboflavin, potassium chloride의 효과가 감소 할 수 있음.

2) 기형 발생 정보(Teratogenicity Information)

(1) 동물 실험(Animal test)

인간의 투여량의 200−1,800배를 투여한 mice를 대상의 한 연구에서 특별한 기형 증가를 보이지 않았다. 소수의 토끼를 대상으로한 연구에서는 눈에 기형을 보고하였다.

(2) 외국의 역학연구 정보(Epidemiologic Information)

스코폴아민은 항콜린성 약물로 아트로핀과 비슷한 작용을 한다. The Collaborative Perinatal Project는 임신 제 1삼분기에 스코폴아민을 복용하였던 산모에서 태어난 309명의 아이들을 관찰한 결과, 약물과 기형 증가와의 관계를 발견하지 못하였다. 분만하는 동안 스코폴아민을 사용한 경우 산모에서 통제되지 않는 행동과 환각현상이 폭발적으로 일어날 수 있다. 또한 스코폴아민은 태반을 쉽게 통과하며 태아 빈맥을 유발하여 서맥 감지를 방해하며, 심음변이 감소를 일으킨다. 출생 후 스코폴라민 독성이 보고된 적도 있다.

(3) 한국마더세이프전문상담센터정보(The Korean MotherSafe Counselling Center Information)

스코폴라민에 노출된 후 추적된 임신부는 총 11례이었으며 초기 노출 후 자연유산율은 0.0%이었다.

임신 37주 이전의 조산률은 0.0%(0/11) , 2,500 g 미만의 저체중증은 0.0%(0/11)이었다. 주요기형발생은 없었다.

3) 모유 수유시 독성 및 적합성 정보

- Lactation Risk Category: L3
- 스코폴아민이 모유로 분비되는지는 아직 확실히 밝혀지지 않았다.
- 한국마더세이프전문상담센터: 수유부와 수유아 1쌍 중 부작용례는 없었다.

52 스코폴리아 엑기스(Scopolia Extract)

1. 일반적 정보(General Information)

(1) 상품명

상품명	제약회사	용량	상품모양
노루모에이산	일양약품	100 mg	
다스라제정	대화제약	15 mg	
파나겔F과립	코오롱제약	100 mg	
판스라제정	디에스앤지	15 mg	
네오타제정	구주제약	5 mg	
속시탈과립	현대약품	10 mg	
속시나제삼중정	일동제약	5 mg	
큐다이스캅셀	일화	7.5 mg	

(2) 성분: Scopolia extract

- 분자식: (찾을 수 없음)

(3) 임상 적응증(Clinical indications)

- 소화성 궤양에 따른 다음 증상의 개선: 위산과다, 속쓰림, 위복부불쾌감, 위부팽만감, 식체

(4) 작용기전(Mechanism of Action)

- 스코폴리아는 진경제로 평활근의 이완으로 저용량에서 진경제로 쓰이고 nausea를 억제한다. 하지만 고용량에서는 중독성마약으로 기억장애를 일으킨다.

(5) 약물역동학(Pharmacokinetics)(찾을 수 없음)

　　① 경구 생체 이용률(Oral bioavailability): −

　　② 분자량(MW): −

　　③ 단백질 결합: −

　　④ 혈중최고농도 도달시간(Tmax): −

　　⑤ 반감기(T1/2): −

(6) 약물 상호 작용(Drug Interaction)

　　• 찾을 수 없음

2) 기형 발생 정보(Teratogenicity Information)

(1) 동물 실험(Animal test)

　관련 정보 찾을 수 없음

(2) 외국의 역학연구 정보(Epidemiologic Information)

　관련 정보 찾을 수 없음

(3) 한국마더세이프전문상담센터정보(The Korean MotherSafe Counselling Center Information)

　스코폴리아엑기스에 노출된 후 추적된 임신부는 총 326례이었으며 초기 노출 후 자연유산율은 6.8 %(22/326)이었다. 임신 37주 이전의 조산률은 4.1%(12/293), 2,500 g 미만의 저체중증은 2.8%(8/289)이었다. 주요기형발생은 0.7%(2/289): necrotizing enterocolitis with perforation(1), right ureteropelvic junction stenosis with right scrotal hydrocele(1) 가 있었다.

3) 모유 수유시 독성 및 적합성 정보

　　• 관련 정보 찾을 수 없음.

　　• 한국마더세이프전문상담센터: 수유부와 수유아 12쌍 중 부작용례는 없었다.

53 스트렙토도나제/스트렙토키나제(Streptodornase/Streptokinase)

1) 일반적 정보(General Information)

(1) 상품명

상품명	제약회사	용량	상품모양
네오나제정	한서제약	2500, 10000 IU	

상품명	제약회사	용량	상품모양
듀오나제정	코오롱제약	–	
뮤코라제정	한미약품	–	
바리다제정	SK케미칼	–	
세라타제정	대우약품공업	–	
세로나제정	이연제약	–	
킨도라제정	한국콜마	–	

(2) 성분: (Streptodornase) 찾을 수 없음/(Streptokinase) Streptococci streptokinase

- 분자식: (Streptodornase) 찾을 수 없음/(Streptokinase) $C_{2100}H_{3278}N_{566}O_{669}S_4$

(3) 임상적 적응증

- 수술 및 외상 후/부비동염/혈전정맥염의 부종완화

(4) 작용기전(Mechanism of Action)

- 용혈성 스트렙토콕사이(hemolytic streptococci)에서 생산된 효소의 혼합물.
- 불화성화된 plasminogen을 Plasmin으로 활성화시킴.
- 항염증성 작용으로 응고혈액, 피브린 그리고 화농을 제거함.

(5) 약물 역동학(Pharmacokinetics)

- 찾을 수 없음.

(6) 약물의 상호작용(Drug Interactions)

- 찾을 수 없음.

2) 기형 발생 정보(Teratogenicity Information)

(1) 동물 실험(Animal teratology studies)

생식독성관련 동물실험 찾을 수 없다. 이 약물들은 태반을 잘 통과 하지 않은 것으로 알려진다.

(2) 외국의 역학연구 정보(Epidemiologic Information)

스트렙토도나제/스트렙토키나제는 복합적으로 사용된다. 142명을 대상으로 한 임신 중 스트렙토키나제 노출에 관한 연구에서 태아에게 특별한 기형의 증가를 보이지 않았다. 또한 한편, 스트렙토키나제는 조기양막파수, 조기진통 그리고 태반의 출혈과 관련되지 않았다. 스트렙토키나제의 실험에서 인간의 정자의 운동성을 작지만 증가시킨다고 알려진다.

(3) 한국마더세이프전문상담센터정보(The Korean MotherSafe Counselling Center Information)

스트렙토도나제(streptodornase 2500 IU), 스트렙토키나제(Streptokinase)에 노출된 후 추적된 임신부는 총 458례이었으며 초기 노출 후 자연유산율은 8.5%(39/458)이었다. 임신 37주 이전의 조산률은 3.5%(14/402), 2,500 g 미만의 저체중증은 2%(8/400)이었다. 주요기형발생은 3.5%(14/400): left cryptorchidism(1), right renal cyst(1), ASD(1), cyst in caudothalamic groove(1), nasolacrimal duct obstruction with ptosis(1), renal cyst(1), cryptochidism with cystic dysplastic change of right kidney(1), ASD with small PDA(1), persistent fetal circulation/pneumothorax/unspecified seizure/right cleft palate unspecified/accessory thumb right/ptosis left(1), VSD(1), right inguinal hernia(1), cleft palate(1), PDA(1), congenital heart defect(1)가 있었다.

3) 모유 수유시 독성 및 적합성 정보(Brestfeeding Compatibility Information)

- Lactation Risk Category: 분류되지 않음, 모유로 통과 여부 밝혀져 있지 않으며 human data 찾을 수 없음.
- 한국마더세이프전문상담센터: 수유부–수유아 41쌍 중 젖양변화 3례 있었다.

54 스트렙토코커스 페칼리스(Streptococcus faecalis)

1) 일반적 정보(General Information)

(1) 상품명

상품명	제약회사	용량	상품모양
유니메드제약	비오알정	100 mg	
한림제약	이알정	100 mg	

(2) 성분:

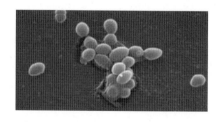

(3) 임상적 적응증(Clinical indicatios)

- 지사제
- 정장제

(4) 작용기전(Mechanism of Action)

- 장내 세균으로 장의 운동과 소화작용을 도와준다.

(5) 약물 역동학(Pharmacokinetics)(찾을 수 없음)

① 경구 생체 이용률(Oral bioavailability): −

② 분자량(MW): −

③ 친지질성(Lipophilic): −

④ 단백질 결합: −

⑤ 혈중최고농도 도달시간(Tmax): −

⑥ 반감기(T1/2): −

(6) 약물상호작용(Drug Interaction)

- 찾을 수 없음

2) 기형 발생 정보(Teratogenicity Information)

(1) 동물 실험(Animal test)

관련 정보 찾을 수 없음.

(2) 외국의 역학연구 정보(Epidemiologic Information)

관련 정보 찾을 수 없음.

(3) 한국마더세이프전문상담센터정보(The Korean MotherSafe Counselling Center Information)

스트렙토코쿠스에 노출된 후 추적된 임신부는 총 29례이었으며 초기 노출 후 자연유산율은 13.8%(4/29)이었다. 임신 37주 이전의 조산률은 8.7%(2/23), 2,500 g 미만의 저체중증은 4.3%(1/23)이었다. 주요기형발생은 없었다. 소기형으로는 craniotabes with back petechiae(1), erythema toxicum(1)이 있었다. 그리고 사산 1례가 있었다.

3) 모유 수유시 독성 및 적합성 정보(Breastfeeding Compatibility Information)

- 관련정보 찾을 수 없음.
- 한국마더세이프전문상담센터: 수유부와 수유아 4쌍 중 부작용례는 없었다.

55 시메치콘(Simethicone)

1) 일반적 정보(General Information)

(1) 상품명

상품명	제약회사	용량	상품모양
가소콜 액	태준제약	20 mg/mL	
미리콘 산	대웅제약	40 mg	
엔디 현탁액	동인당제약	2.0 g/100 mL	

(2) 성분

- 분자식: $(CH_3)_3 Si - [OSi(CH_3)_2]n - CH_3 + SiO_2$

$$H_3C - \underset{\underset{CH_3}{|}}{\overset{\overset{CH_3}{|}}{Si}} - O - \underset{\underset{CH_3}{|}}{\overset{\overset{CH_3}{|}}{Si}} - CH_3 + SiO_2$$

(3) 임상적 적응증(Clinical Indications)

- 위경 검사시의 장내 기포 구제, 엑스선 촬영시 장내 기포 구제, 각종 소화기 질환 및 위장관 수술후에 수반하는 복부팽만감, 고장, 공기연하증.

(4) 작용기전(Mechanism of Action)

- Polysiloxane과 silica gel의 혼합물로서 antiflatulant 기능을 갖음.

(5) 약물 역동학(Pharmacokinetics): 찾을 수 없음.

(6) 약물 상호작용(Drug Interactions): 찾을 수 없음.

2) 기형 발생 정보(Teratogenicity Information)

(1) 동물 실험(Animal teratology studies)

임신 6일에서 19일까지 토끼에게 시메티콘을 먹인 결과 기형의 증가는 발견할 수 없었다는 연구가 있다.

(2) 외국의 역학연구 정보(Epidemiologic Information)

임신 제 1삼분기에 시메티콘에 노출된 248명의 산모를 대상으로 조사한 연구에서 14명 (5.6%)의 중요 선천성 기형이 보고되었는데 이중 6명이 선천성 심장기형이 있었으나 통계적 유의성이 없었고, 특히 시메치콘이 장에서 흡수되는 것이 아니기 때문에 원인이 되진 않았을 것이라고 보고하였다. 시메치콘은 제왕절개 수술 전 처치에 쓰이는 약 중 하나로 신생아에 부작용이 보고된 바 없다.

(3) 한국마더세이프전문상담센터정보(The Korean MotherSafe Counselling Center Information)

시메치콘에 노출된 후 추적된 임신부는 총 304례이었으며 초기 노출 후 자연유산율은 6.6%(20/304)이었다. 임신 37주 이전의 조산률은 4.1%(11/270), 2,500 g 미만의 저체중증은 3%(8/268), 주요기형발생은 3.7%(10/270): pulmonary artery stenosis(1), Mega cisterna magna(13.6mm)(1), right hip mass(1), both club foot with right wrist drop(1), hydronephrosis(1), ileal agenesis(1), horse shoe kidney(1), fetal hydrops(1), right inguinal hernia(1), congenital heart defect(1)가 있었다.

3) 모유 수유시 독성 및 적합성 정보(Brestfeeding Compatibility Information)

- Lactation risk: L3
- 한국마더세이프전문상담센터: 수유부와 수유아 8쌍 중 젖양감소 2례가 있었다.

56 시메티딘(Cimetidine)

1) 일반적 정보(General Information)

(1) 상품명

— 찾을 수 없음

상품명	제약회사	용량	상품모양
강남시메티딘정	강남제약	200 mg	—
국제시메티딘정	국제약품공업	200 mg	
금강시메티딘정	미래제약	300, 400 mg	—
넬슨시메티딘정	한국넬슨제약	200 mg	
뉴씨메정	한국약품	200 mg	

— 찾을 수 없음

상품명	제약회사	용량	상품모양
다림시메티딘정	다림양행	200 mg	—
대우시메티딘정	대우약품공업	200 mg	
동광시메티딘정	동광제약	200 mg	—
동구시메티딘정	동구제약	200 mg	
동양시메티딘정	동양제약	200 mg	—
듀얼메트정	티디에스팜	200 mg	—
드림파마시메티딘정	드림파마	400 mg	
마가시딘정	뉴젠팜	200 mg	
메디카시메티딘정	메디카코리아	200 mg	—
메티딘정	한국프라임제약	200 mg	
메티콘정	아주약품공업	200 mg	
명문시메티딘정	명문제약	200 mg	
보람시메티딘정	보람제약	200 mg	
본초시메티딘정	본초제약	200, 300, 400 mg	—
부한시메티딘정	한성제약	400 mg	—
비씨시메티딘정	비씨월드제약	200 mg	
사큐틴정	삼환제약	200 mg	—
삼아시메티딘정	삼아제약	200 mg	—
수루메틴정	바이넥스	200 mg	
슈넬시메티딘정	한국슈넬제약	200 mg	

— 찾을 수 없음

상품명	제약회사	용량	상품모양
시그나틴정	동화약품공업	200 mg	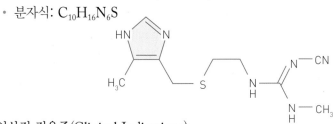

(2) 성분: 1-cyano-2-methyl-3-[2-[[(5-methyl-1H-imidazol-4-yl) methylsulfanyl] ethyl]guanidine

- 분자식: $C_{10}H_{16}N_6S$

(3) 임상적 적응증(Clinical Indications)

- 활동성 십이지장 궤양, 양성 위궤양의 단기 치료
- 십이지장 궤양, 위산 과분비 상태, 위식도 역류질환의 장기 예방 요법
- 심하게 아픈 환자의 상부 위장관 출혈 예방

(4) 작용기전(Mechanism of Action)

- 위의 벽세포에 있는 H2 수용체에서 histamine을 가역적이고 경쟁적으로 억제해서 위산 분비를 억제하며 위 부피와 수소이온 농도를 감소시킨다.
- H1 수용체에는 작용하지 않는다.

(5) 약물 역동학(Pharmacokinetics)

① 경구 생체 이용률(Oral Bioavailabioity): 60-70%

② 분자량(MW): 252.34 g/mol

③ 단백질 결합: 15-20%

④ 혈중최고농도 도달시간(Tmax): 1-2시간 이내

⑤ 반감기(T1/2): 신생아(3.6시간), 소아(1.4시간), 정상 신기능을 가진 성인(2시간)

(6) 약물 상호작용(Drug Interactions)

① Cytochrome P450 효과:

- 저해: CYP1A2(moderate), 2C9(weak), 2C19(moderate), 2D6(moderate), 2D1(weak), 3A4(moderate)

② 효과증가/독성

- Cimetidine에 의해 수치와 효과가 증가되는 약물 :Aminophylline, amphetamines, 선택적 beta blocker, benzodiazepine, calcium channel blockers, cyclosporine, dextromethorphan, dofetilide, ergot derivatives, lidocaine, meperidine, metformin, methsuximdie, metronidazole, mexiletine, mertazapine, nateglinide, nefazodone, paroxitine(다른 SSRI), phynitoin, prcainamide, propafenone, propranolol, quinidine, quinolone 항생제, risperidone, ritonavir, ropinirole, sildenafil, sulfonylureas, tacrine, tacrolimus, theophylline, thioridazine, triamterene, TCA, trifluoperazine, venlafazine, CYP1A2 2C19, 2D6 substrate.

- Warfarine: cimetidine의 용량 의존적으로 효과가 증대된다.

- Carmustine의 myelotoxicity를 증가시킨다.

③ 효과감소

- CYO2D6 전구약물 기질(Codein, hydrocodone, oxycodone, tramadole등)의 효과와 수치를 감소시킨다.

- Ketoconazole, fluconazole, Itraconazole(특히 캡슐)의 혈청농도를 감소시킨다.

- H2 길항제와 병용을 피할 것.

- Delaviridine(H2 길항제와 병용을 피할 것)과 atazanavir흡수를 감소시킨다.

2) 기형 발생 정보(Teratogenicity Information)

(1) 동물 실험(Animal teratology studies)

임신한 렛트, 토끼, 생쥐에게 시메티딘을 복용시킨 동물실험에서 기형의 증가는 없었다는 보고가 있다. 그러나 몇몇 렛트실험에서 전립선과 정낭의 발달 지연, 수컷 자손의 성적성숙의 부재, 고환의 하강과 발달의 저하를 보고한 동물실험들이 있었다. 그러나 이들과 다른 주장을 하는 연구자들도 있었으나, 몇몇 조사자들은 수태 중 장기간 노출시 시메티딘이 태자의 정상 남성화를 억제할 것이라고 주장하였다.

(2) 외국의 역학연구 정보(Epidemiologic Information)

임신 제 1 삼분기에 시메티딘에 노출된 10명의 임신부를 대상으로 한 소규모 연구에서는 2명은 치료적 유산을, 8명은 정상 분만을 했다고 보고하였다. H2-blocker에 노출된 553명의 임신부를 추적 조사한 연구에서, 113명이 시메티딘에 노출되었지만 다른 대조군에 비해 기형의 증가는 보이지 않았다. 그러나 이 연구는 추적조사의 신뢰성이 부족하다는데 제한점이 있다. 임신 제 1 삼분기에 시메티딘에 노출된 275명의 임신부를 대상으로 한 스위스 연구에서도 선천성 기형의 증가를 발견할 수 없었고, 2000명을 대상으로 한 대규모의 역학연구에서도 선천성 기형, 조산, 태아성장이상 등의 증가를 발견할 수 없었다. 임신전반기에 걸쳐 시메티딘에 노출되었으나 정상 남아를 분만했다는 케이스 보고들이 있었다. 그러나 성인에서는 시메티딘의 antiandrogenic 효과가 분명히 있어, 시메티딘에 노출되었던 성인 남성에서 여성형유방, 정자 수의 감소 등이 보고 되었고, 다모증이 있는 여성에서 머리카락의 성장을 감소시키는 것이 밝혀졌다.

(3) 한국마더세이프전문상담센터정보(The Korean MotherSafe Counselling Center Information)

시메티딘에 노출된 후 추적된 임신부는 총 568례이었으며 초기 노출 후 자연유산율은 7.9%(45/568)이었다. 임신 37주 이전의 조산률은 2.4%(12/509), 2,500 g 미만의 저체중증은 2.2%(11/504)이었다.

주요기형발생은 2.4%(12/509): both ankle deformity(1), Baby wrist 3x3cm nevus(1), mega cisterna magna(13.6mm)(1), bilateral inguinal hernia(1), hydrocele and left wrist drop(1), hydronephrosis(1), ASD with small PDA(1), micro penis with small right testis(1), right ventricular hypertrophy of heart(1), fetal hydrops(1),right microtia with invisible external orifice (1), choledochalcyst(1)가 있었다.

3) 모유 수유시 독성 및 적합성 정보(Brestfeeding Compatibility Information)

- Lactation Risk Category: L1
- 시메티딘은 모유에 분비되는 것으로 매일 시메티딘을 1200 mg 복용한 수유부의 아기에서 매일 1.5 mg/kg의 시메티딘이 전달될 수 있다고 연구되었다. 모유대 혈장비는 일반 확산 모델에 비해 5배 정도 고농도로 농축되어 분비된다. 이는 능동 수송에 의한 것이라고 하였다. 몇몇 연구자들을 포함한 미국 소아과 학회에서는 수유기간 동안에 시메티딘을 사용가능한 약으로 분류하였으나, WHO에서는 수유시 사용해선 안되는 약으로 분류하였다.
- 한국마더세이프전문상담센터: 수유부-수유아 23쌍 중 설사 1례 있었다.

57 시프로플록사신(Ciprofloxacin)

1) 일반적 정보(General Information)

(1) 상품명

— 찾을 수 없음

상품명	제약회사	용량	상품모양
씨프로	바이 정바이엘 코리아	250 mg	

— 찾을 수 없음

상품명	제약회사	용량	상품모양
로푸신 주	한국파마	100 mg/50 mL, 200 mg/100 mL	
박스터 시프로플록사신 주	박스터	200 mg/1000 mL	—
사이톱신 프리믹스 주	CJ 제일제당 제약사업 본부	100 mg/50 mL, 200 mg/100 mL, 400 mg/200 mL	
사이톱신 정	CJ 제일제당 제약사업 본부	250 mg	
시포신 정	명인제약	100 mg, 250 mg, 500 mg	
시프록시신 주	하원제약	2 mg/mL	
싸이신 주	일동제약	100 mg/50 mL, 200 mg/100 mL, 400 mg/200 mL	—
싸이폭신 정	알파제약	250 mg	
싸이플록신 정	뉴젠팜	100 mg, 250 mg	—
씨에프 정	삼천당제약	250 mg	
씨에프 주	삼천당제약	100 mg/50 mL, 200 mg/100 mL, 400 mg/200 mL	
씨폭신 정	한국약품(주)	250 mg	
씨프러스 주	대웅제약	100 mg/50 mL, 200 mg/100 mL, 400 mg/200 mL	
씨프로바이 주	바이엘 코리아	100 mg/50 mL	—

— 찾을 수 없음

상품명	제약회사	용량	상품모양
		200 mg/100 mL, 400 mg/200 mL	
씨프로유로 서방정	제일약품	500 mg, 1000 mg	
이시렌 주	한국프라임제약	100 mg, 200 mg	—
아주 시프로플록사신 주	아주약품공업	100 mg/50 mL, 200 mg/100 mL	
에프로신 주	대한뉴팜	100 mg/50 mL, 200 mg/100 mL	
엘지 시프로플록사신정	엘지생명과학(주)	250 mg	
유니시프로사신 주	한국유니온제약	100 mg/50 mL, 200 mg/100 mL	
유펙실 주	제이텍바이오젠	100 mg/50 mL, 200 mg/100 mL, 400 mg/200 mL	
중외 시프로플록사신 주	중외제약	2 mg/mL	
큐프론 주	신풍제약	100 mg/50 mL	—
텔비신 정	대우약품공업	250 mg, 500 mg	—

(2) 성분

- 분자식: $C_{17}H_{18}FN_3O_3 \cdot Cl \cdot 2O$

- $UHCl \cdot UH_2O$

(3) 임상적 적응증(Clinical Indications)

- 호흡기 감염, 귀, 코, 인후감염, 구강, 치아, 턱의 감염, 신장 또는 요로의 감염증, 임질을 포함한 성기감염증, 위장관 감염증, 담즙분비관의 감염증, 연조직의 감염과 상처, 골과 관절의 감염증, 부인과와 사노가의 감염증, 패혈증, 뇌막염, 복막염, 안과학적 감염증

(4) 작용기전(Mechanism of Action)

- 광범위 항균작용을 갖는 fluoroquinolone으로써 topoisomerase II와 topoisomerase IV를 억제함으로써 세균의 Dna 복제, 복구, 전사, 재조합을 막음.

(5) 약물 역동학(Pharmacokinetics)

① 경구 생체 이용률(Oral Bioavailabioity): 50–85%

② 분자량(MW): 385.8 g/mol

③ 단백질 결합(Protein binding): 20–40%

④ 혈중최고농도 도달시간(Tmax): 속효성 0.5–2시간, 서방성 1–2.5시간

⑤ 반감기(T1/2): 소아 2.5시간, 성인 3–5시간

(6) 약물 상호작용(Drus Interactions)

- 독성 증가

① Tizanidine, 카페인

② 시토크롬 P450 1A2 효소의 작용을 억제, 이 효소에 의해 대사되는 animophylline, fluvoxamine, mexiletine, mertazapine, ropinirole, tizanidine, trifluoperazine 독성 증가

③ Glyburide, methotrexate, ropivacaine, 테오필린, 와파린

④ Pentoxifyline 병용투여시:두통유발

⑤ 코르티코스테로이드류 병용투여시: 힘줄파열

⑥ Foscarnet, 비스테로이드소염진통제: 발작의 위험 증가

⑦ Probenecid: 싸이프로플록사신 농도를 증가

⑧ 당뇨약인 글리벤클라이드와 병용시 저혈당증을 유발. 사이클로스포린의 독성증가

- 약물 효과 감소:

① 알루미늄 또는 마그네슘 함유 제산제와 같은 양이온 제제, 철분 함유 제제, 칼슘 함유 제제, 아연 또는 철분이 함유된 종합비타민제제, 수크랄페이트, 항레트로바이러스제, 디다노신과 병용시 사이프로플록사신 흡수저하

② Sevelamer: 퀴놀론흡수를 감소

③ 페니토인 농도감소

2) 기형 발생 정보(Teratogenicity Information)

(1) 동물 실험(Animal teratology studies)

쥐를 대상으로 한 동물실험에서 태반통과를 증명해냈고, 임신한 원숭이에게 제태연령 20일과 50일 사이에 시프로플록사신을 주입한 동물시험에서 모체 호르몬의 변화나 태자 기형은 발견되 지 않았다. 시프로플록사신을 주입한 어린 개에서 연골마모로 인한 관절염의 보고가 있었으며, 비슷한 결과가 쥐에서도 보고되었다.

(2) 외국의 역학연구 정보(Epidemiologic Information)

시프로플록사신과 같은 퀴놀론계 항생제는 뼈조직에 높은 친화성을 가진다. 이 제제를 복용했 던 청소년과 어른에서 관절통과 근막염이 보고되었기 때문에, 18세 이전과 임신부에게 퀴놀론계 제제의 사용은 추천되지 않는다.

퀴놀론에 노출된 200명의 산모를 대상으로 한 연구에서 기형이나 근골격계 이상은 발견할 수 없었고, 다른 연구에서도 임신중 시프로플록사신의 사용은 안전하다고 하였다. 116명의 이 제제 에 노출된 산모를 대상으로 한 연구에서도 기형의 증가는 없었다. 또한 유럽에서 임신 제1 삼분 기에 사이프로플록사신에 노출되었던 44명의 산모를 대상으로 한 연구에서 선천성 기형의 확률 은 4.5%였으나 유의한 의미는 없었고, 3주에서 3개월 가량의 장기간 시프로플록사신에 노출된 7 명의 산모에서도 선천성 기형은 보고되지 않았다.

(3) 한국마더세이프전문상담센터정보(The Korean MotherSafe Counselling Center Information)

싸이프로플록사신에 노출된 후 추적된 임신부는 총 78례이었으며 초기 노출 후 자연유산율은 6.4%(5/78)이었다. 임신 37주 이전의 조산률은 5.7%(4/70), 2,500 g 미만의 저체중증은 2.9%(2/68)이었다. 주요기형발생은 4.3%(3/70): Rt. radial nerve palsy with wrist & hand drop(1), fetal hydrops(1), cyst of gingiva(1)가 있었다.

3) 모유 수유시 독성 및 적합성 정보(Brestfeeding Compatibility Information)

- Lactation Risk Category: L3
- 시프로플록사신은 모유로 분비된다. 쥐를 대상으로 한 약동학실험에서 이 제제의 모유/혈 장비는 3.6이고, 이 수치는 사람에서도 비슷하다고 연구되었다. 모유수유중에 시프로플록 사신을 복용한 산모의 아기의 혈액에서 이 약을 발견할 수 있었다. 1991년 심한 클렙시엘라 폐렴으로인해 사이프로플록사신으로 치료받았던 5명의 유아중 2명에서 치아의 녹색 착색 을 발견하였지만, 다른 연구에서는 이것이 증명되지 않았고 미국소아과학회에서는 모유수 유중 복용가능한 약으로 분류하였다.
- 한국마더세이프전문상담센터: 수유부와 수유아 3쌍 중 젖량 감소 1례 있었다.

58 아목시실린(Amoxicillin)

1) 일반적 정보(General Information)

(1) 상품명

— 찾을 수 없음

상품명	제약회사	용량	상품모양
암코캅셀	초당약품	250, 500 mg	—
동광 아목시실린캅셀	동광제약	250, 500 mg	—
아목신캅셀	뉴젠팜	500 mg	—
원진 아목시실린캅셀	다림바이오텍	250, 500 mg	—
삼성 아목시실린	삼성제약공업	250, 500 mg	—
에이실린캅셀	보령제약	250, 500 mg	
아모넥스캅셀	영진약품	250 mg	—
아모넥스정	영진약품	250, 500 mg	
아모실캡슐	한국프라임제약	500 mg	—
아목사펜캅셀	종근당	250 mg	
신풍아목시실린캅셀	신풍제약	250 mg	—
종근당 아목시실린캅셀	종근당	500 mg	
신풍 아목시실린캅셀	신풍제약	500 mg	—
중외 아목시실린캅셀	중외제약	250, 500 mg	—
대웅 아목시실린캡슐	대웅제약	500 mg	—
일동아목시실린캅셀	일동제약	250, 500 mg	
파마아목시실린캅셀	한국파마	500 mg	
아모시펜캅셀	신일제약	250, 500 mg	
곰실린캅셀	대웅제약	250, 500 mg	

— 찾을 수 없음

상품명	제약회사	용량	상품모양
키목신캅셀	유한양행	250, 500 mg	
목실린캡슐	드림파마	500 mg	
파목신캅셀	동화약품공업	250, 500 mg	
파목신시럽	동화약품공업	250 mg	—
유목센캅셀	한국유나이티드제약	500 mg	

(2) 성분: 6-(P-HYDROXY-α-AMINOPHENYL ACETAMIDO) PENICILLANIC ACID

- 분자식: $C_{16}H_{19}N_3O_5S \cdot 3H_2O$

(3) Clinical indications

- 중이염, 부비동염 치료
- 감수성이 있는 균에 의한 호흡기계 감염, 피부 감염, 요로 감염 등의 감염치료
- 세균성 심내막염 예방

(4) 작용기전(Mechanism of Action)

- 세균이 분열되는 동안 세균의 세포벽 합성 후반 단계를 방해해서 세포벽을 파괴함으로서 감수성이 있는 균에서 살균효과를 나타낸다.

(5) 약물 역동학(Pharmacokinetics)

① 경구 생체 이용률(Oral bioavailability): 89%

② 분자량(MW): 365 g/mol

③ 친지질성(Lipophilic): −

④ 단백질 결합: −

⑤ 혈중최고농도 도달시간(Tmax): 1.5시간

⑥ 반감기(T1/2): 1.7시간

(6) 약물상호작용(Drug Interaction)

- 경구피임약의 효과가 감소될 수 있다.
- 디설피람, 프로베네시드와 같이 투여시 아목시실린의 혈중농도를 증가시킬 수 있다.
- 알로퓨리놀사용으로 아목시실린으로 인한 피부 홍반의 위험도를 증가시킬 수 있다.

2) 기형 발생 정보(Teratogenicity Information)

(1) 동물 실험(Animal test)

쥐에게 하루 최대 400~1,200 mg까지 수정 후 6~15일, 15~21일에 투여하였는데 태자에 미치는 해로운 영향은 없었다. 수정하기 전 수컷과 암컷 쥐에게 같은 용량을 투여하고 암컷에게는 수정 후 7일 뒤에 아목시실린을 투여하였으나 태자에 해로운 영향은 없었다. 돼지에게 600 mg/kg을 수정 후 12~42일에 투여하였지만 태자에서 이상소견은 없었다.

(2) 외국의 역학연구 정보(Epidemiologic Information)

아목시실린은 페니실린계의 항생제로 암피실린과 매우 유사하다. 아목시실린과 다른 페니실린계의 항생제를 산모가 복용한 후 양수에서 과량으로 축적된다. 이는 태아의 소변에서 나오는 항생제가 양수로 배출되기 때문인데, 산모가 약 복용을 중단할 때까지 계속된다. 그리고 태아는 점진적으로 항생제를 재흡수하고 산모의 태반을 통과하면서 항생제를 제거한다. 이러한 과정에서 태아에 미치는 해로운 영향은 없는 것으로 알려져 있다. 아목시실린을 산모에게 투여한 경우 양수 내 세균감염을 효과적으로 제거한다. 일반적으로 페니실린계의 항생제는 임상적으로 기형 유발을 하지 않는 것으로 알려져 있으며 해로운 영향을 미치지 않는다. 16명의 임신부를 대상으로 클린다마이신과 아목시실린을 유산의 재발을 방지하기 위해 임신 1삼분기에 사용하였는데 태어난 아이 모두 기형은 없었다. 아목시실린과 클라불란산에 노출되었던 6,935명의 아이들을 대상으로 한 실험–대조군 연구에서 선천성 기형은 발견되지 않았다. 이러한 결과들은 191명을 대상으로 나이와 흡연/알콜 사용을 각각 짝지은 임산부에서 임신 1삼분기에 아목시실린과 클라불란산에 노출되었을 때 주기형의 빈도가 대조군과 별 차이가 없었으며(5/163), 출생률, 출생체중 및 분만주수 등도 차이가 없었다.

임신 중 조기양막파수가 있었던 조기진통을 가진 산모들을 대상으로 항생제의 투여가 효과적인지에 대한 대규모의 무작위 임상 시험이 있었다. 250 mg의 아목시실린과 125 mg의 클라불란산을 병합하여 사용하였는데 임신 중 주요한 영향은 나타나지 않았으나 괴사성 장염이 증가하였다. 이 연구는 조기양막파수가 있는 조기진통을 가진 산모에서 감염의 증거 없이 예방적으로 항생제를 사용하는 것은 정당화 될 수 없다고 결론지었다. 산전 아목시실린과 괴사성 장염은 다른 논문에서도 보고되었다. 아목시실린과 클라불란산을 태아 이식술시 예방적으로 사용하였던 무작위 전향적 연구(n=350)에서 카테터의 오염은 예방하였지만 더 나은 임상적 결과를 가져오지는 않았다.

현재까지의 연구에서 2개의 연구에서만 임신 중 아목시실린이 태아 구개열의 증가(OR: 5.4, 95% confidence interval 1.9~15.4, OR: 4.3, 95% confidence interval 1.4~13.0)를 보고하나, 다른 연구에서는 기형 증가를 보고하지 않았다.

(3) 한국마더세이프전문상담센터정보(The Korean MotherSafe Counselling Center Information)

아목시실린에 노출된 후 추적된 임신부는 총 571례이었으며 초기 노출 후 자연유산율은 6.3%(36/571)이었다. 임신 37주 이전의 조산률은 5.2%(27/516), 2,500 g 미만의 저체중 증은 3.7%(19/510)이었다. 주요기형발생은 1.9%(15/516): anal dimpling/minimal pneumothorax or skin fold at right chest(1), Smooth philtrum with thin upper lip and left ear microtia(1), hydrocele and left wrist drop(1), left wrist drop(1), imperforate anus(1), hydronephrosis(2), VSD(2), ASD with small PDA (1), gingiva cyst(1), right ventricular hypertrophy of heart(1), right inguinal hernia(1), PFO VSD with aortic valve prolapse(1), small PDA(1), right hydronephrosis(1)가 있었다.

3) 모유 수유시 독성 및 적합성 정보(Breastfeeding Compatibility Information)

- Lactation Risk Category: L1 (Hale's Medication and Mother's Milk, 2019)
- 아목시실린은 유즙으로 소량 분비된다. 6명의 수유부를 대상으로 한 임상 시험에서 모유에서 아목시실린은 1g을 복용하였을 경우 4~5시간사이에 최고 농도에 도달하게 된다. 아목시 실린의 최고 농도는 평균 0.9 mcg/mL 이다. 이정도의 농도는 신생아에서 알레르기 반응을 일으킬 수 있다. 하지만 수유 중 아목시실린의 사용은 세계보건기구에서 안전하다고 분류하였다.
- 한국마더세이프전문상담센터: 수유부-수유아 42쌍 중 무른 변 1례 있었다.

59 아세클로페낙(Aceclofenac)

1) 일반적 정보(General Information)

(1) 상품명

— 찾을 수 없음

상품명	제약회사	용량	상품모양
아페낙 정	한국알리코팜	100 mg	—

— 찾을 수 없음

상품명	제약회사	용량	상품모양
세나펜 정	대원제약	100 mg	
근화 아세클로페낙 정	미유팜(주)	100 mg	—
뉴마탈 정	바이넥스	100 mg	
뉴마펜 정	일양약품	100 mg	
마이페낙 정	한국마이팜제약	100 mg	—
베오페낙 정	한림제약	100 mg	
성원 아세날 정	성원애드콕제약	100 mg	
세나클정	우리제약(주)	100 mg	
세니탈 정	하나제약	100 mg	
세로낙 정	(주)피엠지바이오파밍	100 mg	—
세종 아세클로페낙 정	세종제약	100 mg	—
세크로 정	휴온tm(주)	100 mg	—
세클로낙 정	종근당	100 mg	
세클펜 정	삼익제약	100 mg	—
싸이낙 정	한국파비스바이오텍	100 mg	
아카펜 정	한국프라임제약	100 mg	—
아나클 정	한국파마	100 mg	
아낙 정	한국코러스제약	100 mg	

— 찾을 수 없음

상품명	제약회사	용량	상품모양
아로낙 정	유영제약	100 mg	
아로탈 정	명문제약	100 mg	
아로펜 정	국제약품공업	100 mg	
아세나 정	제이알피	100 mg	
아세낙 정	한국슈넬제약(주)	100 mg	
아세로 정	한올제약	100 mg	
아세론 정	미래제약	100 mg	
아세민 정	수성약품	100 mg	
아세젠 정	뉴젠팜	100 mg	
아세크 정	경방신약	100 mg	
아세크로 정	하원제약	100 mg	
아세크로나 정	삼성제약공업	100 mg	
아세크론 정	동화약품공업	100 mg	

(2) 성분

- 분자식: $C_{16}H_{13}C_{l2}NO_4(1)$

(3) 임상적 적응증(Clinical Indications)

- 류마티스양 관절염, 강직성 척추염, 골관절염 및 견갑상완골의 관절주위염, 치통, 외상 후 생기는 염증, 요통, 좌골통, 회음 외측 절개 수술후, 분만 후, 비관절성 류마티즘으로

인한 통증

(4) 작용기전(Mechanism of Action)

- Diclofenac과 유사한 phenylacetic acid계 NSAIDs 이다.
- 염증성 cytokines interleukin-1b와 tumor necrosis factor의 합성 저해
- Cyclooxygenase의 활성을 감소시켜 Prostaglandin E2의 생성 저해
- 관절 손상의 재생과 회복을 돕는 glycosaminoglycans(GAG) 합성 자극

(5) 약물 역동학(Pharmacokinetics)

① 경구 생체 이용률(Oral Bioavailabioity): –

② 분자량(MW): 354.18472 g/mol

③ 단백질 결합(Protein binding): –

④ 혈중최고농도 도달시간(Tmax):

⑤ 반감기(T1/2): –

(6) 약물 상호작용(Drug Interactions)

- 독성 증가

① 아스피린: 중증의 위장관계 이상반응의 발생 위험 증가

② 리튬: 본제제의 신장에서의 프로스타글란딘 합성 억제에 의해 혈청 리튬의 농도를 증가시키고 신클리어런스를 감소시킬 수 있어 리튬 독성을 일으킬 수 있음.

③ 메토트렉세이트: 신세뇨관에서 메토트렉세이트의 배설을 지연시켜 혈액학적 독성을 일으킬수 있음.

④ 와파린: 위장관계 출혈에 대하여 와파린과 비스테로이드성소염진통제는 상승작용.

⑤ 다른 비스테로이드성 소염진통제와 병용시 이상반응의 위험이 증가할 수 있음.

- 효과 감소:

① ACE 저해제: NSAIDs에 의해 ACE 저해제의 항고혈압효과 감소

② 푸로세미드: 본제제의 프로스타글란딘 합성 억제에 의해 푸로세미드 및 치아짓계 이뇨제의 나트륨뇨배설 효과가 감소할 수 있음.

2) 기형 발생 정보(Teratogenicity Information)

(1) 동물 실험(Animal teratology studies)

관련정보 찾을 수 없음.

(2) 외국의 역학연구 정보(Epidemiologic Information)

관련정보 찾을 수 없음.

(3) 한국마더세이프전문상담센터정보(The Korean MotherSafe Counselling Center Information)

아세클로페낙에 노출된 후 추적된 임신부는 총 108례이었으며 초기 노출 후 자연유산율은 7.4%(8/108)이었다. 임신 37주 이전의 조산률은 5.3%(5/95), 2,500 g 미만의 저체중증은 6.2%(6/97)이었다. 주요 기형발생은 7.2%(7/97): anal dimpling/dolicocephaly/minimal pneumothorax or skin fold at right chest(1), right hip mass(1), right renal cyst(1), right ureteropevic junction stenosis with right scrotal hydrocele(1), paraurethral cyst(1), fetal hydrops(1), VSD with aortic stenosis(1)가 있었으며 사산 1례가 있었다.

3) 모유 수유시 독성 및 적합성 정보(Brestfeeding Compatibility Information)

- 관련정보 찾을 수 없음. 하지만, Diclofenac은 L2임.
- 한국마더세이프전문상담센터: 수유부와 수유아 14쌍 중 부작용 례는 없었다.

60 아세트아미노펜(Acetaminophen, paracetamol)

1) 일반적 정보(General Information)

(1) 상품명

― 찾을 수 없음

상품명	제약회사	용량	상품모양
경동제약	경동아세트아미노펜정	300 mg	
고려은단	고려은단아세트아미노펜정	300, 500 mg	
한국넬슨제약	넬슨아세트아미노펜정	300 mg	
다림양행	다림아세트아미노펜정	300 mg	—
디에스앤지	대신아세트아미노펜정	300 mg	—
대우약품공업	대우아세트아미노펜정	300 mg	

— 찾을 수 없음

상품명	제약회사	용량	상품모양
대화제약	대화아세트아미노펜정	500 mg	—
동양제약	동양아세트아미노펜정	300 mg	—
바이넥스	바이넥스아세트아미노펜정	300 mg	○ ○
본초제약	본초아세트아미노펜정	300 mg	—
삼남제약	삼남아세트아미노펜정	300 mg	○ ○
삼남제약	삼남아세트아미노펜정 500 mg	500 mg	▬ ▬
삼익제약	삼익아세트아미노펜정 500 mg	500 mg	—
삼천리제약	삼천리아세트아미노펜정	300 mg	—
삼환제약	삼환아세트아미노펜정	300 mg	—
삼화약품	삼화아세트아미노펜정 500m	500 mg	—
동화약품공업	샤트펜이알서방정	650 mg	▬ ▬
신호제약	세라콘정 300 mg	300 mg	—

(2) 성분: N-acetyl-p-aminophenol

- 분자식: $C_8H_9NO_2$

(3) 임상적 적응증(Clinical indications)

- 생리통, 두통, 통증

- 발열

(4) 작용기전(Mechanism of Action)

- 프로스타글란딘 합성을 억제하여 작용한다.

(5) 약물역동학(Pharmacokinetics)

① 경구 생체 이용률(Oral bioavailability): 85% 이상

② 분자량(MW): 151 g/mol

③ 단백질 결합: 10-30%

④ 혈중최고농도 도달시간(Tmax): 1-3시간

⑤ 반감기(T1/2): 2시간

(6) 약물상호작용(Drug Interaction)

- 효과/독성 증가

① Barbiturates, carbamazepine, hydantoins, isoniazid, rifampin, sulfinpyrazone, chronic alcohol abuse: acetaminophen의 간독성 증가시킨다.

② Warfarin의 효과를 증가시킨다.

- 효과 감소

③ 진통 효과 감소: Barbiturates, carbamazepine, hydantoins, rifampin, sulfinpyrazone

④ 흡수 감소: cholestyramine

2) 기형 발생 정보(Teratogenicity Information)

(1) 동물 실험(Animal test)

아세트아미노펜은 동물실험에서 고용량에 노출된 경우 부작용이 보고되었다. 쥐 실험에서 기형발생을 유발하지 않았으며, 성장지연도 일으키지 않았다. 그러나 고용량에서는 쥐의 고환에 독성을 유발하여, 정자형성 손상과 고환 위축을 일으켰다.

(2) 외국의 역학연구 정보(Epidemiologic Information)

산전에 아세트아미노펜을 복용한 경우 기형이 증가되지 않았다는 여러 연구 결과가 있었다. 또한 선천성 심장기형과 임신 시 아세트아미노펜을 복용한 병력과 관련이 없음이 보고되었으며, 임신 제1분기에 아세트아미노펜에 노출되었던 경우, 코데인 복용과 상관없이 어떤 기형도 증가하지 않았다. 신경관 결손 아이들을 대상으로 한 연구에서 신경관 결손과 임신 제1분기의 아세트아미노펜 사용과 관련성이 없음이 밝혀졌고, 여러 연구에서 아세트아미노펜 사용과 배벽갈림증이 유의한 상관관계가 없음을 보고하였다. NSAIDs을 산전에 사용한 경우 유산이 증

가되는지에 관한 연구에서도 아세트아미노펜을 복용한 여성들에서 중요한 연관관계가 없었다.

임신 시 아세트아미노펜이 미치는 기형학적 이외의 독성에 대한 연구결과, 지속적으로 고용량의 아세트아미노펜에 노출 된 경우 심한 모성 빈혈 및 신생아에서 신장 질환을 일으켰다. 아세트아미노펜을 고용량 복용했을 때 나타나는 태아 독성은 모성 독성과 비슷한 형태를 나타낸다고 보고하였으나, 또 다른 연구에서는 정상 태아 소견을 보이는 경우들도 있었다.

프로스타글란딘 합성 억제의 기능으로 신생아 출혈, 진통억제, 동맥관 조기폐쇄 같은 부작용 때문에 임신 후반기에 아세트아미노펜 치료에 대한 우려가 있었으나, 인간에서 이러한 부작용은 보고되지 않았다. 그러나 쥐와 양의 실험에서 아스피린처럼 아세트아미노펜도 동맥관 조기폐쇄와 연관 있음이 밝혀졌다. 아세트아미노펜은 이러한 부작용의 가능성이 있기는 하나 임신 전 기간에 걸쳐 사용할 수 있는 진통제 및 해열제로 사용되고 있다.

(3) 한국마더세이프전문상담센터정보(The Korean MotherSafe Counselling Center Information)

아세트아미노펜에 노출된 후 추적된 임신부는 총 1,387례 이었으며 초기 노출 후 자연유산율은 6.2 %(87/1,387)이었다. 임신 37주 이전의 조산률은 4%(51/1,260), 2,500 g 미만의 저체중증은 2.6%(32/1,250)이었다. 주요기형발생은 3.0%(38/1,250): Two skin tags(5x1mm) on right ear/left ear deformity(1), both ankle deformity(1), necrotizing enterocolitis with perforation(1), ASD with small PDA(2), mega cisterna magna(13.6mm)(1), 얼굴과 몸 전체적으로 붉은 반점(1), right hip mass(1), VSD(2), Smooth philtrum with thin upper lip with left microtia(1), bilateral inguinal hernia(1), ASD(3), cyst in caudothalamic groove(1), nasolacrimal duct obstruction with ptosis(1), renal mass(1), cryptorchidism with cystic dysplastic change of right kidney(1), imperforate anus(1), multicystic dysplastic kideny(1), right liver mass (1), liver mass(hemangioepithelioma)(1), bilat. club foot with knee rigidity(1), PDA(1), right radial nerve palsy with wrist & hand drop(1), micro penis with small right testis(1), Both ear skin tag(0.5×0.5cm)(1), wrist drop of left hand(1), microtia with invisible external orifice(1), VSD with aortic valve prolapse(1), gingival cyst(1), intestinal obstruction(1), nasolacrimal ductobstruction(1), cleft palate(1), preaxial polydactyly(1), right hydronephrosis(1), congenital heart defect(1), undefined major anomaly(1)가 있었다.

3) 모유 수유시 독성 및 적합성 정보

- Lactation Risk Category: L1
- WHO Working Group on Drugs and Human Lactation및 American Academy of Pediatrics에서 아세트아미노펜을 모유수유시 안전한 약으로 분류하였다.

- 한국마더세이프전문상담센터: 아세트아미노펜 노출 수유부 81례 중 아기에게서 설사 증상 1례, 젖량감소 3례가 있었다.

61 아세틸시스테인(Acetylcysteine)

1) 일반적 정보(General Information)

(1) 상품명

상품명	제약회사	용량	상품모양
뮤시딘캅셀	대한뉴팜	100 mg	
뮤코세린캅셀	한국휴텍스제약	200 mg	
목틴캅셀	한미약품	200 mg	
광동아세테인캅셀	광동제약	200 mg	
누코미트액	한서제약	800 mg	
뮤코스텐캅셀	메디카코리아	200 mg	
세브론시럽	서울제약	200 mg	
세틸란주	유영제약	300 mg	

(2) 성분: (R)-2-acetamido-3-mercaptopropanoic acid

- 분자식: $C_4H_9NO_3S$

(3) 임상적 적응증(Clinical indications)

- 급 만성기관지염, 기관지확장증, 천식성기관지염, 기관지천식, 모세기관지염, 부비강염, 인 후염, 부비강염, 중이염

(4) 작용기전(Mechanism of Action)

- 아세틸시스테인은 L-cysteine의 N-acetyl 유도체로서 호흡기계 질병에서 점액용제제(mucolytics)로 처방된다. 또한 아세트아미노펜의 해독제(antidote)로도 사용되는데 이는 아세트아미노펜의 toxic oxidative metabolite와 결합하는 간(liver) 내 glutathione의 증가에 기인한 것으로 연구되고 있다.

(5) 약물역동학(Pharmacokinetics)

① 경구 생체 이용률(Oral bioavailability): –

② 분자량(MW): 163

③ 단백질 결합: –

④ 혈중최고농도 도달시간(Tmax): –

⑤ 반감기(T1/2): 5.6 hour

(6) 약물상호작용(Drug Interaction)

- Nitrate와 병용하는 경우, nitrate의 작용에 도움을 줄 수 있으나, 지속적으로 병용하는 것은 아직 자료가 부족하므로 권하지 않는다.

2) 기형 발생 정보(Teratogenicity Information)

(1) 동물 실험(Animal test)

아세틸시스테인을 설치류에게 800 mg/kg/d 투여하였을 경우, 태자 독성은 관찰되지 않았으며, methyl mercury를 병용하였을 경우에도, methyl mercury의 독성을 감소 시켰다. 반면에 설치류에게 0.2%의 아세틸시스테인을 투여한 결과, 태자에서 중금속과 기인한 독성증가의 보고도 있다.

(2) 외국의 역학연구 정보(Epidemiologic Information)

제한적인 연구이나 인간에서는 80명의 임신부를 대상으로 한 연구에서는 태아의 기형은 발생하지 않았다.

(3) 한국마더세이프전문상담센터정보(The Korean MotherSafe Counselling Center Information)

아세틸시스테인에 노출된 후 추적된 임신부는 총 279례이었으며 초기 노출 후 자연유산율은 5.3%(15/279)이었다. 임신 37주 이전의 조산률은 5.9%(15/253), 2,500 g 미만의 저체중증은 3.2%(8/251) 이었다. 주요기형발생은 3.2%(8/251): both fetal ankle deformity(1), CCAM(1), PDA(1), nasolacrimal duct obstruction with ptosis(1), renal mass(1), MCDK(1), VSD with aortic valve prolapse(1), cleft palate(1)가 있었다.

3) 모유 수유시 독성 및 적합성 정보

- Lactation Risk Category: 분류되어 있지는 않고 모유로 통과여부 밝혀져 있지 않지만, 단기간 사용시 수유아에 영향 일으킬 것 같지 않음.
- 한국마더세이프전문상담센터: 수유부–수유아 16쌍 중 부작용례는 없었다.

62 아세틸살리시릭 산(Acetylsalicylic acid, Aspirin)

1) 일반적 정보(General Information)

(1) 상품명

— 찾을 수 없음

상품명	제약회사	용량	상품모양
신풍 아스피린리진 주	신풍제약	500 mg	—
알타질 주	일양약품	900 mg/g	

(2) 성분: 2–(acetyloxy)benzoic acid

- 분자식: $C_9H_8O_4$

(3) 임상적 적응증(Clinical Indications)

- 경동맥 내막 절제술
- 뇌혈관 사고의 치료 및 예방
- 관상동맥 우회술
- 척추관절 질환
- 발열, 전신적 통증, 두통, 편두통

- 심근경색 및 예방
- 골관절염, 통증
- 경피적 관상시술
- 류마티스양 관절염
- 만성 안정형 협심증
- 전신성 홍반 낭창: 관절염, 흉막염
- TIA의 치료 및 예방
- 불안정 협심증

(4) 작용기전(Mechanism of Action)

- 투여 시 lysine과 aspirin으로 해리되며 aspirin은 salicylic acid로 가수 분해된다. 이는 prostaglandin과 thromboxane의 생합성 과정의 주 효소인 cyclooxygenase를 억제한다.

(5) 약물역동학(Pharmacokinetics)

① 경구 생체 이용률(Oral bioavailability): 80−100%

② 분자량(MW): 180 g/mol

③ 단백질 결합: 88−93%

④ 혈중최고농도 도달시간(Tmax): 1−2시간

⑤ 반감기(T1/2): 2.5−7시간

(6) 약물상호작용(Drug Interaction)

- 효과/독성 증가

① Methotrexate의 혈청 농도/독성을 증가시킴.

② Valproic acid를 결합 부위에서 떨어뜨리는 작용을 하여 valproic acid 독성을 유발할 수 있음.

③ 항혈액응고제, 혈전용해제, 항혈소판제제와 병용 시 출혈 위험이 증가할 수 있음.

④ Verapamil의 경우 출혈시간을 연장시킴.

⑤ NSAIDs와 아스피린 병용 시 소화기 궤양의 위험이 증가함.

⑥ 고전적인 설포닐우레아 계열의 당뇨약의 단백결합을 떨어뜨림으로써 약효를 증강시킬 수 있음.

⑦ 새로운 설포닐우레아 계열제제의 경우 심각한 임상적증상이 없음.

- 효과 감소

① ACE inhibitor의 효과를 감소시킴.

② 베타차단제, loop이뇨제, thiazide 이뇨제, 프로베네시드의 효과를 감소시킴.

③ 비스테로이드 소염진통제의 혈청농도, probenecid의 효과를 감소시킴.

④ 뇨산성화 약물(염화암모늄, 메치오닌 등)과 병용 시 salicylate의 농도가 상승함.

⑤ 이부프로펜 등 COX-1 inhibitor과 병용 시 아스피린의 심장보호작용이 감소될 수 있음.

2) 기형 발생 정보(Teratogenicity Information)

(1) 동물 실험(Animal test)

설치류에서 고용량의 아스피린에 노출 시 두개골 결함, 신경관 결손 및 심장 결손등이 지속적으로 나타났다. 아스피린 250 mg/kg/d을 투여하고 음식이 제한되었던 쥐에서 아스피린만 투여하였던 경우보다 기형이 2배 이상 증가하였다. 가장 주목할만한 기형은 갈비뼈와 사지 결손 및 제대탈장이었다. 원숭이에서도 아스피린을 용량을 더 높여서 투여하였을 때 비슷한 배아 독성을 보였다. 이 외에도 신경과 결손, 골격 기형, 얼굴 갈림증 등이 있다. 최근의 동물실험에서 아스피린이나 다른 비스테로이드성 소염제에 임신기간에 노출 시 횡견막탈장, 심실 중격 결손이나 정중선 결손등이 보고되었다. 모성 독성 때문에 토끼에서는 아스피린을 발달 결손을 일으킬만큼 충분한 양을 투여하지 못하였다.

(2) 외국의 역학연구 정보(Epidemiologic Information)

2002년 임상문헌을 바탕으로 한 중재분석에서 임신 제 1삼분기에 아스피린 사용과 선천성 기형과의 관련성 증거를 찾지 못하였다. 일부 환자 대조군 연구에서 임신 초기에 아스피린 사용이 선천성 기형과 관련성이 있다고 보고하였으나, 다른 연구들에서는 이 같은 결과를 밝혀내지 못하였다. 한 연구에서 아스피린을 사용한 자손에서 구개열의 증가를 발표하였으며, 임신기간 동안 아스피린을 간헐적으로 사용하였던 경우 사산율이 증가하고 태아 체중이 감소하였으나 선천성 기형이 증가하지는 않았다. 50,000건 이상의 임신에 대한 대규모 전향연구에서 아스피린으로 인한 기형과 신생아 체중 변화 및 주산기 사망과의 연관성을 밝히지 못하였다. 후향 환자-대조군 연구에서 임신 기간동안 아스피린을 사용한 경우 심장기형의 위험이 증가할 수 있다고 하였다. 그러나 두 개의 선청성 심장기형 아이들의 환자-대조군 연구에서 이러한 기형과 임신기간동안 아스피린 사용과의 연관성이 없음을 밝혔다. 복벽결손에 관한 환자-대조군 연구에서 복벽결손 태아를 임신하였던 경우 아스피린이나 이부프로펜에 노출되었던 것의 교차비가 유의하게 증가함을 보였다. 선천성 이상에 관한 헝가리의 환자-대조군 연구에서 임신기간동안 아스피린 사용과 선천성결함의 증가와의 중요한 연관성을 밝히지 못하였다. 아스피린을 임신 중 장기간 먹은 경우 지연임신이 증가함을 보고하였고, 이는 아스피린 계통의 약물이 자궁 수축을 감소시켜 임신을 지연시키는 동물과 인간 데이터 결과와 일치한다. 분만이 가까운 시기에 아스피린과 다른 프로스타글란딘 합성 억제제를 사용하면 태아의 동맥관을 조기폐쇄시켜 폐동맥 고혈압이 야기될 수 있다. 아스피린은 역시 혈소판 부착성과 응집성을 감소시키고, 분만 일주 내에 아스피린을 복용했던 산모의 조산아의 경우 두 개 내 출혈이 증가하였다. 따라서 아스피린의 진통효과 용량에서는 분만 시 부작용이 생길 수 있고 신생아에 영향을 줄 수 있어서, 임신 말에 진통효과 용량 으로 아스피린을 사용하는 것은 추천되지 않는다.

전자간증 고위험 산모에게 아스피린을 소량(60 to 150 mg) 투여하였을 경우 전자간증의 빈도가 유의하게 감소함을 보고하였다. 중등도의 고혈압이 있으면서 비정상적인 도플러 소견을 보이는 산모에게 저용량의 아스피린을 투여할 경우 태아 체중과 머리둘레, 태반무게가 유의하게 증가하였다. 그러나 아스피린은 중증의 고혈압산모의 임신 결과에 영향을 미치지 않았다. 무작위, 위약 아스피린 치료는 자궁내 성장지연 및 사산, 태반 박리의 과거력이 있는 산모들에서 이러한 위험의 빈도를 효과적으로 줄일 수 있음이 보고되기도 하였다. 임신 시 아스피린 복용과 관련된 이탈리아의 대규모 연구에서는 아스피린이 긍정적인 영향을 미치는 결과를 밝힐 수 없었다.

CLASP(Collaborative Low-dose Aspirin Study in Pregnancy)라는 다국적연구에서 저용량의 아스피린 사용이 산모와 태아, 신생아에게 부정적인 영향을 미치는 지를 발견하지 못하였다. 또한 출생 전 노출되었던 아이들을 생후 12개월과 18개월에 추적관찰한 결과, 어떠한 발달장애도 발견하지 못하였다.

출생 전 저용량의 아스피린에 노출되었던 신생아에서 출혈 이상의 위험도가 증가하지 않았다는 보고가 있으나. 일부에서는 신생아에서 혈액학적 이상현상이 나타나는 것을 피하기 위해 분만 예정일보다 적어도 5일전에 아스피린을 중단할 것을 권하고 있다. 임신 제3삼분기부터 분만 때까지 아스피린을 80 mg/d 사용하였던 산모들을 대상으로 한 연구에서, 신생아에서 6-keto- prostaglandin F1 alpha 과 thromboxane B2 값이 변하지 않았고 혈소판 응집도 방해받지 않았다. 또한 모든 아이들은 정상 심전도 소견을 보였으며 두혈종, 위장관 출혈 및 자반증도 관찰되지 않았다. 저용량의 아스피린도 역시 태아 심혈관 파형의 변화를 일으키지 않았으며, 이러한 결과는 아스피린이 동맥관이나 다른 혈관의 평활근에 미치는 영향을 무시할 수 있음을 암시한다. 다른 연구들에서도 임신 기간에 저용량의 아스피린 치료는 신생아 출혈부작용이나 태아 소변량 감소를 일으키지 않았다.

(3) 한국마더세이프전문상담센터정보(The Korean MotherSafe Counselling Center Information)

아스피린에 노출된 후 추적된 임신부는 총 60례이었으며 초기 노출 후 자연유산율은 5.0%(3/60)이었다. 임신 37주 이전의 조산률은 0(0/55), 2,500 g 미만의 저체중증은 7.3%(4/55)이었다.

주요기형발생은 7.3%(4/55): both leg stiffness(1) (출생후 특별한 처치가 없었으면 제외), both ear skin tag(0.5×0.5cm)(1), choledochal cyst(1), undefined major anomaly(1)가 있었다.

3) 모유 수유시 독성 및 적합성 정보

- Lactation Risk Category: L2
- 아스피린에 일회 노출은 수유아에 영향을 미치지 않음. 하지만 반복 노출 될 시 신생아에게 salicylate가 축적되어 독성작용을 일으킬 수 있으므로 수유 시 사용하지 말 것을 권하고 있다.
- 한국마더세이프전문상담센터: 수유부와 수유아 3쌍 중 부작용 례는 없었다.

63 아젤라스틴(Azelastine)

1) 일반적 정보(General Information)

(1) 상품명

상품명	제약회사	용량	상품모양
아라스틴 정	일화	1 mg	
아라틴 정	우리제약	1 mg	
아제란 점안액	태준제약	0.5 mg/mL	
아제스틴 정	건일제약	1 mg	
아젤라 정	경동제약	1 mg	
아젭틴 정	부광약품	1 mg	
젤라스틴 정	구주제약	1 mg	
케이스틴 정	한국콜마	1 mg	

(2) 성분: 4-[(4-chlorophenyl)methyl]-2-(1-methylazepan-4-yl)-phthalazin-1-one

- 분자식: $C_{22}H_{24}ClN_3O$

(3) 임상적 적응증(Clinical indications)

- 알러지성 결막염, 계절성 알러지 비염, 혈관 운동성 비염

(4) 작용기전(Mechanism of Action)

- 강력한 H1-수용체 길항제로 항콜린 효과는 적으며 동물실험에서 leukotriene의 합성 및 방출, acetylcholine, histamine, serotonine, bradykinin, leukotriene의 작용을 길항하였다.

(5) 약물역동학(Pharmacokinetics)

① 경구 생체 이용률(Oral bioavailability): 80%

② 분자량(MW): 418 g/mol

③ 친수성(hydrophilic): -

④ 단백질 결합: 88%

⑤ 혈중최고농도 도달시간(Tmax): 2-3시간

⑥ 반감기(T1/2): 22시간

(6) 약물상호작용(Drug Interaction)

- CYP450(CYP1A2, 2C19, 2D6, 3A4)의 약한 기질이면서 CYP450(2B6, 2C8/9, 2C19, 2D6, 3A4)를 약간 억제함.
- Cimetidine과 병용 시 대사가 억제되어 부작용 발현 위험이 높아짐.

2) 기형 발생 정보(Teratogenicity Information)

(1) 동물 실험(Animal test)

설치류에서 아젤라스틴의 태반 이동이 제한적이었으며, 아젤라스틴이 쥐와 토끼에서 수정과 임신에 미치는 연구가 있었다. 수컷과 암컷 쥐에 교배 전과 초기 임신 때 아젤라스틴 68.6 mg/kg/d을 주입했을 때 수정과 임신에 역효과를 미치지 않았다. 임신한 토끼에게 배아형성시기에 100 mg/kg/d 용량을 주었을 때 68.6 mg/kg/d에서 모성독성이 나타나거나 태아의 성장 손상

과 골 흡수와 더 많은 연관이 있음을 보여주었다. 30 mg/kg/d 이상의 농도에서도 경미한 골격변화가 있었다. 아젤라스틴을 임신 후반기와 산욕기에 주었을 때에도 출생 후 아이의 발달과 행동에 부작용이 관찰되지 않았다. 임신한 쥐에 50 mg/kg/d까지 주었을 때 모성 독성이 생겼고 30 mg/kg/d 이상에서 성장지연을 보였으나 기형이 증가하지는 않았다.

(2) 외국의 역학연구 정보(Epidemiologic Information)

아젤라스틴은 항히스타민제제로 사람을 대상으로 한 연구를 찾을 수 없었다.

(3) 한국마더세이프전문상담센터정보(The Korean MotherSafe Counselling Center Information)

아젤라스틴에 노출된 후 추적된 임신부는 총 67례이었으며 초기 노출 후 자연유산율은 7.4%(5/67)이었다. 임신 37주 이전의 조산률은 1.7%(1/60), 2,500 g 미만의 저체중증은 0.0%(0/59)이었다. 주요기형발생은 5.1%(3/59): unilateral cleft lip and palate of left side with bilateral clenched hands with Ventricular septal defect(1) bilateral polydactyly(1), imperforate anus(1)가 있었다.

3) 모유 수유시 독성 및 적합성 정보

- Lactation Risk Category: L3
- 한국마더세이프전문상담센터: 수유부와 수유아 5쌍 중 부작용례는 없었다.

64 수산화 알루미늄(Aluminum hydroxide)

1) 일반적 정보(General Information)

(1) 상품명

상품명	제약회사	용량	상품모양
미란타투액	대웅제약	800 mg	
겔스타현탁액	한올제약	1800 mg	
암포젤정	일동제약	392 mg	
미란타	대웅제약	400 mg	

상품명	제약회사	용량	상품모양
암포젤엠	일동제약	15.049 g	
레오시드정	한서제약	200 mg	
포스겔정	보령제약	266.7 mg	

(2) 성분: Aluminium(III) hydroxide

- 분자식: Al(OH)3

(3) 임상적 적응증

- 위산과다, 속쓰림, 위부 불쾌감, 위식도 역류증

(4) 작용기전(Mechanism of Action)

- 이약물은 hydroxide가 위에서의 과다한 위산과 작용함으로써 위의 산성도를 감소시켜 위 궤양, 속쓰림을 감소시킨다.

(5) 약물 역동학(Pharmacokinetics)

① 경구 생체 이용률(Oral Bioavailabioity): −

② 분자량(MW): 78.0 g/mol

③ 단백질 결합(Protein binding): −

④ 혈중최고농도 도달시간(Tmax): −

⑤ 반감기(T1/2): −

(6) 약물의 상호작용(Drug Interactions)

2) 기형 발생 정보(Teratogenicity Information)

(1) 동물 실험(Animal teratology studies)

Mice에 경구로 768 mg/kg을 사용하여 기형발생시험을 하였으나 태아의 생존, 발달 그리고 성장에 부정적 영향이 나타나지 않음.

(2) 외국의 역학연구 정보(Epidemiologic Information)

인간에서의 기형발생에 관한 역학연구의 보고가 아직 없음

(3) 한국마더세이프전문상담센터정보(The Korean MotherSafe Counselling Center Information)

수산화알루미늄에 노출된 후 추적된 임신부는 총 257례이었으며 초기 노출 후 자연유산율은 4.6%(12/257)이었다. 임신 37주 이전의 조산률은 3.5%(8/228), 2,500 g 미만의 저체중증은 3.5%(8/226)이었다. 주요기형발생은 2.7%(6/226): both fetal ankle deformity(1), right hip mass(1), right UPJ stenosis with right scrotal hydrocele(1), cryptorchidism with cystic dysplastic change of right kidney(1), VSD(1), cleft palate(1)가 있었다. 그리고 사산 1례가 있었다.

3) 모유 수유시 독성 및 적합성 정보(Brestfeeding Compatibility Information)

- 관련 정보 찾을 수 없음.
- 한국마더세이프전문상담센터: 수유부–수유아 18쌍 중 부작용례는 없었다.

65 알리벤돌(Alibendol)

1) 일반적 정보(General Information)

(1) 상품명

— 찾을 수 없음

상품명	제약회사	용량	상품모양	
뉴진탈정	일양약품	100 mg		
다벤돌정	대원제약	100 mg		
라벤정	하원제약	100 mg		
라벤돈정	태극제약	100 mg	—	
랙스판정	대화제약	100 mg		
리베라정	진양제약	100 mg		
리벤다제정	메디카코리아	100 mg	—	
리벤돌정	대한뉴팜	100 mg		
마이팜 알리벤돌정	한국마이팜제약	100 mg	—	

— 찾을 수 없음

상품명	제약회사	용량	상품모양	
명문 알리벤돌정	명문제약	100 mg		
모티라제정	대웅제약	100 mg		
베리돌정	신풍제약	100 mg		
벤도린정	영일제약	100 mg		
벤돌락정	태평양제약	100 mg		
보람 알리벤돌정	보람제약	100 mg		
보령 알리벤돌정	보령제약	100 mg		
소하벤돌정	한미약품	100 mg		
수성 알리벤돌정	수성약품	100 mg	—	
슈넬 알리벤돌정	한국슈넬제약㈜	100 mg	—	
스파돌정	아주약품공업	100 mg		
아리벤정	동광제약	100 mg		
아베날정	경동제약	100 mg		
아벤돌정	넥스팜코리아	100 mg	—	
아벨라정	영풍제약	100 mg	—	
알리드정	구주제약	100 mg		
알리벤정	신일제약	100 mg	—	
알리스탄정	스카이뉴팜	100 mg	—	

(2) 성분:

- 분자식: $C_{13}H_{17}NO_4$

(3) 임상적 적응증(Clinical Indications)

- 담즙분비 촉진제로 소화불량, 구역, 구토, 변비 등의 증상에 사용

(4) 작용기전(Mechanism of Action)

- 찾을 수 없음.

(5) 약물 역동학(Pharmacokinetics)

① 경구 생체 이용률(Oral Bioavailabioity): −

② 분자량(MW): 251.28 g/mol

③ 단백질 결합(Protein binding): −

④ 혈중최고농도 도달시간(Tmax): 4시간

⑤ 반감기(T1/2): −

(6) 약물 상호작용(Drug Interactions)

- 찾을 수 없음.

2) 기형 발생 정보(Teratogenicity Information) − lack of information

(1) 동물 실험(Animal teratology studies)

관련정보 찾을 수 없음

(2) 외국의 역학연구 정보(Epidemiologic Information)

관련정보 찾을 수 없음

(3) 한국마더세이프전문상담센터정보(The Korean MotherSafe Counselling Center Information)

알리벤돌에 노출된 후 추적된 임신부는 총 257례이었으며 초기 노출 후 자연유산율은 6.2%(16/257)이었다. 임신 37주 이전의 조산률은 5.6%(13/233), 2,500 g 미만의 저체중증은 3.0%(7/231)이었다. 주요기형발생은 2.6%(6/231): unilateral cleft lip and palate of left side with bilateral clenched hands and Ventricular septal defect(1), PDA(1), hydronephrosis(1), right cleft palate/ right preaxial polydactyly / ptosis of left eye(1), microtia with invisible external ear orifice(1), congenital heart defect(1)가 있었다. 그리고 사산 1례가 있었다.

3) 모유 수유시 독성 및 적합성 정보(Brestfeeding Compatibility Information)

- 관련정보 찾을 수 없음.
- 한국마더세이프전문상담센터: 수유부–수유아 26쌍 중 부작용 례는 없었다.

66 알마게이트(Almagate; Aluminium Magnesium Hydroxy Carbonate)

1) 일반적 정보(General Information)

(1) 상품명

상품명	제약회사	용량	상품모양
대원알마게이트정	대원제약	500 mg	
알게나정	코오롱제약	500 mg	
알마겔에프현탁액	유한양행	1.5 g	
제일알맥스정	제일약품	500 mg	
파티겔정	태극제약	500 mg	
한미알마게이트정	한미약품	500 mg	

(2) 성분: Aluminium Magnesium Hydroxy Carbonate

- 분자식: $Al_2Mg_6(OH)_{14}CO_3$

(3) 임상적 적응증

- 위, 십이지장궤양, 위염, 위산과다(속쓰림, 구역, 구토, 위통, 신트림), 역류성 식도염 등에서 제산작용을 통한 증상의 개선

(4) 작용기전(Mechanism of Action)

- 알루미늄과 마그네슘 복합제로 이루어져 있으며 제산제로 작용함.

(5) 약물 역동학(Pharmacokinetics)

① 경구 생체 이용률(Oral Bioavailabioity): −

② 분자량(MW): 630 g/mol

③ 단백질 결합(Protein binding): −

④ 혈중최고농도 도달시간(Tmax): −

⑤ 반감기(T1/2): −

(6) 약물의 상호작용(Drug Interactions)

- 테트라사이클린계의 흡수를 저해함.

2) 기형 발생 정보(Teratogenicity Information)

(1) 동물 실험(Animal teratology studies)

Mice실험에서 배아기에 고용량(6g/kg/d) during embryogenesis) 노출에도 기형 유발되지 않음.

(2) 외국의 역학연구 정보(Epidemiologic Information)

역학연구 보고 없음.

(3) 한국마더세이프전문상담센터정보(The Korean MotherSafe Counselling Center Information)

알마게이트에 노출된 후 추적된 임신부는 총 340례이었으며 초기 노출 후 자연유산율은 4.4%(15/340)이었다. 임신 37주 이전의 조산률은 5.8%(18/311), 2,500 g 미만의 저체중증은 2.3%(7/308)이었다. 주요기형발생은 2.9%(9/308): two skin tags(5x1mm) with left ear defomoty(1), left ear anomaly(1), left preaxial polydactyly(1), mega cisterna magna(13.6mm)(1), imperforate anus(1), right liver mass(1), ASD with small PDA(1), choledochal cyst(1), undefined major anomaly(1)가 있었다. 그리고 사산 3례가 있었다.

3) 모유 수유시 독성 및 적합성 정보(Brestfeeding Compatibility Information)

- Lactation Risk Category: 제산제로서의 magnesium hydroxide는 L1
- 한국마더세이프전문상담센터: 수유부−수유아 10쌍 중 부작용례는 없었다.

67 알벤다졸(Albendazole)

1) 일반적 정보(General Information)

(1) 상품명

— 찾을 수 없음

상품명	제약회사	용량	상품모양
고려은단 알벤다졸 정	고려은단	400 mg	—
대웅 알벤다졸 정	대웅제약	400 mg	DW
수도 알벤다졸 정	수도약품공업	400 mg	
슈벤 정	삼익제약	400 mg	—
알비 정	한국알리코팜	400 mg	—
알타졸 정	본초제약	200 mg	—
알피나 정	크라운제약	400 mg	—
오르원 정	보람제약	400 mg	—
오비스 정	대화제약	400 mg	—
원텔 정	대림제약	200 mg	—
후리졸 정	청계제약	400 mg	—

(2) 성분: methyl [(5-propylsulfanyl-3H- benzoimidazol-2-yl) amino]formate

- 분자식: $C_{12}H_{15}N_3O_2S$

(3) 임상적 적응증(Clinical indicatios)

- 포낭충증
- 신경낭미충증

(4) 작용기전(Mechanism of Action)

- 활성대사체는 장기생충 및 유충의 장 및 피개세포에서 세포질 미세소관의 선택적 변성을 일으킨다.

- Glycogen을 고갈시키고, glucose 흡수와 cholinesterase 분비를 억제시키며, 분비되지 않은 물질이 세포내에 축적된다. ATP 생성 감소로 인한 에너지 고갈, 고정화 및 기생충 사멸을 일으킨다.

(5) 약물역동학(Pharmacokinetics)

① 경구 생체 이용률(Oral bioavailability): 5%미만

② 분자량(MW): 265 g/mol

③ 단백질 결합: 70%

④ 혈중최고농도 도달시간(Tmax): 2시간

⑤ 반감기(T1/2): 8시간

(6) 약물상호작용(Drug Interaction)

- 혈청농도를 증가시키는 약물 dexamethasone, praziquantel
- 대사를 증가시키는 약물 cimetidine

2) 기형 발생 정보(Teratogenicity Information)

(1) 동물 실험(Animal test)

알벤다졸을 쥐에게 8 mg/kg/d과 10 mg/kg/d을 투여했을 때 비정상적인 배아 발달을 보였다. 이후 연구에서 기형발생 영향은 조직병리 분석에서만 알 수 있었으며 대부분의 비정상 소견은 신경외배엽 세포에서 발견되었다. 임신한 쥐에 albendazole sulfoxide를 임신 6-15일 기간에 투여하였을 때 태반과 태아 성장에 부작용을 일으켰으며 골격이상을 야기하였다. 알벤다졸과 이의 대사물을 발생시키는 네토비민(netobimin)과 관련된 연구에서 바깥부분과 골격부분에서만 결손이 관찰되었다. 10일경 쥐에 50-70 mg/kg 용량의 경구 네토비민을 투여하였을 때 혈관과 골격계의 흡수 및 결손이 증가하였다. 임신 9-11일경에 쥐에 알벤다졸 10 mg/kg/d을 투여하였을 때는 태아 기형이 증가하지 않았으나, 자손에서 crown-rump length가 감소하였다. 알벤다졸 20 mg/kg/d에서는 두개안면과 골격 기형이 증가하였으며 심각한 태아독성을 일으켰다. 이러한 흡수 및 태아 성장 지연이 용량과 관련이 있었다. 20과 30 mg/kg/d에서 팔다리싹 발달이 지연되고, 머리와 사지 기형이 증가하였다. 임신 초기의 다양한 시기에 임신한 소에 알벤다졸 10이나 15 mg/kg을 투여하였을 때 배아나 태아 발달에 해를 끼치지 않았다. micromass 세포 배양연구에서 알벤다졸에 노출된 세포가 유사분열이 중단됨을 관찰할 수 있었으며 이는 세포내 tubulin 형성을 방해함으로써 생기게 된다고 여겨진다.

(2) 외국의 역학연구 정보(Epidemiologic Information)

전신 감염을 치료하기 위해 임신 제 1삼분기에 알벤다졸에 노출되었던 10명의 산모들 모두 정상아를 분만하였다. 또한 임신기간동안 우연히 알벤다졸에 노출되었던 50명의 가나 여성들

에 대한 보고가 있었다. 이중 2명은 자연유산이 되었고 1명은 선천성 기형을 가지고 태어났으며, 이는 정상적으로 나타나는 부작용보다 증가된 수치는 아니었다. 임신 제 2삼분기에 알벤다졸 400 mg을 복용하였던 61명의 임산부에서 어떤 부작용도 보고되지 않았다.

(3) 한국마더세이프전문상담센터정보(The Korean MotherSafe Counselling Center Information)

알벤다졸에 노출된 후 추적된 임신부는 총 94례가 있었으며 초기 노출 후 자연유산율은 4.6%(3/94)이었다. 임신 37주 이전의 조산률은 5.9%(5/85), 2,500 g 미만의 저체중증은 2.4%(2/84)이었다. 주요기형발생은 6.0%(5/84): Polydactyly(1), dysplastic kidney left with megaureter(1), left inguinal hernia(1), right hydronephrosis(1), congenital heart defect(1)가 있었다. 그리고 사산 1례가 있었다.

3) 모유 수유시 독성 및 적합성 정보

- Lactation Risk Category: L2
- 한국마더세이프전문상담센터: 수유부와 수유아 2쌍 중 부작용 례는 없었다.

68 알프라졸람(Alprazolam)

1) 일반적 정보(General Information)

(1) 상품명

상품명	제약회사	용량	상품모양
새프람 정	대원제약	0.4 mg	
아졸락 정	유니메드제약	0.25, 0.4, 0.5 mg	
알작스 정	동화약품공업	0.25, 0.5 mg	
알프라낙스 정	한국파마	0.25, 0.5 mg	
알프람 정	환인제약	0.4, 0.5 mg	

상품명	제약회사	용량	상품모양
자나팜 정	명인제약	0.25, 0.4, 0.5 mg	
자낙스 정	한국화이자제약	0.25, 0.5 mg	
자세틴 정	메디카코리아	0.25, 0.5 mg	
자이렌 정	광동제약	0.25, 0.5 mg	
한림 알프라졸람 정	한림제약	0.25 mg	

(2) 성분: 8-Chloro-1-methyl-6-phenyl-4H-s-triazolo[4,3-α]

- 분자식: $C_{17}H_{13}ClN_4$

(3) 임상적 적응증(Clinical indications)

- 불안증(성인)

- 공황장애(광장공포증을 포함하거나 포함하지 않는 경우)(성인)

(4) 작용기전(Mechanism of Action)

- 대뇌 변연계와 망상체를 포함한 중추신경계의 일부 부위에서 postsynaptic GABA neuron에 있는 입체특이적 벤조디아제핀 수용체에 결합하여 신경세포막의 염소이온 투과성을 증가시킴으로써 막흥분시 GABA 억제 효과를 증가시킨다.

(5) 약물역동학(Pharmacokinetics)

① 경구 생체 이용률(Oral bioavailability): 100%

② 분자량(MW): 309 g/mol

③ 친수성(hydrophilic): −

④ 단백질 결합: 80%

⑤ 혈중최고농도 도달시간(Tmax): 1–2시간

⑥ 반감기(T1/2): 12–15시간

(6) 약물상호작용(Drug Interaction)

• 효과/독성 증가

① 아졸계 항진균제, 클래리스로마이신, 디클로페낙, 독시사이클린, 에리스로마이신, 플루오세틴, 경구피임제, 프로포폴 등 CYP3A4 억제제와의 병용시 혈청농도/효과 상승된다.

② 이트라코나졸, 케토코나졸은 병용 금기

③ 마약성 진통제, barbiturates, Phenothiazine, 에탄올, 항히스타민, MAO 억제제, 진정수면제, Cyclic antidepressants의 CNS 억제 작용을 증강시킨다.

④ 이미프라민과 데시프라민의 혈장농도를 상승시킨다.

• 효과 감소

aminoglutethimide, 카바마제핀, 나프실린, 페니토인, 페노바비탈 등 CYP3A4 유도제에 의해 혈장농도 감소

2) 기형 발생 정보(Teratogenicity Information)

(1) 동물 실험(Animal test)

알프라졸람을 쥐와 토끼에게 고용량으로 주었을 때 출생결함이 보고되었다. 또한 설치류에서 알프라졸람에 산전 노출시 행동장애와 연관이 있음을 보여주었으나 이러한 행동변화가 인간의 신경행동 발달에 영향을 주는지에 관해서는 밝혀지지 않았다.

(2) 외국의 역학연구 정보(Epidemiologic Information)

알프라졸람은 신경안정제 및 진정제로 사용되는 벤조다이아제핀 계통이다. 다른 벤조다이아제핀에 대한 일부 연구들에 의하면 치료용량에서 선천성 기형이 증가한다는 보고가 있어, 이를 바탕으로 임신부들에게 사용 시 주의사항을 알려주고 있다. 그러나 인간에서 벤조다이아제핀 사용 시 출생결함이 증가한다는 것은 입증되지 않았다.

헝가리의 환자 대조군 연구에서 임신 제 1삼분기에 알프라졸람이나 다른 벤조다이아제핀 계통의 약에 노출된 75건의 임신에서 벤조다이아제핀과 관련된 기형의 증가를 확인할 수 없었다. 임신 제 1삼분기 때 알프라졸람에 노출되었던 236건의 임신에서도 선천성 기형의 증가가 없었다고 보고하였다. 또 다른 전향연구에서는 알프라졸람에 노출되었던 88명의 산모에서 3명의 기형이 발견되었는데, 그 중 한 케이스는 기관식도루였으며, 다른 두 케이스는 서혜부탈장이었다. 반면 임신 시 불특정시기에 알프라졸람에 노출되었던 149건의 임신에서는 기형증가를 발견할 수 없었고, 이 집단에서 로라제팜에 노출되었던 네 명의 아이들에서 수신증과 다운증후군

이 각각 동반된 2건의 심장결손이 보고되었다.

임신 후반부까지 약재를 사용하여야 하는 경우에는 신생아에서 일시적인 금단증상을 보고하고 있다.

(3) 한국마더세이프전문상담센터정보(The Korean MotherSafe Counselling Center Information)

마더세이프전문상담센터의 데이터베이스의 임신 중 알프라졸람 사용군 220례중 122례 추적에 실패하였으며, 2례는 임신중절 하였음. 자연유산 14례, 사산 1례, 그리고 82례가 출산되어 신생아결과가 있었음. 알프라졸람 사용하지 않고 기형유발물질에 노출되지 않은 대조군과 비교 시 자연유산율은 2.38배 높음(95%CI, 1.20-4.69), 2.5 kg미만 저체중아 출산 3.65배 높음(95%CI, 1.22-11.00), 또한, 1분 7점미만 Apgar score 2.19배 높음(95%CI, 1.02-4.67). 하지만, 주요기형발생률은 알프라졸람 노출군이 3/96(3.7%), polydactly of left foot(1), ankyloglossia(1), cholestatoma on the roof of mouth(1)로 대조군의 17/629(2.9%)와 통계학적 차이는 없었음.

3) 모유 수유시 독성 및 적합성 정보

- Lactation Risk Category: L3
- 알프라졸람에 태아시기와 모유를 통해 노출이 되었던 경우, 약물을 중단하면 다른 벤조다이아제핀처럼 일시적인 금단증상으로 불안정 행동 및 과민성이 관찰된다.
- 한국마더세이프전문상담센터: 수유부와 수유아 1쌍 중 부작용은 없었다.

69 염화 암모니움(Ammonium chloride)

1) 일반적 정보(General Information)

(1) 상품명

— 찾을 수 없음

상품명	제약회사	용량	상품모양
디스몰시럽	삼아제약	10 mg/1 mL	
브로콜시럽	한미약품	1 g/100 mL	
지미코프시럽	대웅제약	1 g/100 mL	

— 찾을 수 없음

상품명	제약회사	용량	상품모양
코데나에스시럽	유한양행	10 mg/1 mL	—
코푸시럽	유한양행	10 mg/1 mL	—
코푸시럽에스	유한양행	10 mg/1 mL	
코푸정에스	유한양행	200 mg/1 정	—

(2) 성분

- 분자식: NH_4Cl

$$H-\underset{\underset{H}{|}}{\overset{\overset{H}{|}}{N}}-H-Cl$$

(3) 임상적 적응증(Clinical Indications)

- 진해거담제 & 기침감기약

(4) 작용기전(Mechanism of Action)

- 암모늄 이온이 간에서 urea로 전환되고, 혈액과 세포외액으로 수소 이온과 염소 이온 이 유리되어 pH를 낮추어 알칼리 상태를 교정.
- 뇨 pH를 낮추어 염기성 약물의 배설 속도가 증가.
- 위점막을 자극하여, 기관지 점막 분비선에 반사적 자극을 일으켜 객담을 배출.

(5) 약물 역동학(Pharmacokinetics)

① 경구 생체 이용률(Oral Bioavailabioity): 100%

② 분자량(MW): 5.349 g/mol

③ 단백질 결합(Protein binding): —

④ 혈중최고농도 도달시간(Tmax): 3–6시간

⑤ 반감기(T1/2): —

(6) 약물 상호작용(Drug Interactions)

- 관련정보 찾을 수 없음.

2) 기형 발생 정보(Teratogenicity Information)

(1) 동물 실험(Animal teratology studies)

한 연구에서 암모니움의 태반 통과여부를 양의 실험을 통해 증명했고, 흡수된 암모니아는 빠르게 소변으로 배출됨을 보고하였다. 임신한 쥐에게 염화암모늄이 포함된 음료수를 복용시킨 한 연구에서는 태자의 기형을 발견할 수 없었으나, 다른 저널에서는 지결손증(ectrodactyly)를 보고하였다. 그러나 이는 암모니움 자체의 영향보다는 체내 산증으로 인한 결과일 것으로 받아들여진다.

또한 쥐의 배아를 암모늄이 많이 포함된 배지에 배양을 한 결과 외번뇌증(exencephaly)과 다지증(polydactyly)의 증가를 보고한 연구도 있다.

(2) 외국의 역학연구 정보(Epidemiologic Information)

임신 제 1삼분기에 염화암모늄에 노출된 365명의 산모를 대상으로 한 연구에서 선천성 기형의 증가를 발견할 수 없었고, 또한 임신 말기에 임산부에게 염화암모늄을 투여하여 산증을 유도한 연구에서 산모의 pH감소가 태아의 산증, 자궁혈류감소, 태아산소포화도 감소와 연관성이 있었으나, 일시적 산모산증에 의한 신생아의 영향은 없다고 보고하였다.

(3) 한국마더세이프전문상담센터정보(The Korean MotherSafe Counselling Center Information)

암모니움 클로라이드에 노출된 후 추적된 임신부는 총 115 레이었으며 초기 노출 후 자연유산율은 6.0%(7/115)이었다. 임신 37주 이전의 조산률은 1.9%(2/104), 2,500 g 미만의 저체중증은 1%(1/104)이었다. 주요기형발생은 2.9%(3/104): Nasolacrimal duct obstruction with ptosis(1), hydronephrosi(1), undefined major anomaly(1)가 있었다. 그리고 사산 1례가 있었다.

3) 모유 수유시 독성 및 적합성 정보(Brestfeeding Compatibility Information)
- 관련정보 찾을 수 없음.
- 한국마더세이프전문상담센터: 수유부와 수유아 2쌍 중 부작용 례는 없었다.

70 암브록솔(Ambroxol)

1) 일반적 정보(General Information)
(1) 상품명

상품명	제약회사	용량	상품모양
대우염산암브록솔 정	대우약품공업	30 mg	
동광염화염산암브록솔 정	동광제약	30 mg	

상품명	제약회사	용량	상품모양
록솔정	삼아제약	30 mg	
뮤코펙트정	한국베링거인겔하임	30 mg	
솔프란정	한서제약	30 mg	
암펙솔정	한국휴텍스제약	30 mg	
암브로콜정	한미약품	30 mg	
앰브로주시	아주약품공입	15 mg	

(2) 성분: trans-4-(2-Amino-3, 5-dibrombenzylamino)-cyclohexanol

- 분자식: $C_{13}H_{18}Br_2N_2O$

(3) 임상적 적응증

- 호흡기점액 분비 장애로 인한 급만성 기관지염, 천식성기관지염, 부비강염

(4) 작용기전(Mechanism of Action

- Bromhexine HCl의 대사물로서 과도한 점액(mucus) 분비에 의한 호흡기계 질병에 치료를 위한 점액 제거물(mucolytics)로 작용함.

(5) 약물 역동학(Pharmacokinetics)

① 경구 생체 이용률(Oral Bioavailabioity): −

② 분자량(MW): 378.10 g/mol

③ 단백질 결합(Protein binding): −

④ 혈중최고농도 도달시간(Tmax): −

⑤ 반감기(T1/2): −

(6) 약물의 상호작용(Drug Interactions)

2) 기형 발생 정보(Teratogenicity Information)

(1) 동물 실험(Animal teratology studies)

랫드와 토끼에서의 기형발생과 생식발생독성 실험에서 고용량의 암부록솔 노출에도 불구하고 기형과 생식발생독성 일으키지 않음.

(2) 외국의 역학연구 정보(Epidemiologic Information)

Ambroxol의 기형발생관련 human data는 아직 보고가 없음.

(3) 한국마더세이프전문상담센터정보(The Korean MotherSafe Counselling Center Information)

염산암브록솔에 노출된 후 추적된 임신부는 총 198례이었으며 초기 노출 후 자연유산율은 9.0%(18/198)이었다. 임신 37주 이전의 조산률은 6%(10/168), 2,500 g 미만의 저체중증은 3%(5/169)이었다. 주요기형발생은 4.2%(7/168): Unilateral cleft lip and palate/left bilateral clenched hands/VSD(1), both fetal ankle deformity(1), PDA(2), dysplastic kidney left with megaureter(1), cleft palate(1), right hydronephrosis(1)가 있었다. 그리고 사산 1례가 있었다.

3) 모유 수유시 독성 및 적합성 정보(Brestfeeding Compatibility Information)

- Lactation Risk Category: 분류되지 않음.
- 한국마더세이프전문상담센터: 수유부-수유아 8쌍 중 젖량감소 1례가 있었다.

71 에바스틴(Ebastine)

1) 일반적 정보(General Information)

(1) 상품명

— 찾을 수 없음

상품명	제약회사	용량	상품모양
바스콜정	한국콜마	10 mg	—
보령에바스텔내복액	보령제약	1 mg	
보령에바스텔정	보령제약	10 mg	

— 찾을 수 없음

상품명	제약회사	용량	상품모양
에바티스정	메디카코리아	10 mg	
에스텔정	한올제약	10 mg	
에스티나정	드림파마	10 mg	

(2) 성분

- 분자식: $C_{32}H_{39}NO_2$

(3) 임상적 적응증(Clinical Indications)

- 비염 또는 알러지성 결막염, 만성담마진, 알러지성 피부염

(4) 작용기전(Mechanism of Action)

- 제2세대 antihistamine으로, 기관지평활근/모세혈관 중의 H1 수용체에 히스타민과상 경적으로 작용

(5) 약물 역동학(Pharmacokinetics)

① 경구 생체 이용률(Oral Bioavailabioity): −

② 분자량(MW): 469.67 g/mol

③ 단백질 결합(Protein binding): 95 %

④ 혈중최고농도 도달시간(Tmax): 1−1.5시간

⑤ 반감기(T1/2): 13시간

(6) 약물 상호작용(Drus Interactions)

- 다른 항히스타민제의 효과 증강

- 모노아민옥시다제 저해제 병용 투여시 심각한 고혈압 유발. 메칠토파, 메카밀아민, 리서핀, 맥가가 알칼로이드와 같은 약물의 혈압강하효과 감소
- 다른 고감신경흥분성 약물과 병용투여시 상가효과 유발, 독성 증가
- 에리스로마이신과 병용투여시, 약의 대사를 억제하여 혈중농도를 2배 상승
- 케토코나졸 또는 에리스로마이신 병용 투여시 이들의 단독투여 시보다 QT간격 증가

2) 기형 발생 정보(Teratogenicity Information)

(1) 동물 실험(Animal teratology studies)

임신한 쥐를 대상으로 한 동물 실험에서 기형의 증가나 생후 행동장애는 없었으나, 태아체중의 감소를 보고한 연구가 있었다.

(2) 외국의 역학연구 정보(Epidemiologic Information)

관련정보 찾을 수 없음.

(3) 한국마더세이프전문상담센터정보(The Korean MotherSafe Counselling Center Information)

에바스타인에 노출된 후 추적된 임신부는 총 94례이었으며 초기 노출 후 자연유산율은 8.5%(8/94)이었다. 임신 37주 이전의 조산률은 1.2%(1/82), 2,500 g 미만의 저체중증은 6.1%(5/82)이었다. 주요기형발생은 0%(0/82) 없었다.

3) 모유 수유시 독성 및 적합성 정보(Brestfeeding Compatibility Information)

- Lactation risk category: 분류되어 있지 않다.
- 쥐를 대상으로한 동물실험에서 약이 유즙으로 이행된다는 보고가 있으므로 이 약을 투여중에는 수유를 중단한다.
- 한국마더세이프전문상담센터: 수유부와 수유아 2쌍 중 부작용례는 없었다.

72 에티닐 에스트라디올(Ethinyl estradiol)

1) 일반적 정보(General Information)

(1) 상품명

— 찾을 수 없음

상품명	제약회사	용량	상품모양
삼일에스토정	삼일제약	20 µg	

— 찾을 수 없음

상품명	제약회사	용량	상품모양
노원아크정	한미약품	0.035 mg	—
머시론정	제조사: N.V. Organon 판매사: 한국오가논	0.02 mg	
마이보라정	제조사: Schering AG 판매사: 한국쉐링	30 μg	
미뉴렛정	제조사: 한국와이어스 판매사: 일동제약	30 μg	—
쎄스콘정	크라운제약	0.03 mg	
야스민정	한국쉐링	0.030 mg	
ᄃ아이안느35정	제조사: Schering AG 판매사: 한국쉐링	0.035 mg	

(2) 성분: Ethinyl estradiol

- 분자식: $C_{20}H_{24}O_2$

(3) 임상적 적응증(Clinical indications)

- 위축성 질염, 유방암, 갱년기 장애, 불임, 폐경, 난소기능장애, 피임

(4) 작용기전(Mechanism of Action)

- Ethinyl estradiol은 강력한 합성 에스트론겐으로 여성의 생식기관, 유방, 뇌하수체, 시상하부 등에 작용하여 Dna, Rna의 합성에 관여한다. 에스트로겐의 투여는 시상하부에 작용하여 성선자극호르몬의 분비를 억제 하며, 여성 생식기의 성장과 발달에 영향을 미친다.

(5) 약물역동학(Pharmacokinetics)

① 경구 생체 이용률(Oral bioavailability): 83%

② 분자량(MW): 272 g/mol

③ 친수성(hydrophilic): −

④ 단백질 결합: 98%

⑤ 혈중최고농도 도달시간(Tmax): Rapid

⑥ 반감기(T1/2): 1시간

(6) 약물상호작용(Drug Interaction)

- 에스트로겐은 내당력(glucose tolerance)를 감소시켜 당뇨치료제의 효과를 감소시킬 수 있다. 특히 하루에 50 mcg의 에스트로겐 섭취시에는 내당력의 변화를 일으킬 수 있다.
- 에스트로겐은 산화작용을 통한 벤조다이아제핀계 약제의 배설을 감소시킨다. 따라서 이들 약제의 혈중 농도를 상승시킬 수 있다.
- 에스트로겐은 세로토닌 수용체 길항제(serotonin recptor antagonist)의 배출을 감소시킨다.

2) 기형 발생 정보(Teratogenicity Information)

(1) 동물 실험(Animal test)

1940, 1950년대의 동물 실험에서는 에스트로겐이 구개열을 증가시키는 것으로 보고 되었으나, 영장류를 대상으로 한 연구에서는 프로게스테론과 복합적으로 투여한 경우에도 태자의 기형 증가는 없는 것으로 보고되고 있다.

(2) 외국의 역학연구 정보(Epidemiologic Information)

인간에서의 역학적 연구에서도 에스트로겐은 선천성 기형의 발생 빈도를 증가시키지 않는 것으로 보고되고 있다.

(3) 한국마더세이프전문상담센터정보(The Korean MotherSafe Counselling Center Information)

에치닐 에스트라디올에 노출된 후 추적된 임신부는 총 190례이었으며 초기 노출 후 자연유산율은 11.6%(22/190)이었다. 임신 37주 이전의 조산률은 3.1%(5/162), 2,500 g 미만의 저체중증은 1.2%(2/161)이었다. 주요기형발생은 3.7%(6/161): renal abnormality(1), cystic mass of fetal right lower abdomen(1) both micro ear with right ear anomaly/ASD(1), VSD(1), inguinal hernia(1), hypoplastic right heart syndrome(1)가 있었다. 그리고 사산 3례가 있었다.

3) 모유 수유시 독성 및 적합성 정보

- Lactation Risk Category: L3
- 한국마더세이프전문상담센터: 수유부−수유아 1쌍 중 부작용은 없었다.

73 에페드린(Ephedrine)

1) 일반적 정보(General Information)

(1) 상품명

상품명	제약회사	용량	상품모양
대원 염산에페드린 주사액	대원제약	40 mg	
제일 염산에페드린주4%	제일제약	40 mg	

(2) 성분: (1R,2S)-2-(methylamino)-1-phenylpropan-1-ol

- 분자식: $C_{10}H_{15}NO$

(3) 임상적 적응증(Clinical indicatios)

- 기관지 천식
- 비충혈
- 급성 기관지 경련
- 특발성 기립성 저혈압

(4) 작용기전(Mechanism of Action)

- 염산에페드린은 교감신경 효능약으로 호흡기 점막의 알파 아드레날린 수용체를 직접 자극해 혈관 수축을 일으키고 베타 아드레닌 수용체를 직접 자극해 기관지 이완, 심박수와 심장 수축을 증가시킨다.

(5) 약물역동학(Pharmacokinetics)

① 경구 생체 이용률(Oral bioavailability): 85%

② 분자량(MW): 165 g/mol

③ 친수성(hydrophilic): −

④ 단백질 결합: −

⑤ 혈중최고농도 도달시간(Tmax): 15−60분

⑥ 반감기(T1/2): 3-5시간

(6) 약물 상호작용(Drug Interaction)

　• 효과/독성 증가

　① MAO 저해제는 본제의 혈압효과를 증가시킨다.

　② 교감신경 흥분제는 독성을 증가시킴

　• 효과 감소

　① Methyldopa, reserpine의 효과 감소

2) 기형 발생 정보(Teratogenicity Information)

(1) 동물 실험(Animal test)

　한 연구에서 닭에 에페드린을 소량 사용하였던 경우에 심장혈관계 이상이 발견되었다고 보고 하였으며, 이 같은 기형유발은 카페인에 의해 작용이 증폭되었다.

(2) 외국의 역학연구 정보(Epidemiologic Information)

　인간을 대상으로 한 관리화 실험에서 임신 시 에페드린 노출과 기형 증가와 관련이 없음을 보고하였다. 그러나 에페드린이 체중감소에 사용되는 제제로, 임신 중 체중감소는 자체가 나쁜 산과적 예후와 관련이 있다. 따라서 임신 중 사용에는 주의가 요한다. 혈관 수축제와 배벽갈림증에 관한 연구에서도 에페드린과 기형발생이 유의하게 연관이 있음을 확인하지 못하였다. 발생 30일 시기에 에페드린에 노출되었던 인간 낙태아에서 선천성 심장 기형을 보고한 예가 있으나, 이는 테오필린과 페노바비탈에도 같이 노출되었다. 임신 제 1삼분기 때 에페드린을 복용한 산모에게서 사지 감소성 결손이 있는 아이가 태어난 예가 있었다. Collaborative Perinatal Project는 임신 제 1삼분기때 에페드린에 노출된 373명의 임신부들을 대상으로 한 연구에서 에페드린과 출생결함과의 연관성을 찾지 못하였다. 진통하는 동안 에페드린을 투여하면 태아 심장 박동과 beat-to-beat variability을 증가시키나, 이러한 노출은 태아 부작용과 연관이 없다. 일부에서는 에페드린이 융모 사이 혈류를 변화시키지 않는다고 하였으나, 다른 연구에서는 척추 마취를 하기 전에 에페드린을 예방적으로 근주한 산모에서 고혈압이 발생함을 보고하였으며 전신마취를 한 경우에도 태아 혈류순환에 부작용의 가능성이 있음을 발표하였다.

(3) 한국마더세이프전문상담센터정보(The Korean MotherSafe Counselling Center Information)

　염산에페드린에 노출된 후 추적된 임신부는 총 91례이었으며 초기 노출 후 자연유산율은 5.4%(5/91)이었다. 임신 37주 이전의 조산률은 7.3%(6/82), 2,500 g 미만의 저체중증은 3.7%(3/81)이었다. 주요기형발생은 3.7%(3/82): bilateral inguinal hernia(1), micro penis with small right testis(1), choledochal cyst(1)가 있었다. 그리고 신생아 사망 1례가 있었다.

3) 모유 수유시 독성 및 적합성 정보

- Lactation Risk Category: L4
- 모유수유시 에페드린 사용여부에 관해 알려진 바가 없으나, 모유수유를 통해 에페드린과 항히스타민제제에 노출된 아기가 불안한 행동을 보이다가 수유를 끊고 증상이 사라진 예가 있었다.
- 한국마더세이프전문상담센터: 수유부와 수유아 1쌍 중 부작용은 없었다.

74 오플록사신(Ofloxacin)

1) 일반적 정보(General Information)

(1) 상품명

상품명	제약회사	용량	상품모양
구주오플록사신정	구주제약	100 mg/200 mg	
뉴젠팜오플록사신정	뉴젠팜	100 mg/200 mg	
대원오플록사신정	대원제약	100 mg/200 mg	
동광오플록사신정	동광제약	100 mg/200 mg	
신일오플록사신정	신일제약	100 mg	
에펙신정	일동제약	100 mg	
오로신정	한미약품	100 mg/200 mg	

(2) 성분: 7-fluoro-2-methyl-6-(4-methylpiperazin-1-yl)-10-oxo-4-oxa-1-azatricyclo[7.3.1.05,13]trideca-5(13), 6, 8, 11-tetraene-11-carboxylic acid

- 분자식: $C_{18}H_{20}FN_3O_4$

(3) 임상적 적응증(Clinical indicatios)

- 클라미디아
- 임질균 치료

(4) 작용기전(Mechanism of Action)

- 퀴놀론계 항생제

(5) 약물역동학(Pharmacokinetics)

① 경구 생체 이용률(Oral bioavailability): 98%

② 분자량(MW): 361

③ 단백질 결합: 361.368g/mol

④ 혈중최고농도 도달시간(Tmax): 0.5−2시간

⑤ 반감기(T1/2): 9시간

(6) 약물상호작용(Drug Interaction)

- 효과/독성 증가: 제산제
- 효과 감소: 카페인, 와파린, 사이클로스포린, 테오필린

2) 기형 발생 정보(Teratogenicity Information)

(1) 동물 실험(Animal test)

랫드와 토끼에서 기형을 증가시키지 않음. 오플록사신과 다른 퀴놀론계 항생제들은 동물실험에서 성장하는 연골에 독성작용 일으킴.

(2) 외국의 역학연구 정보(Epidemiologic Information)

오플록사신은 연골형성에 영향을 미칠 수 있는 가능성 때문에 임신 중 사용을 하지 말 것을 권고한다. 그러나 현재까지의 인간에서의 제한덕인 연구에서는 연골형성에 영향을 미쳤다는 보고는 없다.

오플록사신은 임신 제 2삼분기부터 태반을 통과하며, 독일에서 시행한 137명을 대상으로한 연구에서는 임신 제 1 삼분기의 오플록사신 노출과 태아기형 발생간에는 연관을 발견하지 못하였다.

(3) 한국마더세이프전문상담센터정보(The Korean MotherSafe Counselling Center Information)

오플록사신에 노출된 후 추적된 임신부는 총 130례이었으며 초기 노출 후 자연유산율은 6.9%(9/130)이었다. 임신 37주 이전의 조산률은 6.8%(8/117), 2,500 g 미만의 저체중증은 1.8%(2/114)이었다. 주요기형발생은 2.6%(3/114): right renal cysts(1), ileal agenesis(1), ASD with small PDA(1)가 있었다. 그리고 사산 1례가 있었다.

3) 모유 수유시 독성 및 적합성 정보

- Lactation Risk Category: L2
- 한국마더세이프전문상담센터: 수유부–수유아 12쌍 중 부작용 례는 없었다.

75 우루소데스옥시콜린 산(Ursodeoxycholic acid)

1) 일반적 정보(General Information)

(1) 상품명

— 찾을 수 없음

상품명	제약회사	용량	상품모양
세종제약	리바스탈 정	100 mg	—
삼성제약공업	쓸기담 연질캅셀	100 mg	—
스카이뉴팜	우로 정	100, 200 mg	—
대웅제약	우루사 정	100, 200, 300 mg	
화리약품	우르소팔크 캅셀	250 mg	
한국유나이티드제약	우소산 정	100, 200 mg	
넥스팜코리아	우콜릭 정	200 mg	—

(2) 성분: 3α,7β–dihydroxy–5β–cholan–24–oic acid

- 분자식: $C_{24}H_{40}O_4$

(3) 임상적 적응증(Clinical indications)

- 담석의 화학적 용해

- 빠른 체중 감소가 있는 동안의 담석 예방
- 원발 쓸개관 간경화

(4) 작용기전(Mechanism of Action)

- 간에서 콜레스테롤 합성을 억제하고 콜레스테롤 흡수를 저해하고 콜레스테롤을 가용화시켜 담석 배출을 용이하게 한다.

(5) 약물역동학(Pharmacokinetics)

① 경구 생체 이용률(Oral bioavailability): 90%

② 분자량(MW): 392 g/mol

③ 친수성(hydrophilic): −

④ 단백질 결합: 70%

⑤ 혈중최고농도 도달시간(Tmax): −

⑥ 반감기(T1/2): 100시간

(6) 약물상호작용(Drug Interaction)

- 작용 증가

① 경구용 당뇨병제

- 효과 감소

① 알루미늄 함유 제산제: 흡수 감소

② Bile acid sequestrants(cholestyramine, colestipol): 흡수 감소

③ Clofibrate, 경구용 피임제, estrogen: 간에서의 콜레스테롤 분비 증가, 콜레스테롤성 담석 생성 증가

2) 기형 발생 정보(Teratogenicity Information)

(1) 동물 실험(Animal test)

쥐에게 우루소데스옥시콜린산 22 mg/kg/d을 주었을 때 기형을 유발하지 않았다. 임신 제 2, 3삼분기에 사용하였을 때에도 노출된 태아에게 부작용을 일으키지 않았다.

(2) 외국의 역학연구 정보(Epidemiologic Information)

우루소데스옥시콜린산은 포유동물 담즙산으로 chenodeoxycholic acid의 epimer이며, 담즙의 구성성분을 바꾸어 담석을 녹이는데 사용되고 있다. 레트를 대상으로한 동물실험연구에서는 우루소데스옥시콜린산이 태자의 발달장애를 일으키지 않았으며, 인간에서는 임신 제 2, 3삼분기에 노출된 임신부를 대상으로 한 연구에서는 정상 신생아의 분만을 보고하고 있다.

(3) 한국마더세이프전문상담센터정보(The Korean MotherSafe Counselling Center Information)

우루소데스옥시콜린산에 노출된 후 추적된 임신부는 총 60례이었으며 초기 노출 후 자연유산율은 6.6%(4/60)이었다. 임신 37주 이전의 조산률은 3.8%(2/52), 2,500 g 미만의 저체중증은 3.8%(2/52)이었다. 주요기형발생은 9.6%(5/52): pulmonary artery stenosis(1), mega cisterna magna(13.6mm)(1), both club foot with right wrist drop(1), fetal hydrops(1), right inguinal hernia(1)가 있었다. 그리고 사산 2례가 있었다.

3) 모유 수유시 독성 및 적합성 정보

- Lactation Risk Category: L3
- 한국마더세이프전문상담센터: 수유부와 수유아 2쌍 중 부작용 례는 없었다.

76 이부프로펜(Ibuprofen)

1) 일반적 정보(General Information)

(1) 상품명

— 찾을 수 없음

상품명	제약회사	용량	상품모양
고려은단(주)	고려은단 이부프로펜정	200, 400 mg	—
초당약품	나르펜정	100, 400 mg	—
한국넬슨제약	넬슨 이부프로펜정	200, 400 mg	
대웅 이부펜 시럽	대웅제약	20 mg/mL, 60 mL	—
대웅 이부프로펜 정	대웅제약	200, 400 mg	—
동광제약	동광 이부프로펜정	200, 400 mg	
아남제약	로그펜정	400, 600 mg	
뉴젠팜	메디펜정	200, 400, 600 mg	—
크라운제약	바비펜 시럽	20 mg/mL	

― 찾을 수 없음

상품명	제약회사	용량	상품모양
삼일제약	부루펜 시럽	20 mg/mL	
삼일제약	부루펜정	100, 200, 400, 600 mg	
대우약품 공업	알리펜 정	200, 400 mg	
일동제약	캐롤 시럽	20 mg/mL	

(2) 성분: Nonsteroidal anti-inflammatory drug(NSAIDs)

- 분자식: $C_{13}H_{18}O_2$

(3) 임상적 적응증(Clinical indications)

- 발열
- 두통, 편두통
- 골관절염
- 통증
- 일차성 월경 곤란증
- 류마티스 관절염

(4) 작용기전(Mechanism of Action)

- Cyclooxygenase 효소의 활성을 저해하여 prostaglandin 전구체의 형성을 감소시켜
- prostaglandin의 합성을 저해함. 항염증 작용과 해열 진통에 효과를 나타낸다.

(5) 약물역동학(Pharmacokinetics)

① 경구 생체 이용률(Oral bioavailability): 80%

② 분자량(MW): 206 g/mol

③ 친수성(hydrophilic): ―

④ 단백질 결합: 〉99%

⑤ 혈중최고농도 도달시간(Tmax): 1−2시간

⑥ 반감기(T1/2): 1.8−2.5시간

(6) 약물상호작용(Drug Interaction)

- 효과/독성 증가

① Cyclosporine, digoxin, methotrexate, lithium 병용 시 이들 약물의 혈중 농도가 증가함.

② NSAIDs와 병용 시 ACE inhibitor의 신장 부작용이 강화될 수 있다.

③ Corticosteroid 류와 병용 시 위장관 천공의 위험 증가한다.

④ Warfarin와 병용 시 작용이 증강된다

- 효과 감소

① Aspirin와 병용 시 이부프로펜의 혈청농도를 감소시킬 수 있다.

② 일부 항고혈압제(ACE inhibitor, Angiotensin receptor antagonist)와 이뇨제와 병용 시 이들 약물의 효과를 감소시킬 수 있다.

③ Cholestyramine은 NSAIDs의 흡수를 낮출 수 있으므로 최소 2시간 간격을 두고 복용할 것을 권장한다.

2) 기형 발생 정보(Teratogenicity Information)

(1) 동물 실험(Animal test)

많은 동물실험에서 임신 시 이부프로펜에 노출되었을 경우 쥐나 토끼에서 선천성 기형이 증가하지 않았다. 임신한 쥐에 이부프로펜을 최대허용용량으로 투여한 경우에도 심실 중격막 결손 및 배벽갈림증등이 증가하지 않았다. 쥐와 토끼에 100 mg/kg을 항문에 투여하였을 때 착상 부위 감소를 유발하였고, 200 mg/kg을 투여하였을 경우에는 태아 체중 감소가 유발되었다.

(2) 외국의 역학연구 정보(Epidemiologic Information)

비스테로이드성 소염제를 처방 받던 사람들과 유산과의 연관성에 대한 환자−대조군 연구에서, 비스테로이드성 소염제 처방 후 12주내에 유산이 증가함을 보고하였다. 그러나 이 연구는 바이러스 질환 등 비스테로이드성 소염제 처방의 적응증에 대한 정보가 부족하였으며, 약물노출의 패턴등과 관련한 정밀분석을 한 결과 실질적으로는 이전에 보고한 연관성 정도가 약하였다. 비스테로이드성 소염제 중 아스피린, 이부프로펜, 나프록센과 아세트아미노펜을 복용하였던 임산부들과 면담을 한 내용을 바탕으로 한 연구 결과가 2003년도에 발표되었다. 면담한 1,055명의 임산부의 5%가 수정 시기 또는 임신 동안 비스테로이드성 소염제 또는 아스피린을 복용하였으며, 가능한 혼란 변수들을 보정한 후, 산전에 비스테로이드성 소염제 복용이 유산을 증가시킨다고 보고하였다(위험도 1.8: 95% 신뢰구간 1.0−3.2). 특히 비스테로이드성 소염제를 수정시기에 사용하거나 일주일 이상 사용한 경우 유산과의 연관성이 더 높았다.

이부프로펜 사용이 선천성 기형과 관련 없음이 인간임신과 관련되어 많이 보고되었다. 그러나 복벽 결손과 관련된 환자−대조군 연구에서 복벽 결손이 아스피린이나 이부프로펜에 노출된 경우 교차비가 유의하게 증가함이 보고되었으며, 또 다른 연구에서는 이와 다른 결과를 발표하였다. 임신 제 1삼분기에 이부프로펜 노출되었던 경우 복벽결손 및 혈관과 관련된 여러 가지 기형들과 연관이 없음을 보고하기도 하였다.

스웨덴의 자료 연계 연구에서, 임신 초기에 이부프로펜이나 다른 비스테로이드성 소염제를 복 용한 산모의 2,557명의 아이들에서 주요 기형의 빈도가 증가하지 않았으나, 심장 결손은 예상보다 높은 빈도를 보였다(위험도: 1.86, 95% 신뢰구간 1.32−2.62). 심장 결손이 있었던 36건 중 15건이 이부프로펜 사용과 연관이 있었다. 그러나 다른 스웨덴 연구에서는 임신 초기 이부프로펜 사용이 심장 결손의 위험도를 증가시키지 않는다고 결론 지었다. 2001년 스웨덴에서 Swedish Medical Birth Registry 자료를 이용하여 임신 초기 비스테로이드성 소염제 노출 결과에 대한 조사가 있었다. 그 결과, 경한 심장 결손(심실 및 심방 중격 결손)이 특정 약물이 아닌 비스테로이드성 소염제 전체와 관련이 있었다.

2006년 캐나다에서 시행된 연구는 임신 초기에 비스테로이드성 소염제를 처방받았던 산모의 아이에서 심장 중격막 결손이 증가함을 보고하였다(위험도 3.34, 95% 신뢰계수 1.87−5.98). 이 중 가장 흔한 비스테로이드성 소염제 3개는 나프록센이 35%, 이부프로펜이 26%, 로페코시브가 15%였다. 특히 이부프로펜은 모든 선천성기형을 증가시켰다. 그러나 이 연구는 다른 보고들처럼 처방 적응증에 대한 정보가 없다는 한계점이 있었다.

임신 제 3삼분기에 사용하는 경우 동맥관 조기폐쇄를 일으켜 폐성 고혈압을 일으킬 수 있는 문제점이 있다. 이러한 영향은 쥐와 사람과 관련되어 여러 예에서 보고되었다. 따라서 현재는 비스테로이드성 소염제는 임신 제 3삼분기동안 사용하지 말 것을 권고하고 있다. 또한 이부프로펜을 진통억제제제로 사용하였던 경우 양수과소증을 보고한 예가 많아짐에 따라 일부에서는 매주 또는 격주로 초음파를 시행할 것을 권고하기도 하였다.

(3) 한국마더세이프전문상담센터정보(The Korean MotherSafe Counselling Center Information)

이부프로펜 에 노출된 후 추적된 임신부는 총 309례이었으며 초기 노출 후 자연유산율은 6.1%(19/309)이었다. 임신 37주 이전의 조산률은 5%(14/279), 2,500 g 미만의 저체중증은 3.2%(9/278)이었다. 주요기형발생은 5.0%(14/279): necrotizing enterocolitis with perforation(1), trigger finger(1), ASD with PDA(1), right UPJ stenosis with right scrotal hydrocele(1), dysplastic kidney left with megaureter(1), PDA(1), hydrocele with left wrist drop(1), upper gingival cyst(1), bilateral club foot with knee rigidity(1), right inguinal hernia(1), CCAM(1), choledochal cyst(1), PDA(1), right hydronephrosis(1)가 있었다. 사산 2례가 있었다.

3) 모유 수유시 독성 및 적합성 정보

- Lactation Risk Category: L1
- 이부프로펜은 모유로 전달되고, 모유 혈장비는 1:126이다. American Academy of Pediatrics 는 이부프로펜을 모유수유에 적합한 약물로 분류하였다.
- 한국마더세이프전문상담센터: 수유부와 수유아 13쌍 중 부작용 례는 없었다.

77 이토프리드(Itopride)

1) 일반적 정보(General Information)

(1) 상품명

– 찾을 수 없음

상품명	제약회사	용량	상품모양
노레보원 정	현대약품	1.5 mg	—
레보니아 정	명문제약	0.75 mg	
미레나	바이엘 코리아	52 mg	
쎄스콘 원앤원 정	크라운제약	0.75 mg	
엠에스필 정	태극제약	0.75 mg	—
퍼스트렐 정	삼일제약	0.75 mg	
포스티노-1 정	바이엘 코리아	1.5 mg	—

(2) 성분

- 분자식: $C_{20}H_{26}N_2O_4ClH$

(3) 임상적 적응증(Clinical Indications)
- 기능성 소화불량으로 인한 소화기증상(복부팽만감, 상복부통, 식욕부진, 흉통, 오심, 구토) 완화

(4) 작용기전(Mechanism of Action)
- Dopamin D2 수용체 길항작용과 acethylcholine esterase 저해작용을 통해, 위장관 전반에 대한 운동촉진효과를 나타내 소화불량으로 인한 다양한 증상을 개선.

(5) 약물 역동학(Pharmacokinetics)
① 경구 생체 이용률(Oral Bioavailabioity): −
② 분자량(MW): 394.9 g/mol
③ 단백질 결합(Protein binding): −
④ 혈중최고농도 도달시간(Tmax) 35±5 min
⑤ 반감기(T1/2): −5.7±0.3 hrs

(6) 약물 상호작용(Drug Interactions)
- 항콜린제: 병용시 소화관운동 억제작용으로 인해 본제의 작용 감약 가능

2) 기형 발생 정보(Teratogenicity Information)

(1) 동물 실험(Animal teratology studies)
관련 정보 찾을 수 없음.

(2) 외국의 역학연구 정보(Epidemiologic Information)
관련 정보 찾을 수 없음.

(3) 한국마더세이프전문상담센터정보(The Korean MotherSafe Counselling Center Information)
염산이토프리드 노출된 후 추적된 임신부는 총 137례이었으며 초기 노출 후 자연유산율은 4.3%(6/137)이었다. 임신 37주 이전의 조산률은 0.8%(1/130), 2,500 g 미만의 저체중증은 0%(0/126)이었다. 주요기형발생은 2.3%(3/130): cyst in caudothalamic groove(1), VSD(1), both micro ear and right ear anomaly(1)가 있었다.

3) 모유 수유시 독성 및 적합성 정보(Brestfeeding Compatibility Information)
- 관련 정보 찾을 수 없음.
- 한국마더세이프전문상담센터: 수유부와 수유아 5쌍 중 부작용 례는 없었다.

78 이트라코나졸(Itraconazole)

1) 일반적 정보(General Information)

(1) 상품명

— 찾을 수 없음

상품명	제약회사	용량	상품모양
대원이트라코나졸정	대원제약	100 mg	IT DWP
라이포실캡슐	유한양행	100 mg	—
마이트라정	한국콜마	100 mg	—
마이트라캡슐	한국콜마	100 mg	KKM ITR100
미코나졸캡슐	인터메딕	100 mg	—
보라졸캡슐	보람제약	100 mg	BORAZOL
보령이트라코나졸정	보령제약	100 mg	ITC BR
비씨이트라코나졸정	비씨월드제약	100 mg	
스파졸캡슐	한국유나이티드제약	100 mg	ITRA 100
스포나졸정	한국넬슨제약	100 mg	KNP 100
스포나졸캡슐	한국넬슨제약	100 mg	—
에스코졸정	수도약품공업	100 mg	IT
에스코졸캡슐	수도약품공업	100 mg	
오니코나졸정	중외신약	100 mg	
스포넥스정	동구제약	100 mg	—
스포넥스캡슐	동구제약	100 mg	SPO
스포라녹스캡슐	한국얀센	100 mg	JANSSEN

— 찾을 수 없음

상품명	제약회사	용량	상품모양
스포라녹스액	한국얀센	100 mg	
스포라녹스주사제	한국얀센	100 mg	
스포라졸정	동성제약	100 mg	
스포라졸캡슐	풍림무약	100 mg	—
스포코나졸캡슐	유나이티드인터팜	100 mg	—
알트라졸정	한국알리코팜	100 mg	
이트라센정	제이알피	100 mg	—
이트라센캡슐	제이알피	100 mg	—
이트라정	한미약품	100 mg	
이라코캡슐	그린제약	100 mg	
이라코캡슐	한국메디텍	100 mg	
이스나졸정	대우약품공업	100 mg	
이연이트라코나졸정	이연제약	100 mg	
이카졸정	일화	100 mg	
이카졸캡슐	태평양제약	100 mg	—
이코나졸캡슐	신풍제약	100 mg	
이타나졸정	삼익제약	100 mg	—
이타코나정	고려제약	100 mg	—
코니트라캅셀	코오롱제약	100 mg	—
테메졸정	삼천당제약	100 mg	—
트라녹스정	아주약품공업	100 mg	—

— 찾을 수 없음

상품명	제약회사	용량	상품모양
이트라졸정	영일제약	100 mg	—
이트라졸캡슐	영일제약	100 mg	—
이트라코날정	태준제약	100 mg	—
이트라코정	한국프라임제약	100 mg	—
이트라콘정	국제약품공업	100 mg	—
이트코나정	메디카코리아	100 mg	—
이트코나캡슐	메디카코리아	100 mg	—
이펙트라캡슐	종근당	100 mg	—
코나텍정	한국웨일즈제약	100 mg	—
트라콘정	부광약품	100 mg	—
티나덤캡슐	동광제약	100 mg	—
하이트라캡슐	넥스팜코리아	100 mg	—
한림이트라코나졸정	한림제약	100 mg	
한올이트라코나졸정	한올제약	100 mg	
한트라졸정	한불제약	100 mg	—
한트라졸캡슐	한불제약	100 mg	—
히트라졸정	중외제약	100 mg	

(2) 성분

- 분자식: $C_{35}H_{38}Cl_2N_8O_4$

(3) 임상적 적응증(Clinical Indications)

- 칸디다성 질염, 어루러기

- 피부사상균증(체부백선, 고부백선(완선), 수부백선, 족부백선)

- 진균성 각막염, 구강칸디다증, 조갑진균증

- 다음과 같은 전신성 진균감염증: 아스페리킬루스증, 칸디다증, 크립토콕스병(크립토콕쿠스 수막염 포함), 파라콕시디오이드미스스증

(4) 작용기전(Mechanism of Action)

- 진균의 cytochrome P-450의존성 효소를 억제함으로서 ergosterol의 생합성을 억제하여 세포막 합성을 방해

- 특히 Aspergillus에 대해 합성 triazole계 약물 케토코나졸이나 플루코나졸보다 효과적

(5) 약물 역동학(Pharmacokinetics)

① 경구 생체 이용률(Oral Bioavailabioity): 공복시 투여(40%), 식직후에 투여(100%)

② 분자량(MW): 706 g/mol

③ 단백질 결합(Protein binding): 99.8%

④ 혈중최고농도 도달시간(Tmax): 4시간

⑤ 반감기(T1/2): 21-64시간

(6) 약물 상호작용(Drus Interactions)

- 독성 증가:

① 고용량을 투여하는 경우 cyclosporine의 농도를 50%까지 증가

② phenytoin, digoxin의 혈중 농도를 증가

③ 와파린의 대사 방해

④ Terfendine의 농도 증가

- 효과 감소:

① Isoniazid phenytoin, rifampin: 본 약물의 혈중농도를 감소

② 제산제, H2-blocker, omeprazole, sucralfate: 이트라코나졸이 흡수되기 위해서는 산(acid)가 필요하므로, 이 약들은 본 약물의 흡수를 현저히 감소

2) 기형 발생 정보(Teratogenicity Information)

(1) 동물 실험(Animal teratology studies)

쥐를 대상으로 한 동물실험에서 이트라코나졸을 40-80 mg/kg의 배아독성용량으로 주입 시 체액, 세포 면역 반응의 억제를 일으킨다고 보고하였고, 쥐를 대상으로 한 다른 연구에서는 구개열과 사지결합을 보고하였으며, 다른 연구에서도 약의 기형발생을 보고하였면서 이는 이 제제의 부신에 대한 영향때문일 것이라고 언급하였다.

(2) 외국의 역학연구 정보(Epidemiologic Information)

이트라코나졸은 화학적으로 플루코나졸과 연관되어 있는데, 한 case report에서 임신 초기와 12주, 16주 사이에 이트라코나졸로 치료받았던 여성에서 정상 아기를 분만했다는 보고가 있었고, 미국 FDA에 보고된 임신초기에 약에 노출된 70명의 산모에서 태어난 아기들을 조사한 결과 기형이 발견되지 않아, FDA에서는 임신 중 플루코나졸에 한 번(150 mg) 노출되는 것은 선천성 기형을 일으키지 않는다고 보고하였다. 그러나 다른 조사에서는 플루코나졸에 노출된 2명의 산모에서 머리얼굴, 사지 그리고 심장기형을 동반한 세 명의 출생을 보고하면서 임신중 이트라코나졸의 복용을 피하라고 권하였다. 229명의 임신중 이트라코나졸에 노출된 산모를 대상으로 한 연구에서는 임신 초기에 노출되었던 198명의 산모중 3.2%에서 선천성 기형을 보고하였는데, 소두증, 손 이형성증, 유문 협착증, 고관절 이형성증 과 심장기형이 있었다. 그리고 자연유산은 12.6%, 태아사망은 1.5%에서 보였고이 비율은 통계학적 유의성은 없었다. 영국에서도 임신 제 1 삼분기에 이트라코나졸에 노출된 30명의 산모를 대상으로 한 연구에서 선천성 기형의 증가는 없 었다고 보고하였다. 이트라코나졸과 같은 항진균제들은 경구용 피임약의 효과를 방해한다는 보 고도 있었다.

2012년 에 발표된 연구에 의하면, 임신 초기에 이트라코나졸에 노출된 687명을 대상으로 한 연구에서는 태아기형의 증가를 찾을 수 없었다고 보고하고 있다.

(3) 한국마더세이프전문상담센터정보(The Korean MotherSafe Counselling Center Information)

이트라코나졸에. 노출된 후 추적된 임신부는 총 76례이었으며 초기 노출 후 자연유산율은 7.9%(6/76)이었다. 임신 37주 이전의 조산률은 1.5%(1/67), 2,500 g 미만의 저체중증은 3.1%(2/65)이었다. 주요기형발생은 1.5%(1/67): preaxial polydactyly(1)가 있었다.

3) 모유 수유시 독성 및 적합성 정보(Brestfeeding Compatibility Information)

- Lactation risk category: L3
- 이트라코나졸은 모유로 분비된다. 한 연구에 따르면 이 약과 그것의 대사물들 아기에게 축적될 수 있으므로, 모유수유중에는 이 약의 복용을 피하라고 권고하였다.
- 한국마더세이프전문상담센터: 수유부와 수유아 3쌍 중 부작용 례는 없었다.

79 종합비타민(Multivitamine)

① 비타민 A(Vitamin A)

1) 일반적 정보(General Information)

(1) 상품명

— 찾을 수 없음

상품명	제약회사	용량	상품모양
게므론 에스 시럽	대웅제약	12000 IU	—
게므론 연질캅셀	대웅제약	10000 IU	—
게브랄 티 정	대웅제약, 한국화이트홀	5000 IU	
곰이랑 츄어블정	삼천리제약	1000 IU	—
그렌트 정	경남제약	5000 IU	
네오 츄어블정	한국슈넬제약(주)	500 IU	—
노마칼민 츄정	삼아제약	33.33 IU	
누트릴란 액	영진약품	160 IU	
다이나민 정	청계제약	5000 IU	—
마터나 베타 정	에스케이케미칼 생명과학부문	1500 IU	
비나폴로-엑스트라 연질캅셀	유유제약	1.375 mg	
비비톱 정	선일양행	—	—
비키 휴어블정	대웅제약	—	—
사비옥스 연질캅셀	한국이텍스	—	—
세느비트 주	한올제약	1.925 mg	—

— 찾을 수 없음

상품명	제약회사	용량	상품모양
세리톤 연질캅셀	경인제약	–	–
센트룸 정	한국와이어스	2000 IU	
아빈타 캅셀	스카이뉴팜	1000 IU	–
아이싸이트 연질캡슐	청계제약	2000 IU	–
엑스 비타 정	경남제약	5000 IU	–
엠브이에취 주	환인제약	10000 IU	
오딘비타정	동성제약	1 mg	
올비틸 시럽	영진약품	50000 IU	
와이타민 연질캅셀	아남제약	4000 IU	
조아토닉 캅셀	조아제약	1000 IU	
코르민 연질캡슐	하나제약	5000 IU	–
코바 츄어블 정	한국이텍스	1000 IU	–

(2) 성분

- 분자식: $C_{20}H_{30}O$

(3) 임상적 적응증(Clinical Indications)

- 비타민 A의 결핍증 예방 및 치료(야맹증, 결막건조증, 각막연화증, 각막건조증)
- 비타민 A의 수요가 증대하여 음식중에서 섭취가 불충분할 때 보급(수유부, 영·유아, 소모 성질환)

- 비타민 A의 결핍 또는 대사장애가 관여한다고 추정되는 경우의 각화성 피부질환
- 200,000단위 연질캡셀: 비타민A 결핍성 야맹증, 안구건조증, 급성결핍(급성 호흡기 감염, 급 성설사, 홍역 등)의 위험이 높은 소아

(4) 작용기전(Mechanism of Action)

- 망막의 정상지능에 필수
- Retinal의 형태로 opsin(망막의 붉은 색소)와 결합하여 rhodopsin(시색소)으로 전환되는데 이것이 시각이 어둠에 적응하는데 필요한 물질임.
- Retinol, retinoic acid등의 다른형태는 뼈성장, 고환 및 나소기능, 배아 발달과 상피조직의 분화와 성장 조절에 필요
- Retinol과 retinoic acid는 생화학적 반응들에서 보조인자로 작용

(5) 약물 역동학(Pharmacokinetics)

① 경구 생체 이용률(Oral Bioavailabioity): complete

② 분자량(MW): 286   g/mol

③ 단백질 결합(Protein binding): −

④ 혈중최고농도 도달시간(Tmax): −

⑤ 반감기(T1/2): rat에서 retinol의 배설반감기는 three−compartment model임

(6) 약물 상호작용(Drug Interactions)

- 효과/독성 증가: Retinol과 상가작용
- 효과 감소:

① Cholestyramine resin이 Vit.A의 흡수를 감소시킬 수 있음.

② Neostigmin과 mineral oil이 Vit.A흡수를 방해할 수 있음.

2) 기형 발생 정보(Teratogenicity Information)

(1) 동물 실험(Animal teratology studies)

여러 동물실험에서 all−trans retinoic acid가 선천성 기형을 증가시킨다고 보고되었는데, 신경관 기형, 사지기형, 심혈관기형등 뿐만 아니라 행동장애도 연관되어 있다고 보고하였다. 그러나 이러한 선천성 기형을 일으키기 위해서는 고용량의 비타민 A가 필요한데, 예를 들면 원숭이의 경우 20,000 IU/kg 이상의 용량을 사용하여야 한다고 발표한 연구가 있었다. 임신한 토끼에게 20,000 IU/kg에 가까운 용량의 비타민 A를 투여시 토끼 배아에는 모체보다도 높은 농도의 비타민 A가 존재한다고 보고되어 레티놀 자체의 기형유발 여부가 산모의 혈중 농도를 반영하진 않는다고 하였다.

(2) 외국의 역학연구 정보(Epidemiologic Information)

Retinoic acid(Isotretinoin)은 여드름 치료제인 Accutane의 성분으로서 임산부가 복용시 자연 유산과 선천성 기형이 증가한다고 알려져 있다. 한편, 케이스 보고에 따르면 ,비타민 A를 매일 25,000–40,000 IU 복용한 산모에서 비뇨기계 기형(요관수종)이 보고되었고, 150,000 IU을 매일 복용한 산모에서 신경관계 결손을 보고하였다. 또한 비타민 A를 매일 25,000 IU이상 복용한 산모에서 얼굴, 입천장, 심장, 귀 등의 기형이 보고되기도 했다. 임신중 비타민 A를 섭취한 22,000명의 산모를 대상으로 한 Rothman의 연구에 따르면, 매일 10,000 IU이상의 비타민 A를 복용시 선천성 기형이 증가된다고 했는데, 이는 다른 연구에서도 선천성 심장기형을 보고하면서 뒷받침되었다. 그러나 매일 10,000 IU 미만의 비타민 A의 복용은 선천성 기형과 관련이 없다는 것이 현재까지의 연구의 결과이다.

(3) 한국마더세이프전문상담센터정보(The Korean MotherSafe Counselling Center Information)

종합비타민에 임신 초기 노출 후 자연유산율은 6.9%이며, 인공유산은 8.3%이었다. 한편, 37주 이전의 조산률은 5.1%이며, 2,500 g미만의 저체중증은 3.4%이었으며, 기형아 발생률은 3.6%(2/56)이었다. 포함된 기형들은 Foot deformity, Lt(1), Hypertrophy of female genitalia(1)이었다.

3) 모유 수유시 독성 및 적합성 정보(Brestfeeding Compatibility Information)

- Lactation Risk Category: L3
- 비타민 A는 지용성 비타민으로 모유를 통해 분비될 수 있고, 특히 90%가 간에 고농도로 축적된다. 신생아에서 비타민 A의 수치는 알려져 있지 않으나 간독성 문제로 인해 매일 5,000 IU의 사용은 금해야 된다는 보고가 있다.

② 비타민 B1(Vitamin B1: Thiamime)

1) 일반적 정보(General Information)

(1) 상품명

— 찾을 수 없음

상품명	제약회사	용량	상품모양
게르론 연질캅셀	대웅제약	10 mg	—
게브랄 티 정	대웅제약, 한국화이트홀	2.18 mg	
로젤민 연질캅셀	알파제약	5 mg	—
복합 카덱신 캅셀	위더스제약(주)	50 mg	—

– 찾을 수 없음

상품명	제약회사	용량	상품모양
비나폴로–엑스트라 연질캅셀	유유제약	50 mg	
비타민 씨엔비	일화	–	–
삐콤 정	유한양행	6 mg	
삐콤 헥사 주	유한양행	10 mg	
삐콤–씨에프 정	유한양행	15 mg	
슈바톤 골드 연질캅셀	유유제약	–	–
시리콤푸 캅셀	경동제약	4 mg	–
써스펜 콜드 시럽	한미약품	16.67 mg	
아로나민 골드 정	일동제약	50 mg	
엠브이에취 주	환인제약	50 mg	
올비틸 시럽	영진약품	50 mg	
우루사 에프 연질캅셀	대웅제약	10 mg	
제텐–씨 정	한미약품	15 mg	
파마톤 연질캡슐	한국베링거인겔하임	–	

(2) 성분

· 분자식: $C_{12}H_{17}CIN_4OS \cdot Cl$

(3) 임상적 적응증(Clinical Indications)

- 주효능 효과: 비타민 B1결핍증의 예방 및 치료, 비타민 B1의 수요가 증대하여 음식에서 충분히 섭취하지 못할 경우(소모성 질환, 갑상선 기능항진증, 임부, 수유부), 베르니케 씨증후군, 각기충심

- 기타: 비타민 B1결핍 또는 대사장애가 관여한다고 추정되는 경우(신경통, 근육통, 관절통, 말초신경염, 말초신경마비, 심근대사장애)

- 급성 알코올 금단 증상

(4) 작용기전(Mechanism of Action)

- Adenosine triphosphate(ATP)와 결합하여 보효소, thiamine pyrophosphate(thiamine diphosphate, cocarboxylase)를 형성하며, 이는 탄수화물 대사에 필수적인 요소임.

(5) 약물 역동학(Pharmacokinetics) - 관련정보 찾을 수 없음.

① 경구 생체 이용률(Oral Bioavailabioity): -

② 분자량(MW): -

③ 단백질 결합(Protein binding): -

④ 혈중최고농도 도달시간(Tmax): -

⑤ 반감기(T1/2): -

(6) 약물 상호작용(Drug Interactions)

- 고탄수화물 섭취는 thiamine 요구량을 증가시킬 수 있음.

2) 기형 발생 정보(Teratogenicity Information)

(1) 동물 실험(Animal teratology studies)

쥐를 대상으로 한 실험에서 과량의 thiamine을 임신한 쥐에게 투여한 결과 구개열을 보고하였고 procarbazine과 thiamine을 같이 투여한 쥐에서 기형을 보고한 바 있다.

(2) 외국의 역학연구 정보(Epidemiologic Information)

다리통증으로 임신 제 2, 3분기에 thiamine을 매일 500 mg 복용한 25명의 산모에서 태어난 아기들을 조사한 결과 어떠한 선천성 기형도 발견할 수 없었다.

(3) 한국마더세이프전문상담센터정보(The Korean MotherSafe Counselling Center Information)

종합비타민에 임신 초기 노출 후 자연유산율은 6.9%이며, 인공유산은 8.3%이었다. 한편, 37주 이전의 조산률은 5.1%이며, 2,500 g 미만의 저체중증은 3.4%이었으며, 기형아 발생률은 3.6% (2/56)이었다. 포함된 기형들은 foot deformity, left(1), hypertrophy of female genitalia(1)이었다.

3) 모유 수유시 독성 및 적합성 정보(Brestfeeding Compatibility Information)

- Lactation Risk Category: 분류되어 있지 않다.
- Thiamine은 태반을 적극적으로 통과하는 것으로, 임신 중 매일 1.4 mg의 섭취를 권하고 있고, 수유중에도 이를 권장하고 있으나 영양섭취가 좋은 여성에서는 보충없이도 적절한 모유내 thiamine농도가 유지됨을 보고하였다.

3 비타민 B2(Vitamin B2: Riboflavin)

1) 일반적 정보(General Information)
(1) 상품명

– 찾을 수 없음

상품명	제약회사	용량	상품모양
게르론 연질캅셀	대웅제약	10 mg	–
레모나산	경남제약	2 mg	
레버포란연질캅셀	위더스제약(주)	8 mg	–
로젤민 연질캅셀	알파제약	2 mg	–
모아라민 정	명인제약	2 mg	–
바이탈 씨에프정	유한양행	2 mg	V-C
비나폴로–엑스트라 연질캅셀	유유제약	5 mg	
비타민 씨엔비	일화	–	–
삐콤 정	유한양행	6 mg	B YH
삐콤 헥사 주	유한양행	10 mg	
삐콤–씨에프 정	유한양행	15 mg	
스트레스탑스 플러스 정	대웅제약	10 mg	
시리콤푸 캅셀	경동제약	4 mg	–
써스펜 콜드 시럽	한미약품	3.3 mg	

– 찾을 수 없음

상품명	제약회사	용량	상품모양
씨메이저 큐빅 산	청계제약	5 mg	—
아로나민 골드 정	일동제약	2.5 mg	
아로민 정	일동제약	5 mg	
아주 자라쎈 캡슐	아주약품공업	–	—
엠브이에취 주	환인제약	50 mg	
올비틸 시럽	영진약품	50 mg	
우루사 에프 연질캅셀	대웅제약	10 mg	
우루사 연질캅셀	대웅제약	5 mg	—
인코라민 정	종근당	2 mg	
제텐–씨 정	한미약품	15 mg	
파마톤 연질캡슐	한국베링거인겔하임	–	

(2) 성분

- 분자식: $C_{17}H_{20}O_6N_4$

(3) 임상적 적응증(Clinical Indications)

- Lack of information

(4) 작용기전(Mechanism of Action)

- 산화환원 반응에서 dehydrogenation시 수소(전자) 운반체로서 flavoprotein의 보인자 (prosthetic group)로 작용

(5) 약물 역동학(Pharmacokinetics)

① 경구 생체 이용률(Oral Bioavailabioity): complete

② 분자량(MW): 376 g/mol

③ 단백질 결합(Protein binding): −

④ 혈중최고농도 도달시간(Tmax): Rapid

⑤ 반감기(T1/2): 14시간

(6) 약물 상호작용(Drug Interactions)

- Lack of information

2) 기형 발생 정보(Teratogenicity Information)

(1) 동물 실험(Animal teratology studies)

임신한 쥐에게 riboflavin이 부족한 먹이를 주었을 때 태자사망이 증가하였고, 임신한 돼지에게 riboflavin이 결핍된 식사를 주었을 때 태아 체중의 감소와 사망, 조산이 증가하였다는 보고가 있다. 그러나 과잉에 관한 자료는 없다.

(2) 외국의 역학연구 정보(Epidemiologic Information)

Riboflavin은 태반을 통과하나, riboflavin 결핍이 임신에 어떠한 영향을 미치는지는 연구된 바 없다. 그러나 riboflavin 결핍이 있었던 26명의 산모를 대상으로 조사를 한 결과 사산 1명, 6명의 주산기 사망이 보고되었고 이들에서 다음 임신때 riboflavin 보충을 했더니 예후가 좋았다는 보고가 있다.

(3) 한국마더세이프전문상담센터정보(The Korean MotherSafe Counselling Center Information)

종합비타민에 임신 초기 노출 후 자연유산율은 6.9%이며, 인공유산은 8.3%이었다. 한편, 37주 이전의 조산률은 5.1%이며, 2,500 g 미만의 저체중증은 3.4%이었으며, 기형아 발생률은 3.6%(2/56)이었다. 포함된 기형들은 foot deformity, left(1), hypertrophy of female genitalia(1)가 있었다.

3) 모유 수유시 독성 및 적합성 정보(Brestfeeding Compatibility Information)

- Lactation Risk Category: L1
- Riboflavin은 모유로 분비되는데, 그 양은 산모의 섭취와 비례하나 보통 400 ng/mL 이다. 영양상태가 좋은 산모에서 수유중 riboflavin의 보충이 필요하진 않다.

④ 비타민 B6(Vitamin B6: Pyridoxine)

1) 일반적 정보(General Information)

(1) 상품명

— 찾을 수 없음

상품명	제약회사	용량	상품모양
게므론 연질캅셀	대웅제약	2 mg	—
레모나 산	경남제약	5 mg	
로젤민 연질캅셀	알파제약	5 mg	—
바이탈 씨에프 정	유한양행	10 mg	
복합 카덱신 캅셀	위더스제약(주)	50 mg	—
비나폴로-엑스트라 연질캅셀	유유제약	50 mg	
비타민 씨엔비	일화	—	—
삐콤 정	유한양행	1 mg	
삐콤 헥사 주	유한양행	5 mg	
삐콤-씨에프 정	유한양행	5 mg	
슈바톤 골드 연질캅셀	유유제약		—
시리콤푸 캅셀	경동제약	4 mg	—
아로나민 골드 정	일동제약	2.5 mg	
엠브이에취 주	환인제약	15 mg	
올비틸 시럽	영진약품	15 mg	
타이로솔 주	에스케이케미칼 생명과학부문	—	—
파마톤 연질캡슐	한국베링거인겔하임	—	—

(2) 성분

- 분자식: $C_8H_{11}NO_3$

(3) 임상적 적응증(Clinical Indications)

- 비타민 B6 결핍증의 예방 및 치료(약물투여로 인한 결핍포함. 예:이소니아지드).
- 비타민 B6의 수요가 증대하여 음식 중에서 섭취가 불충분할 경우의 보급(소모성 질환, 임산 부, 수유부 등), 비타민 B6의존증(비타민 B6반응성 빈혈 등)
- 비타민 B6 결핍 또는 대사장애가 관여한다고 추정되는 경우의 구각염, 구순염, 설염, 급만 성습진, 지루성습진, 접촉성피부염, 말초신경염, 방사선장애(숙취), 경구피임제(Estrogen 및 progesteron) 사용시 우울증

(4) 작용기전(Mechanism of Action)

- 탄수화물, 지방, 단백질의 대사에 관여하는 pyridoxal의 전구물질.
- 중추신경계에서 헤모클로빈 생성과 GABA 생합성에 필수적인 물질.
- 간과 근육에서 글리코겐의 유리 과정에 보조적 역할을 함.

(5) 약물 역동학(Pharmacokinetics)

① 경구 생체 이용률(Oral Bioavailabioity): complete

② 분자량(MW): 205 g/mol

③ 단백질 결합(Protein binding): −

④ 혈중최고농도 도달시간(Tmax): 1−2시간

⑤ 반감기(T1/2): 15−20일

(6) 약물 상호작용(Drug Interactions)

- 효과 감소: Pyridoxine이 levodopa, phenobarbital 및 phenytoin의 혈청 농도를 감소시킬 수 있음(carbidopa 없이 levodopa를 투여받는 환자는 복합 비타민제를 포함하여 Vit.B6 〉5 mg 을 함유하는 제제를 피하여야 함).

2) 기형 발생 정보(Teratogenicity Information)

(1) 동물 실험(Animal teratology studies)

장기간동안 pyridoxine을 복용시킨 쥐에서 신경독성효과와 고환독성효과를 보고한 바 있다.

(2) 외국의 역학연구 정보(Epidemiologic Information)

과거엔 피리독신과 다른 비타민을 과량 복용한 산모에서 무뇌증 case와 사지결함 case 보고가 있었으나 이는 pyridoxine이 원인이라고 하기엔 불충분하다는 연구가 있었다. 1940년대와 1990년대 대규모 연구를 통하여 피리독신이 임신초기 증상인 오심,구토를 감소시키는데 효과가 있음을 보고하였고 현재 피리독신과 doxylamine을 포함하는 Bendectin이라는 약이 미국과 캐나다 등에서 임신중 입덧의 치료에 하루에 2.1 mg 정도의 용량으로 쓰이고 있다. 임신 및 수유부의 하루 허용량은 18세 이전은 80 mg, 이후에는 100 mg까지를 권장하고 있다.

(3) 한국마더세이프전문상담센터정보(The Korean MotherSafe Counselling Center Information)

종합비타민에 임신 초기 노출 후 자연유산율은 6.9%이며, 인공유산은 8.3%이었다. 한편, 37주 이전의 조산률은 5.1%이며, 2,500g 미만의 저체중증은 3.4%이었으며, 기형아 발생률은 3.6%(2/56)이었다. 포함된 기형들은 foot deformity, left(1), hypertrophy of female genitalia(1)가 있었다.

3) 모유 수유시 독성 및 적합성 정보(Brestfeeding Compatibility Information)

- Lactation Risk Category: L2
- 수유중 모유속의 pyridoxine 농도는 직접적으로 산모의 섭취와 관련되는데 영양섭취를 잘하는 산모의 경우 모유속 pyridoxine 농도는 123–314 ng/mL라고 한다. 심한 pyridoxine 결핍이 있는 신생아의 경우 경련이 유발될 수 있으므로 신속히 pyridoxine을 주입해야 한다. 하루에 200–600 mg의 고용량의 pyridoxine은 모유의 양을 줄일 수 있다고 보고한 연구가 있으나, 다른 연구들에서는 이를 증명해낼 수 없었고, 하루에 20 mg까지는 수유에 영향을 미치지 않을 것이라 보고하였다.
- 한국마더세이프전문상담센터: 수유부와 수유아 3쌍 중 부작용은 없었다.

⑤ 비타민 B12(Vitamin B12)

1) 일반적 정보(General Information)

(1) 상품명

— 찾을 수 없음

상품명	제약회사	용량	상품모양
게므론 연질캅셀	대웅제약	5 mcg	—
게브랄 티 정	대웅제약, 한국화이트홀	9 mcg	—

— 찾을 수 없음

상품명	제약회사	용량	상품모양
네오 츄어블정	한국슈넬제약(주)	–	–
네오에파비올액	선일양행	–	–
네오크로마톤 비코프레쏘 시럽	성화무역	–	–
네프로바이트 정	디코드상사	–	–
뉴마젠 정	광동제약	0.03 mg	–
두청 정	미래제약	–	–
레드-018 연질캡셀	한솔신약	–	–
레드포란 연질캡셀	위더스제약(주)	–	–
로부민 연질캡셀	대희물산	–	–
로부타 연질캡셀	대창무역상사	–	–
로이비타 연질캡슐	하나제약	–	–
로젤민 연질캡셀	알파제약	12 mcg	–
로페랄 연질캡셀	한국파비스바이오텍	–	–
리비칼 츄어블정	영풍제약	–	–
림포 연질캡셀	유니메드제약	–	–
마이틴 연질캡셀	한국파비스바이오텍	–	–
마콘 연질캡셀	롯데제약	–	–
복합 카덱신 캅셀	위더스제약(주)	250 mcg	–
비나폴로-엑스트라 연질캡셀	유유제약	500 mg	
삐콤 정	유한양행	1 mcg	
아로나민 골드 정	일동제약	2.5 mg	

(2) 성분

• 분자식: $C_{72}H_{100}CoN_{18}O_{17}P$

(3) 임상적 적응증(Clinical Indications)

- 코발라민 결핍, 예방
- 시아노코발라민 흡수불량: 진단– 쉴링 검사
- 악성빈혈
- 임신중 AIDS 바이러스 감염
- Homocystinemia

(4) 작용기전(Mechanism of Action)

- 비타민 B12의 가장 널리 쓰이는 형태인 시아노코발라민은 간정제 추출물에서 발견되는 항 빈혈 성분과 유사한 조혈 작용을 지님. 세포의 생식과 성장, 미엘린과 핵단백질 합성에 필수적임. 신체내에서 엔진 대사에 중요한 역할을 한다.

(5) 약물 역동학(Pharmacokinetics)

① 경구 생체 이용률(Oral Bioavailabioity): Variable

② 분자량(MW): 1,355 g/mol

③ 단백질 결합(Protein binding): 단백결합이 있음.

④ 혈중최고농도 도달시간(Tmax): 근육주사(1시간), 비강내 분무(1–2시간)

⑤ 반감기(T1/2): –

(6) 약물 상호작용(Drug Interactions)

- 효과 감소: Chloramphenicol을 복용하고 있을 때 cyanocobalamine의 효과가 감소할 수 있다.

2) 기형 발생 정보(Teratogenicity Information)

(1) 동물 실험(Animal teratology studies)

쥐를 대상으로 한 동물실험에서 임신한 쥐에게 비타민 B12를 주입한 결과 기형을 유발하지 않았다고 보고하였고, 오히려 독성물질에 노출된 쥐에게 해독제로 사용되는 것으로 보아 비타민 B12가 기형유발물질이 아닐 것이라고 하였다.

(2) 외국의 역학연구 정보(Epidemiologic Information)

임신중인 여성에게 비타민 B12를 투여함으로써 비타민 B12 methylmalonic acidemia의 태아를 치료 했다는 보고가 있어 비타민 B12가 기형을 일으키지 않는다고 예상된다.

(3) 한국마더세이프전문상담센터정보(The Korean MotherSafe Counselling Center Information)

종합비타민에 임신 초기 노출 후 자연유산율은 6.9%이며, 인공유산은 8.3%이었다. 한편, 37주 이전의 조산률은 5.1%이며, 2,500 g 미만의 저체중증은 3.4%이었으며, 기형아 발생률은 3.6%(2/56)이었다. 포함된 기형들은 foot deformity, left(1), hypertrophy of female genitalia(1)가 있었다.

3) 모유 수유시 독성 및 적합성 정보(Brestfeeding Compatibility Information)

- Lactation Risk Category: L1
- 비타민 B12는 태반을 통과하고, 축적된다. 채식주의자처럼 비타민 B12 섭취가 적은 임산부의 경우 임신중 혈중 비타민 B12의 농도가 감소되어 태아 빈혈을 일으킬 수 있다고 보고되고 있다.

⑥ 비타민 C(Ascorbic acid)

1) 일반적 정보(General Information)

(1) 상품명

— 찾을 수 없음

상품명	제약회사	용량	상품모양
대한 아스코르빈산 주	대한약품공업	100 mg/2 mL	—
칸탄 주	한독약품	100 mg/2 mL	—

(2) 성분

- 분자식: $C_6H_8O_6$

(3) 임상적 적응증(Clinical Indications)

- 비타민 C의 결핍증 예방 및 치료(괴혈병)

- 비타민 C의 요구량이 증가하는 각종질환(소모성 질환, 임부, 수유부, 흡수불량증, 수술 후, 심한 육체노동시).

- 다음 질환 중 비타민 C결핍 또는 대사장애에 관여된다고 추정되는 경우: 골성장애, 골절시 골기질 혈성, 자극성 과민증(광선과민성 피부염), 모세혈관의 파열로 인한 비출혈, 치육출혈, 골막하의 출혈, 혈뇨, 피부출혈, 점상출혈, 모바소포성 과각화증, 약물투여로 인한 비타 민 C 결핍증(살리실산염, 아트로핀, 염화암표늄, 바르비투르산염), 기미, 주근깨, 염증후의 색소 침착

(4) 작용기전(Mechanism of Action)

- Ascorbic acid(비타민 C)는 수용성 비타민으로써 콜라겐 형성과 조직 재생에 필수적인 항괴 혈병 제제

- Tyrosine, 탄수화물 및 철분의 대사, folic acid의 folinic acid로의 전환, 지질 및 단백합성, 감염에 대한 저항, 세포 호흡에 중요한 역할을 함.

- 면역 체계 지원: 항산화 작용을 가지고 있어서 유해한 세포 유리 radicals을 중성화함.

(5) 약물 역동학(Pharmacokinetics)

① 경구 생체 이용률(Oral Bioavailabioity): complete

② 분자량(MW): 176 g/mol

③ 단백질 결합(Protein binding): –

④ 혈중최고농도 도달시간(Tmax): 2–3시간

⑤ 반감기(T1/2): –

(6) 약물 상호작용(Drug Interactions)

- 효과/독성 증가:

① 소화기관에서 철분 흡수 증가

② 경구 피임제 효능 증가

- 효과 감소:

① Fluphenazine과 병용시 fluphenazine의 농도 감소

② Warfarin의 항응고 효능 감소

③ 경구 피임제와 병용시 비타민 C의 용량 변화는 피임제 효능을 감소시킬 수 있음.

2) 기형 발생 정보(Teratogenicity Information)

(1) 동물 실험(Animal teratology studies)

임신한 돼지에게 비타민 C를 과량투여한 동물실험에서 태아에서 비타민 C의 대사가 증가함을 보고하였다.

(2) 외국의 역학연구 정보(Epidemiologic Information)

동물실험에서 처럼 임신한 산모가 임신기간 동안 매일 400 mg의 비타민 C를 복용한 경우 태아에서 비타민의 대사가 증가되어 비타민 C 결핍증이 유발되었다는 보고가 있다.

임신성 고혈압의 위험성이 있는 142명의 산모에게 임신 후반기에 매일 1000 mg의 비타민 C와 400 IU의비타민 E를 보충한 결과 임신성 고혈압의 빈도가 감소했다는 연구가 있었으나, 다른 두 개의 연구에서는 비타민의 보충의 효과를 발견할 수 없었다.

(3) 한국마더세이프전문상담센터정보(The Korean MotherSafe Counselling Center Information)

종합비타민에 임신 초기 노출 후 자연유산율은 6.9%이며, 인공유산은 8.3%이었다. 한편, 37주 이전의 조산률은 5.1%이며, 2,500 g 미만의 저체중증은 3.4%이었으며, 기형아 발생률은 3.6%(2/56)이었다. 포함된 기형들은 foot deformity, left (1), hypertrophy of female genitalia(1)가 있었다.

3) 모유 수유시 독성 및 적합성 정보(Brestfeeding Compatibility Information)

- Lactation Risk Category: L1
- 비타민 C, 아스코르빈산은 모유에 분비되는데 그 양은 산모의 섭취양과 여러 다른 요소에 의해 영향받는다. 모유의 아스코르빈산의 손실을 감안할 때, 모유수유하는 산모는 분만후 첫 6개월은 비타민 C를 매일 95 mg을, 그 다음 6개월은 매일 9 0 mg을 복용하라고 권하고 있다. 모유에 있는 아스코르빈산의 정상치는 정상 신생아에게는 30 mg/d이나, tyrosinemia를 보이는 조산아의 경우는 좀더 많은 양의 아스코르빈산이 필요하다고 보고되고 있다.

⑦ 비타민 D(cholecalciferol)

1) 일반적 정보(General Information)

(1) 상품명

– 찾을 수 없음

상품명	제약회사	용량	상품모양
게믈론 연질캅셀	대웅제약	400 IU	—

– 찾을 수 없음

상품명	제약회사	용량	상품모양
노마칼민 츄정	삼아제약	0.392 mg	—
비나폴로–엑스트라 연질캅셀	유유제약	6.25 mcg	—

(2) 성분

- 분자식: $C_{28}H_{44}O$

(3) 임상적 적응증(Clinical Indications)

- 가족형 저인산혈증성 비타민 D 결핍 구루병
- 부갑상선 기능 저하증
- 비타민 D 결핍 예방
- 그밖에 골전이로 인한 통증, 근이상증, 골연화증, 골다공증, 신성 골이영양증

(4) 작용기전(Mechanism of Action)

- 소장으로부터 칼슘과 인의 흡수를 높여 뼈가 미네랄화(bone mineralization)되기 충분하도록 혈중 칼슘과 인의 농도를 높임.
- 신세뇨관에서 칼슘과 인의 재흡수를 촉진시킴.

(5) 약물 역동학(Pharmacokinetics)

① 경구 생체 이용률(Oral Bioavailabioity): Variable

② 분자량(MW): 396.65 g/mol

③ 단백질 결합(Protein binding): –

④ 혈중최고농도 도달시간(Tmax): –

⑤ 반감기(T1/2): 19시간

(6) 약물 상호작용(Drug Interactions)

- 효과 감소: Cholestyramine, colestipol, mineral oil은 본제의 경구 흡수 감소
- 효과 증가: Thiazide diuretics는 본제의 효과 증가
- 독성 증가: Cardiac glycosides는 본제의 독성을 증가

2) 기형 발생 정보(Teratogenicity Information)

(1) 동물 실험(Animal teratology studies)

고용량의 비타민 D2를 임신한 쥐에게 투여한 결과 태자의 골격계 이상을 발견하였는데 이는 골화감소와 뼈의 흡수증가로 인한 것이라고 보고한 연구가 있었다. 또한 임신전 혹은 임신 초기에 쥐에게 투여한 실험에서 생식능력의 감소와 조기유산등이 보고되었는데 이는 칼슘 항상성의 변화 때문이라고 하였다. 50,000 IU의 비타민 D2를 투여한 쥐 실험에서 소두증과 골격이상이 발견되었고, 토끼를 대상으로 한 실험에서는 태자의 안구비대, 심장기형이 발견되었다.

그러나 다른 연구에서는 쥐의 태자에서 고칼슘혈증이 발견된 것 외에는 생식력이나 기형이 발견되진 않았다고 보고하였다.

(2) 외국의 역학연구 정보(Epidemiologic Information)

임신 중 비타민 D의 섭취가 적고 햇빛의 노출이 적은 산모에게 비타민 D의 보충을 보고한 몇몇 저널이 있었는데 보충의 효과를 주장하였고, 임신중 비타민 D에 노출된 27명의 산모를 조사한 결과 선천성 기형이나 발달 장애가 없다고 보고하였다. 또한 비타민 D 불능으로 보충을 받은 산모를 조사한 결과 분만시 탯줄내 비타민 D2의 농도는 정상보다 높아 신생아에서 이들 간의 고 칼슘혈증 소견을 보였지만 발달은 정상이었다고 보고하였다.

(3) 한국마더세이프전문상담센터정보(The Korean MotherSafe Counselling Center Information)

종합비타민에 임신 초기 노출 후 자연유산율은 6.9%이며, 인공유산은 8.3%이었다. 한편, 37주 이전의 조산률은 5.1%이며, 2,500 g 미만의 저체중증은 3.4%이었으며, 기형아 발생률은 3.6%(2/56)이었다. 포함된 기형들은 foot deformity, left (1), hypertrophy of female genitalia(1)가 있었다.

3) 모유 수유시 독성 및 적합성 정보(Brestfeeding Compatibility Information)

- Lactation Risk Category: L1
- 모유에 포함된 비타민 D의 농도는 산모의 혈중농도에 비례한다. 비타민 D를 하루에 100,000 IU를 복용한 산모의 모유를 먹은 아기에서 무증상의 고칼슘혈증이 보고되었고 미국 소아과 학회와 몇몇 연구자들은 약의 목적으로 비타민 D를 복용하는 수유부의 경우 혈중 농도를 모니터해야 한다고 주장하였다.

⑧ 비타민 D3(Vitamin D3)

1) 일반적 정보(General Information)
(1) 상품명

— 찾을 수 없음

상품명	제약회사	용량	상품모양
그렌트 정	경남제약	400 IU	
올비틸 시럽	영진약품	4000 IU	
칼트레이트 플러스 정	한국와이어스	2 mg	—
파마톤 연질캡슐	한국베링거인겔하임	–	—
헬스칼 정	동화약품공업	1.25 mg	—

(2) 성분

- 분자식: $C_{27}H_{44}O$

(3) 임상적 적응증(Clinical Indications)

- 관상동맥성 심질환의 위험
- 낙상예방
- 부갑상샘기능저하증
- 골형성장애, 골다공증 치료 및 예방
- 신장성골형성장애
- 비타민 D 의존성 구루병

(4) 작용기전(Mechanism of Action)

- 비타민 D는 칼슘과 인대사에 관련하며 활성 대사체인 calcifediol, calcitriol로 전환하여 장관 칼슘의 촉진과 인흡수, 뼈로부터 칼슘의 이동 및 신장의 칼슘/인
- 배설의 감소를 통해 정상적인 칼슘과 인농도를 유지

(5) 약물 역동학(Pharmacokinetics)

① 경구 생체 이용률(Oral Bioavailabioity): −

② 분자량(MW): 384.6 g/mol

③ 단백질 결합(Protein binding): −

④ 혈중최고농도 도달시간(Tmax): −

⑤ 반감기(T1/2): 19−48시간

(6) 약물 상호작용(Drug Interactions)

- 효과 감소: Cholestyramine, Cimetidine, colestipol, mineral oil, orlistat
- 독성 증가: Aluminum Carbonate, basic, aluminum hydroxide, aluminum phosphate, dihydroxyalumin aminoacetate, dihydroxyaluminu sodium−Carbonate, magaldrate − 알루미늄 독성을 증가시킴

2) 기형 발생 정보(Teratogenicity Information)

(1) 동물 실험(Animal teratology studies)

고용량의 비타민 D3를 임신한 닭에게 투여한 결과 어미에게는 심각한 독성을 일으키고 태자에게는 성장지연과 기형을 보고한 연구가 있다.

(2) 외국의 역학연구 정보(Epidemiologic Information)

임신 중 비타민 D의 섭취가 적고 햇빛의 노출이 적은 산모에게 비타민 D의 보충을 보고한 몇몇 저널이 있었는데 보충의 효과를 주장하였고, 임신중 비타민 D에 노출된 27명의 산모를 조사한 결과 선천성 기형이나 발달 장애가 없다고 보고하였다. 또한 비타민 D 불능으로 보충을 받은 산모를 조사한 결과 분만시 탯줄내 비타민 D2의 농도는 정상보다 높아 신생아에서 이틀 간의 고 칼슘혈증 소견을 보였지만 발달은 정상이었다고 보고하였다.

(3) 한국마더세이프전문상담센터정보(The Korean MotherSafe Counselling Center Information)

종합비타민에 임신 초기 노출 후 자연유산율은 6.9%이며, 인공유산은 8.3%이었다. 한편, 37주 이전의 조산률은 5.1%이며, 2,500 g 미만의 저체중증은 3.4%이었으며, 기형아 발생률은 3.6% (2/56)이었다. 포함된 기형들은 foot deformity, left (1), hypertrophy of female genitalia(1)가 있었다.

3) 모유 수유시 독성 및 적합성 정보(Brestfeeding Compatibility Information)

- Lactation Risk Category: L2
- 모유에 포함된 비타민 D의 농도는 산모의 혈중농도에 비례한다. 비타민 D를 하루에

100,000 IU를 복용한 산모의 모유를 먹은 아기에서 무증상의 고칼슘혈증이 보고되었고 미국 소아과 학회와 몇몇 연구자들은 약의 목적으로 비타민 D를 복용하는 수유부의 경우 혈중 농도를 모니터해야 한다고 주장하였다.

⑨ 비타민 E(Vitamin E, alpha tocoperol)

1) 일반적 정보(General Information)

(1) 상품명

— 찾을 수 없음

상품명	제약회사	용량	상품모양
경남 디알파토코페롤 연질캡슐	경남제약	1000 IU	KN 1000
경남 토코페롤 연질캅셀	경남제약	400 IU	—
그랑페롤 연질캡슐	유한양행	400 IU, 1000 IU	
비이천 연질캅셀	스카이뉴팜	1000 IU	—
삼남 비타민 E 연질캅셀	삼남제약	1000 IU	—
쥬바롤 연질캅셀	조아제약	200 IU, 400 IU	
토롤천 연질캅셀	대웅제약	1000 IU	
투비렉스 연질캡슐	삼일제약	1000 IU	
하노백 연질캅셀	동아제약	400 IU, 1000 IU	—

(2) 성분

- 분자식: $C_{29}H_{50}O_2$

(3) 임상적 적응증(Clinical Indications)

- 비타민 E 결핍증
- 말초순환 기능장애(간헐성, 파행증, 동상등)의 보조요법
- 내분비기능장애(배란장애)등의 보조요법
- 알츠하이머 질환, 용혈성 빈혈, 미숙아 빈혈, 협심증, 항독성 효과, 뇌혈관계 질환, 소아 담즙 울체, 관상 동맥 질환, 세포 독성에 의한 약무 혈관밖 유출, 피부염, 당뇨병, 당뇨 병성 단백질 당화, 월경 곤란증, 운동 발생 조직 손상, 섬유성 근육통, 환상 육아종, 면 역력 증강, 불임 증(남성), 간헐성 파행, 뇌실내출혈, 허혈성 재관류손상, 폐경 증후군, 근경련 등.

(4) 작용기전(Mechanism of Action)

- 세포막내 불포화 지방산의 산화를 억제하여 항산화 작용을 나타낸다.

(5) 약물 역동학(Pharmacokinetics)

① 경구 생체 이용률(Oral Bioavailabioity): Variable

② 분자량(MW): 431 g/mol

③ 단백질 결합(Protein binding): −

④ 혈중최고농도 도달시간(Tmax): −

⑤ 반감기(T1/2): 282시간(IV)

(6) 약물 상호작용(Drug Interactions)

- 효과 감소:

① 비타민 E는 철결핍성 빈혈이 있는 어린이에서 조혈기계 반응에 손상 가능

② Orlistat: 비타민 E의 흡수를 감소. 적어도 2시간 이상 간격을 두고 복용.

③ Cholestyramine, colestipol, mineral oil, sucralfate 병용시 비타민 E의 효과감소

- 효과/독성 증가: 비타민 E는 와파린에 대한 저트롬빈혈증 반응을 일으키는 비타민 K에 의한 응고 인자 영향을 변화시킬 수 있음.

2) 기형 발생 정보(Teratogenicity Information)

(1) 동물 실험(Animal teratology studies)

토끼를 대상으로 한 실험에서 임신한 토끼에게 비타민 E를 보충시 태반을 통과함을 확인하였으나 태자로의 전달은 매우 적음을 보고하였고, 임신한 쥐를 대상으로 비타민 E를 투여한 결과 임신한 쥐와 태자 모두에서 비타민 E의 농도가 증가함을 발견하였다. 임신한 쥐에게 고농

도의 비타민 E를 투여한 실험에서 태자의 성장지연과 구개열을 보고하였고, 쥐를 대상으로 한 다른 실험에서는 기형의 증가를 발견하지 못했다. 다른 실험에서 암컷 쥐에게 고용량의 비타민 E와 C를 25주동안 투여한 결과 fertility가 감소하고 태아 생존률이 감소됨을 보고하였다. Streptozotocin으로 당뇨병을 유발시킨 쥐에게 비타민 E를 복용시킨 실험에서 배아기형의 빈도가 감소함을 보고한 저널이 있었으나, 고용량의 비타민 E일 경우는 유산이 증가함을 보고하였다. 몇몇 동물실험에서 고용량의 비타민 E가 임신성 고혈압이나 저산소증으로 인한 신생아 질병에 예방적 효과가 있음을 시사한 저널이 있었는데, 대부분의 임상실험에서는 이를 발견할 수 없었다.

(2) 외국의 역학연구 정보(Epidemiologic Information)

임신 말기에 비타민 E의 보충은 산모의 혈액 농도를 증가시키나 태아의 농도를 증가시키진 않는다. 비타민 E에 deuterium을 표시하여 주입했을 때 산모와 태아의 농도는 다름을 증명하였다. 비타민 E, 토코페롤은 자연산과 합성제품이 있는데 자연산 토코페롤의 경우가 태반에서의 농도를 더 많이 증가시키고, 그 중 alpha-토코페롤이 더 선택적으로 전달된다. 임신한 산모에게 고용량의 비타민 E를 투여시 부작용이 없었다는 몇몇 저널이 있었고, 비타민 E를 매일 400 IU 이상 복용한 82명의 산모를 대산으로 한 연구에서 어떠한 부작용도 발견할 수 없었고, 1231명의 산모를 대상으로 한 코호트 연구에서는 임신 16주, 28주에 산모의 비타민 E 농도를 측정한 결과, 비타민 E 농도가 높은 경우가 출생시 체중의 증가, 저체중아의 감소, 과체중아의 증가와 연관이 있다고 보고하였다. 1290쌍의 산모-아기 짝 연구에서 비타민 E와 다른 항산화약의 복용이 아기의 1세,2 세 때의 폐질환의 빈도의 감소와 연관이 있다고 보고하였다.

임신성 고혈압의 과거력이 있는 산모를 대상으로 다음번 임신 말기에 비타민 C와 E를 보충한 결과 임신성 고혈압의 재발률이 감소했다는 한 연구가 있었으나, 다른 두 연구에서는 이를 발견할 수 없었다. 비타민 E와 다른 항산화제의 임신성 고혈압에 대한 예방효과는 좀더 연구가 필요할 것으로 생각되고, 신생아 알코올 중독에 비타민 E와 C가 감소효과가 있음을 보고한 연구가 있었다.

(3) 한국마더세이프전문상담센터정보(The Korean MotherSafe Counselling Center Information)

종합비타민에 임신 초기 노출 후 자연유산율은 6.9%이며, 인공유산은 8.3%이었다. 한편, 37주 이전의 조산률은 5.1%이며, 2,500 g 미만의 저체중증은 3.4%이었으며, 기형아 발생률은 3.6%(2/56)이었다. 포함된 기형들은 foot deformity, left (1), hypertrophy of female genitalia(1) 가 있었다.

3) 모유 수유시 독성 및 적합성 정보(Brestfeeding Compatibility Information)

- Lactation Risk Category: L2

- 비타민 E는 모유에 분비되는 것으로, 사람의 모유가 소의 우유보다 비타민 E의 농도가 더 높다. 비타민 E를 경구로 복용시 모유의 비타민 E 농도가 증가함을 보고하였고, 비타민 E는 특히 신생아와 조산아에게 중요한 성분으로, 모유에 있는 양으로는 빠른 성장에 불충분하고 장에서의 흡수도 부족하다. 비타민 E는 조산아의 뇌실내출혈과 망막질병을 줄인다는 여러 보고가 있어 조산아를 둔 산모에서 비타민 E의 보충이 권고된다. 분만후 수주동안 산모의 혈장 비타민 E 농도는 모유수유하는 아기라면 12개월 동안 아기의 혈장 농도를 반영하므로, 수유하는 동안에 매일 19 mg의 보충을 권고한다.

- 한 연구에 따르면 유두에 비타민 E의 국소적 도포를 한 결과(400 IU/feeding), 6일째 대조군 아기와 비교했을 때 혈장 비타민 E의 수치가 40%나 높음을 보고하였다. 여러 연구에서 alpha-tocoperol의 농도는 0.1 mg/dL에서 0.86 mg/dL로 다양함을 보고하였고 수유의 단계에 따라 비타민 E의 농도도 변화함을 보고하였다. 한 연구에서는 분만 후 2주째 비타민 E의 농도는 0.67 mg/dL이지만 6주, 12주 16주로 시간이 경과할수록 농도는 0.4, 0.37, 0.37 수준으로 감소한다고 보고하였다.

- 비타민 E의 보충에 대한 효과는 아직 불분명해서, 한 연구에 따르면, 매일 50 mg을 보충해도 모유의 비타민 E농도는 증가하지 않았다고 하였고, 반면 다른 연구에서는 고용량으로 투여 시 적은 양이긴 하지만 모유에서의 농도가 증가될 수 있다고 보고하였다.

- 고용량을 유두에 도포하는 것은 신생아에게 해로울 수 있으므로 피하라고 보고한 저널이 있다.

⑩ 비타민 K1(Vitamin K1, Phytonadione)

1) 일반적 정보(General Information)

(1) 상품명

상품명	제약회사	용량	상품모양
슬림비 정	드림파마	50 mcg	

(2) 성분

- 분자식: $C_{31}H_{46}O_2(1)$

(3) 임상적 적응증(Clinical Indications)

- 후천성 저프로트롬빈혈증, 항응고제 등의 약물 투여로 인한 반응, 신생아의 출혈 및 예방.

(4) 작용기전(Mechanism of Action)

- Clotting factor II, VII, IX, X가 간에서 합성되는 것을 촉진시킨다.

(5) 약물 역동학(Pharmacokinetics)

① 경구 생체 이용률(Oral Bioavailabioity): complete

② 분자량(MW): 450 g/mol

③ 단백질 결합(Protein binding): −

④ 혈중최고농도 도달시간(Tmax): 경구투여 12시간

⑤ 반감기(T1/2): 26−193시간

(6) 약물 상호작용(Drug Interactions)

- 효과 감소:

① 와파린, dicumarol, anisindion과 같은 항응고제의 투여는 본제제의 효과를 감소.

② Orlistat과 병용시 경구 비타민 K의 흡수력 저하(적어도 2시간 간격을 두고 투여)

2) 기형 발생 정보(Teratogenicity Information)

(1) 동물 실험(Animal teratology studies)

임신 중인 쥐에게 비타민 K1을 투여한 동물실험에서 구개열과 신경관결손의 기형을 보고한 저널이 있으나, 다른 연구에서는 동물에서의 기형을 발견할 수 없었다.

(2) 외국의 역학연구 정보(Epidemiologic Information)

비타민 K는 정상적으로 장내세균에 의해 적절한 양이 만들어지는데 항경련제, 와파린, 리팜핀, 이소니아지드등을 복용하는 경우는 장내세균총의 변화를 일으켜 비타민 K의 생산이 부족해지므로 이런 약을 복용하는 산모들은 비타민 K를 보충해야 한다고 한다.

조산아를 분만한 산모에게 분만전 비타민 K1의 주사가 신생아의 뇌실내출혈을 감소시켰다는 보고가 있고 다른 연구에서도 신생아 출혈의 빈도가 감소했다는 발표가 있었으나 또다른 연구에서는 이것이 증명되지 않았다.

비타민 K는 쥐에서도, 만삭의 사람에서도 태반을 잘 통과하진 않는다고 한다. 그래서 한 연구에서는 분만 2−4시간 직전에 산모에게 비타민 K를 근육주사했던 경우에만 신생아의 응고성분이 향상되었다고 했고, 산모에게 주는 것보다 신생아에게 주는 것이 낫다고 권고하였다. 그러나 반면에 분만전 비타민 K를 보충한 산모에서 출생한 신생아에서 고빌리루빈혈증이 보고된 바 있다.

(3) 한국마더세이프전문상담센터정보(The Korean MotherSafe Counselling Center Information)

종합비타민에 임신 초기 노출 후 자연유산율은 6.9%이며, 인공유산은 8.3%이었다. 한편, 37주 이전의 조산률은 5.1%이며, 2,500 g 미만의 저체중증은 3.4%이었으며, 기형아 발생률은 3.6% (2/56)이었다. 포함된 기형들은 foot deformity, left(1), hypertrophy of female genitalia(1) 가 있었다.

3) 모유 수유시 독성 및 적합성 정보(Brestfeeding Compatibility Information)

- Lactation Risk Category: L1
- 비타민 K는 모유중 낮은 농도로 존재한다. 소의 우유에는 모유보다 두배의 농도의 비타민 K가 있다고 알려져 있고, 수유하는 산모에게 비타민 K1을 보충시 모유의 비타민 K의 농도를 증가시킬 수 있다고 하였다. 그러나 산모보충만으로 신생아의 응고시간의 효과는 미미하고, 신생아의 정상 장내 세균이 비타민 K를 합성하는 것이 부족하므로 분만 후 신생아에게 비타민 K를 주라고 권고하고 있다.

80 카르복시메칠시스테인(S-Carboxymethylcystein)

1) 일반적 정보(General Information)

(1) 상품명

— 찾을 수 없음

상품명	제약회사	용량	상품모양
나나스테인캅셀	보람제약	375 mg	
로나토프시럽	동구제약	50 mg	
리나치올시럽2%,5%	현대약품	20 mg/1 ml, 50 mg/1 ml	
리나치올캅셀	현대약품	150 mg, 375 mg, 500 mg	
리놀시럽	바이넥스	50 mg/1 mL	
리놀캅셀	바이넥스	375 mg	

— 찾을 수 없음

상품명	제약회사	용량	상품모양
엑스펙토시럽2%,5%	수도약품공업	20 mg/1 mL, 50 mg/1 mL	
치올캅셀	광동제약	375 mg	—
카로민시럽 2%	씨제이	20 mg/1 mL	
카보메신캅셀	인바이오넷	500 mg	—
카복신캅셀	동양제약	375 mg	—
콜감시럽	청계제약	50 mg/1 mL	

(2) 성분

- 분자식: $C_5H_9NO_4S$

(3) 임상적 적응증(Clinical Indications)

- 과다한 점액이나 높은 점도의 점액이 있는 호흡기계 질병의 치료 보조
- 급만성 기관지염, 기관지 천식, 기관지 확장증, 인두염, 비인두염 등의 질환에서의 객담 배출곤란
- 만성 부비강염, 삼출성 및 장액성 중이염

(4) 작용기전(Mechanism of Action)

- 작용기전은 확실하지 않음
- 저액 생성세포의 대사에 영향을 미쳐 객담용해효과를 나타낼 것으로 여겨짐.
- Carbocysteine lysine염 투여시 점성이 감소하고 점액섬모 운반이 증가

(5) 약물 역동학(Pharmacokinetics)

① 경구 생체 이용률(Oral Bioavailabioity): 80-120 %

② 분자량(MW): 179.21 g/mol

③ 단백질 결합(Protein binding): −

④ 혈중최고농도 도달시간(Tmax): 시럽제(1.1시간), 캅셀제(1.7시간)

⑤ 반감기(T1/2): 1.3시간

(6) 약물상호작용(Drug Interactions)

- Lack of information

2) 기형 발생 정보(Teratogenicity Information)

(1) 동물 실험(Animal teratology studies)

Carboxycysteine을 임신한 쥐와 토끼에게 임신 초기에 복용시킨 동물실험에서 선천성 기형의 증가는 없었고 제태연령 17−21일에 임신한 쥐에게 경구로 투여시에도 어떠한 부작용도 발견할 수 없었다는 보고가 있다.

(2) 외국의 역학연구 정보(Epidemiologic Information)

관련정보 찾을 수 없음.

(3) 한국마더세이프전문상담센터정보(The Korean MotherSafe Counselling Center Information)

S−카르복시메틸시스테인에 노출된 후 추적된 임신부는 총 33례이었으며 초기 노출 후 자연유산율은 3.0%(1/33)이었다. 임신 37주 이전의 조산률은 6.5%(2/31), 2,500 g 미만의 저체중증은 3.3%(1/30)이었다. 주요기형발생 례는 없었다.

3) 모유 수유시 독성 및 적합성 정보(Brestfeeding Compatibility Information)

- 관련정보 찾을 수 없음.
- 한국마더세이프전문상담센터: 수유부와 수유아 1쌍 중 부작용은 없었다.

81 카페인(Caffeine)

1) 일반적 정보(General Information)

(1) 상품명

상품명	제약회사	용량	상품모양
게보린정	삼진제약	50 mg	

상품명	제약회사	용량	상품모양
박카스에프액	동아제약	30 mg	
보령네오메디코푸정	보령제약	10 mg	
슈가펜정	드림파마	25 mg	
카펠고트정	한국노바티스	100 mg	
콜디캅셀	삼일제약	15 mg	
판콜에이캅셀	동화약품공업	20 mg	
판피린에프액	동아제약	30 mg	
펜잘에스정	종근당	65 mg	
화이투벤플러스캡슐	씨제이	15 mg	

(2) 성분: Caffeine

- 분자식: $C_8H_{10}N_4O_2$

(3) 임상적 적응증

- 카페인은 중추신경계자극제로 피곤함과 머리를 맑게 하기 위해 레크리에이션과 의료 목적으로 사용된다. 주로는 커피, 차, 소푸트드링크나 에너지드링크에 포함되어 있다.

(4) 작용기전(Mechanism of Action)

- 카페인은 사이토크롬 P450(1A2)에 의해서 간에서 대사되어 다음 3가지의 물질로 대사된다. 파라싼틴(Paraxanthine) 84%, 데오브로민(Theobromine) 12%, 그리고 테오필린(Theophylline) 4%이다. 이들 각각의 체내에서의 효과는 파라싼틴(Paraxanthine)은 지질용해와 글리세롤과 유리 지방산을 증가시키며, 데오브로민(Theobromine)은 혈관을

확장하고 소변양을 증가시킨다. 그리고 테오필린(Theophylline)은 기관지를 확장시켜서 천식치료에 사용된다.

- 카페인의 체내 작용기전은 세포막의 수용체와 채널 그리고 칼슘과 cAMP 경로에서의 세포 내 작용 등의 다양한 메카니즘에 의한다.
- 알코올, 니코틴, 그리고 항우울증약과 마찬가지로 뇌혈관장벽(blood brain barrier)을 쉽게 통과 한다.

(5) 약물 역동학(Pharmacokinetics)

① 경구 생체 이용률(Oral Bioavailabioity): 100%

② 분자량(MW): 194 g/mol

③ 단백질 결합(Protein binding): 36%

④ 혈중최고농도 도달시간(Tmax): 60분

⑤ 반감기(T1/2): 4.9시간

(6) 약물의 상호작용(Drug Interactions)

- 효과 감소: 아데노신, 알렌드로네이트
- 독성 증가: 시메티딘, 플루오로큐놀론

2) 기형 발생 정보(Teratogenicity Information)

(1) 동물 실험(Animal teratology studies)

랫트에서 100 mg/kg/d의 카페인을 임신 16-19일에 투여시 골격계의 골화감소가 일어나고 7-16일에 투여시 골화감소와 출생시 체중이 감소되었다. 원숭이 실험에서 임신중 내내 커피 5-15컵/day을 주었을 때 자연유산과 사산률이 증가하고 체중이 잘 증가되지 않았다. 또한, 랫드에서 카페인이 100 mg/kg/d 이상 투여시 구개열과 ectrodactyly가 증가되는 것으로 보고된 연구도 있다.

(2) 외국의 역학연구 정보(Epidemiologic Information)

토론토의 마더리스크프로그램에서의 메타분석에 따르면 카페인을 소비하는 임신부의 경우 자연유산의 위험률이 1.36배(95%CI 1.29-1.45) 증가하였고, 태아의 성장지연은 1.51배(1.39-1.63)증가한 것으로 나타났다. 하지만, 임신 중 카페인의 소비와 기형발생과의 연관성에 관한 systematic review에 따르면 관련이 없는 것으로 나타났다.

한편, 카페인이 포함된 약물을 임신 4개월 이내에 사용했던 5,378명의 여성을 대상으로 한 연구에서도 기형발생은 증가되지 않은 것으로 나타났다.

현재까지의 연구에서는 카페인이 자연유산의 증가 및 신생아체중감소와 연관성에는 이견이 있으나, 이 연구에서는 하루에 200-300 mg(2-3잔 커피, 4-6캔 콜라)이하의 노출에서는 나쁜 영향을 미치지 않는 것으로 보고하고 있다.

(3) 한국마더세이프전문상담센터정보(The Korean MotherSafe Counselling Center Information)

카페인에 노출된 후 추적된 임신부는 총 510례이었으며 초기 노출 후 자연유산율은 7.7%(39/510)이었다. 임신 37주 이전의 조산률은 5.1%(23/450), 2,500 g 미만의 저체중증은 2.9%(13/450)이었다. 주요기형발생은 2.2%(10/450): two skin tags right ear with left ear abnormality(1), bilateral inguinal hernia(1), dysplastic kidney left with megaureter(1), nasolacrimal duct obstruction with ptosis(1), upper gingival cyst(1), PDA(1), micro penis with smaller right testis(1), right hydronephrosis(1), cleft palate(1), choledochal cyst(1)가 있었다. 그리고 사산 3례가 있었다.

3) 모유 수유시 독성 및 적합성 정보(Brestfeeding Compatibility Information)

- Lactation Risk Category: L2
- AAP: 모유수유에 적합
- 한국마더세이프전문상담센터: 수유부–수유아 6쌍 중 부작용 례는 없었다.

82 칼슘 카보네이트(Calcium Carbonate)

1) 일반적 정보(General Information)

(1) 상품명

— 찾을 수 없음

상품명	제약회사	용량	상품모양
넥스팜탄산칼슘정	넥스팜코리아	500 mg	—
대신탄산칼슘정	넥스팜코리아	500 mg	—
로나드정	뉴젠팜	500 mg	—
로레이드정	근화제약	500 mg	—
마이팜탄산칼슘정	한국마이팜	500 mg	
씨씨본정	휴온스	500 mg	
안티산정	건일제약	500 mg	—

— 찾을 수 없음

상품명	제약회사	용량	상품모양
중앙침강탄산칼슘정	중앙제약	500 mg	—
카니트정	진양제약	500 mg	
칼시맥정	동인당제약	500 mg	—
태극탄산칼슘정	태극제약	500 mg	
파마탄산칼슘정	한국호넥스	500 mg	
한국유나이티드탄산칼슘정	한국유나이티드제약	500 mg	

(2) 성분

- 분자식: $CaCO_3$

$$\left[Ca^{2+} \right] \left[O=C \begin{matrix} O \\ O \end{matrix} \right]^{2-}$$

(3) 임상적 적응증(Clinical Indications)

- 위십이지장궤양, 위염, 위산과다 질환의 제산작용 및 증상의 개선
- 저칼슘혈증 또는 고인산혈증의 치료와 예방
- 골다공증
- 심소생술중 epinephrine이 심근수축을 회복시키지 못할 때
- 고칼륨혈증으로 인한 심장장애
- Ca-Channel blocker의 독성

(4) 작용기전(Mechanism of Action)

- 활동전위 역치조절로 신경와 근육의 활동을 조절

(5) 약물 역동학(Pharmacokinetics)

① 경구 생체 이용률(Oral Bioavailabioity): 4-45%

② 분자량(MW): −

③ 단백질 결합(Protein binding): 45%

④ 혈중최고농도 도달시간(Tmax): −

⑤ 반감기(T1/2): −

(6) 약물 상호작용(Drus Interactions)

- 효과/농도 감소: Atenolol, Ca-channel blocker(길 항), tetracycline(흡수감소), Levothyroxine(흡수감소)
- 효과/농도 증가: digitalis
- 칼슘염의 농도증가: thiazide계 이뇨제
- 다량의 우유와 병용시 우유 알카리 증후군(고칼륨혈증, 고질소혈증, 알카리증 등) 유발 가능

2) 기형 발생 정보(Teratogenicity Information)

(1) 동물 실험(Animal teratology studies)

임신한 쥐를 대상으로 한 실험에서 기형의 증가는 없었으나 태아체중의 감소를 보고한 연구가 있었고, 다른 한 연구에서는 어미쥐의 탄산칼슘의 복용이 태아골격의 석회화에 장애를 일으킨다고 보고하였다. 이는 양을 대상으로 한 실험에서도 보고되었다.

(2) 외국의 역학연구 정보(Epidemiologic Information)

임신중 칼슘을 섭취한 산모에서 태어나 2세 아이에서 담석이 발견된 보고가 있었으나 이는 매우 드물다. 탄산칼슘을 포함한 제산제의 과다복용은 임신중 milk-alkali 증후군을 일으킬 수 있는데, 탄산칼슘 과다복용에 의한 산모의 독성이 없더라도 신생아 저칼슘혈증 발생을 보고한 바 있다. 스웨덴여성을 대상으로 조사한 한 연구에서는 임신 중 혈중 칼슘수치가 감소하는데 이는 임신말기 태아의 혈중수치보다도 낮다고 보고하였다. 또한 비타민 D결핍이 있는 파키스탄 30명의 산모를 대상으로 조사한 결과, 산모의 혈중 칼슘농도와 태아의 성장(출생 시 머리발꿈치길이)이 양의 상관관계가 있음을 보고하였다.

(3) 한국마더세이프전문상담센터정보(The Korean MotherSafe Counselling Center Information)

칼슘 카보네이트에 노출된 후 추적된 임신부는 총 26례이었으며 초기 노출 후 자연유산율은 7.6%(2/26)이었다. 임신 37주 이전의 조산율은 0.0%(0/23), 2,500 g 미만의 저체중증은 0.0%(0/22)이었다. 주요기형발생은 4.6%(1/22): dysplastic kidney left with megaureter(1)가 있었다.

3) 모유 수유시 독성 및 적합성 정보(Brestfeeding Compatibility Information)

- Lactation Risk Category: L3
- 임신 후반기나 수유 시 저칼슘식이에서 칼슘을 보충하는 것의 이득은 밝혀진 바 없다. 필요한 칼슘은 식이섭취에서 보충되는 게 아니라 칼슘의 소변배출을 줄여 보충되기 때

문이다. 수유중에는 칼슘을 보존하기 위한 대사변화가 일어나 칼슘을 보충 시에는 고칼슘혈증의 위험을 증가시킨다. 그러나 뼈의 납 축적이 증가된 여성에서 임신후반기와 수유시의 칼슘섭취가 뼈로부터의 납이동을 감소시킨다는 보고가 있다.

- 한국마더세이프전문상담센터: 수유부와 수유아 7쌍 중 부작용 사례는 없었다.

83 코데인(Codeine)

1) 일반적 정보(General Information)

(1) 상품명

– 찾을 수 없음

상품명	제약회사	용량	상품모양
동광코데농정	동광제약	5 mgl	
코데민정	성원애드콕제약	5 mg	—
코데신정	성원애드콕제약	5 mg	—
코메신정	한국팜비오	5 mg	—

(2) 성분: Dihydrocodeine bitartrate

- 분자식: $C_{18}H_{23}NO_3 \cdot C_4H_6O_6$

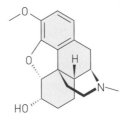

(3) 임상적 적응증

- 마약성 진통제로 만성질환 및 중증도 암환자에 처방
- 진해제로서 감기약에 복합제로 사용된다.

(4) 작용기전(Mechanism of Action)

- 약한 합성 opioid로 opiate 수용체에 결합함으로써 작용하고, 히스타민을 분비하게 한다.

(5) 약물 역동학(Pharmacokinetics)

① 경구 생체 이용률(Oral Bioavailabioity): 95–100%

② 분자량(MW): 301.38 g/mol

③ 단백질 결합(Protein binding): −

④ 혈중최고농도 도달시간(Tmax): −

⑤ 반감기(T1/2): 4시간

(6) 약물의 상호작용(Drug Interactions)

2) 기형 발생 정보(Teratogenicity Information)

(1) 동물 실험(Animal teratology studies)

생식발생독성과 관련된 동물실험 보고 없음.

(2) 외국의 역학연구 정보(Epidemiologic Information)

임신 중 추천되지는 않으나, 임신 중 부정적인 영향 없이 널리 사용되고 있다. 하지만, 고용량 사용 시 신생아 금단증상(withdrawal syndrome)이 나타날 수 있다.

(3) 한국마더세이프전문상담센터정보(The Korean MotherSafe Counselling Center Information)

코데인에 노출된 후 추적된 임신부는 총 547례이었으며 초기 노출 후 자연유산율은 6.4%(35/547)이었다. 임신 37주 이전의 조산률은 3.6%(18/494), 2,500 g 미만의 저체중증은 2.4%(12/492)이었다. 주요기형발생은 2.6%(13/492): PDA(2), cyst in caudothalamic groove(1), dysplastic kidney left with megaureter(1), nasolacrimal duct obstruction with ptosis(1), hydronephrosis(2), MCDK(1), right liver mass(1), ASD with small PDA(1), right inguinal hernia(1), cleft palate(1), undefined major anomaly(1)가 있었다. 사산 2례가 있었다.

3) 모유 수유 시 독성 및 적합성 정보(Brestfeeding Compatibility Information)

- Lactation risk: L3 (possibly hazardous)
- 한국마더세이프전문상담센터: 수유부−수유아 12쌍 중 부작용 사례는 없었다.

84 클라불란산 칼륨(Clavulanate potassium)

1) 일반적 정보(General Information)

(1) 상품명

— 찾을 수 없음

상품명	제약회사	용량	상품모양
구멘틴정	한국프라임제약	125 mg	GMT

— 찾을 수 없음

상품명	제약회사	용량	상품모양
구멘틴시럽	한국프라임제약	5.7 mg	
나노크라정	한올제약	125 mg	
네오크라듀오건조시럽	한올제약	5.7 mg	
네오크라현탁정	한올제약	31.25 mg	—
듀오넥스건조시럽	대화제약	5.7 mg	
듀오넥스현탁정	대화제약	31.25 mg, 50 mg	
듀오크라건조시럽	고려제약	5.7 mg	
라모크린듀오건조시럽	수도약품공업	5.7 mg	
라모크린정	수도약품공업	125 mg	
라목크라듀오시럽	휴온스	5.7 mg	—
라목크라현탁정	중회신약	25, 31.25 mg	—
락타목스듀오건조시럽	한국슈넬제약	5.7 mg/6.25 mg	
락타목스정	한국슈넬제약	125 mg	
맥시크란듀오시럽	보령제약	5.7 mg	
맥시크란정	보령제약	125 mg,	
맥시크란현탁정	보령제약	25, 31.25, 50, 15.625 mg	

— 찾을 수 없음

상품명	제약회사	용량	상품모양
목시클란현탁정	유영제약	25, 15.625 mg	—
목시클시럽	대웅제약	5.7 mg	
목시클정	대웅제약	6.25, 125 mg	
목시클주	대웅제약	100, 200 mg	
아모라닉듀오시럽	SK케미칼	5.7 mg	
아모라닉듀오정	SK케미칼	125 mg	

(2) 성분: Clavulanate potassium

- 분자식: $C_{16}H_{19}N_3O_5S \cdot 3H_{20}$

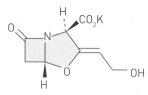

(3) 임상적 적응증(Clinical Indications)

- S. aureus, H. influenzae, Enterobacteriaceae, Klebsiella, Citrobacter, Serratia 등에 의한 하기도 감염, 요로감염, 피부감염, 부인과적 감염, 뼈와 관절 감염, 패혈증 등의 감염 치료

(4) 작용기전(Mechanism of Action)

- Aminopenicillins 계 약물로 세균이 분열되는 동안 세균의 세포벽 합성 후반 단계를 방해하여 세포벽을 파괴함으로써 감수성이 있는 균에서 살균효과를 나타냄.
- Clavulanic acid는 β- lactamase의 활성부위와 결합하여 ticarcillin의 분해를 예방

(5) 약물 역동학(Pharmacokinetics)

① 경구 생체 이용률(Oral Bioavailabioity): –

② 분자량(MW): 199.16 g/mol

③ 단백질 결합(Protein binding): Ticarcillin(45~65%), Clavulanic acid(9~30%)

④ 혈중최고농도 도달시간(Tmax): −

⑤ 반감기(T1/2): 66~90분

(6) 약물 상호작용(Drug Interactions)

- 효과 감소: ① Tetracyclines: Ticarcillin의 효과를 감소 ② Aminoglycoside: 고농도의 ticarcillin존재 하에서 aminoglycoside가 생리적으로 불활성화 될 수 있음
- 효과 증가: ① Probenecid: Ticarcillin의 농도를 증가 ② Aminoglycoside: 상승작용 ③ 근신 경 차단제: 근신경 차단제의 작용시간의 연장
- 독성 증가: 경중증도의 신장애 환자에서 aminoglycoside를 병용 시 독성증가

2) 기형 발생 정보(Teratogenicity Information)

(1) 동물 실험(Animal teratology studies)

클라불란산 칼륨은 베타 락탐으로서 주로 다른 항생제와 함께 쓰여 박테리아 beta−lactamas에 길항하는 작용을 한다. 쥐와 돼지를 대상으로 한 동물실험에서 클라불란산 칼륨과 아목시실린을 같이 투여한 결과 기형을 일으키진 않았다고 보고하였다.

(2) 외국의 역학연구 정보(Epidemiologic Information)

임신 중 bacteriuria가 있어 이 복합제제를 처방받은 8명의 산모를 조사한 결과 태아에서 기형을 찾아볼 수 없었고, 태반을 이용한 한 연구에서 클라불란산 칼륨의 태반통과여부는 증명되지 않았다고 보고하였지만, 다른 연구에서는 ticarcillin−클라불란산 칼륨의 태반통과가 보고되었다.

(3) 한국마더세이프전문상담센터정보(The Korean MotherSafe Counselling Center Information)

클라불란산 칼륨에 노출된 후 추적된 임신부는 총 315례이었으며 초기 노출 후 자연유산율은 4.8%(15/315)이었다. 임신 37주 이전의 조산율은 3.5%(10/286), 2,500 g 미만의 저체중증은 2.8%(8/282)이었다. 주요기형발생은 2.8%(8/282): VSD(1), ASD with small PDA(1), gingival cyst(1), VSD(1), both ear skin tag(1), right inguinal hernia(1), PFO with VSD and aortic valve prolapse(1), PDA(1)가 있었다. 그리고 사산 3례가 있었다.

3) 모유 수유 시 독성 및 적합성 정보(Brestfeeding Compatibility Information)

- Lactation risk: Micromedex에 14건의 amoxicillin−clavulanate 노출군과 비노출군간에 부작용(feeding difficulties, stool frequency, skin rash)과 체중 및 발달에 통계학적 차이 없었음.
- 한국마더세이프전문상담센터: 수유부−수유아 21쌍 중 무른 변 1례 있었다.

85 클로르페니라민(Chlorpheniramine maleate)

1) 일반적 정보(General Information)

(1) 상품명

— 찾을 수 없음

상품명	제약회사	용량	상품모양
한샘 말레인산클로르페니라민 주	한샘제약	4 mg/2 mL	
한샘 말레인산클로르페니라민 주	한샘제약	4 mg/2 mL	—
삼성 말레인산클로르페니라민 주	삼성제약공업	4 mg/2 mL	—
휴온스 말레인산클로르페니라민 주	휴온스	4 mg	
페니라민 주	유한양행	4 mg/2 mL	
페니라민 정	유한양행	2 mg	
쎌라트팜 말레인산클로르페니라민 정	쎌라트팜코리아	4 mg	—

(2) 성분: Chlorpheniramine maleate

- 분자식: $C_{16}H_{19}C_1N_2 \cdot 4H_4O_4$

(3) 임상적 적응증(Clinical indications)

- 두드러기, 고초열, 소양성 피부질환(습진, 피부염, 피부 소양증, 약진, 곤충자상)
- 알레르기성 비염, 혈관 운동성 비염
- 코감기에 의한 재채기, 콧물, 기침을 포함한 기타 알레르기 증상

(4) 작용기전(Mechanism of Action)

- Alkylamine계 propylamine 유도체인 1세대 항히스타민제로 위장관, 혈관, 호흡기계에

위치한 H1-수용체를 차단하여 히스타민 작용을 저해

(5) 약물 역동학(Pharmacokinetics)

① 경구 생체 이용률(Oral Bioavailabioity): 25-45%

② 분자량(MW): 275 g/mol

③ 단백질 결합(Protein binding): 70%

④ 혈중최고농도 도달시간(Tmax): 2-6시간

⑤ 반감기(T1/2): 12-43시간

(6) 약물상호작용(Drug Interactions)

- 독성 증가 중추신경 억제제, MAOIs(monoamine oxidase inhibitors)삼환계 항우울제, Phenothiazines, 에페드린과 병용 시 클로르페니라민의 독성을 증가시킨다.
- 헤파린: 병용 시 헤파린의 항응고 효과 방해한다.
- Sulfonylurea: 말레인산클로르페니라민의 효과를 감소시킨다.

2) 기형 발생 정보(Teratogenicity Information)

(1) 동물 실험(Animal teratology studies)

한 연구에서 임신한 쥐에게 클로르페니라민을 복용시킨 실험을 통해 태자에서 기형유발은 없었으나, 사람 용량의 65-650배를 쥐에게 실험한 결과 배아, 태아, 신생아 사망의 증가를 보고하였다.

(2) 외국의 역학연구 정보(Epidemiologic Information)

Heinonen 등은 임신 제 1삼분기에 클로르페니라민에 노출되었던 1,070명의 산모를 대상으로 조사한 연구에서 의미있는 기형의 증가를 발견할 수 없었고, 클로르페니라민에 노출된 68명의 산모를 대상으로 조사한 다른 연구에서는 한 명의 선천성 고관절 형성부전을 보고하였다.

두 개의 코호트 연구에서 임신 제1삼분기에 클로르페니라민에 노출된 산모에서 태어난 275명의 아기를 대상으로 한 연구에서도 선천성 기형의 증가는 보이지 않았으며, 임신 제 1삼분기에 약에 노출되었던 산모에서 태어난 61명의 아기들을 대상으로 조사한 연구와 23명의 아기들을 대상으로 연구한 전향적 코호트 연구에서도 선천성 기형의 증가는 보이지 않았다.

(3) 한국마더세이프전문상담센터정보(The Korean MotherSafe Counselling Center Information)

클로로페니라민에 노출된 후 추적된 임신부는 총 1,391례이었으며 초기 노출 후 자연유산율은 5.1%(71/1,391)이었다. 임신 37주 이전의 조산률은4.2%(40/959), 2,500 g 미만의 저체중증은 2.7%(26/953)이었다. 주요기형발생은 2.6%(25/953): unilateral cleft lip and palate left side with bilateral clenched hands/Ventricular septal defect(1), PDA(3), Smooth philtrum with thin upper lip with left. ear microtia(1), bilateral inguinal hernia(1), fetal right renal cyst(1),cyst in caudothalamic groove(1), right UPJ stenosis with right scrotal hydrocele(1), dysplastic kidney, left with megaureter(1), nasolacrimal duct obstruction with ptosis(1), hydrocele and left wrist drop(1), imperforate anus(1), hydronephrosis(1), MCDK(1), right liver mass(1), ASD with small PDA(1), ASD(1), VSD(1), microtia with invisible external ear orifice(1), right inguinal hernia(1), CCAM(1), cleft palate(1), undefined major anomaly, right hydronephrosis(1)가 있었다. 그리고 사산 4례가 있었다.

3) 모유 수유 시 독성 및 적합성 정보(Brestfeeding Compatibility Information)

- Lactation Risk Category: L3
- 클로르페니라민의 모유분비 여부에 관한 자료는 없으나, 진정작용 외의 다른 부작용의 보고는 없었다.
- 한국마더세이프전문상담센터: 수유부-수유아 27쌍 중 젖량감소 1례가 있었다.

86 탄산수소 나트륨(Sodium Bicarbonate)

1) 일반적 정보(General Information)

(1) 상품명

— 찾을 수 없음

상품명	제약회사	용량	상품모양
대한 탄산수소나트륨 주	대한약품공업	1.68 g/20 mL	—
삼환 탄산수소나트륨 정	삼환제약	500 mg	—
제일제약	제일 탄산수소나트륨 주사액 5%, 8.4%	20 mL	—
휴온스(주)	휴온스 탄산수소 나트륨 주 8.4%	20 mL	—

(2) 성분명: Sodium Bicarbonate

- 분자식: $naHO_3$

(3) 임상적응증(Clinical indications)

- 산성혈증
- 위십이지장궤양, 위염, 위산과다에서의 제산작용
- 요산배설이 촉진과 통풍 발작의 예방

(4) 작용기전(Mechanism of Action)

- 해리되어 중 탄산이 되어 혈장의 수소이온을 중화시키며 혈장, 요의 pH를 증가시킨다.

(5) 약물역동학(Pharmacokinetics): Lack of information

(6) 약물 상호작용(Drug Interaction)

- 독성/농도 증가

① Amphetamine

② Anorexiant

③ Mecamylamine

④ Ephedrine

⑤ Pseudoephedrine

⑥ Flecainide

⑦ Quinidine

⑧ Quinine

- 효과/농도 감소

① Lithium

② Methotrexate

③ Tetracycline

④ Chlorpropamide

⑤ Salicylate

2) 기형 발생 정보(Teratogenicity Information)

(1) 동물 실험(Animal test)

쥐에게 임신 기간동안 탄산수소나트륨을 과량으로 주었을 경우, 기형이 유발되지 않았다.

(2) 외국의 역학연구 정보(Epidemiologic Information)

탄산수소나트륨은 위산제로, 이를 자주 사용하는 경우에는 산모와 태아에게 대사 알칼리증과 체액 과부하등이 유발될 수 있다. 위산제 중 탄산수소나트륨 같은 독성을 일으키지 않는다른 대체 약품들이 많으므로, 탄산수소나트륨을 반복적으로 사용하는 것은 임신 중에 권장되지 않는다.

(3) 한국마더세이프전문상담센터정보(The Korean MotherSafe Counselling Center Information)

탄산수소나트륨에 노출된 후 추적된 임신부는 총 307례이었으며 초기 노출 후 자연유산율은 5.5%(17/307)이었다. 임신 37주 이전의 조산율은 3.9%(11/280), 2,500 g 미만의 저체중증은 2.9%(8/276)이었다. 주요기형발생은 0.7%(2/276): necrotizing enterocolitis with perforation(1), right UPJ stenosis with right scrotal hydrocele(1)가 있었다. 그리고 사산 3례가 있었다.

3) 모유 수유 시 독성 및 적합성 정보

- 관련정보 찾을 수 없음.
- 한국마더세이프전문상담센터: 수유부와 수유아 3쌍 중 부작용 례는 없었다.

87 탈니플루메이트(Talniflumate)

1) 일반적 정보(General Information)

(1) 상품명

상품명	제약회사	용량	상품모양
근화소말겐정	근화제약	370 mg	
넬슨탈니플루메이트정	한국넬슨제약	370 mg	
니후루겐정	영풍제약	370 mg	
삼성탈니플루메이트정	삼성제약공업	370 mg	
스토펜정	신풍제약	370 mg	
탈리메드정	구주제약	370 mg	

상품명	제약회사	용량	상품모양
플루마겐정	한국웨일즈제약	370 mg	
후루겐정	하나제약	370 mg	

(2) 성분: Talniflumate

- 분자식: $C_{21}H_{13}F_3N_2O_4$

(3) 임상 적응증(Clinical indications)

- 류마티양 관절염, 골관절염, 좌골신경통, 무월경성동통, 수술 후 염증 및 동통, 검초염, 염좌, 자궁부속기염, 인두염, 편도염, 이염, 부비동염

(4) 작용기전(Mechanism of Action)

- 탈리플루메이트는 비스테로이드성 소염진통제로 정확한 약물작용에 관한 연구가 미비하다.

(5) 약물 역동학(Pharmacokinetics)

① 경구 생체 이용률(Oral bioavailability): −

② 분자량(MW): 414.34(1)

③ 단백질 결합: −

④ 혈중최고농도 도달시간(Tmax): −

⑤ 반감기(T1/2): −

(6) 약물 상호작용(Drug Interaction): 관련정보 찾을 수 없음.

2) 기형 발생 정보(Teratogenicity Information)

(1) 동물 실험(Animal test)

관련정보 찾을 수 없음.

(2) 외국의 역학연구 정보(Epidemiologic Information):

관련정보 찾을 수 없음.

(3) 한국마더세이프전문상담센터정보(The Korean MotherSafe Counselling Center Information)

탈니플루메이트에 노출된 후 추적된 임신부는 총 184례이었으며 초기 노출 후 자연유산율은 6.5%(12/184)이었다. 임신 37주 이전의 조산율은 4.8%(8/166), 2,500 g 미만의 저체중증은 5.5%(9/165)이었다. 주요기형발생은 3.0%(5/165): imperforate anus(1), horse shoe kidney(1), mega cisterna magna(1), microtia with invisible external ear orifice(1), congenital heart defect(1)가 있었다.

3) 모유 수유 시 독성 및 적합성 정보

- 관련정보 찾을 수 없음.
- 한국마더세이프전문상담센터: 수유부–수유아 11쌍 중 설사 1례, 젖량 감소 1례 있었다.

88 트라마돌(Tramadol)

1) 일반적 정보(General Information)

(1) 상품명

— 찾을 수 없음

상품명	제약회사	용량	상품모양
도란찐 주	삼성제약공업	100 mg/2 mL	
돌마 주	세종제약	50 mg/1 mL	
마리트롤 주	제일제약	100 mg/2 mL	
산도스 트라마돌 서방정	한국산도스	100 mg	—
상아 염산 트라마돌 주	녹십자	100 mg/2 mL	—
신일 염산트라마돌 주	신일제약	100 mg/mL	—
신풍 염산트라마돌 주	신풍제약	50 mg/1 mL	—
엑소펜 주	건일제약	50 mg/1 mL	

— 찾을 수 없음

상품명	제약회사	용량	상품모양
엑소펜 캡슐	건일제약	50 mg	
지트람 엑스엘 서방정	먼디파마	150 mg, 200 mg	
지판 서방캡슐	일성신약	100 mg	
지판 주	일성신약	100 mg/2 mL, 50 mg/1 mL	
지판 캡슐	일성신약	50 mg	
캄펙스 주	경동제약	50 mg	
콘트람 엑스엘 서방정	태평양제약	150 mg	—
콤파 주	이연제약	50 mg	—
타마돌 주	동광제약	50 mg/1 mL	
탄돌 주	대화제약	100 mg/2 mL	—
트라돌 주사액	인바이오넷	100 mg/2 mL, 50 mg/1 mL	—
트라마콘티 서방정	환인제약	100 mg, 200 mg	
트로돈 주	아주약품공업	50 mg/1 mL	
트로돈 캡슐	아주약품공업	50 mg	—
트리돌 서방정	유한양행	100 mg	
트리돌 솔루블 정	유한양행	100 mg	
트리돌 주	유한양행	100 mg/2 mL, 50 mg/1 mL	
트리돌 캡슐	유한양행	50 mg	

상품명	제약회사	용량	상품모양
페니마돌 주	유영제약	50 mg/1 mL	
페니마돌 캡셀	유영제약	50 mg	

(2) 성분: (±)cis-2-[(dimethylamino)methyl]-1-(3-methoxyphenyl) cyclohexanol hydro-chloride

- 분자식: $C_{16}H_{25}NO_2 \cdot HCl$

(3) 임상적 적응증(Clinical Indications)

- 중증 및 중등도의 급만성 동통(각종 암 등), 진단 및 수술 후 동통

- 암성 통증, 만성 통증, 마취보조, 치통

(4) 작용기전(Mechanism of Action)

- 중추 작용 아편 유사제 진통제로, norepinephrine과 serotonin의 재흡수를 억제함으로써 μ- 아편 수용체에 결합하여 상행성 통증 경로를 억제하여 진통 작용을 나타낸다.

(5) 약물 역동학(Pharmacokinetics)

① 경구 생체 이용률(Oral Bioavailabioity): 지속형 정제(85-90%), 속효성 정제(1.5-2시간)

② 분자량(MW): 299.8 g/mol

③ 단백질 결합(Protein binding): 20%

④ 혈중최고농도 도달시간(Tmax): 지속성 정제(12시간), 속효성 정제(1.5-2시간)

⑤ 반감기(T1/2): 지속형 정제(7.9시간), 속효성 정제(6.3시간±1시간)

(6) 약물 상호작용(Drug Interactions)

- CYP450효과: CYP2D6(major), 3A4(minor)의 기질

- 효과/독성 증가

① 에탄올과 다른 CNS 억제제의 효과 증가

② Cyprobenzaprine, MAO 억제제, SSRI, 삼환계 항우울제와 함께 복용 시 신경 흥분,

발작 가능성을 증가

③ naloxone은 tramadol 과용량 시 발작 위험도를 증가

④ Quinidine은 tramadol의 혈장 농도를 증가

⑤ Serotonin 조절제와 sibutramine은 tramadol의 serotonergic 효과를 증가

- 효과 감소

① Carbamazepine은 tramadol의 진통 효과를 감소(대사 증가)시키며, tramadol은 carbamazepine의 위험을 증가

② CYP2D6 저해제(chlorpromazine, delavirdine, fluoxetine, pergolide, quinidine, miconazole, paroxetine, ritonavir, ropinrole)는 tramadol의 효과를 감소

③ Quinidine은 활성 대사체의 혈중 농도를 감소

2) 기형 발생 정보(Teratogenicity Information)

(1) 동물 실험(Animal teratology studies)

쥐를 대상으로 한 동물실험에서 각각 60 mg/kg, 120 mg/kg 용량으로 임신 중 기관형성기에 투여했으나 기형의 증가는 없었다.

(2) 외국의 역학연구 정보(Epidemiologic Information)

임신 초기에 트라마돌의 노출에 대한 연구는 없지만, 분만중 본제제의 사용에 대한 연구는 있다. 과거 연구들은 100 mg의 트라마돌이 75-100 mg 메페리딘과 비슷한 진통효과를 가지면서 신생아에 depressant 효과가 없다고 하였으나, 최근 두 연구에서는 진통효과나 신생아 호흡저하면에서 트라마돌이 메페리딘보다 우월함을 발견할 수 없었다고 보고하였고, 심한 통증에 제한적이고 가격도 비싸다고 보고하였다. 트라마돌의 태반통과는 이미 증명된 바 있는데, 임신 4년 전부터 트라마돌을 매일 300 mg 씩 복용한 abuser에서 태어난 신생아에서 24시간 동안 withdrawal 증후군이 나타났었고 2주 동안 디아제팜과 페노바비탈 치료 후 정상화 되었다고 보고하였다.

(3) 한국마더세이프전문상담센터정보(The Korean MotherSafe Counselling Center Information)

트라마돌에 노출된 후 추적된 임신부는 총 141례이었으며 초기 노출 후 자연유산율은 6.3%(9/141)이었다. 임신 37주 이전의 조산율은 2.3%(3/128), 2,500 g 미만의 저체중증은 1.6%(2/124)이었다. 주요기형발생은 0.8%(1/124): VSD with Aortic stenosis(1)가 있었다.

3) 모유 수유시 독성 및 적합성 정보(Brestfeeding Compatibility Information)

- Lactation Risk Category: L3
- 트라마돌은 모유에 소량 분비되는데, 산모가 복용한 양의 0.1%정도만이 모유에서 발견되었다고 보고하였고 이 용량은 신생아에게 위험하지 않을 것이라고 보고하였다.
- 한국마더세이프전문상담센터: 수유부와 수유아 4쌍 중 부작용 례는 없었다.

89 트리메부틴(Trimebutine Maleate)

1) 일반적 정보(General Information)

(1) 상품명

— 찾을 수 없음

상품명	제약회사	용량	상품모양
가스부틴정	경남제약	100 mg	—
라부틴정	동성제약	200 mg	—
리메부틴정	쎌라트팜코리아	100 mg	● ●
마부탄정	아주약품공업	100 mg	● ●
말레부틴정	동인당제약	100 mg/150 mg	—
메리틴정	대화제약	100 mg/200 mg	—
바로틴정	내외신약	100 mg/200 mg	—
신일말레인산트리메부틴정	신일제약	100 mg/200 mg	● ●

(2) 성분: Trimebutine Maleate

- 분자식: $C_{22}H_{29}NO_5$

(3) 임상 적응증(Clinical indications)

- 식도역류 및 열공헤르니아, 위, 십이지장염, 위, 십이지장궤양에 있어서의 소화기능이상, 과민성 대장증후군 및 경련성 결장, 습관성 구토, 비감염성 장관통과장애

(4) 작용기전(Mechanism of Action)

- 소화기계의 운동성을 저하시키는 제제로 아직 정확한 약물 역동학에 대한 자료는 없음.

(5) 약물 역동학(Pharmacokinetics)

① 경구 생체 이용률(Oral bioavailability): −

② 분자량(MW): 387.47(1)

③ 단백질 결합: −

④ 혈중최고농도 도달시간(Tmax): −

⑤ 반감기(T1/2): −

(6) 약물 상호작용(Drug Interactions)

- 찾을 수 없음.

2) 기형 발생 정보(Teratogenicity Information)

(1) 동물 실험(Animal test)

일부 동물 실험에서 트리메부틴을 1000 mg/kg 투여하였을 경우, 태자의 생식능 감소 및 출생 후 행동장애는 보이지 않았다.

(2) 외국의 역학연구 정보(Epidemiologic Information)

관련 정보 찾을 수 없음.

(3) 한국마더세이프전문상담센터정보(The Korean MotherSafe Counselling Center Information)

트리메부틴에 노출된 후 추적된 임신부는 총 330례이었으며 초기 노출 후 자연유산율은 5.5%(18/330)이었다. 임신 37주 이전의 조산율은 2.3%(7/300), 2,500 g 미만의 저체중증은 2.7%(8/297)이었다. 주요기형발생은 1.7%(5/297): PDA(1), renal cyst(2), right UPJ stenosis with right scrotal hydrocele(1), both club foot and right wrist drops(1)이 있었다. 그리고 사산 4례가 있었다.

3) 모유 수유 시 독성 및 적합성 정보

- Lactation risk: L3
- 한국마더세이프전문상담센터: 수유부−수유아 25쌍 중 부작용 례는 없었다.

90 트리암시놀론(Triamcinolone)

1) 일반적 정보(General Information)

(1) 상품명

– 찾을 수 없음

상품명	제약회사	용량	상품모양
대우 트리암시놀론 크림	대우약품공업	–	—
이연 트리암시놀론 주	이연제약	–	—
동광 트리암시놀론	동광제약	–	

(2) 성분: 9-fluoro-11,16,17-trihydroxy-17-(2-hydroxyacetyl)-10,13-di-methyl-6,7,8,9,10,11,12,13,14,15,16,17-dodecahydrocyclopenta[a]phenan-thren-3-one

- 분자식: $C_{21}H_{27}FO_6$

(3) 임상적 적응증(Clinical indicatios)

- 흡입: 기관지 천식, 기관지 경련과 관련된 증상치료
- 전신 흡수되는 제제: 부신기능 부전, 류마티스성 질환, 알러지성 질환, 기관지 질환, 전신성 홍반성 낭창, 항염증이나 면역 억제 효과가 필요한 기타 질환들
- 국소 적용되는 제제: steroid에 반응이 있는 염증성 피부염

(4) 작용기전(Mechanism of Action)

- 다형핵 백혈구의 유주를 억제하고, 증가된 모세혈관 투과성을 감소시켜 염증 반응을 감소시킨다. 임파계의 활성 및 용적을 감소시켜 면역 반응을 억제시킨다. 고용량에서는 부신기능을 억제시킨다.

(5) 약물 역동학(Pharmacokinetics)

① 경구 생체 이용률(Oral bioavailability): complete

② 분자량(MW): 394.43 g/mol

③ 단백질 결합: 68%

④ 혈중최고농도 도달시간(Tmax): −

⑤ 반감기(T1/2): 88분

(6) 약물상호작용(Drug Interaction)

- 효과/농도 감소− 바비츄레이트, 페니토인 및 리팜핀의 병용 투여 시 트리암시놀론의 대사를 증가시킨다.− 백신과 톡소이드의 효과가 감소될 수 있다.
- 독성 증가− 살리실레이트는 위장관 궤양의 위험을 증가시킨다.

2) 기형 발생 정보(Teratogenicity Information)

(1) 동물 실험(Animal test)

트리암시놀론은 글루코코르티코이드이다. 임신 중 전신적으로 투여 시 태아에서 구개열과 발육 지연이 연관될 수 있다.

트리암시놀론은 임신한 쥐, 랫트, 토끼 그리고 햄스터에 투여하였을 경우 태자에서 구개열의 빈도가 증가한다. 원숭이류(macaques)를 대상으로, 흉선이 발달하는 시기에 트리암시놀론을 노출시켰을 경우 흉선 형성 부전, 흉선 림프구의 감소 및 흉선 외피세포의 감소 등이 일어났다. 또한 3가지 다른 영장류 실험에서 트리암시놀론을 투여하였을 경우 뇌−신경관계의 이상 및 발육부전 등이 나타났다. 트리암시놀론은 쥐에서 코르티존을 사용했을 때 보다 무려 200배 이상 높은 빈도의 구개열을 나타내었다. 조류에 투여 시 다른 코르티코스테로이드와 마찬가지로 비늘과 깃털의 발달을 억제한다. 하지만 하이드로코르티존에 비해 무려 10,000배 이상 강력한 작용을 나타낸다. 임신한 쥐에게 사람에서의 치료용량을 사용 시 태자의 폐형성부전이 나타난다.

(2) 외국의 역학연구 정보(Epidemiologic Information)

아토피성 피부염으로 임신 12주에서 29주까지 트리암시놀론 외용연고 40 mg/d을 사용한 임신부에서 태아의 심각한 자궁 내 발육 부전이 나타났다. 후향적 코호트 연구에서 천식 치료를 위해 흡입 트리암시놀론을 사용한 임신부 15명과 베클로메타존 또는 테오필린을 사용한 임신부를 비교하였다. 통계학적으로 의미는 없었지만 트리암시놀론은 비교적 다른 약제보다 효과적이고 안전하였다.

코르티코스테로이드에 노출된 임신부의 태아에서 구개열과 관련이 있다는 역학 연구들이 많이 보고되었다. 한 연구에서는 단지 바르는 연고만 사용하였다. 코르티코스테로이드에 대한 인간 기형학 연구 자료에서 트리암시놀론이 기형을 증가시킨다는 증거는 없다고 하였지만, 구개열과 연관성이 있다는 것을 배제할 수는 없다. 코르티코스테로이드와 구개열 간의 관련성은 약하지만, 환경적 요인인 다이옥신에 노출이 부가적인 요소로 작용할 수 있다고 한다.

(3) 한국마더세이프전문상담센터정보(The Korean MotherSafe Counselling Center Information)

트리암시놀론에 노출된 후 추적된 임신부는 총 102례이었으며 초기 노출 후 자연유산율은 6.8%(7/102)이었다. 임신 37주 이전의 조산율은 3.2%(3/93), 2,500g 미만의 저체중증은 2.2%(2/92)이었다. 주요기형발생은 2.0%(2/102): nevus(3x3cm) on wrist(1), hemangioepithelioma on liver(1)가 있었다.

3) 모유 수유 시 독성 및 적합성 정보(Breastfeeding Compatibility Information)

- Lactation Risk Category: L3
- 수유 중에 관한 보고는 아직 보고된 바 없다.
- 한국마더세이프전문상담센터: 수유부와 수유아 6쌍 중 졸리움 1례, 젖량 감소 1례 있었다.

91 트리프로리딘(Triprolidine)

1) 일반적 정보(General Information)

(1) 상품명: Actidil, Actacin

- 단일제제는 없음.

(2) 성분: Antihistamine

- 분자식: $C_{19}H_{22}N_2$

(3) 임상적 적응증(Clinical indicatios)

- 알레르기성 비염, 감기

(4) 작용기전(Mechanism of Action)

- propylamine계로 H1–수용체에 histamine과 경쟁적 길항작용을 일으킨다.

(5) 약물역동학(Pharmacokinetics)

　① 경구 생체 이용률(Oral bioavailability): 4%

　② 분자량(MW): 278 g/mol

　③ 친수성(hydrophilic): −

　④ 단백질 결합: 90%

　⑤ 혈중최고농도 도달시간(Tmax): 2시간

　⑥ 반감기(T1/2): 5시간

(6) 약물 상호작용(Drug Interaction)

　• Belladonna, Belladonna alkaloids의 항콜린작용 증가

　• Procarbazine: CNS 억제

2) 기형 발생 정보(Teratogenicity Information)

(1) 동물 실험(Animal test)

　트리프로리딘은 항히스타민 제제로, 쥐와 토끼에게 트리프로리딘을 인간 투여용량의 125배 용량으로 주었을 경우에도 기형을 유발하지 않았다.

(2) 외국의 역학연구 정보(Epidemiologic Information)

　인간에서 트리프로리딘을 투여하였을 때 비정상 소견의 아이를 출산한 경우가 1건 보고되었다. 또한 소규모 연구에서 트리프로리딘을 포함한 항히스타민제제를 임신 제 1삼분기에 사용하였던 경우 그 자손들에서 유문협착 빈도의 증가와 관련이 있음을 제시하였다. 그러나 임신 제 1삼분기에 트리프로리딘을 복용한 244명의 산모의 아이들에서 기형이 증가함을 확인할 수 없었으며, 다른 연구에서도 비슷한 결과를 보였다.

(3) 한국마더세이프전문상담센터정보(The Korean MotherSafe Counselling Center Information)

　트리프롤리딘에 노출된 후 추적된 임신부는 총 144례이었으며 초기 노출 후 자연유산율은 4.8%(7/144)이었다. 임신 37주 이전의 조산율은 3.1%(4/131), 2,500 g 미만의 저체중증은 1.5%(2/131)이었다. 주요기형발생은 3.1%(4/131): ASD(1), upper gingival cyst(1), right liver mass(1), knee rigidity(1)가 있었다. 그리고 사산 1례가 있었다.

3) 모유 수유시 독성 및 적합성 정보

　• Lactation Risk Category: L1

　• 한국마더세이프전문상담센터: 수유부와 수유아 5쌍 중 부작용 례는 없었다.

92 티로프라미드(Tiropramide)

1) 일반적 정보(General Information)

(1) 상품명

상품명	제약회사	용량	상품모양
광동티라미드정	광동제약	100 mg	
안티모딕주	종근당	50 mg	
타로마정	한국프라임제약	100 mg	
티로드정	대원제약	100 mg	
티로파정	대웅제약	100 mg	
티론정	한국웨일즈제약	100 mg	
티알피정	한국휴텍스제약	100 mg	
티프론주	대우약품공업	50 mg	

(2) 성분: N-[3-[4-(2-Diethylaminoethoxy)phenyl]-1-(dipropylamino)-1-oxopropan-2-yl]benzamide

- 분자식: $C_{28}H_{41}N_3O_3$

(3) 임상 적응증(Clinical indications)

- 다음 질환에서의 급성경련성 동통: 간담도 산통, 여러 원인에 의한 복부산통, 신장 요관의 산통
- 다음 질환에서의 복부경련 및 동통: 위장관 이상운동증, 담석증, 담낭염, 수술 후 유착

(4) 작용기전(Mechanism of Action)

- 티로프라미드는 진경제로 정확한 약물 작용에 관한 연구는 미비하다.

(5) 약물역동학(Pharmacokinetics)

① 경구 생체 이용률(Oral bioavailability): −

② 분자량(MW): 467.64g/mol

③ 단백질 결합: −

④ 혈중최고농도 도달시간(Tmax): −

⑤ 반감기(T1/2): −

(6) 약물 상호작용(Drug Interaction)

- 관련정보 찾을 수 없음.

2) 기형 발생 정보(Teratogenicity Information)

(1) 동물 실험(Animal test)

설치류에 관한 연구에서 흉선의 잔유물(remnant)의 증가 이외의 다른 기형의 발생은 관찰되지 않았으며, 출생 후 태자에서 행동장애 및 생식능의 장애는 발생하지 않았다.

(2) 외국의 역학연구 정보(Epidemiologic Information)

관련정보 찾을 수 없음.

(3) 한국마더세이프전문상담센터정보(The Korean MotherSafe Counselling Center Information)

염산티로프라미드에 노출된 후 추적된 임신부는 총 166례이었으며 초기 노출 후 자연유산율은 8.4%(14/166)이었다. 임신 37주 이전의 조산율은 6.8%(10/148), 2,500 g 미만의 저체중증은 2.8%(4/145)이었다. 주요기형발생은 0.7%(1/145): Pulmonary artery stenosis(1)가 있었다. 그리고 사산 1례가 있었다.

3) 모유 수유 시 독성 및 적합성 정보

- 관련정보 찾을 수 없음.
- 한국마더세이프전문상담센터: 수유부와 수유아 8쌍 중 젖양변화 2례(젖량감소 1례) 있었다.

93 파모티딘(Famotidine)

1) 일반적 정보(General Information)

(1) 상품명

— 찾을 수 없음

상품명	제약회사	용량	상품모양
파마겐 정	일화	20 mg	
가르딘 정	케이엠에스제약	20 mg	
가스터 디 정	동아제약	20 mg	
가스터 정	동아제약	20 mg	
가스터 주	동아제약	20 mg	
극동 파모티딘 정	비씨월드제약	20 mg, 40 mg	—
남양 파모티딘 정	남양제약	20 mg, 40 mg	—
내외 파모티딘 정	내외신약	20 mg, 40 mg	—
넥스팜파모티딘 정	넥스팜코리아	20 mg	—
대화파모티딘 정	대화제약	20 mg	
동구 파모티딘 정	동구제약	20 mg	
동인당 파모티딘 정	동인당제약	–	—
라스틴 정	한국마이팜	10 mg, 20 mg, 40 mg	—
로카시드 정	한국슈넬제약	20 mg	—
메디카파모티딘 정	메디카코리아	20 mg, 40 mg	—
모틴 정	명인제약	40 mg	—
미래 파모티딘 정	미래제약	20 mg	—
베모딘 정	한유유통	20 mg, 40 mg	

— 찾을 수 없음

상품명	제약회사	용량	상품모양
베스티딘 정	중외제약	20 mg	
베스티딘 주	중외제약	20 mg	—
본초 파모티딘 정	본초제약	20 mg, 40 mg	—

(2) 성분

- 분자식: $C_8H_{15}N_7O_2S_3$

(3) 임상적 적응증(Clinical Indications)

- 십이지장 궤양, 위궤양 치료
- 심하게 아픈 환자에서 위 내 pH 조절
- 위염, 위식도 역류 질환, 활동성 양성 궤양, 병적인 과분비 상태의 증상 완화
- 가슴앓이(heartburn), 위산과다, 위통의 완화

(4) 작용기전(Mechanism of Action)

- 위의 벽세포에 있는 H2 수용체에서 histamine을 가역적이고 경쟁적으로 억제해서 위산 분비를 억제
- H1 수용체에는 작용하지 않음.

(5) 약물 역동학(Pharmacokinetics)

① 경구 생체 이용률(Oral Bioavailabioity): 40–50%

② 분자량(MW): 337g/mol

③ 단백질 결합(Protein binding): 15–20%

④ 혈중최고농도 도달시간(Tmax): 1–3.5시간

⑤ 반감기(T1/2): 2.5–3.5시간, 신기능장애 시 연장

(6) 약물 상호작용(Drug Interactions)

- 효과감소: Ketoconazole, Itraconazole의 효과를 감소

2) 기형 발생 정보(Teratogenicity Information)

(1) 동물 실험(Animal teratology studies)

임신한 쥐와 토끼를 대상으로 한 실험에서 어떠한 부작용도 발견되지 않았다는 연구가 있었고, 쥐, 토끼, 개를 대상으로 고용량을 투여했을 때도 기형이나 생식력의 문제를 일으키지 않았다는 보고가 있었다. 시메티딘에서 보였던 antiandrogenic 효과는 수컷쥐에서도 나타나지 않았다.

(2) 외국의 역학연구 정보(Epidemiologic Information)

시메티딘에서 보였던 antiandrogenic 효과가 파모티딘에서는 나타나지 않았다. 또한 스웨덴의 임신초기에 파모티딘에 노출되었던 58명의 임산부를 대상으로 한 조사에서 선천성 기형을 발견할 수 없었고, 캐나다, 유럽에서 한 연구에서도 본제제의 선천성 기형 증가는 없다고 보고되었다.

(3) 한국마더세이프전문상담센터정보(The Korean MotherSafe Counselling Center Information)

파모티딘에 노출된 후 추적된 임신부는 총 98례이었으며 초기 노출 후 자연유산율은 5.1%(5/98)이었다. 임신 37주 이전의 조산율은 2.2%(2/89), 2,500 g 미만의 저체중증은 2.3%(2/87)이었다. 주요기형발생은 2.3%(2/87): renal mass(1), PDA(1)가 있었다. 그리고 사산 1례가 있었다.

3) 모유 수유시 독성 및 적합성 정보(Brestfeeding Compatibility Information)

- Lactation Risk Category: L1
- 수유 중 파모티딘을 매일 40 mg 복용한 8명의 산모를 대상으로 조사한 결과, 복용 후 6시간 만에 모유 중 최고농도가 72 mcg/L측정되었고, 모유대혈장비는 복용 후 2시간, 6시간, 24시간에 각각 0.41, 1.78, 1.33 측정되었다. 이는 다른 H-2 antagonists (ranitidine, cimetidine)보다도 적은 양이므로 파모티딘이 수유 중 더 선호된다.
- 한국마더세이프전문상담센터: 수유부와 수유아 2쌍 중 젖양변화 1례가 있었다.

94 판크레아틴(Pancreatin: pancrelipase)

1) 일반적 정보(General Information)

(1) 상품명

― 찾을 수 없음

상품명	제약회사	용량	상품모양
노자임 캡슐	한국팜비오	457.7 mg	

— 찾을 수 없음

상품명	제약회사	용량	상품모양
판크린 정	본초제약	250 mg	—

(2) 성분과 분자식을 찾을 수 없음.

(3) 임상적 적응증(Clinical indicatios)

- 외분비 췌장 기능 부전

(4) 작용기전(Mechanism of Action)

- 판크리아틴은 amylase, trypsin, lipase로 구성된 소화제로 소장에서 음식물이 분해되도록 도와준다. lipase는 지방을 glycerol과 fatty acid로 가수분해시키고 amylase는 starch를 dextrin과 starch로, trypsin은 단백질을 proteose로 변화시킨다.

(5) 약물역동학(Pharmacokinetics)

① 경구 생체 이용률(Oral bioavailability): −

② 분자량(MW): −

③ 단백질 결합: −

④ 혈중최고농도 도달시간(Tmax): 120−300분

⑤ 반감기(T1/2): −

(6) 약물 상호작용(Drug Interaction)

- 효과/독성 감소

① Migltol은 amylase, pancreatin과 같이 탄수화물을 분해시키는 효소제와 같이 투여하는 경우 효과가 감소된다.

- Pancreatin의 효과/독성 증가

① Cimetidine, famotidine, nizatidine, ranitidine은 위의 pH를 증가시켜 pancreatin의 불활성화를 감소시켜 효과를 증가시킨다.

2) 기형 발생 정보(Teratogenicity Information)

(1) 동물 실험(Animal test)

판크리아틴의 동물 실험내용을 찾을 수 없었다.

(2) 외국의 역학연구 정보(Epidemiologic Information)

판크리아틴은 동물 췌장의 추출물로써 소화효소를 함유하고 있어 소화제로 사용되고 있다.

Collaborative Perinatal Project는 판크리아틴 사용이 임신에 미치는 영향에 대해서 밝히지 못하였다.

(3) 한국마더세이프전문상담센터정보(The Korean MotherSafe Counselling Center Information)

판크레아틴에 노출된 후 추적된 임신부는 총377례이었으며 초기 노출 후 자연유산율은 5.0%(19/377)이었다. 임신 37주 이전의 조산율은 3.5%(12/345), 2,500 g 미만의 저체중증은 2.6%(9/343)이었다. 주요기형발생은 3.2%(11/343): pulmonay artery stenosis(1), club foot with knee rigidity(1), brain anomaly with seizure(1), left cryptorchidism(1), right hip mass(2), both club foot and right wrist drop(1), ileal agenesis(1), horse shoe kidney(1), VSD(1), fetal hydrops(1)가 있었다. 그리고 사산 5례가 있었다.

3) 모유 수유시 독성 및 적합성 정보

- Lactation risk: L3
- 한국마더세이프전문상담센터: 수유부와 수유아 9쌍 중 부작용 례는 없었다.

95 페닐에프린(Phenylephrine)

1) 일반적 정보(General Information)

(1) 상품명

— 찾을 수 없음

상품명	제약회사	용량	상품모양
게이어 염산페닐에프린 점안액	명지약품	10% 100 mg/mL 5 mL	—
네오시네프린-포스 10% 점안액	아주약품공업	10% 100 mg/mL 10 mL	
바쉬앤드롬 염산페닐 에프린 점안액	명지약품	2.5% 25 mg/mL 15 mL	—
페네피린 코약	동광제약	0.5% 5 mg/mL 500 mL	—
하나 염산페닐에프린 주 1%	하나제약	—	

(2) 성분: Phenylephrine

- 분자식: $C_9H_{13}NO_2 \cdot HCl$

(3) 임상적 적용증(Clinical Indications)

- 녹내장, 저혈압, 산동 유도, 비충혈, 비강/경구 제제, 발작성 상심실성 빈맥, 홍채후유착-포도막염, 국소마취 보조, 쇼크

(4) 작용기전(Mechanism of Action)

- 아드레날린성 수용체에 직접 작용하는 교감신경 흥분제임. 상용량에서 주로 알파-아드레날린성 효과만 나타내며, 중추에 대한 흥분효과는 없음. 피부와 신장으로 가는 혈류량을 감소시킨다.

(5) 약물 역동학(Pharmacokinetics)

① 경구 생체 이용률(Oral Bioavailability): 38%

② 분자량(MW): 167.20 g/mol

③ 친지질성(Lipophilic): −

④ 단백질 결합(Protein binding): 95%

⑤ 혈중최고농도 도달시간(Tmax): 10−60분

⑥ 반감기(T1/2): 2−3시간

(6) 약물 상호작용(Drug Interactions)

① 독성 증가

– 교감 신경 작용제와 함께 투여 시, 빈맥 혹은 부정맥 유발

– MAO 억제제나 자궁수축성 약물과 병용 투여 시 작용 증가

– 비선택성 베타 억제제는 혈압을 증가시킨다.

– TCA는 혈관수축제 영향을 증가시킨다.

– Methyldopa는 혈압 반응을 증가시킨다.

2) 기형 발생 정보(Teratogenicity Information)

(1) 동물 실험(Animal teratology studies)

Collaborative Perinatal Project report에 의하면 페닐에프린을 포함한 알파 아드레날린 작용성 약물들은 치료효과를 나타내는 용량에서도 모체의 고혈압을 유발하고 자궁 내 혈류를 가소시킬 수 있다고 보고하였다. 정상적으로 자궁 내 혈관들은 최대한으로 확장되어 있는데 알파

아드레 날린성 수용체만 가지고 있기 때문에 조그만 자극에도 수축을 할 수 있다. 한 연구에서는 감기약 한 알에 해당하는 용량의 페닐에프린을 임신한 암양에게 투여했을 때 자궁 내 혈류가 약 40% 정 도 감소하는 것을 관찰할 수 있었다.

(2) 외국의 역학연구 정보(Epidemiologic Information)

The Collaborative Perinatal Project에서는 임신 중 이 약제에 노출된 4,000명의 임신부를 포함시켜 연구를 하였는데, 이 중 1, 249명의 여성들이 임신 첫 4개월 이내에 노출이 되었다. 임신 제 1분기 약물 노출과, 눈, 귀, 합지증(syndactyly), 만곡족(club foot)과의 연관성 그리고 임신의 전반적인 결과를 조사하였더니, 과거 여러 연구들과는 달리 심장기형은 발견할 수 없었다. 현재까지 페닐에프린과 태아 기형과의 연관성에 대한 연구는 많지 않지만, 현재까지 가장 많은 수의 연구에서 8명의 눈과 귀의 기형을 발견할 수 있었고, 일부 증례 보고에서 다른 약들과 병행하여 페닐에프린을 복용했던 경우 일부에서 기형의 증가를 볼 수 있었다. 페닐에프린과 다른 혈관 수축제인 페닐프로파놀라민은 혈관을 수축시키는 효과 때문에 권장된 치료 용량의 2–3배 양만 투여하여도 급격하게 이완기 혈압을 상승시킬 수 있다. 하지만 이에 반해 슈도에페드린은 권장 치료용량의 네 배 이상 투여하여야 혈압에 영향을 주는 것으로 알려져 있다. 페닐에프린은 슈도에페드린과 비슷한 혈관 수축 작용 때문에 위벽파열(gastroschisis) 및 hemifacial microsomia를 유발할 수 있으므로 임신 중에는 가급적이면 피하는 것이 좋다고 알려져 있다.

(3) 한국마더세이프전문상담센터정보(The Korean MotherSafe Counselling Center Information)

페닐에프린에 노출된 후 추적된 임신부는 총130례이었으며 초기 노출 후 자연유산율은 9.2%(12/130)이었다. 임신 37주 이전의 조산율은 2.7%(3/112), 2,500 g 미만의 저체중증은 2.7%(3/112)이었다. 주요기형발생은 1.8%(2/112): hydronephrosis(1), undefined mabor anomaly(1)가 있었다.

3) 모유 수유 시 독성 및 적합성 정보(Breastfeeding Compatibility Information)

- Lactation Risk Category: L3
- 현재까지 수유부에 대한 임상자료는 없다. 하지만 경구생체 이용률이 38%로 매우 낮아 극히 신생아에게는 극히 소량만 전달될 가능성이 높으므로, 수유부가 노출된 약물 용량이 과다하지만 않다면 신생아에게 미치는 효과는 크게 없을 것으로 보인다.
- 한국마더세이프전문상담센터: 수유부와 수유아 4쌍 중 부작용 례는 없었다.

96 페닐프로파놀라민(Phenylpropanolamine)

1) 일반적 정보(General Information)

(1) 상품명

— 찾을 수 없음

상품명	제약회사	용량	상품모양
아데코신 정	신신제약	25 mg	—
코나브이 정	이연제약	25 mg	—

(2) 성분: (1R,2S)-2-amino-1-phenyl-propan-1-ol

- 분자식: $C_9H_{13}NO$

(3) 임상적 적응증(Clinical Indications)

- 감기, 비충혈, 역행사정, 단순비만, 요실금

(4) 작용기전(Mechanism of Action)

- Ephedrine과 비슷한 약리적 성질을 지니고 있는 sympathomimetic amine으로 작용하나 ephedrine보다 중추신경계에 작용하는 약효는 적다.
- Alpha & beta adrenergic receptor의 stimulator로 작용. 또한 endogenous norepinephrine 의 작용을 촉진하여 이를 통해 vasoconstriction을 일으킨다.

(5) 약물역동학(Pharmacokinetics)

① 경구 생체 이용률(Oral bioavailability): 100%

② 분자량(MW): 151.21 g/mol

③ 단백질 결합: low

④ 혈중최고농도 도달시간(Tmax): −

⑤ 반감기(T1/2): 5.6시간

(6) 약물상호작용(Drug Interaction)

- MAO inhibitors와 같이 사용할 시 hypertensive crisis가 생길 수 있다.
- Beta blockers와 병용 시 독성이 증가한다.

2) 기형 발생 정보(Teratogenicity Information)

(1) 동물 실험(Animal test)

비록 임상적으로 입증되지는 않았지만, 이론적으로 페닐프로파놀라민을 과도하게 사용하는 경우 태아로 가는 혈류량이 감소할 수 있다. 자궁 내 혈관은 알파 아드레날린 수용체만을 가지고 있고 이는 자극 받으면 수축을 일으키며, 정상적으로 이러한 혈관들은 최대한 이완되어있다. 임신한 암양에게 감기 때 사용하는 용량의 페닐프로파놀라민을 투여 시 자궁 혈류의 40%가 감소됨이 확인되었다. 최근 많은 연구에서 임신한 양의 경우 자궁 내 혈관이 알파 작용제의 혈관수축 작용에 실직적으로 더 반응을 잘 한다고 발표하였다.

(2) 외국의 역학연구 정보(Epidemiologic Information)

임신 기간동안 페닐프로파놀라민을 포함한 교감신경흥분제 사용 시 태아의 사지 결손이 보고된 예가 있었다. 페닐프로파놀라민과 출생 결함의 연관성에 관한 2개의 후향 연구에서 관련성을 찾지 못하였으며, 또 다른 연구에서도 임신 제 1삼분기에 페닐프로파놀라민 사용이 복벽결손을 유의하게 증가시키지 않는다고 하였다. 영국에서 시행한 환자-대조군 연구에서, 기침약과 비스테로이드 약물을 임신기간에 사용하였던 경우 심실 중격 결손과 유의하게 관련이 있음이 우연히 밝혀졌다. 이는 페닐프로파놀라민을 포함한 교감신경흥분제가 심장 결손의 위험도를 증가시킨다는 일반적인 가설을 뒷받침해주는 결과였으나, 이것이 최종적인 결론은 아니다. 최근에 페닐프로파놀라민을 권장용량으로 사용한 경우 심근 손상과 뇌출혈과 관련이 있다는 증례가 증가하고 있다. 페닐프로파놀라민은 혈관수축작용과 일부 연구에서 복벽결손과 hemifacial microsomia 같은 출생결함이 보고되고 있어 임신기간 중 사용하지 말 것을 권장하고 있다. 또한 2000년도에 미국 FDA는 페닐프로파놀라민 사용과 관련된 뇌출혈의 증가로 이를 처방전 없이 살 수 있는 목록에서 제외시켰다.

(3) 한국마더세이프전문상담센터정보(The Korean MotherSafe Counselling Center Information)

페닐푸로파놀라민에 노출된 후 추적된 임신부는 총110례이었으며 초기 노출 후 자연유산율은 4.5%(5/110)이었다. 임신 37주 이전의 조산율은 2%(2/101), 2,500 g 미만의 저체중증은 2%(2/101)이었다. 주요기형발생은 4.9%(5/101): both fetal ankle deformity(1), ASD with PDA(1), upper gingival cyst(1), knee rigidity (1), right inguinal hernia(1) 그리고 사산 1례가 있었다.

3) 모유 수유 시 독성 및 적합성 정보

- Lactation Risk Category: 관련 자료 찾을 수 없음.
- 한국마더세이프전문상담센터: 수유부와 수유아쌍 중 노출된 례는 없었다.

97 펙소페나딘(Fexofenadine)

1) 일반적 정보(General Information)

(1) 상품명

상품명	제약회사	용량	상품모양
알레그라	한독약품	30, 80, 120 mg	
알레코트 정	삼천당제약	120 mg	
펙소나딘 정	한미약품	120, 180 mg	
펙손 정	종근당	120 mg	

(2) 성분: 2-[4-[1-hydroxy-4-[4-(hydroxy-diphenyl- methyl)-1-piperidyl]butyl]
phenyl]-2-methyl- propanoic acid

- 분자식: $C_{32}H_{39}NO_4$

(3) 임상적 적응증(Clinical indications)

- 만성 특발성 두드러기
- 계절성 알레르기 비염

(4) 작용기전(Mechanism of Action)

- Terfenadine의 활성대사체로 위장관, 혈관, 호흡기계에 있는 H1-수용체제 histamine 과 경쟁적으로 길항한다.

(5) 약물역동학(Pharmacokinetics)

① 경구 생체 이용률(Oral bioavailability): complete

② 분자량(MW): 501.68 g/mol

③ 단백질 결합: 60-70%

④ 혈중최고농도 도달시간(Tmax): 2.6시간

⑤ 반감기(T1/2): 14.4시간

(6) 약물 상호작용(Drug Interaction)

- 효과/독성 증가

① 항콜린성 약물, 중추성 우울증약은 부작용을 증가시킬 수 있다.

② Verapamil은 본제의 농도/효과를 증가시킨다.

- 효과 감소

① ACEI(central)은 본제의 부작용을 감소시킬 수 있다.

② Pramlintide는 본제의 위장관계 부작용을 증가시킬 수 있다.

③ Rifampin은 본제의 농도/효과를 감소시킨다.

2) 기형 발생 정보(Teratogenicity Information)

(1) 동물 실험(Animal test)

펙소페나딘을 쥐와 토끼에게 300 mg/kg/d까지 증량시켜 경구 투여한 경우에도 비정상적인 배아 발달이 증가하지 않았다. 이는 사람에서 쓰는 용량을 쥐와 토끼에서 각각 4배, 37배 증량시킨 양이었다. 쥐에서 착상 후 태아소실 증가와 착상률 감소 및 태자의 체중증가는 150 mg/kg/d 에서 관찰되었고, 이는 사람에서 사용하는 용량의 3배에 해당하는 양이었다.

(2) 외국의 역학연구 정보(Epidemiologic Information)

펙소페나딘은 항히스타민제제로, 영국에서 임신 제 1삼분기에 펙소페나딘을 처방받았던 23건의 임신에서 주요한 기형이 관찰되지 않았다고 보고하였다. National Birth Defect Prevention Study에서도 임신 제 1삼분기에 펙소페나딘에 노출된 30명의 임신부에서 선천성 대기형은 증가하지 않았다고 보고하였다.

(3) 한국마더세이프전문상담센터정보(The Korean MotherSafe Counselling Center Information)

펙소페나딘에 노출된 후 추적된 임신부는 총 93례이었으며 초기 노출 후 자연유산율은 7.5%(7/93)이었다. 임신 37주 이전의 조산율은 3.5%(3/85), 2,500 g 미만의 저체중증은 2.4%(2/84)이었다. 주요기형발생은 2.4%(2/84): nevus(3x3cm) on wrist(1), right microtia with invisible external ear orifice(1), 그리고 사산 1례가 있었다.

3) 모유 수유 시 독성 및 적합성 정보

- Lactation Risk Category: L2

- Terfenadine의 수유에 관한 연구에서 terfenadine은 모유에서 검출되지 않았으나, 대사산

물인 펙소페나딘은 수유부의 복용량의 약 0.45%만이 모유로 배출 된다고 보고 되었다.

• 한국마더세이프전문상담센터: 수유부와 수유아 4쌍 중 부작용 례는 없었다.

98 펜디메트라진(Phendimetrazine tartrate)

1) 일반적 정보(General Information)

(1) 상품명

— 찾을 수 없음

상품명	제약회사	용량	상품모양
펜디라진 정	대원제약	35 mg	
펜디씬 정	닥터스메디라인	35 mg	
푸링 정	드림파마	35 mg	
다이트린 정	영일제약	35 mg	—
디에트 정	제이알피	35 mg	—
아드펜 정	한국파마	35 mg	
아트라진 정	광동제약	35 mg	
엔슬림 정	조아제약	35 mg	—
페티노 정	수도약품공업	35 mg	
펜디 정	휴온스	35 mg	—
펜타씬 정	명문제약	35 mg	

(2) 성분: 3,4-Dimethyl-2-phenyl-morpholine

• 분자식: $C_{12}H_{17}NO$

(3) 임상적 적응증(Clinical indications)

- 단순 비만 치료 보조

(4) 작용기전(Mechanism of Action)

- Phendimetrazine tartrate는 교감신경 흥분성 아민으로서 비만치료에 사용하는 amphetamines과 유사한 작용을 하여 식욕을 저하시킨다. 한편 중추신경계를 자극하여 혈압을 상승시키기도 한다.

(5) 약물역동학(Pharmacokinetics)

① 경구 생체 이용률(Oral bioavailability): –

② 분자량(MW): 191 g/mol

③ 친수성(hydrophilic): –

④ 단백질 결합: –

⑤ 혈중최고농도 도달시간(Tmax): 1–3시간

⑥ 반감기(T1/2): 2–4시간

(6) 약물 상호작용(Drug Interaction)

- 이 약의 투여로 구아네티딘의 혈압강하 효과를 저하시킬 수 있다.
- 뇨의 산성화는 이 약의 배설을 증가시킨다.

2) 기형 발생 정보(Teratogenicity Information)

(1) 동물 실험(Animal test)

펜디메트라진에 관한 동물실험을 찾을 수 없었다.

(2) 외국의 역학연구 정보(Epidemiologic Information)

펜디메트라진은 암페타민 유사체로 식욕억제 효과가 있는 교감신경유사제로 작용한다. 펜디메트라진에 대한 임상보고는 없으나, 펜디메트라진 대사물인 펜메트라진(phenmetrazine)에 대한 역학연구 결과가 있다. 펜메트라진을 임신 3주에서 12주 사이에 복용하였던 산모에서 4건의 기형이 보고되었으며, 대부분 선천성 결함은 내장기관 이상과 관련이 있었다. 그러나 임신기간에 펜메트라진을 복용하였던 600명의 산모에서는 선천성 기형의 증가를 확인할 수 없었다.

(3) 한국마더세이프전문상담센터정보(The Korean MotherSafe Counselling Center Information)

펜디메트라진에 노출된 후 추적된 임신부는 총 111례이었으며 초기 노출 후 자연유산율은 6.4%(11/111)이었다. 임신 37주 이전의 조산율은 7.3%(7/96), 2,500 g 미만의 저체중증은 4.1%(4/97)이었다. 주요기형발생은 3.1%(3/97): bilateral inguinal hernia(1), micro penis with right smaller testis(1), choledochal cyst(1)가 있었다.

3) 모유 수유 시 독성 및 적합성 정보

- Lactation Risk Category: 분류되어 있지 않으며, 모유로 통과여부는 알려져 있지 않다. Human 보고 없음.
- 한국마더세이프전문상담센터: 수유부와 수유아 1쌍 중 부작용은 없었다.

99 프레드니손/프레드니솔론(Prednisone/Prednisolone)

1) 일반적 정보(General Information)

(1) 상품명

상품명	제약회사	용량	상품모양
니소론정	국제약품공업	5 mg	
소론도정	유한양행	5 mg	
대우프레드니솔론정	대우약품공업	5 mg	
대한프레드니솔론로숀	대한약품공업	2.5 mg	
피알디현탁시럽 0.1%	한림제약	1 mg	
피알디현탁시럽 0.3%	한림제약	3 mg	

(2) 성분: 17,21-dihydroxypregna-1,4-diene-3,11,20-trione/(11β)-11,17,21-Trihydroxypregna-1,4-diene-3,20-dione

- 분자식: $C_{21}H_{28}O_5$

(3) 임상적 적응증

- 내분비장애, 류마티스성질환, 교원성질환, 피부질환, 안과질환, 호흡기성질환, 아토피 피부염같은 알레르기성질환, 종양성질환, 부종성질환, 혈액성질환 등

(4) 작용기전(Mechanism of Action)

- 프레드니솔론은 프레드니손의 활성형 대사물이다. 주로 글루코코르티코이드와 낮은 미네랄로코르티코이드 활성을 보이는 코르티코스테로이드로서 항염증과 자가 면역학적 효과를 억제시킨다.

(5) 약물 역동학(Pharmacokinetics)

① 경구 생체 이용률(Oral Bioavailabioity): complete

② 분자량(MW): 358.42/360.44 g/mol

③ 단백질 결합(Protein binding): 75%

④ 혈중최고농도 도달시간(Tmax): 1시간

⑤ 반감기(T1/2): 2–3시간

(6) 약물의 상호작용(Drug Interactions)

- 바비튜레이트, 페니토인, 리팜핀과 사용시 효과 감소됨.

(7) Preganacy Risk Category: C

2) 기형 발생 정보(Teratogenicity Information)

(1) 동물 실험(Animal teratology studies)

프레드니솔론의 고용량의 사용은 설치류인 쥐나 토끼에서 구개열(cleft palate)을 일으킨다. 또한, 동맥관(ductus arterious)의 폐쇄와 관련된다.

한편, 프레드니솔론은 태자의 성장지연과 연관있는 것으로 보고하고 있다.

(2) 외국의 역학연구 정보(Epidemiologic Information)

환자–대조군 연구를 포함한 역학연구에 따르면 수정 전후 노출된 프레드니솔론 또는 프레드니손에 의해서 구개열의 발생을 증가시키는 것으로 알려져 있다. 지속적으로 임신 중 노출되는 경우에는 자궁내성장지연과 연관이 있다.

한편, 남성에서 고용량으로 장기간 노출 시 정자형성에 장애를 가져오고, 회복을 위해서는 6개월정도의 기간이 필요한 것으로 보고하고 있다. 하지만, 정자의 염색체 이상이나 정자의 모양에 이상을 초래하지 않았던 것으로 보고하고 있다.

(3) 한국마더세이프전문상담센터정보(The Korean MotherSafe Counselling Center Information)

프레드니솔론에 노출된 후 추적된 임신부는 총287례이었으며 초기 노출 후 자연유산율은

6.2%(18/287)이었다. 임신 37주 이전의 조산율은 3.8%(10/262), 2,500 g 미만의 저체중증은 2.3%(6/257)이었다. 주요기형발생은 4.3%(11/257): unilateral cleft lip and palate left side/bilateral clenched hands/Ventricular septal defect(1), necrotizing enterocolitis with perforation(1), PDA(1), nevus(3x3cm) on wist(1), both hands polydactyly(1), hydrocele and left wrist drop(1), imperforate anus(1), hydronephrosis(1), PDA(2), PFO with VSD(1), 그리고 사산 1례가 있었다.

3) 모유 수유시 독성 및 적합성 정보(Brestfeeding Compatibility Information)

- Lactation Risk Category: L2
- AAP: 적합함.
- 한국마더세이프전문상담센터: 수유부–수유아 23쌍 중 졸리움(1), 무른 변(1), 모유량 감소(1)가 있었다.

100 플루옥세틴(Fluoxetine)

1) 일반적 정보(General Information)

(1) 상품명

— 찾을 수 없음

상품명	제약회사	용량	상품모양
프론작캡슐	하나제약	22.4 mg	—
앤티프레스캅셀	구주제약	22.4 mg	
디프렌캅셀	대한뉴팜	22.4 mg	
디프렉신캡슐	한국유나이티드제약	22.4 mg	
디프렉신캡슐 10 mg	한국유나이티드제약	10 mg	
플록틴캅셀	한국콜마	22.4 mg	—
플로틴캡슐	메디카코리아	22.4 mg	
플루누린캡슐 20 mg	LG 생명과학	22.4 mg	

— 찾을 수 없음

상품명	제약회사	용량	상품모양
플루누린확산정 20 mg	LG 생명과학	20 mg	—
플루옥스캅셀	한미약품	22.4 mg	
국제플루옥세틴캅셀	국제약품공업	22.4 mg	
플록세틴캡슐	한국파비스	22.4 mg	—
한올염산플루옥세틴캡슐	한올제약	22.4 mg	—
대화염산플루옥세틴캡슐	대화제약	22.4 mg	
태극염산플루옥세틴캡슐	태극약품공업	22.4 mg	—
플루틴캡슐 10 mg	대원제약	10 mg	—
플루틴캅셀	대원제약	22.4 mg	
폭세틴캡슐 10 mg	환인제약	10 mg	
폭세틴캡슐 20 mg	환인제약	22.4 mg	
프릭딘캡슐	한국슈넬제약	22.4 mg	—
푸세틴캡슐	휴온스	22.4 mg	—
푸로틴캡슐	이텍스제약	22.4 mg	
후록세틴캡슐	일화	22.4 mg	—
후세틴캅셀	대우약품공업	22.4 mg	—
리도플캡슐	넥스팜코리아	22.4 mg	—
록세틴캅셀 20 mg	신풍제약	22.4 mg	
루세틴캅셀	경동제약	22.4 mg	
나노텍캅셀	한국웨일즈제약(주)	22.4 mg	
뉴로작캡슐	한국유니온제약	22.4 mg	

— 찾을 수 없음

상품명	제약회사	용량	상품모양
노브세틴캡슐	씨트리	22.4 mg	—
노르작캡슐	한국파마	22.4 mg	
셀렉틴캡슐 20 mg	닥터스메디라인	22.4 mg	
옥시그린캡슐	아남제약	22.4 mg	
플루작캡슐		22.4 mg	—
프라작캅셀	한국프라임제약	22.4 mg	—
푸로세틴캅셀	안국약품	22.4 mg	—
푸록틴캅셀 20 mg	명인제약	22.4 mg	
푸록틴캡슐 10 mg	명인제약	10 mg	
푸로핀캡슐 10 mg	드림파마	10 mg	
푸로핀캅셀	드림파마	22.4 mg	
푸로렌캅셀	광동제약	22.4 mg	
푸로작캡슐 20 mg	한국릴리	22.4 mg	
푸로작확산정	한국릴리	20 mg	
란크릭캅셀	삼성제약	22.4 mg	—
로세탄캅셀	영일제약	22.4 mg	
셀렉틴캡슐	바이넥스	22.4 mg	—
셀렉틴캡슐 10 mg	바이넥스	10 mg	—
세로작캡슐	동구제약	22.4 mg	—

— 찾을 수 없음

상품명	제약회사	용량	상품모양
유니작캡슐 10 mg	유니메드제약	10 mg	
유니작캅셀	유니메드제약	22.4 mg	
웰피트캡슐	수도약품공업	22.4 mg	
세작캅셀	동화약품공업	22.4 mg	
제로작캡슐	진양제약	22.4 mg	—

(2) 성분: N-methyl-3-phenyl-3-[4-(trifluoromethyl)phenoxy]propan-1-amine

- 분자식: $C_{17}H_{18}F_3NO$

(3) 임상적 적응증(Clinical indicatios)

- 주요우울증(Major Depressive Disorder)
- 강박신경증(Obsessive Compulsive Disorder)
- 신경성 폭식증(Bulimia Nervosa)
- 공황장애(Panic Disorder)
- 그 외: 뚜렛 증후군(Tourette's syndrome), 생리전증후군(premenstrual syndrome), 식욕억제제

(4) 작용기전(Mechanism of Action)

- Bicyclic antidepressants로서 SSRIs(selective serotonin reuptake inhibitors)로 분류되는 약물이다.
- Norepinephrine이나 dopamine의 reuptake에는 영향을 주지 않으면서 선택적으로 전 시냅스성 serotonin reuptake를 차단하며, muscarinic, histamine, α_{1-}, α_{2-}, adrenergic, serotonin 수용체에 대한 친화력은 상대적으로 거의 없다고 할 수 있다.
- 삼환계 항우울제의 진정, 저혈압, 항콜린 작용의 위험성이 큰 환자에서 사용할 수 있다.

(5) 약물 역동학(Pharmacokinetics)

① 경구 생체 이용률(Oral bioavailability): 100%

② 분자량(MW): 309 g/mol

③ 친지질성(Lipophilic): −

④ 단백질 결합: 94.5%

⑤ 혈중최고농도 도달시간(Tmax): 1.5−12시간

⑥ 반감기(T1/2): 2−3 days

(6) 약물상호작용(Drug Interaction)

- 중추신경계 활성약물(CNS active drugs): 다른 중추신경계 활성약물과 같이 사용할 경우 주의를 요한다. 동시에 사용 시 초기 용량을 낮게 사용하여 개인에 맞게 적정량을 유지하여 임상적으로 평가하여야 한다.

- 항경련제(Anticonvulsants): 페니토인(phenytoin)과 카바마제핀(carbamazepine)을 안정용량으로 사용하는 경우 처음 플루옥세틴을 동시에 투여 시 혈장 항경련제농도를 증가시켜 독 성작용을 나타낼 수 있다.

- 항정신병제(Antipsychotics): 몇몇의 연구결과 SSRI 제제와 항정신병제간에 약물역동 및 약물동태적으로 상호작용이 있을 수 있다고 보고하였다. 플루옥세틴을 동시에 투여할 경우 할로페리돌(haloperidol)과 클로자핀(clozapine)의 혈중농도가 증가한다. 피모짓(pimozide)과 같은 항우울제약물을 같이 사용하는 경우, 약물상호작용이 증가하거나 심전도 이상(QTc prolongation)이 동반될 수 있다. 따라서 피모짓과 플루옥세틴을 같이 사용하는 것은 금기이다.

- 벤조디아제핀(Benzodiazepines): 같이 사용하는 경우 디아제팜(diazepam)의 반감기가 증가할 수 있다. 또한 알프라졸람(alprazolam)과 플루옥세틴을 같이 사용하는 경우 알프라졸람의 혈중농도가 증가되어 정신운동활동의 장애가 생길 수 있다.

- 리튬(Lithium): 플루옥세틴과 같이 사용할 경우 리튬의 농도가 증가 또는 감소할 수 있다. 리튬의 독성이 증가하여 세로토닌 활성의 증가가 보고된 바 있으므로 같이 사용할 경우 리튬의 농도감시가 필요하다.

- 트립토판(Tryptophan): 플루옥세틴과 같이 트립토판을 사용하였던 5예에서 흥분(agitation), 안절부절증(restlessness), 그리고 위장관 장애(gastrointestinal distress)등의 증가가 보고되었다.

- 단가아민산화효소 억제제(Monoamine oxidase inhibitors): 동시에 사용하는 경우 혈중농도가 증가함에 따라 과체온증, 진전, 경련, 섬망 혼수 등이 보고되었다.

- 세로토닌계 약물(Serotonergic drugs): 플루옥세틴은 같이 사용하는 경우 세로토닌계의 신경전달계에 영향을 줄 수 있기 때문에 다른 SSRI계 약물이나 SNRI 또는 트립토판과 같이 사용하는 것은 금기이다.
- 와파린(Warfarin): 플루옥세틴과 병용하는 경우 항응고작용을 변화시켜 출혈경향을 증가시킨다. 따라서 와파린 치료를 받는 사람에서는 플루옥세틴을 시작하거나 종료할 경우 응고양상에 대한 감시가 필요하다.
- 전기경련요법(Electroconvulsive therapy(ECT)): 명확한 임상자료는 없으나 플루옥세틴을 복용하는 환자에서 전기경련요법을 시행 받은 경우 경련이 오래 지속되었다는 보고가 있다.

2) 기형 발생 정보(Teratogenicity Information)

(1) 동물 실험(Animal test)

플루옥세틴이 쥐의 태반을 통과한다고 알려져 있다. 인간 최대 용량의 11배를 쥐와 토끼에게 투여하였으나 생식력 또는 신경독성학적 이상효과는 일어나지 않았다. 한 연구에서 인간용량의 약 17배를 쥐에게 투여하였더니 피부에 혈종이 증가하였다.

고용량의 약물투여는 주산기 사망을 증가시켰으나, 일시적인 운동장애 이외에 장기간의 행동발달지연은 보이지 않았다.

(2) 외국의 역학연구 정보(Epidemiologic Information)

1997년, 임신 첫1삼분기에 플루옥세틴에 노출된 796명의 산모를 조사하였는데 대조군과 비교 하여 유산이나 선천성기형의 빈도가 증가하였다는 증거를 찾을 수 없었다. 또한 선천성 기형을 가지고 있는 28명의 아이들을 후향적조사를 하였으나 일치되는 연관성을 찾을 수 없었다. 임신 첫1삼분기에 플루옥세틴에 노출된 다른 메타분석(meta-analysis) 결과에서도 선천성 기형의 증가는 보고되지 않았다. 캘리포니에서 228명이 플루옥세틴에 노출되었는데 이 중 임신 첫1삼분기에 노출된 164명은 주요한 기형이 증가되지 않았다.

제3삼분기에 노출된 100명 이상의 여성에서 조산 등의 신생아 문제는 발견되지 않았다. 플루옥세틴이나 다른 SSRI 에 노출되었던 산모의 신생아에서는 여러 연구가 있었는데 호흡곤란과 지속적 폐고혈압(16, 17), 20주 이후에 사용한 경우 안절부절(jitteriness), 흥분(irritability), 구토(vomiting), 그리고 경련(convulsions)등이 보고되었다.

산모-신생아 짝을 지어 플루옥세틴을 복용한 군(N=40), 삼환계 항우울제를 복용한 군(N=46)으로 나누어 연구하였는데, 15개월에서 71개월 사이의 아이들에서 IQ, 언어발달, 또는 행동의 차이는 약을 복용하지 않았던 군(N=36)과 차이가 나지 않았다. 그러나 우울증의 기간과 IQ, 산후우울증의 빈도와 언어발달에 있어서는 음성적인 연관성이 있었다. 이는 주산기 우울증의 치료가 산모뿐만 아니라 태아나 큰 아이에 있어서도 필요하다는 이유가 될 수 있다.

동물과 사람의 연구에 비추어볼 때 플루옥세틴은 주요선천기형을 증가시키지 않는다. 그러나 임신 말기에 사용한 경우 경도의 일시적인 증상 즉 중추신경계, 운동, 호흡 및 위장관계에 영향을 줄 수 있다. 임신 20주 이후에 플루옥세틴, 설트랄린, 또는 파록세틴에 노출된 경우

일시적으로 신생아에서 지속성 폐성고혈압의 위험이 증가될 수 있다. 장기간 신경발달학적인 연구에서 임신중 플루옥세틴에 노출된 경우에 자손에서 이상증상을 나타내지 않았다.

(3) 한국마더세이프전문상담센터정보(The Korean MotherSafe Counselling Center Information)

플루옥세틴에 노출된 후 추적된 임신부는 총 101례이었으며 초기 노출 후 자연유산율은 8.9%(9/101)이었다. 임신 37주 이전의 조산율은 2.2%(2/89), 2,500 g 미만의 저체중증은 2.3%(2/88)이었다. 주요기형발생은 3.4%(3/88): right renal cyst(1), right liver mass(1), choledochal cyst, PDA(1)가 있었다. 그리고 사산 1례가 있었다.

3) 모유 수유 시 독성 및 적합성 정보(Breastfeeding Compatibility Information)

- Lactation Risk Category: L2
- 플루옥세틴과 그 주요한 대사물질인 노르플루옥세틴은 모유를 통해 분비된다. 한 논문에서 플루옥세틴의 모유/혈장비는 대략 0.6으로 보았으며, 영아에 총 노출되는 비율은 6.81%(range 2.15-12%)라고 보고하였다. 수유기간 중 플루옥세틴에 노출된 후 이상증상을 나타내었던 2가지 경우가 보고되었다. 한 예에서는 노출된 영아에서 영아산통(colic)의 증상을 나타내었다. 또한 수유 중 3개월간 플루옥세틴에 노출되었던 산모의 아이에서 처음 2주간 영아의 흥분(irritability)이 증가됨을 알 수 있었다. 이 외에 다른 증상은 발견되지 않았으며, 다른 연구에서도 보고된 바는 없다.
- 한국마더세이프전문상담센터: 수유부와 수유아 2쌍 중 부작용 례는 없었다.

101 피프린히드리네이트(Piprinhydrinate)

1) 일반적 정보(General Information)

(1) 상품명

— 찾을 수 없음

상품명	제약회사	용량	상품모양
크로콩정	수도약품공업	3 mg	—
브리콩정	셀라트팜코리아	3 mg	—

- 찾을 수 없음

상품명	제약회사	용량	상품모양
푸라콩주	영진약품	3 mg	
삼성피프린주		3 mg	—
피푸란주사		3 mg	—
코라콩주사	휴온스	3 mg	—
휴온스코라콩정	휴온스	3 mg	—
푸리콘주	한올제약	3 mg	—

(2) 성분: Piprinhydrinate

- 분자식: (찾을 수 없음)

(3) 임상 적응증(Clinical indications)

- 소양성 피부질환, 두드러기, 알러지성 비염, 감기로 인한 재채기, 콧물, 기침

(4) 작용기전(Mechanism of Action)

- 피프린히드리네이트는 항히스타민 제제로 정확한 약물 작용에 관한 연구는 미비하다.

(5) 약물역동학(Pharmacokinetics)(찾을 수 없음)

① 경구 생체 이용률(Oral bioavailability): −

② 분자량(MW): −

③ 단백질 결합: −

④ 혈중최고농도 도달시간(Tmax): −

⑤ 반감기(T1/2): −

(6) 약물 상호작용(Drug Interaction)

- 찾을 수 없음

2) 기형 발생 정보(Teratogenicity Information)

(1) 동물 실험(Animal test)

찾을 수 없음

(2) 외국의 역학연구 정보(Epidemiologic Information)

찾을 수 없음

(3) 한국마더세이프전문상담센터정보(The Korean MotherSafe Counselling Center Information)

피프린히드리네이트에 노출된 후 추적된 임신부는 총 154례이었으며 초기 노출 후 자연유산율은 5.8%(9/154)이었다. 임신 37주 이전의 조산율은 5.6%(8/144), 2,500g 미만의 저체중증은 4.3%(6/141)이었다. 주요기형발생은 2.1%(3/141): hypoxic ischemic encephalopathy with asphyxia and seizure/PDA(1), ASD(2)가 있었다.

3) 모유 수유 시 독성 및 적합성 정보
- 관련정보 찾을 수 없음.
- 한국마더세이프전문상담센터: 수유부–수유아 3쌍 중 부작용 례는 없었다.

102 하이드로코르티손(Hydrocortisone)

1) 일반적 정보(General Information)
(1) 상품명

— 찾을 수 없음

상품명	제약회사	용량	상품모양
더마크린 HC 로오숀 1%	고려제약	10 mg/mL, 60 mL	—
더모케어 로션 1%	나노팜	1 g/100 mL	
더모케어 로션 2.5%	나노팜	1 g/100 mL	—
락티손 에이취씨 현탁액 1%	중외신약	1 g/100 mL, 20 mL	
락티손 에이취씨 현탁액 2.5%	중외신약	2.5 g/100 mL, 8 mL	
락티케어 에취씨 로오숀 1%	한국스티펠	10 mg/mL, 118 mL	
락티케어 에취씨 로오숀 2.5%	한국스티펠	25 mg/mL, 60 mL	
래피손 정	코오롱제약	10 mg	
로티손 정	DHP 코리아	10 mg	—

— 찾을 수 없음

상품명	제약회사	용량	상품모양
마이팜 히드로코르티손 정	한국마이팜제약	10 mg	—
스무스케어 로션 1%	한국콜마	10 mg/g, 30 mL	
스무스케어 로션 2.5%	한국콜마	25 mg/g, 30 mL	
예나팜 히드로코르티손 정	제이텍바이오젠	10 mg	
일양 코티코 정	일양약품	10 mg	
제이알 히드로코르티손 연고 1%	제이알피	10 mg/g	
제이알 히드로코르티손 정	제이알피	5 mg, 10 mg	
케어스킨 로션 1%	OEM J.S Pharm	10 mg/g, 60 g	—
케어스킨 로션 2.5%	OEM J.S Pharm	25 mg/g	—
코디케어 로션 2.5%	동구제약	25 mg/g, 50 mL	
코로손 정	영일제약	10 mg	
프로 액 0.5%	동인당제약	30 mL	—
하론드 정	동성제약	10 mg	—
하이로손 2.5% 로션	태극제약	25 mg/g, 30 g	—
하이로손 크림	태극제약	10 mg	—
하이손 정	대우약품공업	10 mg	—
하티손 로션 1%	한미약품	10 mg/mL, 30 mL	
하티손 로션 2.5%	한미약품	25 mg/mL, 60 mL	
히드록시 크림	대한약품공업	10 mg/g	—

(2) 성분: (11β)−11,17,21−trihydroxypregn−4−ene−3,20−dione

- 분자식: $C_{21}H_{30}O_5$

(3) 임상적 적응증(Clinical Indications)

- 알레르기 질환, 아교질병, 내분비계질환, 눈 질환, 위장관 질환, 조혈계 질환, 호흡기계 질환, 피부질환, 다발성경화증의 악화, 근골격계 염증성 질환, 종양성 질환, 특발성 혹은 홍반성루푸스에 의한 신증후군, 신경 혹은 심근의 선모충증, 결핵성 돌출 블록 또는 거미막하 뇌수막염 등

(4) 작용기전(Mechanism of Action)

- 다형핵 백혈구의 이동 저해 및 증가된 모세혈관 투과도 회복을 통한 염증 감소

(5) 약물 역동학(Pharmacokinetics)

① 경구 생체 이용률(Oral Bioavailabioity): 96 %

② 분자량(MW): 362.46 g/mol

③ 단백질 결합: 90%

④ 혈중최고농도 도달시간(Tmax): 250±14분

⑤ 반감기(T1/2): 1−2시간

(6) 약물 상호작용(Drug Interactions)

- Cytochrome P450에 의한 영향: CYP3A4의 minor 기질이며, 약하게 유도함.
- 약효 혹은 독성의 증가

① 경구 항응고제와 병용 시 prothrombin time 이 증가됨.

② 칼륨 고갈 이뇨제와 병용 시 저칼륨혈증 위험성 증가

③ 강심배당체와 병용 시 부정맥의 위험성 증가 또는 저칼륨혈증에 의한 digitalis 독성

- 약효감소

① 인슐린의 혈당저하효과 감소

② Phenytoin, phenobarbital, ephedrine 및 rifampin은 hydrocortisone의 대사를 증가시켜 혈중 스테로이드 농도를 감소시킨다.

- 효과감소

① CYO2D6 전구약물 기질(Codein, hydrocodone, oxycodone, tramadole등)의 효과와 수치를 감소시킨다.

② Ketoconazole, fluconazole, Itraconazole(특히 캡슐)의 혈청농도를 감소시킨다.

③ H2 길항제와 병용을 피할 것.

④ Delaviridine(H2 길항제와 병용을 피할 것)과 atazanavir흡수를 감소시킨다.

2) 기형 발생 정보(Teratogenicity Information)

(1) 동물 실험(Animal teratology studies)

임신한 생쥐와 렛트에 하이드로코르티손을 주입한 동물실험에서 구개열의 증가를 보고한 연구들이 있었고, 쥐를 대상으로 기관형성기에 하이드로코르티손을 준 다른 실험에서는 배꼽탈장, 구개열, 부종을 보고하였다. 토끼를 대상으로 한 실험에서는 구개열과 신경관결손을, 고용량에서는 유산, 태자성장지연, 배꼽탈장의 증가를 보고하였다. 또한 피부연고제를 사용한 동물실험에서는 태자 체중의 감소와 lethality를 보고한 연구도 있었다.

(2) 외국의 역학연구 정보(Epidemiologic Information)

임신 제1삼분기에 코르티코스테로이드에 노출된 산모를 조사한 몇몇 연구에서 구순열을 보고하였고, 먹는 약이 아닌 피부연고제만이 구순열과 관련있다는 연구도 있었다. 코르티코스테로이드에 대한 다른 독성연구에서 다른 선천성 기형과의 관련성은 밝히지 못했으나 구순열 증가의 가능성은 배제할 수 없다고 보고하였다. 또한 지속적인 노출은 자궁 내 성장지연과 연관이 있다.

(3) 한국마더세이프전문상담센터정보(The Korean MotherSafe Counselling Center Information)

하이드로코르티손에 노출된 후 추적된 임신부는 총 58례이었으며 초기 노출 후 자연유산율은 6.8%(4/58)이었다. 임신 37주 이전의 조산율은 0.0%(0/52), 2,500 g 미만의 저체중증은 1.9%(1/52)이었다. 주요기형발생은 1.9%(1/52): VSD(1)가 있었다.

3) 모유 수유시 독성 및 적합성 정보(Brestfeeding Compatibility Information)

- Lactation Risk Category: L3
- 모유로 분비되는 약물의 양은 보고된 바 없으나 다른 스테로이드와 마찬가지로 적을 것으로 생각된다. 유두에 바르는 스테로이드의 경우 그 양과 기간이 짧다면 수유 중에도 쓸 수 있다고 한 저자들도 있는데 되도록 이면 0.5-1%로 사용하라고 권장하고 있다.
- 한국마더세이프전문상담센터: 수유부와 수유아 8쌍 중 젖량 감소 1례 있었다.

103 히드록시진(Hydroxyzine)

1) 일반적 정보(General Information)

(1) 상품명

— 찾을 수 없음

상품명	제약회사	용량	상품모양
르잔 정	대림제약	10 mg	—
센티락스 정	(주)드림파마	10 mg	
쎌라트팜 염산히드록시진 정	스카이뉴팜	10 mg	
아디팜 정	태극제약	10, 25 mg	
유시락스 시럽	한국유씨비제약(주)	2 mg/mL	
유시락스 정	한국유씨비제약(주)	10, 25 mg	

(2) 성분: Benzhydrylpiperazine antihistamine(±)-2-(2-{4-[(4-chlorophenyl)-phenylmethyl]piperazin-1-yl}ethoxy)ethanol

- 분자식: $C_{21}H_{27}ClN_2O_2$

(3) 임상적 적응증(Clinical indications)

- 알코올 금단증상
- 출산 중 통증 경감의 마약성 진통제 용량감량, 보조요법
- 불안증
- 임신과 관련하지 않은 오심, 구토

- 수술 전, 수술 후의 통증 보조요법
- 소양증
- 정신 운동성 초조: 보조 요법
- 진정: 보조 요법

(4) 작용기전(Mechanism of Action)

- 중추 피질하 부위 작용을 억제하여 빠른 진정작용
- 소화기, 혈관, 호흡기에 있는 H1 수용체에 histamine과 길항
- 골격근 이완, 기관지 이완, 항진경, 항히스타민, 진통, 항구토 작용

(5) 약물역동학(Pharmacokinetics)

① 경구 생체 이용률(Oral bioavailability): complete

② 분자량(MW): 374.90 g/mol

③ 친수성(hydrophilic): −

④ 단백질 결합: 93%

⑤ 혈중최고농도 도달시간(Tmax): 2시간

⑥ 반감기(T1/2): 3−7시간

(6) 약물 상호작용(Drug Interaction)

- CYP450 영향: CYP2D6 저해제(weak)
- 효과/독성 감소 중추 신경계 억제제, 항콜린제, pramlintide와 병용 시 Hydroxyzine HCl효과 증가
- 효과 감소 acetylcholinesterase는 hydroxyzine의 항콜린 작용을 감소

2) 기형 발생 정보(Teratogenicity Information)

(1) 동물 실험(Animal test)

쥐에 임신 기간 중 민감한 시기에 염산히드록시진 및 meclizine, buclizine 같은 항히스타민제를 투여하였을 때 입천장과 골격계의 기형이 유발됨이 보고되었다. 염산히드록시진은 강아지에서도 기형유발과 관련있음이 보고되었고, 5.5 mg/kg 용량에서는 돼지와 원숭이에서 유산의 빈도가 증가되었다. 염산히드록시진의 대사물질인 norchlorcyclizine이 쥐의 태자에게 독성물질로 작용함이 밝혀졌다. 쥐에서 항히스타민제제가 태아 부종을 일으키는 기전은 구강 안면을 일으키는 물질에 의해 일어난다고 여겨지고 있다.

(2) 외국의 역학연구 정보(Epidemiologic Information)

인간에서 염산히드록시진이 임신에 미치는 영향들에 대한 여러 가지 보고가 있었다. 구토완화를 위하여 50 mg/d 염산히드록시진을 경구투여하였던 경우 태아기형이나 소모가 유의하게 증가하지 않았다. 임신 제 1삼분기에 염산히드록시진에 노출되었던 50명 중 5명에서 출산 시 기형이 발견되었으나, 이는 통계학적인 유의성이 없었으며 대상군이 작다는 한계가 있었다. 염산히드록시진에 노출되었던 37건의 임신 중 한 건에서 신장 무형성과 짧은 하지를 동반한 사산을 보고하였다.

많은 안정제들처럼 염산히드록시진은 태아 심박동을 감소시킬 수 있으나 이런 효과는 임신 말기에 임상적 의의가 없었다.

(3) 한국마더세이프전문상담센터정보(The Korean MotherSafe Counselling Center Information)

염산히드록시진에 노출된 후 추적된 임신부는 총104례이었으며 초기 노출 후 자연유산율은 5.7%(6/104)이었다. 임신 37주 이전의 조산율은 4.3%(4/94), 2,500 g 미만의 저체중증은 3.2%(3/93)이었다. 주요기형발생은3.2%(3/93): nevus(3x3cm) on wrist(1), both hands polydactyly(1), scalp mass and anal dimpling(1)가 있었다. 그리고 사산 2례가 있었다.

3) 모유 수유 시 독성 및 적합성 정보

- Lactation Risk Category: L2
- 염산히드록시진 및 그 외 항히스타민제제와 관련한 모유 분비 및 신생아에 미치는 영향들에 관한 보고가 거의 없다.
- 한국마더세이프전문상담센터: 수유부와 수유아 12쌍 중 졸리움 1례 있었다.

찾아보기

모·태·독·성·학

ㅈ

ㅊ

기타

T